2023년 이투스북 연간검토단

◇— 서울 —◇

강동은 반포 세정학원
강소미 성북메가스터디
강연주 상도뉴스터디학원
강영미 슬로비매쓰 수학학원
강은녕 탑수학학원
강종철 쿠메수학교습소
강현숙 유니크학원
고수환 상승곡선학원
고재일 대치TOV수학
고진희 한성여자고등학교
고현 네오매쓰수학학원
고혜원 전문과외
공정현 대치 대공수학학원
곽슬기 목동매쓰원수학학원
구난영 셀프스터디수학학원
구순모 세진학원
구정아 정현수학
권가영 커스텀 수학(CUSTOM MATH)
권상호 수학은권상호 수학학원
권용만 은광여자고등학교
권유혜 전문과외
권지우 뉴파인학원
김강현 갓오브매쓰수학
김경진 덕성여자중학교
김경화 금천로드맵수학학원
김국환 매쓰플러스수학학원
김규연 수력발전소학원
김금화 라플라스 수학 학원
김기덕 메가매쓰학원
김나영 대치 새움학원
김도규 김도규수학학원
김동우 예원수학
김명완 대세수학학원
김명환 목동깡수학과학학원
김명후 김명후 수학학원
김문경 연세YT학원
김미란 스마트해법수학
김미아 일등수학교습소
김미애 스카이맥에듀학원
김미영 명수학교습소
김미영 정일품수학학원
김미진 채움수학
김미희 행복한수학쌤
김민수 대치 원수학
김민재 탑엘리트학원
김민정 김민정수학☆
김민지 강북 메가스터디학원
김민창 김민창수학
김병석 중계주공5단지 수학학원
김병호 국선수학학원
김보민 이투스수학학원 상도점
김상철 미래탐구마포
김선경 개념폴리아
김성숙 써큘러스리더 러닝센터
김수민 통수학학원
김수영 엑시엄수학전문학원
김수진 싸인매쓰수학학원
김수진 잠실 cms
김수진 깊은수학학원
김수형 목동 깡수학과학학원
김수환 프레임학원
김승원 솔(sol)수학학원
김애경 이지수학
김여옥 매쓰홀릭 학원
김영숙 수플러스학원
김영재 한그루수학
김영준 강남매쓰탑학원
김예름 세이노수학(메이드)
김용우 참 수학
김윤 잇올스파르타
김윤태 김종철 국어수학전문학원
김윤희 유니수학교습소
김은경 대치영어수학전문학원
김은숙 전문과외
김은영 와이즈만은평센터
김은영 선우수학
김은찬 엑시엄수학학원
김의진 채움수학
김이현 고덕 에듀플렉스
김인기 학림학원
김재연 알티씨수학
김재헌 CMS연구소
김정아 지올수학
김정철 미독학원
김정화 시매쓰방학센터
김정훈 이투스 수학학원 왕십리뉴타운점
김주원 AMB수학학원
김주희 장한학원
김지선 수학전문 순수
김지연 목동 올백수학
김지은 목동매쓰원수학학원
김지훈 드림에듀학원(까꿍수학)
김지훈 엑시엄수학전문학원
김진규 서울바움수학 (역삼럭키)
김진영 이대부속고등학교
김진희 씽크매쓰수학교습소
김창재 중계세일학원
김창주 고등부관스카이학원
김태영 페르마수학학원 신대방캠퍼스
김태현 반포파인만 고등관
김하늘 역경패도 수학전문
김하민 서강학원
김하연 hy math
김항기 동대문중학교
김해찬 the다원수학
김현수 그릿수학831 대치점
김현아 전문과외
김현욱 리마인드수학
김현유 혜성여자고등학교
김현정 미래탐구 중계
김현주 숙명여자고등학교
김현지 전문과외
김형우 (주)대치 시리우스 아카데미
김형진 수학혁명학원
김홍수 김홍학원
김효선 토이300컴퓨터
김효정 상위권수학
김후광 압구정파인만
김희경 에메트수학
나은영 메가스터디러셀
나태산 중계 학림학원
남솔잎 솔잎샘수학영어학원
남식훈 수학만
남호성 은평구 퍼씰 수학 전문학원
노유영 종암중학교
노인주 CMS대치입시센터
류도현 류샘수학학원
류재권 서초TOT학원
류정민 사사모플러스수학학원
목지아 수리티수학학원
문성호 차원이다른수학학원
문소정 예섬학원
문용근 칼수학 학원
문재웅 성북메가스터디
문지훈 김미정국어
민수진 월계셈스터디학원
박경원 대치메이드 반포관
박교국 백인대장
박근백 대치멘토스학원
박동진 더힐링수학
박명훈 김샘학원 성북캠퍼스
박미라 매쓰몽
박민정 목동깡수과학학원
박상후 강북 메가스터디학원
박설아 수학을삼키다 학원 흑석관
박세리 대치이강프리미엄
박세찬 쎄이학원
박소영 전문과외
박소윤 Aurum Premium Edu
박수견 비채수학원
박연주 물댄동산 수학교실
박연희 박연희깨침수학교습소
박영규 하이스트핏 수학
박옥녀 전문과외
박용진 에듀라인학원
박정훈 전문과외
박종원 상아탑학원 (서울 구로)
박주현 장훈고등학교
박준하 탑브레인수학학원
박지혜 참수학
박진희 박선생수학전문학원
박찬경 파인만학원
박태흥 CMS서초영재관
박현주 나는별학원
박혜진 강북수재학원
박흥식 연세수학원송파2관
서근환 대진고등학교
서동혁 이화여자고등학교
서민국 시대인재 특목센터
서민재 서준학원
서수연 수학전문 순수학원
서순진 참좋은본관학원
서용준 와이제이학원
서원준 잠실시그마수학학원
서은애 하이탑수학학원
서중은 블루플렉스학원
서한나 라엘수학학원
석현욱 잇올스파르타
선철 일신학원
설세령 뉴파인 이촌중고등관
성우진 cms서초영재관
손권민경 원인학원
손민정 두드림에듀
손전모 다원교육
손충모 공감수학
송경호 스마트스터디학원
송동인 송동인 수학명가
송재혁 엑시엄수학전문학원
송준민 수와 통하는 송 수학
송진우 도진우 수학 연구소
송해선 불곰에듀
신관식 동작미래탐구
신기호 신촌메가스터디학원
신연우 대성다수인학원 삼성점
신은숙 펜타곤학원
신은진 상위권수학학원
신정훈 온챌아카데미
신지영 아하김일래수학전문학원
신채민 오스카학원
신현수 EGS학원
심지현 심지수학 교습소
심혜영 열린문수학학원
심혜진 수학에미친사람들
안나연 전문과외
안대호 말글국어 더함수학 학원
안도연 AMC수학
양원규 일신학원
양해영 청출어람학원
엄시온 올마이티캠퍼스
엄유빈 유빈쌤 대치 수학
엄지희 티포인트에듀학원
엄태웅 엄선생수학
여혜연 성북하이스트
오명석 대치 미래탐구 영재경시특목센터
오재현 강동파인만학원 고덕관
오종택 대치 에이원 수학
오주연 수학의기술

오한별 광문고등학교
용호준 cbc수학학원
우교영 수학에미친사람들
우동훈 헤파학원
원종운 뉴파인 압구정 고등관
원준희 CMS 대치영재관
위명훈 명인학원
위형채 에이치앤제이형설학원
유대호 잉글리쉬앤매쓰매니저
유라헬 스톨키아학원
유봉영 류선생 수학 교습소
유승우 중계탑클래스학원
유자현 목동매쓰원수학학원
유재현 일신학원
윤상문 청어람수학원
윤석원 공감수학
윤수현 조이학원
윤여균 전문과외
윤영숙 윤영숙수학전문학원
윤형중 씨알학당
은현 목동CMS 입시센터 과고반
이건우 송파이지엠수학학원
이경용 열공학원
이경주 생각하는 황소수학 서초학원
이규만 SUPERMATH학원
이동훈 감성수학 중계점
이루마 김샘학원 성북캠퍼스
이민아 정수학
이민호 강안교육
이상문 P&S학원
이상영 대치명인학원 백마
이상훈 골든벨 수학학원
이서은 송림학원
이성용 전문과외
이성훈 SMC수학
이세복 일타수학학원
이소윤 목동선수학학원
이수지 전문과외
이수진 깡수학과학학원
이수호 준토에듀수학학원
이슬기 예친에듀
이승현 신도림케이투학원
이승호 동작 미래탐구
이시현 SKY미래연수학학원
이영하 서울 신길뉴타운 래미안 프레비뉴 키움수학 공부방
이용우 올림피아드 학원
이용준 수학의비밀로고스학원
이원용 필과수 학원
이원희 대치동 수학공작소
이유강 조재필수학학원 고등부
이유예 스카이플러스학원
이유원 뉴파인 안국중고등관
이유진 마포고등학교
이윤주 와이제이수학교습소
이은숙 포르테수학
이은영 은수학교습소

이은주 제이플러스수학
이재용 이재용 THE쉬운 수학학원
이재환 조재필수학학원
이정석 CMS 서초영재관
이정섭 은지호영감수학
이정한 전문과외
이정호 정샘수학교습소
이제현 압구정 막강수학
이종운 알바트로스학원
이종혁 강남N플러스
이종호 MathOne 수학
이주희 고덕엠수학
이준석 목동로드맵수학학원
이지애 다비수수학교습소
이지연 단디수학학원
이지우 제이 앤 수 학원
이지혜 세레나영어수학학원
이지혜 대치파인만
이진 수박에듀학원
이진덕 카이스트
이진희 서준학원
이창석 핵수학 전문학원
이충훈 QANDA
이태경 엑시엄수학학원
이학송 뷰티풀마인드 수학학원
이한결 밸류인수학학원
이현주 방배 스카이에듀 학원
이현환 21세기 연세 단과 학원
이혜림 대동세무고등학교
이혜림 다오른수학교습소
이혜수 대치 수 학원
이효준 다원교육
이효진 올토수학
임규철 원수학
임다혜 시대인재 수학스쿨
임민정 전문과외
임상혁 양파아카데미
임성국 전문과외
임소영 123수학
임영주 세빛학원
임은희 세종학원
임정수 시그마수학 고등관(성북구)
임지우 전문과외
임현우 선덕고등학교
임현정 전문과외
장석진 이덕재수학이미선국어학원
장성훈 미독수학
장세영 스펀지 영어수학 학원
장승희 명품이앤엠학원
장영신 위례솔중학교
장지식 피큐브아카데미
장혜윤 수리원수학교육
전기열 유니크학원
전상현 뉴클리어수학
전성식 맥스수학수리논술학원
전은나 상상수학학원
전지수 전문과외

전진남 지니어스 수리논술 교습소
전혜인 송파구주이배
정광조 로드맵수학
정다운 정다운수학교습소
정다운 해내다수학교습소
정대영 대치파인만
정문정 연세수학원
정민경 바른마테마티카학원
정민준 명인학원
정소흔 대치명인sky수학학원
정슬기 티포인트에듀학원
정영아 정이수학교습소
정원선 McB614
정유진 전문과외
정은경 제이수학
정재윤 성덕고등학교
정진아 정선생수학
정찬민 목동매쓰원수학학원
정하윤
정화진 진화수학학원
정환동 씨앤씨0.1%의대수학
정효석 서초 최상위하다 학원
조경미 레벨업수학(feat.과학)
조병훈 꿈을담는수학
조수경 이투스수학학원 방학1동점
조아라 유일수학학원
조아람 로드맵
조원해 연세YT학원
조은경 아이파크해법수학
조은우 한솔플러스수학학원
조의상 서초메가스터디 기숙학원, 강북메가, 분당메가
조재묵 천광학원
조정은 전문과외
조한진 새미기픈수학
조현탁 전문가집단학원
주병준 남다른 이해
주용호 아찬수학교습소
주은재 주은재 수학학원
주정미 수학의꽃
지명훈 선덕고등학교
지민경 고래수학
차민준 이투스수학학원 중계점
차용우 서울외국어고등학교
채미옥 최강성지학원
채성진 수학에빠진학원
채종원 대치의 새벽
최경민 배움틀수학학원
최관석 열매교육학원
최동욱 숭의여자고등학교
최문석 압구정파인만
최백화 주은재 수학학원
최병옥 최코치수학학원
최서훈 피큐브 아카데미
최성용 봉쌤수학교습소
최성재 수학공감학원
최성희 최쌤수학학원

최세남 엑시엄수학학원
최엄견 차수학학원
최영준 문일고등학교
최용희 명인학원
최정언 진화수학학원
최종석 수재학원
최주혜 구주이배
최지나 목동PGA전문가집단
최지선 몰입수학
최찬희 CMS서초 영재관
최희서 최상위권수학교습소
편순창 알면쉽다연세수학학원
하태성 은평G1230
한명석 아드폰테스
한선아 짱솔학원 중계점
한승우 같이상승수학학원
한승환 반포 짱솔학원
한유리 강북청솔
한정우 휘문고등학교
한태인 메가스터디 러셀
한현주 PMG학원
허윤정 미래탐구 대치
홍상민 수학도서관
홍성윤 전문과외
홍성주 굿매쓰수학교습소
홍성진 대치 김앤홍 수학전문학원
홍성현 서초TOT학원
홍재화 티다른수학교습소
홍정아 홍정아수학
홍준기 서초CMS 영재관
홍지윤 대치수과모
홍지현 목동매쓰원수학학원
황의숙 The나은학원
황정미 카이스트수학학원

인천

강동인 전문과외
강원우 수학을 탐하다 학원
고준호 베스트교육(마전직영점)
곽나래 일등수학
곽현실 두꺼비수학
권경원 강수학학원
권기우 하늘스터디 수학학원
금상원 수미다
기미나 기쌤수학
기혜선 체리온탑 수학영어학원
김강현 송도강수학학원
김건우 G1230 학원
김남신 클라비스학원
김도영 태풍학원
김미진 미진수학 전문과외
김미희 희수학
김보경 오아수학공부방
김연주 하나M수학
김유미 꼼꼼수학교습소

김윤경 SALT학원
김응수 메타수학학원
김준 쭌에듀학원
김진완 성일 올림학원
김하은 전문과외
김현우 더원스터디수학학원
김현호 온풀이 수학 1관 학원
김형진 형진수학학원
김혜린 밀턴수학
김혜영 김혜영 수학
김혜지 한양학원
김효선 코다에듀학원
남덕우 Fun수학 클리닉
노기성 노기성개인과외교습
문초롱 클리어수학
박용석 절대학원
박재섭 구월스카이수학과학전문학원
박정우 청라디에이블
박창수 온풀이 수학 1관 학원
박치문 제일고등학교
박해석 효성 비상영수학원
박효성 지코스수학학원
변은경 델타수학
서대원 구름주전자
서미란 파이데이아학원
석동방 송도GLA학원
손선진 (주)일품수학과학학원
송대익 청라 ATOZ수학과학학원
송세진 부평페르마
안서은 Sun math
안예원 ME수학전문학원
안지훈 인천주안 수학의힘
양소영 양쌤수학전문학원
오상원 종로엠스쿨 불로분원
오선아 시나브로수학
오정민 갈루아수학학원
오지연 수학의힘 용현캠퍼스
왕건일 토모수학학원
유미선 전문과외
유상현 한국외대HS어학원 / 가우스 수학학원 원당아라캠퍼스
유성규 현수학전문학원
윤지훈 두드림하이학원
이루다 이루다 교육학원
이명희 클수있는학원
이선미 이수수학
이애희 부평해법수학교실
이재섭 903ACADEMY
이준영 민트수학학원
이진민 전문과외
이필규 신현엠베스트SE학원
이혜경 이혜경고등수학학원
이혜선 우리공부
임정혁 위리더스 학원
장태식 인천자유자재학원
장혜림 와풀수학
장효근 유레카수학학원

전우진 인사이트 수학학원
정대웅 와이드수학
조민관 이앤에스 수학학원
조민기 더배움보습학원 조쓰매쓰
조현숙 부일클래스
지경일 팁탑학원
차승민 황제수학학원
채선영 전문과외
채수현 밀턴학원
최덕호 엠스퀘어 수학교습소
최문경 영웅아카데미
최웅철 큰샘수학학원
최은진 동춘수학
최지인 윙글즈영어학원
최진 절대학원
한성윤 카일하우교육원
한영진 라야스케이브
허진선 수학나무
현미선 써니수학
현진명 에임학원
홍미영 연세영어수학
홍종우 인명여자고등학교
황면식 늘품과학수학학원

◇─ 경기 ─◇

강민정 한진홈스쿨
강민종 필에듀학원
강성인 인재와고수
강수정 노마드 수학 학원
강신충 원리탐구학원
강영미 쌤과통하는학원
강예슬 수학의품격
강정희 쑥보고 싹푼다
강태희 한민고등학교
경지현 화서 이지수학
고동국 고동국수학학원
고명지 고쌤수학 학원
고상준 준수학교습소
고안나 기찬에듀 기찬수학
고지윤 고수학전문학원
고진희 지니Go수학
곽진영 전문과외
구창숙 이룸학원
권영미 에스이마고수학학원
권은주 나만 수학
권주현 메이드학원
김강환 뉴파인 동탄고등관
김강희 수학전문 일비충천
김경민 평촌 바른길수학학원
김경진 경진수학학원 다산점
김경호 호수학
김경훈 행복한학생학원
김규철 콕수학오드리영어보습학원
김덕락 준수학 학원
김도완 프라매쓰 수학 학원

김도현 홍성문수학2학원
김동수 김동수학원
김동은 수학의힘 지제동삭캠퍼스
김동현 수학의 아침
김동현 JK영어수학전문학원
김미선 예일영수학원
김미옥 공부방
김민겸 더퍼스트수학교습소
김민경 더원수학
김민경 경화여자중학교
김민진 부천중동프라임영수학원
김보경 새로운 희망 수학학원
김보람 효성 스마트 해법수학
김복현 시온고등학교
김상오 리더포스학원
김상욱 WookMath
김상윤 막강한 수학
김상현 노블수학스터디
김새로미 스터디온학원
김서영 다인수학교습소
김석원 강의하는아이들김석원수학학원
김선정 수공감학원
김선혜 수학의 아침(영재관)
김성민 수학을 권하다
김성은 블랙박스수학과학전문학원
김소영 예스셈올림피아드(호매실)
김소희 도촌동 멘토해법수학
김수림 전문과외
김수진 대림 수학의 달인
김수진 수매쓰학원
김슬기 클래스가다른학원
김승현 대치매쓰포유 동탄캠퍼스
김영아 브레인캐슬 사고력학원
김영옥 서원고등학교
김영준 청솔 교육
김영진 수학의 아침
김용덕 (주)매쓰토리수학학원
김용환 수학의아침_영통
김용희 솔로몬 학원
김원욱 아이픽수학학원
김유리 페르마수학
김윤경 국빈학원
김윤재 코스매쓰 수학학원
김은미 탑브레인수학과학학원
김은향 하이클래스
김재욱 수원영신여자고등학교
김정수 매쓰클루학원
김정연 신양영어수학학원
김정현 채움스쿨
김정환 필립스아카데미-Math Center
김종균 케이수학학원
김종남 제너스학원
김종화 퍼스널개별지도학원
김주용 스타수학
김준성 다산
김지선 고산원탑학원
김지영 위너스영어수학학원

김지윤 광교오드수학
김지현 엠코드수학
김지효 로고스에이수학학원
김진국 스터디MK
김진룩 지금수학학원
김진만 엄마영어아빠수학학원
김진민 에듀스템수학전문학원
김창영 에듀포스학원
김태익 설봉중학교
김태진 프라임리만수학학원
김태학 평택드림에듀
김하현 로지플수학
김학준 수담수학학원
김해청 에듀엠수학 학원
김현겸 성공학원
김현경 소사스카이보습학원
김현정 생각하는Y.와이수학
김현정 퍼스트
김현주 서부세종학원
김현지 프라임대치수학
김혜정 수학을 말하다
김호숙 호수학원
김호원 분당 원수학학원
김희성 멘토수학교습소
김희주 생각하는수학공간학원
나영우 평촌에듀플렉스
나혜림 마녀수학
나혜원 청북고등학교
남선규 윌러스영수학원
남세희 남세희수학학원
노상명 s4
도건민 목동LEN
류종인 공부의정석수학과학관학원
마소영 스터디MK
마정이 정이 수학
마지희 이안의학원 화정캠퍼스
맹우영 쌤수학러닝센터 수지su
맹찬영 입실론수학전문학원
모리 이젠수학과학학원
문다영 에듀플렉스
문성진 일킴훈련소입시학원
문장원 에스원 영수학원
문재웅 수학의공간
문지현 문쌤수학
문혜연 입실론수학전문학원
민동건 전문과외
민윤기 배곧 알파수학
박가빈 꿈과길수학학원
박가을 SMC수학학원
박규진 김포하이스트
박도솔 도솔샘수학
박도현 진성고등학교
박민정 지트에듀케이션
박민정 셈수학교습소
박민주 카라Math
박상일 수학의아침 이매중등관
박성찬 성찬쌤's 수학의공간

박소연 강남청솔기숙학원
박수민 유레카영수학원
박수현 용인 능원 씨앗학원
박수현 리더가되는수학 교습소
박여진 수학의아침
박연지 상승에듀
박영주 일산 후곡 쉬운수학
박우희 푸른보습학원
박원용 동탄트리즈나루수학학원
박유승 스터디모드
박윤호 이룸학원
박은주 은주짱샘 수학공부방
박은주 스마일수학교습소
박은진 지오수학학원
박은희 수학에빠지다
박재연 아이셀프수학교습소
박재현 렛츠(LETS)
박재홍 열린학원
박정현 서울삼육고등학교
박정화 우리들의 수학원
박종모 신갈고등학교
박종선 뮤엠영어차수학가남학원
박종필 정석수학학원
박주리 수학에반하다
박지혜 수이학원
박진한 엡실론학원
박찬현 박종호수학학원
박하늘 일산 후곡 쉬운수학
박한솔 SnP수학학원
박현숙 전문과외
박현정 탑수학 공부방
박현정 빡꼼수학학원
박혜림 림스터디 고등수학
방미영 JMI 수학학원
방상웅 동탄성지학원
배재준 연세영어고려수학 학원
백경주 수학의 아침
백미라 신흥유투엠 수학학원
백현규 전문과외
백흥룡 성공학원
변상선 바른샘수학
봉우리 하이클래스수학학원
서정환 아이디학원
서지은 전문과외
서한울 수학의품격
서효언 아이콘수학
서희원 함께하는수학 학원
설성환 설샘수학학원
설성희 설쌤수학
성계형 맨투맨학원 옥정센터
성인영 정석공부방
성지희 SNT 수학학원
손경선 업앤업보습학원
손솔아 ELA수학
손승태 와부고등학교
손종규 수학의 아침
손지영 엠베스트에스이프라임학원

송민건 수학대가+
송빛나 원수학학원
송숙희 써밋학원
송치호 대치명인학원(미금캠퍼스)
송태원 송태원1프로수학학원
송혜빈 인재와 고수 본관
송호석 수학세상
수아 열린학원
신경성 한수학전문학원
신동휘 KDH수학
신수연 신수연 수학과학 전문학원
신일호 바른수학교육 한학원
신정화 SnP수학학원
신준효 열정과의지 수학학원
안영균 생각하는수학공간학원
안하선 안쌤수학학원
안현경 매쓰온에듀케이션
안현수 옥길일등급수학
안효상 더오름영어수학학원
안효진 진수학
양은서 입실론수학학원
양은진 수플러스수학
어성웅 어쌤수학학원
엄은희 엄은희스터디
염민식 일로드수학학원
염승호 전문과외
염철호 하비투스학원
오성원 전문과외
용다혜 동백에듀플렉스학원
우선혜 HSP수학학원
위경진 한수학
유남기 의치한학원
유대호 플랜지에듀
유현종 SMT수학전문학원
유호애 지윤수학
윤덕환 여주비상에듀기숙학원
윤도형 피에스티캠프입시학원
윤문성 평촌수학의봄날입시학원
윤미영 수주고등학교
윤여태 103수학
윤지혜 천개의바람영수
윤채린 전문과외
윤현웅 수학을수학하다
윤희 희쌤 수학과학학원
이건도 아론에듀학원
이경민 차앤국수학국어전문학원
이경수 수학의아침
이경희 임수학교습소
이광후 수학의아침 중등입시센터 특목자사관
이규상 유클리드수학
이규태 이규태수학 1,2,3관, 이규태수학연구소
이나경 수학발전소
이나래 토리103수학학원
이나현 엠브릿지수학
이대훈 밀알두레학교
이명환 다산 더원 수학학원
이무송 U2m수학학원주엽점

이민우 제공학원
이민정 전문과외
이보형 매쓰코드1학원
이봉주 분당성지 수학전문학원
이상윤 엘에스수학전문학원
이상일 캔디학원
이상준 E&T수학전문학원
이상호 양명고등학교
이상훈 Isht
이서령 더바른수학전문학원
이서영 수학의아침
이성환 주선생 영수학원
이성희 피타고라스 셀파수학교실
이소미 공부의정석학원
이소진 광교
이수동 부천E&T수학전문학원
이수정 매쓰투미수학학원
이슬기 대치깊은생각 동탄본원
이승우 제이앤더블유학원
이승주 입실론수학학원
이승진 안중 호연수학
이승철 철이수학
이아현 전문과외
이영현 대치명인학원
이영훈 펜타수학학원
이예빈 아이콘수학
이우선 효성고등학교
이원녕 대치명인학원
이유림 광교 성빈학원
이재민 원탑학원
이재민 제이엠학원
이재욱 고려대학교
이정빈 폴라리스학원
이정희 JH영수학원
이종문 전문과외
이종익 분당파인만학원 고등부SKY 대입센터
이주혁 수학의 아침
이준 준수학학원
이지연 브레인리그
이지예 최강탑 학원
이지은 과천 리쌤앤탑 경시수학 학원
이지혜 이자경수학
이진주 분당 원수학
이창수 와이즈만 영재교육 일산화정센터
이창훈 나인에듀학원
이채열 하제입시학원
이철호 파스칼수학학원
이태희 펜타수학학원
이한솔 더바른수학전문학원
이현희 폴리아에듀
이형강 HK 수학
이혜령 프로젝트매쓰
이혜민 대감학원
이혜수 송산고등학교
이혜진 S4국영수학원고덕국제점
이호형 광명 고수학학원
이화원 탑수학학원

이희정 희정쌤수학
임명진 서연고
임우빈 리얼수학학원
임율인 탑수학교습소
임은정 마테마티카 수학학원
임지영 하이레벨학원
임지원 누나수학
임찬혁 차수학동삭캠퍼스
임채중 와이즈만 영재교육센터
임현주 온수학교습소
임현지 위너스 에듀
임형석 전문과외
임홍석 엔터스카이 학원
장미희 스터디모드학원
장민수 신미주수학
장서아 한뜻학원
장종민 열정수학학원
장지훈 예일학원
장혜민 수학의아침
전경진 뉴파인 동탄특목관
전미영 영재수학
전일 생각하는수학공간학원
전지원 원프로교육
전진우 플랜지에듀
전희나 대치명인학원이매점
정경주 광교 공감수학
정금재 혜윰수학전문학원
정다운 수학의품격
정다해 대치깊은생각동탄본원
정동실 수학의아침
정문영 올타수학
정미숙 쑥쑥수학교실
정민정 S4국영수학원 소사벌점
정보람 후곡분석수학
정승호 이프수학학원
정양헌 9회말2아웃 학원
정연순 탑클래스영수학원
정영일 해윰수학영어학원
정영진 공부의자신감학원
정영채 평촌 페르마
정옥경 성남시 분당구
정용석 수학마녀학원
정유정 수학VS영어학원
정은선 아이원 수학
정인영 제이스터디
정장선 생각하는황소 수학 동탄점
정재경 산돌수학학원
정지영 SJ대치수학학원
정지훈 최상위권수학영어학원 수지관
정진욱 수원메가스터디
정태준 구주이배수학학원
정필규 명품수학
정하준 2H수학학원
정한울 한울스터디
정해도 목동혜윰수학교습소
정현주 삼성영어쎈수학은계학원
정황우 운정정석수학학원

조기민 일산동고등학교
조민석 마이엠수학학원
조병욱 신영동수학학원
조상숙 수학의 아침 영통
조상희 에이블수학학원
조성화 SH수학
조영곤 휴브레인수학전문학원
조욱 청산유수 수학
조은 전문과외
조태현 경화여자고등학교
조현웅 추담교육컨설팅
조현정 깨단수학
주설호 SLB입시학원
주소연 알고리즘 수학연구소
지슬기 지수학학원
진동준 필탑학원
진민하 인스카이학원
차동희 수학전문공감학원
차무근 차원이다른수학학원
차슬기 브레인리그
차일훈 대치엠에스학원
채준혁 후곡분석수학학원
최경석 TMC수학영재 고등관
최경희 최강수학학원
최근정 SKY영수학원
최다혜 싹수학학원
최대원 수학의아침
최동훈 고수학전문학원
최문채 이얍수학
최범균 전문과외
최병희 원탑영어수학입시전문학원
최성필 서진수학
최수지 싹수학학원
최수진 재밌는수학
최승권 스터디올킬학원
최영성 에이블수학영어학원
최영식 수학의신학원
최용재 와이솔루션수학학원
최웅용 유타스 수학학원
최유미 분당파인만교육
최윤수 동탄김샘 신수연수학과학
최윤형 청운수학전문학원
최은경 목동학원, 입시는이쌤학원
최정윤 송탄중학교
최종찬 초당필탑학원
최지윤 전문과외
최지형 남양 뉴탑학원
최한나 수학의 아침
최효원 레벨업수학
표광수 수지 풀무질 수학전문학원
하정훈 하쌤학원
한경태 한경태수학전문학원
한규욱 이규태수학학원
한기언 한스수학전문학원
한미정 한쌤수학
한상훈 1등급 수학
한성필 더프라임

한수민 SM수학
한원규 스터디모드
한유호 에듀셀파 독학기숙학원
한은기 참선생 수학(동탄호수)
한인화 전문과외
한준희 매스탑수학전문사동분원학원
한지희 이음수학학원
한진규 SOS학원
함영호 함영호 고등수학클럽
허란 the배움수학학원
현승평 화성고등학교
홍규성 전문과외
홍성문 홍성문 수학학원
홍성미 홍수학
홍세정 전문과외
홍유진 평촌 지수학학원
홍의찬 원수학
홍재욱 셈마루수학학원
홍정욱 광교김샘수학 3.14고등수학
홍지윤 HONGSSAM창의수학
황두연 딜라이트 영어수학
황민지 수학하는날 수학교습소
황삼철 멘토수학
황선아 서나수학
황애리 애리수학
황영미 오산일신학원
황은지 멘토수학과학학원
황인영 더올림수학학원
황재철 성빈학원
황지훈 명문JS입시학원
황희찬 아이엘에스 학원

◇— 부산 —◇

고경희 대연고등학교
권병국 케이스학원
권영린 과사람학원
김경희 해운대 수학 와이스터디
김나현 MI수학학원
김대현 연제고등학교
김명선 김쌤 수학
김민 금정미래탐구
김민규 다비드수학학원
김민지 블랙박스수학전문학원
김유상 끝장교육
김정은 피엠수학학원
김지연 김지연수학교습소
김태경 Be수학학원
김태영 뉴스터디종합학원
김태진 한빛단과학원
김현경 플러스민샘수학교습소
김효상 코스터디학원
나기열 프로매스수학교습소
노하영 확실한수학학원
류형수 연제한샘학원
문서현 명품수학

민상희 민상희수학
박대성 키움수학교습소
박성칠 프라임학원
박연주 매쓰메이트 수학학원
박재용 해운대 수학 와이스터디
박주형 삼성에듀학원
배진옥 전문과외
배철우 명지 명성학원
백융일 과사람학원
서자현 과사람학원
서평승 신의학원
손희옥 매쓰폴수학전문학원(부암동)
송유림 한수연하이매쓰학원
신동훈 과사람학원
안남희 실력을키움수학
안찬종 전문과외
오인혜 하단초 수학교실
원옥영 괴정스타삼성영수학원
유소영 파플수학
이경덕 수학으로 물들어 가다
이동건 PME수학학원
이상욱 MI수학학원
이아름누리 청어람학원
이연희 부산 해운대 오른수학
이영민 MI수학학원
이은련 더플러스수학교습소
이정화 수학의 힘 가야캠퍼스
이지영 오늘도, 영어 그리고 수학
이지은 한수연하이매쓰
이철 과사람학원
이효정 해 수학
전완재 강앤전수학학원
정운용 정쌤수학교습소
정의진 남천다수인
정휘수 제이매쓰수학방
정희정 정쌤수학
조아영 플레이팩토오션시티교육원
조우영 위드유수학학원
조은영 MIT수학교습소
조훈 캔필학원
채송화 채송화 수학
최수정 이루다수학
최준승 주감학원
한주환 과사람학원(해운센터)
한혜경 한수학교습소
허영재 정관 자하연
허윤정 올림수학전문학원
허정인 삼정고등학교
황성필 다원KNR
황영찬 이룸수학
황진영 진심수학
황하남 과학수학의봄날학원

◇— 울산 —◇

강규리 퍼스트클래스 수학영어전문학원
고규라 고수학
고영준 비엠더블유수학전문학원
권상수 호크마수학전문학원
권희선 전문과외
김민정 전문과외
김봉조 퍼스트클래스 수학영어전문학원
김수영 학명수학학원
김영배 화정김쌤수학과학학원
김제득 퍼스트클래스수학전문학원
김현조 깊은생각수학학원
나순현 물푸레수학교습소
박국진 강한수학전문학원
박민식 위더스수학전문학원
박원기 에듀프레소종합학원
반려진 우정 수학의달인
성수경 위룰수학영어전문학원
안지환 전문과외
오종민 수학공작소학원
유아름 더쌤수학전문학원
이승목 울산 옥동 위너수학
이윤희 제이앤에스영어수학
이은수 삼산차수학학원
이한나 꿈꾸는고래학원
정경래 로고스영어수학학원
최규종 울산뉴토모수학전문학원
최영희 재미진최쌤수학
최이영 한양수학전문학원
한창희 한선생&최선생 studyclass
허다민 대치동허쌤수학

◇— 경남 —◇

강경희 티오피에듀
강도윤 강도윤수학컨설팅학원
강지혜 강선생수학학원
고민정 고민정 수학교습소
고병옥 옥쌤수학과학학원
고성대 Math911
고은정 수학은고쌤학원
권영애 전문과외
김경문 참진학원
김가령 킴스아카데미
김기현 수과람학원
김미양 오렌지클래스학원
김민석 한수위수학학원
김민정 창원스키마수학
김병철 CL학숙
김선희 책벌레국영수학원
김양준 이룸학원
김연지 CL학숙
김옥경 다온수학전문학원
김인덕 성지여자고등학교
김정두 해성고등학교

김지니 수학의달인
김진형 수풀림 수학학원
김치남 수나무학원
김해성 AHHA수학
김형균 칠원채움수학
김혜영 프라임수학
노경희 전문과외
노현석 비코즈수학전문학원
문소영 문소영수학관리학원
민동록 민쌤수학
박규태 에듀탑영수학원
박소현 오름수학전문학원
박영진 대치스터디 수학학원
박우열 앤즈스터디메이트
박임수 고탑(GO TOP)수학학원
박정길 아쿰수학학원
박주연 마산무학여자고등학교
박진수 펠릭스수학학원
박혜인 참좋은학원
배미나 이루다 학원
배종우 매쓰팩토리수학학원
백은애 매쓰플랜수학학원 양산물금지점
백장태 창원중앙LNC학원
백지현 백지현수학교습소
서주량 한입수학
송상윤 비상한수학학원
신욱희 창익학원
안지영 모두의수학학원
어다혜 전문과외
유인영 마산중앙고등학교
유준성 시퀀스영수학원
윤영진 유클리드수학과학학원
이근영 매스마스터수학전문학원
이아름 애시앙 수학맛집
이유진 멘토수학교습소
이정훈 장정미수학학원
이지수 수과람영재에듀
이진우 전문과외
이현주 진해 즐거운 수학
전창근 수과원학원
정승엽 해냄학원
조소현 스카이하이영수학원
주기호 비상한수학국어학원
진경선 탑앤탑수학학원
최소현 펠릭스수학학원
하수미 진동삼성영수학원
하윤석 거제 정금학원
한광록 대치퍼스트학원
한희광 양산성신학원
황진호 타임수학학원

◇— 대구 —◇

강민영 매씨지수학학원
고민정 전문과외
곽미선 좀다른수학
곽병무 다원MDS
구정모 제니스
구현태 나인쌤 수학전문학원
권기현 이렇게좋은수학교습소
권보경 수%수학교습소
김기연 스텝업수학
김대운 중앙sky학원
김동규 폴리아수학학원
김동영 통쾌한 수학
김득현 차수학(사월보성점)
김명서 샘수학
김미소 에스엠과학수학학원
김미정 일등수학학원
김상우 에이치투수학 교습소
김수영 봉덕김쌤수학학원
김수진 지니수학
김영진 더퍼스트 김진학원
김우진 종로학원하늘교육 사월학원
김재홍 경일여자중학교
김정우 이룸수학학원
김종희 학문당입시학원
김지연 찐수학
김지영 더이룸국어수학
김지은 정화여자고등학교
김진수 수학의진수수학교습소
김창섭 섭수학과학학원
김태진 구정남수학전문학원
김태환 로고스 수학학원(침산원)
김해은 한상철수학학원
김현숙 METAMATH
김효선 매쓰업
노경희 전문과외
문소연 연쌤 수학비법
문윤정 전문과외
민병문 엠플수학
박경득 파란수학
박도희 전문과외
박민정 빡쎈수학교습소
박산성 Venn수학
박선희 전문과외
박옥기 매쓰플랜수학학원
박정욱 연세(SKY)스카이수학학원
박지훈 더엠수학학원
박철진 전문과외
박태호 프라임수학교습소
박현주 매쓰플래너
방소연 나인쌤수학학원
배한국 굿쌤수학교습소
백승대 백박사학원
백태민 학문당입시학원
백현식 바른입시학원
변용기 라온수학학원
서경도 보승수학study
서재은 절대등급수학
성웅경 더빡쎈수학학원
손승연 스카이수학
손태수 트루매쓰 학원
송영배 수학의정원
신광섭 광 수학학원
신수진 폴리아수학학원
신은경 황금라온수학교습소
양강일 양쌤수학과학학원
오세욱 IP수학과학학원
유화진 진수학
윤기호 샤인수학
윤석창 수학의창학원
윤혜정 채움수학학원
이규철 좋은수학
이나경 대구지성학원
이남희 이남희수학
이동환 동환수학
이명희 잇츠생각수학 학원
이원경 엠제이통수학영어학원
이은주 전문과외
이인호 본투비수학교습소
이일균 수학의달인 수학교습소
이종환 이꼼수학
이준우 깊을준수학
이진욱 시지이룸수학학원
이창우 강철에프엠수학학원
이태형 가토수학과학학원
이효진 진선생수학학원
임신옥 KS수학학원
임유진 박진수학
장두영 바움수학학원
장세완 장선생수학학원
장현정 전문과외
전동형 땡큐수학학원
전수민 전문과외
전지영 전지영수학
정민호 스테듀입시학원
정은숙 페르마학원
정재현 율사학원
조성애 조성애세움영어수학학원
조익제 MVP수학학원
조인혁 루트원수학과학학원
범어시매쓰영재교육
조지연 연쌤영•수학원
주기헌 송현여자고등학교
최대진 엠프로학원
최시연 이룸수학 교습소
최정이 탑수학교습소(국우동)
최현정 MQ멘토수학
하태호 팀하이퍼 수학학원
한원기 한쌤수학
현혜수 현혜수 수학
황가영 루나수학
황지현 위드제스트수학학원

◇— 경북 —◇

강경훈 예천여자고등학교
강혜연 BK 영수전문학원
권수지 에임(AIM)수학교습소
권오준 필수학영어학원
권호준 인투학원
김대훈 이상렬입시학원
김동수 문화고등학교
김동욱 구미정보고등학교
김득락 우석여자고등학교
김보아 매쓰킹공부방
김성용 경북 영천 이리풀수학
김수현 꿈꾸는 아이
김영희 라온수학
김윤정 더채움영수학원
김은미 매쓰그로우 수학학원
김이슬 포항제철고등학교
김재경 필즈수학영어학원
김정훈 현일고등학교
김형진 닥터박수학전문학원
남영준 아르베수학전문학원
문소연 조쌤보습학원
박명훈 메디컬수학학원
박윤신 한국수학교습소
박진성 포항제철중학교
방성훈 유성여자고등학교
배재현 수학만영어도학원
백기남 수학만영어도학원
성세현 이투스수학두호장량학원
소효진 전문과외
손나래 이든샘영수학원
손주희 이루다수학과학
송종진 김천중앙고등학교
신승규 영남삼육고등학교
신승용 유신수학전문학원
신지헌 문영어수학 학원
신채윤 포항제철고등학교
염성군 근화여고
오선민 수학만영어도
오세현 칠곡수학여우공부방
오윤경 닥터박수학학원
윤장영 윤쌤아카데미
이경하 안동 풍산고등학교
이다례 문매쓰달쌤수학
이민선 공감수학학원
이상원 전문가집단 영수학원
이상현 인투학원
이성국 포스카이학원
이영성 영주여자고등학교
이재광 생존학원
이재억 안동고등학교
이혜은 김천고등학교
장아름 아름수학 학원
전정현 YB일등급수학학원
정은주 정스터디
조진우 늘품수학학원

조현정 올댓수학
채원석 영남삼육고등학교
최민 엠베스트 옥계점
최수영 수학만영어도학원
최이광 혜윰플러스학원
추민지 닥터박 수학학원
표현석 안동풍산고등학교
홍영준 하이맵수학학원
홍현기 비상아이비츠학원

◇— 광주 —◇

강민결 광주수피아여자중학교
강승완 블루마인드아카데미
공민지 심미선수학학원
곽웅수 카르페영수학원
김국진 김국진짜학원
김국철 풍암필즈수학학원
김대균 김대균수학학원
김미경 임팩트학원
김안나 풍암필즈수학학원
김원진 메이블수학전문학원
김은석 만문제수학전문학원
김재광 디투엠 영수전문보습학원
김종민 퍼스트수학학원
김태성 일곡지구 김태성 수학
김현진 에이블수학학원
나혜경 고수학학원
박용우 광주 더샘수학학원
박주홍 KS수학
박충현 본수학과학학원
박현영 KS수학
변석주 153유클리드수학전문학원
빈선욱 빈선욱수학전문학원
서세은 피타과학수학학원
손광일 송원고등학교
송승용 송승용수학학원
신예준 광주 JS영재학원
신현석 프라임아카데미
양귀제 양선생수학전문학원
양동식 A+수리수학원
이만재 매쓰로드수학 학원
이상혁 감성수학
이승현 본영수학원
이주헌 리얼매쓰수학전문학원
이창현 알파수학학원
이채연 알파수학학원
이충현 전문과외
이헌기 보문고등학교
어흥범 매쓰피아
임태관 매쓰멘토수학전문학원
장민경 일대일코칭수학학원
장성태 장성태수학학원
전주현 이창길수학학원
정다원 광주인성고등학교
정다희 다희쌤수학
정미연 신생수학학원
정수인 더최선학원
정원섭 수리수학학원
정인용 일품수학학원
정재윤 대성여자중학교
정태규 가우스수학전문학원
정형진 BMA롱맨영수학원
조은주 조은수학교습소
조일양 서안수학
조현진 조현진수학학원
조형서 조형서 (전문과외)
천지선 고수학학원
최성호 광주동신여자고등학교
최승원 더풀수학학원
최지웅 미라클학원

◇— 전남 —◇

김광현 한수위수학학원
김도희 가람수학전문과외
김성문 창평고등학교
김은경 목포덕인고
김은지 나주혁신위즈수학영어학원
박미옥 목포폴리아학원
박유정 해봄학원
박진성 해남한가람학원
백지하 M&m
성준우 광양제철고등학교
유혜정 전문과외
이강화 강승학원
임정원 순천매산고등학교
정현옥 Jk영수전문
조두희
조예은 스페셜매쓰
진양수 목포덕인고등학교
한지선 전문과외

◇— 전북 —◇

강원택 탑시드 영수학원
권정욱 권정욱 수학과외
김석진 영스타트학원
김선호 혜명학원
김성혁 S수학전문학원
김수연 전선생 수학학원
김재순 김재순수학학원
김혜정 차수학
나승현 나승현전유나수학전문학원
문승혜 이일여자고등학교
민태홍 전주한일고
박광수 박선생수학학원
박미숙 매쓰트리 수학전문 (공부방)
박미화 엄쌤수학전문학원
박선미 박선생수학학원
박세희 멘토이젠수학
박소영 황규종수학전문학원
박영진 필즈수학학원
박은미 박은미수학교습소
박재성 올림수학학원
박지유 박지유수학전문학원
박철우 청운학원
배태익 스키마아카데미 수학교실
서현수 수학귀신
성영재 성영재수학전문학원
손주형 전주토피아어학원
송시영 블루오션수학학원
신영진 유나이츠 학원
심우성 오늘은수학학원
양옥희 쎈수학 전주혁신학원
양은지 군산중앙고등학교
양재호 양재호카이스트학원
양형준 대들보 수학
오윤하 오늘도신이나효자학원
유현수 수학당 학원
윤병오 이투스247학원 익산
이가영 마루수학국어학원
이은지 리젠입시학원
이인성 전주우림중학교
이정현 로드맵수학학원
이지원 전문과외
이한나 알파스터디영어수학전문학원
이혜상 S수학전문학원
임승진 이터널수학영어학원
정용재 성영재수학전문학원
정혜승 샤인학원
정환희 릿지수학학원
조세진 수학의 길
채승희 유영권수학전문학원
최성훈 최성훈수학학원
최영준 최영준수학학원
최윤 엠투엠수학학원
최형진 수학본부중고등수학전문학원

◇— 대전 —◇

강유식 연세제일학원
강홍규 최강학원
강희규 종로학원하늘교육(관평)
고지훈 고지훈수학 지적공감학원
권은향 권샘수학
김근아 닥터매쓰205
김근하 MCstudy 학원
김남홍 대전 종로학원
김덕한 더칸수학전문학원
김도혜 대전 더브레인코어
김복응 더브레인코어 학원
김상현 세종입시학원
김수빈 제타수학학원
김승환 청운학원
김영우 뉴샘학원
김윤혜 슬기로운수학
김은지 더브레인코어 초등관
김일화 대전 엘트
김주성 대전 양영학원
김지현 파스칼 대덕학원
김진 발상의전환 수학전문학원
김진수 김진수학교실
김태형 청명대입학원
김하은 고려바움수학학원
나효명 열린아카데미
류재원 양영학원
박지성 엠아이큐수학학원
배용제 굿티쳐강남학원
서동원 수학의 중심학원
서영준 힐탑학원
선진규 로하스학원
손일형 손일형수학
송규성 하이클래스학원
송다인 일인주의학원
송정은 바른수학
심훈흠 일인주의 학원
오세준 오엠수학교습소
오우진 양영학원
우현석 EBS 수학우수학원
유수림 이앤유수학학원
유준호 더브레인코어학원
윤석주 윤석주수학전문학원
이규영 쉐마수학학원
이봉환 메이저
이성재 알파수학학원
이수진 대전관저중학교
이인욱 양영학원
이일녕 양영학원
이준희 전문과외
이채윤 대전대신고등학교
인승열 신성수학나무 공부방
임병수 모티브에듀학원
임지원 더브레인코어학원
임현호 전문과외
장용훈 프라임수학교습소
전하윤 전문과외
전혜진 일인주의학원
정재현 양영수학학원
조영선 대전 관저중학교
조용호 오르고 수학학원
조충현 로하스학원
진상욱 양영학원 특목관
차영진 연세언더우드수학
최지영 둔산마스터학원
홍진국 저스트수학
황성필 일인주의학원
황은실 나린학원

◇— 세종 —◇

강태원 원수학
고창균 더올림입시학원
권현수 권현수 수학전문학원
김기평 바른길수학전문학원
김서현 봄날영어수학학원
김수경 김수경수학교실
김영웅 반곡고등학교
김혜림 너희가꽃이다
류바른 세종 YH영수학원(중고등관)
배명욱 GTM수학전문학원
배지후 해밀수학과학학원
윤여민 전문과외
이경미 매쓰 히어로(공부방)
이민호 세종과학예술영재학교
이지희 수학의강자학원
이현아 다정 현수학
장준영 백년대계입시학원
조은애 전문과외
최성실 샤위너스학원
최시안 고운동 최쌤수학
황성관 전문과외

◇— 충북 —◇

고정균 엠스터디수학학원
구강서 상류수학 전문학원
구태우 전문과외
김경희 점프업수학
김대호 온수학전문학원
김미화 참수학공간학원
김병용 동남 수학하는 사람들 학원
김영은 연세고려E&M
김용구 용프로수학학원
김재광 노블가온수학학원
김정호 생생수학
김주희 매쓰프라임수학학원
김하나 하나수학
김현주 루트수학학원
문지혁 수학의 문 학원
박영경 전문과외
박준 오늘수학 및 전문과외
안진아 전문과외
윤성길 엑스클래스 수학학원
윤성희 윤성수학
이경미 행복한수학 공부방
이예찬 입실론수학학원
이지수 일신여자고등학교
전병호 이루다 수학
정수연 모두의 수학
조병교 에르매쓰수학학원
조형우 와이파이수학학원
최윤아 피티엠수학학원
한상호 한매쓰수학전문학원
홍병관 서울학원

◇— 충남 —◇

강범수 전문과외
고영지 전문과외
권순필 에이커리어학원
권오운 광풍중학교
김경민 수학다이닝학원
김명은 더하다 수학
김태화 김태화수학학원
김한빛 한빛수학학원
김현영 마루공부방
남구현 내포 강의하는 아이들
노서윤 스터디멘토학원
박유진 제이홈스쿨
박재혁 명성학원
박혜정
서봉원 서산SM수학교습소
서승우 전문과외
서유리 더배움영수학원
서정기 시너지S클래스 불당학원
성유림 Jns오름학원
송명준 JNS오름학원
송은선 전문과외
송재호 불당한일학원
신경미 Honeytip
신유미 무한수학학원
유정수 천안고등학교
유창훈 전문과외
윤보희 충남삼성고등학교
윤재웅 베테랑수학전문학원
윤지영 더올림
이근영 홍주중학교
이봉이 더수학 교습소
이승훈 탑씨크리트
이아람 퍼펙트브레인학원
이은아 한다수학학원
이재장 깊은수학학원
이현주 수학다방
장정수 G.O.A.T수학
전성호 시너지S클래스학원
전혜영 타임수학학원
조현정 J.J수학전문학원
채영미 미매쓰
최문근 천안중앙고등학교
최소영 빛나는수학
최원석 명사특강
한상훈 신불당 한일학원
한호선 두드림영어수학학원
허영재 와이즈만 영재교육학원

◇— 강원 —◇

고민정 로이스물맷돌수학
강선아 펀&FUN수학학원
김명동 이코수학
김서인 세모가꿈꾸는수학당학원
김성영 빨리강해지는 수학 과학 학원
김성진 원주이루다수학과학학원
김수지 이코수학
김호동 하이탑 수학학원
남정훈 으뜸장원학원
노명훈 노명훈쌤의 알수학학원
노명희 탑클래스
박미경 수올림수학전문학원
박병석 이코수학
박상윤 박상윤수학
박수지 이코수학학원
배형진 화천학습관
백경수 춘천 이코수학
손선나 전문과외
손영숙 이코수학
신동혁 수학의 부활 이코수학
신현정 hj study
심상용 동해 과수원 학원
안현지 전문과외
오준환 수학다움학원
윤소연 이코수학
이경복 전문과외
이민호 하이탑 수학학원
이우성 이코수학
이태현 하이탑 수학학원
장윤의 수학의부활 이코수학
정복인 하이탑 수학학원
정인혁 수학과통하다학원
최수남 강릉 영·수배움교실
최재현 KU고대학원
최정현 최강수학전문학원

◇— 제주 —◇

강경혜 강경혜수학
고진우 전문과외
김기정 저청중학교
김대환 The원 수학
김보라 라딕스수학
김시운 전문과외
김지영 생각틔움수학교실
김홍남 셀파우등생학원
류혜선 진정성 영어수학학원
박승우 남녕고등학교
박찬 찬수학학원
오동조 에임하이학원
오재일
이민경 공부의마침표
이상민 서이현아카데미
이선혜 더쎈 MATH
이현우 루트원플러스입시학원
장영환 제로링수학교실
편미경 편쌤수학
하혜림 제일아카데미
현수진 학고제 입시학원

수학의 바이블

개념 ON

공통수학 2

수학의 바이블

단계별 수준별 학습 시스템

1 자세한 개념 학습

2022개정 교육과정을 완벽하게 분석하여
모든 개념을 정확하게 학습할 수 있고,
상세한 개념 설명으로 교과서보다 쉽고 자세하게 이해할 수 있습니다.

2 단계별 유형 공부

학습한 개념을 단계별, 유형별로 문제 풀이에 적용할 수 있도록
대표 예제 → 한 번 더하기 → 표현 더하기 → 실력 더하기로 구성하여
문제 적응력을 높일 수 있습니다.

3 수준별 문제 풀이

중단원 연습문제를 STEP 1 기본 다지기 → STEP 2 실력 다지기로 구성하여
기본에서 심화까지 문제 해결력을 기를 수 있습니다.

더 완벽하고 친절해진 설명!
수학의 바이블만의 섬세한 개념 구성

◇ 바이블만의 체계적이고 자세한 설명 방식으로
새로운 개념에 대한 공식 및 원리의 완벽한 이해를 도와줍니다.

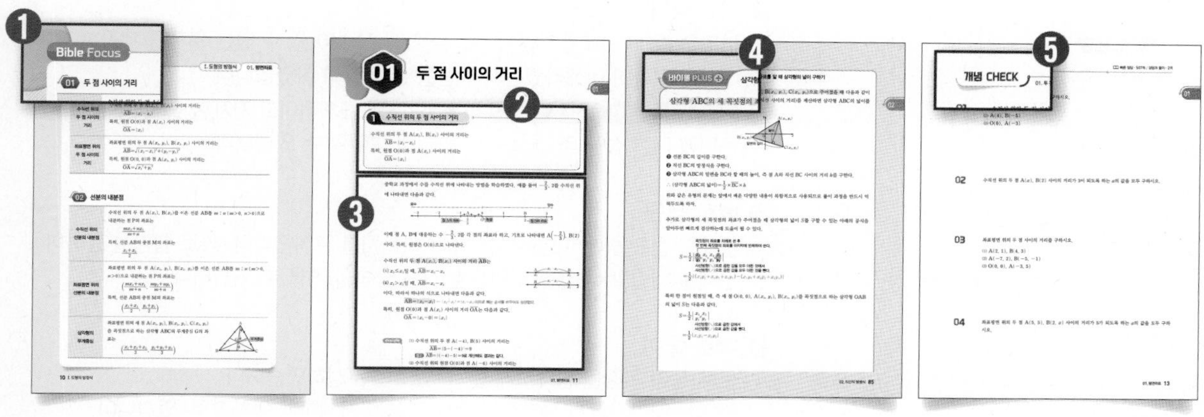

❶ Bible Focus

각 단원의 주요 내용과 공식을 한눈에 확인할 수 있게 정리함으로써
앞으로의 방향을 명확하게 인지할 수 있도록 구성하였습니다.

❷ 두괄식 정리

새로운 개념에 대한 명확한 용어 정의와, 개념의 중요 핵심 사항을 도식화하여 제시하였고
각 단원에서 학습하는 내용에 대해 참고 주의 Tip 을 추가하여 개념을 더 확실하게 이해할 수 있도록 구성하였습니다.

❸ 섬세한 개념 설명

교과서보다 자세한 설명으로 개념을 깊이 있고 완벽하게 이해할 수 있습니다.
줄글로 풀어나가는 자세한 설명 사이사이에 다양한 example 을 제공함으로써
간결한 호흡으로 개념과 원리를 쉽게 이해할 수 있도록 하였습니다.

❹ 바이블 PLUS

교육과정에서 다루진 않지만 개념 이해를 도와줄 수 있고 문제 해결에 유용한 내용을 제시하여
수학적 원리의 이해도를 높일 수 있도록 하였습니다.

❺ 개념 CHECK

개념 설명 이후 배운 내용을 바로 확인할 수 있도록 개념이 직접적으로 적용된 문제를 제공하여
학습한 내용을 정확하게 이해하였는지 체크할 수 있습니다.

단계별로 충분한 유형 학습!
꼭 알아야 할 필수 문제로 구성

◇ 개념의 핵심을 가장 잘 보여줄 수 있는 문제로 엄선하여
3단계의 자세한 풀이로 문제 해결 과정을 완벽하게 이해할 수 있도록 구성하였습니다.

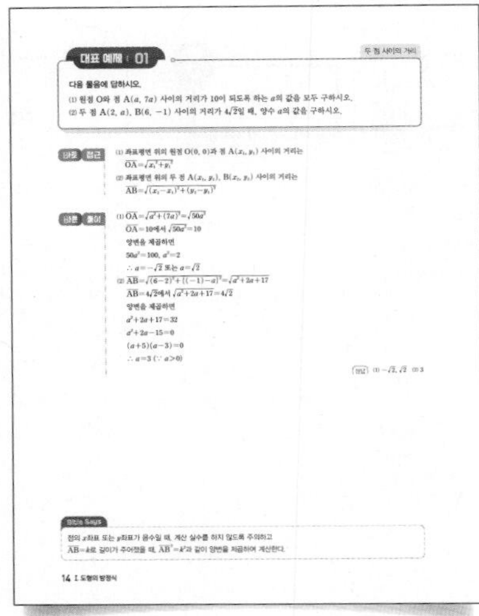

❶ 대표 예제
본문을 통하여 배운 개념의 핵심을 가장 잘 보여줄 수 있는 문제를 제공하여 개념을 정확히 이해하였는지 확인할 수 있도록 하였습니다.
바로 접근 바른 풀이 Bible Says 3단계의 체계적이고 자세한 풀이 방식으로 문제에 대한 접근 및 해결 방법을 쉽게 이해할 수 있습니다.

❷ 바로 접근
문제를 접했을 때 어떻게 접근해야 하는지를 알려줍니다. 바로 접근을 통하여 문제를 해결할 수 있는 포인트를 잡는 방법을 배울 수 있습니다.

❸ 바른 풀이
문제 풀이 과정을 상세하게 볼 수 있도록 구성하였습니다.
풀이를 따라가면서 세부적인 해결 과정을 자세하게 이해할 수 있습니다.

❹ Bible Says
문제 풀이에 도움이 되는 추가 설명과 내용 정리를 제공하여 수학적 사고를 넓힐 수 있도록 하였습니다.

◇ 충분한 연습을 위해 하나의 예제를 한 번 더하기 → 표현 더하기 → 실력 더하기 와 같이
단계별로 학습하여 유형에 대한 적응력을 높일 수 있습니다!

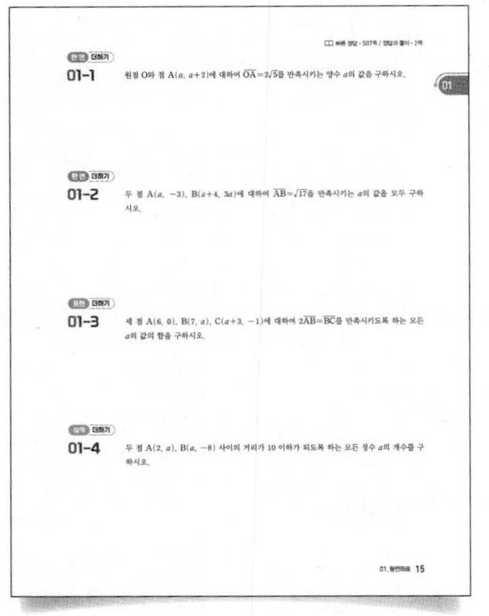

❺ 한 번 더하기
예제에서 숫자가 바뀐 문제로 예제를 통하여 익힌 풀이 과정을 반복 연습하면서 스스로 문제를 풀 수 있는 힘을 키울 수 있습니다.

❻ 표현 더하기
예제에서 문제를 제시하는 표현만 변형된 문제로, 동일한 해결 과정에 대한 다양한 수학적 표현과 문제 제시 방법을 익혀 낯선 문제에 대한 적응력을 기를 수 있습니다.

❼ 실력 더하기
예제에 적용된 개념을 응용한 문제를 풀면서 문제 유형을 완벽하게 이해하고, 풀이 과정을 응용할 수 있는 능력을 기를 수 있습니다.

배운 내용을 중단원별로 마무리!
2022개정 교육과정을 완벽하게 분석하여
내신, 모의고사, 수능 대비에 적합한 문제로 구성

STEP 1 기본 다지기 → STEP 2 실력 다지기의 두 단계로 구성하여
기본에서 심화까지 단계적으로 문제 해결력을 기를 수 있습니다.

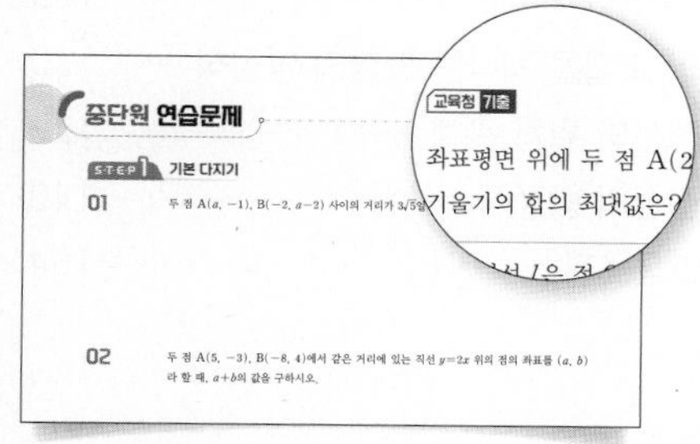

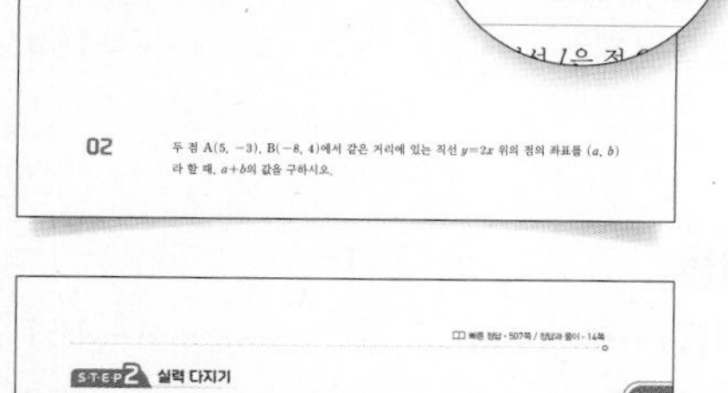

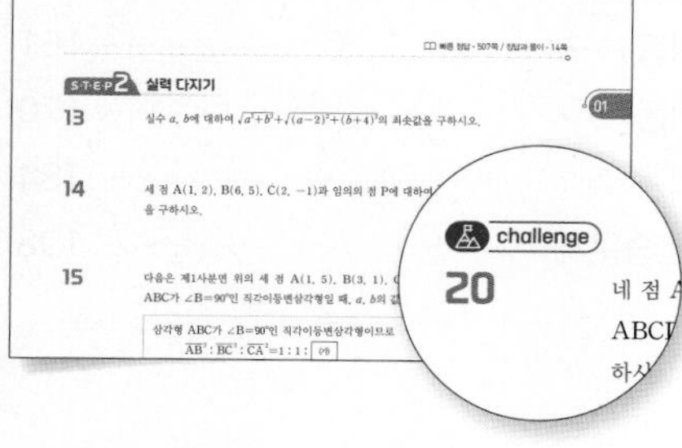

❶ STEP1 기본 다지기
각 단원의 필수 유형 문제를 풀면서 앞서 공부한 내용을 다질 수 있습니다. 기본 다지기 문제를 해결하는 과정에서 그 단원의 개념을 완벽하게 이해할 수 있습니다.

❷ STEP2 실력 다지기
개념 이해를 토대로 실력을 다질 수 있도록 한 비교적 어려운 문제부터 종합적 사고력이 요구되는 challenge 문제까지 단계적으로 문제를 해결해 봄으로써 문제 해결 능력을 향상시킬 수 있습니다.

❸ 다양한 기출문제
교육청 기출 문제를 제공하여
내신뿐만 아니라 모의고사, 수능에 대비할 수 있습니다.

체계적이고 자세한 고퀄리티 풀이집

자세한 풀이 방식으로 문제에 대한 접근 및 해결방법을 쉽게 이해할 수 있습니다.

❶ 상세한 문제 풀이
문제 풀이 과정을 상세하게 볼 수 있도록 구성하였습니다. 풀이를 따라가면 세부적인 해결 과정을 자세하게 이해할 수 있습니다.

❷ 다른 풀이
본풀이와 함께 다양한 아이디어 학습을 위한 다른 풀이를 수록하였습니다.

❸ 참고
문제 풀이에 도움이 되거나, 부가적으로 심층적인 설명이 필요한 경우 참고 를 제공하여, 추가 설명과 내용 정리를 통해 수학적 사고를 넓힐 수 있도록 하였습니다.

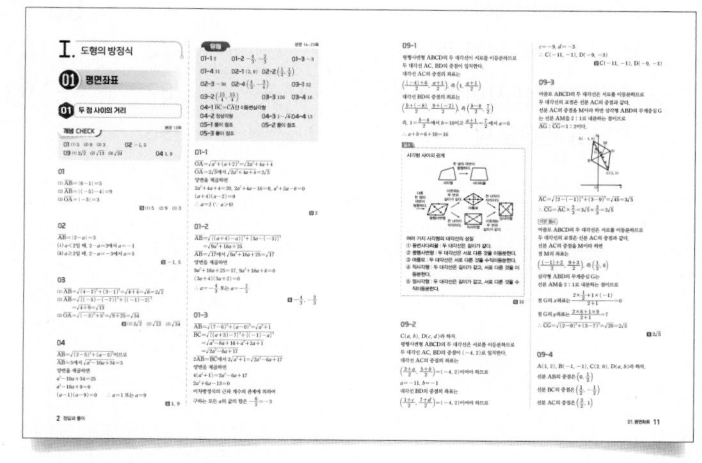

Contents

I. 도형의 방정식

II. 집합과 명제

2022개정 교육과정 역시

수학의 바이블

수학을 공부하는 학생들에게 필수적인 개념서인 수학의 바이블은
2003년 출간되어 현재까지 총 20여 차례 이상 개정되며
스테디셀러로 자리매김하여 수학을 준비하는 학생들에게 큰 인기를 얻고 있습니다.
그 이유는 무엇일까요?

먼저, 수학의 바이블은 친절합니다.
수학의 바이블은 개념을 이해하기 쉽게 설명하고 다양한 문제 풀이 방법을 제시하여
수학을 어려워하는 학생들도 쉽게 이해할 수 있도록 도와줍니다.

또한 체계적이고 자세한 설명으로
새로운 개념에 대한 공식 및 원리를 완벽하게 이해할 수 있어
수학을 보다 깊이 있게 학습할 수 있도록 도와줍니다.

수학의 개념과 원리를 이해하는 것은 수학을 잘하기 위한 첫 걸음입니다.

많은 학생들이 수학의 바이블을 통해 수학에 대한 자신감을 키우고
수학을 통해 세상을 이해하는데 도움이 되기를,
앞으로 있을 여정에 수학의 바이블이 든든한 나침반이 될 수 있기를
마음 깊이 바랍니다.

01

평면좌표

01 두 점 사이의 거리

수직선 위의 두 점 사이의 거리	수직선 위의 두 점 $A(x_1)$, $B(x_2)$ 사이의 거리는 $\overline{AB}=\lvert x_2-x_1\rvert$ 특히, 원점 $O(0)$과 점 $A(x_1)$ 사이의 거리는 $\overline{OA}=\lvert x_1\rvert$
좌표평면 위의 두 점 사이의 거리	좌표평면 위의 두 점 $A(x_1, y_1)$, $B(x_2, y_2)$ 사이의 거리는 $\overline{AB}=\sqrt{(x_2-x_1)^2+(y_2-y_1)^2}$ 특히, 원점 $O(0, 0)$과 점 $A(x_1, y_1)$ 사이의 거리는 $\overline{OA}=\sqrt{x_1^2+y_1^2}$

02 선분의 내분점

수직선 위의 선분의 내분점	수직선 위의 두 점 $A(x_1)$, $B(x_2)$를 이은 선분 AB를 $m:n\ (m>0,\ n>0)$으로 내분하는 점 P의 좌표는 $\dfrac{mx_2+nx_1}{m+n}$ 특히, 선분 AB의 중점 M의 좌표는 $\dfrac{x_1+x_2}{2}$
좌표평면 위의 선분의 내분점	좌표평면 위의 두 점 $A(x_1, y_1)$, $B(x_2, y_2)$를 이은 선분 AB를 $m:n\ (m>0,\ n>0)$으로 내분하는 점 P의 좌표는 $\left(\dfrac{mx_2+nx_1}{m+n}, \dfrac{my_2+ny_1}{m+n}\right)$ 특히, 선분 AB의 중점 M의 좌표는 $\left(\dfrac{x_1+x_2}{2}, \dfrac{y_1+y_2}{2}\right)$
삼각형의 무게중심	좌표평면 위의 세 점 $A(x_1, y_1)$, $B(x_2, y_2)$, $C(x_3, y_3)$을 꼭짓점으로 하는 삼각형 ABC의 무게중심 G의 좌표는 $\left(\dfrac{x_1+x_2+x_3}{3}, \dfrac{y_1+y_2+y_3}{3}\right)$ A G 무게중심 B C

두 점 사이의 거리

1 수직선 위의 두 점 사이의 거리

수직선 위의 두 점 $A(x_1)$, $B(x_2)$ 사이의 거리는

$\overline{AB}=|x_2-x_1|$

특히, 원점 $O(0)$과 점 $A(x_1)$ 사이의 거리는

$\overline{OA}=|x_1|$

중학교 과정에서 수를 수직선 위에 나타내는 방법을 학습하였다. 예를 들어 $-\frac{2}{3}$, 2를 수직선 위에 나타내면 다음과 같다.

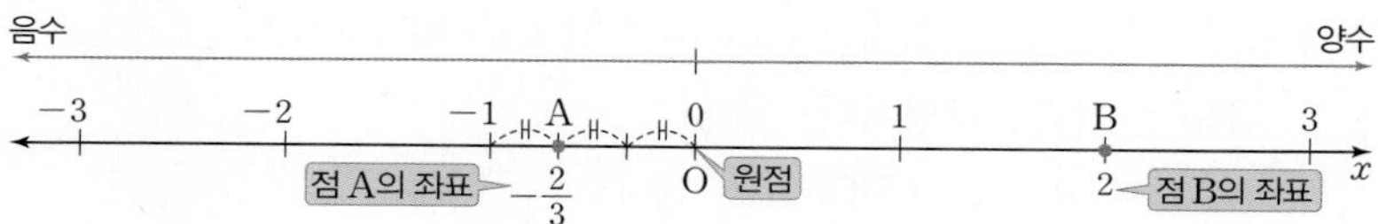

이때 점 A, B에 대응하는 수 $-\frac{2}{3}$, 2를 각 점의 좌표라 하고, 기호로 나타내면 $A\left(-\frac{2}{3}\right)$, $B(2)$이다. 특히, 원점은 $O(0)$으로 나타낸다.

수직선 위의 두 점 $A(x_1)$, $B(x_2)$ 사이의 거리 $\overline{AB}$는

(i) $x_1 \le x_2$일 때, $\overline{AB}=x_2-x_1$

(ii) $x_1 > x_2$일 때, $\overline{AB}=x_1-x_2$

이다. 따라서 하나의 식으로 나타내면 다음과 같다.

$\overline{AB}=|x_2-x_1|$ ← $|x_2-x_1|=|x_1-x_2|$이므로 빼는 순서를 바꾸어도 상관없다.

특히, 원점 $O(0)$과 점 $A(x_1)$ 사이의 거리 $\overline{OA}$는 다음과 같다.

$\overline{OA}=|x_1-0|=|x_1|$

example

(1) 수직선 위의 두 점 $A(-4)$, $B(5)$ 사이의 거리는

$\overline{AB}=|5-(-4)|=9$

참고 $\overline{AB}=|(-4)-5|=9$로 계산해도 결과는 같다.

(2) 수직선 위의 원점 $O(0)$과 점 $A(-6)$ 사이의 거리는

$\overline{OA}=|-6|=6$

2 좌표평면 위의 두 점 사이의 거리

좌표평면 위의 두 점 $A(x_1, y_1)$, $B(x_2, y_2)$ 사이의 거리는

$$\overline{AB}=\sqrt{(x_2-x_1)^2+(y_2-y_1)^2}$$

특히, 원점 $O(0, 0)$과 점 $A(x_1, y_1)$ 사이의 거리는

$$\overline{OA}=\sqrt{x_1^2+y_1^2}$$

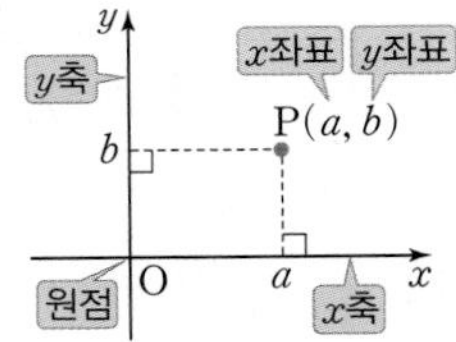

중학교 과정에서 좌표평면 위의 점의 위치를 나타내는 방법을 학습하였다. 오른쪽 그림과 같이 좌표평면 위의 한 점 P에서 x축, y축에 각각 내린 수선과 x축, y축이 만나는 점이 나타내는 수가 각각 a, b일 때, 순서쌍 (a, b)를 점 P의 좌표라 하고, 기호로 나타내면 $P(a, b)$이다.
특히, 원점은 $O(0, 0)$으로 나타낸다.

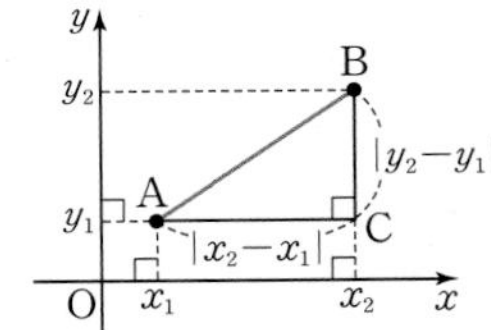

좌표평면 위의 두 점 $A(x_1, y_1)$, $B(x_2, y_2)$ 사이의 거리 $\overline{AB}$를 구해 보자.
오른쪽 그림과 같이 점 A를 지나고 y축에 수직인 직선과 점 B를 지나고 x축에 수직인 직선의 교점을 C라 하면 점 C의 좌표는 (x_2, y_1)이고, 삼각형 ABC는 직각삼각형이다. 이때

$$\overline{AC}=|x_2-x_1|,\ \overline{BC}=|y_2-y_1|$$

이므로 피타고라스 정리에 의하여

$$\begin{aligned}\overline{AB}^2&=\overline{AC}^2+\overline{BC}^2\\&=|x_2-x_1|^2+|y_2-y_1|^2\\&=(x_2-x_1)^2+(y_2-y_1)^2\end{aligned}$$

← 실수 a에 대하여 $|a|^2=a^2$이다.

이다. 따라서 두 점 $A(x_1, y_1)$, $B(x_2, y_2)$ 사이의 거리는 다음과 같다.

$$\overline{AB}=\sqrt{(x_2-x_1)^2+(y_2-y_1)^2}$$

← $\overline{AB}=\sqrt{(x\text{좌표의 차})^2+(y\text{좌표의 차})^2}$

특히, 원점 $O(0, 0)$과 점 $A(x_1, y_1)$ 사이의 거리는 다음과 같다.

$$\overline{OA}=\sqrt{x_1^2+y_1^2}$$

(1) 좌표평면 위의 두 점 $A(3, -1)$, $B(-2, 4)$ 사이의 거리는

$$\overline{AB}=\sqrt{\{(-2)-3\}^2+\{4-(-1)\}^2}=\sqrt{25+25}=\sqrt{50}=5\sqrt{2}$$

참고 $\overline{AB}=\sqrt{\{3-(-2)\}^2+\{(-1)-4\}^2}=\sqrt{25+25}=\sqrt{50}=5\sqrt{2}$로 계산해도 결과는 같다.

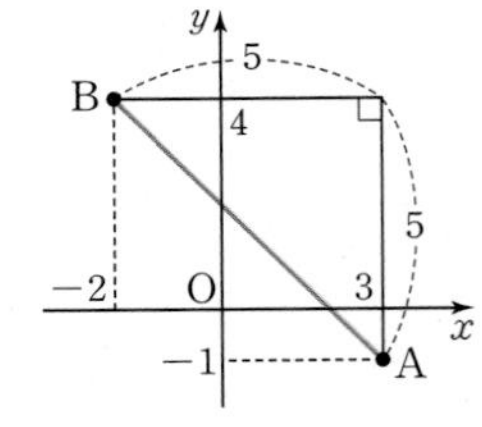

(2) 좌표평면 위의 두 점 $O(0, 0)$과 $A(3, -4)$ 사이의 거리는

$$\overline{OA}=\sqrt{3^2+(-4)^2}=\sqrt{25}=5$$

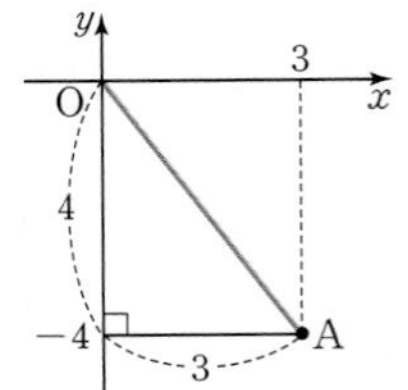

빠른 정답 • 507쪽 / 정답과 풀이 • 2쪽

01 수직선 위의 두 점 사이의 거리를 구하시오.

(1) A(1), B(6)
(2) A(4), B(−5)
(3) O(0), A(−3)

02 수직선 위의 두 점 A(a), B(2) 사이의 거리가 3이 되도록 하는 a의 값을 모두 구하시오.

03 좌표평면 위의 두 점 사이의 거리를 구하시오.

(1) A(2, 1), B(4, 3)
(2) A(−7, 2), B(−5, −1)
(3) O(0, 0), A(−3, 5)

04 좌표평면 위의 두 점 A(5, 5), B(2, a) 사이의 거리가 5가 되도록 하는 a의 값을 모두 구하시오.

대표 예제 | 01

다음 물음에 답하시오.

(1) 원점 O와 점 $A(a,\ 7a)$ 사이의 거리가 10이 되도록 하는 a의 값을 모두 구하시오.

(2) 두 점 $A(2,\ a)$, $B(6,\ -1)$ 사이의 거리가 $4\sqrt{2}$일 때, 양수 a의 값을 구하시오.

바로 접근

(1) 좌표평면 위의 원점 $O(0,\ 0)$과 점 $A(x_1,\ y_1)$ 사이의 거리는

$\overline{OA}=\sqrt{x_1^2+y_1^2}$

(2) 좌표평면 위의 두 점 $A(x_1,\ y_1)$, $B(x_2,\ y_2)$ 사이의 거리는

$\overline{AB}=\sqrt{(x_2-x_1)^2+(y_2-y_1)^2}$

바른 풀이

(1) $\overline{OA}=\sqrt{a^2+(7a)^2}=\sqrt{50a^2}$

$\overline{OA}=10$에서 $\sqrt{50a^2}=10$

양변을 제곱하면

$50a^2=100,\ a^2=2$

$\therefore\ a=-\sqrt{2}$ 또는 $a=\sqrt{2}$

(2) $\overline{AB}=\sqrt{(6-2)^2+\{(-1)-a\}^2}=\sqrt{a^2+2a+17}$

$\overline{AB}=4\sqrt{2}$에서 $\sqrt{a^2+2a+17}=4\sqrt{2}$

양변을 제곱하면

$a^2+2a+17=32$

$a^2+2a-15=0$

$(a+5)(a-3)=0$

$\therefore\ a=3\ (\because\ a>0)$

정답 (1) $-\sqrt{2},\ \sqrt{2}$ (2) 3

Bible Says

점의 x좌표 또는 y좌표가 음수일 때, 계산 실수를 하지 않도록 주의하고
$\overline{AB}=k$로 길이가 주어졌을 때, $\overline{AB}^2=k^2$과 같이 양변을 제곱하여 계산한다.

빠른 정답 • 507쪽 / 정답과 풀이 • 2쪽

한 번 더하기

01-1 원점 O와 점 A$(a,\ a+2)$에 대하여 $\overline{\mathrm{OA}}=2\sqrt{5}$를 만족시키는 양수 a의 값을 구하시오.

한 번 더하기

01-2 두 점 A$(a,\ -3)$, B$(a+4,\ 3a)$에 대하여 $\overline{\mathrm{AB}}=\sqrt{17}$을 만족시키는 a의 값을 모두 구하시오.

표현 더하기

01-3 세 점 A$(6,\ 0)$, B$(7,\ a)$, C$(a+3,\ -1)$에 대하여 $2\overline{\mathrm{AB}}=\overline{\mathrm{BC}}$를 만족시키도록 하는 모든 a의 값의 합을 구하시오.

실력 더하기

01-4 두 점 A$(2,\ a)$, B$(a,\ -8)$ 사이의 거리가 10 이하가 되도록 하는 모든 정수 a의 개수를 구하시오.

대표 예제 02

두 점 $A(-3, 0)$, $B(-1, 2)$에서 같은 거리에 있는 y축 위의 점의 좌표를 구하시오.

바로 접근

y축 위의 점을 P라 하면 점 P의 x좌표가 0이어야 하므로 $P(0, a)$로 나타낼 수 있다.
점 P가 두 점 A, B에서 같은 거리에 있다는 것은 두 선분 AP, BP의 길이가 같다는 것이므로 $\overline{AP}=\overline{BP}$, 즉 $\overline{AP}^2=\overline{BP}^2$을 만족시키는 a에 대한 방정식의 해를 구하면 된다.

바른 풀이

두 점 $A(-3, 0)$, $B(-1, 2)$에서 같은 거리에 있는 점을 P라 하면
점 P는 y축 위의 점이므로 $P(0, a)$로 놓을 수 있다.

$\overline{AP}=\sqrt{\{0-(-3)\}^2+(a-0)^2}$
$=\sqrt{a^2+9}$

$\overline{BP}=\sqrt{\{0-(-1)\}^2+(a-2)^2}$
$=\sqrt{a^2-4a+5}$

$\overline{AP}=\overline{BP}$에서 $\overline{AP}^2=\overline{BP}^2$이므로

$a^2+9=a^2-4a+5$

$4a=-4$, 즉 $a=-1$

따라서 점 P의 좌표는 $(0, -1)$

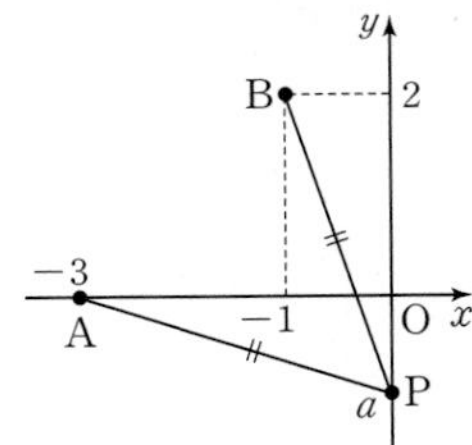

정답 $(0, -1)$

Bible Says

점에 대한 조건이 주어졌을 때 점의 좌표를 미지수를 포함하여 나타내보자.

① x축 위의 점: $(a, 0)$
② y축 위의 점: $(0, a)$
③ 직선 $y=x$ 위의 점: (a, a)
④ 직선 $y=-x$ 위의 점: $(a, -a)$
⑤ 직선 $y=mx+n$ 위의 점: $(a, ma+n)$

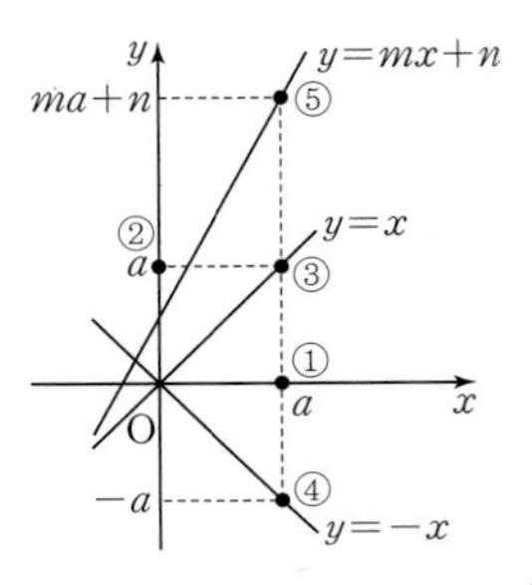

한 번 더하기

02-1

두 점 A(5, -1), B(3, 3)에서 같은 거리에 있는 x축 위의 점의 좌표를 구하시오.

표현 더하기

02-2

두 점 A(2, 6), B(6, 2)에서 같은 거리에 있는 직선 $y=-x+1$ 위의 점의 좌표를 구하시오.

표현 더하기

02-3

두 점 A(4, -2), B(-7, 1)에서 같은 거리에 있는 직선 $y=3x$ 위의 점의 좌표를 (a, b)라 할 때, $a+b$의 값을 구하시오.

실력 더하기

02-4

세 점 A(6, 2), B(-3, -4), C(0, -6)을 꼭짓점으로 하는 삼각형 ABC의 외심의 좌표를 구하시오.

대표 예제 | 03

거리의 제곱의 합의 최솟값

두 점 $A(-1, 2)$, $B(7, -1)$과 x축 위의 점 P에 대하여 $\overline{AP}^2+\overline{BP}^2$의 최솟값을 구하시오.

바로 접근

❶ 점 P의 좌표를 미지수 a를 사용하여 나타낸다.

❷ $\overline{AP}^2+\overline{BP}^2$을 a에 대한 이차식으로 나타낸다.

❸ a에 대한 이차식을 완전제곱식을 이용하여 나타낸 후 최솟값을 구한다.
이차함수 $y=k(a-p)^2+q(k>0)$에서
$a=p$일 때 최솟값 q를 갖는다.

바른 풀이

x축 위의 점 P의 좌표를 $(a, 0)$이라 하자.

$\overline{AP}^2=\{a-(-1)\}^2+(0-2)^2=a^2+2a+5$

$\overline{BP}^2=(a-7)^2+\{0-(-1)\}^2=a^2-14a+50$

$$\begin{aligned}\overline{AP}^2+\overline{BP}^2&=2a^2-12a+55\\&=2(a^2-6a)+55\\&=2(a^2-6a+9-9)+55\\&=2(a^2-6a+9)-18+55\\&=2(a-3)^2+37\end{aligned}$$

즉, $\overline{AP}^2+\overline{BP}^2$은 $a=3$일 때 최솟값 37을 갖는다.

정답 37

Bible Says

이차함수의 최솟값, 최댓값은 이차식을 '완전제곱식+상수' 꼴로 나타내면 구할 수 있음을 배웠다.

$f(a)=2a^2-12a+55$라 하자.

❶ 이차항의 계수로 묶어 내기(상수항 제외)

$f(a)=2(a^2-6a)+55$

❷ 괄호 안에서 $\left(\frac{a\text{의 계수}}{2}\right)^2$을 더하고 빼기

$f(a)=2(a^2-6a+3^2-3^2)+55$

❸ '완전제곱식+상수' 꼴로 나타내기

$f(a)=2(a^2-6a+9)-18+55$, 즉 $f(a)=2(a-3)^2+37$

즉, 함수 $f(a)$는 최솟값 $f(3)=37$을 갖는다.

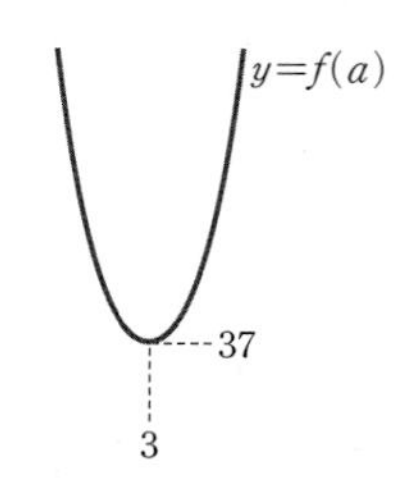

한 번 더하기

03-1 두 점 A(3, -1), B(-5, 5)와 y축 위의 점 P에 대하여 $\overline{\mathrm{AP}}^2+\overline{\mathrm{BP}}^2$의 최솟값을 구하시오.

표현 더하기

03-2 두 점 A(2, 3), B(4, 6)과 직선 $y=x$ 위의 점 P에 대하여 $\overline{\mathrm{AP}}^2+\overline{\mathrm{BP}}^2$의 값이 최소가 되도록 하는 점 P의 좌표를 구하시오.

표현 더하기

03-3 두 점 A(7, -3), B(-5, -9)와 직선 $y=x-1$ 위의 점 P에 대하여 $\overline{\mathrm{AP}}^2+\overline{\mathrm{BP}}^2$의 최솟값을 구하시오.

실력 더하기

03-4 세 점 A(0, 4), B(2, 3), C(1, -1)과 점 P에 대하여 $\overline{\mathrm{AP}}^2+\overline{\mathrm{BP}}^2+\overline{\mathrm{CP}}^2$의 최솟값을 구하시오.

대표 예제 | 04

삼각형의 모양 판단

세 점 $A(-1, 4)$, $B(-3, 2)$, $C(3, 0)$을 꼭짓점으로 하는 삼각형 ABC는 어떤 삼각형인지 구하시오.

바로 접근

삼각형의 세 꼭짓점이 주어졌을 때 두 점 사이의 거리 공식을 이용하여 세 변의 길이를 구한 후, 그 길이의 관계를 이용하면 삼각형의 모양을 판단할 수 있다.

삼각형 ABC에서

① $\overline{AB}=\overline{BC}=\overline{CA}$ ➔ 정삼각형

② $\overline{AB}=\overline{CA}$, $\overline{AB}\neq\overline{BC}$
➔ $\overline{AB}=\overline{CA}$인 이등변삼각형

③ $\overline{AB}^2+\overline{BC}^2=\overline{CA}^2$
➔ $\angle B=90°$인 직각삼각형

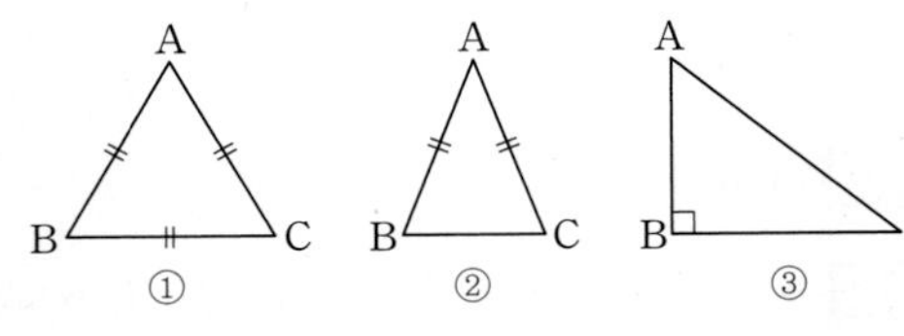

바른 풀이

$\overline{AB}^2=\{(-3)-(-1)\}^2+(2-4)^2=4+4=8$

$\overline{BC}^2=\{3-(-3)\}^2+(0-2)^2=36+4=40$

$\overline{CA}^2=\{(-1)-3\}^2+(4-0)^2=16+16=32$

$\overline{AB}^2+\overline{CA}^2=\overline{BC}^2$이므로

삼각형 ABC는 $\angle A=90°$인 직각삼각형이다.

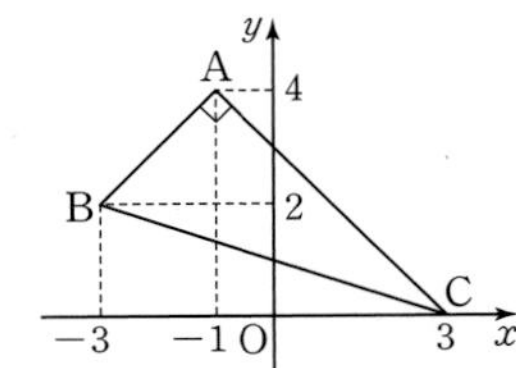

정답 $\angle A=90°$인 직각삼각형

Bible Says

삼각형의 분류와 성질

삼각형의 분류	성질
① 정삼각형: 세 변의 길이가 같은 삼각형	세 내각의 크기가 60°로 모두 같다.
② 이등변삼각형: 두 변의 길이가 같은 삼각형	두 밑각의 크기는 같다. 꼭지각의 이등분선은 밑변을 수직이등분한다.
③ 직각삼각형: 한 내각의 크기가 90°인 삼각형	빗변의 길이의 제곱은 다른 두 변의 길이의 제곱의 합과 같다. 빗변의 중점은 세 꼭짓점에서 같은 거리에 있다.

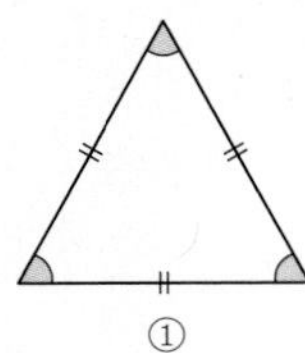
①

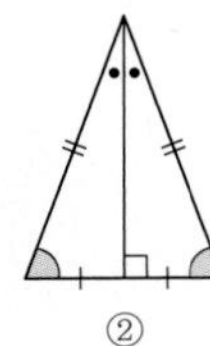
②

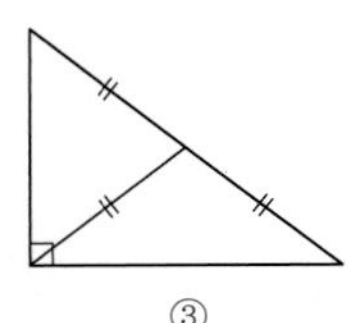
③

빠른 정답 • 507쪽 / 정답과 풀이 • 5쪽

한 번 더하기

04-1 세 점 $\mathrm{A}(3, -6)$, $\mathrm{B}(1, -2)$, $\mathrm{C}(8, -1)$을 꼭짓점으로 하는 삼각형 ABC는 어떤 삼각형인지 구하시오.

한 번 더하기

04-2 세 점 $\mathrm{A}(-1, 1)$, $\mathrm{B}(1, -1)$, $\mathrm{C}(\sqrt{3}, \sqrt{3})$을 꼭짓점으로 하는 삼각형 ABC는 어떤 삼각형인지 구하시오.

표현 더하기

04-3 음수 a에 대하여 세 점 $\mathrm{A}(a, 0)$, $\mathrm{B}(1, 2)$, $\mathrm{C}(4, 1)$을 꼭짓점으로 하는 삼각형 ABC가 이등변삼각형일 때, a의 값을 구하시오.

실력 더하기

04-4 서로 다른 세 점 $\mathrm{A}(1, 0)$, $\mathrm{B}(3, 4)$, $\mathrm{C}(c, 0)$을 꼭짓점으로 하는 삼각형 ABC가 이등변삼각형이 되도록 하는 모든 실수 c의 값의 합을 구하시오.

대표 예제 | 05

다음 물음에 답하시오.

(1) 삼각형 ABC에서 변 BC의 중점을 M이라 할 때,

$$\overline{AB}^2+\overline{AC}^2=2(\overline{AM}^2+\overline{BM}^2)$$

이 성립함을 좌표평면을 이용하여 설명하시오.

(2) (1)에서 다룬 성질을 활용하여 삼각형 ABC의 세 변의 길이가 $\overline{AB}=5$, $\overline{BC}=7$, $\overline{CA}=4$이고 점 D가 변 CA의 중점일 때, 선분 BD의 길이를 구하시오.

바로 접근

위의 성질을 중선정리라 한다. 도형을 좌표평면에 옮긴 후 $\overline{AB}^2$, $\overline{AC}^2$, $\overline{AM}^2$, $\overline{BM}^2$의 값을 각각 구하여 등식이 성립함을 보이면 되는데 계산을 간단히 하기 위하여 삼각형의 한 변을 x축 또는 y축 위에 놓고 주어진 점 중 하나를 원점으로 두자.

바른 풀이

(1) 그림과 같이 선분 BC가 x축, 점 M이 원점 O에 오도록 삼각형 ABC를 좌표평면 위에 두자.

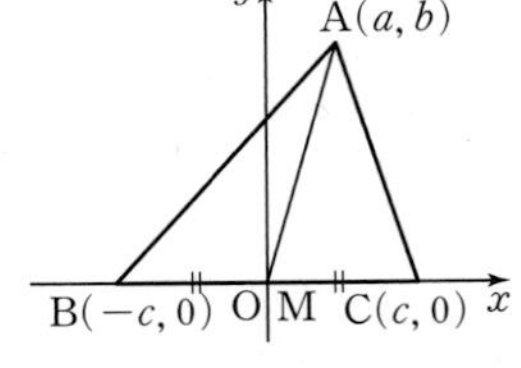

$A(a, b)$, $C(c, 0)$이라 하면 $B(-c, 0)$이다.

$\overline{AB}^2=\{(-c)-a\}^2+(0-b)^2=a^2+2ac+c^2+b^2$

$\overline{AC}^2=(c-a)^2+(0-b)^2=a^2-2ac+c^2+b^2$

$\overline{AM}^2=a^2+b^2$

$\overline{BM}^2=c^2$

$\overline{AB}^2+\overline{AC}^2=2a^2+2b^2+2c^2=2(a^2+b^2+c^2)$이고

$\overline{AM}^2+\overline{BM}^2=a^2+b^2+c^2$이므로

$\overline{AB}^2+\overline{AC}^2=2(\overline{AM}^2+\overline{BM}^2)$

(2) $\overline{AB}^2+\overline{BC}^2=2(\overline{AD}^2+\overline{BD}^2)$이므로

$5^2+7^2=2(2^2+\overline{BD}^2)$, $74=2(4+\overline{BD}^2)$, $37=4+\overline{BD}^2$

$\overline{BD}^2=33$ $\quad\therefore \overline{BD}=\sqrt{33}$

참고 삼각형 ABC를 그림과 같이 좌표평면 위에 나타낼 수 있다.

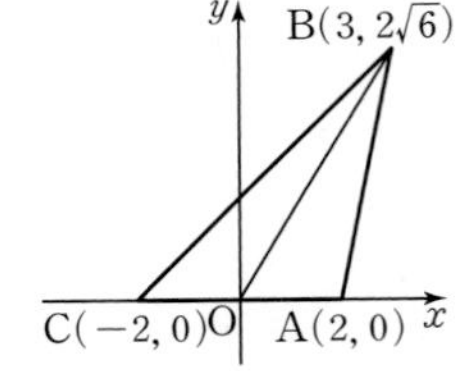

정답 (1) 풀이 참조 (2) $\sqrt{33}$

Bible Says

도형의 성질을 좌표평면을 이용하여 증명할 때 가장 많이 이용되는 점을 원점, 가장 많이 이용되는 직선을 x축 또는 y축이 되도록 두자. 예를 들어 다음 삼각형 또는 사각형을 좌표평면 위에 다음과 같이 나타내면 계산이 간단한 편이다.

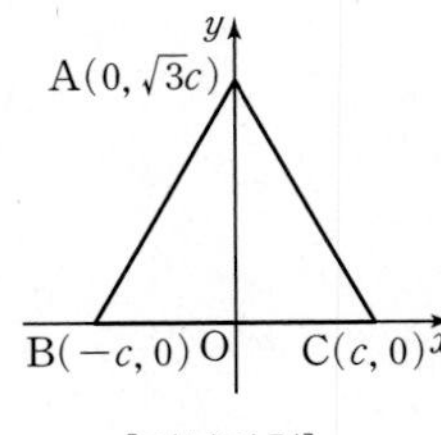

[정삼각형]

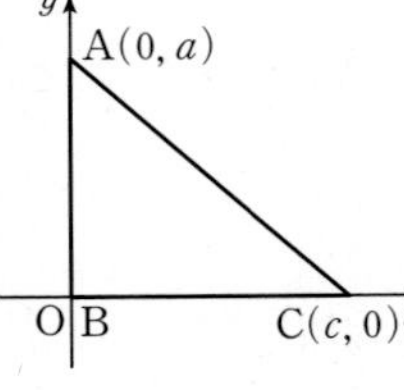

[직각삼각형]

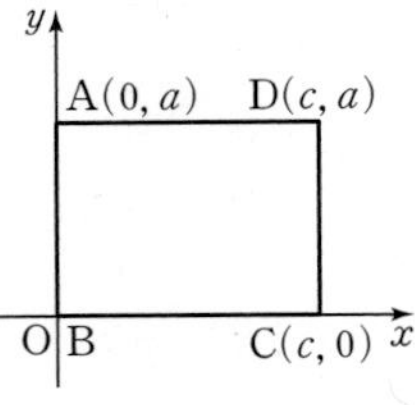

[직사각형]

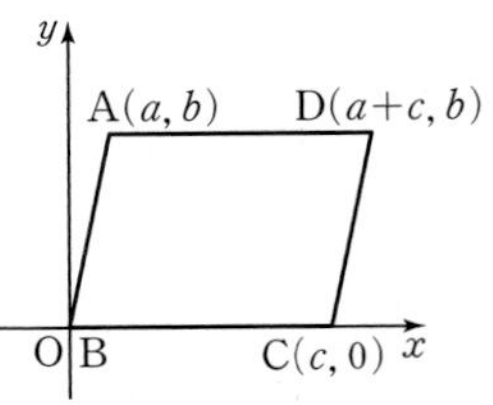

[평행사변형]

빠른 정답 • 507쪽 / 정답과 풀이 • 6쪽

한 번 더하기

05-1

삼각형 ABC의 변 BC 위의 점 D에 대하여 $\overline{BD}=2\overline{CD}$일 때,

$$\overline{AB}^2+2\overline{AC}^2=3(\overline{AD}^2+2\overline{CD}^2)$$

이 성립함을 좌표평면을 이용하여 설명하시오.

표현 더하기

05-2

오른쪽 그림과 같은 평행사변형 ABCD에 대하여

$$\overline{AC}^2+\overline{BD}^2=2(\overline{AB}^2+\overline{BC}^2)$$

이 성립함을 좌표평면을 이용하여 설명하시오.

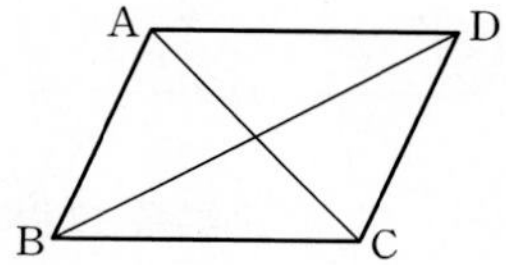

표현 더하기

05-3

직사각형 ABCD와 점 P가 같은 평면 위에 있을 때

$$\overline{AP}^2+\overline{CP}^2=\overline{BP}^2+\overline{DP}^2$$

이 성립함을 좌표평면을 이용하여 설명하시오.

02 선분의 내분점

1 수직선 위의 선분의 내분점

수직선 위의 두 점 $\mathrm{A}(x_1)$, $\mathrm{B}(x_2)$를 이은 선분 AB를 $m : n$ $(m>0,\ n>0)$으로 내분하는 점 P의 좌표는

$$\frac{mx_2+nx_1}{m+n}$$

특히, 선분 AB의 중점 M의 좌표는

$$\frac{x_1+x_2}{2}$$

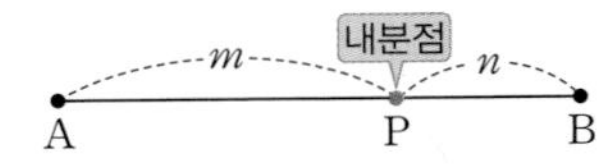

오른쪽 그림과 같이 선분 AB 위의 점 P에 대하여

$$\overline{\mathrm{AP}} : \overline{\mathrm{BP}} = m : n\ (m>0,\ n>0)$$

일 때, 점 P는 선분 AB를 $m : n$으로 **내분**한다고 하고, 점 P를 선분 AB의 **내분점**이라 한다.

수직선 위의 두 점 $\mathrm{A}(x_1)$, $\mathrm{B}(x_2)$에 대하여

선분 AB를 $m : n$ $(m>0,\ n>0)$으로 내분하는 점 P의 좌표를 x라 할 때, x의 값을 구해 보자.

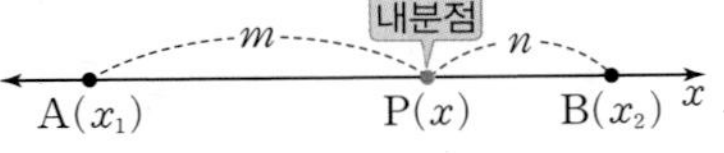

(i) $x_1<x_2$일 때, $x_1<x<x_2$이므로

$\overline{\mathrm{AP}}=x-x_1$, $\overline{\mathrm{BP}}=x_2-x$

이때 $\overline{\mathrm{AP}} : \overline{\mathrm{BP}}=m : n$이므로 $(x-x_1) : (x_2-x)=m : n$

$n(x-x_1)=m(x_2-x)$ ← 외항의 곱과 내항의 곱은 같다.

$nx-nx_1=mx_2-mx$, $mx+nx=mx_2+nx_1$

$(m+n)x=mx_2+nx_1$

$\therefore\ x=\dfrac{mx_2+nx_1}{m+n}$

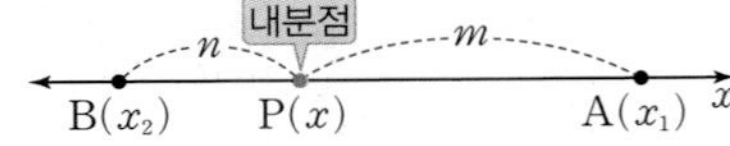

(ii) $x_1>x_2$일 때, $x_2<x<x_1$이므로

$\overline{\mathrm{AP}}=x_1-x$, $\overline{\mathrm{BP}}=x-x_2$

이때 $\overline{\mathrm{AP}} : \overline{\mathrm{BP}}=m : n$이므로 $(x_1-x) : (x-x_2)=m : n$

$n(x_1-x)=m(x-x_2)$ ← 외항의 곱과 내항의 곱은 같다.

$nx_1-nx=mx-mx_2$, $mx+nx=mx_2+nx_1$

$(m+n)x=mx_2+nx_1$

$\therefore\ x=\dfrac{mx_2+nx_1}{m+n}$

(i), (ii)에 의하여 선분 AB를 $m:n$으로 내분하는 점 P의 좌표는 다음과 같다.

$$\frac{mx_2+nx_1}{m+n}$$ ← 선분을 읽는 순서에 주의하여 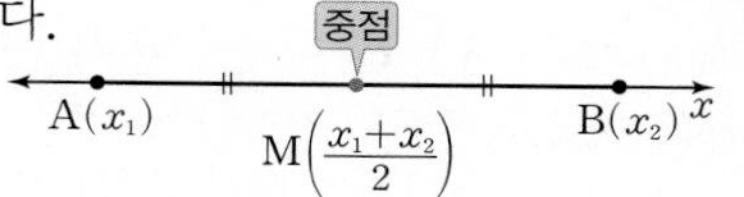 와 같이 대각선으로 곱한 값을 더하여 얻는다.

특히, 선분 AB를 $1:1$로 내분하는 중점 M의 좌표는 다음과 같다.

$$\frac{x_1+x_2}{2} \leftarrow \frac{1\times x_2+1\times x_1}{1+1}$$

중점

$\mathrm{A}(x_1)$ $\mathrm{M}\left(\frac{x_1+x_2}{2}\right)$ $\mathrm{B}(x_2)$ x

example 수직선 위의 두 점 A(3), B(9)에 대하여

(1) 선분 AB를 $1:2$로 내분하는 점 P의 좌표는

$$\frac{1\times9+2\times3}{1+2}=\frac{15}{3}=5$$

참고 점 P(5)는 선분 BA를 $2:1$로 내분하는 점이기도 하다.

(2) 선분 AB를 $2:1$로 내분하는 점 Q의 좌표는

$$\frac{2\times9+1\times3}{2+1}=\frac{21}{3}=7$$

주의 $m\neq n$일 때 선분 AB를 $m:n$으로 내분하는 점과 선분 AB를 $n:m$으로 내분하는 점은 같지 않다.

(3) 선분 AB의 중점 M의 좌표는

$$\frac{3+9}{2}=6$$

2 좌표평면 위의 선분의 내분점

좌표평면 위의 두 점 $\mathrm{A}(x_1, y_1)$, $\mathrm{B}(x_2, y_2)$를 이은 선분 AB를 $m:n$ $(m>0, n>0)$으로 내분하는 점 P의 좌표는

$$\left(\frac{mx_2+nx_1}{m+n}, \frac{my_2+ny_1}{m+n}\right)$$

특히, 선분 AB의 중점 M의 좌표는

$$\left(\frac{x_1+x_2}{2}, \frac{y_1+y_2}{2}\right)$$

좌표평면 위의 두 점 $\mathrm{A}(x_1, y_1)$, $\mathrm{B}(x_2, y_2)$에 대하여 선분 AB를 $m:n$ $(m>0, n>0)$으로 내분하는 점 P의 좌표를 (x, y)라 할 때, x, y의 값을 구해 보자.

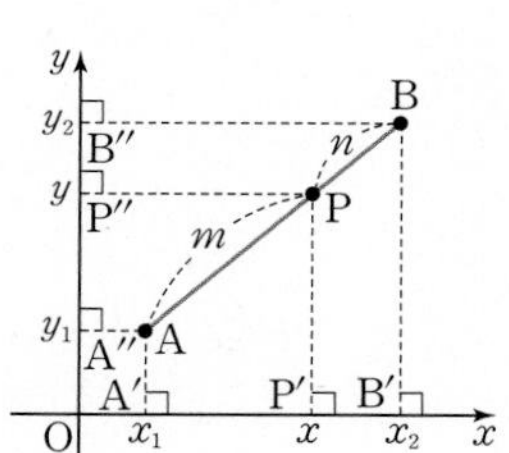

오른쪽 그림과 같이 세 점 A, P, B에서 x축에 내린 수선의 발을 각각 A′, P′, B′이라 하고, y축에 내린 수선의 발을 각각 A″, P″, B″이라 하면

$$\overline{\mathrm{A'P'}} : \overline{\mathrm{B'P'}} = \overline{\mathrm{AP}} : \overline{\mathrm{BP}} = m : n,$$
$$\overline{\mathrm{A''P''}} : \overline{\mathrm{B''P''}} = \overline{\mathrm{AP}} : \overline{\mathrm{BP}} = m : n$$

이다. 점 P′은 선분 A′B′을 $m : n$으로 내분하는 점이므로 점 P의 x좌표를 구하면 다음과 같다.

$$x=\frac{mx_2+nx_1}{m+n}$$ ← 점 P의 x좌표는 점 P′의 x좌표와 같다.

점 P″은 선분 A″B″을 $m : n$으로 내분하는 점이므로 점 P의 y좌표를 구하면 다음과 같다.

$$y=\frac{my_2+ny_1}{m+n}$$ ← 점 P의 y좌표는 점 P″의 y좌표와 같다.

따라서 선분 AB를 $m : n$으로 내분하는 점 P의 좌표는 다음과 같다.

$$\left(\frac{mx_2+nx_1}{m+n}, \frac{my_2+ny_1}{m+n}\right)$$

← x좌표의 분자는 선분의 양 끝점의 x좌표에 m, n을 대각선으로 곱한 후 더하여 얻고, ($m : n$, $\mathrm{A}(x_1, y_1)$ $\mathrm{B}(x_2, y_2)$)

y좌표의 분자는 선분의 양 끝점의 y좌표에 m, n을 대각선으로 곱한 후 더하여 얻는다. ($m : n$, $\mathrm{A}(x_1, y_1)$ $\mathrm{B}(x_2, y_2)$)

특히, 선분 AB를 1 : 1로 내분하는 중점 M의 좌표는 다음과 같다.

$$\mathrm{M}\left(\frac{x_1+x_2}{2}, \frac{y_1+y_2}{2}\right)$$

example 좌표평면 위의 두 점 A(−2, 1), B(3, 4)에 대하여

(1) 선분 AB를 2 : 1로 내분하는 점을 P라 할 때

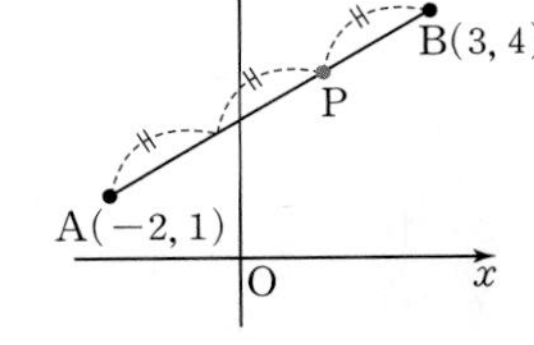

점 P의 x좌표는 $\frac{2\times3+1\times(-2)}{2+1}=\frac{4}{3}$

점 P의 y좌표는 $\frac{2\times4+1\times1}{2+1}=\frac{9}{3}=3$

따라서 점 P의 좌표는 $\left(\frac{4}{3}, 3\right)$

참고 점 $\mathrm{P}\left(\frac{4}{3}, 3\right)$은 선분 BA를 1 : 2로 내분하는 점이기도 하다.

(2) 선분 AB를 1 : 2로 내분하는 점을 Q라 할 때

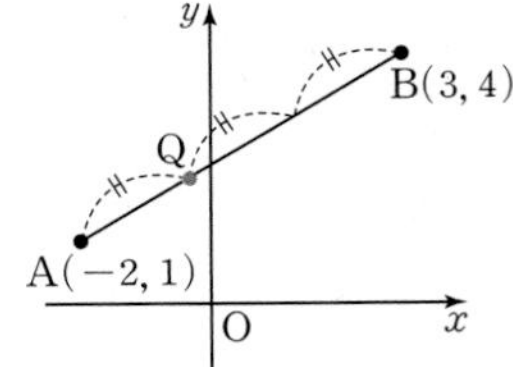

점 Q의 x좌표는 $\frac{1\times3+2\times(-2)}{1+2}=-\frac{1}{3}$

점 Q의 y좌표는 $\frac{1\times4+2\times1}{1+2}=\frac{6}{3}=2$

따라서 점 Q의 좌표는 $\left(-\frac{1}{3}, 2\right)$

주의 $m\neq n$이면 선분 AB를 $m : n$으로 내분하는 점과 선분 AB를 $n : m$으로 내분하는 점은 같지 않다.

(3) 선분 AB의 중점을 M이라 할 때

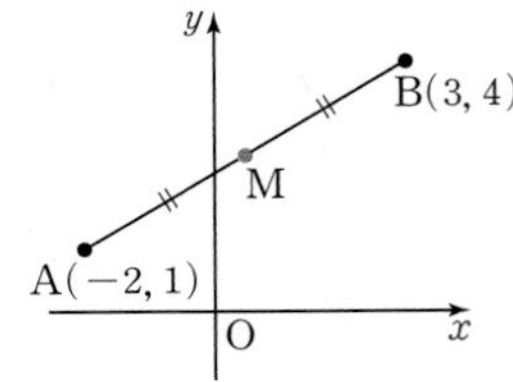

점 M의 x좌표는 $\frac{(-2)+3}{2}=\frac{1}{2}$

점 M의 y좌표는 $\frac{1+4}{2}=\frac{5}{2}$

따라서 점 M의 좌표는 $\left(\frac{1}{2}, \frac{5}{2}\right)$

3 삼각형의 무게중심

좌표평면 위의 세 점 $A(x_1, y_1)$, $B(x_2, y_2)$, $C(x_3, y_3)$을 꼭짓점으로 하는 삼각형 ABC의 무게중심 G의 좌표는

$$\left(\frac{x_1+x_2+x_3}{3}, \frac{y_1+y_2+y_3}{3}\right)$$

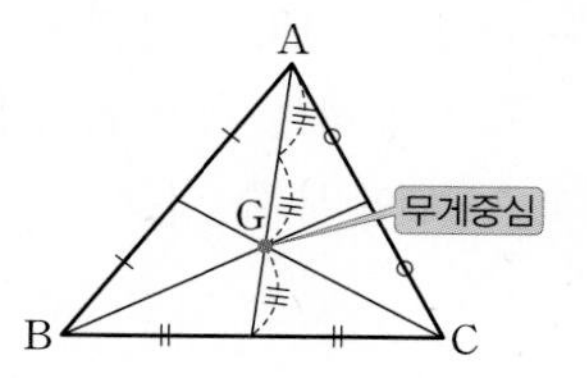

삼각형의 한 꼭짓점과 그 대변의 중점을 이은 선분을 중선이라 한다.
삼각형의 세 중선은 한 점에서 만나고, 이 교점을 삼각형의 무게중심이라 한다.
삼각형의 무게중심은 세 중선을 각 꼭짓점으로부터 각각 2 : 1로 내분하는 점이다.

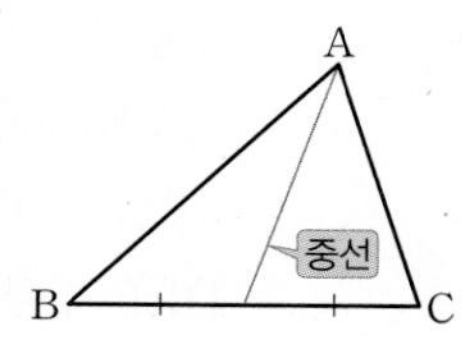

오른쪽 그림과 같이 좌표평면 위의 세 점 $A(x_1, y_1)$, $B(x_2, y_2)$, $C(x_3, y_3)$에 대하여 삼각형 ABC의 무게중심 G의 좌표를 (x, y)라 할 때, x, y의 값을 구해 보자.

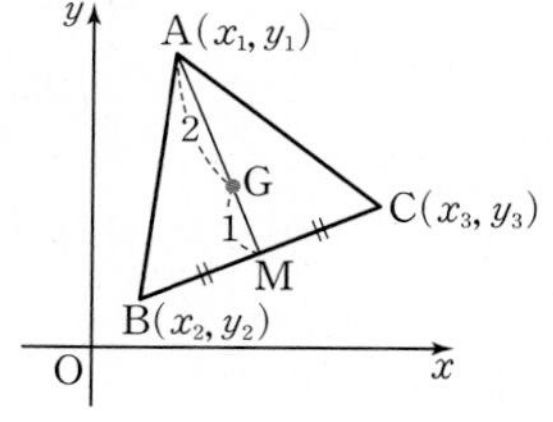

삼각형 ABC에서 변 BC의 중점 M의 좌표는

$$\left(\frac{x_2+x_3}{2}, \frac{y_2+y_3}{2}\right)$$

이고, 삼각형 ABC의 무게중심 $G(x, y)$는 선분 AM을 2 : 1로 내분하는 점이므로
무게중심 G의 x좌표는

$$x=\frac{2\times\frac{x_2+x_3}{2}+1\times x_1}{2+1} \quad \leftarrow A(x_1, y_1)\ M\left(\frac{x_2+x_3}{2}, \frac{y_2+y_3}{2}\right)\ (2:1)$$

$$=\frac{x_1+x_2+x_3}{3}$$

무게중심 G의 y좌표는

$$y=\frac{2\times\frac{y_2+y_3}{2}+1\times y_1}{2+1} \quad \leftarrow A(x_1, y_1)\ M\left(\frac{x_2+x_3}{2}, \frac{y_2+y_3}{2}\right)\ (2:1)$$

$$=\frac{y_1+y_2+y_3}{3}$$

따라서 무게중심 G의 좌표는 $\left(\frac{x_1+x_2+x_3}{3}, \frac{y_1+y_2+y_3}{3}\right)$이다. ← $G\left(\frac{x\text{좌표의 합}}{3}, \frac{y\text{좌표의 합}}{3}\right)$

example 세 점 $A(2, 0)$, $B(1, -2)$, $C(3, 5)$를 꼭짓점으로 하는 삼각형 ABC의 무게중심 G의 좌표는 $\left(\frac{2+1+3}{3}, \frac{0+(-2)+5}{3}\right)$, 즉 $(2, 1)$

4 삼각형의 무게중심의 확장

삼각형 ABC에 대하여 세 변 AB, BC, CA를 각각 $m:n$ ($m>0$, $n>0$)으로 내분하는 점을 각각 D, E, F라 할 때 삼각형 DEF의 무게중심은 삼각형 ABC의 무게중심과 일치한다.

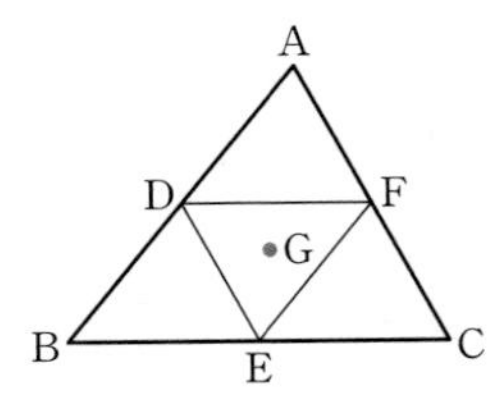

오른쪽 그림과 같이 세 점 $A(x_1, y_1)$, $B(x_2, y_2)$, $C(x_3, y_3)$을 꼭짓점으로 하는 삼각형 ABC의 세 변 AB, BC, CA를 각각 $m:n$ ($m>0$, $n>0$)으로 내분하는 점을 D, E, F라 하자. 삼각형 DEF의 무게중심 G의 좌표를 (x, y)라 할 때, x, y의 값을 구해 보자.

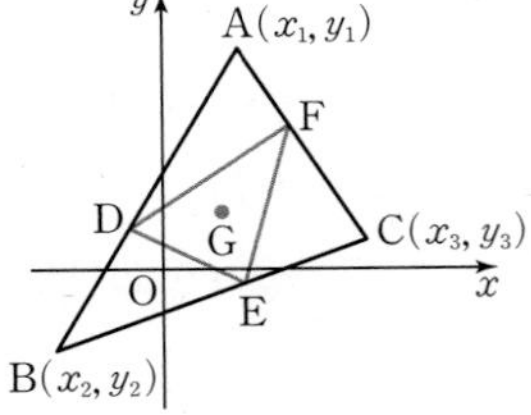

세 선분 AB, BC, CA를 각각 $m:n$으로 내분하는 점 D, E, F의 x좌표는 차례대로

$$\frac{mx_2+nx_1}{m+n},\ \frac{mx_3+nx_2}{m+n},\ \frac{mx_1+nx_3}{m+n}$$

이므로 삼각형 DEF의 무게중심 G의 x좌표는

$$x=\frac{\frac{mx_2+nx_1}{m+n}+\frac{mx_3+nx_2}{m+n}+\frac{mx_1+nx_3}{m+n}}{3}$$

$$=\frac{x_1+x_2+x_3}{3}$$

이다. 같은 방법으로 삼각형 DEF의 무게중심 G의 y좌표는

$$y=\frac{y_1+y_2+y_3}{3}$$

이다. 따라서 삼각형 DEF의 무게중심 G의 좌표는

$$\left(\frac{x_1+x_2+x_3}{3},\ \frac{y_1+y_2+y_3}{3}\right)$$

이므로 삼각형 ABC의 무게중심의 좌표와 일치한다.

선분의 외분점

선분 AB의 연장선 위의 점 P에 대하여

$\overline{AP} : \overline{BP} = m : n \ (m>0,\ n>0,\ m \neq n)$

일 때, 점 P는 선분 AB를 $m : n$으로 **외분**한다고 하고,

점 P를 선분 AB의 **외분점**이라 한다.

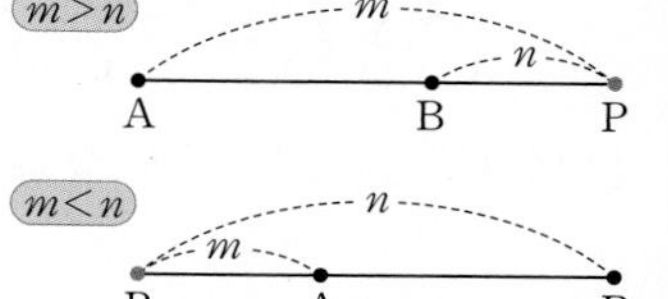

수직선 위의 두 점 $A(x_1)$, $B(x_2)$에 대하여 선분 AB를 $m : n$으로 외분하는 점 $P(x)$의 좌표

$\dfrac{mx_2 - nx_1}{m-n}$ ← 내분점을 구하는 공식에서 n 대신 $-n$을 대입한 것으로 생각하면 쉽게 기억할 수 있다.

은 다음과 같이 두 가지 방법으로 구할 수 있다.

| 방법 1 |

$x_1 < x_2$일 때

(i) $m>n$이면 $\overline{AP} : \overline{BP} = m : n$

즉, $(x-x_1) : (x-x_2) = m : n$이다.

$n(x-x_1) = m(x-x_2)$에서 $x = \dfrac{mx_2 - nx_1}{m-n}$

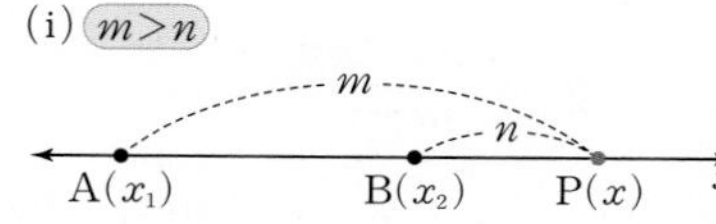

(ii) $m<n$이면 $\overline{AP} : \overline{BP} = m : n$

즉, $(x_1-x) : (x_2-x) = m : n$이다.

$n(x_1-x) = m(x_2-x)$에서 $x = \dfrac{mx_2 - nx_1}{m-n}$

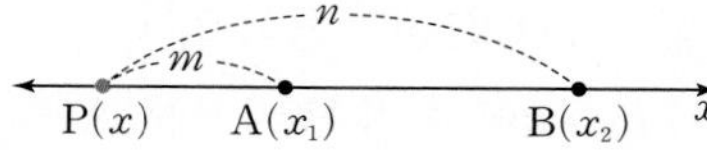

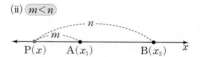

(i), (ii)에 의하여 점 P의 좌표는 $\dfrac{mx_2 - nx_1}{m-n}$이다.

$x_1 > x_2$일 때는 $x_1 < x_2$일 때와 같은 방법으로 같은 결과를 얻는다.

| 방법 2 | 내분점의 공식 이용

(i) $m>n$이면 점 B는 선분 AP를 $(m-n) : n$으로 내분하는 점이다.

점 B의 좌표는 $x_2 = \dfrac{(m-n) \times x + n \times x_1}{(m-n)+n}$이므로

$x = \dfrac{mx_2 - nx_1}{m-n}$

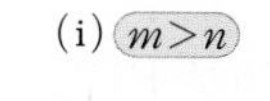

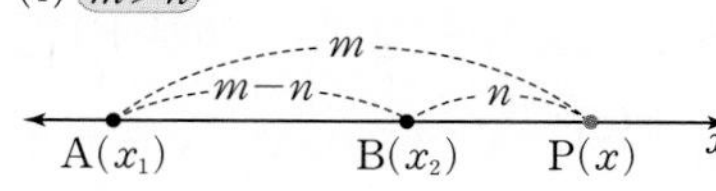

(ii) $m<n$이면 점 A는 선분 BP를 $(n-m) : m$으로 내분하는 점이다.

점 A의 좌표는 $x_1 = \dfrac{(n-m) \times x + m \times x_2}{(n-m)+m}$이므로

$x = \dfrac{mx_2 - nx_1}{m-n}$

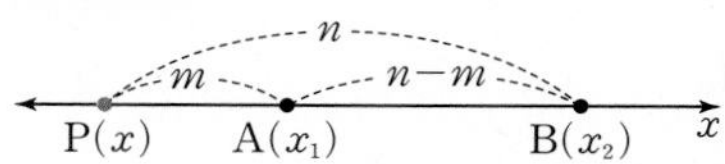

(i), (ii)에 의하여 점 P의 좌표는 $\dfrac{mx_2 - nx_1}{m-n}$이다.

좌표평면 위의 두 점 $A(x_1, y_1)$, $B(x_2, y_2)$에 대하여 선분 AB를 $m : n$ $(m>0, n>0)$으로 외분하는 점 $P(x, y)$의 좌표

$$\left(\frac{mx_2-nx_1}{m-n}, \frac{my_2-ny_1}{m-n}\right)$$ ← 내분점을 구하는 공식에서 n 대신 $-n$을 대입한 것으로 생각하면 쉽게 기억할 수 있다.

은 다음과 같이 두 가지 방법으로 구할 수 있다.

| 방법 1 |

세 점 A, B, P에서 x축에 내린 수선의 발을 A′, B′, P′이라 하면

$$\overline{A'P'} : \overline{B'P'} = \overline{AP} : \overline{BP} = m : n$$

이다. 즉, 점 P′은 선분 A′B′을 $m : n$으로 외분하는 점이므로 점 P의 x좌표를 구하면 다음과 같다.

$$x=\frac{mx_2-nx_1}{m-n}$$ ← 점 P의 x좌표는 점 P′의 x좌표와 같다.

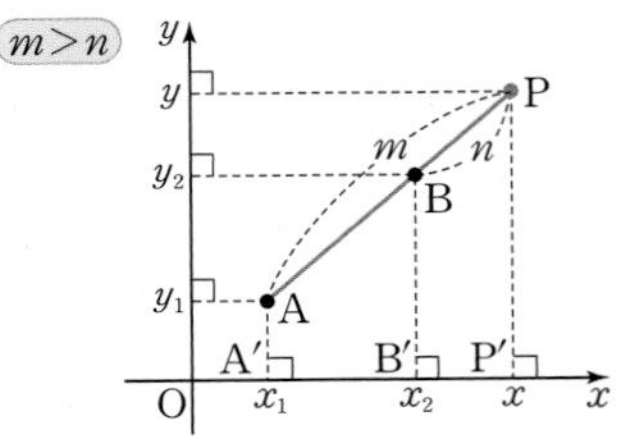

마찬가지 방법으로 점 P의 y좌표를 구하면 다음과 같다.

$$y=\frac{my_2-ny_1}{m-n}$$

따라서 점 P의 좌표는 $\left(\frac{mx_2-nx_1}{m-n}, \frac{my_2-ny_1}{m-n}\right)$이다.

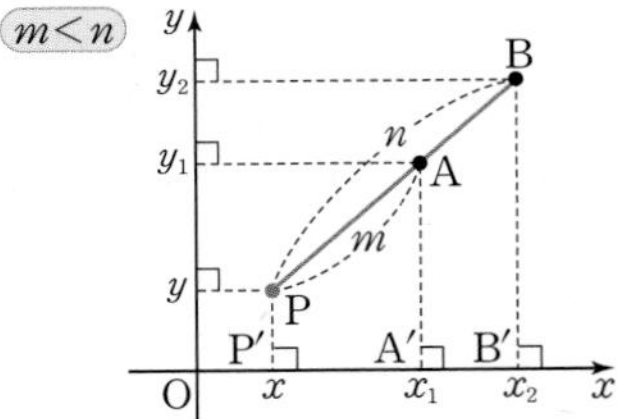

| 방법 2 | 내분점의 공식 이용

(i) $m>n$이면 점 B는 선분 AP를 $(m-n) : n$으로 내분하는 점이다.

점 B의 x좌표는 $x_2=\frac{(m-n)\times x+n\times x_1}{(m-n)+n}$이므로

$$x=\frac{mx_2-nx_1}{m-n}$$

점 B의 y좌표는 $y_2=\frac{(m-n)\times y+n\times y_1}{(m-n)+n}$이므로

$$y=\frac{my_2-ny_1}{m-n}$$

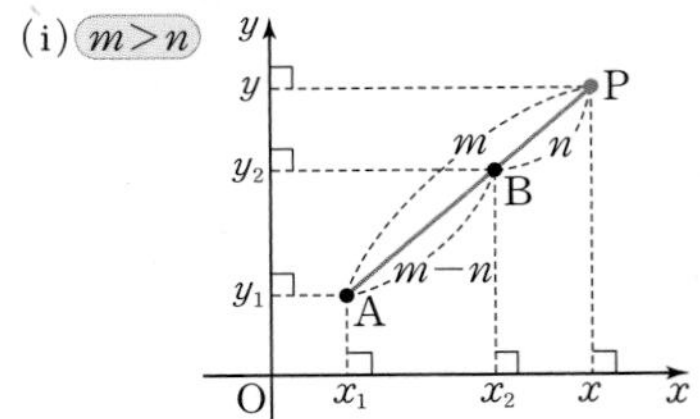

(ii) $m<n$이면 점 A는 선분 BP를 $(n-m) : m$으로 내분하는 점이다.

(i)과 같은 방법으로 같은 결과를 얻는다.

(i), (ii)에 의하여 점 P의 좌표는 $\left(\frac{mx_2-nx_1}{m-n}, \frac{my_2-ny_1}{m-n}\right)$이다.

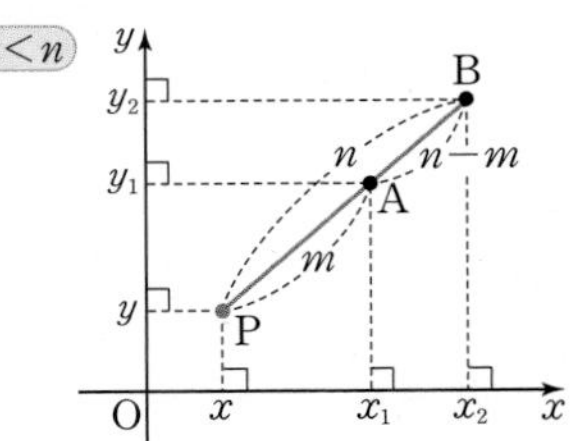

빠른 정답 • 507쪽 / 정답과 풀이 • 7쪽

01 다음 그림과 같이 수직선 위에 있는 두 점 A(-2), B(4)에 대하여 □ 안에 알맞은 수를 써넣으시오.

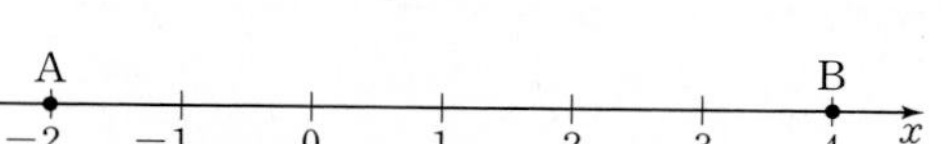

(1) 점 P(2)는 선분 AB를 □ : □(으)로 내분하는 점이다.

(2) 점 Q(-1)은 선분 BA를 □ : □(으)로 내분하는 점이다.

(3) 선분 AB를 1 : 5로 내분하는 점의 좌표는 □이다.

(4) 선분 BA를 2 : 1로 내분하는 점의 좌표는 □이다.

02 오른쪽 그림과 같이 좌표평면 위에 있는 두 점 A$(3, -1)$, B$(-7, 4)$에 대하여 □ 안에 알맞은 수를 써넣으시오.

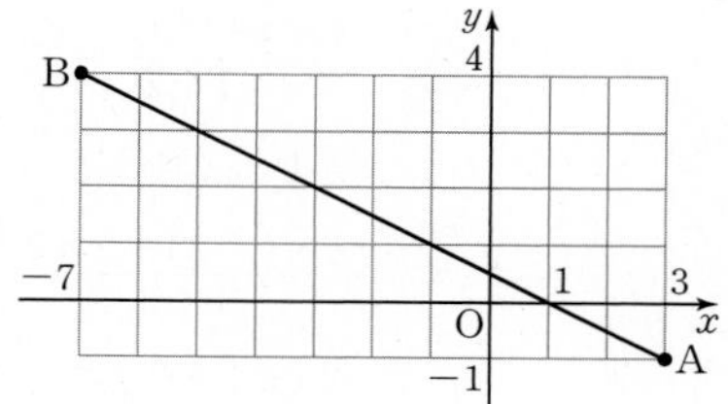

(1) 점 $(-3, 2)$는 선분 AB를 □ : □(으)로 내분하는 점이다.

(2) 점 $(1, 0)$은 선분 BA를 □ : □(으)로 내분하는 점이다.

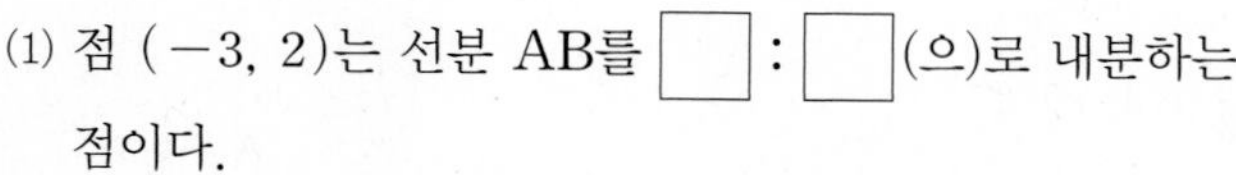

(3) 선분 BA의 중점의 좌표는 (□, □)이다.

03 좌표평면 위의 두 점 A$(2, -7)$, B$(-2, 1)$에 대하여 다음 점의 좌표를 구하시오.

(1) 선분 AB를 1 : 3으로 내분하는 점 P

(2) 선분 AB를 3 : 1로 내분하는 점 Q

(3) 선분 AB의 중점 M

04 좌표평면 위의 세 점에 대하여 다음 물음에 답하시오.

(1) 세 점 O$(0, 0)$, A$(-4, 1)$, B$(2, -7)$을 꼭짓점으로 하는 삼각형 OAB의 무게중심 G의 좌표를 구하시오.

(2) 세 점 A$(3, -8)$, B$(1, 1)$, C$(-5, 2)$를 꼭짓점으로 하는 삼각형 ABC의 무게중심 G의 좌표를 구하시오.

대표 예제 | 06

두 점 $A(-2, 7)$, $B(4, -2)$에 대하여 선분 AB를 삼등분하는 점 중 점 A에 가까운 점을 P, 점 B에 가까운 점을 Q라 하자. 두 점 P, Q의 좌표를 각각 구하시오.

바로 접근

두 점 $A(x_1, y_1)$, $B(x_2, y_2)$에 대하여 선분 AB를 $m : n$으로 내분하는 점 P의 좌표는

$$\left(\frac{mx_2+nx_1}{m+n}, \frac{my_2+ny_1}{m+n}\right)$$

바른 풀이

선분 AB를 삼등분하는 두 점 중 점 A에 가까운 점이 P, 점 B에 가까운 점이 Q이므로
선분 AB를 $1 : 2$로 내분하는 점이 P, $2 : 1$로 내분하는 점이 Q이다.

점 P의 x좌표는

$$\frac{1\times4+2\times(-2)}{1+2}=0$$

점 P의 y좌표는

$$\frac{1\times(-2)+2\times7}{1+2}=\frac{12}{3}=4$$

점 Q의 x좌표는

$$\frac{2\times4+1\times(-2)}{2+1}=\frac{6}{3}=2$$

점 Q의 y좌표는

$$\frac{2\times(-2)+1\times7}{2+1}=\frac{3}{3}=1$$

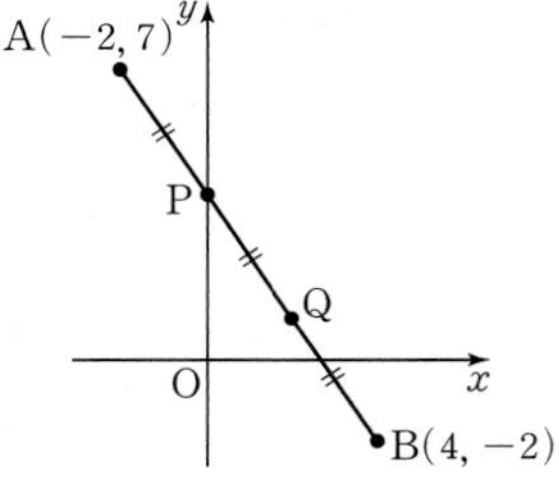

따라서 구하는 점 P의 좌표는 $(0, 4)$, 점 Q의 좌표는 $(2, 1)$

정답 $P(0, 4)$, $Q(2, 1)$

Bible Says

'점 P는 선분 AB를 $m : n$으로 내분한다.'를 다음과 같이 표현할 수도 있다. (단, $m>0$, $n>0$)

① 선분 AB 위의 점 P가 $\overline{AP} : \overline{BP}=m : n$을 만족시킨다.

② 선분 AB 위의 점 P가 $n\times\overline{AP}=m\times\overline{BP}$를 만족시킨다.

③ 선분 AB 위의 점 P가 $\frac{\overline{AP}}{m}=\frac{\overline{BP}}{n}$를 만족시킨다.

빠른 정답 • 507쪽 / 정답과 풀이 • 8쪽

한 번 더하기

06-1

두 점 A$(-3,\ 2)$, B$(13,\ -10)$에 대하여 선분 AB를 4등분하는 점 중 점 A에 가장 가까운 점을 P, 점 B에 가장 가까운 점을 Q라 하자. 두 점 P, Q의 좌표를 각각 구하시오.

표현 더하기

06-2

두 점 A$(4,\ -6)$, B$(11,\ 8)$에 대하여 선분 AB 위의 점 P가 $2\overline{AP}=5\overline{BP}$를 만족시킬 때, $\overline{OP}^2$의 값을 구하시오. (단, O는 원점이다.)

표현 더하기

06-3

두 점 A$(7,\ a)$, B$(-1,\ 2)$에 대하여 선분 AB를 $b:1$ $(b>0)$로 내분하는 점의 좌표가 $\left(-\frac{1}{5},\ \frac{4}{5}\right)$일 때, $a+b$의 값을 구하시오.

실력 더하기

06-4

두 점 A$(3,\ 1)$, B$(-2,\ 5)$를 지나는 직선 AB 위의 점 C에 대하여 $\overline{AB}:\overline{BC}=2:1$을 만족시키는 점 C의 좌표를 모두 구하시오.

대표 예제 | 07

선분의 내분점의 활용

두 점 A$(-4, 1)$, B$(2, -9)$에 대하여 선분 AB를 $t:(1-t)$로 내분하는 점이 제3사분면 위의 점일 때, 실수 t의 값의 범위를 구하시오. (단, $0<t<1$)

바로 접근 제3사분면 위의 내분점 (a, b)의 좌표를 미지수 t를 사용하여 나타낸 후 $a<0$, $b<0$을 모두 만족시키는 t의 값의 범위를 구한다.

바른 풀이 선분 AB를 $t:(1-t)$로 내분하는 점을 P라 하자.

점 P의 x좌표는

$$\frac{t\times2+(1-t)\times(-4)}{t+(1-t)}=6t-4$$

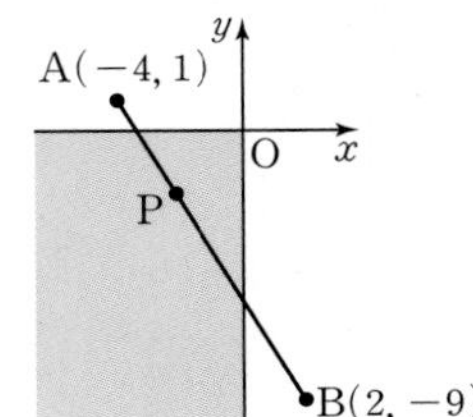

점 P의 y좌표는

$$\frac{t\times(-9)+(1-t)\times1}{t+(1-t)}=1-10t$$

점 P가 제3사분면 위의 점이므로

점 P의 x좌표, y좌표가 모두 음수이어야 한다.

즉, $\begin{cases}6t-4<0\\1-10t<0\end{cases}$ 에서 $\frac{1}{10}<t<\frac{2}{3}$

정답 $\frac{1}{10}<t<\frac{2}{3}$

Bible Says

(i) 점 (a, b)가 특정 사분면 위의 점일 경우 x좌표, y좌표의 부호를 따져준다.

제2사분면 $\begin{cases}a<0\\b>0\end{cases}$	제1사분면 $\begin{cases}a>0\\b>0\end{cases}$
제3사분면 $\begin{cases}a<0\\b<0\end{cases}$	제4사분면 $\begin{cases}a>0\\b<0\end{cases}$

(ii) 점 (a, b)가 직선 $y=mx+n$ 위의 점인 경우 $b=ma+n$을 만족시키는 미지수의 값을 구한다.

한 번 더하기

07-1

두 점 A(7, -3), B(6, 10)에 대하여 선분 AB를 $(1-t):t$로 내분하는 점이 제1사분면 위에 있도록 하는 실수 t의 값의 범위가 $\alpha<t<\beta$일 때, $\alpha+\beta$의 값을 구하시오.

(단, $0<t<1$)

표현 더하기

07-2

두 점 A(-2, 5), B(4, -3)을 이은 선분 AB가 x축에 의하여 $t:(1-t)$로 내분될 때, t의 값을 구하시오. (단, $0<t<1$)

표현 더하기

07-3

두 점 A(1, 9), B(-4, -1)에 대하여 선분 AB를 $1:k$로 내분하는 점이 직선 $y=x+5$ 위에 있을 때, 양수 k의 값을 구하시오.

실력 더하기

07-4

두 점 A(-4,a), B($2a$, -15)에 대하여 선분 AB를 $a:1$로 내분하는 점이 직선 $y=2x$ 위에 있을 때, 양수 a의 값을 구하시오.

대표 예제 08

삼각형의 무게중심

삼각형 ABC의 두 꼭짓점 A, B의 좌표가 각각 $(2, 5)$, $(6, -1)$이고 삼각형 ABC의 무게중심의 좌표가 $(1, 1)$일 때, 점 C의 좌표를 구하시오.

바로 접근 세 점 $A(x_1, y_1)$, $B(x_2, y_2)$, $C(x_3, y_3)$을 꼭짓점으로 하는 삼각형 ABC의 무게중심의 좌표는
$\left(\frac{x_1+x_2+x_3}{3}, \frac{y_1+y_2+y_3}{3}\right)$

바른 풀이 점 C의 좌표를 (x_1, y_1)이라 하면
삼각형의 무게중심의 좌표는
$\left(\frac{2+6+x_1}{3}, \frac{5+(-1)+y_1}{3}\right)$, 즉 $\left(\frac{8+x_1}{3}, \frac{4+y_1}{3}\right)$
이때 삼각형 ABC의 무게중심의 좌표가 $(1, 1)$이므로
$\frac{8+x_1}{3}=1$에서 $8+x_1=3$ $\quad\therefore x_1=-5$
$\frac{4+y_1}{3}=1$에서 $4+y_1=3$ $\quad\therefore y_1=-1$
따라서 점 C의 좌표는 $(-5, -1)$

정답 $(-5, -1)$

Bible Says

삼각형 ABC에 대하여
(i) 선분 AB의 중점 M의 좌표와 점 C의 좌표가 주어진 경우
➜ (삼각형 ABC의 무게중심)=(선분 CM을 $2:1$로 내분하는 점)
(ii) 세 변 AB, BC, CA를 각각 $t:(1-t)(0<t<1)$로 내분하는 점을 P, Q, R라 하면
➜ (삼각형 PQR의 무게중심)=(삼각형 ABC의 무게중심)

한 번 더하기

08-1 세 점 A(a, 5), B(9, $2a$), C(4, b)를 꼭짓점으로 하는 삼각형 ABC의 무게중심의 좌표가 (0, 1)일 때, $a+b$의 값을 구하시오.

표현 더하기

08-2 세 점 A(8, -8), B(5, 1), C(-1, 7)을 꼭짓점으로 하는 삼각형 ABC에서 세 변 AB, BC, CA의 중점을 각각 D, E, F라 하자. 삼각형 DEF의 무게중심의 좌표를 구하시오.

표현 더하기

08-3 세 점 A(2, a), B(b, -4), C(-6, 3)을 꼭짓점으로 하는 삼각형 ABC가 있다. 세 변 AB, BC, CA를 각각 2 : 3으로 내분하는 점 P, Q, R를 꼭짓점으로 하는 삼각형 PQR의 무게중심의 좌표가 (1, 1)일 때, $a+b$의 값을 구하시오.

실력 더하기

08-4 삼각형 ABC에서 꼭짓점 A의 좌표가 (-6, -1)이고 무게중심의 좌표가 (2, 3)일 때, 선분 BC의 중점의 좌표를 구하시오.

대표 예제 | 09

평행사변형 ABCD의 세 꼭짓점 A, B, C의 좌표가 각각 $(1, 3)$, $(5, -1)$, $(2, 7)$일 때, 점 D의 좌표를 구하시오.

바로 접근

평행사변형이 되는 아래의 조건 중 ⑤를 이용하여 점 D의 좌표를 구해보자.

① 두 쌍의 대변이 각각 평행하다. (평행사변형의 뜻)

② 두 쌍의 대변의 길이가 각각 같다.

③ 두 쌍의 대각의 크기가 각각 같다.

④ 한 쌍의 대변이 평행하고 그 길이가 같다.

⑤ 두 대각선이 서로를 이등분한다. (=두 대각선의 중점이 일치한다.)

바른 풀이

평행사변형 ABCD의 두 대각선은 서로를 이등분하므로 두 대각선 AC, BD의 중점이 일치한다.

대각선 AC의 중점의 좌표는

$\left(\frac{1+2}{2}, \frac{3+7}{2}\right)$, 즉 $\left(\frac{3}{2}, 5\right)$ …… ㉠

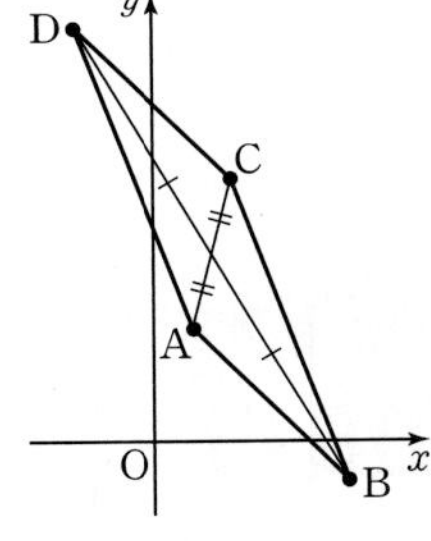

점 D의 좌표를 (a, b)라 하면 대각선 BD의 중점의 좌표는

$\left(\frac{5+a}{2}, \frac{(-1)+b}{2}\right)$ …… ㉡

㉠, ㉡이 서로 일치하므로

$\frac{3}{2}=\frac{5+a}{2}$에서 $a=-2$

$5=\frac{-1+b}{2}$에서 $b=11$

$\therefore$ D$(-2, 11)$

정답 $(-2, 11)$

Bible Says

네 점 A, B, C, D를 꼭짓점으로 하는 사각형이 ABCD로 지칭되어 있지 않다면 다음과 같은 평행사변형도 생각해줄 수 있다.

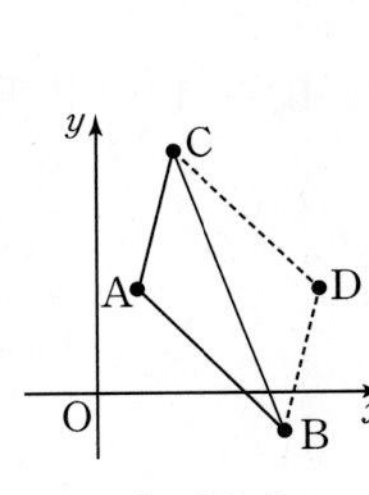

[그림 1]

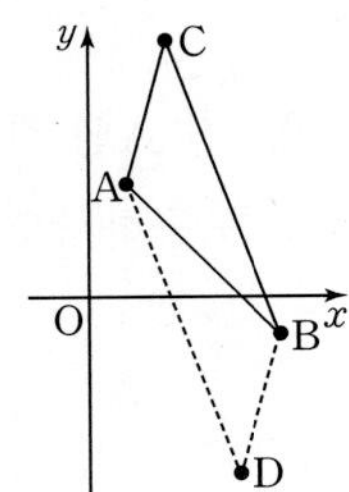

[그림 2]

사각형의 각 꼭짓점은 한쪽 방향으로 읽어야 하므로 [그림 1]에서의 사각형은 ABDC, [그림 2]에서의 사각형은 ADBC로 읽어야 하고 위의 문제에서 지칭한 사각형 ABCD는 위의 풀이에서 그려진 사각형만을 생각해주어야 한다.

빠른 정답 • 507쪽 / 정답과 풀이 • 11쪽

한 번 더하기

09-1

네 점 A$(-4,\ a)$, B$(b,\ 9)$, C$(6,\ 1)$, D$(-8,\ -2)$를 꼭짓점으로 하는 사각형 ABCD가 평행사변형일 때, $a+b$의 값을 구하시오.

표현 더하기

09-2

평행사변형 ABCD에서 두 꼭짓점 A, B의 좌표가 각각 $(3,\ 5)$, $(1,\ 7)$이고, 두 대각선 AC, BD의 교점의 좌표가 $(-4,\ 2)$일 때, 두 점 C, D의 좌표를 각각 구하시오.

표현 더하기

09-3

마름모 ABCD에서 두 꼭짓점 A, C의 좌표가 각각 $(-1,\ 9)$, $(2,\ 3)$일 때, 삼각형 ABD의 무게중심 G에 대하여 선분 CG의 길이를 구하시오.

실력 더하기

09-4

네 점 $(1,\ 2)$, $(-1,\ -1)$, $(2,\ 0)$, $(a,\ b)$를 꼭짓점으로 하는 사각형이 평행사변형일 때, **보기**에서 점 $(a,\ b)$가 될 수 있는 것만을 있는 대로 고르시오.

보기

ㄱ. $(0,\ -2)$　　ㄴ. $(0,\ -3)$　　ㄷ. $(3,\ 3)$

ㄹ. $(-2,\ 1)$　　ㅁ. $(-2,\ 0)$　　ㅂ. $(4,\ 3)$

대표 예제 | 10

그림과 같이 세 점 A$(2, 6)$, B$(-1, 2)$, C$(8, -2)$를 꼭짓점으로 하는 삼각형 ABC에서 $\angle$A의 이등분선이 변 BC와 만나는 점을 D라 할 때, 점 D의 좌표를 구하시오.

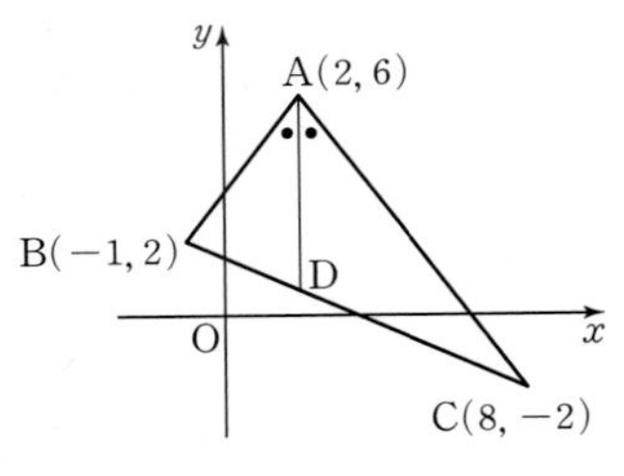

바로 접근

$\angle BAD = \angle CAD$

➔ $\overline{AB} : \overline{AC} = \overline{BD} : \overline{CD}$

➔ 점 D는 선분 BC를 $\overline{AB} : \overline{AC}$로 내분하는 점

바른 풀이

직선 AD가 $\angle$A의 이등분선이므로

$\overline{AB} : \overline{AC} = \overline{BD} : \overline{CD}$

이때

$\overline{AB} = \sqrt{\{(-1)-2\}^2+(2-6)^2} = \sqrt{25} = 5$

$\overline{AC} = \sqrt{(8-2)^2+\{(-2)-6\}^2} = \sqrt{100} = 10$

이므로 $\overline{BD} : \overline{CD} = 5 : 10 = 1 : 2$

즉, 점 D는 선분 BC를 $1 : 2$로 내분하는 점이다.

점 D의 x좌표는 $\dfrac{1\times 8+2\times(-1)}{1+2} = \dfrac{6}{3} = 2$

점 D의 y좌표는 $\dfrac{1\times(-2)+2\times 2}{1+2} = \dfrac{2}{3}$

따라서 점 D의 좌표는 $\left(2, \dfrac{2}{3}\right)$

정답 $\left(2, \dfrac{2}{3}\right)$

Bible Says

'삼각형의 내각의 이등분선과 변의 길이 사이의 관계'는 평행선을 보조선으로 그어 다음과 같이 보일 수 있다.

직선 AD에 평행하고 점 C를 지나는 직선이 직선 AB와 만나는 점을 C′이라 하자.

평행선의 성질에 의하여

(동위각) $\angle BAD = \angle AC'C$

(엇각) $\angle CAD = \angle ACC'$

즉, 삼각형 ACC′에서 $\angle AC'C = \angle ACC'$이므로 $\overline{AC'} = \overline{AC}$

$\therefore \overline{AB} : \overline{AC'} = \overline{BD} : \overline{CD}$

$\qquad\qquad \| $

$\qquad\quad \overline{AC}$

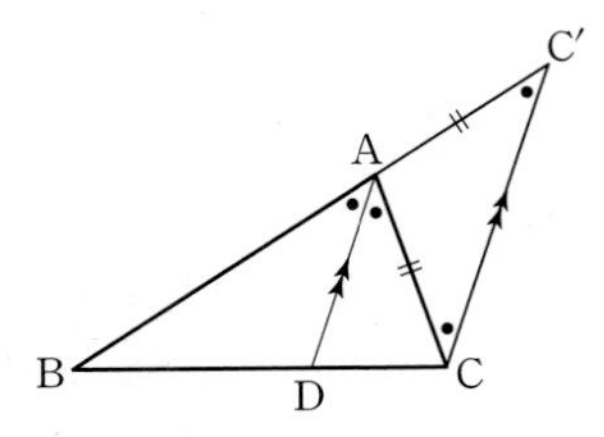

빠른 정답 • 507쪽 / 정답과 풀이 • 12쪽

한 번 더하기

10-1

그림과 같이 세 점 A$(-3,\ 6)$, B$(-8,\ -6)$, C$(1,\ 3)$을 꼭짓점으로 하는 삼각형 ABC에서 $\angle$A의 이등분선이 선분 BC와 만나는 점을 D라 할 때, 점 D의 좌표를 구하시오.

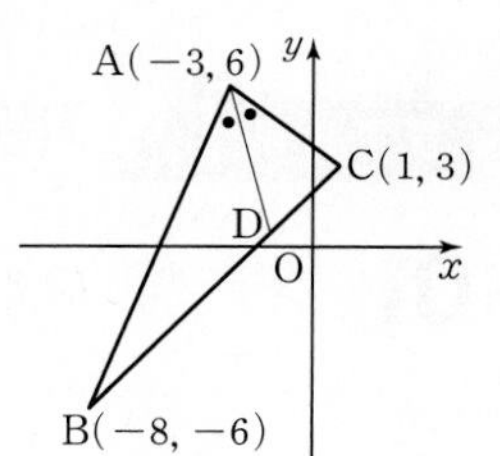

한 번 더하기

10-2

그림과 같이 세 점 A$(2,\ 8)$, B$(-5,\ 1)$, C$(9,\ 7)$을 꼭짓점으로 하는 삼각형 ABC에서 선분 BC 위의 점 D가 $\angle$BAD$=\angle$CAD를 만족시킬 때, 점 D의 좌표를 구하시오.

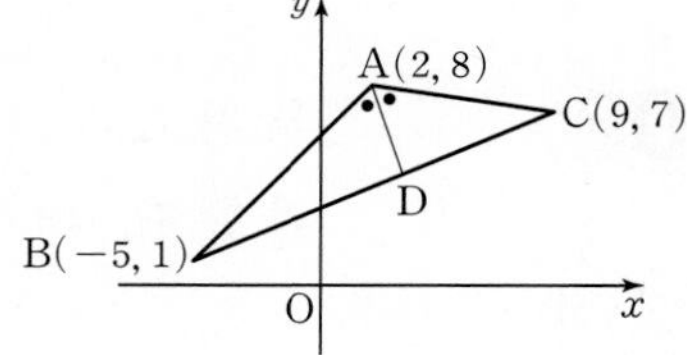

표현 더하기

10-3

그림과 같이 세 점 A$(5,\ 1)$, B$(-7,\ 6)$, C$(2,\ -3)$을 꼭짓점으로 하는 삼각형의 내심을 I라 하자. 직선 AI가 선분 BC와 만나는 점 D의 좌표를 구하시오.

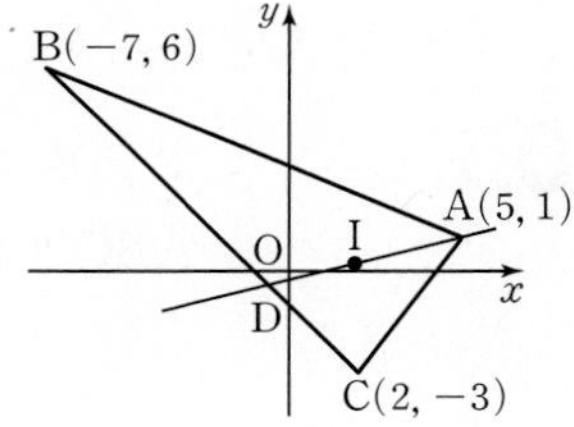

표현 더하기

10-4

그림과 같이 세 점 A$(4,\ 1)$, B$(-2,\ 3)$, C$(6,\ -3)$을 꼭짓점으로 하는 삼각형 ABC에서 $\angle$A의 이등분선이 선분 BC와 만나는 점을 D라 할 때, 선분 BD를 지름으로 하는 원과 선분 CD를 지름으로 하는 원의 넓이의 비를 $m : n$이라 하자. $m+n$의 값을 구하시오. (단, m과 n은 서로소인 자연수이다.)

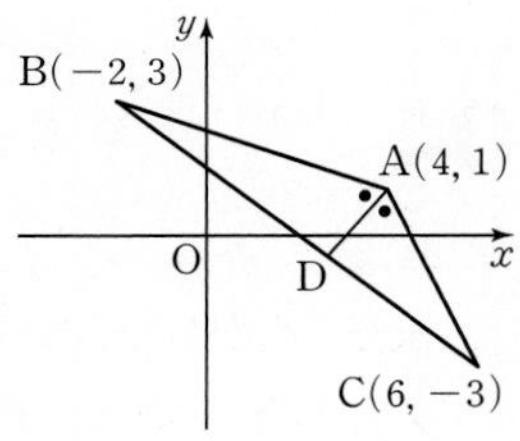

중단원 연습문제

STEP 1 기본 다지기

01 두 점 $A(a,\ -1)$, $B(-2,\ a-2)$ 사이의 거리가 $3\sqrt{5}$일 때, 양수 a의 값을 구하시오.

02 두 점 $A(5,\ -3)$, $B(-8,\ 4)$에서 같은 거리에 있는 직선 $y=2x$ 위의 점의 좌표를 $(a,\ b)$라 할 때, $a+b$의 값을 구하시오.

03 양수 a, b에 대하여 세 점 $A(2,\ a)$, $B(-5,\ -4)$, $C(b,\ -3)$을 꼭짓점으로 하는 삼각형 ABC의 외심의 좌표가 $(-2,\ 0)$일 때, $a+b$의 값을 구하시오.

04 두 점 $A(3,\ -1)$, $B(-7,\ 4)$와 x축 위의 점 P에 대하여 $\overline{AP}^2+\overline{BP}^2$의 최솟값을 구하시오.

05

세 점 $A(-4, 0)$, $B(-1, 6)$, $C(3, 4)$를 꼭짓점으로 하는 삼각형 ABC는 어떤 삼각형인지 고르면?

① 정삼각형
② $\angle A=90°$인 직각삼각형
③ $\angle B=90°$인 직각삼각형
④ 둔각삼각형
⑤ $\overline{AB}\neq\overline{BC}$이고 $\overline{BC}=\overline{CA}$인 이등변삼각형

06

오른쪽 그림과 같이 삼각형 ABC의 변 BC 위에 $2\overline{BP}=\overline{CP}$가 되도록 점 P를 잡을 때,

$$2\overline{AB}^2+\overline{AC}^2=\frac{3}{2}(2\overline{AP}^2+\overline{CP}^2)$$

이 성립함을 좌표평면을 이용하여 설명하시오.

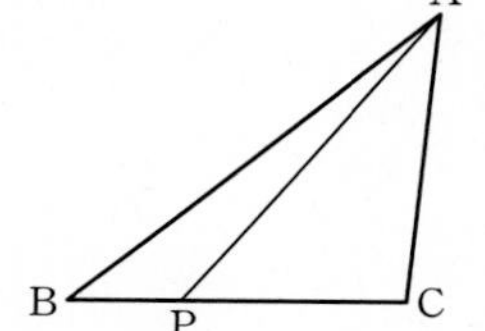

07

두 점 $A(a, 8)$, $B(-2, -4)$에 대하여 선분 AB를 $1 : b$ $(b>0)$로 내분하는 점의 좌표가 $(4, 5)$일 때, $a+b$의 값을 구하시오.

08

두 점 $A(-3, k)$, $B(2k, 14)$에 대하여 선분 AB를 $k : 1$로 내분하는 점이 직선 $y=3x$ 위에 있을 때, 양수 k의 값을 구하시오.

09 삼각형 ABC의 세 변 AB, BC, CA의 중점의 좌표가 각각 $(4,\ 4)$, $(-3,\ -2)$, $(2,\ -5)$일 때, 삼각형 ABC의 무게중심의 좌표를 구하시오.

10 평행사변형 ABCD에서 꼭짓점 A의 좌표가 $(-1,\ 6)$이고, 두 변 AB, BC를 $1:2$로 내분하는 점의 좌표가 각각 $(-2,\ 3)$, $(-2,\ -2)$일 때, 점 D의 좌표를 구하시오.

11 마름모 ABCD의 두 꼭짓점 B, C의 좌표가 각각 $(1,\ 1)$, $\left(4,\ -\frac{5}{2}\right)$이고, 삼각형 ABC의 무게중심의 좌표가 $\left(\frac{7}{3},\ \frac{4}{3}\right)$일 때, 두 꼭짓점 A, D의 좌표를 각각 구하시오.

12 세 점 $A(-3,\ 3)$, $B(-3,\ 1)$, $C(5,\ 9)$를 꼭짓점으로 하는 삼각형 ABC에서 $\angle A$의 이등분선이 변 BC와 만나는 점을 D라 할 때, 점 D의 좌표가 $(\alpha,\ \beta)$이다. $\beta-\alpha$의 값을 구하시오.

S·T·E·P 2 실력 다지기

13 실수 a, b에 대하여 $\sqrt{a^2+b^2}+\sqrt{(a-2)^2+(b+4)^2}$의 최솟값을 구하시오.

14 세 점 A(1, 2), B(6, 5), C(2, −1)과 임의의 점 P에 대하여 $\overline{AP}^2+\overline{BP}^2+\overline{CP}^2$의 최솟값을 구하시오.

15 다음은 제1사분면 위의 세 점 A(1, 5), B(3, 1), C(a, b)를 꼭짓점으로 하는 삼각형 ABC가 $\angle B=90°$인 직각이등변삼각형일 때, a, b의 값을 구하는 과정이다.

> 삼각형 ABC가 $\angle B=90°$인 직각이등변삼각형이므로
>
> $\overline{AB}^2 : \overline{BC}^2 : \overline{CA}^2 = 1 : 1 :$ (가)
>
> 이다. 이때 $\overline{AB}^2$, $\overline{BC}^2$, $\overline{CA}^2$의 값을 각각 구하면
>
> $\overline{AB}^2=$ (나)
>
> $\overline{BC}^2=a^2-6a+b^2-2b+10$
>
> $\overline{CA}^2=a^2-2a+b^2-10b+$ (다)
>
> 이므로
>
> $a^2-6a+b^2-2b+10=$ (나) ...... ㉠
>
> a^2-2a+b^2-10b+ (다) $=$ (가) $\times$ (나) ...... ㉡
>
> ㉠−㉡에 의하여 $a=2b+1$이고, 이를 ㉠에 대입하여 정리하면
>
> $a=$ (라), $b=$ (마)
>
> 이다.

위의 (가)~(마)에 각각 알맞은 수를 써넣으시오.

16 오른쪽 그림과 같이 삼각형 ABC에서 변 BC를 삼등분한 점을 각각 D, E라 할 때, $\overline{AB}^2+\overline{AC}^2=\overline{AD}^2+\overline{AE}^2+4\overline{DE}^2$이 성립함을 좌표평면을 이용하여 설명하시오.

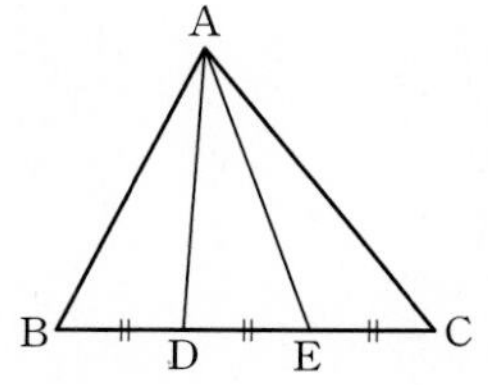

빠른 정답 • 507쪽 / 정답과 풀이 • 16쪽

17 정삼각형 ABC에서 꼭짓점 A의 좌표가 $(6, 8)$이고 무게중심이 원점일 때, 삼각형 ABC의 넓이를 구하시오.

18 세 점 $\mathrm{A}(-1, -1)$, $\mathrm{B}(-3, k)$, $\mathrm{C}(5, -4)$를 꼭짓점으로 하는 삼각형 ABC에서 선분 BC 위의 점 D가 $\angle\mathrm{BAD}=\angle\mathrm{CAD}$를 만족시킬 때, 두 삼각형 ABD, ACD의 넓이의 비가 $2:3$이 되도록 하는 실수 k의 값을 모두 구하시오.

challenge

19 네 점 $\mathrm{A}(-5, a)$, $\mathrm{B}(-2, b)$, $\mathrm{C}(7, -10)$, $\mathrm{D}(4, 1)$을 꼭짓점으로 하는 사각형 ABCD가 마름모일 때, $a+b$의 최솟값을 구하시오.

challenge

20 네 점 $\mathrm{A}(2, a)$, $\mathrm{B}(-5, b)$, $\mathrm{C}(3, -9)$, $\mathrm{D}(4, -1)$을 꼭짓점으로 하는 등변사다리꼴 ABCD에 대하여 점 B가 제3사분면 위의 점이고 $\angle\mathrm{ABC}=\angle\mathrm{DCB}$일 때, $a+b$의 값을 구하시오.

02 직선의 방정식

01 직선의 방정식

직선의 방정식	(1) 점 (x_1, y_1)을 지나고 기울기가 m인 직선의 방정식은 $y-y_1=m(x-x_1)$ (2) 서로 다른 두 점 (x_1, y_1), (x_2, y_2)를 지나는 직선의 방정식은 (i) $x_1 \neq x_2$일 때 $y-y_1=\frac{y_2-y_1}{x_2-x_1}(x-x_1)$ (ii) $x_1=x_2$일 때 $x=x_1$ (3) x절편이 a, y절편이 b인 직선의 방정식은 $\frac{x}{a}+\frac{y}{b}=1$ (단, $a\neq0$, $b\neq0$)
일차방정식 $ax+by+c=0$ 이 나타내는 도형	직선의 방정식은 x, y에 대한 일차방정식 $ax+by+c=0$ ($a\neq0$ 또는 $b\neq0$) 꼴로 나타낼 수 있다. 거꾸로 x, y에 대한 일차방정식 $ax+by+c=0$ ($a\neq0$ 또는 $b\neq0$)이 나타내는 도형은 직선이다.
정점을 지나는 직선의 방정식	두 직선 $ax+by+c=0$, $a'x+b'y+c'=0$이 한 점에서 만날 때, 방정식 $(ax+by+c)+k(a'x+b'y+c')=0$이 나타내는 도형은 실수 k의 값에 관계없이 두 직선 $ax+by+c=0$, $a'x+b'y+c'=0$의 교점을 지나는 직선이다.

02 두 직선의 위치 관계

두 직선의 위치 관계

두 직선의 방정식	일치한다.	평행하다.	한 점에서 만난다.
$y=mx+n$ $y=m'x+n'$	$m=m'$, $n=n'$	$m=m'$, $n\neq n'$	$m\neq m'$ 수직이면 $mm'=-1$
$ax+by+c=0$ $a'x+b'y+c'=0$ (단, $ab\neq0$, $a'b'\neq0$)	$\frac{a}{a'}=\frac{b}{b'}=\frac{c}{c'}$	$\frac{a}{a'}=\frac{b}{b'}\neq\frac{c}{c'}$	$\frac{a}{a'}\neq\frac{b}{b'}$ 수직이면 $aa'+bb'=0$

03 점과 직선 사이의 거리

점과 직선 사이의 거리	점 $\mathrm{P}(x_1, y_1)$과 직선 $ax+by+c=0$ 사이의 거리는 $\frac{\lvert ax_1+by_1+c\rvert}{\sqrt{a^2+b^2}}$ 특히, 원점 $\mathrm{O}(0, 0)$과 직선 $ax+by+c=0$ 사이의 거리는 $\frac{\lvert c\rvert}{\sqrt{a^2+b^2}}$

직선의 방정식

1 직선의 방정식

(1) 한 점과 기울기가 주어진 직선의 방정식

점 $(x_1,\ y_1)$을 지나고 기울기가 m인 직선의 방정식은

$$y-y_1=m(x-x_1)$$

(2) 두 점을 지나는 직선의 방정식

서로 다른 두 점 $\mathrm{A}(x_1,\ y_1)$, $\mathrm{B}(x_2,\ y_2)$를 지나는 직선의 방정식은

(i) $x_1\neq x_2$일 때, $y-y_1=\dfrac{y_2-y_1}{x_2-x_1}(x-x_1)$

(ii) $x_1=x_2$일 때, $x=x_1$

(3) x절편과 y절편이 주어진 직선의 방정식

x절편이 a, y절편이 b인 직선의 방정식은

$$\frac{x}{a}+\frac{y}{b}=1 \text{ (단, } a\neq 0,\ b\neq 0\text{)}$$

중학교 과정에서 학습한 직선을 그래프로 하는 일차함수의 식 $y=mx+n$에 대하여 복습해 보자. x의 값의 증가량에 대한 y의 값의 증가량의 비율은 항상 일정하고, 그 비율은 x의 계수 m과 같다. 이를 직선의 기울기라 한다.

즉, $(\text{기울기})=\dfrac{(y\text{의 값의 증가량})}{(x\text{의 값의 증가량})}=m$이다.

일차함수 $y=mx+n$의 그래프는
$m>0$이면 오른쪽 위로 향하는 직선이고,
$m=0$이면 y축에 수직(x축에 평행)인 직선이고,
$m<0$이면 오른쪽 아래로 향하는 직선이다.

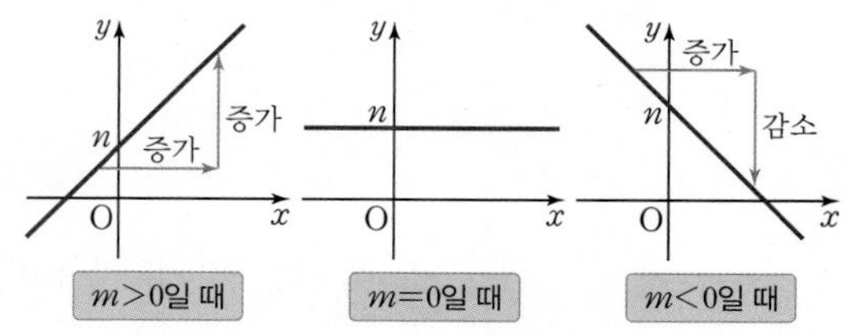

또한 직선 $y=mx+n$이 x축의 양의 방향과 이루는 각의 크기 θ $(0°\leq\theta<90°)$가 주어졌을 때 기울기를 구해 보자.

오른쪽 그림과 같이 직선 $y=mx+n$이 x축과 만나는 점을 A, 점 A보다 x좌표가 큰 x축 위의 점을 B, 점 B를 지나고 x축에 수직인 직선이 직선 $y=mx+n$과 만나는 점을 C라 하자.

$$m=\frac{(y\text{의 값의 증가량})}{(x\text{의 값의 증가량})}=\frac{\overline{\mathrm{BC}}}{\overline{\mathrm{AB}}} \qquad \cdots\cdots ㉠$$

이고, 삼각형 ABC는 $\angle B=90^\circ$인 직각삼각형이므로

$$\tan\theta=\frac{\overline{\mathrm{BC}}}{\overline{\mathrm{AB}}} \qquad \cdots\cdots ㉡$$

이다. 따라서 ㉠, ㉡에 의하여 $m=\tan\theta$이다.

일차함수의 그래프는 직선이므로 일차함수의 그래프의 기울기와 그래프 위의 한 점의 좌표를 알면 그 일차함수의 식을 구할 수 있다. 또는 일차함수의 그래프 위의 서로 다른 두 점의 좌표를 알면 기울기를 구하여 그 일차함수의 식을 구할 수 있다.
이제 지나는 점의 좌표, 기울기, 절편 등 직선에 대한 정보가 주어졌을 때, 이를 만족시키는 직선의 방정식에 대해 알아보자.

(1) 한 점과 기울기가 주어진 직선의 방정식

좌표평면 위의 한 점 $A(x_1, y_1)$을 지나고 기울기가 m인 직선의 방정식을 구해 보자.
직선의 방정식을

$$y=mx+n \qquad \cdots\cdots ㉠$$

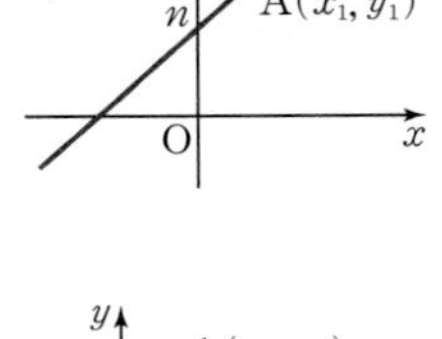

이라 하면 이 직선은 점 $A(x_1, y_1)$을 지나므로

$$y_1=mx_1+n,\ 즉\ n=y_1-mx_1$$

이다. 이를 ㉠에 대입하여 정리하면 다음과 같다.

$$y-y_1=m(x-x_1)$$

특히, $m=0$인 경우
y축에 수직(x축에 평행)이고 이 직선의 방정식은 $y=y_1$이다.
직선 위의 모든 점의 y좌표가 y_1이다. x축의 방정식은 $y=0$이다.

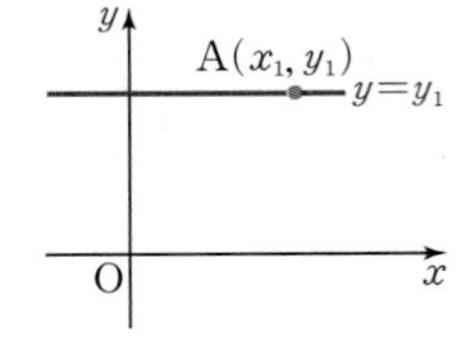

example

(1) 점 (1, 1)을 지나고 기울기가 2인 직선의 방정식은

$$y-1=2(x-1),\ 즉\ y=2x-1$$

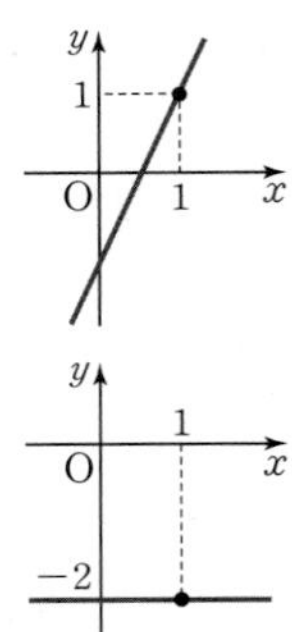

(2) 점 (1, −2)를 지나고 y축에 수직인 직선의 방정식은

$$y=-2$$

(3) 점 $(\sqrt{3}, 1)$을 지나고 x축의 양의 방향과 이루는 각의 크기가 60°인 직선은 기울기가 $\tan 60^\circ=\sqrt{3}$이므로 이 직선의 방정식은

$$y-1=\sqrt{3}(x-\sqrt{3}),\ 즉\ y=\sqrt{3}x-2$$

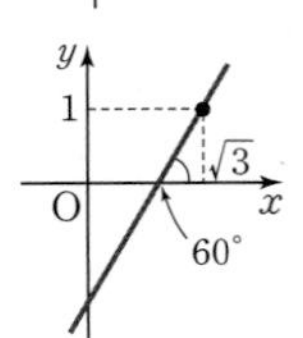

(2) 두 점을 지나는 직선의 방정식

좌표평면 위의 두 점 $A(x_1, y_1)$, $B(x_2, y_2)$를 지나는 직선의 방정식을 구해 보자.

(i) $x_1 \neq x_2$일 때

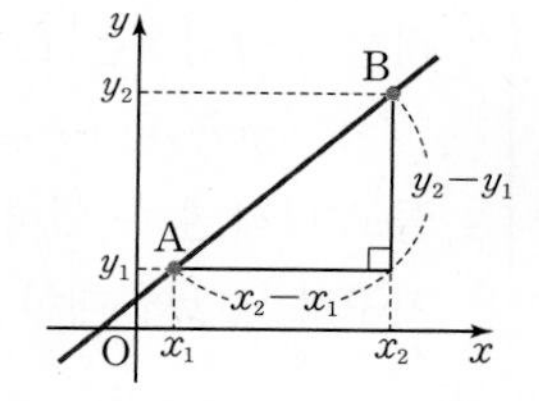

직선의 기울기는 $\frac{y_2-y_1}{x_2-x_1}$이고, 이 직선은 점 $A(x_1, y_1)$을 지나므로

직선의 방정식은 다음과 같다.

$$y-y_1=\frac{y_2-y_1}{x_2-x_1}(x-x_1)$$ ← 점 $B(x_2, y_2)$를 지나는 직선의 방정식을 구해도 결과는 같다.

(ii) $x_1=x_2$일 때

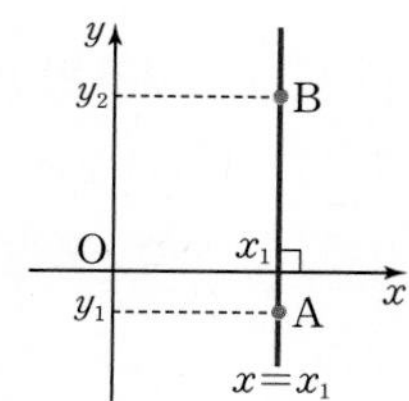

두 점 A, B를 지나는 직선은 x축에 수직(y축에 평행)이고

직선의 방정식은 다음과 같다.

$$x=x_1$$ ← 직선 위의 모든 점의 x좌표가 x_1이고, y축의 방정식은 $x=0$이다.

(3) x절편과 y절편이 주어진 직선의 방정식

(2)에서 두 점이 x축 위의 한 점과 y축 위의 한 점으로 주어진 경우 좀 더 간단한 형태의 직선의 방정식을 얻을 수 있다.

일차함수의 그래프가 x축과 만나는 점의 x좌표를 그 그래프의 x절편, y축과 만나는 점의 y좌표를 그 그래프의 y절편이라 한다. ← x절편은 직선의 방정식에 $y=0$을 대입했을 때의 x의 값, y절편은 직선의 방정식에 $x=0$을 대입했을 때의 y의 값이다.

x절편이 a $(a\neq 0)$, y절편이 b $(b\neq 0)$인 직선은 두 점 $(a, 0)$, $(0, b)$를 지나는 직선이므로

(2)의 (i)에 의하여 직선의 방정식은

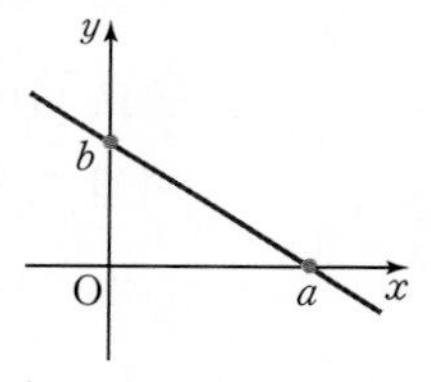

$$y-0=\frac{b-0}{0-a}(x-a), \text{ 즉 } y=-\frac{b}{a}x+b$$

이다. 이때 양변을 b로 나누어 정리하면 다음과 같다.

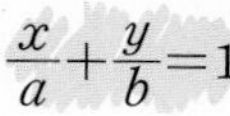

$$\frac{x}{a}+\frac{y}{b}=1$$

example

(1) 두 점 $(2, 3)$, $(6, 7)$을 지나는 직선의 방정식은

$$y-3=\frac{7-3}{6-2}(x-2), \text{ 즉 } y=x+1$$

(2) 두 점 $(-2, -1)$, $(-2, 5)$를 지나는 직선의 방정식은

$$x=-2$$

(3) x절편이 4, y절편이 6인 직선의 방정식은

$$\frac{x}{4}+\frac{y}{6}=1, \text{ 즉 } y=-\frac{3}{2}x+6$$

참고 두 점 $(4, 0)$, $(0, 6)$을 지나는 직선의 방정식을 구해도 결과는 같다.

$$y-0=\frac{6-0}{0-4}(x-4), \text{ 즉 } y=-\frac{3}{2}x+6$$

2 일차방정식 $ax+by+c=0$이 나타내는 도형

직선의 방정식은 x, y에 대한 일차방정식

$$ax+by+c=0 \ (a\neq 0 \text{ 또는 } b\neq 0)$$

꼴로 나타낼 수 있다.

거꾸로 x, y에 대한 일차방정식 $ax+by+c=0$ ($a\neq 0$ 또는 $b\neq 0$)이 나타내는 도형은 직선이다.

좌표평면 위의 직선의 방정식 $y=-2x+1$, $x=\frac{1}{3}$, $y=-2$는 각각 $2x+y-1=0$, $3x-1=0$, $y+2=0$과 같이 나타낼 수 있다.

즉, 모든 직선의 방정식은 x, y에 대한 일차방정식

$$ax+by+c=0 \ (a\neq 0 \text{ 또는 } b\neq 0)$$

← x, y에 대한 $ax+by+c=0$ 꼴을 직선의 방정식의 일반형이라 하고, $y=mx+n$ 꼴을 직선의 방정식의 표준형이라 한다.

꼴로 나타낼 수 있다.

거꾸로 x, y에 대한 일차방정식 $ax+by+c=0$은

(i) $a\neq 0$, $b\neq 0$일 때, $y=-\frac{a}{b}x-\frac{c}{b}$ ← 기울기가 $-\frac{a}{b}$이고, y절편이 $-\frac{c}{b}$인 직선

(ii) $a\neq 0$, $b=0$일 때, $x=-\frac{c}{a}$ ← x축에 수직인(y축에 평행한) 직선

(iii) $a=0$, $b\neq 0$일 때, $y=-\frac{c}{b}$ ← y축에 수직인(x축에 평행한) 직선

꼴로 나타낼 수 있으므로 항상 직선의 방정식이 됨을 알 수 있다.

이때 기울기와 x절편 또는 y절편의 부호에 따른 직선 $ax+by+c=0$의 개형은 다음과 같다.

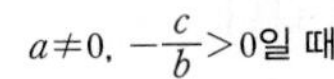

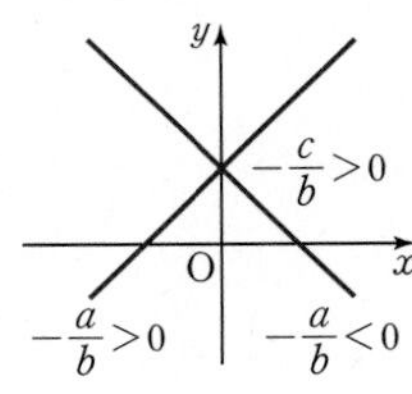

$a\neq 0$, $-\frac{c}{b}<0$일 때

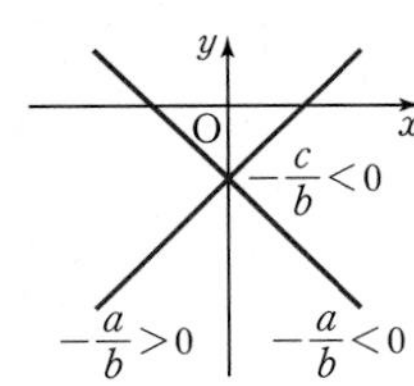

$a\neq 0$, $b=0$일 때

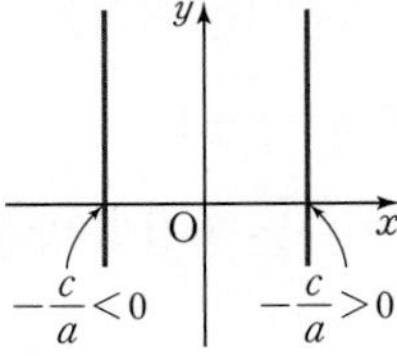

$a=0$, $b\neq 0$일 때

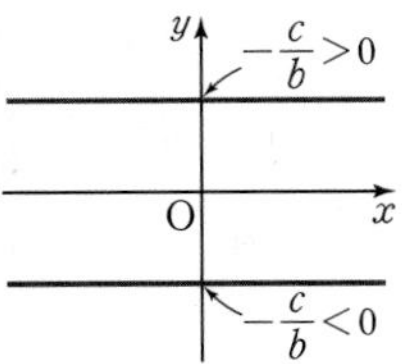

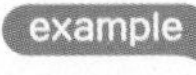

일차방정식 $2x+3y+6=0$을 y에 대하여 정리하면 $y=-\frac{2}{3}x-2$이므로

이 일차방정식이 나타내는 도형은 기울기가 $-\frac{2}{3}$이고 y절편이 -2인 직선이다.

3 정점을 지나는 직선의 방정식

두 직선 $ax+by+c=0$, $a'x+b'y+c'=0$이 한 점에서 만날 때, 방정식

$$(ax+by+c)+k(a'x+b'y+c')=0$$

이 나타내는 도형은 실수 k의 값에 관계없이 두 직선

$$ax+by+c=0,\ a'x+b'y+c'=0$$

의 교점을 지나는 직선이다.

두 직선 $ax+by+c=0$, $a'x+b'y+c'=0$이 한 점에서 만날 때
두 직선이 서로 평행하거나 일치하는 경우는 다루지 않는다.
임의의 실수 k에 대하여 성립하는 방정식

$$ax+by+c+k(a'x+b'y+c')=0 \quad \cdots\cdots \text{㉠}$$

을 x, y에 대하여 정리하면 다음과 같다.

$$(a+ka')x+(b+kb')y+(c+kc')=0$$

즉, ㉠은 x, y에 대한 일차방정식이므로 직선을 나타낸다.

또한 두 직선 $ax+by+c=0$, $a'x+b'y+c'=0$의 교점의 좌표를 $(p,\ q)$라 하면

$$ap+bq+c=0,\ a'p+b'q+c'=0$$

이므로 k의 값에 관계없이 다음이 성립한다.

$$(ap+bq+c)+k(a'p+b'q+c')=0$$

$ap+bq+c=0$, $a'p+b'q+c'=0$이므로 k에 대한 항등식이다.

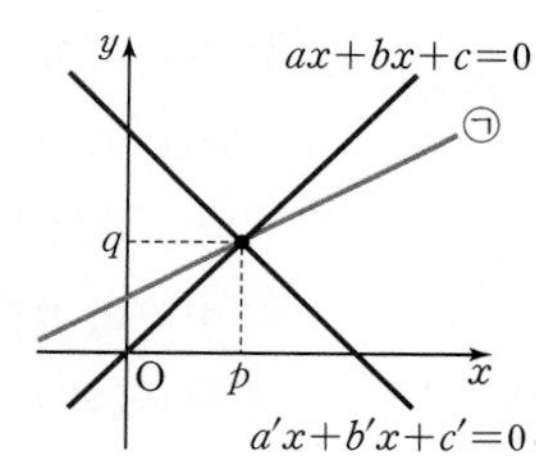

즉, ㉠이 나타내는 도형은 실수 k의 값에 관계없이 항상 점 $(p,\ q)$를 지난다.

따라서 방정식

$$ax+by+c+k(a'x+b'y+c')=0$$

이 나타내는 도형은 실수 k의 값에 관계없이 두 직선 $ax+by+c=0$, $a'x+b'y+c'=0$의 교점을 지나는 직선이다.

example 방정식

$$x+y+1+k(x-y-3)=0 \quad \cdots\cdots \text{㉠}$$

을 x, y에 대하여 정리하면 $(1+k)x+(1-k)y+1-3k=0$이므로
㉠은 x, y에 대한 일차방정식이고, 이 방정식이 나타내는 도형은 직선이다.
또한 두 직선 $x+y+1=0$, $x-y-3=0$의 교점의 좌표를 구하면 $(1,\ -2)$이고,
이를 ㉠에 대입하면 $0+k\times0=0$ 꼴이므로 k의 값에 관계없이 항상 성립한다.
즉, ㉠이 나타내는 도형은 실수 k의 값에 관계없이 항상 점 $(1,\ -2)$를 지난다.
따라서 ㉠이 나타내는 도형은 k의 값에 관계없이 두 직선 $x+y+1=0$, $x-y-3=0$의 교점 $(1,\ -2)$를 지나는 직선이다.

4 두 직선의 교점을 지나는 직선의 방정식

두 직선 $ax+by+c=0$, $a'x+b'y+c'=0$의 교점을 지나는 직선 중 직선 $a'x+b'y+c'=0$을 제외한 직선의 방정식은

$$(ax+by+c)+k(a'x+b'y+c')=0 \ (k\text{는 실수})$$

꼴로 나타낼 수 있다.

한 점에서 만나는 두 직선

$$l : ax+by+c=0,\ l' : a'x+b'y+c'=0$$

의 교점을 지나는 직선의 방정식은 동시에 0이 아닌 임의의 두 상수 m, n에 대하여

$$m(ax+by+c)+n(a'x+b'y+c')=0 \quad \cdots\cdots \text{㉠}$$

으로 나타내어진다.

(i) $m\neq0$, $n=0$일 때

$m(ax+by+c)=0 \qquad \therefore ax+by+c=0$

즉, 직선 l의 방정식이다.

(ii) $m=0$, $n\neq0$일 때

$n(a'x+b'y+c')=0 \qquad \therefore a'x+b'y+c'=0$

즉, 직선 l'의 방정식이다.

(iii) $m\neq0$, $n\neq0$일 때

두 직선 l, l'의 교점을 지나는 직선 중 l과 l'을 제외한 직선이다.

(i), (iii)일 때 식을 간단히 하기 위해 ㉠의 양변을 m $(m\neq0)$으로 나눈 후 $\frac{n}{m}=k$로 놓으면 ㉠은

$$ax+by+c+k(a'x+b'y+c')=0 \quad \cdots\cdots \text{㉡}$$

으로 나타낼 수 있다.

즉, 두 직선 l, l'의 교점을 지나는 모든 직선의 방정식은 ㉠ 꼴로 나타낼 수 있고, 이 중 l'을 제외한 직선의 방정식은 ㉡ 꼴로 나타낼 수 있다.

두 직선 $3x-2y+6=0$, $x+y-2=0$의 교점과 원점을 지나는 직선의 방정식을 구해 보자.

먼저 두 직선의 교점을 지나는 직선의 방정식을 구하면

$3x-2y+6+k(x+y-2)=0$이고, 이 직선이 원점을 지나므로

$6-2k=0$, 즉 $k=3$

따라서 구하는 직선의 방정식은 다음과 같다.

$3x-2y+6+3(x+y-2)=0$, 즉 $6x+y=0$

참고 두 직선 $3x-2y+6=0$, $x+y-2=0$의 교점의 좌표는 $\left(-\frac{2}{5}, \frac{12}{5}\right)$이고 직선 $6x+y=0$은 원점과 점 $\left(-\frac{2}{5}, \frac{12}{5}\right)$를 모두 지남을 확인할 수 있다.

빠른 정답 • 507쪽 / 정답과 풀이 • 18쪽

01 다음 직선의 방정식을 구하시오.

(1) 점 $(3,\ -5)$를 지나고 기울기가 -2인 직선
(2) 점 $(-2,\ 6)$을 지나고 x축의 양의 방향과 이루는 각의 크기가 $45°$인 직선

02 다음 직선의 방정식을 구하시오.

(1) 두 점 $(-2,\ 4)$, $(-1,\ 7)$을 지나는 직선
(2) x절편이 $\frac{1}{2}$이고, y절편이 3인 직선
(3) 두 점 $(5,\ 2)$, $(5,\ -2)$를 지나는 직선
(4) 두 점 $(2,\ -3)$, $(-7,\ -3)$을 지나는 직선

03 다음 일차방정식이 나타내는 직선의 기울기와 y절편을 각각 구하고, 그 그래프를 그리시오.

(1) $3x-y-5=0$　　(2) $2x+4y-1=0$　　(3) $3y-6=0$

04 직선 $x-y-4+k(3x+y)=0$이 실수 k의 값에 관계없이 항상 지나는 점의 좌표를 구하시오.

05 방정식 $(2+k)x+(1-k)y+1+5k=0$에 대한 설명 중 **보기**에서 옳은 것만을 있는 대로 고르시오.

보기

ㄱ. k의 값에 관계없이 항상 점 $(-2,\ 3)$을 지나는 직선의 방정식을 의미한다.
ㄴ. 직선 $y=-2x-1$의 방정식을 나타낼 수 있다.
ㄷ. 직선 $y=x+5$의 방정식을 나타낼 수 있다.

대표 예제 | 01

다음 물음에 답하시오.

(1) 두 점 $(-4,\ 3)$, $(6,\ -5)$를 이은 선분의 중점을 지나고 기울기가 2인 직선의 방정식을 구하시오.

(2) x절편이 -2이고, x축의 양의 방향과 이루는 각의 크기가 $30°$인 직선의 방정식을 구하시오.

바로 접근

(1) 한 점 $(x_1,\ y_1)$을 지나고 기울기가 m인 직선의 방정식은

$y-y_1=m(x-x_1)$

(2) 기울기 대신 직선과 x축의 양의 방향이 이루는 각의 크기 θ가 주어질 경우

$\theta=30°$일 때 직선의 기울기는 $\tan 30°=\frac{\sqrt{3}}{3}$

$\theta=45°$일 때 직선의 기울기는 $\tan 45°=1$

$\theta=60°$일 때 직선의 기울기는 $\tan 60°=\sqrt{3}$

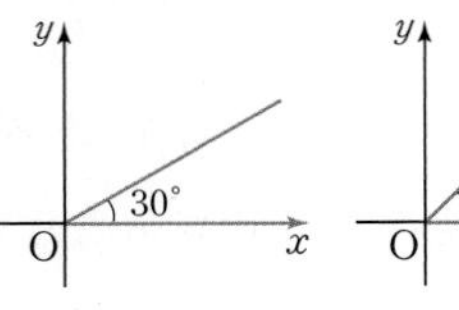

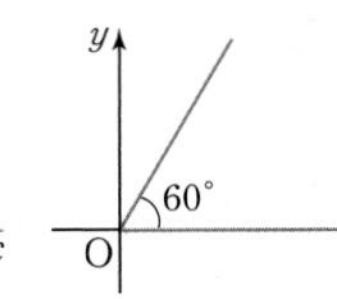

바른 풀이

(1) 두 점 $(-4,\ 3)$, $(6,\ -5)$를 이은 선분의 중점의 좌표는

$\left(\frac{(-4)+6}{2},\ \frac{3+(-5)}{2}\right)$, 즉 $(1,\ -1)$

따라서 점 $(1,\ -1)$을 지나고 기울기가 2인 직선의 방정식은

$y-(-1)=2(x-1)$, 즉 $y=2x-3$

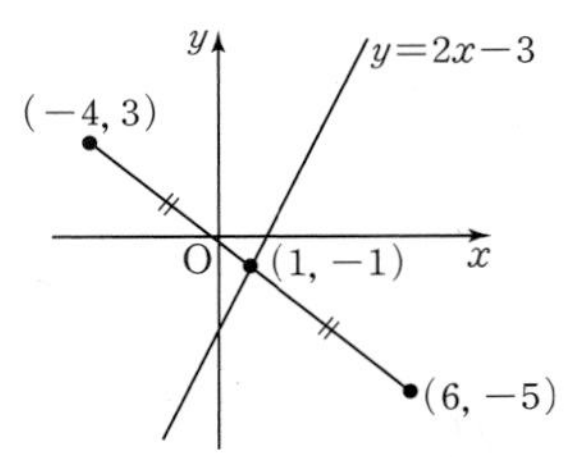

(2) x축의 양의 방향과 이루는 각의 크기가 $30°$인 직선의 기울기는 $\tan 30°=\frac{\sqrt{3}}{3}$

따라서 점 $(-2,\ 0)$을 지나고 기울기가 $\frac{\sqrt{3}}{3}$인 직선의 방정식은

$y=\frac{\sqrt{3}}{3}\{x-(-2)\}$, 즉 $y=\frac{\sqrt{3}}{3}x+\frac{2\sqrt{3}}{3}$

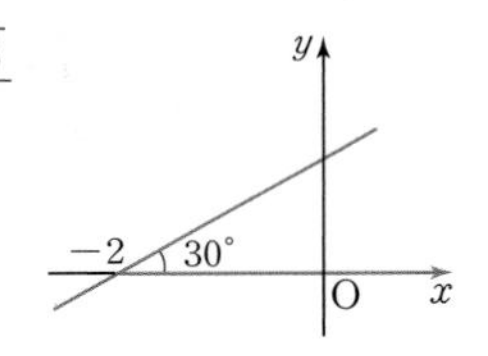

정답 (1) $y=2x-3$ (2) $y=\frac{\sqrt{3}}{3}x+\frac{2\sqrt{3}}{3}$

Bible Says

① 점 $(p,\ q)$를 지나고 x축에 수직인(y축에 평행한) 직선 위의 점은 y좌표와 관계없이 x좌표가 일정하다. 이 직선의 방정식은 $x=p$라 나타낸다.

② 점 $(p,\ q)$를 지나고 y축에 수직인(x축에 평행한) 직선 위의 점은 x좌표와 관계없이 y좌표가 일정하다. 이 직선의 방정식은 $y=q$라 나타낸다.

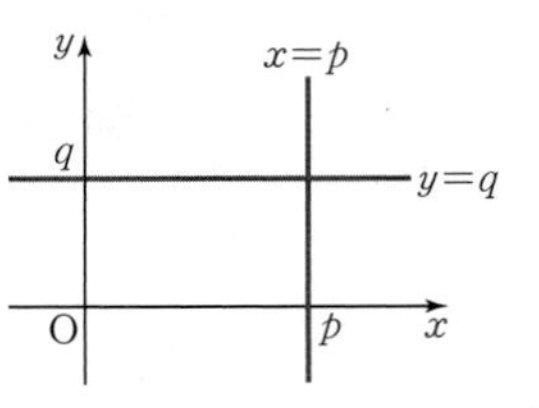

한 번 더하기

01-1 두 점 A(8, 7), B(−1, −2)에 대하여 선분 AB를 2 : 1로 내분하는 점을 지나고, 기울기가 −2인 직선의 방정식을 구하시오.

한 번 더하기

01-2 직선 $y=3x+6$과 x절편이 같고, x축의 양의 방향과 이루는 각의 크기가 45°인 직선의 방정식을 구하시오.

표현 더하기

01-3 점 (−3, 9)를 지나고 직선 $2x+5y+1=0$과 기울기가 같은 직선이 y축과 만나는 점의 좌표를 구하시오.

표현 더하기

01-4 점 $(-\sqrt{3}, 4)$를 지나고 x축의 양의 방향과 이루는 각의 크기가 60°인 직선의 방정식이 $ax-y+b=0$일 때, 상수 a, b에 대하여 a^2+b^2의 값을 구하시오.

대표 예제 02

다음 물음에 답하시오.

(1) 세 점 $A(2,\ -8)$, $B(-3,\ 1)$, $C\left(\frac{1}{2},\ \frac{5}{2}\right)$에 대하여 선분 AB의 중점 M과 점 C를 지나는 직선의 y절편을 구하시오.

(2) x절편이 4이고, y절편이 -2인 직선이 점 $(3,\ a)$를 지날 때, a의 값을 구하시오.

바로 접근

(1) 두 점 $(x_1,\ y_1)$, $(x_2,\ y_2)$를 지나는 직선의 방정식

(i) $x_1 \neq x_2$일 때, $y-y_1=\frac{y_2-y_1}{x_2-x_1}(x-x_1)$

(ii) $x_1=x_2$일 때, $x=x_1$

(2) x절편이 a, y절편이 b인 직선의 방정식

$\frac{x}{a}+\frac{y}{b}=1$ (단, $a\neq 0$, $b\neq 0$)

바른 풀이

(1) 선분 AB의 중점 M의 좌표는 $\left(\frac{2+(-3)}{2},\ \frac{(-8)+1}{2}\right)$, 즉 $\left(-\frac{1}{2},\ -\frac{7}{2}\right)$

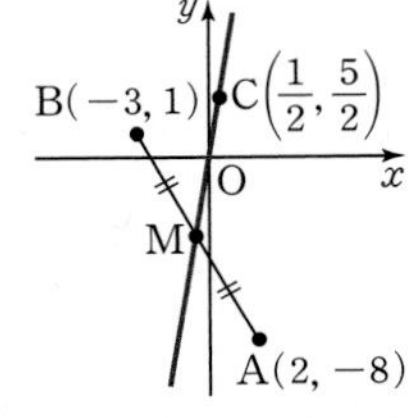

따라서 두 점 $M\left(-\frac{1}{2},\ -\frac{7}{2}\right)$, $C\left(\frac{1}{2},\ \frac{5}{2}\right)$를 지나는 직선의 방정식은

$$y-\frac{5}{2}=\frac{\frac{5}{2}-\left(-\frac{7}{2}\right)}{\frac{1}{2}-\left(-\frac{1}{2}\right)}\left(x-\frac{1}{2}\right)$$

$y=6\left(x-\frac{1}{2}\right)+\frac{5}{2}$, 즉 $y=6x-\frac{1}{2}$이므로 이 직선의 y절편은 $-\frac{1}{2}$

(2) x절편이 4, y절편이 -2인 직선의 방정식은

$\frac{x}{4}+\frac{y}{-2}=1$, 즉 $y=\frac{1}{2}x-2$

이 직선이 점 $(3,\ a)$를 지나므로 $a=\frac{3}{2}-2=-\frac{1}{2}$

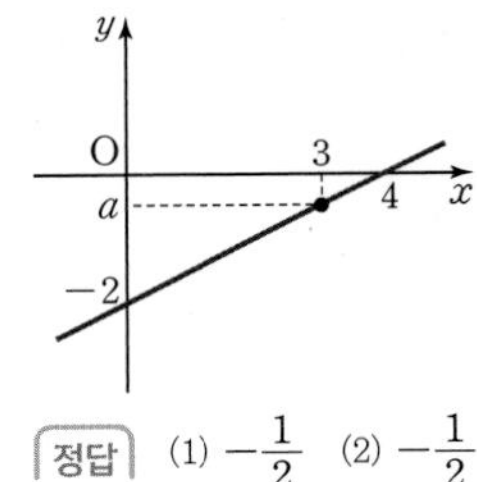

정답 (1) $-\frac{1}{2}$ (2) $-\frac{1}{2}$

Bible Says

① 일차함수 $y=f(x)$의 그래프가 x축과 만나는 점의 x좌표를 x절편이라 한다.
x절편은 $y=f(x)$에 $y=0$을 대입했을 때의 x의 값이다.

② 일차함수 $y=f(x)$의 그래프가 y축과 만나는 점의 y좌표를 y절편이라 한다.
y절편은 $y=f(x)$에 $x=0$을 대입했을 때의 y의 값이다.

x절편이 $a(a>0)$, y절편이 $b(b>0)$인 직선은 오른쪽 그림과 같다.

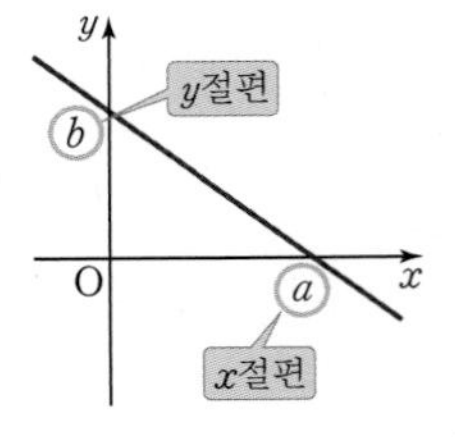

빠른 정답 • 508쪽 / 정답과 풀이 • 19쪽

한번 더하기

02-1

세 점 A$(-4,\ 2)$, B$(7,\ 9)$, C$(3,\ 4)$에 대하여 삼각형 ABC의 무게중심 G와 점 A를 지나는 직선의 방정식을 구하시오.

한번 더하기

02-2

x절편이 a이고, y절편이 5인 직선이 점 $(8,\ 1)$을 지날 때, a의 값을 구하시오.

표현 더하기

02-3

두 점 $(6,\ -3)$, $(a,\ 3)$을 지나는 직선 위에 두 점 $(2,\ 9)$, $(-2,\ b)$가 있을 때, $a+b$의 값을 구하시오.

실력 더하기

02-4

그림과 같이 점 $(12,\ 3)$을 지나고 x절편이 $a(a>0)$, y절편이 $b(b<0)$인 직선 l이 있다. 직선 l과 x축 및 y축으로 둘러싸인 삼각형의 넓이가 3일 때, $a+b$의 값을 구하시오.

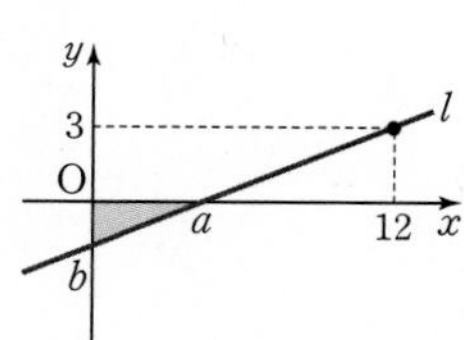

대표 예제 | 03

세 점이 한 직선 위에 있을 조건

세 점 A$(-3,\ -1)$, B$(-1,\ 3)$, C$(2,\ a)$가 한 직선 위에 있도록 하는 a의 값을 구하시오.

바로 접근

세 점 A, B, C가 한 직선 위에 있을 조건은 세 직선 AB, BC, CA의 기울기가 같음을 이용한다.
즉, (직선 AB의 기울기)=(직선 BC의 기울기)=(직선 CA의 기울기)
다른 풀이 로는 두 점을 지나는 직선의 방정식을 구한 후 나머지 한 점의 좌표를 대입하는 방법이 있다.

바른 풀이

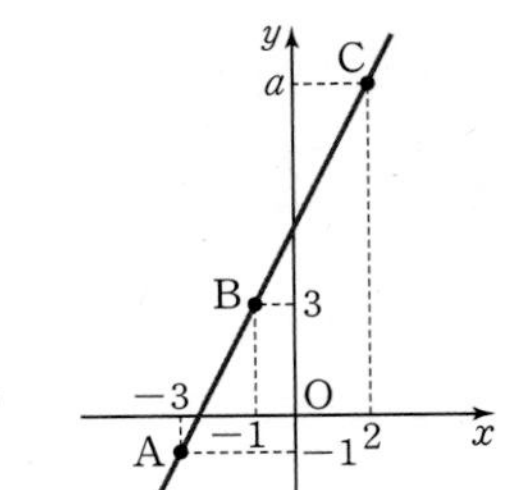

세 점 A, B, C가 한 직선 위에 있으려면
(직선 AB의 기울기)=(직선 BC의 기울기)이어야 하므로

$$\frac{3-(-1)}{(-1)-(-3)}=\frac{a-3}{2-(-1)}$$

$$2=\frac{a-3}{3}$$

$\therefore a=9$

다른 풀이

직선 AB의 방정식은

$$y-3=\frac{3-(-1)}{(-1)-(-3)}\{x-(-1)\},\text{ 즉 } y=2x+5$$

직선 AB 위에 점 C$(2,\ a)$가 있어야 하므로

$a=2\times2+5$

$\therefore a=9$

정답 9

Bible Says

'세 점 A, B, C가 한 직선 위에 있다.'를
'세 점 A, B, C를 꼭짓점으로 하는 삼각형이 존재하지 않는다.'와 같이 간접적으로 표현할 수도 있다.
같은 표현이므로 마찬가지로 두 점씩 짝을 지어 구한 직선의 기울기가 모두 같음을 이용하여 풀이하자.

한 번 더하기

03-1

세 점 $A(a,\ 5)$, $B(4,\ 2)$, $C(6,\ -1)$이 한 직선 위에 있을 때, a의 값을 구하시오.

한 번 더하기

03-2

세 점 $A(3,\ a)$, $B(5,\ 7)$, $C(a+4,\ 11)$이 한 직선 위에 있도록 하는 a의 값을 모두 구하시오.

표현 더하기

03-3

서로 다른 세 점 $A(k,\ 3)$, $B(-3,\ 2k)$, $C(1-k,\ 8)$을 꼭짓점으로 하는 삼각형 ABC가 존재하지 않도록 하는 k의 값을 구하시오.

표현 더하기

03-4

세 점 $A(2,\ a)$, $B(6,\ 5)$, $C(a,\ -13)$을 모두 지나는 직선의 방정식을 구하시오. (단, $a>0$)

대표 예제 04

세 점 A$(-1, 5)$, B$(1, 0)$, C$(3, 4)$를 꼭짓점으로 하는 삼각형 ABC의 넓이를 이등분하는 직선이 점 A를 지날 때, 이 직선의 방정식을 구하시오.

바로 접근

삼각형의 넓이를 이등분하는 직선은 무수히 많지만, 삼각형 ABC의 꼭짓점 A를 지나면서 삼각형 ABC의 넓이를 이등분하는 직선은 반드시 ∠A의 대변 BC의 중점을 지난다.
거꾸로 삼각형 ABC의 변 BC의 중점을 지나면서 삼각형 ABC의 넓이를 이등분하는 직선은 반드시 점 A를 지난다.

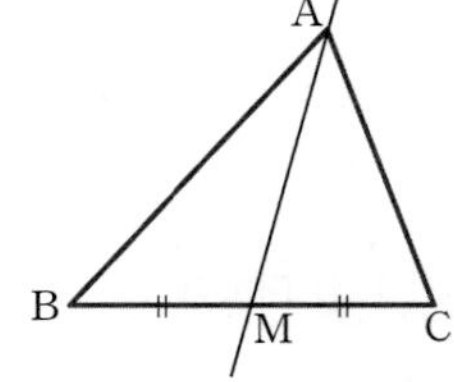

바른 풀이

점 A를 지나는 직선이 삼각형 ABC의 넓이를 이등분하려면 변 BC의 중점을 지나야 한다.
변 BC의 중점을 M이라 하면

M$\left(\frac{1+3}{2}, \frac{0+4}{2}\right)$, 즉 M$(2, 2)$

따라서 두 점 A$(-1, 5)$, M$(2, 2)$를 지나는 직선의 방정식은

$y-5=\frac{2-5}{2-(-1)}\{x-(-1)\}$, 즉 $y=-x+4$

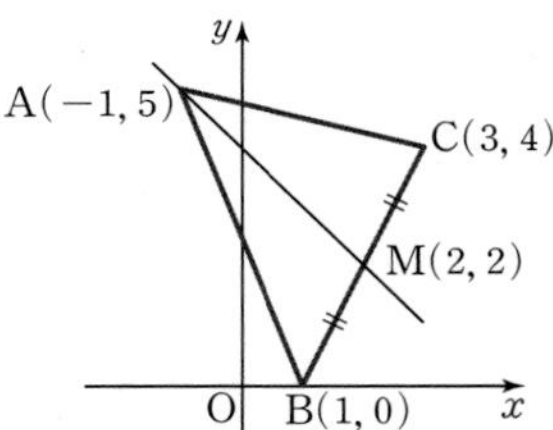

정답 $y=-x+4$

Bible Says

① 평행사변형, 마름모, 직사각형, 정사각형의 넓이를 이등분하는 직선
=두 대각선의 교점을 지나는 직선
=한 대각선의 중점을 지나는 직선 (∵ 두 대각선은 서로 다른 것을 이등분한다.)

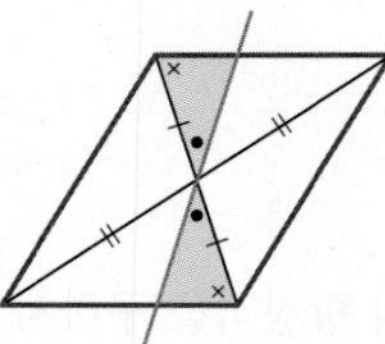
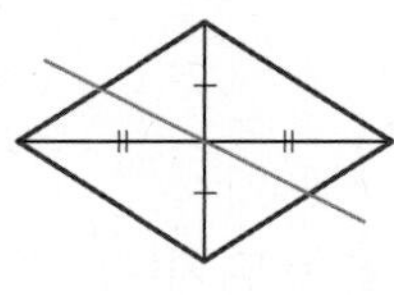
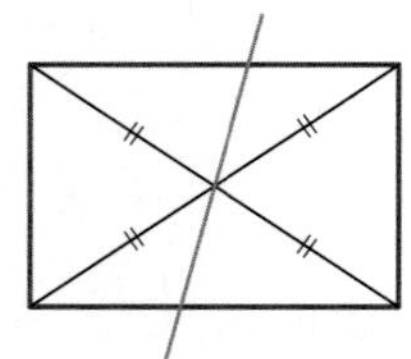
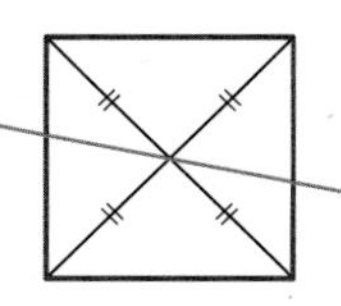

② 사다리꼴의 윗변(또는 아랫변)의 중점을 지나고 사다리꼴의 넓이를 이등분하는 직선
=사다리꼴의 두 밑변의 중점을 지나는 직선

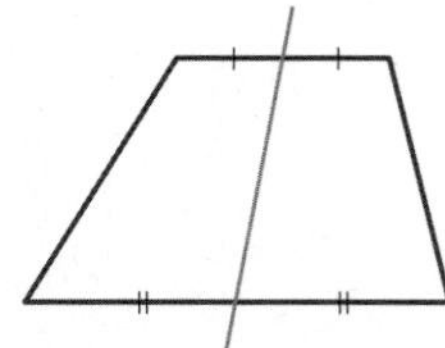

빠른 정답 • 508쪽 / 정답과 풀이 • 21쪽

한 번 더하기

04-1 세 점 O(0, 0), A(4, 2), B(3, −1)을 꼭짓점으로 하는 삼각형 OAB의 넓이를 직선 $y=mx$가 이등분할 때, 상수 m의 값을 구하시오.

표현 더하기

04-2 세 점 A(5, 6), B(1, −2), C(6, −1)을 꼭짓점으로 하는 삼각형 ABC가 있다. 직선 l이 삼각형 ABC의 넓이를 이등분하고 변 AB의 중점을 지날 때, 직선 l의 방정식을 구하시오.

표현 더하기

04-3 네 점 A(1, 5), B(1, 1), C(3, 1), D(3, 5)를 꼭짓점으로 하는 사각형 ABCD가 있다. 직선 l이 사각형 ABCD의 넓이를 이등분하고 점 (−1, −2)를 지날 때, 직선 l의 방정식을 구하시오.

실력 더하기

04-4 네 점 A(−4, 2), B(−5, −1), C(−2, 0), D(−1, 3)을 꼭짓점으로 하는 사각형 ABCD의 넓이를 이등분하는 직선이 점 (1, 2)를 지날 때, 이 직선의 y절편을 구하시오.

대표 예제 | 05

상수 a, b, c가 다음 조건을 만족시킬 때, 직선 $ax+by+c=0$이 지나는 사분면을 모두 구하시오.

(1) $ab>0$, $bc=0$ (2) $ab<0$, $bc<0$

바로 접근

직선의 방정식이 $ax+by+c=0$ 꼴로 주어졌을 때,
직선의 기울기와 y절편의 부호를 알기 쉬운 $y=mx+n$ 꼴로 바꾸어 접근하자.

(i) $a\neq0$, $b\neq0$일 때 $y=-\frac{a}{b}x-\frac{c}{b}$ $\left(\text{기울기가 } -\frac{a}{b}\text{이고, } y\text{절편이 } -\frac{c}{b}\text{인 직선}\right)$

(ii) $a\neq0$, $b=0$일 때 $x=-\frac{c}{a}$ (x축에 수직인 직선)

(iii) $a=0$, $b\neq0$일 때 $y=-\frac{c}{b}$ (y축에 수직인 직선)

바른 풀이

$ab\neq0$이므로 $ax+by+c=0$에서 $y=-\frac{a}{b}x-\frac{c}{b}$

(1) $ab>0$에서 $-\frac{a}{b}<0$이고, $bc=0$에서 $-\frac{c}{b}=0$이므로

(기울기)<0, (y절편)$=0$

따라서 직선은 오른쪽 그림과 같이 제2, 4사분면을 지난다.

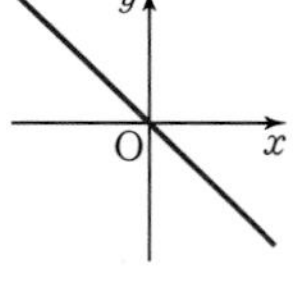

(2) $ab<0$에서 $-\frac{a}{b}>0$이고, $bc<0$에서 $-\frac{c}{b}>0$이므로

(기울기)>0, (y절편)>0

따라서 직선은 오른쪽 그림과 같이 제1사분면, 제2사분면, 제3사분면을 지난다.

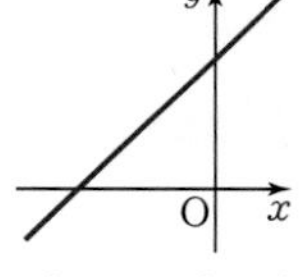

정답 (1) 제2, 4사분면 (2) 제1, 2, 3사분면

Bible Says

ab, bc의 부호에 따른 직선 $ax+by+c=0$, 즉 $y=-\frac{a}{b}x-\frac{c}{b}$의 개형은 다음과 같다. (단, $abc\neq0$)

	$ab>0$	$ab<0$
$bc>0$	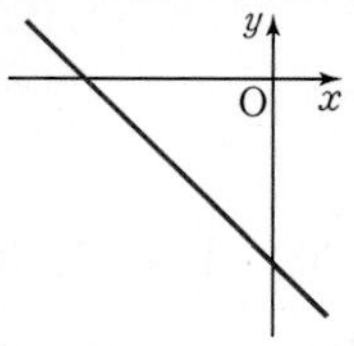 $a>0$, $b>0$, $c>0$ 또는 $a<0$, $b<0$, $c<0$	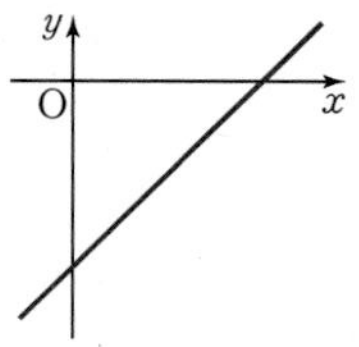 $a>0$, $b<0$, $c<0$ 또는 $a<0$, $b>0$, $c>0$
$bc<0$	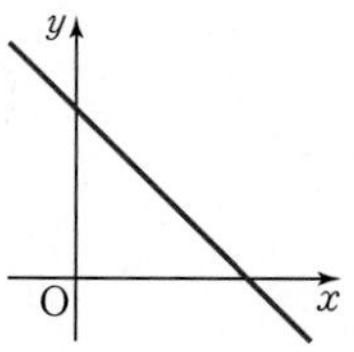 $a>0$, $b>0$, $c<0$ 또는 $a<0$, $b<0$, $c>0$	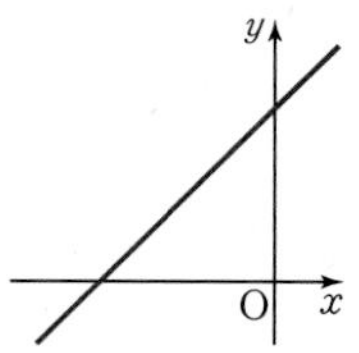 $a>0$, $b<0$, $c>0$ 또는 $a<0$, $b>0$, $c<0$

빠른 정답 • 508쪽 / 정답과 풀이 • 22쪽

한 번 더하기

05-1

상수 a, b, c에 대하여 $ab<0$, $bc>0$일 때, 직선 $ax+by+c=0$이 지나지 않는 사분면을 구하시오.

한 번 더하기

05-2

상수 a, b, c에 대하여 $ab>0$, $ac<0$일 때, 직선 $ax+by+c=0$이 지나는 사분면을 모두 구하시오.

표현 더하기

05-3

직선 $ax+by+c=0$이 제2사분면, 제3사분면, 제4사분면을 모두 지날 때, ab, bc, ca의 부호를 각각 정하시오. (단, a, b, c는 상수이다.)

표현 더하기

05-4

직선 $ax+by+c=0$이 그림과 같을 때, 직선 $cx+ay+b=0$이 지나는 사분면을 모두 구하시오. (단, a, b, c는 상수이다.)

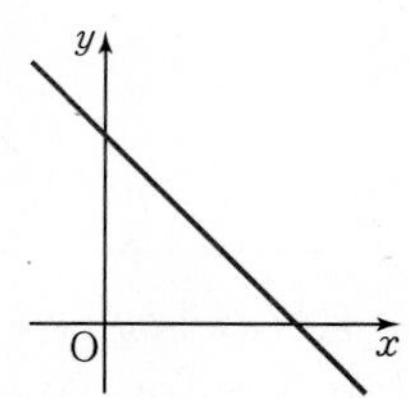

대표 예제 | 06

정점을 지나는 직선

직선 $(k+4)x+3(k-1)y-k+2=0$이 실수 k의 값에 관계없이 항상 점 P를 지날 때, 점 P의 좌표를 구하시오.

바로 접근

직선 $(a+a'k)x+(b+b'k)y+c+c'k=0$이 실수 k의 값에 관계없이 항상 지나는 점의 좌표는 다음과 같은 순서로 구한다.

❶ 주어진 직선의 방정식을 k에 대하여 정리한다.

$ax+by+c+k(a'x+b'y+c')=0$

❷ 이 직선이 k의 값에 관계없이 항상 지나는 점은
두 직선 $ax+by+c=0$, $a'x+b'y+c'=0$의 교점이다.

❸ 연립방정식을 풀어서 교점의 좌표를 구한다.

$$\begin{cases} ax+by+c=0 \\ a'x+b'y+c'=0 \end{cases}$$

바른 풀이

주어진 직선의 방정식을 k에 대하여 정리하면

$4x-3y+2+k(x+3y-1)=0$

주어진 직선이 실수 k의 값에 관계없이 항상 지나는 점 P는
두 직선 $4x-3y+2=0$, $x+3y-1=0$의 교점이다.

연립방정식 $\begin{cases} 4x-3y+2=0 \\ x+3y-1=0 \end{cases}$의 해를 구하면 $x=-\frac{1}{5}$, $y=\frac{2}{5}$

$\therefore \mathrm{P}\left(-\frac{1}{5}, \frac{2}{5}\right)$

정답 $\left(-\frac{1}{5}, \frac{2}{5}\right)$

등식 $ax+by+c+k(a'x+b'y+c')=0$ …… ㉠
이 실수 k의 값에 관계없이 성립하려면

$$\begin{cases} ax+by+c=0 \\ a'x+b'y+c'=0 \end{cases} \quad \cdots\cdots ㉡$$

이어야 한다. ㉠이 k의 값에 관계없이 성립하기 위한 x, y의 값은 연립일차방정식 ㉡의 해임을 **『공통수학1』**의 「**항등식과 나머지정리**」 단원에서 학습했다.
위의 문제에서는 이를 직선의 방정식에 적용한 것이므로 이전에 학습한 내용을 복습해 보자.

한 번 더하기

06-1

직선 $(2-k)x+(5k+3)y+11k+4=0$이 실수 k의 값에 관계없이 항상 점 $(a,\ b)$를 지날 때, $a+b$의 값을 구하시오.

표현 더하기

06-2

직선 $6x+(2k-1)y=2k+7$이 실수 k의 값에 관계없이 항상 점 P를 지날 때, 선분 OP의 길이를 구하시오. (단, O는 원점이다.)

표현 더하기

06-3

직선 $(4k-1)x+(2-k)y+13k-5=0$이 실수 k의 값에 관계없이 항상 점 P를 지난다. 점 P를 지나고 기울기가 -2인 직선의 y절편을 구하시오.

표현 더하기

06-4

직선 $(a+k)x+(3+bk)y-8k-10=0$이 실수 k의 값에 관계없이 항상 점 $(2,\ -1)$을 지날 때, $a+b$의 값을 구하시오. (단, $a,\ b$는 상수이다.)

대표 예제 | 07

두 점 $\mathrm{A}(0,\ 2)$, $\mathrm{B}(3,\ -1)$에 대하여 선분 AB와 직선 $mx-y+3m-2=0$이 만나도록 하는 실수 m의 값의 범위를 구하시오.

바로 접근

선분 AB와 직선 $mx-y-am+b=0$이 만나도록 하는 실수 m의 값의 범위는 다음과 같은 순서로 구한다.

❶ 주어진 직선의 방정식을 m에 대하여 정리한다.

$m(x-a)-(y-b)=0$

❷ ❶을 통해 주어진 직선은 기울기가 m이고, m의 값에 관계없이 점 $\mathrm{P}(a,\ b)$를 지나는 직선임을 알아낸다.

❸ 두 직선 AP, BP의 기울기를 계산하여 실수 m의 값의 범위를 구한다.

바른 풀이

$mx-y+3m-2=0$을 m에 대하여 정리하면 $m(x+3)-(y+2)=0$

따라서 주어진 직선은 항상 점 $(-3,\ -2)$를 지난다.

(i) 이 직선이 점 $\mathrm{A}(0,\ 2)$를 지날 때

$3m-4=0$, 즉 $m=\frac{4}{3}$

(ii) 이 직선이 점 $\mathrm{B}(3,\ -1)$을 지날 때

$6m-1=0$, 즉 $m=\frac{1}{6}$

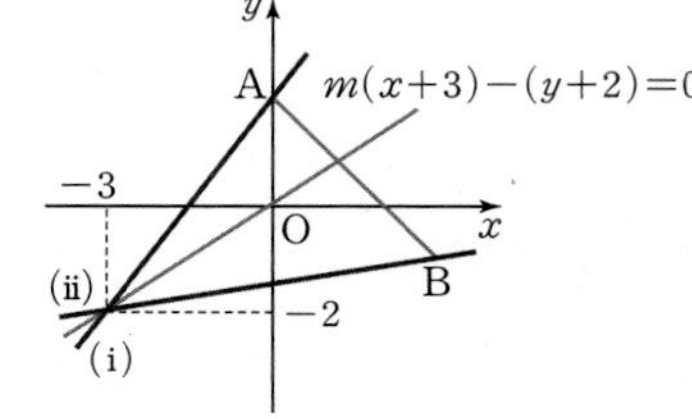

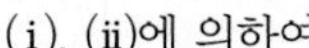
(i), (ii)에 의하여

선분 AB와 직선 $m(x+3)-(y+2)=0$이 만나도록 하는

실수 m의 값의 범위는 $\frac{1}{6}\le m\le\frac{4}{3}$

정답 $\frac{1}{6}\le m\le\frac{4}{3}$

Bible Says

두 직선 l : $m(x-a)-(y-b)=0$, l' : $\frac{x}{p}+\frac{y}{q}=1$이 특정 사분면에서 만나도록 하는 실수 m의 값의 범위는 직선 l'의 x절편, y절편을 구한 후 접근하면 된다.

예를 들어 직선 l이 항상 지나는 점 $(a,\ b)$와 직선 l'의 개형이 그림과 같을 때 두 직선 l, l'이 제3사분면에서 만나려면 직선 l의 기울기 m이

(i) 두 점 $(a,\ b)$, $(p,\ 0)$을 지나는 직선의 기울기보다 크고,

(ii) 두 점 $(a,\ b)$, $(0,\ q)$를 지나는 직선의 기울기보다 작으면 된다.

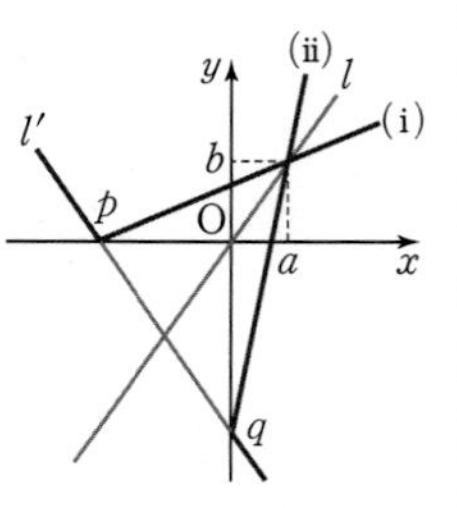

빠른 정답 • 508쪽 / 정답과 풀이 • 23쪽

한 번 더하기

07-1

두 점 A$(-5,\ -1)$, B$(-1,\ 4)$에 대하여 선분 AB와 직선 $mx-y-m-3=0$이 만나도록 하는 실수 m의 값의 범위를 구하시오.

02

표현 더하기

07-2

두 직선 $mx-y-4m+6=0$, $2x+y-2=0$이 제1사분면에서 만날 때, 실수 m의 값의 범위를 구하시오.

표현 더하기

07-3

두 직선 $mx-y+m+2=0$, $\frac{x}{a}+\frac{y}{b}=1$이 제4사분면에서 만나도록 하는 실수 m의 값의 범위가 $-4<m<-\frac{1}{4}$일 때, 상수 a, b에 대하여 $a+b$의 값을 구하시오.

(단, $a>0$, $b<0$)

실력 더하기

07-4

직선 $(m+3)x-y+m+7=0$이 제3사분면을 지나지 않도록 하는 모든 정수 m의 값의 합을 구하시오.

대표 예제 08

두 직선 $6x-y+6=0$, $2x+4y-5=0$의 교점과 점 $(1, 2)$를 지나는 직선의 방정식은 $mx+ny+16=0$이다. $m+n$의 값을 구하시오. (단, m, n은 상수이다.)

바로 접근

두 직선 $ax+by+c=0$, $a'x+b'y+c'=0$의 교점을 지나는 직선의 방정식

➡ $ax+by+c+k(a'x+b'y+c')=0$ (단, k는 실수)

이 직선이 지나는 점의 좌표를 대입하여 k의 값을 구한다.

바른 풀이

두 직선의 교점을 지나는 직선의 방정식은

$6x-y+6+k(2x+4y-5)=0$ (단, k는 실수)

이 직선이 점 $(1, 2)$를 지나므로

$6-2+6+k(2+8-5)=0$

$10+5k=0$, 즉 $k=-2$

구하는 직선의 방정식은

$6x-y+6-2(2x+4y-5)=0$, 즉

$2x-9y+16=0$

$\therefore m+n=2+(-9)=-7$

다른 풀이

두 직선의 교점의 좌표를 구하면

$$\begin{cases} 6x-y+6=0 & \cdots\cdots ㉠ \\ 2x+4y-5=0 & \cdots\cdots ㉡ \end{cases}$$

㉠$-$㉡$\times 3$에서 $-13y+21=0$, 즉 $y=\frac{21}{13}$

이를 ㉠에 대입하면 $6x+\frac{57}{13}=0$, 즉 $x=-\frac{19}{26}$

따라서 두 직선의 교점의 좌표는 $\left(-\frac{19}{26}, \frac{21}{13}\right)$이다.

점 $\left(-\frac{19}{26}, \frac{21}{13}\right)$과 점 $(1, 2)$를 지나는 직선의 방정식은

$$y-2=\frac{2-\frac{21}{13}}{1-\left(-\frac{19}{26}\right)}(x-1),\ y=\frac{2}{9}(x-1)+2, \text{ 즉}$$

$2x-9y+16=0$

$\therefore m+n=2+(-9)=-7$

정답 -7

Bible Says

이 문제를 풀 때 다른 풀이 와 같이 두 직선의 교점의 좌표를 구한 후 이 점과 점 $(1, 2)$를 지나는 직선의 방정식을 세워도 되나, 이 문제처럼 교점의 좌표를 구하기 위한 계산이 복잡한 경우에는 본풀이와 같이 접근하는 것이 편리하다.

한 번 더하기

08-1

두 직선 $x-5y+1=0$, $x+6y-4=0$의 교점과 점 $(2,\ -1)$을 지나는 직선의 방정식은 $mx+ny-3=0$이다. $m+n$의 값을 구하시오. (단, m, n은 상수이다.)

표현 더하기

08-2

두 직선 $2x+2y+1=0$, $3x-7y-3=0$의 교점을 지나고 기울기가 $\frac{1}{9}$인 직선의 방정식을 구하시오.

표현 더하기

08-3

두 직선 $x-2y+1=0$, $ax-4y+6=0$의 교점을 지나는 직선이 두 점 $(-1,\ 1)$, $(5,\ 6)$을 지날 때, 상수 a의 값을 구하시오. (단, $a\neq2$)

실력 더하기

08-4

두 직선 $2x+y-4=0$, $3x-5y+12=0$의 교점을 지나고, 두 직선과 x축으로 둘러싸인 삼각형의 넓이를 이등분하는 직선의 방정식은 $mx+ny+12=0$이다. $m+n$의 값을 구하시오. (단, m, n은 상수이다.)

두 직선의 위치 관계

1 두 직선의 위치 관계 (1)

두 직선 $y=mx+n$, $y=m'x+n'$의 위치 관계와 연립방정식 $\begin{cases} y=mx+n \\ y=m'x+n' \end{cases}$의 해의 개수는 다음과 같다.

두 직선의 위치 관계	일치한다.	평행하다.	한 점에서 만난다.
조건	$m=m'$, $n=n'$	$m=m'$, $n\neq n'$	$m\neq m'$
연립방정식의 해의 개수 (=두 직선의 교점의 개수)	무수히 많다.	없다.	한 개 있다.

좌표평면 위의 두 직선의 위치 관계는 세 가지 경우로 나누어진다.

(i) 일치한다.

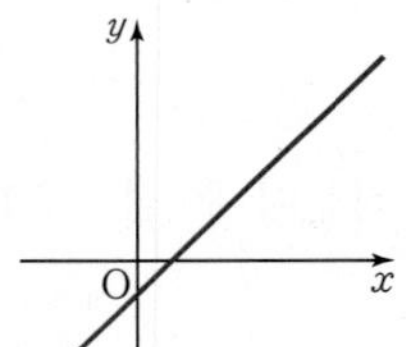

(ii) 평행하다.

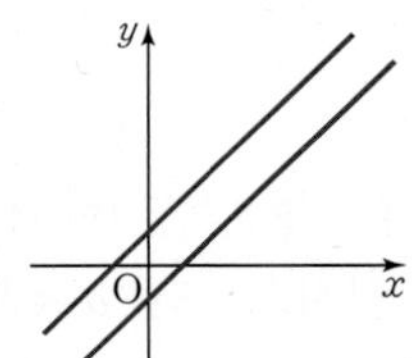

(iii) 한 점에서 만난다.

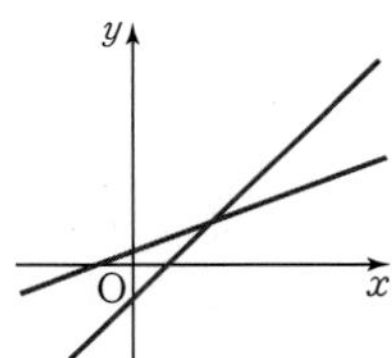

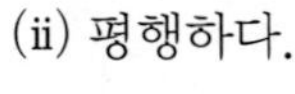

두 직선 l : $y=mx+n$, l' : $y=m'x+n'$의 위치 관계에 대하여 알아보자.

y절편 비교

(i) 두 직선이 서로 일치하면 두 직선의 기울기가 같고, y절편이 같으므로 $m=m'$, $n=n'$이다.
거꾸로 $m=m'$, $n=n'$이면 두 직선 l, l'이 서로 일치한다.

(ii) 두 직선이 서로 평행하면 두 직선의 기울기가 같고, y절편이 다르므로 $m=m'$, $n\neq n'$이다.
거꾸로 $m=m'$, $n\neq n'$이면 두 직선이 서로 평행하다.

(iii) 두 직선이 한 점에서 만나면 두 직선의 기울기가 다르므로 $m\neq m'$이다.
거꾸로 $m\neq m'$이면 두 직선이 한 점에서 만난다.

또한 연립방정식 $\begin{cases} y=mx+n \\ y=m'x+n' \end{cases}$의 해의 개수는 두 직선의 교점의 개수와 같으므로

(i)의 경우 해가 무수히 많고,

(ii)의 경우 해가 없고,

(iii)의 경우 해가 한 개 존재한다.

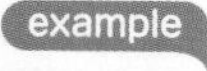

(1) 두 직선 $y=4x-2$, $y=4x+1$의 기울기는 같고, y절편은 다르므로 두 직선은 서로 평행하다.

(2) 두 직선 $y=-3x+5$, $y=2x+5$는 기울기가 다르므로 한 점에서 만난다.

02

2 두 직선의 수직 조건

두 직선 $y=mx+n$, $y=m'x+n'$에 대하여
두 직선이 서로 수직이면 $mm'=-1$이고,
거꾸로 $mm'=-1$이면 두 직선은 서로 수직이다.

두 직선이 한 점에서 만나는 경우 중 두 직선이 서로 수직인 특수한 경우에 대하여 알아보자.

두 직선

$$l : y=mx+n,\ l' : y=m'x+n'$$

이 서로 수직이면 두 직선에 각각 평행하고 원점 O를 지나는 두 직선

$$l_1 : y=mx,\ l_1' : y=m'x$$

도 서로 수직이다.

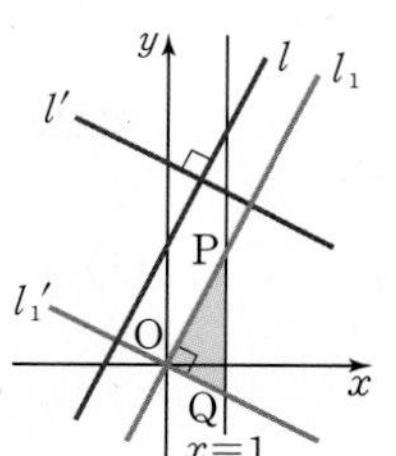

오른쪽 그림과 같이 두 직선 l_1, l_1'과 직선 $x=1$이 만나는 점을 각각 P, Q라 하면 P(1, m), Q(1, m')이다.

삼각형 OPQ에서 ∠POQ=90°이므로 피타고라스 정리에 의하여

$$\overline{OP}^2+\overline{OQ}^2=\overline{PQ}^2$$, 즉

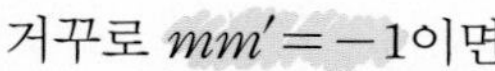

← $\overline{OP}$=(두 점 O, P 사이의 거리)
$\overline{OQ}$=(두 점 O, Q 사이의 거리)
$\overline{PQ}$=(두 점 P, Q의 y좌표의 차)

$$(1^2+m^2)+(1^2+m'^2)=(m-m')^2$$

이고, 이 식을 정리하면 $mm'=-1$이다.

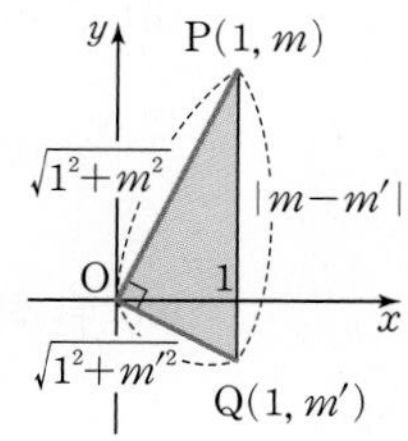

거꾸로 $mm'=-1$이면

$$(1^2+m^2)+(1^2+m'^2)=(m-m')^2, \text{ 즉}$$

$$\overline{OP}^2+\overline{OQ}^2=\overline{PQ}^2$$

이 성립하므로 삼각형 OPQ는 ∠POQ=90°인 직각삼각형이다.
즉, 두 직선 l_1, l_1'이 서로 수직이므로
두 직선 l_1, l_1'을 각각 평행이동시킨 두 직선 l, l'도 서로 수직이다.

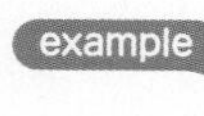

두 직선 $y=2x-1$, $y=-\frac{1}{2}x+4$의 기울기는 각각 2, $-\frac{1}{2}$이고

두 기울기의 곱이 $2\times\left(-\frac{1}{2}\right)=-1$이므로 두 직선은 서로 수직이다.

3 두 직선의 위치 관계 (2)

두 직선 $ax+by+c=0$, $a'x+b'y+c'=0$의 x, y의 계수가 모두 0이 아닐 때

두 직선의 위치 관계와 연립방정식 $\begin{cases} ax+by+c=0 \\ a'x+b'y+c'=0 \end{cases}$의 해의 개수는 다음과 같다.

두 직선의 위치 관계	일치한다.	평행하다.	한 점에서 만난다.
조건	$\frac{a}{a'}=\frac{b}{b'}=\frac{c}{c'}$	$\frac{a}{a'}=\frac{b}{b'}\neq\frac{c}{c'}$	$\frac{a}{a'}\neq\frac{b}{b'}$
연립방정식의 해의 개수 (=두 직선의 교점의 개수)	무수히 많다.	없다.	한 개 있다.

한 점에서 만나는 경우 중

두 직선이 서로 수직이면 $aa'+bb'=0$이고, 거꾸로 $aa'+bb'=0$이면 두 직선이 서로 수직이다.

직선의 방정식이 $ax+by+c=0$, $a'x+b'y+c'=0$ 꼴로 주어진 경우 x, y의 계수가 모두 0이 아닐 때의 위치 관계에 대하여 알아보자.

두 직선의 방정식을 $y=$(기울기)$x+$(y절편) 꼴로 변형하면

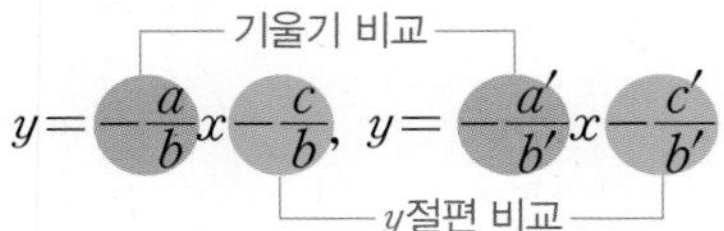

기울기 비교
$y=-\frac{a}{b}x-\frac{c}{b}$, $y=-\frac{a'}{b'}x-\frac{c'}{b'}$
y절편 비교

이므로 두 직선의 기울기는 각각 $-\frac{a}{b}$, $-\frac{a'}{b'}$이고, y절편은 각각 $-\frac{c}{b}$, $-\frac{c'}{b'}$이다.

(i) 두 직선이 서로 일치하면 $-\frac{a}{b}=-\frac{a'}{b'}$, $-\frac{c}{b}=-\frac{c'}{b'}$에서 $\frac{a}{a'}=\frac{b}{b'}=\frac{c}{c'}$이다. ← 기울기가 같고, y절편이 같다.

거꾸로 $\frac{a}{a'}=\frac{b}{b'}=\frac{c}{c'}$이면 두 직선이 서로 일치한다.

(ii) 두 직선이 서로 평행하면 $-\frac{a}{b}=-\frac{a'}{b'}$, $-\frac{c}{b}\neq-\frac{c'}{b'}$에서 $\frac{a}{a'}=\frac{b}{b'}\neq\frac{c}{c'}$이다. ← 기울기가 같고, y절편이 다르다.

거꾸로 $\frac{a}{a'}=\frac{b}{b'}\neq\frac{c}{c'}$이면 두 직선이 서로 평행하다.

(iii) 두 직선이 한 점에서 만나면 $-\frac{a}{b}\neq-\frac{a'}{b'}$에서 $\frac{a}{a'}\neq\frac{b}{b'}$이다. ← 기울기가 다르다.

거꾸로 $\frac{a}{a'}\neq\frac{b}{b'}$이면 두 직선이 한 점에서 만난다.

(iii)의 경우 중 두 직선이 서로 수직이면 $\left(-\frac{a}{b}\right)\times\left(-\frac{a'}{b'}\right)=-1$에서 $aa'+bb'=0$이다.
(기울기의 곱이 -1이다.)

거꾸로 $aa'+bb'=0$이면 두 직선이 서로 수직이다.

(1) 두 직선 $x-2y+3=0$, $2x-4y+7=0$에 대하여

$\frac{1}{2}=\frac{-2}{-4}\neq\frac{3}{7}$이므로 두 직선은 서로 평행하다.

(2) 두 직선 $6x+4y-1=0$, $2x-3y+5=0$에 대하여

$6\times2+4\times(-3)=0$이므로 두 직선은 서로 수직이다.

개념 CHECK

02. 두 직선의 위치 관계

빠른 정답 • 508쪽 / 정답과 풀이 • 25쪽

01 두 직선 $y=mx+1$, $y=-4x+5$에 대하여 다음 물음에 답하시오.

(1) 두 직선이 서로 평행할 때, 상수 m의 값을 구하시오.

(2) 두 직선이 서로 수직일 때, 상수 m의 값을 구하시오.

02 (1) 두 직선 $ax+by-1=0$, $x-3y+2=0$이 서로 일치하도록 하는 상수 a, b의 값을 각각 구하시오.

(2) 두 직선 $ax+by-1=0$, $x-3y+2=0$이 서로 수직이고 $a+b=8$일 때, 상수 a, b의 값을 각각 구하시오.

03 두 직선 $ax+6y+1=0$, $y=-\frac{1}{2}x+4$에 대하여 다음 물음에 답하시오.

(1) 두 직선의 교점의 개수가 0일 때 상수 a의 값을 구하시오.

(2) 두 직선의 교점의 개수가 1이 되도록 하는 10 이하의 모든 자연수 a의 값의 합을 구하시오.

대표 예제 | 09

한 직선에 평행 또는 수직인 직선의 방정식

다음 물음에 답하시오.

(1) 점 $(4, -1)$을 지나고 직선 $y=-2x+2$에 평행한 직선의 방정식을 구하시오.

(2) 두 점 $(-2, 3)$, $(3, -7)$을 지나는 직선에 수직이고, 점 $(1, 2)$를 지나는 직선의 방정식을 구하시오.

바로 접근

구하는 직선 l과 직선 $y=mx+n$이

평행하면 ➔ 직선 l의 기울기는 m

수직이면 ➔ 직선 l의 기울기는 $-\frac{1}{m}$ (단, $m\neq0$)

바른 풀이

(1) 직선 $y=-2x+2$의 기울기가 -2이므로

이 직선과 평행한 직선의 기울기는 -2이다.

따라서 점 $(4, -1)$을 지나고 기울기가 -2인 직선의 방정식은

$y-(-1)=-2(x-4)$, 즉 $y=-2x+7$

(2) 두 점 $(-2, 3)$, $(3, -7)$을 지나는 직선의 기울기는

$\frac{(-7)-3}{3-(-2)}=-2$이므로

이 직선에 수직인 직선의 기울기는 $\frac{1}{2}$이다.

따라서 기울기가 $\frac{1}{2}$이고 점 $(1, 2)$를 지나는 직선의 방정식은

$y-2=\frac{1}{2}(x-1)$, 즉 $y=\frac{1}{2}x+\frac{3}{2}$

정답 (1) $y=-2x+7$ (2) $y=\frac{1}{2}x+\frac{3}{2}$

Bible Says

구하는 직선과 평행 또는 수직인 직선이 주어진 경우 구하는 직선의 기울기를 알려준 것과 같다.
또한 구하는 직선이 지나는 점도 함께 제시되므로 대표 예제 01과 같은 방법으로 직선의 방정식을 구하면 된다.

한 번 더하기

09-1

점 $(6, 1)$을 지나고 직선 $3x+y-4=0$에 평행한 직선의 방정식을 구하시오.

한 번 더하기

09-2

두 점 $(1, -2)$, $(5, -5)$를 지나는 직선에 수직이고, 점 $(3, -4)$를 지나는 직선의 방정식을 구하시오.

표현 더하기

09-3

두 직선 $3x+y-4=0$, $4x+7y+2=0$의 교점을 지나고, 직선 $y=\frac{2}{5}x+\frac{1}{5}$에 평행한 직선의 방정식을 구하시오.

표현 더하기

09-4

두 점 $A(2, -3)$, $B(8, 0)$에 대하여 선분 AB를 $2:1$로 내분하는 점을 지나고 직선 $2x+3y-4=0$에 수직인 직선의 방정식을 구하시오.

대표 예제 10

두 직선 $16x+ay+2=0$, $(2-a)x-3y+1=0$에 대하여 다음 물음에 답하시오.

(1) 두 직선이 서로 평행할 때, 상수 a의 값을 구하시오.

(2) 두 직선이 서로 수직일 때, 상수 a의 값을 구하시오.

바로 접근

두 직선 $ax+by+c=0$, $a'x+b'y+c'=0$에 대하여 (단, $ab\neq0$, $a'b'\neq0$)

두 직선이 서로 평행하면 ➜ $\frac{a}{a'}=\frac{b}{b'}\neq\frac{c}{c'}$

두 직선이 서로 수직이면 ➜ $aa'+bb'=0$

바른 풀이

(1) 두 직선이 서로 평행하므로

$\frac{16}{2-a}=\frac{a}{-3}\neq\frac{2}{1}$

$\frac{16}{2-a}=\frac{a}{-3}$에서

$a^2-2a-48=0$, $(a+6)(a-8)=0$ $\therefore a=-6$ 또는 $a=8$ …… ㉠

$\frac{a}{-3}\neq\frac{2}{1}$에서 $a\neq-6$ …… ㉡

㉠, ㉡에 의하여 $a=8$

(2) 두 직선이 서로 수직이므로

$16\times(2-a)+a\times(-3)=0$

$32-19a=0$ $\therefore a=\frac{32}{19}$

참고 $a=0$이면 직선 $x=-\frac{1}{8}$과 직선 $2x-3y+1=0$은 서로 수직이거나 평행하지 않다.

$a=2$이면 직선 $8x+y+1=0$과 직선 $y=\frac{1}{3}$은 서로 수직이거나 평행하지 않다.

정답 (1) 8 (2) $\frac{32}{19}$

Bible Says

두 직선의 위치 관계	$\begin{cases}y=mx+n\\y=m'x+n'\end{cases}$	$\begin{cases}ax+by+c=0\text{ (단, }ab\neq0)\\a'x+b'y+c'=0\text{ (단, }a'b'\neq0)\end{cases}$
일치한다. (l, l')	$m=m'$, $n=n'$	$\frac{a}{a'}=\frac{b}{b'}=\frac{c}{c'}$
평행하다. (l, l')	$m=m'$, $n\neq n'$	$\frac{a}{a'}=\frac{b}{b'}\neq\frac{c}{c'}$
한 점에서 만난다. (l, l')	$m\neq m'$	$\frac{a}{a'}\neq\frac{b}{b'}$
수직이다. (l, l')	$mm'=-1$	$aa'+bb'=0$

한번 더하기

10-1

두 직선 $(a-1)x-3y-1=0$, $-10x+ay+2=0$에 대하여 다음 물음에 답하시오.

(1) 두 직선이 서로 평행할 때, 상수 a의 값을 구하시오.

(2) 두 직선이 서로 수직일 때, 상수 a의 값을 구하시오.

한번 더하기

10-2

두 직선 $y=(k-1)x+3$, $y=(3k+1)x-4$가 서로 평행하도록 하는 상수 k의 값을 a, 서로 수직이 되도록 하는 상수 k의 값을 b라 할 때, $a+b$의 값을 구하시오. (단, $b>0$)

표현 더하기

10-3

두 점 $\mathrm{A}(-6, -2)$, $\mathrm{B}(2, 4)$에 대하여 선분 AB의 수직이등분선이 점 $(7, a)$를 지날 때, a의 값을 구하시오.

실력 더하기

10-4

두 직선 $2x+ay+4=0$, $ax+(a+3)y+b=0$은 서로 수직이고, 두 직선의 교점의 좌표는 $(3, c)$이다. 상수 a, b에 대하여 $a+b+c$의 값을 구하시오.

대표 예제 | 11

세 직선 $x+y-7=0$, $2x-y+4=0$, $ax-y+1=0$이 삼각형을 이루지 않도록 하는 모든 상수 a의 값의 합을 구하시오.

바로 접근

서로 다른 세 직선이 삼각형이 이루지 않는 경우를 나누어 접근해보자.

(i) 세 직선이 한 점에서 만날 때	(ii) 세 직선 중 두 직선이 평행할 때	(iii) 세 직선이 모두 평행할 때

기울기가 다른 두 직선 $x+y-7=0$, $2x-y+4=0$은 한 점에서 만나므로

(iii)인 경우는 생각해주지 않아도 되고, (i)인 경우와 (ii)인 경우를 생각해주면 된다.

(ii)인 경우는 직선 $ax-y+1=0$이 직선 $x+y-7=0$ 또는 직선 $2x-y+4=0$과 평행하면 되므로 가능한 상수 a의 값은 2개이다.

바른 풀이

(i) 세 직선이 한 점에서 만날 때

두 직선 $x+y-7=0$, $2x-y+4=0$의 교점의 좌표가 $(1,\ 6)$이므로

직선 $ax-y+1=0$이 점 $(1,\ 6)$을 지나야 한다.

$a-6+1=0$, 즉 $a=5$

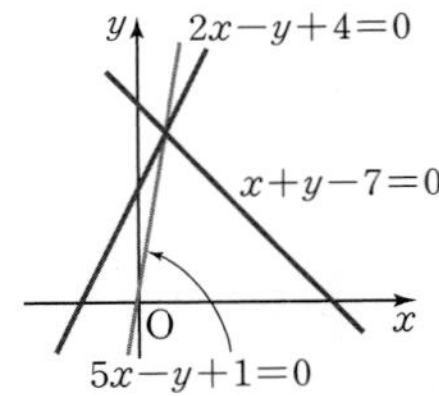

(ii) 세 직선 중 두 직선이 서로 평행할 때

두 직선 $x+y-7=0$, $ax-y+1=0$이 서로 평행하면

$\frac{1}{a}=\frac{1}{-1}\neq\frac{-7}{1}$, 즉 $a=-1$

두 직선 $2x-y+4=0$, $ax-y+1=0$이 서로 평행하면

$\frac{2}{a}=\frac{-1}{-1}\neq\frac{4}{1}$, 즉 $a=2$

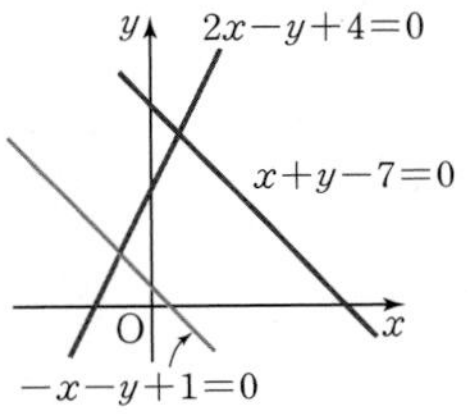

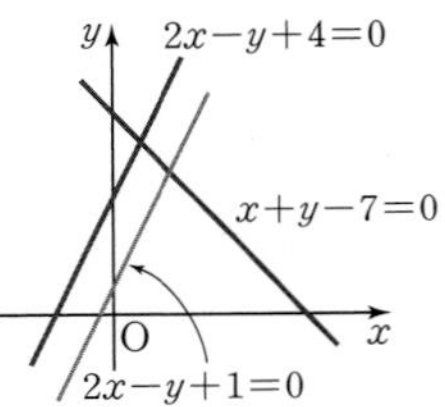

(iii) 세 직선이 모두 평행할 때

두 직선 $x+y-7=0$, $2x-y+4=0$이 서로 평행하지 않으므로 이러한 경우는 존재하지 않는다.

(i)~(iii)에 의하여 구하는 모든 상수 a의 값의 합은

$5+(-1)+2=6$

정답 6

Bible Says

서로 다른 세 직선이 삼각형을 이루는 위치 관계는 그림과 같이

① 세 직선 중 평행한 직선이 없고,

② 두 직선이 만나는 점을 또 다른 한 직선이 지나지 않는다.

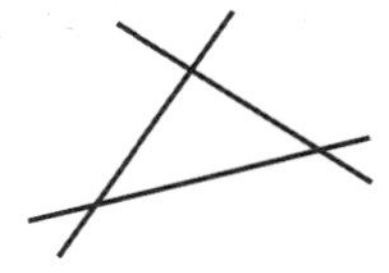

한 번 더하기

11-1

세 직선 $2x-y+1=0$, $x+y-7=0$, $ax+2y+2=0$이 삼각형을 이루지 않도록 하는 모든 상수 a의 값의 곱을 구하시오.

표현 더하기

11-2

세 직선 $x+4y=-1$, $3x+2y=7$, $x+ay=2$가 한 점에서 만나도록 하는 상수 a의 값을 구하시오.

표현 더하기

11-3

세 직선 $x-3y+2=0$, $2x+y-6=0$, $ax+6y+1=0$에 의하여 생기는 교점이 2개가 되도록 하는 상수 a의 값을 모두 구하시오.

실력 더하기

11-4

서로 다른 세 직선 $x-2ay+1=0$, $x+6y-7=0$, $x+by=0$에 의하여 좌표평면이 4개의 영역으로 나누어질 때, 상수 a, b에 대하여 $a+b$의 값을 구하시오.

03 점과 직선 사이의 거리

1 점과 직선 사이의 거리

점 $P(x_1, y_1)$과 직선 $ax+by+c=0$ 사이의 거리 d는

$$d=\frac{|ax_1+by_1+c|}{\sqrt{a^2+b^2}}$$

특히, 원점 $O(0, 0)$과 직선 $ax+by+c=0$ 사이의 거리 d는

$$d=\frac{|c|}{\sqrt{a^2+b^2}}$$

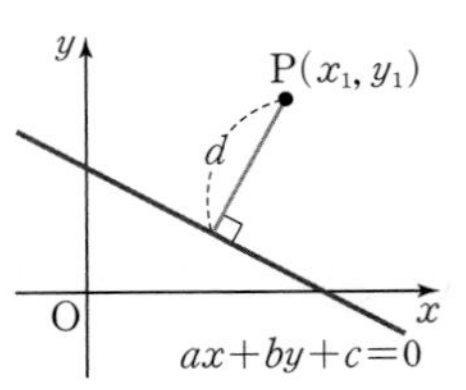

참고 거리는 distance의 첫 글자를 따서 주로 d로 나타낸다.

좌표평면 위의 점 P에서 점 P를 지나지 않는 직선 l에 내린 수선의 발을 H라 할 때 선분 PH의 길이를 점 P와 직선 l 사이의 거리라 한다.

점 $P(x_1, y_1)$에서 직선 l : $ax+by+c=0$에 내린 수선의 발을 $H(x_2, y_2)$라 할 때 두 조건

'두 직선 l, PH가 서로 수직이다.'와 '점 H는 직선 l 위의 점이다.'

에 의하여 점 H의 좌표를 얻을 수 있다. 이를 이용하여 점과 직선 사이의 거리 공식을 구해 보자.

(i) $a\neq0$, $b\neq0$일 때

직선 l : $ax+by+c=0$에서 $y=-\frac{a}{b}x-\frac{c}{b}$이므로 직선 l의 기울기는 $-\frac{a}{b}$이고,

직선 PH의 기울기는 $\frac{y_2-y_1}{x_2-x_1}$이다. ← (기울기)$=\frac{(y\text{의 값의 증가량})}{(x\text{의 값의 증가량})}$

이때 두 직선 l, PH가 서로 수직이므로

$$\left(-\frac{a}{b}\right)\times\frac{y_2-y_1}{x_2-x_1}=-1$$ ← 두 직선이 수직이면 기울기의 곱이 -1이다.

$$\therefore \frac{x_2-x_1}{a}=\frac{y_2-y_1}{b}$$

$\frac{x_2-x_1}{a}=\frac{y_2-y_1}{b}=k$로 놓으면 $x_2-x_1=ak$, $y_2-y_1=bk$이므로 ...... ㉠

$$\overline{PH}=\sqrt{(x_2-x_1)^2+(y_2-y_1)^2}$$

$$=\sqrt{k^2(a^2+b^2)}$$ ...... ㉡

이다. 점 $H(x_2, y_2)$는 직선 l : $ax+by+c=0$ 위의 점이므로

$$ax_2+by_2+c=0$$ ...... ㉢

이다. ㉠을 ㉢에 대입하면

$$a(x_1+ak)+b(y_1+bk)+c=0\text{에서 } k=-\frac{ax_1+by_1+c}{a^2+b^2}$$

이다. 이를 ㉡에 대입하면 다음과 같다.

$$\overline{\mathrm{PH}}=\left|-\frac{ax_1+by_1+c}{a^2+b^2}\right|\sqrt{a^2+b^2}$$

$$=\frac{|ax_1+by_1+c|}{\sqrt{(a^2+b^2)^2}}\times\sqrt{a^2+b^2}$$

$$=\frac{|ax_1+by_1+c|}{\sqrt{a^2+b^2}}$$ ← $\mathrm{P}(x_1, y_1)$ → $ax+by+c=0$ 점 P의 좌표를 대입한 값의 절댓값 …… ㉣

↑ $\dfrac{ax+by+c=0}{\sqrt{(x\text{의 계수})^2+(y\text{의 계수})^2}}$

(ii) $a=0$, $b\neq0$일 때

직선 l : $ax+by+c=0$에서 $y=-\dfrac{c}{b}$이므로

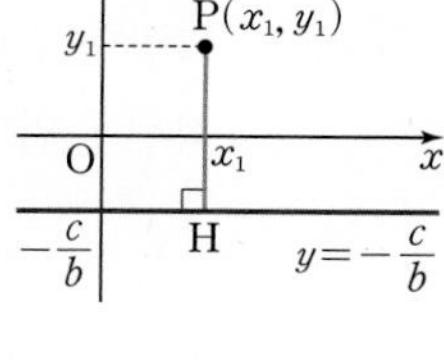

$$\overline{\mathrm{PH}}=\left|y_1-\left(-\frac{c}{b}\right)\right|=\left|\frac{by_1+c}{b}\right|$$ ← 두 점 P, H의 y좌표의 차

이다. 이 경우에도 점 P와 직선 l 사이의 거리는 ㉣과 같다.

(iii) $a\neq0$, $b=0$일 때

직선 l : $ax+by+c=0$에서 $x=-\dfrac{c}{a}$이므로

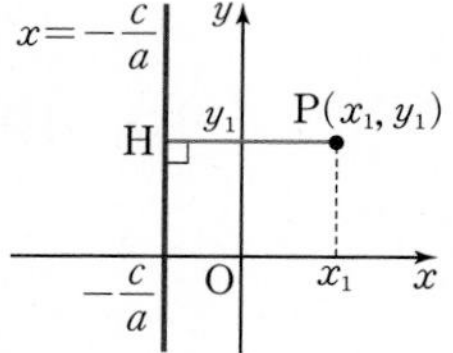

$$\overline{\mathrm{PH}}=\left|x_1-\left(-\frac{c}{a}\right)\right|=\left|\frac{ax_1+c}{a}\right|$$ ← 두 점 P, H의 x좌표의 차

이다. 이 경우에도 점 P와 직선 l 사이의 거리는 ㉣과 같다.

(i)~(iii)에 의하여 점 $\mathrm{P}(x_1, y_1)$과 직선 l : $ax+by+c=0$ 사이의 거리는 다음과 같다.

$$\frac{|ax_1+by_1+c|}{\sqrt{a^2+b^2}}$$

특히, 원점 O(0, 0)과 직선 l : $ax+by+c=0$ 사이의 거리는 다음과 같다.

$$\frac{|c|}{\sqrt{a^2+b^2}}$$ ← 위의 공식에 $x_1=0$, $y_1=0$을 대입한 값

example

(1) 점 $(3, -1)$과 직선 $3x+4y+5=0$ 사이의 거리는

$$\frac{|3\times3+4\times(-1)+5|}{\sqrt{3^2+4^2}}=\frac{10}{5}=2$$

(2) 원점 O(0, 0)과 직선 $y=\dfrac{1}{3}x-\dfrac{1}{6}$ 사이의 거리는

$y=\dfrac{1}{3}x-\dfrac{1}{6}$에서 $2x-6y-1=0$이므로

$$\frac{|-1|}{\sqrt{2^2+(-6)^2}}=\frac{1}{\sqrt{40}}=\frac{1}{2\sqrt{10}}=\frac{\sqrt{10}}{20}$$

Tip 점과 직선 사이의 거리는 직선의 방정식을 $ax+by+c=0$ 꼴로 변형한 후 공식을 적용한다.

2 평행한 두 직선 사이의 거리

평행한 두 직선 l, l' 사이의 거리는 직선 l 위의 임의의 한 점과 직선 l' 사이의 거리와 같다.

좌표평면 위의 두 직선 l, l'이 평행할 때, 직선 l 위의 임의의 한 점 P와 직선 l' 사이의 거리를 두 직선 l, l' 사이의 거리라 한다. ← 직선 l' 위의 임의의 점과 직선 l 사이의 거리를 구해도 결과는 같다.
이때 직선 l 위의 점 P는 어떤 점을 잡아도 상관없으나 x좌표, y좌표가 모두 정수이거나 x축 또는 y축 위의 점을 잡는 것이 두 직선 l, l' 사이의 거리를 계산할 때 수월하다.

이 계산을 좀 더 빠르게 할 수 있는 공식을 구해 보자.
그림과 같이 평행한 두 직선 $l: ax+by+c=0$, $l': ax+by+c'=0$ 사이의 거리 d는 직선 l 위의 임의의 점 $\mathrm{P}(x_1, y_1)$과 직선 l' 사이의 거리이므로 다음과 같다.

$$d=\frac{|ax_1+by_1+c'|}{\sqrt{a^2+b^2}} \quad \cdots\cdots ㉠$$

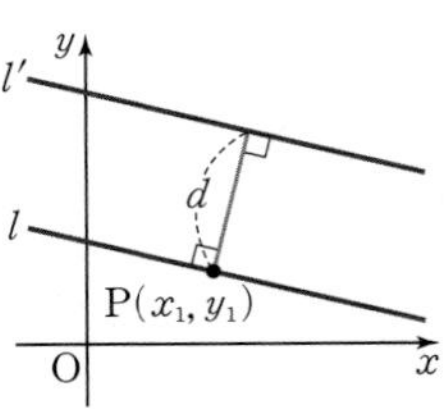

이때 점 $\mathrm{P}(x_1, y_1)$은 직선 $l: ax+by+c=0$ 위의 점이므로

$$ax_1+by_1+c=0, \text{ 즉 } ax_1+by_1=-c$$

이다. 이를 ㉠에 대입하면 평행한 두 직선 사이의 거리 공식을 얻을 수 있다.

$$d=\frac{|c'-c|}{\sqrt{a^2+b^2}}$$ ← $|c'-c|=|c-c'|$이므로 빼는 순서를 바꾸어도 상관없다.

example

(1) 평행한 두 직선 $2x-y+7\sqrt{5}=0$, $2x-y-4\sqrt{5}=0$ 사이의 거리는
직선 $2x-y-4\sqrt{5}=0$ 위의 점 $(2\sqrt{5}, 0)$과 직선 $2x-y+7\sqrt{5}=0$ 사이의 거리와 같으므로

$$\frac{|2\times2\sqrt{5}-0+7\sqrt{5}|}{\sqrt{2^2+(-1)^2}}=\frac{11\sqrt{5}}{\sqrt{5}}=11$$

다른 풀이

$$\frac{|(-4\sqrt{5})-7\sqrt{5}|}{\sqrt{2^2+(-1)^2}}=\frac{11\sqrt{5}}{\sqrt{5}}=11$$

(2) 평행한 두 직선 $l: 3x-4y+1=0$, $l': 6x-8y+5=0$ 사이의 거리는
직선 l 위의 점 $(1, 1)$과 직선 l' 사이의 거리와 같으므로

$$\frac{|6\times1-8\times1+5|}{\sqrt{6^2+(-8)^2}}=\frac{3}{10}$$

다른 풀이

직선 l의 방정식은 $3x-4y+1=0$, 즉 $6x-8y+2=0$이므로

$$\frac{|5-2|}{\sqrt{6^2+(-8)^2}}=\frac{3}{10}$$

주의 다른 풀이에서 평행한 두 직선 사이의 거리 공식을 이용하기 전에 두 직선의 x의 계수가 서로 같고, y의 계수가 서로 같도록 식을 변형하는 과정을 놓치지 않도록 주의하자.

바이블 PLUS

삼각형의 세 꼭짓점의 좌표를 알 때 삼각형의 넓이 구하기

삼각형 ABC의 세 꼭짓점의 좌표가 $A(x_1, y_1)$, $B(x_2, y_2)$, $C(x_3, y_3)$으로 주어졌을 때 다음과 같이 밑변의 길이(두 점 사이의 거리)와 높이(점과 직선 사이의 거리)를 계산하면 삼각형 ABC의 넓이를 구할 수 있다.

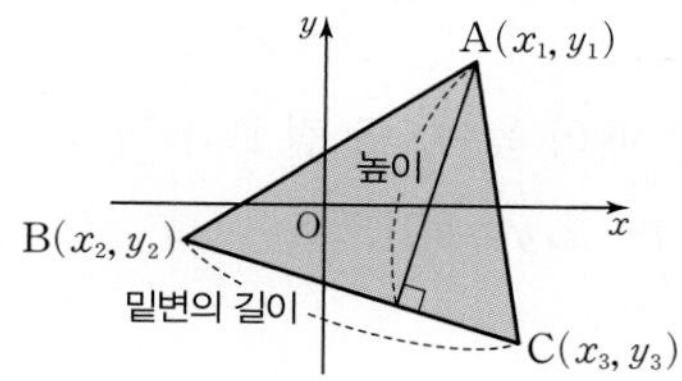

❶ 선분 BC의 길이를 구한다.

❷ 직선 BC의 방정식을 구한다.

❸ 삼각형 ABC의 밑변을 BC라 할 때의 높이, 즉 점 A와 직선 BC 사이의 거리 h를 구한다.

$\therefore$ (삼각형 ABC의 넓이)$=\frac{1}{2}\times\overline{BC}\times h$

위와 같은 유형의 문제는 앞에서 배운 다양한 내용이 복합적으로 사용되므로 풀이 과정을 반드시 익혀두도록 하자.

추가로 삼각형의 세 꼭짓점의 좌표가 주어졌을 때 삼각형의 넓이 S를 구할 수 있는 아래의 공식을 알아두면 빠르게 검산하는데 도움이 될 수 있다.

꼭짓점의 좌표를 차례로 쓴 후
첫 번째 꼭짓점의 좌표를 마지막에 반복하여 쓴다.

$$S=\frac{1}{2}\left|\begin{matrix} x_1 & x_2 & x_3 & x_1 \\ y_1 & y_2 & y_3 & y_1 \end{matrix}\right|$$

사선방향(╲)으로 곱한 값을 모두 더한 것에서
사선방향(╱)으로 곱한 값을 모두 더한 것을 뺀다.

$$=\frac{1}{2}|(x_1y_2+x_2y_3+x_3y_1)-(x_2y_1+x_3y_2+x_1y_3)|$$

특히 한 점이 원점일 때, 즉 세 점 $O(0, 0)$, $A(x_1, y_1)$, $B(x_2, y_2)$를 꼭짓점으로 하는 삼각형 OAB의 넓이 S는 다음과 같다.

$$S=\frac{1}{2}\left|\begin{matrix} x_1 & x_2 \\ y_1 & y_2 \end{matrix}\right|$$

사선방향(╲)으로 곱한 값에서
사선방향(╱)으로 곱한 값을 뺀다.

$$=\frac{1}{2}|x_1y_2-x_2y_1|$$

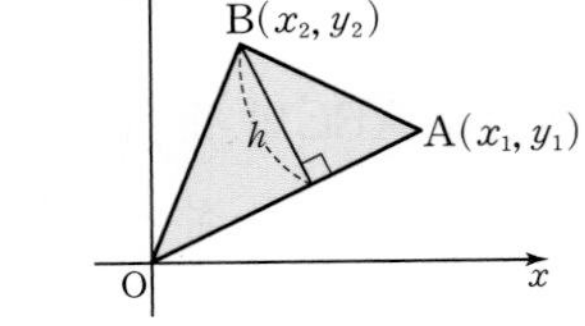

이를 보이는 과정은 다음과 같다.

❶ 선분 OA의 길이를 구한다. ← 밑변의 길이

$\overline{\text{OA}}=\sqrt{x_1^{\ 2}+y_1^{\ 2}}$

❷ 직선 OA의 방정식을 구한다.

$$y=\frac{y_1}{x_1}x$$

❸ 삼각형 OAB의 밑변을 OA라 할 때의 높이, 즉 점 B와 직선 OA 사이의 거리 h를 구한다.

❷에서 구한 직선의 방정식은 $y_1x-x_1y=0$이므로

$$h=\frac{|y_1x_2-x_1y_2|}{\sqrt{y_1^{\ 2}+x_1^{\ 2}}}$$ ← 높이

∴ (삼각형 ABC의 넓이)

$$=\frac{1}{2}\times\overline{\text{OA}}\times h$$

$$=\frac{1}{2}\times\sqrt{x_1^{\ 2}+y_1^{\ 2}}\times\frac{|y_1x_2-x_1y_2|}{\sqrt{y_1^{\ 2}+x_1^{\ 2}}}$$

$$=\frac{1}{2}|x_1y_2-x_2y_1|$$ ← $|x_1y_2-x_2y_1|=|y_1x_2-x_1y_2|$이므로 빼는 순서를 바꾸어도 상관없다.

원점이 아닌 세 점 (x_1, y_1), (x_2, y_2), (x_3, y_3)을 꼭짓점으로 하는 삼각형의 넓이 공식은 뒤에서 학습하게 될 점의 평행이동을 이용하여 한 꼭짓점이 원점이 되도록 삼각형을 평행이동한 후 위와 같은 방법으로 설명할 수 있다.

example

(1) 세 점 A(1, 1), B(4, 0), C(3, 6)을 꼭짓점으로 하는 삼각형 ABC의 넓이를 구하면

$$\frac{1}{2}|(1\times0+4\times6+3\times1)-(4\times1+3\times0+1\times6)|$$

$$=\frac{1}{2}\times(27-10)$$

$$=\frac{17}{2}$$

(2) 세 점 O(0, 0), A(3, −1), B(2, 5)를 꼭짓점으로 하는 삼각형 OAB의 넓이를 구하면

$$\frac{1}{2}|3\times5-(-1)\times2|$$

$$=\frac{1}{2}\times17$$

$$=\frac{17}{2}$$

개념 CHECK

03. 점과 직선 사이의 거리

01 다음 물음에 답하시오.

(1) 점 $(-5,\ 6)$과 직선 $3x-4y-1=0$ 사이의 거리를 구하시오.

(2) 원점과 직선 $2x-y-3=0$ 사이의 거리를 구하시오.

02 다음 물음에 답하시오.

(1) 점 $(-3,\ 3)$과 직선 $y=-\frac{3}{4}x+7$ 사이의 거리를 구하시오.

(2) 원점과 직선 $y=\frac{1}{2}x+5$ 사이의 거리를 구하시오.

03 평행한 두 직선에 대하여 다음 물음에 답하시오.

(1) 두 직선 $x+7y-2=0$, $x+7y+8=0$ 사이의 거리를 구하시오.

(2) 두 직선 $y=\frac{3}{2}x+4$, $y=\frac{3}{2}x-1$ 사이의 거리를 구하시오.

(3) 두 직선 $3x+4y-2=0$, $y=-\frac{3}{4}x+3$ 사이의 거리를 구하시오.

(4) 두 직선 $2x+y-3=0$, $4x+2y+9=0$ 사이의 거리를 구하시오.

대표 예제 | 12

점 $(6, 13)$과 직선 $y=\frac{4}{3}x+k$ 사이의 거리가 9일 때, 모든 상수 k의 값의 합을 구하시오.

바로 접근

점과 직선 사이의 거리 공식을 적용하기 전 직선의 방정식은 $ax+by+c=0$ 꼴로 변형하도록 하자.

점 (x_1, y_1)과 직선 $ax+by+c=0$ 사이의 거리 d는

$$d=\frac{|ax_1+by_1+c|}{\sqrt{a^2+b^2}}$$

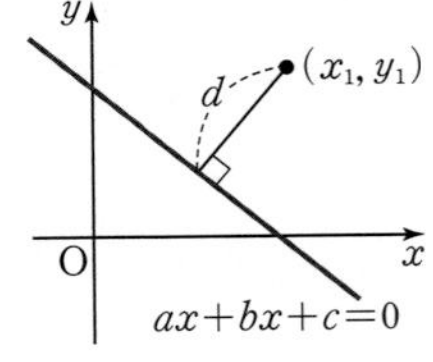

바른 풀이

점 $(6, 13)$과 직선 $y=\frac{4}{3}x+k$, 즉 $4x-3y+3k=0$ 사이의 거리가 9이므로

$$\frac{|4\times6-3\times13+3k|}{\sqrt{4^2+(-3)^2}}=9$$

$|3k-15|=45$

(i) $k<5$일 때, $3k-15=-45$에서 $k=-10$

(ii) $k\geq5$일 때, $3k-15=45$에서 $k=20$

(i), (ii)에서 구하는 모든 실수 k의 값의 합은

$(-10)+20=10$

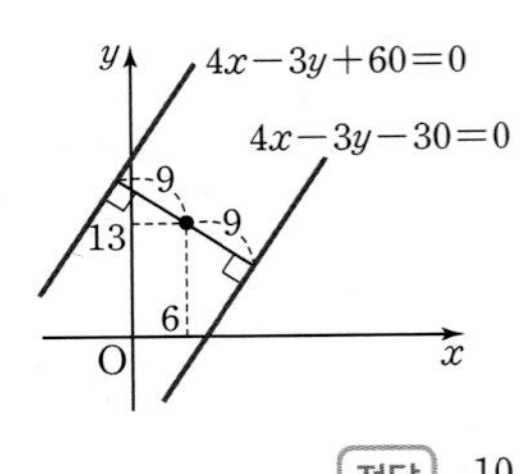

정답 10

Bible Says

점과 직선 사이의 거리 공식을 이용하지 않는다면 개념 부분에서 이 공식을 보인 것과 같이

$P(6, 13)$, l : $y=\frac{4}{3}x+k$라 할 때 점 P에서 직선 l에 내린 수선의 발을 H라 하고

두 직선 PH, l이 서로 수직이다. ➔ 두 직선의 기울기의 곱이 -1이다.

점 H는 직선 l 위의 점이다. ➔ 점 H의 좌표를 직선 l의 방정식에 대입한다.

임을 이용하여 풀이해야 하는데 계산 과정이 복잡하다.

따라서 점과 직선 사이의 공식은 반드시 암기하도록 하자.

한번 더하기

12-1

점 (12, 5)와 직선 $2x-4y=k$ 사이의 거리가 $\sqrt{5}$일 때, 상수 k의 값을 모두 구하시오.

표현 더하기

12-2

직선 $4x-3y=1$에 평행하고 점 (3, 1)과의 거리가 6인 직선의 방정식을 모두 구하시오.

표현 더하기

12-3

좌표평면 위의 점 $(-2,\ -1)$을 지나는 직선 l과 점 (0, 1) 사이의 거리가 $2\sqrt{2}$일 때, 직선 l의 기울기를 구하시오.

실력 더하기

12-4

두 직선 $2x-2y+3=0$, $6x-2y+5=0$의 교점을 지나고 원점으로부터의 거리가 1인 직선의 기울기를 a라 할 때, 모든 a의 값의 합을 구하시오.

대표 예제 | 13

평행한 두 직선 $\sqrt{5}x-2y+10=0$, $\sqrt{5}x-2y+4=0$ 사이의 거리를 구하시오.

바로 접근

평행한 두 직선 l, l' 사이의 거리는 직선 l 위의 한 점과 직선 l' 사이의 거리와 같음을 이용하여 다음과 같은 순서로 풀이한다.

❶ 직선 l 위의 한 점의 좌표 (x_1, y_1)을 택한다.
이때 직선 l 위의 임의의 점의 좌표를 택하면 되는데 좌표가 정수가 되도록 잡는 것이 계산이 수월하다.

❷ 두 직선 l, l' 사이의 거리는 점 (x_1, y_1)과 직선 l' 사이의 거리 d와 같다.

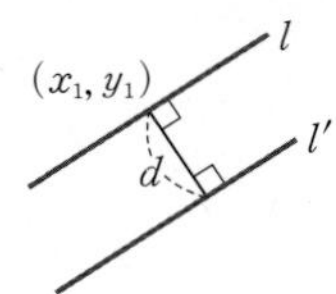

바른 풀이

두 직선 사이의 거리는 직선 $\sqrt{5}x-2y+10=0$ 위의 한 점 $(0, 5)$와 직선 $\sqrt{5}x-2y+4=0$ 사이의 거리와 같다.

따라서 두 직선 사이의 거리는

$$\frac{|\sqrt{5}\times 0-2\times 5+4|}{\sqrt{(\sqrt{5})^2+(-2)^2}}=\frac{6}{3}=2$$

정답 2

Bible Says

두 직선 사이의 거리는 평행한 경우에만 구한다.
평행하지 않은 두 직선 사이의 거리는 한 직선 위에서 어떤 점을 선택하느냐에 따라 해당 점에서 다른 한 직선에 이르는 거리가 달라지므로 두 직선 사이의 거리를 구할 수 없다.
예를 들어 평행하지 않은 두 직선 l, l'에 대하여
그림과 같이 서로 다른 두 점 P_1, P_2를 잡으면
두 점 P_1, P_2에서 직선 l'에 이르는 거리를 각각 d_1, d_2라 할 때
$d_1 \neq d_2$임을 확인할 수 있다.

빠른 정답 • 508쪽 / 정답과 풀이 • 30쪽

한 번 더하기

13-1

평행한 두 직선 $x-2y+6=0$, $x-2y+1=0$ 사이의 거리를 구하시오.

표현 더하기

13-2

평행한 두 직선 $3x+y-6=0$, $3x+y+k=0$ 사이의 거리가 $\sqrt{10}$일 때, 모든 상수 k의 값의 합을 구하시오.

표현 더하기

13-3

두 직선 $x+2y+4=0$, $ax+4y-7=0$이 서로 평행할 때, 두 직선 사이의 거리를 구하시오. (단, a는 상수이다.)

실력 더하기

13-4

그림과 같이 네 점 A(1, 6), B(−1, 0), C(3, 0), D(5, 6)을 꼭짓점으로 하는 평행사변형 ABCD가 있다. 두 직선 AB, CD 사이의 거리를 구하시오.

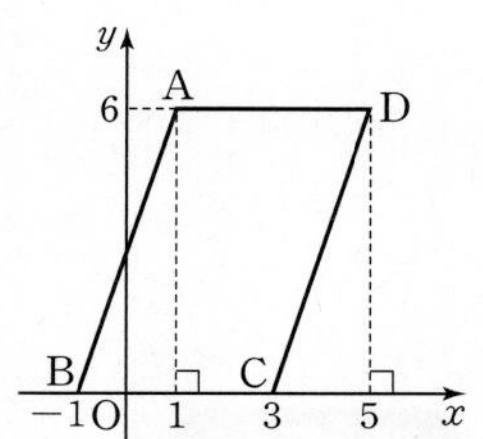

대표 예제 14

세 꼭짓점의 좌표가 주어진 삼각형의 넓이

세 점 $A(3, 4)$, $B(-1, 2)$, $C(5, -1)$을 꼭짓점으로 하는 삼각형 ABC의 넓이를 구하시오.

바로 접근

세 점 $A(x_1, y_1)$, $B(x_2, y_2)$, $C(x_3, y_3)$이 주어졌을 때 밑변의 길이(두 점 사이의 거리)와 높이(점과 직선 사이의 거리)를 계산하여 삼각형 ABC의 넓이를 구해보자.

❶ 선분 BC의 길이를 구한다.

$$\overline{BC}=\sqrt{(x_3-x_2)^2+(y_3-y_2)^2}$$

❷ 직선 BC의 방정식을 구한다.

$$y-y_2=\frac{y_3-y_2}{x_3-x_2}(x-x_2)$$ ← 이 직선의 방정식을 변형한 것을 $ax+by+c=0$이라 하자.

❸ 삼각형 ABC의 밑변을 BC라 할 때의 높이, 즉 점 A와 직선 BC 사이의 거리 h를 구한다.

$$h=\frac{|ax_1+by_1+c|}{\sqrt{a^2+b^2}}$$

$\therefore$ (삼각형 ABC의 넓이)$=\frac{1}{2}\times\overline{BC}\times h$

바른 풀이

삼각형 ABC에서 밑변을 BC라 하면 높이는 점 A와 직선 BC 사이의 거리와 같다.

$$\overline{BC}=\sqrt{\{5-(-1)\}^2+\{(-1)-2)\}^2}=\sqrt{45}=3\sqrt{5}$$

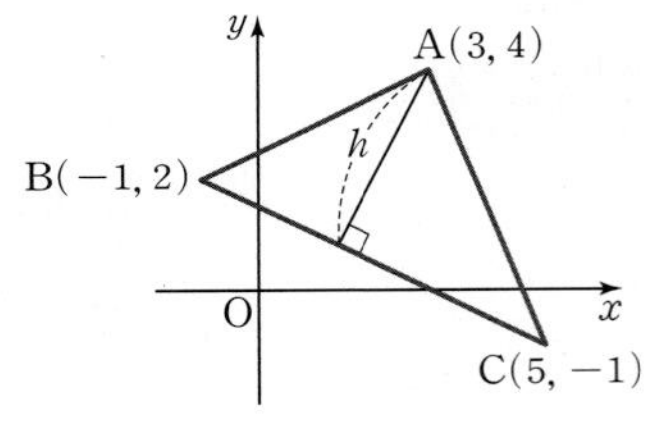

직선 BC의 방정식은

$$y-2=\frac{(-1)-2}{5-(-1)}\{x-(-1)\},\text{ 즉 } x+2y-3=0$$

점 A와 직선 BC 사이의 거리를 h라 하면

$$h=\frac{|3+2\times4-3|}{\sqrt{1^2+2^2}}=\frac{8}{\sqrt{5}}$$

$\therefore$ (삼각형 ABC의 넓이)$=\frac{1}{2}\times\overline{BC}\times h$

$$=\frac{1}{2}\times3\sqrt{5}\times\frac{8}{\sqrt{5}}=12$$

정답 12

Bible Says

삼각형의 높이는 밑변과 마주보는 꼭짓점에서 밑변에 수직으로 그은 선분의 길이이므로 점과 직선 사이의 거리로 구한다.

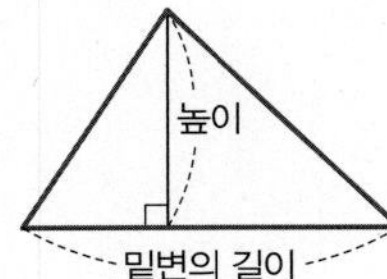

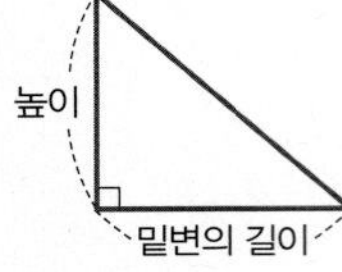

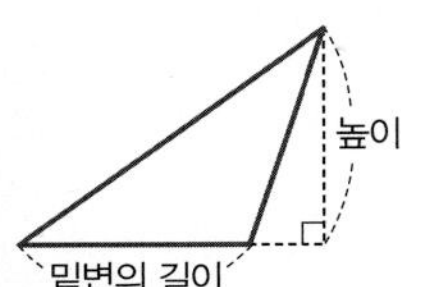

한 번 더하기

14-1

두 점 A$(-2,\ 2)$, B$(3,\ 4)$에 대하여 삼각형 OAB의 넓이를 구하시오. (단, O는 원점이다.)

표현 더하기

14-2

그림과 같이 두 점 O$(0,\ 0)$, A$(-1,\ 3)$과 직선 $3x+y-12=0$ 위의 한 점 P를 꼭짓점으로 하는 삼각형 OAP의 넓이를 구하시오.

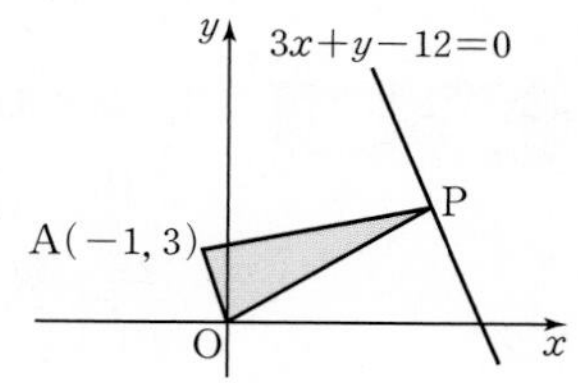

표현 더하기

14-3

세 점 A$(3,\ 3)$, B$(5,\ 7)$, C$(a,\ 4)$를 꼭짓점으로 하는 삼각형 ABC의 넓이가 8이 되도록 하는 모든 a의 값의 합을 구하시오.

실력 더하기

14-4

세 직선 $5x-y-1=0$, $x+4y+4=0$, $2x+y-6=0$으로 둘러싸인 삼각형의 넓이를 구하시오.

대표 예제 | 15

두 직선 $3x-2y+1=0$, $2x-3y-4=0$이 이루는 각의 이등분선의 방정식을 모두 구하시오.

바로 접근

두 직선 $ax+by+c=0$, $px+qy+r=0$이 이루는 각의 이등분선

➡ 각의 이등분선 위의 임의의 점을 $\mathrm{P}(x, y)$라 할 때

점 P에서 두 직선 $ax+by+c=0$, $px+qy+r=0$에 이르는 거리가 같다.

➡ $\dfrac{|ax+by+c|}{\sqrt{a^2+b^2}}=\dfrac{|px+qy+r|}{\sqrt{p^2+q^2}}$

바른 풀이

두 직선 $3x-2y+1=0$, $2x-3y-4=0$이 이루는 각의 이등분선 위의 임의의 점을 $\mathrm{P}(x, y)$라 하자.

점 P에서 두 직선에 이르는 거리가 같아야 하므로

$$\frac{|3x-2y+1|}{\sqrt{3^2+(-2)^2}}=\frac{|2x-3y-4|}{\sqrt{2^2+(-3)^2}}$$

$|3x-2y+1|=|2x-3y-4|$

(i) $3x-2y+1=2x-3y-4$일 때

$x+y+5=0$

(ii) $3x-2y+1=-(2x-3y-4)$일 때

$5x-5y-3=0$

(i), (ii)에서 구하는 각의 이등분선의 방정식은

$x+y+5=0$, $5x-5y-3=0$

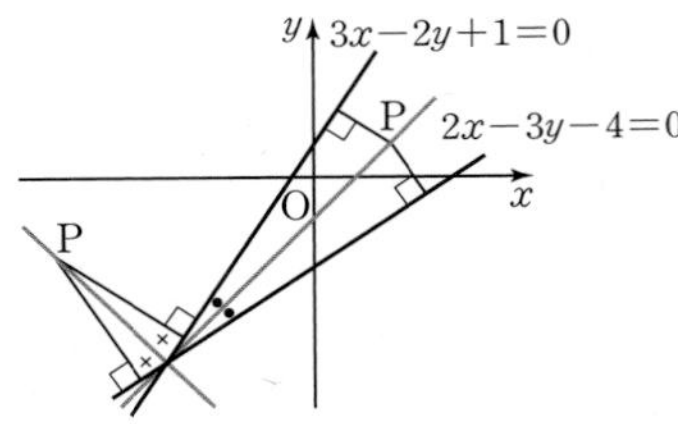

정답 $x+y+5=0$, $5x-5y-3=0$

Bible Says

한 점에서 만나는 두 직선 l, l'은 두 쌍의 맞꼭지각이 생기므로 각의 이등분선은 두 개이며 서로 수직이다.

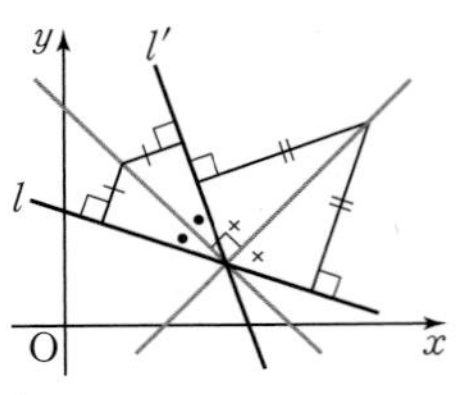

한 번 더하기

15-1 두 직선 $x+4y-1=0$, $4x+y+6=0$이 이루는 각의 이등분선의 방정식을 모두 구하시오.

한 번 더하기

15-2 두 직선 $y=2x-3$, $y=\frac{1}{2}x+1$이 이루는 각의 이등분선의 방정식을 모두 구하시오.

표현 더하기

15-3 두 직선 $x-y+3=0$, $7x+y+a=0$이 이루는 각의 이등분선 중 기울기가 양수인 직선이 $bx-y+5=0$일 때, 상수 a, b에 대하여 $a+b$의 값을 구하시오.

실력 더하기

15-4 한 점에서 만나는 두 직선 l : $x-3y-1=0$, l'이 이루는 각을 이등분하는 직선 중 기울기가 양수인 직선의 방정식이 $2x-y+3=0$일 때, 기울기가 음수인 직선의 방정식을 구하시오.

중단원 연습문제

STEP 1 기본 다지기

01 두 점 $(-3, 4)$, $(1, -8)$을 이은 선분의 중점을 지나고 기울기가 3인 직선의 y절편을 구하시오.

02 세 점 $\mathrm{A}(a, -2)$, $\mathrm{B}(1, a+6)$, $\mathrm{C}(3, 8)$이 한 직선 위에 있도록 하는 모든 a의 값의 합을 구하시오.

03 그림과 같이 세 점 $\mathrm{A}(4, 4)$, $\mathrm{B}(-8, 5)$, $\mathrm{C}(1, -7)$을 꼭짓점으로 하는 삼각형 ABC의 변 BC 위에 점 D가 있다. 두 삼각형 ABD, ACD의 넓이의 비가 $2:1$일 때, 직선 AD의 방정식을 구하시오.

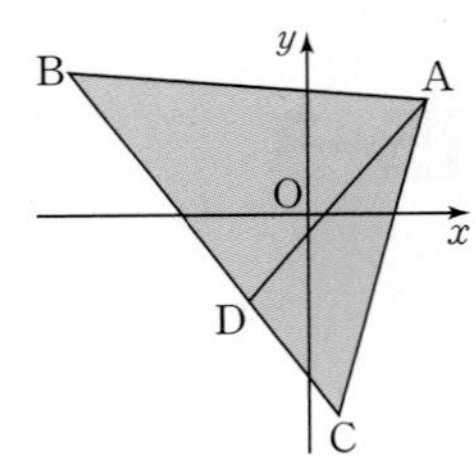

04 그림과 같이 1개의 정사각형과 1개의 직사각형이 있다. 두 사각형의 넓이를 동시에 이등분하는 직선의 방정식을 $y=mx+n$이라 할 때, mn의 값을 구하시오. (단, m, n은 상수이다.)

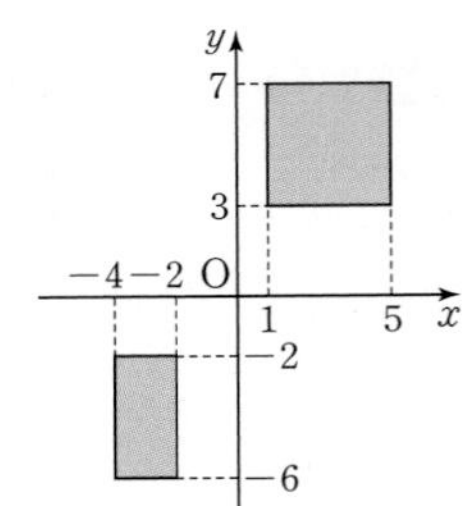

05 음이 아닌 실수 m에 대하여 직선 $y=m(2-x)+3$이 지날 수 없는 점을 **보기**에서 있는 대로 고르시오.

보기

ㄱ. $(0,\ 0)$	ㄴ. $(2,\ 3)$	ㄷ. $(4,\ 3)$
ㄹ. $(5,\ 5)$	ㅁ. $(2,\ 1)$	ㅂ. $(1,\ 4)$

06 두 직선 $8x-4y+3=0$, $2x-6y+1=0$의 교점을 지나고, 직선 $3x-4y+1=0$에 평행한 직선의 방정식을 구하시오.

07 두 직선 $y=(2k-1)x-1$, $y=(1-4k)x+3$이 서로 평행하도록 하는 상수 k의 값을 a, 서로 수직이 되도록 하는 상수 k의 값을 b라 할 때, ab의 값을 구하시오. (단, $b>0$)

08 그림과 같이 마름모 ABCD의 두 꼭짓점 A, C의 좌표가 각각 $(-1,\ 7)$, $(3,\ 1)$이다. 직선 BD의 방정식이 $ax+by+10=0$일 때, ab의 값을 구하시오. (단, a, b는 상수이다.)

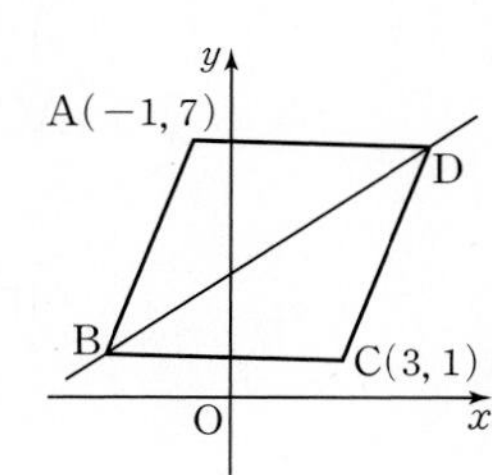

09 세 직선 $4x-4y-7=0$, $4x+6y+13=0$, $ax+by+c=0$이 삼각형을 이룰 때, **보기**에서 직선 $ax+by+c=0$이 될 수 있는 것만을 있는 대로 고르시오.

보기

ㄱ. $x+y-6=0$　　ㄴ. $2x-2y+3=0$　　ㄷ. $4x+4y-7=0$

ㄹ. $2x+3y+10=0$　　ㅁ. $4x+6y-1=0$　　ㅂ. $12x-y+1=0$

10 직선 $\frac{x}{4}+\frac{y}{6}=1$이 x축, y축과 만나는 점을 각각 A, B라 할 때, 선분 AB의 중점과 직선 $2x-y+9=0$ 사이의 거리를 구하시오.

11 직선 $2x-y+5=0$ 위의 점 A와 직선 $2x-y+k=0$ $(k\neq5)$ 위의 두 점 B, C를 세 꼭짓점으로 하는 정삼각형의 한 변의 길이가 $\frac{4\sqrt{15}}{3}$가 되도록 하는 모든 상수 k의 값의 곱을 구하시오.

12 다음은 네 점 A$(-6, 9)$, B$(-3, 0)$, C$(3, -3)$, D$(6, 8)$을 꼭짓점으로 하는 사각형 ABCD의 넓이를 구하는 과정이다.

사각형 ABCD의 넓이는 두 삼각형 ABC, ADC의 넓이의 합이다. 직선 AC의 방정식은

$$4x+3y+\boxed{(가)}=0$$

이므로 두 삼각형 ABC, ADC의 밑변을 모두 선분 AC라 할 때, 두 점 B, D에서 직선 AC에 내린 수선의 발을 각각 H, I라 하면 높이는 각각

$$\overline{BH}=\boxed{(나)},\ \overline{DI}=\boxed{(다)}$$

이다. 따라서 사각형 ABCD의 넓이는

$$\frac{1}{2}\times\overline{AC}\times(\overline{BH}+\overline{DI})=\boxed{(라)}$$

이다.

위의 (가), (나), (다), (라)에 각각 알맞은 수를 써넣으시오.

STEP 2 실력 다지기

13 이차함수 $y=ax^2+bx+c$의 그래프가 그림과 같을 때, 직선 $abx+bcy+ac=0$이 지나지 않는 사분면을 구하시오.

(단, a, b, c는 상수이다.)

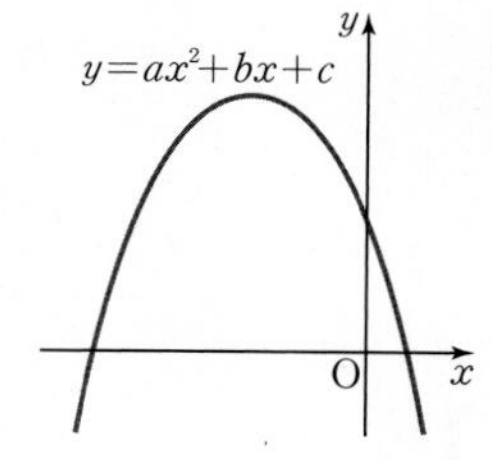

14 세 점 A$(1, a)$, B$(-2, -1)$, C$(2, 1)$을 꼭짓점으로 하는 삼각형 ABC가 직선 $y=mx+m+4$와 만나지 않도록 하는 실수 m의 범위가 $0<m<b$일 때, $a+b$의 값을 구하시오.

15 서로 다른 세 직선 $ax-4y-2=0$, $2x+by-3=0$, $x-ay-1=0$에 의하여 좌표평면이 4개의 영역으로 나누어질 때, 상수 a, b에 대하여 $a+b$의 값을 구하시오.

16 그림과 같이 $\overline{AB}=3$, $\overline{BC}=3\sqrt{3}$인 직사각형 ABCD가 있다. $\angle EBA=15°$가 되도록 변 AD 위에 점 E를 정하고 선분 BE를 접는 선으로 하여 접을 때, 점 A가 접힌 점을 A′이라 하자. 두 점 A, D와 직선 BA′ 사이의 거리를 각각 s, t라 할 때, $\frac{t}{s}$의 값을 구하시오.

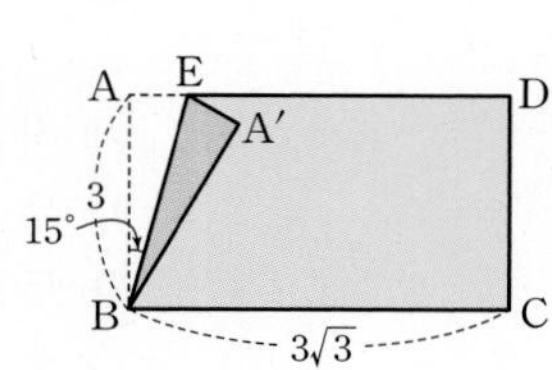

빠른 정답 • 508쪽 / 정답과 풀이 • 36쪽

17 세 직선 $2x-y=0$, $x+y-3=0$, $8x-y+12=0$으로 둘러싸인 삼각형의 넓이를 구하시오.

18 점 A에서 만나는 서로 다른 세 직선 $l_1 : 3x+4y-2=0$, $l_2 : 4x+3y+1=0$, $l_3 : ax+by-1=0$이 있다. 직선 l_3 위의 점 중 A가 아닌 임의의 점에서 두 직선 l_1, l_2에 내린 수선의 발을 H_1, H_2라 할 때, $\overline{AH_1}=\overline{AH_2}$가 되도록 하는 양수 a, b의 값을 각각 구하시오.

challenge

19 좌표평면에서 두 직선 $l_1 : y=2x-3$, $l_2 : y=-\frac{1}{2}x+2$가 만나는 점을 A, 직선 $y=m(x-6)(m>0)$이 두 직선 l_1, l_2와 만나는 점을 각각 B, C라 하자. $\overline{AB}=\overline{AC}$일 때, 삼각형 ABC의 넓이를 구하시오.

challenge 교육청 기출

20 좌표평면 위에 두 점 A(2, 0), B(0, 6)이 있다. 다음 조건을 만족시키는 두 직선 l, m의 기울기의 합의 최댓값은? (단, O는 원점이다.)

> (가) 직선 l은 점 O를 지난다.
> (나) 두 직선 l과 m은 선분 AB 위의 점 P에서 만난다.
> (다) 두 직선 l과 m은 삼각형 OAB의 넓이를 삼등분한다.

① $\frac{3}{4}$ ② $\frac{4}{5}$ ③ $\frac{5}{6}$ ④ $\frac{6}{7}$ ⑤ $\frac{7}{8}$

03

원의 방정식

01 원의 방정식

원의 방정식	중심의 좌표가 $(a,\ b)$이고 반지름의 길이가 r인 원의 방정식은 $(x-a)^2+(y-b)^2=r^2$ 특히, 중심이 원점이고 반지름의 길이가 r인 원의 방정식은 $x^2+y^2=r^2$

02 두 원의 교점을 지나는 도형의 방정식

두 원의 교점을 지나는 도형의 방정식	서로 다른 두 점에서 만나는 두 원 C : $x^2+y^2+ax+by+c=0$, C' : $x^2+y^2+a'x+b'y+c'=0$에 대하여 (i) 두 원 C, C'의 교점을 지나는 직선의 방정식, 즉 공통현의 방정식은 $(a-a')x+(b-b')y+c-c'=0$ (ii) 두 원 C, C'의 교점을 지나는 원 중에서 원 C'을 제외한 원의 방정식은 $x^2+y^2+ax+by+c+k(x^2+y^2+a'x+b'y+c')=0$ (단, $k\neq-1$인 실수)

03 원과 직선의 위치 관계

원과 직선의 위치 관계

원과 직선에 대하여 두 방정식을 연립하여 얻은 이차방정식의 판별식을 D라 하고, 원의 반지름의 길이를 r, 원의 중심과 직선 사이의 거리를 d라 하면 원과 직선의 위치 관계는 다음과 같다.

위치 관계	서로 다른 두 점에서 만난다.	한 점에서 만난다. (접한다.)	만나지 않는다.
판별식 D	$D>0$	$D=0$	$D<0$
거리 d	$d<r$	$d=r$	$d>r$

04 원의 접선의 방정식

기울기가 주어진 원의 접선의 방정식	원 $x^2+y^2=r^2$에 접하고 기울기가 m인 접선의 방정식은 $y=mx\pm r\sqrt{m^2+1}$
원 위의 점에서의 접선의 방정식	원 $x^2+y^2=r^2$ 위의 점 $(x_1,\ y_1)$에서의 접선의 방정식은 $x_1x+y_1y=r^2$

01 원의 방정식

1 원의 방정식

중심의 좌표가 (a, b)이고 반지름의 길이가 r인 원의 방정식은

$(x-a)^2+(y-b)^2=r^2$

특히, 중심이 원점이고 반지름의 길이가 r인 원의 방정식은

$x^2+y^2=r^2$

중학교 과정에서 평면 위의 한 점 C로부터 일정한 거리에 있는 모든 점으로 이루어진 도형을 원이라 함을 학습하였다.
이때 점 C를 이 원의 중심, 일정한 거리를 원의 반지름의 길이라 한다.

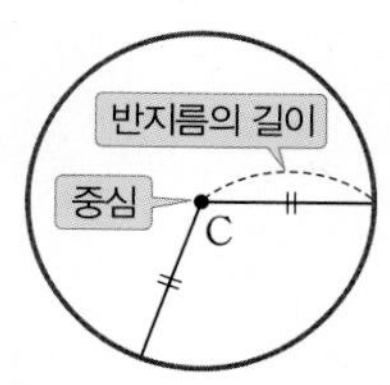

좌표평면 위의 한 점 $C(a, b)$를 중심으로 하고 반지름의 길이가 r인 원의 방정식을 구해 보자.
오른쪽 그림과 같이 원 위의 임의의 점을 $P(x, y)$라 하면
$\overline{CP}=r$이므로

$\sqrt{(x-a)^2+(y-b)^2}=r$ ← 두 점 $C(a, b)$, $P(x, y)$ 사이의 거리 공식

이다. 이 식의 양변을 제곱하면 다음과 같다.

$(x-a)^2+(y-b)^2=r^2$ ⋯⋯ ㉠

특히, 중심이 원점이고 반지름의 길이가 r인 원의 방정식은 다음과 같다.

$x^2+y^2=r^2$

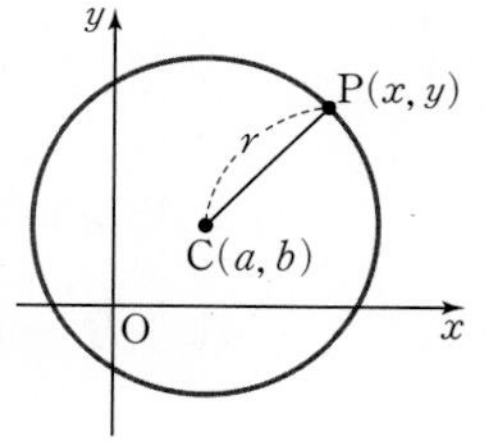

거꾸로 ㉠을 만족시키는 점 $P(x, y)$에 대하여 $\overline{CP}=r$이므로 점 P는 중심이 C이고 반지름의 길이가 r인 원 위의 점이다.
따라서 ㉠을 중심이 $C(a, b)$이고, 반지름의 길이가 r인 원의 방정식이라 한다.

example

(1) 점 $(2, -1)$을 중심으로 하고, 반지름의 길이가 3인 원의 방정식은
$(x-2)^2+\{y-(-1)\}^2=3^2$, 즉 $(x-2)^2+(y+1)^2=9$

(2) 원점을 중심으로 하고 반지름의 길이가 2인 원의 방정식은
$x^2+y^2=2^2$, 즉 $x^2+y^2=4$

(3) 방정식 $(x+1)^2+(y-3)^2=16$이 나타내는 도형은 중심의 좌표가 $(-1, 3)$이고, 반지름의 길이가 4인 원이다.

2 이차방정식 $x^2+y^2+Ax+By+C=0$이 나타내는 도형

원의 방정식은 x, y에 대한 이차방정식

$$x^2+y^2+Ax+By+C=0$$

꼴로 나타낼 수 있다.

거꾸로 x, y에 대한 이차방정식 $x^2+y^2+Ax+By+C=0$ $(A^2+B^2-4C>0)$이 나타내는 도형은

중심의 좌표가 $\left(-\frac{A}{2},\ -\frac{B}{2}\right)$, 반지름의 길이가 $\frac{\sqrt{A^2+B^2-4C}}{2}$

인 원이다.

원의 방정식 $(x-a)^2+(y-b)^2=r^2$을 전개하여 정리하면

$$x^2+y^2-2ax-2by+a^2+b^2-r^2=0$$ ← 원의 방정식은 x^2과 y^2의 계수가 같고 xy항이 없는 x, y에 대한 이차방정식이다.

이다. 이때 $-2a=A$, $-2b=B$, $a^2+b^2-r^2=C$라 하면

$$x^2+y^2+Ax+By+C=0$$ ← $x^2+y^2+Ax+By+C=0$ 꼴을 원의 방정식의 일반형이라 하고, $(x-a)^2+(y-b)^2=r^2$ 꼴을 원의 방정식의 표준형이라 한다.

의 꼴로 나타낼 수 있다.

거꾸로 x, y에 대한 이차방정식 $x^2+y^2+Ax+By+C=0$은

$$\left(x^2+Ax+\frac{A^2}{4}\right)+\left(y^2+By+\frac{B^2}{4}\right)-\frac{A^2}{4}-\frac{B^2}{4}+C=0,\ \text{즉}$$

$$\left(x+\frac{A}{2}\right)^2+\left(y+\frac{B}{2}\right)^2=\frac{A^2+B^2-4C}{4} \qquad \cdots\cdots ㉠$$

로 변형된다. 이때 방정식 ㉠이 나타내는 도형은

$A^2+B^2-4C>0$이면 중심의 좌표가 $\left(-\frac{A}{2},\ -\frac{B}{2}\right)$, 반지름의 길이가 $\frac{\sqrt{A^2+B^2-4C}}{2}$인 원이고,

$A^2+B^2-4C=0$이면 점 $\left(-\frac{A}{2},\ -\frac{B}{2}\right)$이다.

$A^2+B^2-4C<0$이면 ㉠을 만족시키는 실수 x, y가 존재하지 않는다.

즉, 방정식 $x^2+y^2+Ax+By+C=0$이 나타내는 도형이 원이 되기 위한 조건은 $A^2+B^2-4C>0$이다.

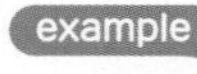

(1) 원의 방정식 $x^2+y^2+4x-2y-20=0$을 완전제곱식을 이용하여 변형하면 $(x+2)^2+(y-1)^2=5^2$이므로 이 방정식이 나타내는 도형은 중심의 좌표가 $(-2,\ 1)$, 반지름의 길이가 5인 원이다.

(2) x, y에 대한 이차방정식 $x^2+y^2+6y+k=0$, 즉 $x^2+(y+3)^2=9-k$가 나타내는 도형이 원이 되기 위한 실수 k의 값의 범위는 $9-k>0$, 즉 $k<9$이다.

3 좌표축에 접하는 원의 방정식

중심의 좌표가 (a, b)이고 반지름의 길이가 r인 원이

(i) x축에 접하면 원의 방정식은

$(x-a)^2+(y-b)^2=b^2$ $(r=|b|)$

(ii) y축에 접하면 원의 방정식은

$(x-a)^2+(y-b)^2=a^2$ $(r=|a|)$

(iii) x축과 y축에 동시에 접하면 원의 방정식은

① 중심이 제1사분면 위에 있을 때: $(x-r)^2+(y-r)^2=r^2$

② 중심이 제2사분면 위에 있을 때: $(x+r)^2+(y-r)^2=r^2$

③ 중심이 제3사분면 위에 있을 때: $(x+r)^2+(y+r)^2=r^2$

④ 중심이 제4사분면 위에 있을 때: $(x-r)^2+(y+r)^2=r^2$

좌표축에 접하는 원의 방정식은 중심의 좌표 (a, b)와 반지름의 길이 r 사이의 관계를 이용하여 다음과 같이 구할 수 있다.

(i) 원이 x축에 접하면

$r=|(\text{중심의 } y\text{좌표})|=|b|$이므로 원의 방정식은

$$(x-a)^2+(y-b)^2=b^2$$

이다.

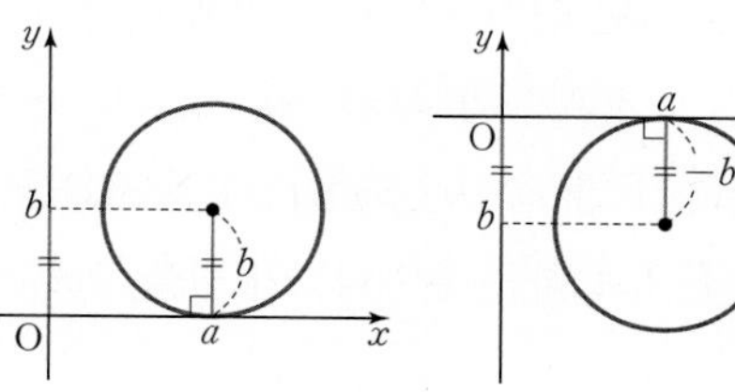

(ii) 원이 y축에 접하면

$r=|(\text{중심의 } x\text{좌표})|=|a|$이므로 원의 방정식은

$$(x-a)^2+(y-b)^2=a^2$$

이다.

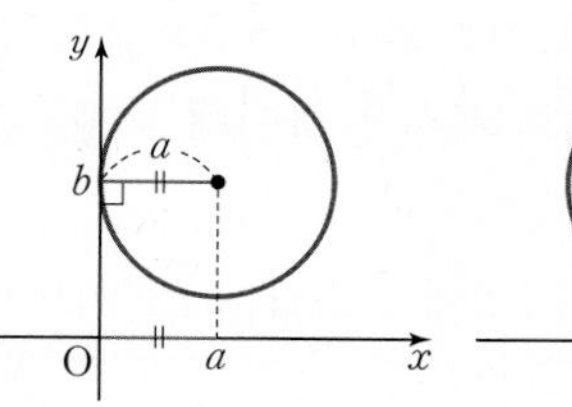

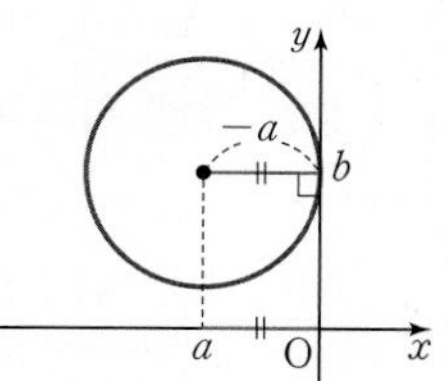

(iii) 원이 x축과 y축에 동시에 접하면

$r=|(\text{중심의 } x\text{좌표})|=|(\text{중심의 } y\text{좌표})|=|a|=|b|$이므로

중심이 속하는 사분면에 따라 원의 방정식은 다음과 같다.

① 제1사분면: $(x-r)^2+(y-r)^2=r^2$

② 제2사분면: $(x+r)^2+(y-r)^2=r^2$

③ 제3사분면: $(x+r)^2+(y+r)^2=r^2$

④ 제4사분면: $(x-r)^2+(y+r)^2=r^2$

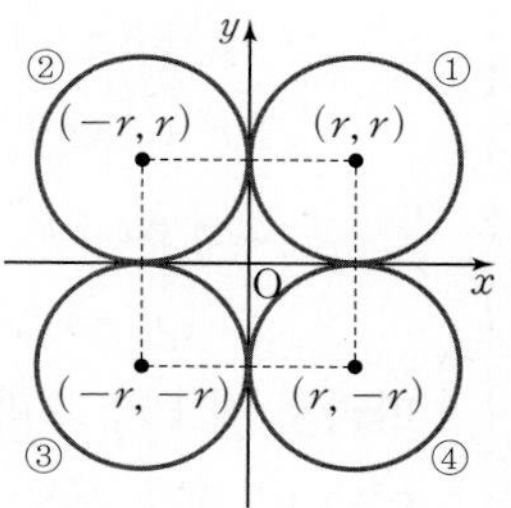

거꾸로 원 $(x-a)^2+(y-b)^2=r^2$ $(r>0)$에 대하여 $|a|=r$이면 원은 y축에 접하고, $|b|=r$이면 원은 x축에 접하고, $|a|=|b|=r$이면 원은 x축과 y축에 동시에 접한다.

example

(1) 점 (6, 3)을 중심으로 하고, x축에 접하는 원은 반지름의 길이가 $|3|$이므로 원의 방정식은 $(x-6)^2+(y-3)^2=9$

(2) 원 $(x+1)^2+(y-4)^2=1$의 중심의 x좌표의 절댓값과 반지름의 길이가 1로 같으므로 이 원은 y축에 접한다.

(3) 점 (2, −2)를 중심으로 하고, x축과 y축에 동시에 접하는 원은 반지름의 길이가 2이므로 원의 방정식은 $(x-2)^2+(y+2)^2=4$

바이블 PLUS ⊕ 길이의 비가 주어진 점이 나타내는 도형의 방정식

고대 그리스의 수학자이자 천문학자인 아폴로니오스(Apollonios)는 다음과 같은 사실을 발견하였다.

좌표평면 위의 두 점 A, B에 대하여

$$\overline{PA}:\overline{PB}=m:n \ (m>0,\ n>0,\ m\neq n)$$

인 점 P가 그리는 도형은 선분 AB를 $m:n$으로 내분하는 점과 $m:n$으로 외분하는 점을 지름의 양 끝점으로 하는 원이다. 이 원을 '아폴로니오스의 원'이라 한다.

29쪽 바이블 PLUS 참고

두 점 A(−1, 0), B(5, 0)으로부터의 거리의 비가 1 : 2인 점 P(x, y)가 그리는 도형을 구하는 과정을 통해 위의 사실을 확인해 보자.

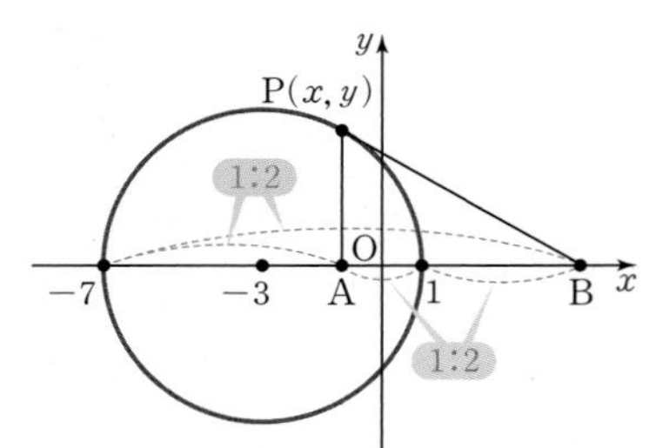

$\overline{AP}:\overline{BP}=1:2$에서 $2\overline{AP}=\overline{BP}$이므로

$$2\sqrt{(x+1)^2+y^2}=\sqrt{(x-5)^2+y^2}$$

이다. 양변을 제곱하면

$$4(x+1)^2+4y^2=(x-5)^2+y^2$$

$$4x^2+8x+4+4y^2=x^2-10x+25+y^2$$

$$3x^2+18x+3y^2-21=0$$

$$x^2+6x+y^2-7=0$$

$$\therefore\ (x+3)^2+y^2=4^2$$

따라서 점 P가 그리는 도형은 중심의 좌표가 (−3, 0)이고 반지름의 길이가 4인 원이다.

이때 이 원은 선분 AB를 1 : 2로 내분하는 점 (1, 0)과 1 : 2로 외분하는 점 (−7, 0)을 지름의 양 끝점으로 한다.

개념 CHECK

01. 원의 방정식

01 다음 원의 방정식을 구하시오.

(1) 점 (1, 3)을 중심으로 하고, 반지름의 길이가 $3\sqrt{2}$인 원
(2) 원점을 중심으로 하고, 반지름의 길이가 4인 원

02 다음 방정식이 나타내는 원의 중심의 좌표와 반지름의 길이를 각각 구하시오.

(1) $x^2+(y+1)^2=8$
(2) $(x+3)^2+(y-2)^2=3$
(3) $x^2+y^2-2x-4y-20=0$
(4) $x^2+y^2+12x+4y=0$

03 다음 방정식이 나타내는 도형이 원이 되도록 하는 실수 k의 값의 범위를 구하시오.

(1) $x^2+y^2+x-2y+k=0$
(2) $x^2+y^2+4kx-2ky+3k^2-3k+9=0$

04 다음을 구하시오.

(1) 점 (5, 6)을 중심으로 하고, x축에 접하는 원의 방정식을 구하시오.
(2) y축에 접하면서 중심의 y좌표가 -4이고 반지름의 길이가 7인 원의 방정식을 모두 구하시오.
(3) 반지름의 길이가 3이고 x축과 y축에 동시에 접하는 원의 방정식을 모두 구하시오.

05 다음 조건을 만족시키는 상수 k의 값을 구하시오.

(1) 원 $(x+2)^2+(y-1)^2=k$가 y축에 접한다.
(2) 원 $x^2+y^2+2x-8y+k=0$이 x축에 접한다.

대표 예제 01

중심과 한 점이 주어진 원의 방정식

점 $(-3,\ -1)$을 중심으로 하고, 점 $(-4,\ 2)$를 지나는 원의 방정식을 구하시오.

바로 접근

점 $(a,\ b)$를 중심으로 하고, 점 $(x_1,\ y_1)$을 지나는 원의 방정식은 두 가지 풀이로 구할 수 있다.

풀이 1 원의 방정식을 세운 후 원이 지나는 점의 좌표 대입하기

원의 반지름의 길이를 r라 하면 원의 방정식은

$(x-a)^2+(y-b)^2=r^2$

이 원이 지나는 점의 좌표 $(x_1,\ y_1)$을 대입하여

$(x_1-a)^2+(y_1-b)^2=r^2$에서 r^2의 값 구하기

풀이 2 두 점 사이의 거리 공식을 이용하여 반지름의 길이 구하기

원의 반지름의 길이는 두 점 $(a,\ b)$, $(x_1,\ y_1)$ 사이의 거리와 일치하므로

구하는 원의 방정식은

$(x-a)^2+(y-b)^2=(x_1-a)^2+(y_1-b)^2$

바른 풀이

풀이 1

점 $(-3,\ -1)$을 중심으로 하는 원의 반지름의 길이를 r라 하면 원의 방정식은

$(x+3)^2+(y+1)^2=r^2$

이 원이 점 $(-4,\ 2)$를 지나므로

$(-4+3)^2+(2+1)^2=r^2$, 즉 $r^2=10$

따라서 구하는 원의 방정식은

$(x+3)^2+(y+1)^2=10$

풀이 2

원의 반지름의 길이를 r라 하면

r는 두 점 $(-3,\ -1)$, $(-4,\ 2)$ 사이의 거리와 일치하므로

$r^2=\{(-4)-(-3)\}^2+\{2-(-1)\}^2=10$

따라서 구하는 원의 방정식은

$(x+3)^2+(y+1)^2=10$

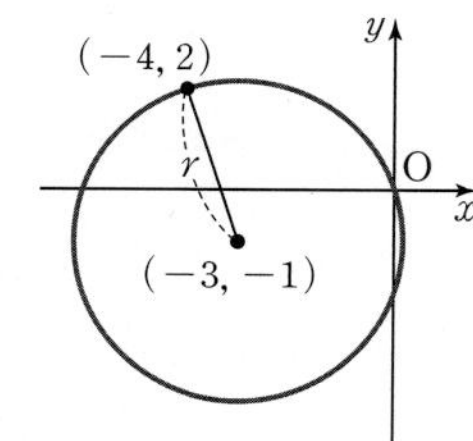

정답 $(x+3)^2+(y+1)^2=10$

Bible Says

원의 방정식은 중심의 좌표, 반지름의 길이가 정해졌을 때 구할 수 있는데 이를 간접적으로 제시하는 문제가 주로 출제된다. 아래와 같이 원에 대한 정보가 제시되는 문제가 대표 예제 01 ~ 대표 예제 03, 대표 예제 05에서 순차적으로 다뤄지므로 연관 지어 학습하도록 하자.

① 원의 중심과 원 위의 한 점　　② 지름의 양 끝점

③ 원의 중심이 놓인 직선과 원 위의 두 점　　④ 원 위의 서로 다른 세 점

빠른 정답 • 509쪽 / 정답과 풀이 • 39쪽

한 번 더하기

01-1

점 $(2,\ 4)$를 중심으로 하고, 점 $(-1,\ 0)$을 지나는 원의 방정식을 구하시오.

03

표현 더하기

01-2

원 $(x+4)^2+(y-1)^2=16$과 중심이 같고 점 $(2,\ -1)$을 지나는 원의 방정식을 구하시오.

표현 더하기

01-3

두 점 $\mathrm{A}(-1,\ -1)$, $\mathrm{B}(5,\ 2)$에 대하여 선분 AB를 $2:1$로 내분하는 점을 중심으로 하고, 점 $(6,\ 4)$를 지나는 원이 점 $(0,\ a)$를 지날 때, 양수 a의 값을 구하시오.

표현 더하기

01-4

점 $(2,\ 4)$를 중심으로 하고, 점 $(a,\ 1)$을 지나는 원 C가 있다. 원 C가 점 $(-1,\ a+8)$을 지날 때, 원 C의 반지름의 길이를 구하시오.

대표 예제 02

두 점 A$(8, 2)$, B$(4, 10)$을 지름의 양 끝점으로 하는 원의 방정식을 구하시오.

바로 접근

지름의 양 끝점 A(x_1, y_1), B(x_2, y_2)가 주어진 원에 대하여 선분 AB의 중점 C가 원의 중심이고, 선분 AB의 길이가 원의 지름임을 이용하면 원의 방정식을 구할 수 있다.

❶ 원의 중심 C의 좌표

(선분 AB의 중점의 좌표)$=\left(\dfrac{x_1+x_2}{2}, \dfrac{y_1+y_2}{2}\right)$

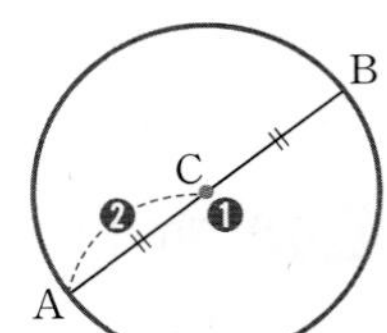

❷ 원의 반지름의 길이

$$\frac{\overline{AB}}{2}=\overline{AC}$$
$$=\sqrt{\left(\frac{x_1+x_2}{2}-x_1\right)^2+\left(\frac{y_1+y_2}{2}-y_1\right)^2}$$
$$=\frac{\sqrt{(x_2-x_1)^2+(y_2-y_1)^2}}{2}$$

바른 풀이

두 점 A$(8, 2)$, B$(4, 10)$을 지름의 양 끝점으로 하는 원의 중심을 C라 하자.

원의 중심 C는 선분 AB의 중점이므로

C$\left(\dfrac{8+4}{2}, \dfrac{2+10}{2}\right)$, 즉 C$(6, 6)$

원의 반지름의 길이는

$\overline{AC}=\sqrt{(6-8)^2+(6-2)^2}$

$=\sqrt{20}=2\sqrt{5}$

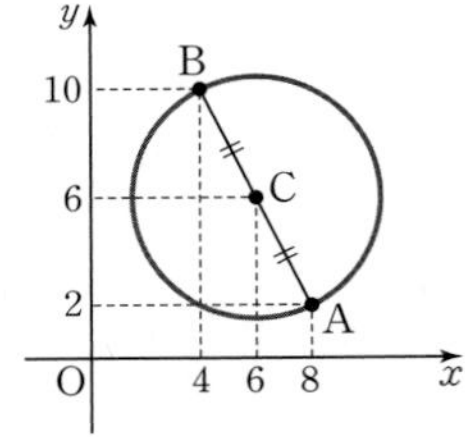

따라서 구하는 원의 방정식은

$(x-6)^2+(y-6)^2=(2\sqrt{5})^2$, 즉 $(x-6)^2+(y-6)^2=20$

참고 점 C의 좌표를 구한 후 원의 방정식 $(x-6)^2+(y-6)^2=r^2\ (r>0)$에 점 A 또는 점 B의 좌표를 대입하여 반지름의 길이 r를 구해도 된다.

정답 $(x-6)^2+(y-6)^2=20$

Bible Says

일반적으로 두 점을 지나는 원은 하나로 정해지지 않고 무수히 많다.
이때 두 점이 지름의 양 끝점이라는 추가 조건이 주어진 경우
원의 중심과 반지름의 길이를 간접적으로 제시한 것이므로 원이 하나로 정해진다.

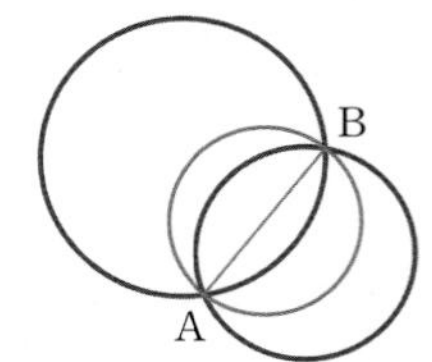

한 번 더하기

02-1 두 점 A(6, -4), B(-2, 6)을 지름의 양 끝점으로 하는 원의 방정식을 구하시오.

한 번 더하기

02-2 두 점 A(4, -2), B(10, 0)을 지름의 양 끝점으로 하는 원의 방정식이 $(x-a)^2+(y-b)^2=c$일 때, 상수 a, b, c에 대하여 $a+b+c$의 값을 구하시오.

표현 더하기

02-3 두 점 A(1, -1), B(-7, 3)을 지름의 양 끝점으로 하는 원이 점 (1, k)를 지날 때, 양수 k의 값을 구하시오.

실력 더하기

02-4 두 점 A(-3, 2), B(5, 8)을 지름의 양 끝점으로 하는 원 C의 반지름의 길이를 r라 하자. 기울기가 r인 직선 l이 원 C의 넓이를 이등분할 때, 직선 l의 방정식을 구하시오.

대표 예제 03

중심이 직선 위에 있는 원의 방정식

중심이 x축 위에 있고 두 점 $(-3, 4)$, $(2, -1)$을 지나는 원의 반지름의 길이를 구하시오.

바로 접근

원의 중심 C의 위치와 원 위의 두 점 A, B의 좌표가 주어진 경우 다양한 방법으로 원의 방정식을 구할 수 있다. 원의 중심이 x축 위에 있으므로 $C(a, 0)$, 원의 반지름의 길이를 r라 하자.

풀이 1 원의 방정식을 세운 후 원이 지나는 두 점의 좌표 대입하기

$(x-a)^2+y^2=r^2$에 원 위의 두 점의 좌표를 대입하여 a, r의 값 구하기

풀이 2 원의 중심 C에서 두 점 A, B에 이르는 거리와 반지름의 길이가 일치함을 이용하기

$\overline{CA}=\overline{CB}$를 만족시키는 a의 값 구하기

바른 풀이

풀이 1

원의 중심이 x축 위에 있으므로 원의 중심의 좌표를 $(a, 0)$이라 하고, 반지름의 길이를 r라 하면 원의 방정식은

$(x-a)^2+y^2=r^2$ …… ㉠

원 ㉠이 점 $(-3, 4)$를 지나므로

$(-3-a)^2+4^2=r^2$, 즉

$a^2+6a+25=r^2$ …… ㉡

원 ㉠이 점 $(2, -1)$을 지나므로

$(2-a)^2+(-1)^2=r^2$, 즉

$a^2-4a+5=r^2$ …… ㉢

㉡$-$㉢에 의하여 $10a+20=0$, 즉 $a=-2$

㉢에 이를 대입하면 $r^2=17$

$\therefore r=\sqrt{17}$ ($\because r>0$)

풀이 2

원의 중심이 x축 위에 있으므로 원의 중심의 좌표를 $(a, 0)$이라 하자.

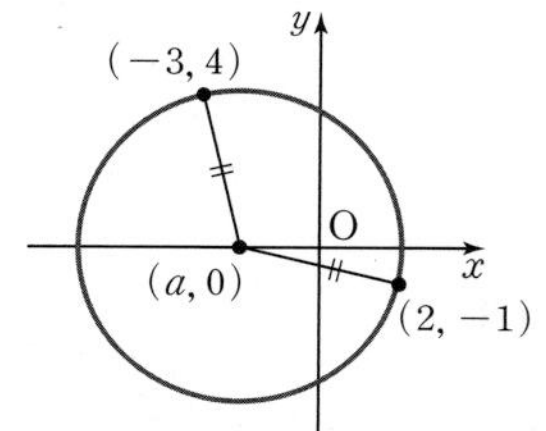

점 $(a, 0)$에서 두 점 $(-3, 4)$, $(2, -1)$에 이르는 거리가 일치하므로

$\sqrt{\{a-(-3)\}^2+(0-4)^2}$

$=\sqrt{(a-2)^2+\{0-(-1)\}^2}$

$\sqrt{a^2+6a+25}=\sqrt{a^2-4a+5}$ …… ㉠

㉠의 양변을 제곱하면

$a^2+6a+25=a^2-4a+5$

$10a=-20 \qquad \therefore a=-2$

구하는 원의 반지름의 길이는

㉠에 $a=-2$를 대입한 값이므로 $\sqrt{17}$

정답 $\sqrt{17}$

Bible Says

중심의 위치에 따라 중심의 좌표를 다음과 같이 나타낸다.

① 중심이 x축 위에 있을 때: $(a, 0)$

② 중심이 y축 위에 있을 때: $(0, a)$

③ 중심이 직선 $y=mx+n$ 위에 있을 때: $(a, ma+n)$

한 번 더하기

03-1

중심이 y축 위에 있고 두 점 $(1,\ 6)$, $(4,\ -3)$을 지나는 원의 중심의 좌표를 구하시오.

표현 더하기

03-2

중심이 직선 $y=x-2$ 위에 있고 원점과 점 $(-4,\ -2)$를 지나는 원의 반지름의 길이를 구하시오.

표현 더하기

03-3

중심이 직선 $x=7$ 위에 있고 반지름의 길이가 5인 원 중 점 $(10,\ -6)$을 지나는 원의 방정식을 모두 구하시오.

표현 더하기

03-4

원 $C : (x-a)^2+(y-b)^2=c$의 중심이 두 점 $(-1,\ 2)$, $(2,\ 5)$를 지나는 직선 위에 있고 원 C가 두 점 $(0,\ 1)$, $(6,\ 3)$을 지날 때, 상수 a, b, c에 대하여 $a+b+c$의 값을 구하시오.

(단, $c>0$)

대표 예제 I 04

이차방정식 $x^2+y^2+Ax+By+C=0$이 나타내는 도형

다음 물음에 답하시오.

(1) 원 $x^2+y^2+8x-2ay-2=0$의 중심의 좌표가 $(b, 3)$이고 반지름의 길이가 r일 때, 상수 a, b, r의 값을 각각 구하시오.

(2) 방정식 $x^2+y^2-2kx+4y+2k^2-3k=0$이 나타내는 도형이 원이 되도록 하는 실수 k의 값의 범위를 구하시오.

바로 접근

x, y에 대한 이차방정식 $x^2+y^2+Ax+By+C=0$을 완전제곱식을 이용하여 나타내면

$$\left(x+\frac{A}{2}\right)^2+\left(y+\frac{B}{2}\right)^2=\frac{A^2+B^2-4C}{4}$$

➡ $A^2+B^2-4C>0$이면

중심의 좌표가 $\left(-\frac{A}{2}, -\frac{B}{2}\right)$, 반지름의 길이가 $\frac{\sqrt{A^2+B^2-4C}}{2}$인 원이다.

바른 풀이

(1) $x^2+y^2+8x-2ay-2=0$을 변형하면

$(x+4)^2+(y-a)^2=a^2+18$

이 원의 중심의 좌표는 $(-4, a)$, 반지름의 길이는 $\sqrt{a^2+18}$

문제에서 원의 중심의 좌표가 $(b, 3)$, 반지름의 길이가 r라 주어졌으므로

$a=3$, $b=-4$, $r=\sqrt{3^2+18}=\sqrt{27}=3\sqrt{3}$

(2) $x^2+y^2-2kx+4y+2k^2-3k=0$을 변형하면

$(x-k)^2+(y+2)^2=-k^2+3k+4$

이 방정식이 나타내는 도형이 원이 되려면

$-k^2+3k+4>0$

$(k+1)(k-4)<0$

$\therefore -1<k<4$

정답 (1) $a=3$, $b=-4$, $r=3\sqrt{3}$ (2) $-1<k<4$

Bible Says

$\left(x+\frac{A}{2}\right)^2+\left(y+\frac{B}{2}\right)^2=\frac{A^2+B^2-4C}{4}$에서

(i) $A^2+B^2-4C=0$이면

$x=-\frac{A}{2}$, $y=-\frac{B}{2}$이므로 방정식이 나타내는 도형은 점 $\left(-\frac{A}{2}, -\frac{B}{2}\right)$이다.

(ii) $A^2+B^2-4C<0$이면

이 방정식을 만족시키는 실수 x, y는 존재하지 않으므로 방정식을 만족시키는 도형은 존재하지 않는다.

빠른 정답 • 509쪽 / 정답과 풀이 • 42쪽

한번 더하기

04-1 원 $x^2+y^2+2ax+2y-2=0$의 중심의 좌표가 $(3,\ b)$이고 반지름의 길이가 r일 때, 상수 a, b, r에 대하여 abr의 값을 구하시오.

03

한번 더하기

04-2 방정식 $x^2+y^2-6x+2ky+k+15=0$이 나타내는 도형이 원이 되도록 하는 실수 k의 값의 범위를 구하시오.

표현 더하기

04-3 원 $x^2+y^2+2ax-8ay+a^2-8a-2=0$의 넓이가 10π일 때, 양수 a의 값을 구하시오.

표현 더하기

04-4 방정식 $x^2+y^2-2kx-2y+3k^2-11k-5=0$이 나타내는 도형이 반지름의 길이가 $3\sqrt{2}$ 이상인 원이 되도록 하는 모든 정수 k의 값의 합을 구하시오.

대표 예제 | 05

세 점 $(0, 0)$, $(-6, -2)$, $(2, 4)$를 지나는 원의 방정식을 구하시오.

바로 접근

한 직선 위에 있지 않은 세 점을 지나는 원의 방정식은 하나로 정해지고, 세 점 중 한 점이 원점 O인 경우 원의 방정식은 다음과 같은 방법으로 구할 수 있다.

풀이 1 **원점을 지나는 원의 방정식을 세운 후 나머지 두 점의 좌표 대입하기**

$x^2+y^2+Ax+By=0$에 원점이 아닌 두 점의 좌표를 대입하여 A, B의 값 구하기

풀이 2 **원의 중심에서 세 점에 이르는 거리가 같음을 이용하기**

주어진 원 위의 세 점을 O, A, B라 하고 원의 중심을 $\mathrm{P}(a, b)$라 하면 반지름의 길이가 $\overline{\mathrm{PO}}=\sqrt{a^2+b^2}$이므로

$\overline{\mathrm{PA}}^2=a^2+b^2$, $\overline{\mathrm{PB}}^2=a^2+b^2$을 만족시키는 a, b의 값 구하기

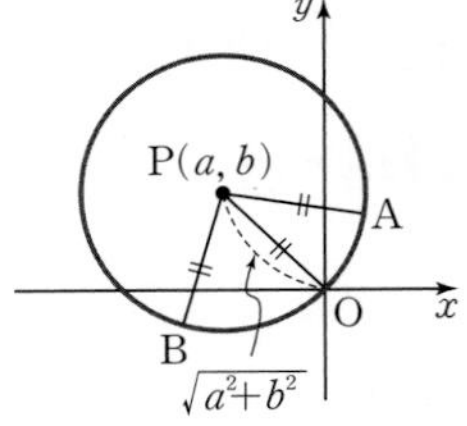

바른 풀이

풀이 1

점 $(0, 0)$을 지나는 원의 방정식을

$x^2+y^2+Ax+By=0$이라 하자.

이 원이 두 점 $(-6, -2)$, $(2, 4)$를 지나므로

$\begin{cases} 40-6A-2B=0 \\ 20+2A+4B=0, \end{cases}$ 즉

$\begin{cases} 20-3A-B=0 & \cdots\cdots ㉠ \\ 10+A+2B=0 & \cdots\cdots ㉡ \end{cases}$

㉠, ㉡을 연립하여 풀면 $A=10$, $B=-10$

따라서 구하는 원의 방정식은

$x^2+y^2+10x-10y=0$

풀이 2

주어진 세 점을 $\mathrm{O}(0, 0)$, $\mathrm{A}(-6, -2)$, $\mathrm{B}(2, 4)$라 하고, 이 세 점을 지나는 원의 중심을 $\mathrm{P}(a, b)$라 하자.

원의 반지름의 길이가 $\overline{\mathrm{PO}}=\sqrt{a^2+b^2}$이므로

$\overline{\mathrm{PA}}^2=\overline{\mathrm{PO}}^2$에서 $(a+6)^2+(b+2)^2=a^2+b^2$

$12a+4b+40=0$, 즉 $3a+b+10=0$ $\cdots\cdots$ ㉠

$\overline{\mathrm{PB}}^2=\overline{\mathrm{PO}}^2$에서 $(a-2)^2+(b-4)^2=a^2+b^2$

$-4a-8b+20=0$, 즉 $-a-2b+5=0$ $\cdots\cdots$ ㉡

㉠, ㉡을 연립하여 풀면 $a=-5$, $b=5$

따라서 원의 중심은 $\mathrm{P}(-5, 5)$이고, 반지름의 길이는 $\overline{\mathrm{PO}}=\sqrt{(-5)^2+5^2}=\sqrt{50}$이므로

구하는 원의 방정식은

$(x+5)^2+(y-5)^2=50$, 즉

$x^2+y^2+10x-10y=0$

정답 $x^2+y^2+10x-10y=0$

Bible Says

원점을 지나는 원 위의 원점이 아닌 두 점의 좌표가 주어졌을 때, 원의 방정식을 $(x-a)^2+(y-b)^2=r^2$ 꼴로 놓는 것보다는 $x^2+y^2+Ax+By=0$ 꼴로 놓고 연립방정식을 푸는 것이 좀 더 계산이 간단한 편이다.

원점이 아닌 서로 다른 세 점을 지나는 원의 방정식은 **풀이 2** 로 접근해 보자.

한 번 더하기

05-1 세 점 (0, 0), (3, 4), (−3, 6)을 지나는 원의 방정식이 $x^2+y^2+Ax+By+C=0$일 때, 상수 A, B, C에 대하여 $A+B+C$의 값을 구하시오.

한 번 더하기

05-2 세 점 (0, 0), (0, −12), (6, −12)를 지나는 원의 방정식을 구하시오.

표현 더하기

05-3 네 점 (0, 8), (−6, 0), (6, −4), (k, 2)가 한 원 위에 있도록 하는 실수 k의 값을 모두 구하시오.

실력 더하기

05-4 세 직선 $3x-y+6=0$, $7x+y+4=0$, $2x+y+4=0$으로 만들어지는 삼각형의 외접원의 넓이를 구하시오.

대표 예제 | 06

다음 물음에 답하시오.

(1) 원 $(x-1)^2+(y-2)^2=9$와 중심이 같고 y축에 접하는 원의 방정식을 구하시오.

(2) 중심이 직선 $y=-\frac{1}{2}x$ 위에 있고 점 $(-3,\ 1)$을 지나며 x축에 접하는 원의 방정식을 모두 구하시오.

바로 접근

원이 x축 또는 y축에 접한다는 조건이 주어진 경우 원의 중심의 좌표 $(a,\ b)$와 반지름의 길이 r의 관계를 이용하여 원의 방정식을 구해보자.

(i) x축에 접하는 원의 방정식

$(x-a)^2+(y-b)^2=b^2$

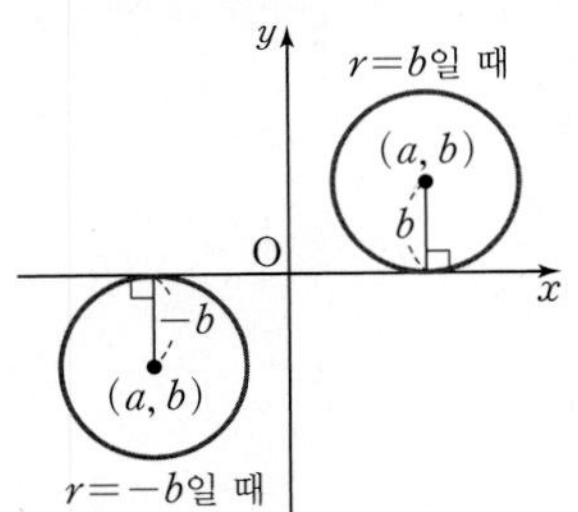

(ii) y축에 접하는 원의 방정식

$(x-a)^2+(y-b)^2=a^2$

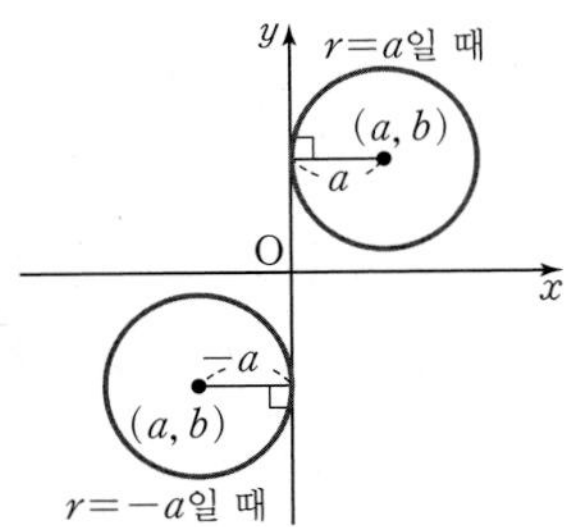

바른 풀이

(1) 구하는 원의 중심의 좌표는 $(1,\ 2)$이고, 원이 y축에 접하므로 원의 반지름의 길이는 $|1|=1$이다.

따라서 구하는 원의 방정식은 $(x-1)^2+(y-2)^2=1$

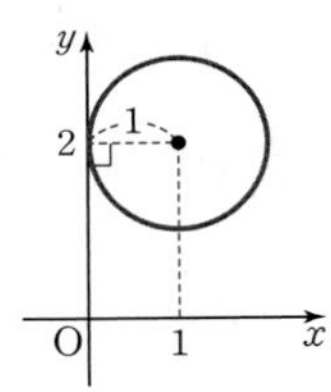

(2) 구하는 원의 중심이 직선 $y=-\frac{1}{2}x$ 위에 있으므로 중심의 좌표를 $(2a,\ -a)$라 하자.

원이 x축에 접하므로 반지름의 길이는 $|-a|$이다.

따라서 구하는 원의 방정식은

$(x-2a)^2+(y+a)^2=a^2$ …… ㉠

이 원이 점 $(-3,\ 1)$을 지나므로

$(-3-2a)^2+(1+a)^2=a^2$, $4a^2+14a+10=0$

$2(2a+5)(a+1)=0$, 즉 $a=-\frac{5}{2}$ 또는 $a=-1$

이를 ㉠에 대입하면 $(x+5)^2+\left(y-\frac{5}{2}\right)^2=\frac{25}{4}$, $(x+2)^2+(y-1)^2=1$

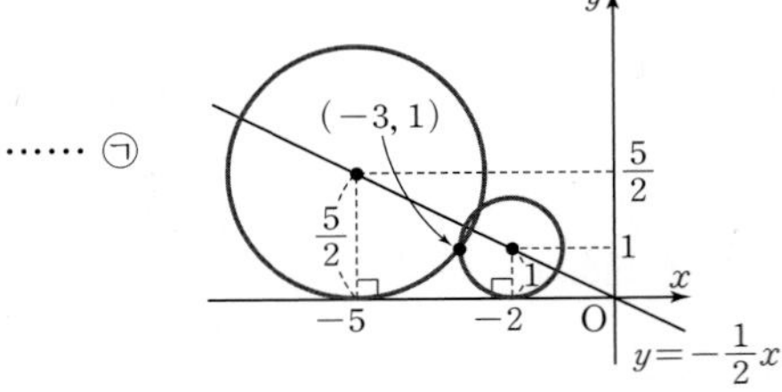

정답 (1) $(x-1)^2+(y-2)^2=1$ (2) $(x+5)^2+\left(y-\frac{5}{2}\right)^2=\frac{25}{4}$, $(x+2)^2+(y-1)^2=1$

Bible Says

원이 x축과 y축에 모두 접하는 경우 원의 중심의 좌표 $(a,\ b)$와 반지름의 길이 r의 관계 $r=|a|=|b|$를 이용하여 풀이한다.

빠른 정답 • 509쪽 / 정답과 풀이 • 43쪽

한 번 더하기

06-1 원 $(x-1)^2+(y+4)^2=10$과 중심이 같고 x축에 접하는 원의 방정식을 구하시오.

03

한 번 더하기

06-2 중심이 직선 $x+3y=0$ 위에 있고 점 $(3,\ -4)$를 지나는 원이 y축에 접할 때, 원의 반지름의 길이를 모두 구하시오.

표현 더하기

06-3 원 $x^2+y^2+2ax+2y+b=0$이 점 $(-3,\ -2)$를 지나고 x축에 접할 때, 상수 a, b에 대하여 $a+b$의 값을 구하시오.

표현 더하기

06-4 점 $(2,\ -1)$을 지나고 x축과 y축에 동시에 접하는 원이 두 개 있다. 이 두 원의 반지름의 길이의 합을 구하시오.

02 두 원의 교점을 지나는 도형의 방정식

1 두 원의 교점을 지나는 도형의 방정식

서로 다른 두 점에서 만나는 두 원

$$C : x^2+y^2+ax+by+c=0,\ C' : x^2+y^2+a'x+b'y+c'=0$$

에 대하여

(i) 두 원 C, C'의 교점을 지나는 직선의 방정식, 즉 공통현의 방정식은

$$(a-a')x+(b-b')y+c-c'=0$$

(ii) 두 원 C, C'의 교점을 지나는 원 중에서 원 C'을 제외한 원의 방정식은

$$x^2+y^2+ax+by+c+k(x^2+y^2+a'x+b'y+c')=0\ (\text{단, } k\neq-1\text{인 실수})$$

서로 다른 두 점에서 만나는 두 원

$$C : x^2+y^2+ax+by+c=0 \quad \cdots\cdots ㉠$$

$$C' : x^2+y^2+a'x+b'y+c'=0 \quad \cdots\cdots ㉡$$

의 교점의 좌표는 방정식 ㉠, ㉡을 모두 만족시키므로 방정식

$$x^2+y^2+ax+by+c+k(x^2+y^2+a'x+b'y+c')=0 \quad \cdots\cdots ㉢$$

도 만족시킨다.

따라서 ㉢이 나타내는 도형은 k의 값에 관계없이 항상 두 원의 교점을 지난다.

(i) $k=-1$일 때

두 원 C, C'의 방정식에서 이차항을 소거하여 얻은 방정식

$$(a-a')x+(b-b')y+c-c'=0 \quad \cdots\cdots ㉣$$

은 x, y에 대한 일차방정식이므로 직선의 방정식을 나타낸다.

따라서 ㉣은 주어진 두 원의 교점을 지나는 직선의 방정식, 즉 공통현의 방정식이다. ← 두 점을 지나는 직선의 방정식은 단 하나이다.

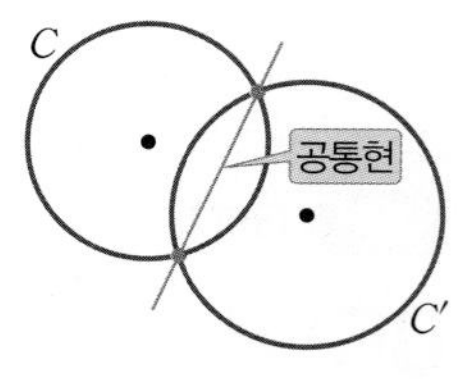

(ii) $k\neq-1$일 때

㉢은 x^2과 y^2의 계수가 같고 xy항이 없는 x, y에 대한 이차방정식이므로 원의 방정식을 나타낸다.

이때 $k=0$이면 원 C를 나타내고, k가 어떠한 실수 값을 가지더라도 원 C'은 나타낼 수 없다.

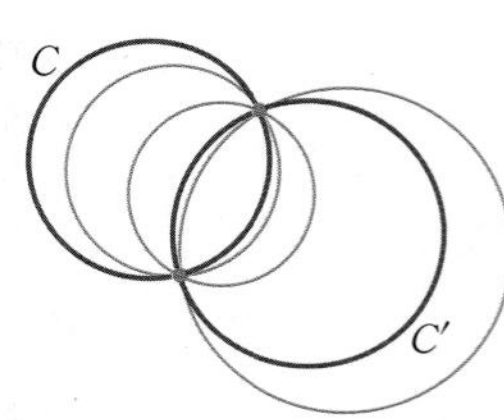

따라서 ㉢은 주어진 두 원의 교점을 지나는 원 중에서 원 C'을 제외한 원의 방정식을 나타낸다. 두 교점을 지나는 원은 무수히 많으므로 원 ㉢ 위의 점 중 두 원 C, C'의 교점이 아닌 점이 주어질 때 원 ㉢은 유일하게 정해진다. ← 두 원의 교점을 지나는 원 중 가장 작은 원은 두 교점을 지름의 양 끝점으로 하는 원이다.

03

개념 CHECK

빠른 정답 • 509쪽 / 정답과 풀이 • 44쪽

02. 두 원의 교점을 지나는 도형의 방정식

01 다음 두 원의 교점을 지나는 직선의 방정식을 구하시오.

(1) $x^2+y^2-7=0$, $x^2+y^2-6x-8y+10=0$

(2) $(x-1)^2+y^2=9$, $x^2+(y-2)^2=4$

02 다음 방정식이 나타내는 도형이 k의 값에 관계없이 항상 지나는 점의 좌표를 모두 구하시오.

(1) $x^2+y^2-12x+23+k(x^2+y^2-2x-7)=0$

(2) $x^2+y^2+x-4y+4+k(x^2+y^2+x-2y)=0$

03 다음 두 원의 교점과 원점을 지나는 원의 방정식을 구하시오.

(1) $x^2+y^2=4$, $(x+1)^2+(y-2)^2=1$

(2) $x^2+y^2+5x+y-2=0$, $x^2+y^2-x-y+\frac{1}{3}=0$

대표 예제 | 07

두 원 $x^2+y^2+ax-5y+7=0$, $x^2+y^2+3x-2y-1=0$이 서로 다른 두 점에서 만날 때, 두 원의 교점을 지나는 직선이 점 $(-1, 2)$를 지나도록 하는 상수 a의 값을 구하시오.

바로 접근 두 원 $x^2+y^2+ax+by+c=0$, $x^2+y^2+a'x+b'y+c'=0$의 교점을 지나는 직선의 방정식은
$x^2+y^2+ax+by+c-(x^2+y^2+a'x+b'y+c')=0$, 즉
$(a-a')x+(b-b')y+c-c'=0$

바른 풀이 두 원의 교점을 지나는 직선의 방정식은
$x^2+y^2+ax-5y+7-(x^2+y^2+3x-2y-1)=0$
$(a-3)x-3y+8=0$
이 직선이 점 $(-1, 2)$를 지나므로
$-(a-3)-6+8=0$
$\therefore a=5$

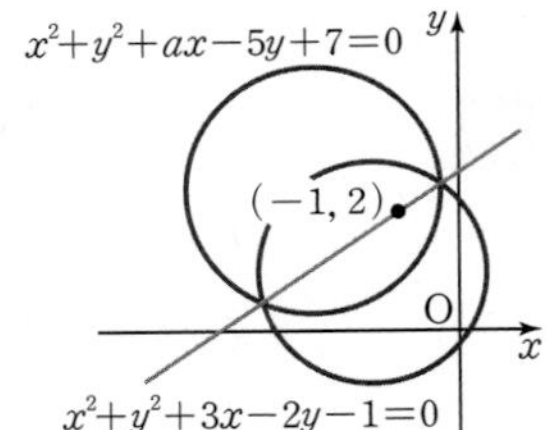

정답 5

Bible Says

두 직선 $l : ax+by+c=0$, $l' : a'x+b'y+c'=0$의 교점을 지나는 직선 중 직선 l'을 제외한 직선의 방정식은

$$ax+by+c+k(a'x+b'y+c')=0$$

으로 나타낼 수 있음을 배웠다. 두 원의 교점을 지나는 직선의 방정식도 마찬가지로

$$x^2+y^2+Ax+By+C+k(x^2+y^2+A'x+B'y+C')=0$$

으로 놓은 후 직선의 방정식이 될 수 있도록 $k=-1$을 대입하여 x^2항과 y^2항을 소거한다.
이 방법은 교점의 좌표를 직접 구하지 않고도 교점을 지나는 직선의 방정식을 구할 수 있는 방법이므로 잘 알아두도록 하자.

빠른 정답 • 509쪽 / 정답과 풀이 • 45쪽

한 번 더하기

07-1

두 원 $x^2+y^2+3x+ay-1=0$, $x^2+y^2-x+2y-5=0$이 서로 다른 두 점에서 만날 때, 두 원의 교점을 지나는 직선이 점 $(3, -4)$를 지나도록 하는 상수 a의 값을 구하시오.

03

표현 더하기

07-2

두 원 $x^2+y^2+ax+2y-4=0$, $(x-1)^2+(y-3)^2=16$이 서로 다른 두 점에서 만날 때, 두 원의 교점을 지나는 직선이 점 $(-7, -2)$를 지나도록 하는 상수 a의 값을 구하시오.

표현 더하기

07-3

두 원 $x^2+y^2+4x+2y-1=0$, $x^2+y^2-6x+ay+b=0$이 서로 다른 두 점에서 만날 때, 두 원의 교점을 지나는 직선의 방정식이 $2x-3y+1=0$이다. 상수 a, b에 대하여 $a+b$의 값을 구하시오.

표현 더하기

07-4

두 원 $x^2+y^2-6x+2y-3=0$, $x^2+y^2+ax+(1-2a)y-3=0$이 서로 다른 두 점에서 만날 때, 두 원의 교점을 지나는 직선과 직선 $y=-5x+1$이 서로 평행하도록 하는 상수 a의 값을 구하시오.

대표 예제 | 08

두 원 $x^2+y^2+3x-2y+2=0$, $x^2+y^2-2x-3=0$의 교점과 점 $(0, 2)$를 지나는 원의 방정식을 구하시오.

바로 접근

두 원 $x^2+y^2+ax+by+c=0$, $x^2+y^2+a'x+b'y+c'=0$에 대하여
두 원의 교점을 지나는 원의 방정식은
$x^2+y^2+ax+by+c+k(x^2+y^2+a'x+b'y+c')=0$ (단, $k\neq-1$)

바른 풀이

두 원의 교점을 지나는 원의 방정식은
$x^2+y^2+3x-2y+2+k(x^2+y^2-2x-3)=0$ (단, $k\neq-1$) …… ㉠
이 원이 점 $(0, 2)$를 지나므로
$4-4+2+k(4-3)=0$, 즉 $k=-2$
이를 ㉠에 대입하면
$x^2+y^2+3x-2y+2-2(x^2+y^2-2x-3)=0$, 즉
$x^2+y^2-7x+2y-8=0$

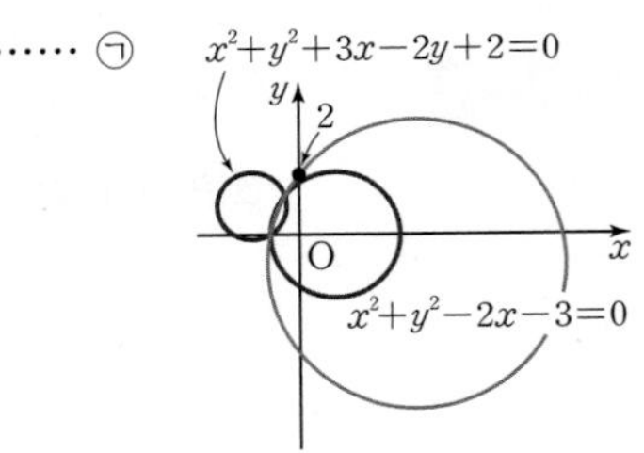

정답 $x^2+y^2-7x+2y-8=0$

Bible Says

두 원 $C_1 : x^2+y^2+ax+by+c=0$, $C_2 : x^2+y^2+a'x+b'y+c'=0$에 대하여
$x^2+y^2+ax+by+c+k(x^2+y^2+a'x+b'y+c')=0$에서 $k\neq-1$이면 이 식은 원의 방정식이 되고, k의 값에 따라 방정식이 나타내는 원은 다르다.
즉, 두 점에서 만나는 두 원 C_1, C_2의 교점을 지나는 원은 무수히 많다. 이때 두 원의 교점을 지나는 원이 지나는 또 다른 점의 좌표가 주어져야만 원이 하나로 정해진다.

한 번 더하기

08-1

두 원 $x^2+y^2-5x+3y+4=0$, $x^2+y^2-2x+y-2=0$의 교점과 점 $(3,\ 0)$을 지나는 원의 방정식이 $x^2+y^2+ax+by+c=0$이다. 상수 a, b, c에 대하여 $a+b+c$의 값을 구하시오.

표현 더하기

08-2

두 원 $x^2+y^2+x-6y+1=0$, $(x+2)^2+y^2=8$의 교점과 점 $(2,\ -3)$을 지나는 원의 방정식을 구하시오.

표현 더하기

08-3

두 원 $x^2+y^2+ax-6ay+2=0$, $x^2+y^2+4x-4=0$이 서로 다른 두 점에서 만날 때, 두 원의 교점과 두 점 $(-2,\ 0)$, $(1,\ 1)$을 지나는 원의 넓이를 구하시오. (단, a는 상수이다.)

실력 더하기

08-4

두 원 $(x+1)^2+(y-3)^2=6$, $(x+4)^2+y^2=a$ $(0<a<16)$가 서로 다른 두 점에서 만날 때, 두 원의 교점을 지나고 x축과 y축에 모두 접하는 원이 존재하도록 하는 상수 a의 값을 구하시오.

03 원과 직선의 위치 관계

1 판별식을 이용한 원과 직선의 위치 관계

원의 방정식과 직선의 방정식을 연립하여 얻은 이차방정식의 판별식을 D라 할 때, 원과 직선의 위치 관계는 다음과 같다.

(i) $D>0$이면 서로 다른 두 점에서 만난다.

(ii) $D=0$이면 한 점에서 만난다.(접한다.)

(iii) $D<0$이면 만나지 않는다.

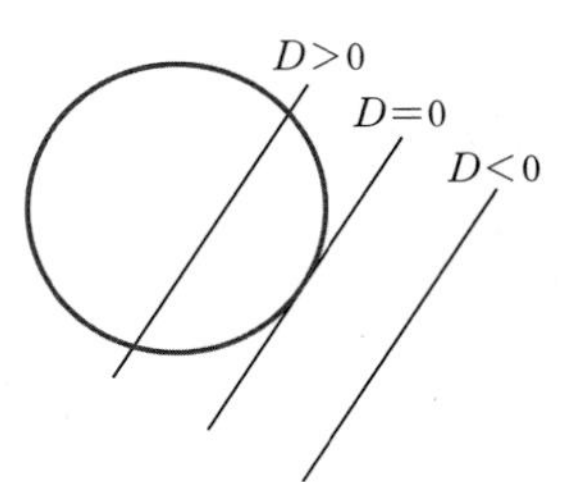

원과 직선의 위치 관계는 서로 다른 두 점에서 만나거나, 한 점에서 만나거나, 만나지 않는 세 가지 경우가 있다. 좌표평면에서 원과 직선의 위치 관계를 알아보자.

원의 방정식과 직선의 방정식을 각각

$$x^2+y^2=r^2 \quad \cdots\cdots ㉠$$

$$y=mx+n \quad \cdots\cdots ㉡$$

이라 할 때, 좌표평면 위의 원과 직선의 교점의 개수는 두 방정식 ㉠, ㉡을 모두 만족시키는 실수 x, y의 순서쌍 (x, y)의 개수와 같다.

㉡을 ㉠에 대입하면

$$x^2+(mx+n)^2=r^2$$

이다. 이 식을 정리하면

$$(m^2+1)x^2+2mnx+n^2-r^2=0 \quad \cdots\cdots ㉢$$

이고, x에 대한 이차방정식 ㉢의 판별식을 D라 할 때 원과 직선의 위치 관계는 다음과 같다.

(i) $D>0$이면 서로 다른 두 점에서 만난다.
거꾸로 서로 다른 두 점에서 만나면 $D>0$이다.

(ii) $D=0$이면 한 점에서 만난다.(접한다.)
거꾸로 한 점에서 만나면 $D=0$이다.

(iii) $D<0$이면 만나지 않는다.
거꾸로 만나지 않으면 $D<0$이다.

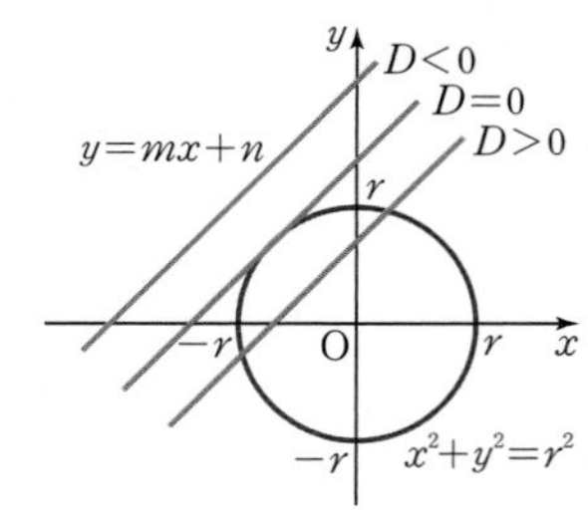

중심이 원점이 아닌 원도 위와 같이 원의 방정식과 직선의 방정식을 연립하여 얻은 이차방정식의 판별식의 부호로 원과 직선의 위치 관계를 판단할 수 있다.

2 원의 중심과 직선 사이의 거리를 이용한 원과 직선의 위치 관계

원의 반지름의 길이를 r라 하고 원의 중심과 직선 사이의 거리를 d라 할 때, 원과 직선의 위치 관계는 다음과 같다.

(i) $d<r$이면 서로 다른 두 점에서 만난다.

(ii) $d=r$이면 한 점에서 만난다. (접한다.)

(iii) $d>r$이면 만나지 않는다.

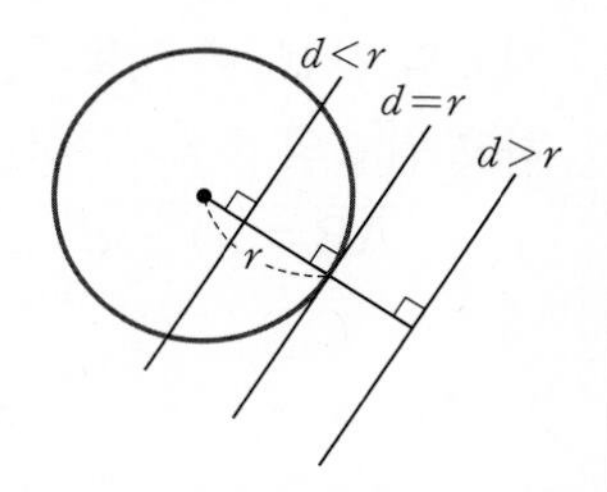

03

원 $(x-x_1)^2+(y-y_1)^2=r^2$ $(r>0)$과 직선 $ax+by+c=0$에 대하여 원의 중심 (x_1, y_1)과 직선 사이의 거리를 d라 할 때

$$d=\frac{|ax_1+by_1+c|}{\sqrt{a^2+b^2}}$$

이다. d의 값과 원의 반지름의 길이 r의 대소 관계에 따라 다음과 같이 원과 직선의 위치 관계가 정해진다.

(i) $d<r$이면 서로 다른 두 점에서 만난다.
거꾸로 서로 다른 두 점에서 만나면 $d<r$이다.

(ii) $d=r$이면 한 점에서 만난다. (접한다.)
거꾸로 한 점에서 만나면 $d=r$이다.

(iii) $d>r$이면 만나지 않는다.
거꾸로 만나지 않으면 $d>r$이다.

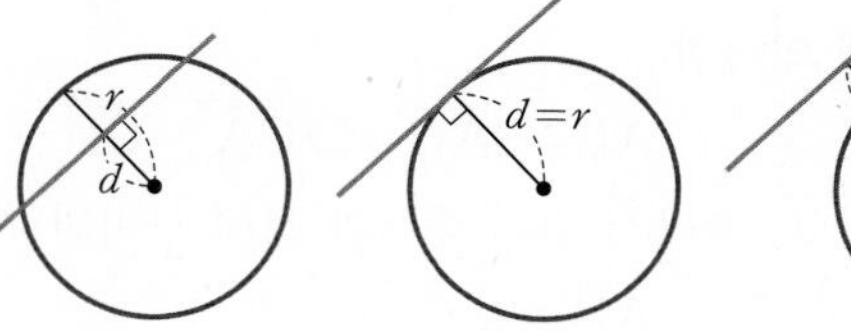

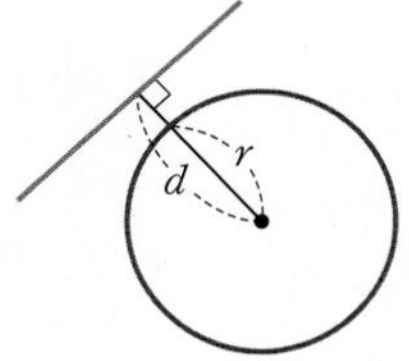

example 원 $x^2+y^2=2$와 직선 $y=x+k$가 한 점에서 만나도록 하는 실수 k의 값을 모두 구하면

풀이 1 판별식 이용

$y=x+k$를 $x^2+y^2=2$에 대입하여 정리하면

$x^2+(x+k)^2=2$, $2x^2+2kx+k^2-2=0$

이 x에 대한 이차방정식의 판별식을 D라 하면

$\frac{D}{4}=k^2-2(k^2-2)=-k^2+4=0$

이어야 하므로 구하는 k의 값은 -2, 2이다.

풀이 2 원의 중심과 직선 사이의 거리 이용

원의 중심 $(0, 0)$과 직선 $x-y+k=0$ 사이의 거리를 d라 하면

$d=\frac{|0-0+k|}{\sqrt{1^2+(-1)^2}}=\frac{|k|}{\sqrt{2}}$이고,

$d=$(원의 반지름의 길이)이어야 하므로

$\frac{|k|}{\sqrt{2}}=\sqrt{2}$, 즉 $|k|=2$에서 구하는 k의 값은 -2, 2이다.

3 현의 길이

원 C와 직선 l이 서로 다른 두 점 A, B에서 만날 때, 원 C의 반지름의 길이를 r라 하고 원 C의 중심과 직선 l 사이의 거리를 d라 하면 현 AB의 길이는

$$\overline{\text{AB}}=2\sqrt{r^2-d^2}$$

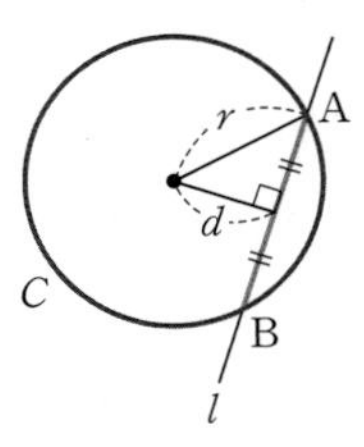

원의 중심에서 현에 내린 수선은 그 현을 수직이등분한다.
이를 이용하여 원 $C:(x-x_1)^2+(y-y_1)^2=r^2$과 직선 $l: ax+by+c=0$이 서로 다른 두 점 A, B에서 만날 때 현 AB의 길이를 구해 보자.

그림과 같이 원 C의 중심을 $\text{C}(x_1, y_1)$이라 하고, 점 C에서 직선 l에 내린 수선의 발을 H라 하면 두 직선 CH와 l은 서로 수직이고, $\overline{\text{AH}}=\overline{\text{BH}}$이다.
즉, 삼각형 CHA는 직각삼각형이고 $\overline{\text{AB}}=2\overline{\text{AH}}$이므로

$$\overline{\text{CA}}=(\text{원의 반지름의 길이})=r,$$

$$\overline{\text{CH}}=(\text{점 C와 직선 } l \text{ 사이의 거리})=\frac{|ax_1+by_1+c|}{\sqrt{a^2+b^2}}$$

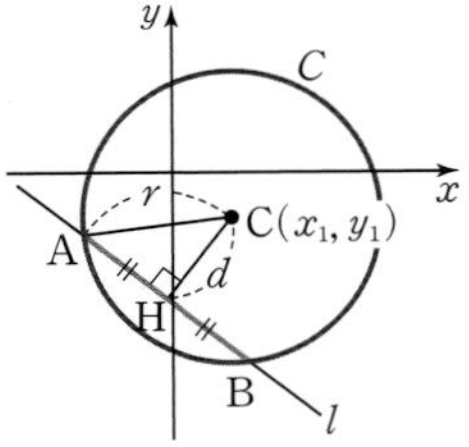

에 의하여

$$\overline{\text{AB}}=2\overline{\text{AH}}=2\sqrt{\overline{\text{CA}}^2-\overline{\text{CH}}^2}$$

이다. 따라서 원의 중심과 직선 사이의 거리를 $\overline{\text{CH}}=d$라 하면 구하는 현의 길이는 다음과 같다.

$$\overline{\text{AB}}=2\sqrt{r^2-d^2}$$

바이블 PLUS ⊕ 두 원의 위치 관계

중심이 각각 C, C′인 두 원 C, C'의 반지름의 길이를 각각 r, r' $(r>r')$이라 하고, 두 원의 중심 사이의 거리를 d라 할 때 r, r', d 사이의 관계에 따른 두 원의 위치 관계는 다음과 같다.

한 원이 다른 원의 외부에 있다.	두 원이 외접한다.	두 원이 두 점에서 만난다.
$d>r+r'$	$d=r+r'$	$r-r'<d<r+r'$

두 원이 내접한다.	한 원이 다른 원의 내부에 있다.	두 원의 중심이 같다.
$d=r-r'$	$d<r-r'$	$d=0$

참고 두 원이 서로 외부에서 접할 때 두 원은 외접한다고 하고, 한 원이 다른 원의 내부에서 접할 때 두 원은 내접한다고 한다.

개념 CHECK

03. 원과 직선의 위치 관계

빠른 정답 • 509쪽 / 정답과 풀이 • 47쪽

01 다음 원과 직선의 위치 관계를 말하시오.

(1) $x^2+y^2-4y+2=0$, $y=-x+4$
(2) $x^2+y^2+4x=13$, $y=x+3$

02 원 $x^2+y^2=8$과 직선 $y=x+k$의 위치 관계가 다음과 같도록 하는 실수 k의 값 또는 범위를 구하시오.

(1) 서로 다른 두 점에서 만난다.
(2) 한 점에서 만난다.(접한다.)
(3) 만나지 않는다.

03 원 $x^2+y^2=9$와 직선 $3x-4y+5=0$이 서로 다른 두 점 A, B에서 만날 때, 선분 AB의 길이를 구하시오.

대표 예제 | 09

원 $x^2+y^2=5$와 직선 $y=2x+k$의 위치 관계가 다음과 같도록 하는 실수 k의 값 또는 범위를 구하시오.

(1) 서로 다른 두 점에서 만난다. (2) 한 점에서 만난다. (3) 만나지 않는다.

바로 접근

원과 직선의 위치 관계는 원의 중심과 직선 사이의 거리 d와 반지름의 길이 r의 대소 관계로 판단한다.

(i) 서로 다른 두 점에서 만난다. ➔ $d<r$

(ii) 한 점에서 만난다. ➔ $d=r$

(iii) 만나지 않는다. ➔ $d>r$

다른 풀이 로 원의 방정식에 직선의 방정식을 대입하여 얻은 x에 대한 이차방정식의 판별식 D의 부호를 판단한다.

(i)

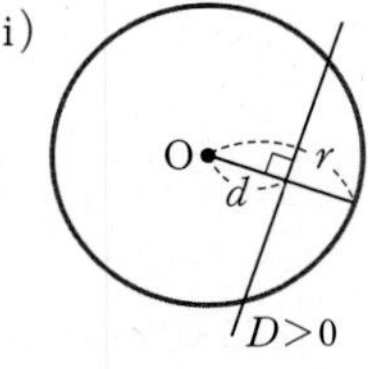

(ii)

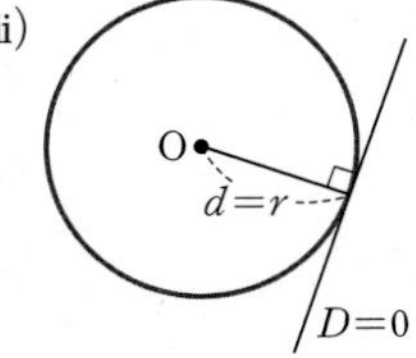

(iii)

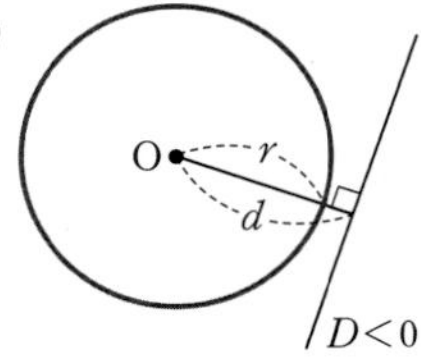

바른 풀이

원 $x^2+y^2=5$의 반지름의 길이를 r, 원의 중심 $(0, 0)$과 직선 $2x-y+k=0$ 사이의 거리를 d라 하면

$$r=\sqrt{5},\ d=\frac{|k|}{\sqrt{2^2+(-1)^2}}=\frac{|k|}{\sqrt{5}}$$

(1) 서로 다른 두 점에서 만나려면 $d<r$이어야 하므로

$\frac{|k|}{\sqrt{5}}<\sqrt{5}$, 즉 $|k|<5$ $\quad\therefore -5<k<5$

(2) 한 점에서 만나려면 $d=r$이어야 하므로

$\frac{|k|}{\sqrt{5}}=\sqrt{5}$, 즉 $|k|=5$ $\quad\therefore k=-5$ 또는 $k=5$

(3) 만나지 않으려면 $d>r$이어야 하므로

$\frac{|k|}{\sqrt{5}}>\sqrt{5}$, 즉 $|k|>5$ $\quad\therefore k<-5$ 또는 $k>5$

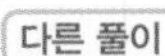
다른 풀이

$y=2x+k$를 $x^2+y^2=5$에 대입하여 얻은 x에 대한 이차방정식

$5x^2+4kx+k^2-5=0$의 판별식을 D라 하면 $\frac{D}{4}=(2k)^2-5(k^2-5)=25-k^2$

(1) 서로 다른 두 점에서 만난다. $\frac{D}{4}>0$에서 $-5<k<5$

(2) 한 점에서 만난다. $\frac{D}{4}=0$에서 $k=-5$ 또는 $k=5$

(3) 만나지 않는다. $\frac{D}{4}<0$에서 $k<-5$ 또는 $k>5$

정답 (1) $-5<k<5$ (2) $k=-5$ 또는 $k=5$ (3) $k<-5$ 또는 $k>5$

Bible Says

중심이 원점이 아닌 원과 직선의 위치 관계는 '원의 중심과 직선 사이의 거리'와 '반지름의 길이'의 대소 관계로 판단하는 것이 계산이 간단한 편이다.

한번 더하기

09-1

원 $x^2+y^2=9$와 직선 $y=-x+k$의 위치 관계가 다음과 같도록 하는 실수 k의 값 또는 범위를 구하시오.

(1) 서로 다른 두 점에서 만난다.

(2) 한 점에서 만난다.

(3) 만나지 않는다.

표현 더하기

09-2

원 $x^2+y^2=4$와 직선 $y=mx-4$의 위치 관계가 다음과 같도록 하는 실수 m의 값 또는 범위를 구하시오.

(1) 서로 다른 두 점에서 만난다.

(2) 한 점에서 만난다.

(3) 만나지 않는다.

표현 더하기

09-3

직선 $y=x+1$과 원 $(x-3)^2+(y+4)^2=k$가 만나지 않도록 하는 자연수 k의 최댓값을 구하시오.

표현 더하기

09-4

중심의 좌표가 $(0,\ 2)$이고 넓이가 4π인 원이 직선 $y=mx+m$에 접할 때, 음수 m의 값을 구하시오.

대표 예제 | 10

현의 길이

원 $(x-1)^2+(y+1)^2=9$와 직선 $3x+4y+11=0$이 만나는 서로 다른 두 점을 A, B라 할 때, 선분 AB의 길이를 구하시오.

바로 접근

원의 중심에서 현에 내린 수선은 그 현을 수직이등분한다.

이 성질을 이용하여 다음과 같은 순서로 공통현의 길이를 구한다.

점 C를 중심으로 하는 원과 직선 l의 교점을 A, B라 하고, 점 C에서 직선 l에 내린 수선의 발을 H라 할 때

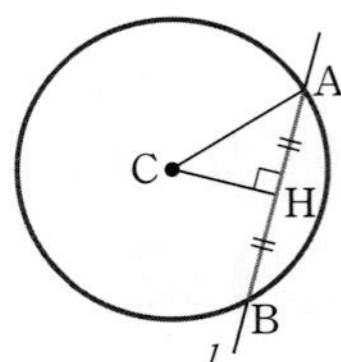

❶ 선분 CA의 길이 구하기

➡ 원의 반지름의 길이

❷ 선분 CH의 길이 구하기

➡ 원의 중심 C와 직선 l 사이의 거리

❸ 선분 AH의 길이 구하기

➡ 직각삼각형 CHA에서 피타고라스 정리에 의하여 $\overline{AH}=\sqrt{\overline{CA}^2-\overline{CH}^2}$

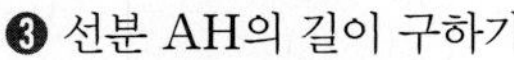

$\therefore$ (공통현의 길이)$=\overline{AB}=2\overline{AH}$

바른 풀이

원 $(x-1)^2+(y+1)^2=9$의 중심을 C$(1, -1)$이라 할 때

원의 중심 C$(1, -1)$에서 직선 $3x+4y+11=0$에 내린 수선의 발을 H라 하자.

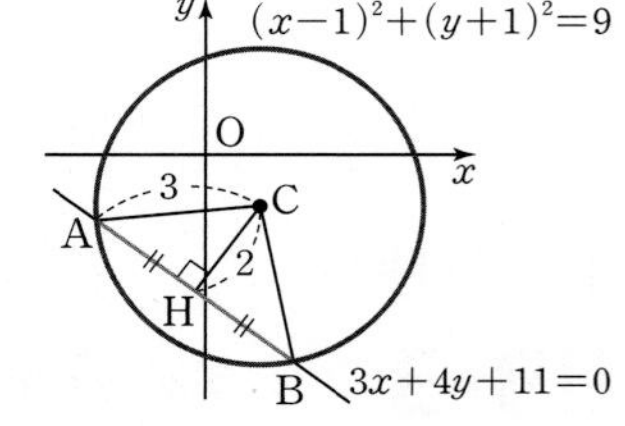

$\overline{CA}=$(원의 반지름의 길이)$=\sqrt{9}=3$

$\overline{CH}=$(점 C와 직선 $3x+4y+11=0$ 사이의 거리)

$=\dfrac{|3\times1+4\times(-1)+11|}{\sqrt{3^2+4^2}}=\dfrac{10}{5}=2$

따라서 직각삼각형 CHA에서

$\overline{AH}=\sqrt{\overline{CA}^2-\overline{CH}^2}=\sqrt{3^2-2^2}=\sqrt{5}$

$\therefore\ \overline{AB}=2\overline{AH}=2\sqrt{5}$

정답 $2\sqrt{5}$

Bible Says

원의 중심 O에서 현 AB에 내린 수선의 발을 H라 하자. 삼각형 OAB는 이등변삼각형이므로 꼭짓점 O에서 밑변에 내린 수선 OH는 밑변을 수직이등분한다.

이를 통해 현의 수직이등분선의 성질을 정리하면

① 원에서 현의 수직이등분선은 그 원의 중심을 지난다.

② 원의 중심에서 현에 내린 수선은 그 현을 수직이등분한다.

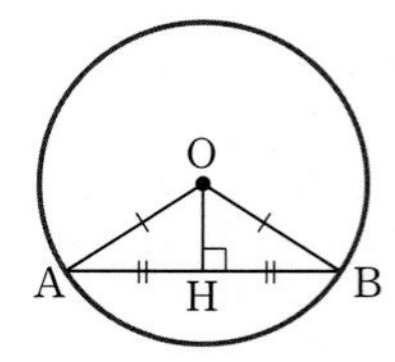

빠른 정답 • 509쪽 / 정답과 풀이 • 50쪽

한 번 더하기

10-1

원 $(x-2)^2+(y-1)^2=10$과 직선 $2x-y+2=0$이 만나는 서로 다른 두 점을 A, B라 할 때, 선분 AB의 길이를 구하시오.

표현 더하기

10-2

원 $x^2+y^2+2x-4y-1=0$과 직선 $y=\frac{3}{4}x+\frac{1}{4}$이 만나서 생기는 현의 길이를 구하시오.

표현 더하기

10-3

직선 $x+y-3=0$이 원 $(x-1)^2+(y-a)^2=12$와 서로 다른 두 점 A, B에서 만난다. 선분 AB의 길이가 4일 때, 양수 a의 값을 구하시오.

표현 더하기

10-4

원 $x^2+y^2=16$과 직선 $x+2y-5=0$의 두 교점을 지나는 원 중 넓이가 최소인 원의 넓이를 구하시오.

대표 예제 11

두 원 C_1 : $x^2+y^2+2x-2y-7=0$, C_2 : $x^2+y^2-4x+y-1=0$의 공통현의 길이를 구하시오.

바로 접근

두 원의 중심을 지나는 직선이 두 원의 공통현을 수직이등분하는 성질을 이용하여 다음과 같은 순서로 공통현의 길이를 구한다.

두 원 C_1, C_2의 중심을 각각 O_1, O_2라 하고, 공통현 AB의 중점을 M이라 할 때

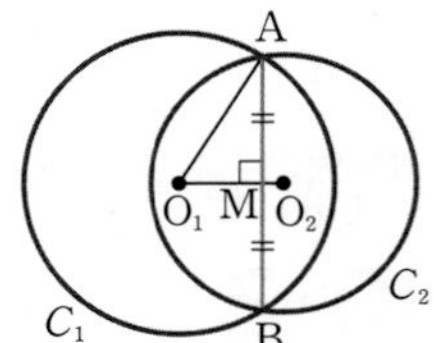

❶ 선분 O_1A의 길이 구하기

➔ 원 C_1의 반지름의 길이

❷ 선분 O_1M의 길이 구하기

➔ 점 O_1과 직선 AB 사이의 거리

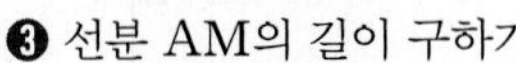

❸ 선분 AM의 길이 구하기

➔ 직각삼각형 O_1MA에서 피타고라스 정리에 의하여 $\overline{AM}=\sqrt{\overline{O_1A}^2-\overline{O_1M}^2}$

∴ (공통현의 길이)$=\overline{AB}=2\overline{AM}$

바른 풀이

두 원 C_1, C_2의 중심을 각각 O_1, O_2, 두 원의 교점을 각각 A, B라 하자.

직선 O_1O_2는 선분 AB를 수직이등분하므로 선분 AB의 중점을 M이라 하면 $\overline{AB}=2\overline{AM}$이고

삼각형 O_1MA는 $\angle O_1MA=90°$인 직각삼각형이다.

따라서 $\overline{AB}=2\overline{AM}=2\sqrt{\overline{O_1A}^2-\overline{O_1M}^2}$ ...... ㉠

원의 방정식 $x^2+y^2+2x-2y-7=0$을 변형하면 $(x+1)^2+(y-1)^2=9$이므로

$\overline{O_1A}=$(원 C_1의 반지름의 길이)$=\sqrt{9}=3$ ...... ㉡

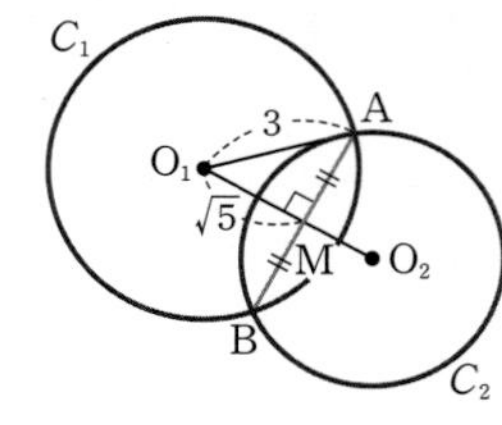

이고, 원 C_1의 중심 O_1의 좌표는 $(-1,\ 1)$이다.

이때 직선 AB의 방정식은

$x^2+y^2+2x-2y-7-(x^2+y^2-4x+y-1)=0$

$6x-3y-6=0$, 즉 $2x-y-2=0$이므로

$\overline{O_1M}=$(점 O_1과 직선 AB 사이의 거리)

$=\dfrac{|2\times(-1)-1-2|}{\sqrt{2^2+(-1)^2}}=\sqrt{5}$ ...... ㉢

㉠에 ㉡, ㉢을 대입하면 $\overline{AB}=2\sqrt{3^2-(\sqrt{5})^2}=4$

정답 4

Bible Says

두 원의 교점을 지나는 직선의 방정식에 대해서는 대표 예제 07에서 다루었다. 헷갈릴 경우 해당 대표 예제를 복습하도록 하자.

한 번 더하기

11-1 두 원 $x^2+y^2+10x=0$, $x^2+y^2+6x-4y+4=0$의 공통현의 길이를 구하시오.

표현 더하기

11-2 두 원 $x^2+y^2-k=0$, $x^2+y^2-2x+2y=0$의 공통현의 길이가 $\sqrt{6}$이 되도록 하는 양수 k의 값을 모두 구하시오. (단, $0<k<8$)

표현 더하기

11-3 두 원 C_1 : $x^2+y^2-4x-5=0$, C_2 : $x^2+y^2-2x+4y+1=0$의 두 교점을 각각 A, B라 하고, 원 C_1의 중심을 C라 할 때, 삼각형 ABC의 넓이를 구하시오.

표현 더하기

11-4 두 원 $x^2+y^2-2y-5=0$, $x^2+y^2+4x+2y+3=0$의 두 교점을 지나는 원 중 넓이가 최소인 원의 넓이를 구하시오.

대표 예제 12

원 밖의 한 점에서 접점까지의 거리

점 A(7, 7)에서 원 $(x-1)^2+(y-2)^2=9$에 그은 접선의 접점을 P라 할 때, 선분 AP의 길이를 구하시오.

바로 접근

원 밖의 한 점 A에서 중심이 C인 원에 그은 접선의 접점을 P라 하자.
'접선 AP'와 '원의 중심과 접점을 이은 직선 CP'는 서로 수직이다.
따라서 $\angle CPA=90^\circ$인 직각삼각형 CPA에서 피타고라스 정리에 의하여
$\overline{AP}=\sqrt{\overline{CA}^2-\overline{CP}^2}$

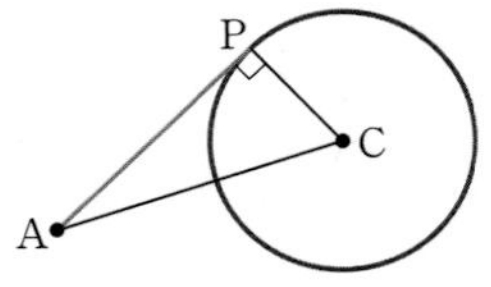

바른 풀이

원 $(x-1)^2+(y-2)^2=9$의 중심을 C(1, 2)라 하면
$\overline{CA}=\sqrt{(7-1)^2+(7-2)^2}=\sqrt{61}$
$\overline{CP}=\sqrt{9}=3$
이때 두 직선 AP, CP는 서로 수직이므로
$\angle CPA=90^\circ$인 직각삼각형 CPA에서
$\overline{AP}=\sqrt{\overline{CA}^2-\overline{CP}^2}$
$=\sqrt{(\sqrt{61})^2-3^2}=\sqrt{52}=2\sqrt{13}$

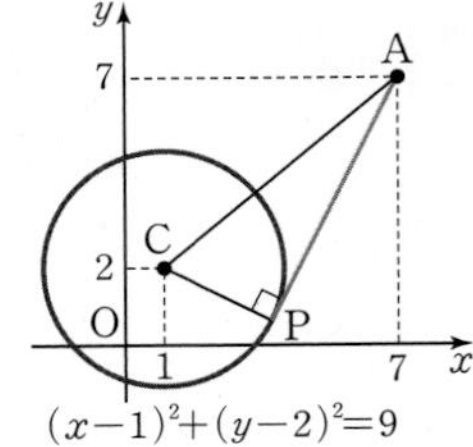

정답 $2\sqrt{13}$

Bible Says

중학교 과정에서 학습한 원의 접선에 대한 내용을 간단히 복습해 보자.
그림과 같이 중심이 C인 원 밖의 한 점 A에서 원에 그을 수 있는 접선은 항상 2개이다.
이때 두 직각삼각형 CPA, CQA는 합동이므로 $\overline{AP}=\overline{AQ}$이고, 이 길이를 접선의 길이라 한다.
즉, 원 밖의 한 점에서 그 원에 그은 두 접선의 길이는 같으므로 접선의 길이를 구할 때 한 접선에 대해서만 생각해주면 된다.

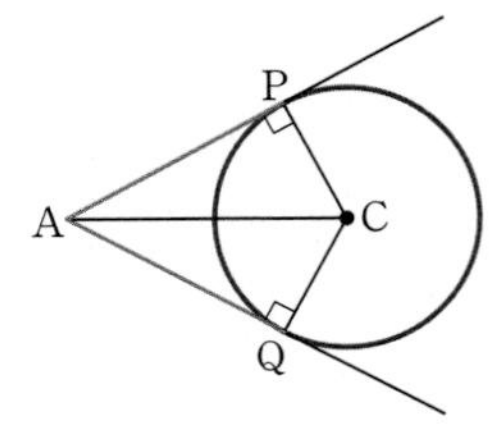

빠른 정답 • 509쪽 / 정답과 풀이 • 52쪽

한 번 더하기

12-1 점 A(4, 0)에서 원 $(x+2)^2+(y-1)^2=25$에 그은 접선의 접점을 P라 할 때, 선분 AP의 길이를 구하시오.

03

표현 더하기

12-2 점 A(2, −2)에서 원 $x^2+y^2+6x-2y+6=0$에 그은 접선의 접점을 P라 하고 원의 중심을 C라 할 때, 삼각형 CPA의 넓이를 구하시오.

표현 더하기

12-3 점 A(k, 1)에서 원 $(x-4)^2+(y+3)^2=4$에 그은 접선의 접점을 P라 하자. 선분 AP의 길이가 4가 되도록 하는 실수 k의 값을 모두 구하시오.

실력 더하기

12-4 점 A(1, 5)에서 원 $(x-1)^2+y^2=9$에 그은 두 접선의 접점을 각각 P, Q라 할 때, 선분 PQ의 길이를 구하시오.

대표 예제 | 13

원 위의 점과 직선 사이의 거리의 최대 · 최소

원 $x^2-12x+y^2+10y+57=0$ 위의 점 P와 직선 $3x-4y+2=0$ 사이의 거리의 최댓값과 최솟값을 각각 구하시오.

바로 접근

원 C와 직선 l이 만나지 않을 때, 원 C 위의 점 P와 직선 l 사이의 거리의 최댓값과 최솟값은 원의 중심과 직선 사이의 거리를 이용하여 구한다.
원의 반지름의 길이를 r, 원의 중심과 직선 사이의 거리를 d라 하면
(최댓값)$=d+r$
(최솟값)$=d-r$

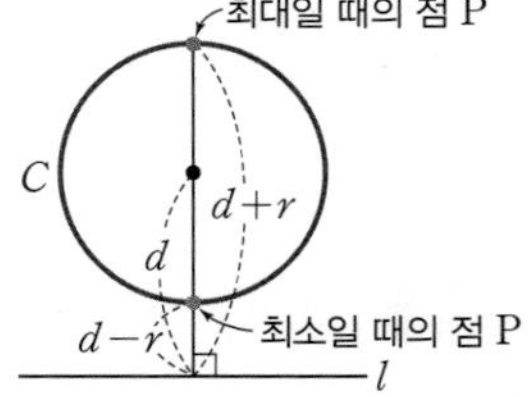

바른 풀이

$x^2-12x+y^2+10y+57=0$을 변형하면
$(x-6)^2+(y+5)^2=4$이므로
원의 반지름의 길이를 r, 원의 중심 $(6, -5)$와
직선 $3x-4y+2=0$ 사이의 거리를 d라 하면

$$r=\sqrt{4}=2,\ d=\frac{|3\times6-4\times(-5)+2|}{\sqrt{3^2+(-4)^2}}=\frac{40}{5}=8$$

원 위의 점 P와 직선 사이의 거리의
최댓값은 $d+r=8+2=10$
최솟값은 $d-r=8-2=6$

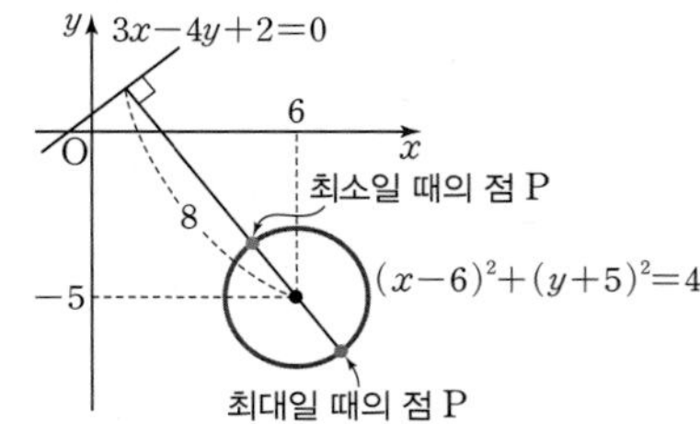

정답 최댓값: 10, 최솟값: 6

Bible Says

원 위의 점과 직선 사이의 거리의 최댓값과 최솟값의 합·차는 다음과 같다.
최댓값과 최솟값의 합: $(d+r)+(d-r)=2d$ ← (원의 중심과 직선 사이의 거리)×2
최댓값과 최솟값의 차: $(d+r)-(d-r)=2r$ ← 원의 지름의 길이

빠른 정답 • 509쪽 / 정답과 풀이 • 53쪽

한 번 더하기

13-1 원 $x^2+y^2+8x-2y+8=0$ 위의 점 P와 직선 $4x-3y-1=0$ 사이의 거리의 최댓값과 최솟값을 각각 구하시오.

표현 더하기

13-2 원 $x^2+(y-3)^2=18$ 위의 점 P와 직선 $x+y+k=0$ 사이의 거리의 최솟값이 $\sqrt{2}$가 되도록 하는 실수 k의 값을 모두 구하시오.

표현 더하기

13-3 원 $x^2+y^2=r^2$ 위의 점 P와 직선 $x-2y+10=0$ 사이의 거리의 최댓값과 최솟값의 곱이 8일 때, 양수 r의 값을 구하시오.

실력 더하기

13-4 원 $(x+4)^2+(y-1)^2=2$ 위의 점 P와 두 점 A(3, 0), B(−2, 5)에 대하여 삼각형 APB의 넓이의 최댓값과 최솟값의 합을 구하시오.

원의 접선의 방정식

1 기울기가 주어진 원의 접선의 방정식

원 $x^2+y^2=r^2$에 접하고 기울기가 m인 접선의 방정식은

$$y=mx\pm r\sqrt{m^2+1}$$

중심이 원점인 원 $x^2+y^2=r^2$에 접하고 기울기가 m인 접선의 방정식을 구해 보자.

구하는 접선의 방정식을

$$y=mx+n \qquad \cdots\cdots ㉠$$

← 기울기가 m으로 주어졌으므로, 접선의 y절편인 n의 값을 구하면 된다.

이라 하고, ㉠을 원의 방정식에 대입하면

$$x^2+(mx+n)^2=r^2$$

이므로 이 식을 정리하면

$$(m^2+1)x^2+2mnx+n^2-r^2=0$$

이다. 이 x에 대한 이차방정식의 판별식을 D라 하면

$$\frac{D}{4}=(mn)^2-(m^2+1)(n^2-r^2)=(m^2+1)r^2-n^2$$

이고, 원 $x^2+y^2=r^2$과 직선 ㉠이 접하면 $D=0$이므로

$$(m^2+1)r^2-n^2=0,\ 즉$$

$$n=\pm r\sqrt{m^2+1}$$

이다. 따라서 구하는 접선의 방정식은 다음과 같다.

$$y=mx\pm r\sqrt{m^2+1}$$

← 한 원에서 기울기가 같은 접선은 두 개이다.

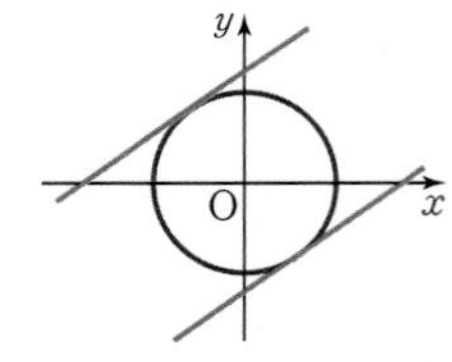

위의 식은 원의 중심이 원점인 경우에서만 기울기가 주어진 접선의 방정식을 빠르게 구할 수 있는 공식이다.

중심이 원점이 아닌 원

$$(x-a)^2+(y-b)^2=r^2\ (r>0) \qquad \cdots\cdots ㉠$$

에 접하고 기울기가 m인 접선의 방정식은

(원의 중심과 직선 사이의 거리)=(원의 반지름의 길이)

← 원의 방정식과 직선의 방정식을 연립하여 얻은 이차방정식의 판별식 D가 $D=0$임을 이용하여 구할 수도 있으나, 계산 과정이 복잡한 편이다.

를 이용하여 다음과 같이 구할 수 있다.

구하는 접선의 방정식을

$$y=mx+n,\ 즉\ mx-y+n=0 \quad \cdots\cdots ㉡$$

이라 하고, 원 ㉠의 중심 (a, b)와 직선 ㉡ 사이의 거리를 d라 하면

$$d=\frac{|ma-b+n|}{\sqrt{m^2+(-1)^2}}=\frac{|ma-b+n|}{\sqrt{m^2+1}}$$

이다. 원 ㉠과 직선 ㉡이 접하면 $d=r$이므로

$$\frac{|ma-b+n|}{\sqrt{m^2+1}}=r,\ |ma-b+n|=r\sqrt{m^2+1},\ n=-ma+b\pm r\sqrt{m^2+1}$$

이다. 따라서 구하는 접선의 방정식은 다음과 같다.

$$y=mx-ma+b\pm r\sqrt{m^2+1},\ 즉$$

$$y-b=m(x-a)\pm r\sqrt{m^2+1}$$ ← 기본 공식 $y=mx\pm r\sqrt{m^2+1}$에 x 대신 $x-a$를 대입하고, y대신 $y-b$를 대입하여 구할 수 있다.

원에 접하는 접선의 기울기가 주어졌을 때 원의 중심이 원점인 경우는 접선 공식을 암기하여 적용하는 것을 권장하고, 원의 중심이 원점이 아닌 경우는

(원의 중심과 직선 사이의 거리)=(원의 반지름의 길이)

임을 이용하는 풀이 과정을 기억하여 접선의 방정식을 구하면 된다.

example

(1) 원 $x^2+y^2=9$에 접하고 기울기가 -2인 접선의 방정식은

$y=-2x\pm3\sqrt{(-2)^2+1}$, 즉 $y=-2x\pm3\sqrt{5}$

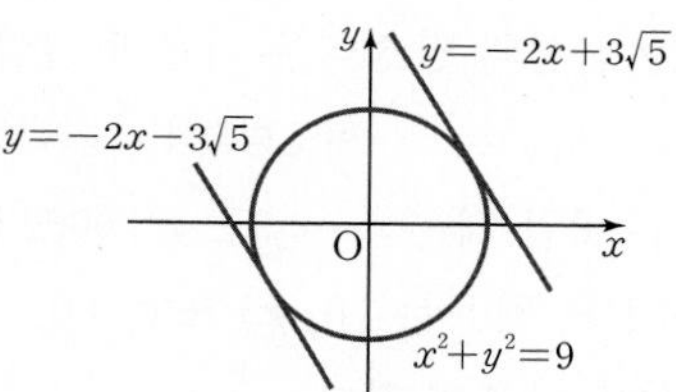

(2) 원 $x^2+(y-1)^2=2$에 접하고 기울기가 1인 접선의 방정식을

$y=x+n$, 즉 $x-y+n=0$이라 하자. $\cdots\cdots$ ㉠

원의 중심 $(0, 1)$과 직선 $x-y+n=0$ 사이의 거리를 d라 하면

$d=\frac{|0-1+n|}{\sqrt{1^2+(-1)^2}}=\frac{|-1+n|}{\sqrt{2}}$이고

원과 직선이 접하므로 $d=$(원의 반지름의 길이)에 의하여

$\frac{|-1+n|}{\sqrt{2}}=\sqrt{2}$, 즉 $|-1+n|=2$에서 $n=-1$ 또는 $n=3$

이를 ㉠에 대입하면 구하는 접선의 방정식은

$y=x-1$, $y=x+3$

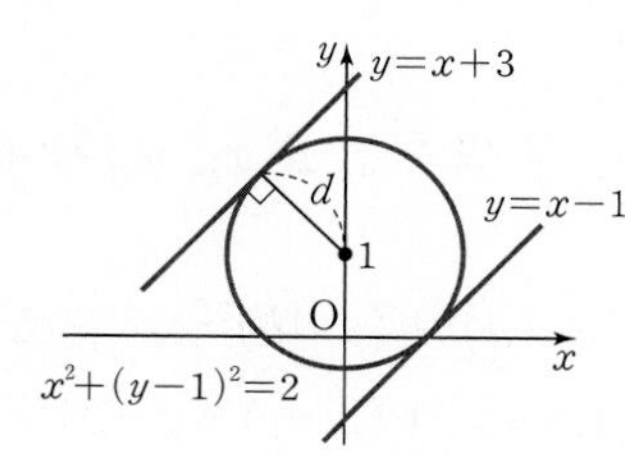

2 원 위의 점에서의 접선의 방정식

원 $x^2+y^2=r^2$ 위의 점 $\mathrm{P}(x_1, y_1)$에서의 접선의 방정식은

$$x_1x+y_1y=r^2$$

중심이 원점인 원 $x^2+y^2=r^2\ (r>0)$ 위의 점 $\mathrm{P}(x_1, y_1)$에서의 접선의 방정식을 구해 보자.

(i) $x_1\neq 0,\ y_1\neq 0$일 때 ← $x_1\neq 0,\ y_1\neq 0$이면 점 P는 좌표축 위에 있지 않은 점이다.

원점 O에 대하여 직선 OP의 기울기는 $\dfrac{y_1}{x_1}$이고, 점 P에서의 접선은 직선 OP와 수직이므로 구하는 접선은 점 $\mathrm{P}(x_1, y_1)$을 지나고 기울기가 $-\dfrac{x_1}{y_1}$인 직선이다.

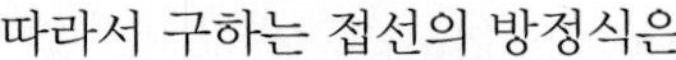

따라서 구하는 접선의 방정식은

$$y-y_1=-\frac{x_1}{y_1}(x-x_1)$$

이고, 이 식을 정리하면

$$x_1x+y_1y={x_1}^2+{y_1}^2$$

이다. 이때 점 $\mathrm{P}(x_1, y_1)$은 원 위의 점이므로 ${x_1}^2+{y_1}^2=r^2$이다.

따라서 구하는 접선의 방정식은 다음과 같다.

$$x_1x+y_1y=r^2$$ ← 원의 방정식 $x^2+y^2=r^2$에 x^2 대신 x_1x를 대입하고, y^2 대신 y_1y를 대입하여 구할 수 있다.

(ii) $x_1=0$ 또는 $y_1=0$일 때 ← $x_1=0$ 또는 $y_1=0$이면 점 P는 좌표축 위의 점이다.

$x_1=0$이면 점 P의 좌표는 $(0,\ r)$ 또는 $(0,\ -r)$이므로 접선의 방정식은 다음과 같다.

$$y=r \text{ 또는 } y=-r$$

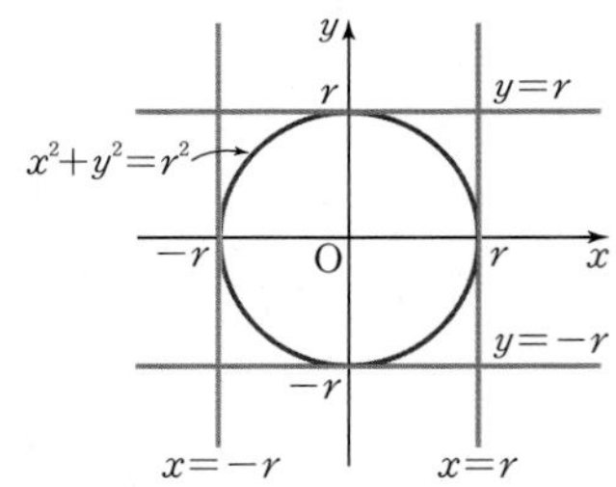

$y_1=0$이면 점 P의 좌표는 $(r,\ 0)$ 또는 $(-r,\ 0)$이므로 접선의 방정식은 다음과 같다.

$$x=r \text{ 또는 } x=-r$$

이 경우에도 $x_1x+y_1y=r^2$이 성립한다.

(i), (ii)에 의하여 구하는 접선의 방정식은 $x_1x+y_1y=r^2$이다.

위의 식은 원의 중심이 원점인 경우에서만 원 위의 점에서의 접선의 방정식을 빠르게 구할 수 있는 공식이다.

중심이 원점이 아닌 원 위의 점 $\mathrm{P}(x_1, y_1)$에서의 접선의 방정식도 같은 방법을 이용하여 구하면 다음과 같다.

① 원의 방정식이 $(x-a)^2+(y-b)^2=r^2$ 꼴로 주어진 경우

$$(x_1-a)(x-a)+(y_1-b)(y-b)=r^2$$ ← 원의 방정식 $(x-a)^2+(y-b)^2=r^2$에 $(x-a)^2$ 대신 $(x_1-a)(x-a)$를 대입하고, $(y-b)^2$ 대신 $(y_1-b)(y-b)$를 대입하여 구할 수 있다.

② 원의 방정식이 $x^2+y^2+Ax+By+C=0$ 꼴로 주어진 경우

$$x_1x+y_1y+A\times\frac{x_1+x}{2}+B\times\frac{y_1+y}{2}+C=0$$

← 원의 방정식 $x^2+y^2+Ax+By+C=0$에 x^2 대신 x_1x, y^2 대신 y_1y, x 대신 $\frac{x_1+x}{2}$, y 대신 $\frac{y_1+y}{2}$를 대입하여 구할 수 있다.

원 위의 한 점에서의 접선의 방정식을 구할 때 원의 중심이 원점인 경우는 접선 공식을 암기하여 적용하는 것을 권장하고, 원의 중심이 원점이 아닌 경우는 '원의 중심과 접점을 지나는 직선'과 '접선'은 서로 수직, 즉

$$(\text{접선의 기울기})=-\frac{1}{(\text{원의 중심과 접점을 지나는 직선의 기울기})}$$

임을 이용하는 풀이 과정을 기억하여 접선의 방정식을 구하면 된다.

example

(1) 원 $x^2+y^2=5$ 위의 점 $(-1,\ 2)$에서의 접선의 방정식은

$(-1)\times x+2\times y=5$, 즉 $x-2y+5=0$

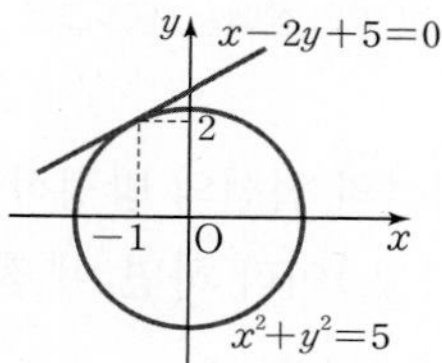

(2) 원 $x^2+y^2=9$ 위의 점 $(-3,\ 0)$에서의 접선의 방정식은

$x=-3$

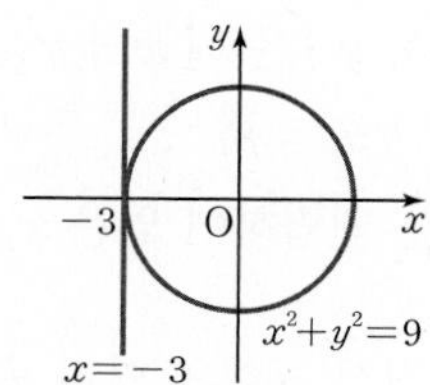

(3) 원 $(x-1)^2+y^2=5$ 위의 점 $(3,\ 1)$에서의 접선은 원의 중심 $(1,\ 0)$과 접점 $(3,\ 1)$을 지나는 직선에 수직이다.

원의 중심과 접점을 지나는 직선의 기울기가 $\frac{1-0}{3-1}=\frac{1}{2}$이므로

접선은 점 $(3,\ 1)$을 지나고 기울기가 -2인 직선이다.

따라서 구하는 접선의 방정식은

$y-1=-2(x-3)$, 즉 $2x+y-7=0$

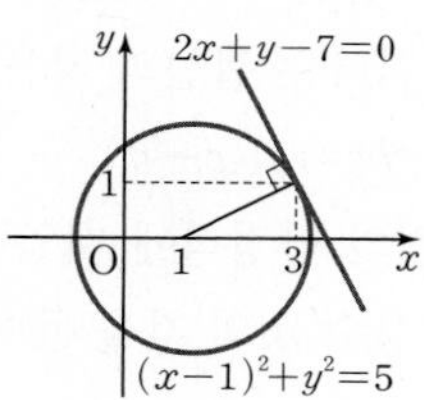

3 원 밖의 점에서 원에 그은 접선의 방정식

원 $x^2+y^2=r^2$ $(r>0)$ 밖의 점 (a, b)에서 원에 그은 접선의 방정식은 다음과 같은 방법으로 구한다.

| 방법 1 | 원 위의 점에서의 접선의 방정식 이용
접점의 좌표를 (x_1, y_1)이라 하고, 이 점에서의 접선의 방정식이 점 (a, b)를 지남을 이용한다.

| 방법 2 | 원의 중심과 직선 사이의 거리 d 이용
접선의 방정식을 $y-b=m(x-a)$라 두고 $d=r$임을 이용한다.

| 방법 3 | 이차방정식의 판별식 D 이용
접선의 방정식을 $y-b=m(x-a)$라 두고 이를 원의 방정식과 연립하여 얻은 이차방정식의 판별식 D가 $D=0$임을 이용한다.

원 $x^2+y^2=r^2$ $(r>0)$ 밖의 점 (a, b)에서 원에 그은 접선의 방정식은 다음과 같이 다양한 방법으로 구할 수 있다. ← 원 밖의 점에서 원에 그은 접선은 항상 두 개 존재한다.

| 방법 1 | 원 위의 점에서의 접선의 방정식 이용

P(x_1, y_1)
(a, b)
$x_1x+y_1y=r^2$

접점을 P(x_1, y_1)이라 하면 이 점에서의 접선의 방정식은

$$x_1x+y_1y=r^2 \quad \cdots\cdots \text{㉠}$$

이다. 이 접선이 점 (a, b)를 지나므로

$$x_1a+y_1b=r^2 \quad \cdots\cdots \text{㉡}$$

이고, 점 P(x_1, y_1)은 원 $x^2+y^2=r^2$ 위의 점이므로

$$x_1^2+y_1^2=r^2 \quad \cdots\cdots \text{㉢}$$

이다. ㉡, ㉢을 연립하여 얻은 x_1, y_1의 값을 ㉠에 대입하여 접선의 방정식을 구한다.

| 방법 2 | 원의 중심과 직선 사이의 거리 d 이용

$d(=r)$
(a, b)
$y-b=m(x-a)$

점 (a, b)를 지나는 접선의 기울기를 m이라 하면 접선의 방정식은

$$y-b=m(x-a) \quad \cdots\cdots \text{㉠}$$

이다. 원의 중심 $(0, 0)$과 접선 사이의 거리 d를 구한 후 $d=r$를 만족시키는 상수 m의 값을 ㉠에 대입하여 접선의 방정식을 구한다.

| 방법 3 | 이차방정식의 판별식 D 이용

점 (a, b)를 지나는 접선의 기울기를 m이라 하면 접선의 방정식은

$$y-b=m(x-a) \quad \cdots\cdots \text{㉠}$$

이다. 이를 원의 방정식에 대입하여 얻은 x에 대한 이차방정식의 판별식 D가 $D=0$이 되도록 하는 상수 m의 값을 ㉠에 대입하여 접선의 방정식을 구한다.

한편, 원 $x^2+y^2=r^2$ $(r>0)$ 밖의 점 (a, b)에서 원에 그은 접선은 항상 두 개 존재하지만 원 밖의 점 (a, b)의 x좌표가 r 또는 $-r$인 경우 | **방법 2** | 또는 | **방법 3** |을 이용하여 접선의 방정식을 구하면 한 개만 구해진다. 풀이 과정에서 구해지지 않은 접선의 방정식은

$$x=r \text{ 또는 } x=-r$$

이므로 이 경우에는 원과 원 밖의 한 점을 좌표평면에 직접 그려서 확인해 보자.

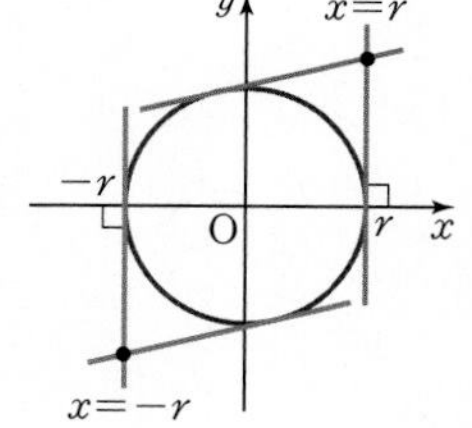

example 원 밖의 점 $(5, 5)$에서 원 $x^2+y^2=10$에 그은 접선의 방정식을 구하면

풀이 1 원 위의 점에서의 접선의 방정식 이용

접점을 $\mathrm{P}(x_1, y_1)$이라 하면 이 점에서의 접선의 방정식은

$x_1x+y_1y=10$ …… ㉠

이 접선이 점 $(5, 5)$를 지나므로

$5x_1+5y_1=10$, 즉 $y_1=-x_1+2$ …… ㉡

점 $\mathrm{P}(x_1, y_1)$은 원 $x^2+y^2=10$ 위의 점이므로 ${x_1}^2+{y_1}^2=10$ …… ㉢

㉡을 ㉢에 대입하면

${x_1}^2+(-x_1+2)^2=10$

${x_1}^2-2x_1-3=0$

$(x_1+1)(x_1-3)=0$

$\therefore x_1=-1, y_1=3$ 또는 $x_1=3, y_1=-1$ ($\because$ ㉡)

이를 ㉠에 대입하면 구하는 접선의 방정식은

$x-3y+10=0$, $3x-y-10=0$

풀이 2 원의 중심과 직선 사이의 거리 d 이용

점 $(5, 5)$를 지나는 접선의 기울기를 m이라 하면 접선의 방정식은

$y-5=m(x-5)$, 즉 $mx-y-5m+5=0$ …… ㉠

원의 중심 $(0, 0)$과 접선 사이의 거리는 원의 반지름의 길이와 같으므로

$\dfrac{|-5m+5|}{\sqrt{m^2+(-1)^2}}=\sqrt{10}$에서 $5|m-1|=\sqrt{10(m^2+1)}$

양변을 제곱하면

$25(m^2-2m+1)=10(m^2+1)$

$3m^2-10m+3=0$

$(3m-1)(m-3)=0$

$\therefore m=\dfrac{1}{3}$ 또는 $m=3$

이를 ㉠에 대입하면 구하는 접선의 방정식은

$x-3y+10=0$, $3x-y-10=0$

풀이 3 **이차방정식의 판별식 D 이용**

점 $(5, 5)$를 지나는 접선의 기울기를 m이라 하면 접선의 방정식은

$y-5=m(x-5)$, 즉 $y=mx-5m+5$ …… ㉠

㉠을 원의 방정식에 대입하면

$x^2+(mx-5m+5)^2=10$

$(m^2+1)x^2+2(5m-5m^2)x+25m^2-50m+15=0$

이 x에 대한 이차방정식의 판별식을 D라 할 때

$\frac{D}{4}=(5m-5m^2)^2-(m^2+1)(25m^2-50m+15)=0$이어야 하므로

$3m^2-10m+3=0$, $(3m-1)(m-3)=0$에서 $m=\frac{1}{3}$ 또는 $m=3$

이를 ㉠에 대입하면 구하는 접선의 방정식은

$x-3y+10=0$, $3x-y-10=0$

Tip 원 밖의 점에서 원에 그은 접선의 방정식은 풀이 1 또는 풀이 2 를 이용하는 것이 계산이 적은 편이다.

바이블 PLUS ⊕ 원의 접선의 길이

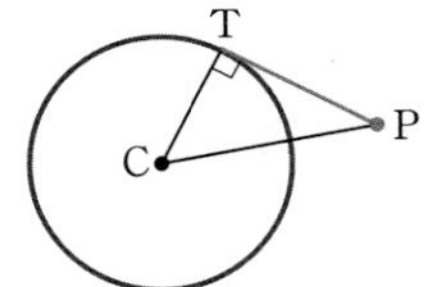

중심이 C인 원 밖의 점 P에서 원에 그은 접선이 원과 만나는 점을 T라 할 때, 선분 PT의 길이를 접선의 길이라 한다.

중학교 과정에서 원의 접선은 원의 중심과 접점을 지나는 직선에 수직, 즉 두 직선 PT, CT가 서로 수직임을 학습하였다.

따라서 삼각형 CTP는 직각삼각형이므로 $\overline{CP}$의 값은 두 점 사이의 거리 공식을 이용하여 구하고, $\overline{CT}$의 값은 반지름의 길이를 이용하여 구하면 피타고라스 정리에 의하여 접선의 길이

$$\overline{PT}=\sqrt{\overline{CP}^2-\overline{CT}^2}$$

을 구할 수 있다.

한 단계 더 나아가 두 원에 동시에 접하는 직선인 공통접선에 대해서도 알아보자.

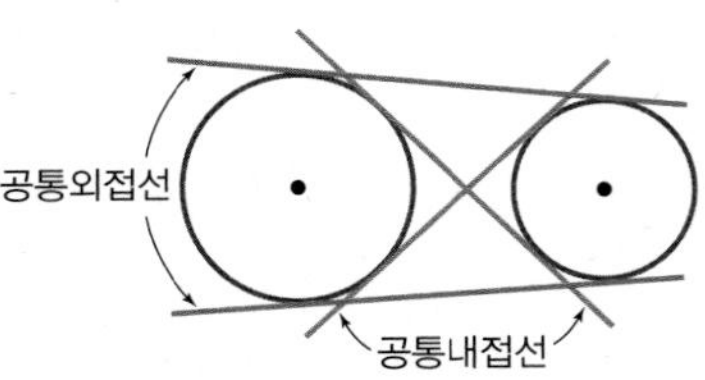

두 원이 공통접선에 대하여 같은 쪽에 있으면 그 접선을 공통외접선이라 하고, 서로 반대쪽에 있으면 그 접선은 공통내접선이라 한다.

특히, 공통접선의 접점이 2개일 때 두 접점 사이의 거리를 공통접선의 길이라 한다.

중심이 각각 C, C′인 두 원 C, C'의 반지름의 길이를 각각 r, r' $(r>r')$, 중심 사이의 거리를 d라 할 때 공통접선 AB의 길이는 다음과 같다.

(1) 공통외접선의 길이

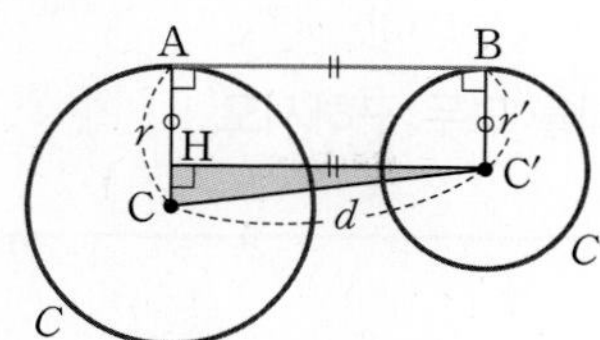

점 C′에서 선분 CA에 내린 수선의 발을 H라 하면 공통외접선의 길이는

$\overline{AB}=\overline{HC'}=\sqrt{\overline{CC'}^2-\overline{CH}^2}$

$=\sqrt{d^2-(r-r')^2}$

(2) 공통내접선의 길이

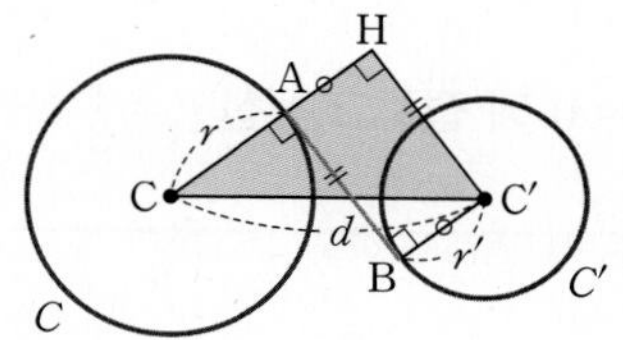

점 C′에서 선분 CA의 연장선에 내린 수선의 발을 H라 하면 공통내접선의 길이는

$\overline{AB}=\overline{HC'}=\sqrt{\overline{CC'}^2-\overline{CH}^2}$

$=\sqrt{d^2-(r+r')^2}$

03

개념 CHECK

빠른 정답 • 510쪽 / 정답과 풀이 • 54쪽

04. 원의 접선의 방정식

01 다음 원에 접하고 기울기가 2인 접선의 방정식을 모두 구하시오.

(1) $x^2+y^2=5$

(2) $x^2+y^2=20$

02 다음 방정식을 구하시오.

(1) 원 $x^2+y^2=45$ 위의 점 $(3,\ 6)$을 지나는 접선

(2) 원 $x^2+y^2=16$ 위의 점 $(0,\ -4)$를 지나는 접선

03 다음 방정식을 모두 구하시오.

(1) 점 $(4,\ 0)$에서 원 $x^2+y^2=8$에 그은 접선

(2) 점 $(4,\ 2)$에서 원 $x^2+y^2=16$에 그은 접선

대표 예제 | 14

원 $x^2+y^2=10$에 접하고 직선 $y=\frac{1}{3}x+4$와 수직인 직선의 방정식을 모두 구하시오.

바로 접근 원점이 중심인 원 $x^2+y^2=r^2$에 접하고 기울기가 m인 직선의 방정식은 다음 공식을 이용하여 구한다.

$y=mx\pm r\sqrt{m^2+1}$

바른 풀이 원 $x^2+y^2=10$의 반지름의 길이는 $\sqrt{10}$이고

직선 $y=\frac{1}{3}x+4$에 수직인 직선의 기울기는 -3이므로

구하는 직선의 방정식은

$y=-3x\pm\sqrt{10}\times\sqrt{(-3)^2+1}$, 즉 $y=-3x\pm10$

정답 $y=-3x\pm10$

Bible Says

위의 공식 $y=mx\pm r\sqrt{m^2+1}$은 원의 중심이 원점인 경우에만 사용할 수 있다.

중심이 원점이 아닌 원 $(x-a)^2+(y-b)^2=r^2$ $(r>0)$에 접하고 기울기가 m인 직선의 방정식은 다음과 같은 순서로 구한다.

❶ 구하는 접선의 방정식을 $y=mx+n$, 즉 $mx-y+n=0$이라 한다.

❷ (원의 중심에서 접선까지의 거리)=(반지름의 길이), 즉

$\frac{|ma-b+n|}{\sqrt{m^2+(-1)^2}}=r$를 만족시키는 n의 값을 구한다.

다른 풀이 로는 직선의 방정식을 원의 방정식에 대입하여 얻은 x에 대한 이차방정식 $(x-a)^2+(mx+n-b)^2=r^2$의 판별식을 D라 할 때, $D=0$을 만족시키는 n의 값을 구하는 방법도 있으나, 계산량이 다소 많은 편이다.

빠른 정답 • 510쪽 / 정답과 풀이 • 55쪽

한 번 더하기

14-1 원 $x^2+y^2=5$에 접하고 직선 $2x+y-1=0$과 평행한 직선의 방정식을 모두 구하시오.

03

표현 더하기

14-2 원 $x^2+y^2=9$에 접하고 x축의 양의 방향과 이루는 각의 크기가 $60°$인 직선의 방정식을 모두 구하시오.

표현 더하기

14-3 원 $(x-1)^2+(y-3)^2=5$에 접하고 기울기가 2인 두 직선의 y절편의 곱을 구하시오.

실력 더하기

14-4 원 $x^2+y^2+4x-6y+3=0$에 접하고 직선 $y=-3x+1$에 수직인 두 직선이 x축과 만나는 점을 각각 P, Q라 할 때, 선분 PQ의 중점의 좌표를 구하시오.

대표 예제 15

다음 물음에 답하시오.

(1) 원 $x^2+y^2=13$ 위의 점 $(3,\ -2)$에서의 접선의 방정식이 $ax+by-13=0$일 때, 상수 a, b에 대하여 $a+b$의 값을 구하시오.

(2) 원 $x^2+(y-2)^2=13$ 위의 점 $(-2,\ 5)$에서의 접선의 방정식이 $y=mx+n$일 때, 상수 m, n에 대하여 $m+n$의 값을 구하시오.

바로 접근

(1) 원점이 중심인 원 $x^2+y^2=r^2$ 위의 점 $(x_1,\ y_1)$에서의 접선의 방정식은 다음 공식을 이용하여 구한다.

$x_1x+y_1y=r^2$

(2) 원점이 아닌 점 C를 중심으로 하는 원 $(x-a)^2+(y-b)^2=r^2$ 위의 점 $P(x_1,\ y_1)$에서의 접선은 직선 CP와 수직임을 이용하여 다음과 같은 순서로 구한다.

❶ 직선 CP의 기울기를 구한다.

$$\frac{y_1-b}{x_1-a}$$

❷ 직선 CP에 수직이면서 점 $P(x_1,\ y_1)$을 지나는 직선의 방정식을 구한다.

$$y-y_1=-\frac{x_1-a}{y_1-b}(x-x_1)$$

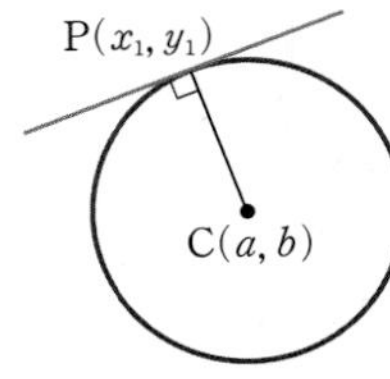

바른 풀이

(1) 원 $x^2+y^2=13$ 위의 점 $(3,\ -2)$에서의 접선의 방정식은

$3x-2y=13$, 즉 $3x-2y-13=0$

$\therefore a+b=3+(-2)=1$

(2) 원의 중심을 $C(0,\ 2)$, 원 위의 점을 $P(-2,\ 5)$라 하자.

직선 CP의 기울기는 $\dfrac{5-2}{(-2)-0}=-\dfrac{3}{2}$이고,

원 위의 점 P에서의 접선과 직선 CP는 서로 수직이므로

원 위의 점 P에서의 접선의 기울기는 $\dfrac{2}{3}$이다.

따라서 원 위의 점 $P(-2,\ 5)$에서의 접선의 방정식은

$y-5=\dfrac{2}{3}\{x-(-2)\}$, 즉 $y=\dfrac{2}{3}x+\dfrac{19}{3}$

$\therefore m+n=\dfrac{2}{3}+\dfrac{19}{3}=7$

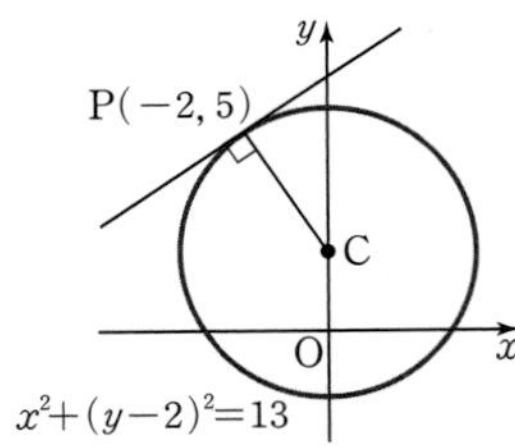

정답 (1) 1 (2) 7

Bible Says

바로 접근 (2)에서 구한 직선의 방정식을 정리하면 다음과 같다.

$(x_1-a)(x-a)+(y_1-b)(y-b)=r^2$

이 식은 $(x-a)^2+(y-b)^2=r^2$에 $(x-a)^2$ 대신 $(x_1-a)(x-a)$를 대입하고, $(y-b)^2$ 대신 $(y_1-b)(y-b)$를 대입한 것이다.

빠른 정답 • 510쪽 / 정답과 풀이 • 56쪽

한 번 더하기

15-1 원 $x^2+y^2=20$ 위의 점 $(-4,\ 2)$에서의 접선의 방정식이 $ax+by+10=0$일 때, 상수 a, b에 대하여 $a-b$의 값을 구하시오.

한 번 더하기

15-2 원 $(x-2)^2+(y+1)^2=17$ 위의 점 $(6,\ -2)$에서의 접선의 방정식을 구하시오.

표현 더하기

15-3 원 $x^2+y^2=8$ 위의 점 $(a,\ 2)$ $(a>0)$에서의 접선이 점 $(-1,\ b)$를 지날 때, $a+b$의 값을 구하시오.

실력 더하기

15-4 원 $x^2+y^2=2$ 위의 점 $(-1,\ 1)$에서의 접선이 원 $(x-3)^2+(y-a)^2=b$와 한 점 $(4,\ 6)$에서만 만날 때, 상수 a, b에 대하여 $a+b$의 값을 구하시오. (단, $b>0$)

대표 예제 16

원 밖의 한 점에서 원에 그은 접선의 방정식

점 $(1,\ 7)$에서 원 $x^2+y^2=5$에 그은 접선의 방정식을 모두 구하시오.

바로 접근

원 밖의 점 $(a,\ b)$에서 원 $x^2+y^2=r^2\ (r>0)$에 그은 접선의 방정식을 구하는 방법은 다양하다.

① 원 위의 점 $(x_1,\ y_1)$에서의 접선 $x_1x+y_1y=r^2$이 점 $(a,\ b)$를 지나도록 하는 $x_1,\ y_1$의 값 구하기

② 원의 중심과 직선 $y-b=m(x-a)$ 사이의 거리가 반지름의 길이 r와 같도록 하는 m의 값 구하기

③ $y=m(x-a)+b$를 원의 방정식에 대입하여 얻은 x에 대한 이차방정식의 판별식이 0이 되도록 하는 m의 값 구하기

바른 풀이

풀이 1

원 $x^2+y^2=5$ 위의 점 $(x_1,\ y_1)$에서의 접선의 방정식은 $x_1x+y_1y=5$ …… ㉠

이 직선이 점 $(1,\ 7)$을 지나므로 $x_1+7y_1=5$, 즉 $x_1=5-7y_1$ …… ㉡

또한 점 $(x_1,\ y_1)$은 원 $x^2+y^2=5$ 위의 점이므로 ${x_1}^2+{y_1}^2=5$ …… ㉢

㉡을 ㉢에 대입하면 $(5-7y_1)^2+{y_1}^2=5$, $(5y_1-2)(y_1-1)=0$

$\therefore y_1=\frac{2}{5},\ x_1=\frac{11}{5}$ 또는 $y_1=1,\ x_1=-2$

이를 ㉠에 대입하면 구하는 모든 접선의 방정식은 $y=-\frac{11}{2}x+\frac{25}{2},\ y=2x+5$

풀이 2

점 $(1,\ 7)$을 지나는 직선의 방정식을 $y-7=m(x-1)$, 즉 $mx-y+7-m=0$이라 하자.

이 직선이 원에 접하므로 원의 중심 $(0,\ 0)$과 직선 사이의 거리는 원의 반지름의 길이와 같다.

즉, $\frac{|7-m|}{\sqrt{m^2+(-1)^2}}=\sqrt{5}$에서 $(2m+11)(m-2)=0$ $\therefore m=-\frac{11}{2}$ 또는 $m=2$

따라서 구하는 모든 접선의 방정식은 $y=-\frac{11}{2}x+\frac{25}{2},\ y=2x+5$

풀이 3

점 $(1,\ 7)$을 지나는 직선의 방정식을 $y-7=m(x-1)$, 즉 $y=mx+7-m$이라 하자.

이 직선의 방정식을 원의 방정식에 대입하여 정리하면 $(m^2+1)x^2+2(7m-m^2)x+m^2-14m+44=0$

이 x에 대한 이차방정식의 판별식을 D라 하면

$\frac{D}{4}=(7m-m^2)^2-(m^2+1)(m^2-14m+44)=2(2m+11)(m-2)=0$ $\therefore m=-\frac{11}{2}$ 또는 $m=2$

따라서 구하는 모든 접선의 방정식은 $y=-\frac{11}{2}x+\frac{25}{2},\ y=2x+5$

정답 $y=-\frac{11}{2}x+\frac{25}{2},\ y=2x+5$

Bible Says

원 밖의 한 점에서 원에 그은 접선의 방정식은 항상 두 개 존재하지만, 원 $x^2+y^2=r^2\ (r>0)$과 원 밖의 한 점의 x좌표가 r 또는 $-r$로 주어질 때 풀이 과정에서 1개의 접선만 구해지는 경우도 있다. 풀이 과정에서 구해지지 않는 접선은 $x=r$ 또는 $x=-r$이므로 이 접선을 놓치지 않도록 주의하자.

빠른 정답 • 510쪽 / 정답과 풀이 • 57쪽

한 번 더하기

16-1 점 $(-1,\ 3)$에서 원 $x^2+y^2=2$에 그은 접선의 방정식을 모두 구하시오.

03

한 번 더하기

16-2 점 $(-3,\ 6)$에서 원 $x^2+y^2=9$에 그은 접선의 방정식을 모두 구하시오.

표현 더하기

16-3 점 $(0,\ 1)$에서 원 $x^2+y^2-8x+15=0$에 그은 두 접선의 기울기의 합을 구하시오.

실력 더하기

16-4 점 $\mathrm{A}(3,\ 4)$에서 원 $(x+3)^2+(y-2)^2=r^2$에 그은 두 접선이 서로 수직일 때, 원의 넓이를 구하시오. (단, 점 A는 원 밖의 점이다.)

중단원 연습문제

STEP 1 기본 다지기

01 직선 $x-2y+8=0$이 x축, y축과 만나는 점을 각각 A, B라 할 때, 점 A를 중심으로 하고 점 B를 지나는 원의 방정식을 구하시오.

02 두 점 $A(2,\ 1)$, $B(-4,\ a)$에 대하여 선분 AB를 지름으로 하는 원의 반지름의 길이가 $3\sqrt{2}$일 때, 원의 방정식을 구하시오. (단, $a>0$)

03 방정식 $x^2+y^2-2x-4ky+2k+13=0$이 나타내는 도형이 원이 되도록 하는 자연수 k의 최솟값을 구하시오.

04 세 점 $(0,\ 0)$, $(-2,\ 2)$, $(6,\ 2)$를 지나는 원의 중심의 좌표를 $(a,\ b)$, 반지름의 길이를 r라 할 때, abr의 값을 구하시오.

05 점 $(-4,\ 2)$를 지나고 x축과 y축에 동시에 접하는 두 원의 넓이의 합을 구하시오.

06 두 원 $x^2+y^2+2ax+6y-1=0$, $(x+3)^2+(y-1)^2=12$가 서로 다른 두 점에서 만날 때, 두 원의 교점을 지나는 직선과 직선 $4x+y-3=0$이 서로 수직이 되도록 하는 상수 a의 값을 구하시오.

07 직선 $y=k(x-4)$와 원 $x^2+y^2=9$가 만나지 않도록 하는 실수 k의 값의 범위가 $k<\alpha$ 또는 $k>\beta$일 때, $\alpha^2+\beta^2$의 값을 구하시오.

08 점 $(a,\ a)$를 중심으로 하고 원점을 지나는 원이 직선 $y=-2x$와 만나서 생기는 현의 길이가 $4\sqrt{2}$일 때, 양수 a의 값을 구하시오.

09 점 $\mathrm{P}(a,\ -3a+11)$과 원 $x^2+(y-1)^2=10$ 위의 점 Q 사이의 거리의 최댓값을 M, 최솟값을 m이라 하자. $Mm=90$일 때, 양수 a의 값을 구하시오.

10 그림과 같이 직선 $y=2x-1$과 평행하고 원 $(x+1)^2+(y-1)^2=12$에 접하는 두 직선 l_1, l_2가 있다. 두 직선 l_1, l_2의 y절편의 곱을 구하시오.

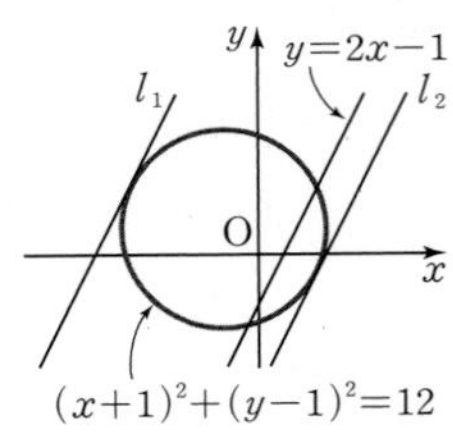

11 원 $x^2+y^2=25$ 위의 점 $(-3,\ 4)$에서의 접선이 원 $(x-a)^2+(y-7)^2=4$에 접할 때, 양수 a의 값을 구하시오.

12 점 $(-1,\ -2)$에서 원 $x^2+y^2-2x-4y+3=0$에 그은 접선의 방정식을 모두 구하시오.

STEP 2 실력 다지기

13 원 $x^2+y^2+ax+by=0$의 넓이가 4π 이하가 되도록 하는 자연수 a, b의 모든 순서쌍 (a, b)의 개수를 구하시오.

14 두 원 $x^2+y^2-4x+4y-2=0$, $x^2+(y+1)^2=16$의 교점을 지나고 중심이 x축 위에 있는 원의 넓이를 구하시오.

15 원 $x^2+y^2=r^2$ $(r>0)$이 두 점 $\mathrm{A}(4, -1)$, $\mathrm{B}(0, 2)$를 양 끝점으로 하는 선분과 서로 다른 두 점에서 만나기 위한 r의 값의 범위가 $a<r\le b$일 때, 상수 a, b의 값을 각각 구하시오.

16 중심이 직선 $x+y=10$ 위에 있고 y축에 접하는 원이 x축과 두 점 A, B에서 만날 때, 현 AB의 길이가 $4\sqrt{5}$이다. 이 원의 반지름의 길이를 구하시오.

빠른 정답 • 510쪽 / 정답과 풀이 • 63쪽

17 좌표평면 위의 점 (3, 1)을 지나는 직선 중 원점과의 거리가 최대인 직선을 l이라 할 때, 원 $(x-8)^2+(y-6)^2=10$ 위의 점 P와 직선 l 사이의 거리의 최댓값을 구하시오.

18 원 $(x+2)^2+(y-1)^2=1$에 접하고 원 $(x-1)^2+(y-2)^2=1$의 넓이를 이등분하는 두 직선이 y축과 만나는 점을 각각 A, B라 할 때, 선분 AB의 길이를 구하시오.

challenge 교육청 기출

19 그림과 같이 중심이 제1사분면 위에 있고 x축과 점 P에서 접하며 y축과 두 점 Q, R에서 만나는 원이 있다. 점 P를 지나고 기울기가 2인 직선이 원과 만나는 점 중 P가 아닌 점을 S라 할 때, $\overline{QR}=\overline{PS}=4$를 만족시킨다. 원점 O와 원의 중심 사이의 거리는?

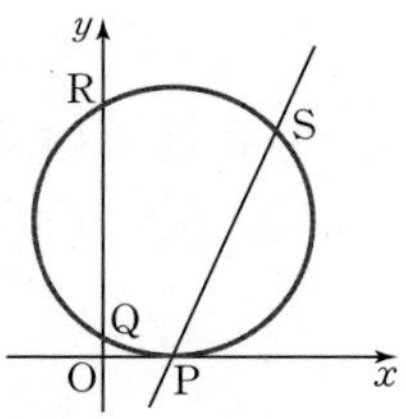

① $\sqrt{6}$ ② $\sqrt{7}$ ③ $2\sqrt{2}$ ④ 3 ⑤ $\sqrt{10}$

challenge

20 원점에서 원 $(x-4)^2+(y-a)^2=10$에 그은 두 접선이 서로 수직일 때, 두 접선의 방정식을 모두 구하시오. (단, a는 양수이다.)

04 도형의 이동

01 평행이동

평행이동시킨 점의 좌표	점 (x, y)를 x축의 방향으로 a만큼, y축의 방향으로 b만큼 평행이동시킨 점의 좌표는 $(x+a, y+b)$
평행이동시킨 도형의 방정식	방정식 $f(x, y)=0$이 나타내는 도형을 x축의 방향으로 a만큼, y축의 방향으로 b만큼 평행이동시킨 도형의 방정식은 $f(x-a, y-b)=0$

02 대칭이동 (1)

대칭이동시킨 점의 좌표	점 (x, y)를 (1) x축에 대하여 대칭이동시킨 점의 좌표는 $(x, -y)$ (2) y축에 대하여 대칭이동시킨 점의 좌표는 $(-x, y)$ (3) 원점에 대하여 대칭이동시킨 점의 좌표는 $(-x, -y)$ (4) 직선 $y=x$에 대하여 대칭이동시킨 점의 좌표는 (y, x)
대칭이동시킨 도형의 방정식	방정식 $f(x, y)=0$이 나타내는 도형을 (1) x축에 대하여 대칭이동시킨 도형의 방정식은 $f(x, -y)=0$ (2) y축에 대하여 대칭이동시킨 도형의 방정식은 $f(-x, y)=0$ (3) 원점에 대하여 대칭이동시킨 도형의 방정식은 $f(-x, -y)=0$ (4) 직선 $y=x$에 대하여 대칭이동시킨 도형의 방정식은 $f(y, x)=0$

03 대칭이동 (2)

대칭이동시킨 점의 좌표	점 (x, y)를 (1) 직선 $x=a$에 대하여 대칭이동시킨 점의 좌표는 $(2a-x, y)$ (2) 직선 $y=b$에 대하여 대칭이동시킨 점의 좌표는 $(x, 2b-y)$ (3) 점 (a, b)에 대하여 대칭이동시킨 점의 좌표는 $(2a-x, 2b-y)$ (4) 직선 $y=-x$에 대하여 대칭이동시킨 점의 좌표는 $(-y, -x)$
대칭이동시킨 도형의 방정식	방정식 $f(x, y)=0$이 나타내는 도형을 (1) 직선 $x=a$에 대하여 대칭이동시킨 도형의 방정식은 $f(2a-x, y)=0$ (2) 직선 $y=b$에 대하여 대칭이동시킨 도형의 방정식은 $f(x, 2b-y)=0$ (3) 점 (a, b)에 대하여 대칭이동시킨 도형의 방정식은 $f(2a-x, 2b-y)=0$ (4) 직선 $y=-x$에 대하여 대칭이동시킨 도형의 방정식은 $f(-y, -x)=0$

평행이동

1 평행이동시킨 점의 좌표

점 $(x,\ y)$를 x축의 방향으로 a만큼, y축의 방향으로 b만큼 평행이동시킨 점의 좌표는

$(x+a,\ y+b)$

좌표평면 위의 도형을 모양과 크기를 바꾸지 않고 일정한 방향으로 일정한 거리만큼 옮기는 것을 평행이동이라 한다.

좌표평면 위의 점 $\mathrm{P}(x,\ y)$를 x축의 방향으로 a만큼, y축의 방향으로 b만큼 평행이동시킨 점을 $\mathrm{P}'(x',\ y')$이라 하면

$$x'=x+a,\ y'=y+b$$

이므로 점 P'의 좌표는 다음과 같다.

$$(x+a,\ y+b)$$

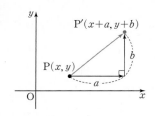

이때 x축의 방향으로 a만큼 이동시킨다는 것은
$a>0$인 경우에는 x축의 양의 방향으로
$a<0$인 경우에는 x축의 음의 방향으로 $|a|$만큼 이동시킨 것을 의미한다.

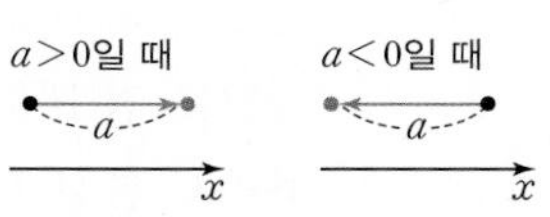

점 $(x,\ y)$를 x축의 방향으로 a만큼, y축의 방향으로 b만큼 평행이동시킨 것을

$$(x,\ y) \longrightarrow (x+a,\ y+b)$$

와 같이 나타내기도 한다.

example

(1) 점 $(3,\ 5)$를 x축의 방향으로 2만큼, y축의 방향으로 -3만큼 평행이동시킨 점의 좌표는 $(3+2,\ 5-3)$, 즉 $(5,\ 2)$이다.

(2) 평행이동 $(x,\ y) \longrightarrow (x-3,\ y+4)$에 의하여 점 $(1,\ -4)$는 점 $(1-3,\ -4+4)$, 즉 $(-2,\ 0)$으로 옮겨진다.

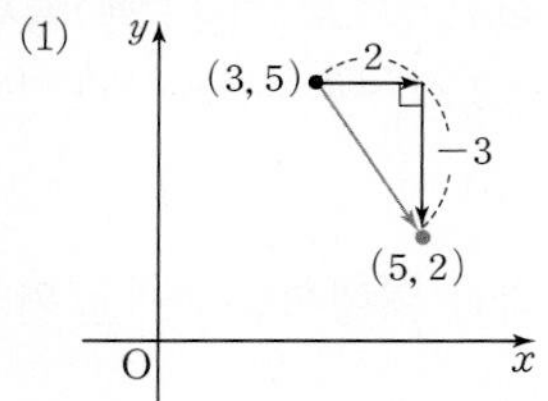

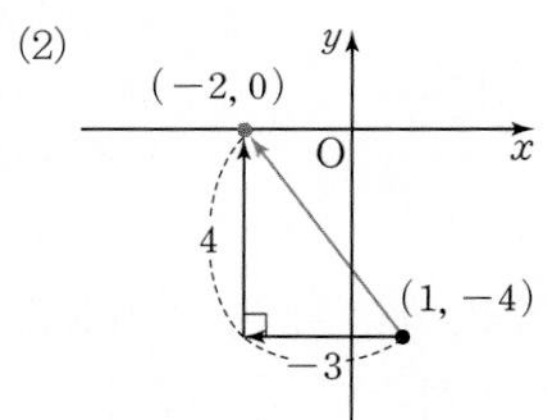

2 평행이동시킨 도형의 방정식

방정식 $f(x,\ y)=0$이 나타내는 도형을 x축의 방향으로 a만큼, y축의 방향으로 b만큼 평행이동시킨 도형의 방정식은 $f(x-a,\ y-b)=0$

직선의 방정식을 $ax+by+c=0$, 원의 방정식을 $x^2+y^2+Ax+By+C=0$ 꼴로 나타낼 수 있는 것처럼 일반적으로 좌표평면 위의 도형의 방정식을 $f(x,\ y)=0$ 꼴로 나타낼 수 있다.

방정식 $f(x,\ y)=0$이 나타내는 도형 F를 x축의 방향으로 a만큼, y축의 방향으로 b만큼 평행이동시킨 도형 F'의 방정식은 도형 F 위의 임의의 점을 평행이동시킨 점의 좌표를 이용하면 구할 수 있다.

오른쪽 그림과 같이 방정식 $f(x,\ y)=0$이 나타내는 도형 F 위의 임의의 점 $\mathrm{P}(x,\ y)$를 x축의 방향으로 a만큼, y축의 방향으로 b만큼 평행이동시킨 점을 $\mathrm{P}'(x',\ y')$이라 하면

$$x'=x+a,\ y'=y+b$$

에서

$$x=x'-a,\ y=y'-b$$

이다. 이것을 $f(x,\ y)=0$에 대입하면

$$f(x'-a,\ y'-b)=0$$

← 도형의 방정식을 나타낼 때 일반적으로 문자 x, y를 사용하기 때문에 x', y'을 각각 x, y로 바꾸어 쓴 것이다.

이므로 점 $\mathrm{P}'(x',\ y')$은 방정식 $f(x-a,\ y-b)=0$이 나타내는 도형 위의 점이다.

따라서 도형 F'의 방정식은 다음과 같다.

$$f(x-a,\ y-b)=0$$

← 방정식 $f(x,\ y)=0$에 x 대신 $x-a$를 대입하고, y 대신 $y-b$를 대입하여 구할 수 있다. 또한 어떤 도형을 평행이동시킨 도형은 원래의 도형과 합동이다.

example

다음 방정식이 나타내는 도형을 x축의 방향으로 -2만큼, y축의 방향으로 1만큼 평행이동시킨 도형의 방정식을 구하면

(1) $x-3y+5=0$

주어진 방정식에 x 대신 $x+2$를 대입하고, y 대신 $y-1$을 대입하면

$(x+2)-3(y-1)+5=0$, 즉 $x-3y+10=0$

(2) $y=x^2-3$

주어진 방정식에 x 대신 $x+2$를 대입하고, y 대신 $y-1$을 대입하면

$y-1=(x+2)^2-3$, 즉 $y=(x+2)^2-2$

주의 x축의 방향으로 a만큼, y축의 방향으로 b만큼 평행이동시킬 때, 점 $(x,\ y)$는 점 $(x+a,\ y+b)$가 되고, 도형 $f(x,\ y)=0$은 도형 $f(x-a,\ y-b)=0$이 된다. 부호에 유의하자.

한편, 원, 직선, 이차함수의 그래프를 각각 평행이동시키면 원의 반지름의 길이, 직선의 기울기, 이차함수의 이차항의 계수는 그대로이다.

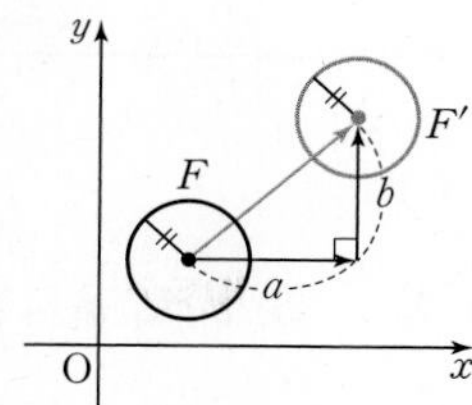

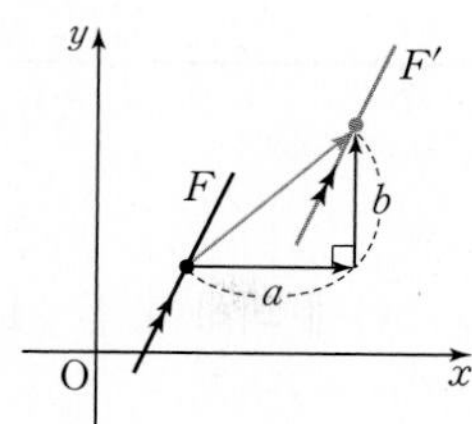

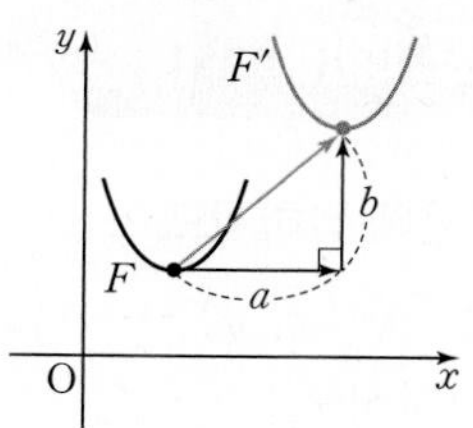

따라서 어떤 원을 평행이동시킨 원의 방정식은 주어진 원의 중심을 평행이동시켜 구할 수 있고, 어떤 포물선을 평행이동시킨 포물선의 방정식은 주어진 포물선의 꼭짓점을 평행이동시켜 구할 수 있다.

04

example

원 $x^2+y^2+2x-6y+6=0$을 x축의 방향으로 4만큼, y축의 방향으로 -5만큼 평행이동시킨 원의 방정식을 구하면

풀이 1 x 대신 $x-4$를 대입하고, y 대신 $y+5$를 대입하여 구한다.

$(x-4)^2+(y+5)^2+2(x-4)-6(y+5)+6=0$

$x^2+y^2-6x+4y+9=0 \qquad \therefore (x-3)^2+(y+2)^2=4$

풀이 2 $(x+1)^2+(y-3)^2=4$로 변형하여 원의 중심을 평행이동시킨다.

구하는 원은 주어진 원의 중심 $(-1,\ 3)$을 x축의 방향으로 4만큼, y축의 방향으로 -5만큼 평행이동시킨 점 $(3,\ -2)$를 중심으로 하고 반지름의 길이가 2이다.

즉, 평행이동시킨 원의 방정식은 $(x-3)^2+(y+2)^2=4$

개념 CHECK

빠른 정답 • 510쪽 / 정답과 풀이 • 64쪽

01. 평행이동

01 다음 점을 x축의 방향으로 -3만큼, y축의 방향으로 4만큼 평행이동시킨 점의 좌표를 구하시오.

(1) $(3,\ 2)$ (2) $(2,\ -4)$

02 평행이동 $(x,\ y) \longrightarrow (x-2,\ y+1)$에 의하여 다음 점이 옮겨지는 점의 좌표를 구하시오.

(1) $(7,\ 3)$ (2) $(-6,\ -6)$ (3) $(8,\ -2)$

03 다음 방정식이 나타내는 도형을 x축의 방향으로 1만큼, y축의 방향으로 -5만큼 평행이동시킨 도형의 방정식을 구하시오.

(1) $x-3y+4=0$
(2) $y=2x^2-4$
(3) $x^2+y^2-2y-4=0$

대표 예제 01

평행이동시킨 점의 좌표

다음 물음에 답하시오.

(1) 평행이동 $(x, y) \longrightarrow (x+a, y-4)$에 의하여 점 $(1, 1)$이 점 $(-5, b)$로 옮겨질 때, $a+b$의 값을 구하시오.

(2) 점 $(1, 2)$를 점 $(4, 6)$으로 옮기는 평행이동에 의하여 점 $(5, -1)$이 옮겨지는 점의 좌표를 구하시오.

바로 접근

(1) 평행이동 $(x, y) \longrightarrow (x+a, y-4)$는 점 (x, y)를 x축의 방향으로 a만큼, y축의 방향으로 -4만큼 평행이동시키는 것을 의미한다.

(2) 점 $(1, 2)$를 점 $(4, 6)$, 즉 $(1+3, 2+4)$로 옮기는 평행이동은 $(x, y) \longrightarrow (x+3, y+4)$이다.

바른 풀이

(1) 점 $(1, 1)$이 평행이동 $(x, y) \longrightarrow (x+a, y-4)$에 의하여 옮겨지는 점의 좌표는

$(1+a, 1-4)$, 즉 $(1+a, -3)$

이 점의 좌표가 $(-5, b)$라 주어졌으므로

$1+a=-5$에서 $a=-6$이고 $b=-3$이다.

$\therefore a+b=(-6)+(-3)=-9$

(2) 점 $(1, 2)$를 x축의 방향으로 a만큼, y축의 방향으로 b만큼 평행이동시킨 점의 좌표를 $(4, 6)$이라 하면

$1+a=4$에서 $a=3$

$2+b=6$에서 $b=4$

즉, 주어진 평행이동은 x축의 방향으로 3만큼, y축의 방향으로 4만큼 평행이동시키는 것이다.

따라서 이 평행이동에 의하여 점 $(5, -1)$이 옮겨지는 점의 좌표는

$(5+3, -1+4)$, 즉 $(8, 3)$

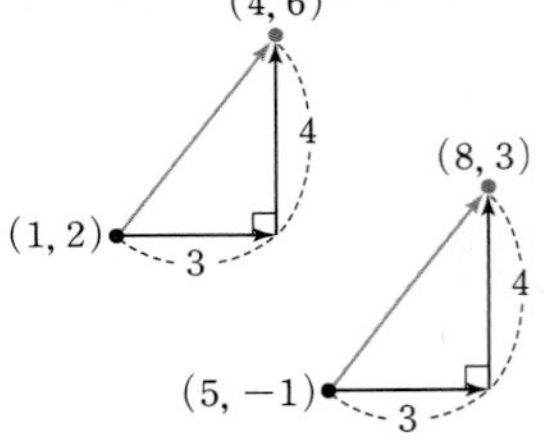

정답 (1) -9 (2) $(8, 3)$

Bible Says

점 $\mathrm{P}(a, b)$를 x축의 방향으로 c만큼, y축의 방향으로 d만큼 평행이동시킨 점의 좌표는 $(a+c, b+d)$이다.

예를 들어 $c=-3$, $d=2$인 경우 점 P의 x좌표, y좌표에 각각 이동시킨만큼을 그대로 더해주면 평행이동시킨 점의 좌표를 구할 수 있다.

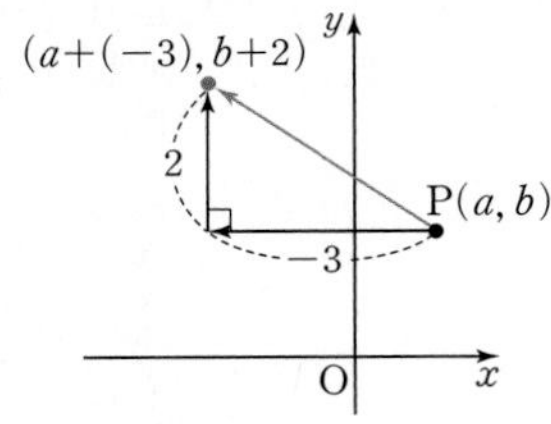

한번 더하기

01-1 평행이동 $(x,\ y) \longrightarrow (x-4,\ y+a)$에 의하여 점 $(2,\ -1)$이 점 $(b,\ 7)$로 옮겨질 때, $a+b$의 값을 구하시오.

한번 더하기

01-2 점 $(-4,\ 3)$을 점 $(1,\ -1)$로 옮기는 평행이동에 의하여 점 $(-5,\ 2)$가 옮겨지는 점의 좌표를 구하시오.

표현 더하기

01-3 평행이동 $(x,\ y) \longrightarrow (x-a,\ y+2)$에 의하여 점 $(1,\ 3)$이 직선 $y=x+6$ 위의 점으로 옮겨질 때, a의 값을 구하시오.

표현 더하기

01-4 점 P를 x축의 방향으로 -2만큼, y축의 방향으로 8만큼 평행이동시킨 점을 P′이라 할 때, 직선 PP′의 기울기를 구하시오.

대표 예제 02

다음 물음에 답하시오.

(1) 직선 $y=2x-1$이 평행이동 $(x,\ y) \longrightarrow (x+5,\ y+3)$에 의하여 옮겨지는 직선의 방정식을 구하시오.

(2) 직선 $y=-3x+4$를 x축의 방향으로 a만큼, y축의 방향으로 2만큼 평행이동시킨 직선의 방정식이 $y=-3x-4$일 때, a의 값을 구하시오.

바로 접근

(1) 직선 $y=2x-1$이 평행이동 $(x,\ y) \longrightarrow (x+5,\ y+3)$에 의하여 옮겨진 직선의 방정식은 x 대신 $x-5$를 대입하고, y 대신 $y-3$을 대입하면 얻을 수 있다.

(2) 직선 $y=-3x+4$를 x축의 방향으로 a만큼, y축의 방향으로 2만큼 평행이동시킨 직선의 방정식은 x 대신 $x-a$를 대입하고, y 대신 $y-2$를 대입하면 얻을 수 있다.

바른 풀이

(1) 평행이동 $(x,\ y) \longrightarrow (x+5,\ y+3)$은 x축의 방향으로 5만큼, y축의 방향으로 3만큼 평행이동시키는 것을 나타내므로 직선 $y=2x-1$이 이 평행이동에 의하여 옮겨지는 직선의 방정식은

$y-3=2(x-5)-1$, 즉 $y=2x-8$

(2) 직선 $y=-3x+4$를 x축의 방향으로 a만큼, y축의 방향으로 2만큼 평행이동시킨 직선의 방정식은

$y-2=-3(x-a)+4$, 즉 $y=-3x+3a+6$

이 직선의 방정식이 $y=-3x-4$라 주어졌으므로 $3a+6=-4$

$\therefore a=-\dfrac{10}{3}$

정답 (1) $y=2x-8$ (2) $-\dfrac{10}{3}$

Bible Says

좌표평면 위의 직선을 평행이동시켰을 때, 직선의 기울기는 변하지 않는다는 것을 이용하여 (1)을 다음과 같은 순서로 풀이할 수도 있다.

❶ 직선 $y=2x-1$ 위의 임의의 한 점의 좌표 잡기

$(0,\ -1)$ ← 어떤 점을 잡아도 무방하나 x좌표, y좌표가 모두 정수인 점을 잡는 것이 계산이 편리하다.

❷ 이 점을 x축의 방향으로 5만큼, y축의 방향으로 3만큼 평행이동시키기

$(0+5,\ -1+3)$, 즉 $(5,\ 2)$

❸ 점 $(5,\ 2)$를 지나고 기울기가 2인 직선의 방정식 구하기

$y-2=2(x-5)$, 즉 $y=2x-8$

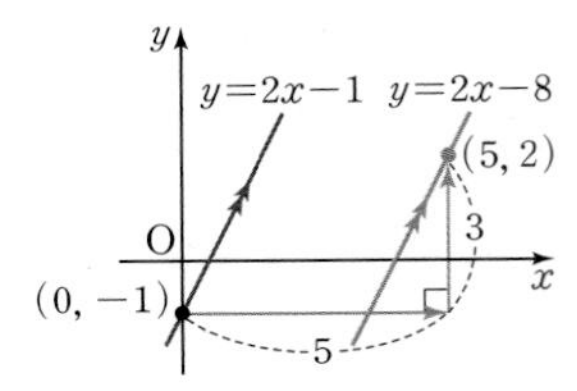

한 번 더하기

02-1

직선 $y=-2x+3$이 평행이동 $(x, y) \longrightarrow (x-4, y+1)$에 의하여 옮겨지는 직선의 방정식을 구하시오.

한 번 더하기

02-2

직선 $y=4x-2$를 x축의 방향으로 a만큼, y축의 방향으로 -4만큼 평행이동시킨 직선의 방정식이 $y=4x+2$일 때, a의 값을 구하시오.

표현 더하기

02-3

점 $(2, 1)$을 점 $(1, 4)$로 옮기는 평행이동에 의하여 직선 $y=mx-5$를 평행이동시켰더니 원래의 직선과 일치하였다. 상수 m의 값을 구하시오.

실력 더하기

02-4

직선 $l : 3x-y+1=0$을 x축의 방향으로 2만큼, y축의 방향으로 a만큼 평행이동시킨 직선을 l'이라 하자. 두 직선 l, l' 사이의 거리가 $\sqrt{10}$이 되도록 하는 양수 a의 값을 구하시오.

대표 예제 03

평행이동 $(x, y) \longrightarrow (x+4, y+5)$에 의하여 원 $x^2+y^2-4x+2y+a=0$이 원 $(x+b)^2+(y+c)^2=3$으로 옮겨질 때, $a+b+c$의 값을 구하시오. (단, a, b, c는 상수이다.)

바로 접근

원 또는 포물선의 평행이동을 다룰 때는 주어진 방정식을 원의 중심의 좌표 또는 포물선의 꼭짓점의 좌표가 잘 보이는 꼴로 변형하여 풀이하는 것이 계산이 간단하다.

원의 방정식은 $(x-a)^2+(y-b)^2=r^2$ 꼴로 변형하여 접근하고, 포물선의 방정식은 $y=a(x-b)^2+c$ 꼴로 변형하여 접근하자.

바른 풀이

평행이동 $(x, y) \longrightarrow (x+4, y+5)$는 x축의 방향으로 4만큼, y축의 방향으로 5만큼 평행이동하는 것을 나타내므로

원 $x^2+y^2-4x+2y+a=0$, 즉 $(x-2)^2+(y+1)^2=5-a$가

이 평행이동에 의하여 옮겨지는 원의 방정식은

$(x-4-2)^2+(y-5+1)^2=5-a$, 즉 $(x-6)^2+(y-4)^2=5-a$

이 원의 방정식이 $(x+b)^2+(y+c)^2=3$과 일치해야 하므로

$a=2$, $b=-6$, $c=-4$

$\therefore a+b+c=2+(-6)+(-4)=-8$

다른 풀이

$x^2+y^2-4x+2y+a=0$, 즉 $(x-2)^2+(y+1)^2=5-a$를 C라 하고,

원 C가 평행이동 $(x, y) \longrightarrow (x+4, y+5)$에 의하여 옮겨지는 원을 C'이라 하자.

원 C'의 중심은 원 C의 중심을 x축의 방향으로 4만큼, y축의 방향으로 5만큼 평행이동시킨 것이므로

$(2+4, -1+5)$, 즉 $(6, 4)$

이 원의 중심의 좌표가 $(-b, -c)$이어야 하므로 $b=-6$, $c=-4$

원 C'의 반지름의 길이는 원 C의 반지름의 길이와 일치하므로 $\sqrt{3}=\sqrt{5-a}$에서 $a=2$

$\therefore a+b+c=2+(-6)+(-4)=-8$

정답 -8

Bible Says

원래 도형과 평행이동시킨 도형은 합동이다.

① 점 C를 중심으로 하고, 반지름의 길이가 r인 원을 평행이동시키면
점 C를 평행이동시킨 점을 중심으로 하고, 반지름의 길이가 r인 원이다.

② 점 A를 꼭짓점으로 하고, 이차항의 계수가 $k(k\neq0)$인 이차함수의 그래프를 평행이동시키면
점 A를 평행이동시킨 점을 꼭짓점으로 하고, 이차항의 계수가 k인 이차함수의 그래프이다.

빠른 정답 • 510쪽 / 정답과 풀이 • 66쪽

한 번 더하기

03-1

평행이동 $(x, y) \longrightarrow (x+6, y-4)$에 의하여 원 $x^2+y^2+6x-2y+a=0$이 원 $(x+b)^2+(y+c)^2=6$으로 옮겨질 때, $a+b+c$의 값을 구하시오. (단, a, b, c는 상수이다.)

표현 더하기

03-2

포물선 $y=2x^2+8x-1$을 x축의 방향으로 p만큼, y축의 방향으로 $p+3$만큼 평행이동시킨 포물선의 꼭짓점이 x축 위에 있을 때, p의 값을 구하시오.

표현 더하기

03-3

포물선 $y=x^2+6x+8$을 포물선 $y=x^2-4x-3$으로 옮기는 평행이동에 의하여 원 $x^2+y^2-2x+8y+14=0$이 옮겨지는 원의 중심의 좌표를 구하시오.

실력 더하기

03-4

점 $(1, k)$를 점 $(4, 2k)$로 옮기는 평행이동에 의하여 포물선 $y=-x^2-x+4$를 옮기면 직선 $y=3x-5$와 접할 때, k의 값을 구하시오.

02 대칭이동 (1)

1 x축, y축, 원점에 대하여 대칭이동시킨 점의 좌표

점 (x, y)를

(1) x축에 대하여 대칭이동시킨 점의 좌표는 $(x, -y)$

(2) y축에 대하여 대칭이동시킨 점의 좌표는 $(-x, y)$

(3) 원점에 대하여 대칭이동시킨 점의 좌표는 $(-x, -y)$

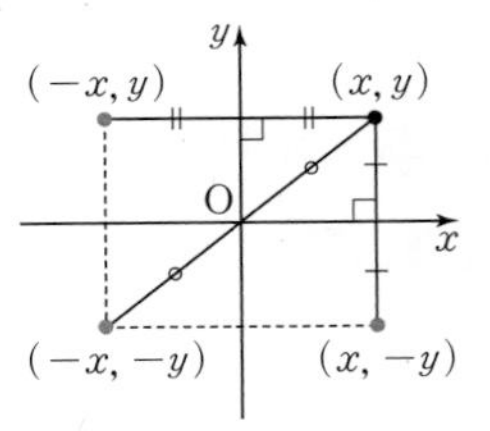

좌표평면 위의 점을 한 직선 또는 한 점에 대하여 대칭인 점으로 옮기는 것을 각각 그 직선 또는 그 점에 대한 **대칭이동**이라 한다.

좌표평면 위의 점 $P(x, y)$를 x축, y축, 원점에 대하여 대칭이동시킨 점을 각각 $P_1(x_1, y_1)$, $P_2(x_2, y_2)$, $P_3(x_3, y_3)$이라 할 때 각 점의 좌표를 구해 보자.

(1) 점 $P(x, y)$를 x축에 대하여 대칭이동시킨 점 P_1의 좌표 구하기

x축은 선분 PP_1의 수직이등분선이므로

$$x_1=x, y_1=-y$$

이다. 따라서 점 P_1의 좌표는 다음과 같다.

$(x, -y)$ ← y좌표의 부호를 반대로 한다.

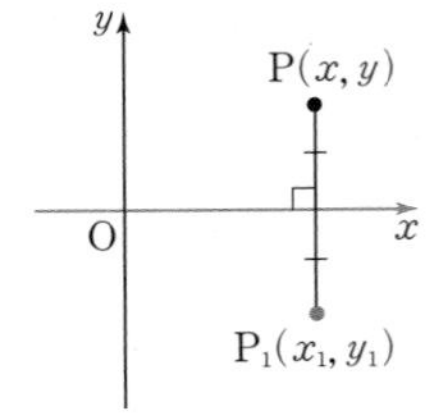

거꾸로 $P(x, y)$, $P_1(x, -y)$와 같이 두 점의 좌표가 주어졌을 때 x좌표가 서로 같고, y좌표의 절댓값은 서로 같으면서 부호만 서로 반대이면 주어진 두 점은 x축에 대하여 서로 대칭이다.

(2) 점 $P(x, y)$를 y축에 대하여 대칭이동시킨 점 P_2의 좌표 구하기

y축은 선분 PP_2의 수직이등분선이므로

$$x_2=-x, y_2=y$$

이다. 따라서 점 P_2의 좌표는 다음과 같다.

$(-x, y)$ ← x좌표의 부호를 반대로 한다.

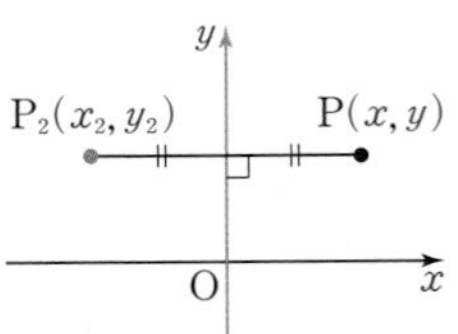

거꾸로 $P(x, y)$, $P_2(-x, y)$와 같이 두 점의 좌표가 주어졌을 때 y좌표가 서로 같고, x좌표의 절댓값은 서로 같으면서 부호만 서로 반대이면 주어진 두 점은 y축에 대하여 서로 대칭이다.

(3) 점 $P(x, y)$를 원점에 대하여 대칭이동시킨 점 P_3의 좌표 구하기

원점은 선분 PP_3의 중점이므로

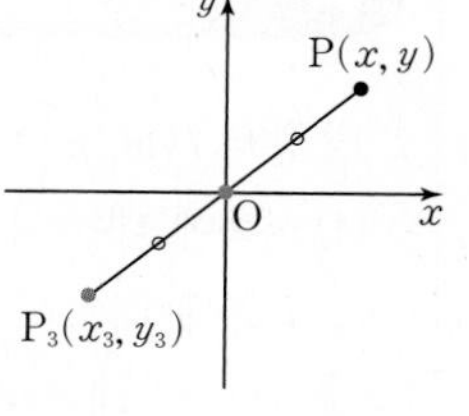

$$\frac{x+x_3}{2}=0,\ \frac{y+y_3}{2}=0$$

에서

$$x_3=-x,\ y_3=-y$$

이다. 따라서 점 P_3의 좌표는 다음과 같다.

$(-x,\ -y)$ ← x좌표, y좌표의 부호를 모두 반대로 한다.
또한 점 P를 x축에 대하여 대칭이동시킨 후 y축에 대하여 대칭이동시킨 것과 같다.

04

거꾸로 $P(x, y)$, $P_3(-x, -y)$와 같이 두 점의 좌표가 주어졌을 때 x좌표의 절댓값은 서로 같으면서 부호만 서로 반대이고, y좌표의 절댓값은 서로 같으면서 부호만 서로 반대이면 주어진 두 점은 원점에 대하여 서로 대칭이다.

example

(1) 점 $(4,\ 3)$을 x축에 대하여 대칭이동시킨 점의 좌표는 $(4,\ -3)$이다.

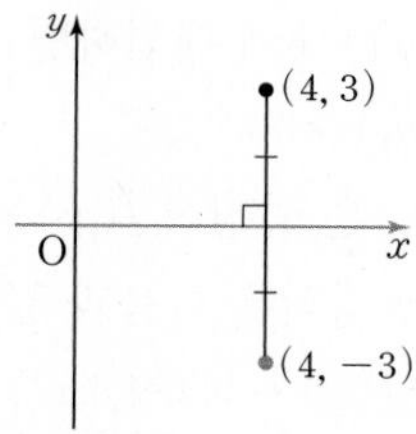

(2) 점 $(4,\ 3)$을 y축에 대하여 대칭이동시킨 점의 좌표는 $(-4,\ 3)$이다.

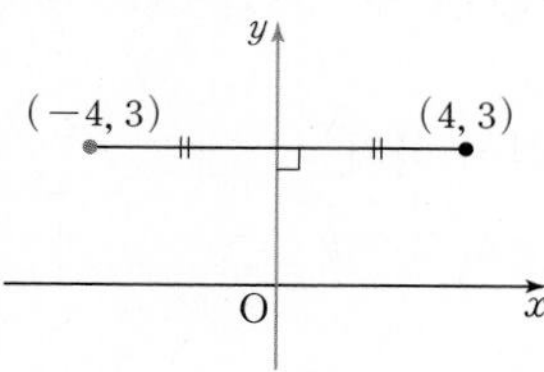

(3) 두 점의 좌표가 $(5,\ 2)$, $(-5,\ -2)$로 주어졌을 때

x좌표의 절댓값은 서로 같으면서 부호만 서로 반대이고, y좌표의 절댓값은 서로 같으면서 부호만 서로 반대이므로 주어진 두 점은 원점에 대하여 서로 대칭이다.

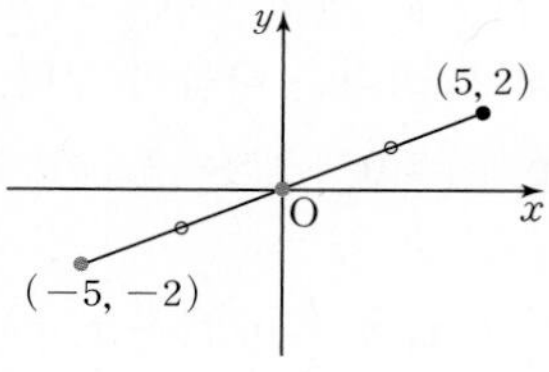

2 x축, y축, 원점에 대하여 대칭이동시킨 도형의 방정식

방정식 $f(x,\ y)=0$이 나타내는 도형을

(1) x축에 대하여 대칭이동시킨 도형의 방정식은 $f(x,\ -y)=0$

(2) y축에 대하여 대칭이동시킨 도형의 방정식은 $f(-x,\ y)=0$

(3) 원점에 대하여 대칭이동시킨 도형의 방정식은 $f(-x,\ -y)=0$

방정식 $f(x,\ y)=0$이 나타내는 도형 F를 x축, y축, 원점에 대하여 대칭이동시킨 도형 F_1, F_2, F_3의 방정식은 도형 F 위의 임의의 점을 x축, y축, 원점에 대하여 대칭이동시킨 점의 좌표를 이용하면 구할 수 있다.

방정식 $f(x,\ y)=0$이 나타내는 도형 F 위의 임의의 점 $\mathrm{P}(x,\ y)$를 x축, y축, 원점에 대하여 대칭이동시킨 점을 각각 $\mathrm{P}_1(x_1,\ y_1)$, $\mathrm{P}_2(x_2,\ y_2)$, $\mathrm{P}_3(x_3,\ y_3)$이라 하자.

(1) 도형 F_1의 방정식 구하기

$$x_1=x,\ y_1=-y$$

에서

$$x=x_1,\ y=-y_1$$

이다. 이것을 $f(x,\ y)=0$에 대입하면

$$f(x_1,\ -y_1)=0$$

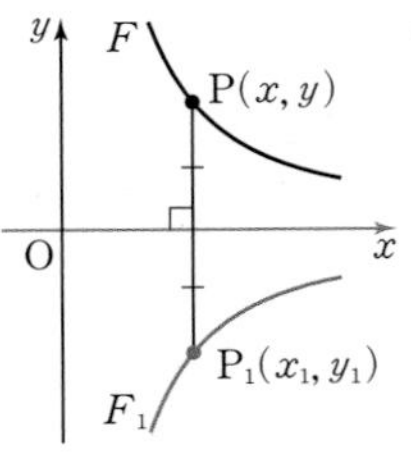

이므로 점 $\mathrm{P}_1(x_1,\ y_1)$은 방정식 $f(x,\ -y)=0$이 나타내는 도형 위의 점이다.

따라서 도형 F_1의 방정식은 다음과 같다.

$f(x,\ -y)=0$ ← 방정식 $f(x,\ y)=0$에 y 대신 $-y$를 대입하여 구할 수 있다.

거꾸로 두 방정식 $f(x,\ y)=0$, $f(x,\ -y)=0$이 나타내는 도형은 x축에 대하여 서로 대칭이다.

(2) 도형 F_2의 방정식 구하기

$$x_2=-x,\ y_2=y$$

에서

$$x=-x_2,\ y=y_2$$

이다. 이것을 $f(x,\ y)=0$에 대입하면

$$f(-x_2,\ y_2)=0$$

이므로 점 $\mathrm{P}_2(x_2,\ y_2)$는 방정식 $f(-x,\ y)=0$이 나타내는 도형 위의 점이다.

따라서 도형 F_2의 방정식은 다음과 같다.

$f(-x,\ y)=0$ ← 방정식 $f(x,\ y)=0$에 x 대신 $-x$를 대입하여 구할 수 있다.

거꾸로 두 방정식 $f(x,\ y)=0$, $f(-x,\ y)=0$이 나타내는 도형은 y축에 대하여 서로 대칭이다.

(3) 도형 F_3의 방정식 구하기

$$x_3=-x,\ y_3=-y$$

에서

$$x=-x_3,\ y=-y_3$$

이다. 이것을 $f(x,\ y)=0$에 대입하면

$$f(-x_3,\ -y_3)=0$$

이므로 점 $\mathrm{P}_3(x_3,\ y_3)$은 방정식 $f(-x,\ -y)=0$이 나타내는 도형 위의 점이다.
따라서 도형 F_3의 방정식은 다음과 같다.

$$f(-x,\ -y)=0$$ ← 방정식 $f(x,\ y)=0$에 x 대신 $-x$를 대입하고, y 대신 $-y$를 대입하여 구할 수 있다. 또한 도형 F를 x축에 대하여 대칭이동시킨 후 y축에 대하여 대칭이동시킨 것과 같다.

거꾸로 두 방정식 $f(x,\ y)=0$, $f(-x,\ -y)=0$이 나타내는 도형은 원점에 대하여 서로 대칭이다.

example

(1) 직선 $2x+y-3=0$을 x축에 대하여 대칭이동시킨 직선의 방정식은
주어진 방정식에 y 대신 $-y$를 대입하여 얻는다.

$$2x-y-3=0$$

(2) 직선 $2x+y-3=0$을 y축에 대하여 대칭이동시킨 직선의 방정식은
주어진 방정식에 x 대신 $-x$를 대입하여 얻는다.

$$-2x+y-3=0,\ 즉\ 2x-y+3=0$$

(3) 직선 $2x+y-3=0$을 원점에 대하여 대칭이동시킨 직선의 방정식은
주어진 방정식에 x 대신 $-x$를 대입하고, y 대신 $-y$를 대입하여 얻는다.

$$-2x-y-3=0,\ 즉\ 2x+y+3=0$$

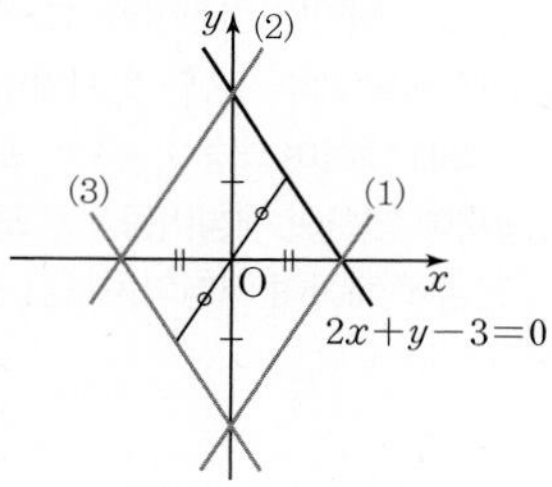

(4) 두 포물선의 방정식이 $y=(x-5)^2+1$, $y=-(x-5)^2-1$로 주어졌을 때
$y=-(x-5)^2-1$은 $-y=(x-5)^2+1$과 같으므로
주어진 두 포물선은 x축에 대하여 서로 대칭이다.

(5) 두 포물선의 방정식이 $y=(x-5)^2+1$, $y=(x+5)^2+1$로 주어졌을 때
$y=(x+5)^2+1$은 $y=(-x-5)^2+1$과 같으므로
주어진 두 포물선은 y축에 대하여 서로 대칭이다.

(6) 두 포물선의 방정식이 $y=(x-5)^2+1$, $y=-(x+5)^2-1$로 주어졌을 때
$y=-(x+5)^2-1$은 $-y=(-x-5)^2+1$과 같으므로
주어진 두 포물선은 원점에 대하여 서로 대칭이다.

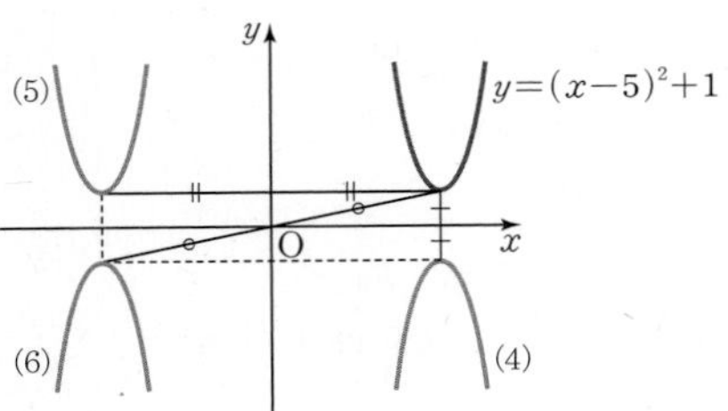

(7) 원 $(x-4)^2+(y+3)^2=5$를 x축에 대하여 대칭이동시킨 원의 방정식은 주어진 방정식에 y 대신 $-y$를 대입하여 얻는다.

$(x-4)^2+(-y+3)^2=5$, 즉 $(x-4)^2+(y-3)^2=5$

(8) 원 $(x-4)^2+(y+3)^2=5$를 y축에 대하여 대칭이동시킨 원의 방정식은 주어진 방정식에 x 대신 $-x$를 대입하여 얻는다.

$(-x-4)^2+(y+3)^2=5$, 즉 $(x+4)^2+(y+3)^2=5$

(9) 원 $(x-4)^2+(y+3)^2=5$를 원점에 대하여 대칭이동시킨 원의 방정식은 주어진 방정식에 x 대신 $-x$를 대입하고, y 대신 $-y$를 대입하여 얻는다.

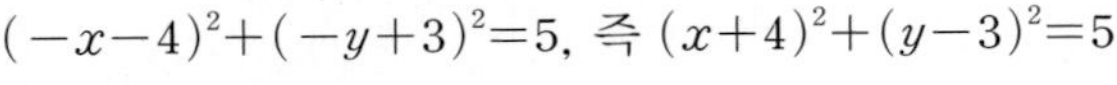

$(-x-4)^2+(-y+3)^2=5$, 즉 $(x+4)^2+(y-3)^2=5$

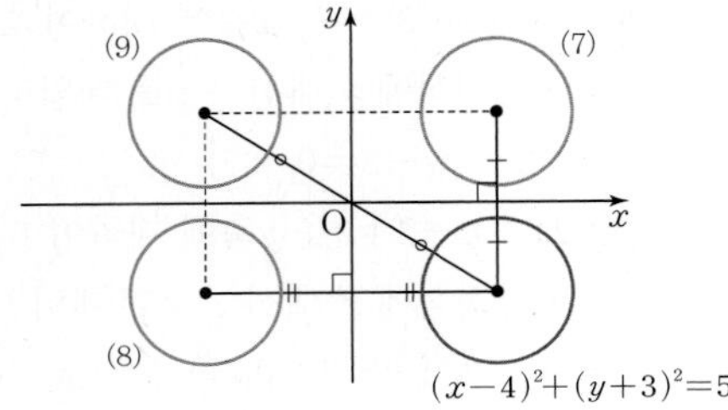

참고 ① 기울기가 m인 직선을
x축에 대하여 대칭이동시킨 직선은 기울기가 $-m$,
y축에 대하여 대칭이동시킨 직선은 기울기가 $-m$,
원점에 대하여 대칭이동시킨 직선은 기울기가 m이다.

② 이차항의 계수가 k인 이차함수의 그래프, 즉 포물선을
x축에 대하여 대칭이동시킨 포물선을 나타내는 식의 이차항의 계수는 $-k$,
y축에 대하여 대칭이동시킨 포물선을 나타내는 식의 이차항의 계수는 k,
원점에 대하여 대칭이동시킨 포물선을 나타내는 식의 이차항의 계수는 $-k$이다.

3 직선 $y=x$에 대하여 대칭이동시킨 점의 좌표

점 (x, y)를 직선 $y=x$에 대하여 대칭이동시킨 점의 좌표는 (y, x)

좌표평면 위의 점 $P(x, y)$를 직선 $y=x$에 대하여 대칭이동시킨 점을 $P'(x', y')$이라 하자.
직선 $y=x$가 선분 PP'의 수직이등분선임을 이용하면 점 P'의 좌표를 다음과 같이 구할 수 있다.

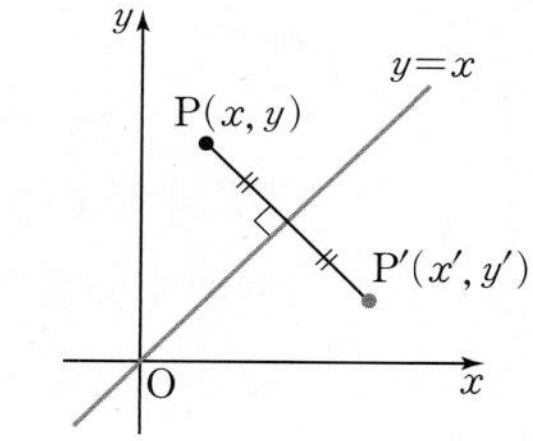

❶ 선분 PP'의 중점은 직선 $y=x$ 위에 있다.

선분 PP'의 중점의 좌표는 $\left(\frac{x+x'}{2}, \frac{y+y'}{2}\right)$이므로

$\frac{y+y'}{2}=\frac{x+x'}{2}$, 즉 $x'-y'=-x+y$이다. ······ ㉠

❷ 두 직선 PP', $y=x$는 서로 수직이다.

서로 수직인 두 직선의 기울기의 곱은 -1이므로

$\frac{y'-y}{x'-x}\times1=-1$, 즉 $x'+y'=x+y$이다. ······ ㉡

㉠, ㉡을 연립하여 풀면

$$x'=y,\ y'=x$$

이므로 점 P'의 좌표는 (y, x)이다. ← x좌표와 y좌표의 자리를 바꾼다.

거꾸로 $P(x, y)$, $P'(y, x)$와 같이 두 점의 좌표가 주어졌을 때 x좌표와 y좌표의 자리가 서로 바뀌어 있으면 주어진 두 점은 직선 $y=x$에 대하여 서로 대칭이다.

example

(1) 점 $(-4, 3)$을 직선 $y=x$에 대하여 대칭이동시킨 점의 좌표는 $(3, -4)$이다.

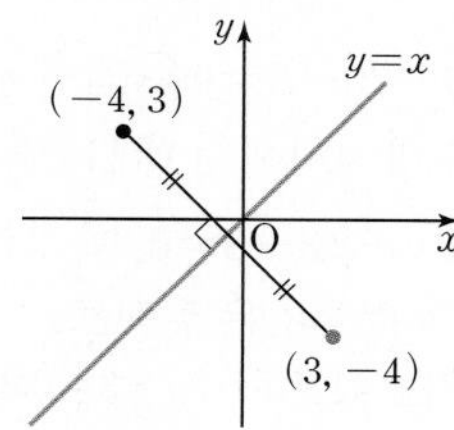

(2) 두 점의 좌표가 $(-2, -7)$, $(-7, -2)$로 주어졌을 때
x좌표와 y좌표의 자리가 서로 바뀌어 있으므로 주어진 두 점은 직선 $y=x$에 대하여 서로 대칭이다.

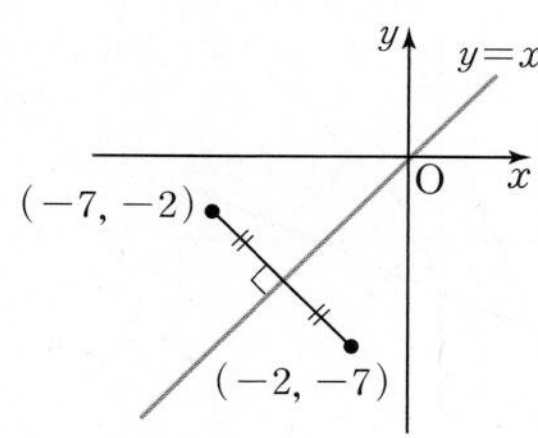

4 직선 $y=x$에 대하여 대칭이동시킨 도형의 방정식

방정식 $f(x,\ y)=0$이 나타내는 도형을 직선 $y=x$에 대하여 대칭이동시킨 도형의 방정식은

$$f(y,\ x)=0$$

방정식 $f(x,\ y)=0$이 나타내는 도형 F를 직선 $y=x$에 대하여 대칭이동시킨 도형 F'의 방정식은 도형 F 위의 임의의 점을 직선 $y=x$에 대하여 대칭이동시킨 점의 좌표를 이용하면 구할 수 있다.

방정식 $f(x,\ y)=0$이 나타내는 도형 F 위의 임의의 점 $\mathrm{P}(x,\ y)$를 직선 $y=x$에 대하여 대칭이동시킨 점을 $\mathrm{P}'(x',\ y')$이라 하면

$$x'=y,\ y'=x$$

이므로

$$x=y',\ y=x'$$

이다. 이것을 $f(x,\ y)=0$에 대입하면

$$f(y',\ x')=0$$

이므로 점 $\mathrm{P}'(x',\ y')$은 방정식 $f(y,\ x)=0$이 나타내는 도형 위의 점이다.
따라서 도형 F'의 방정식은 다음과 같다.

$f(y,\ x)=0$ ← 방정식 $f(x,\ y)=0$에 x 대신 y를 대입하고, y 대신 x를 대입하여 구할 수 있다.

거꾸로 두 방정식 $f(x,\ y)=0$, $f(y,\ x)=0$이 나타내는 도형은 직선 $y=x$에 대하여 서로 대칭이다.

(1) 직선 $x-2y-3=0$을 직선 $y=x$에 대하여 대칭이동시킨 직선의 방정식은
주어진 방정식에 x 대신 y를 대입하고, y 대신 x를 대입하여 얻는다.

$$y-2x-3=0,\ 즉\ 2x-y+3=0$$

참고 구하는 직선은 두 직선 $x-2y-3=0$, $y=x$의 교점 $(-3,\ -3)$을 지나고, 구하는 직선의 기울기는 직선 $x-2y-3=0$의 기울기의 역수이다.

(2) 원 $(x+4)^2+(y-3)^2=5$를 직선 $y=x$에 대하여 대칭이동시킨 원의 방정식은
주어진 방정식에 x 대신 y를 대입하고, y 대신 x를 대입하여 얻는다.

$$(y+4)^2+(x-3)^2=5,\ 즉\ (x-3)^2+(y+4)^2=5$$

(1)
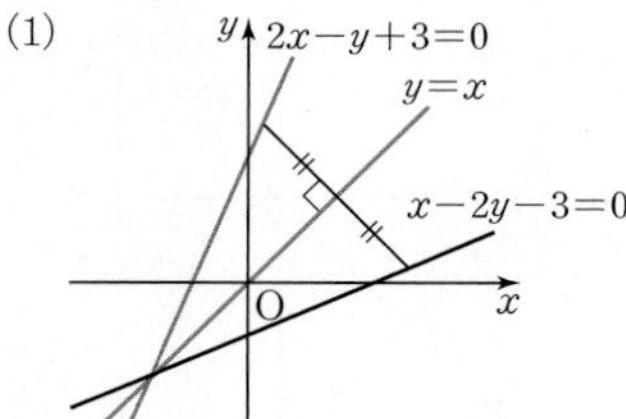

(2)
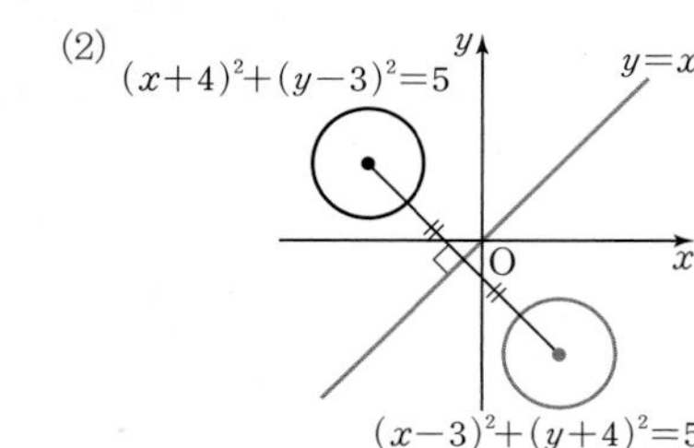

빠른 정답 • 510쪽 / 정답과 풀이 • 67쪽

01 점 $(-2,\ 1)$을 다음 직선 또는 점에 대하여 대칭이동시킨 점의 좌표를 구하시오.

(1) x축
(2) y축
(3) 원점
(4) 직선 $y=x$

02 직선 $x-3y+4=0$을 다음과 같이 이동시킨 직선의 방정식을 구하시오.

(1) x축에 대하여 대칭이동시킨 후 y축의 방향으로 1만큼 평행이동
(2) x축의 방향으로 1만큼 평행이동시킨 후 y축에 대하여 대칭이동
(3) 원점에 대하여 대칭이동시킨 후 x축의 방향으로 -2만큼 평행이동
(4) 직선 $y=x$에 대하여 대칭이동

03 포물선 $y=x^2+4x-1$을 다음과 같이 이동시킨 포물선의 방정식을 구하시오.

(1) x축에 대하여 대칭이동시킨 후 y축의 방향으로 1만큼 평행이동
(2) y축의 방향으로 1만큼 평행이동시킨 후 x축에 대하여 대칭이동
(3) 원점에 대하여 대칭이동시킨 후 x축의 방향으로 -2만큼 평행이동

04 원 $x^2+y^2+4x-2y-7=0$을 다음 직선 또는 점에 대하여 대칭이동시킨 원의 방정식을 구하시오.

(1) x축
(2) y축
(3) 원점
(4) 직선 $y=x$

대표 예제 | 04

점 $(2, 1)$을 직선 $y=x$에 대하여 대칭이동시킨 점을 P라 하고 x축에 대하여 대칭이동시킨 점을 Q라 할 때, 선분 PQ의 길이를 구하시오.

바로 접근

점 (x, y)를 대칭이동시킨 점의 좌표를 구하는 문제이다. 대칭이동의 기준에 따라 x좌표, y좌표의 부호가 바뀌거나 x좌표, y좌표가 서로 바뀌는데 헷갈릴 경우 그림을 함께 그려보며 접근하자.

① x축에 대하여 대칭이동시킨 점의 좌표는 $(x, -y)$ ← y좌표의 부호를 반대로 한다.

② y축에 대하여 대칭이동시킨 점의 좌표는 $(-x, y)$ ← x좌표의 부호를 반대로 한다.

③ 원점에 대하여 대칭이동시킨 점의 좌표는 $(-x, -y)$ ← x좌표, y좌표의 부호를 모두 반대로 한다.

④ 직선 $y=x$에 대하여 대칭이동시킨 점의 좌표는 (y, x) ← x좌표와 y좌표의 자리를 바꾼다.

바른 풀이

점 $(2, 1)$을 직선 $y=x$에 대하여 대칭이동시킨 점 P의 좌표는 $(1, 2)$

점 $(2, 1)$을 x축에 대하여 대칭이동시킨 점 Q의 좌표는 $(2, -1)$

$\therefore \overline{PQ}=\sqrt{(2-1)^2+\{(-1)-2\}^2}$

$=\sqrt{1+9}=\sqrt{10}$

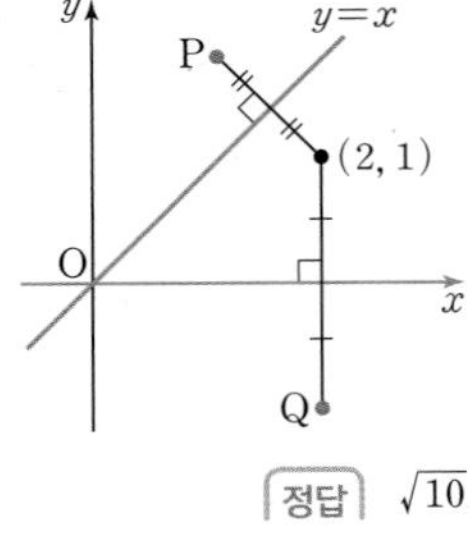

정답 $\sqrt{10}$

Bible Says

원점에 대한 대칭이동은 x축에 대하여 대칭이동시킨 후 y축에 대하여 대칭이동시킨 것과 같다.

한번 더하기

04-1

점 P$(-3,\ 2)$를 y축에 대하여 대칭이동시킨 점을 Q라 하고 원점에 대하여 대칭이동시킨 점을 R라 할 때, 삼각형 PQR의 넓이를 구하시오.

표현 더하기

04-2

점 $(a,\ 1)$을 x축에 대하여 대칭이동시킨 후 직선 $y=x$에 대하여 대칭이동시킨 점의 좌표가 $(b,\ 4)$일 때, $a+b$의 값을 구하시오.

표현 더하기

04-3

점 $(k,\ -4)$를 원점에 대하여 대칭이동시킨 점을 P, 직선 $y=x$에 대하여 대칭이동시킨 점을 Q라 하자. 선분 PQ의 길이가 $6\sqrt{2}$일 때, 양수 k의 값을 구하시오.

표현 더하기

04-4

점 $(-3,\ -7)$을 y축에 대하여 대칭이동시킨 점이 직선 $ax+5y+2a^2=0$ 위의 점이 되도록 하는 상수 a의 값을 모두 구하시오.

대표 예제 | 05

다음 물음에 답하시오.

(1) 직선 $y=mx+8$을 y축에 대하여 대칭이동시킨 직선이 점 $(6,\ 4)$를 지날 때, 상수 m의 값을 구하시오.

(2) 원 $x^2+2ax+y^2+4y+19=0$을 원점에 대하여 대칭이동시킨 원 C의 중심이 직선 $x-2y-1=0$ 위에 있을 때, 원 C의 방정식을 구하시오. (단, a는 상수이다.)

바로 접근

방정식 $f(x,\ y)=0$이 나타내는 도형을

① x축에 대하여 대칭이동시킨 도형의 방정식 $f(x,\ -y)=0$ ⇐ y 대신 $-y$를 대입한다.

② y축에 대하여 대칭이동시킨 도형의 방정식 $f(-x,\ y)=0$ ⇐ x 대신 $-x$를 대입한다.

③ 원점에 대하여 대칭이동시킨 도형의 방정식 $f(-x,\ -y)=0$ ⇐ x 대신 $-x$, y 대신 $-y$를 대입한다.

④ 직선 $y=x$에 대하여 대칭이동시킨 도형의 방정식 $f(y,\ x)=0$ ⇐ x 대신 y, y 대신 x를 대입한다.

바른 풀이

(1) 직선 $y=mx+8$을 y축에 대하여 대칭이동시킨 직선의 방정식은

$y=m(-x)+8$, 즉 $y=-mx+8$

이 직선이 점 $(6,\ 4)$를 지나므로

$4=-6m+8 \qquad \therefore m=\frac{2}{3}$

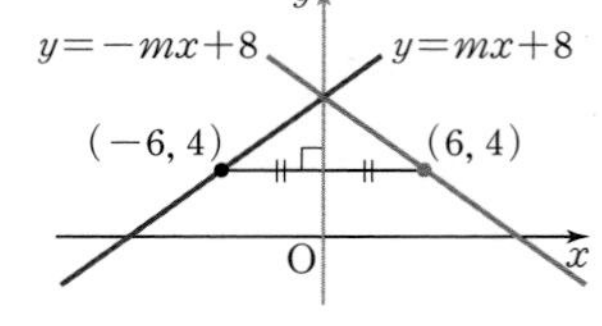

다른 풀이

점 $(6,\ 4)$를 y축에 대하여 대칭이동시킨 점 $(-6,\ 4)$는 직선 $y=mx+8$ 위에 있다.

$4=-6m+8 \qquad \therefore m=\frac{2}{3}$

(2) 원 $x^2+2ax+y^2+4y+19=0$, 즉 $(x+a)^2+(y+2)^2=a^2-15$를

원점에 대하여 대칭이동시킨 원 C의 방정식은

$(-x+a)^2+(-y+2)^2=a^2-15$, 즉 $(x-a)^2+(y-2)^2=a^2-15$

이 원의 중심 $(a,\ 2)$가 직선 $x-2y-1=0$ 위에 있으므로

$a-2\times2-1=0$에서 $a=5$

따라서 원 C의 방정식은 $(x-5)^2+(y-2)^2=10$

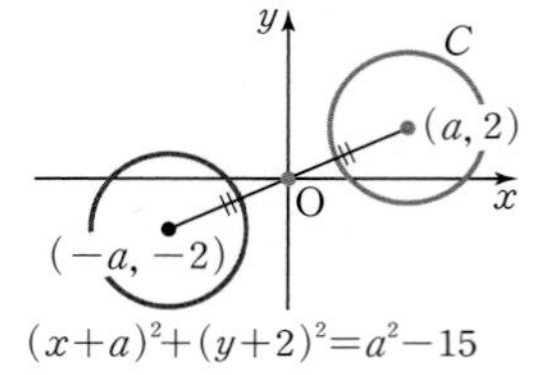

정답 (1) $\frac{2}{3}$ (2) $(x-5)^2+(y-2)^2=10$

Bible Says

원래 도형		x축에 대하여 대칭이동시킨 도형	y축에 대하여 대칭이동시킨 도형	원점에 대하여 대칭이동시킨 도형	직선 $y=x$에 대하여 대칭이동시킨 도형
직선의 기울기	m	$-m$	$-m$	m	$\frac{1}{m}$ (단, $m\neq0$)
원의 반지름의 길이	r	r	r	r	r
이차함수의 이차항의 계수	k	$-k$	k	$-k$	다루지 않음

빠른 정답 • 511쪽 / 정답과 풀이 • 69쪽

한 번 더하기

05-1

다음 물음에 답하시오.

(1) 직선 $y=mx+5$를 x축에 대하여 대칭이동시킨 직선이 점 $(-4,\ 5)$를 지날 때, 상수 m의 값을 구하시오.

(2) 원 $x^2+6x+y^2-2ay+21=0$을 직선 $y=x$에 대하여 대칭이동시킨 원 C의 중심이 직선 $3x+y-9=0$ 위에 있을 때, 원 C의 방정식을 구하시오. (단, a는 상수이다.)

04

표현 더하기

05-2

포물선 $y=x^2+2mx+8$을 y축에 대하여 대칭이동시킨 포물선의 꼭짓점의 좌표가 $(-3,\ n)$일 때, mn의 값을 구하시오. (단, m은 상수이다.)

표현 더하기

05-3

직선 $3x-y+1=0$을 직선 $y=x$에 대하여 대칭이동시킨 직선과 수직이고 점 $(6,\ -8)$을 지나는 직선의 방정식을 구하시오.

실력 더하기

05-4

직선 $y=kx+7$을 원점에 대하여 대칭이동시킨 직선이 원 $x^2+y^2+6x+2y-20=0$의 넓이를 이등분할 때, 상수 k의 값을 구하시오.

대표 예제 I 06

이차함수 $y=x^2-6x+10$의 그래프를 x축의 방향으로 a만큼, y축의 방향으로 2만큼 평행이동시킨 후 x축에 대하여 대칭이동시킨 그래프가 점 $(-5,\ -7)$을 지나도록 하는 모든 a의 값을 구하시오.

바로 접근

평행이동과 대칭이동을 연달아 하는 경우 문제에서 주어진 순서대로 도형을 이동시키면 된다.

❶ $y=(x-3)^2+1$ ← 완전제곱식을 이용하여 변형

❷ $y-2=(x-a-3)^2+1$ ← x축의 방향으로 a만큼, y축의 방향으로 2만큼 평행이동 (x 대신 $x-a$를 대입, y 대신 $y-2$를 대입)

❸ $-y=(x-a-3)^2+3$ ← x축에 대하여 대칭이동 (y 대신 $-y$를 대입)

바른 풀이

이차함수 $y=x^2-6x+10$, $y=(x-3)^2+1$의 그래프를 x축의 방향으로 a만큼, y축의 방향으로 2만큼 평행이동시킨 그래프의 식은

$y-2=(x-a-3)^2+1$, 즉 $y=(x-a-3)^2+3$

이 그래프를 x축에 대하여 대칭이동시킨 그래프의 식은

$-y=(x-a-3)^2+3$

이 그래프가 점 $(-5,\ -7)$을 지나므로

$7=(-5-a-3)^2+3$

$(a+8)^2=4$

$\therefore a=-10$ 또는 $a=-6$

다른 풀이

점 $(-5,\ -7)$을 x축에 대하여 대칭이동시킨 점의 좌표는 $(-5,\ 7)$

이 점을 x축의 방향으로 $-a$만큼, y축의 방향으로 -2만큼 평행이동시킨 점의 좌표는

$(-5-a,\ 7-2)$

즉, 점 $(-5-a,\ 5)$는 이차함수 $y=x^2-6x+10$의 그래프 위의 점이므로

$5=(-5-a)^2-6(-5-a)+10$

$a^2+16a+60=0$

$(a+10)(a+6)=0$

$\therefore a=-10$ 또는 $a=-6$

정답 $-10,\ -6$

Bible Says

도형의 평행이동, 대칭이동을 모두 하는 경우 순서에 따라 결과가 달라지므로 문제에서 제시한 순서대로 풀이해야 한다. 예를 들어 점 $(3,\ 1)$에 대하여 평행이동, 대칭이동의 순서를 바꾸면 결과가 달라짐을 확인할 수 있다.

① y축의 방향으로 1만큼 평행이동시킨 후 x축에 대하여 대칭이동시킨 점의 좌표: $(3,\ 1) \rightarrow (3,\ 2) \rightarrow (3,\ -2)$

② x축에 대하여 대칭이동시킨 후 y축의 방향으로 1만큼 평행이동시킨 점의 좌표: $(3,\ 1) \rightarrow (3,\ -1) \rightarrow (3,\ 0)$

한 번 더하기

06-1

직선 $4x+y-3=0$을 직선 $y=x$에 대하여 대칭이동시킨 후 x축의 방향으로 a만큼, y축의 방향으로 3만큼 평행이동시킨 직선이 점 $(1, 5)$를 지나도록 하는 a의 값을 구하시오.

표현 더하기

06-2

포물선 $y=x^2+2x+a$를 x축의 방향으로 4만큼, y축의 방향으로 -1만큼 평행이동시킨 후 y축에 대하여 대칭이동시켰더니 포물선 $y=x^2+6x-5$가 되었다. 상수 a의 값을 구하시오.

표현 더하기

06-3

원 $(x-a)^2+(y+1)^2=4$를 x축의 방향으로 3만큼, y축의 방향으로 -2만큼 평행이동시킨 후 직선 $y=x$에 대하여 대칭이동시킨 원이 x축에 접하도록 하는 모든 상수 a의 값의 합을 구하시오.

실력 더하기

06-4

원 $x^2+y^2+2y=0$을 x축에 대하여 대칭이동시킨 후 x축의 방향으로 1만큼 평행이동시킨 원과 직선 $y=mx+3$이 접할 때, 상수 m의 값을 구하시오.

대칭이동 (2)

1 직선 또는 점에 대하여 대칭이동시킨 점의 좌표

점 $(x,\ y)$를
(1) 직선 $x=a$에 대하여 대칭이동시킨 점의 좌표는 $(2a-x,\ y)$
(2) 직선 $y=b$에 대하여 대칭이동시킨 점의 좌표는 $(x,\ 2b-y)$
(3) 점 $(a,\ b)$에 대하여 대칭이동시킨 점의 좌표는 $(2a-x,\ 2b-y)$

앞에서 점 A를 좌표축에 대하여 대칭이동시킨 점 A′의 좌표를 구할 때 좌표축이 선분 AA′의 수직이등분선임을 이용하였고, 점 B를 원점에 대하여 대칭이동시킨 점 B′의 좌표를 구할 때 원점이 선분 BB′의 중점임을 이용하였다.

같은 방법을 이용하여 좌표평면 위의 점 $P(x,\ y)$를 직선 $x=a$, 직선 $y=b$, 점 $(a,\ b)$에 대하여 대칭이동시킨 점을 각각 $P_1(x_1,\ y_1)$, $P_2(x_2,\ y_2)$, $P_3(x_3,\ y_3)$이라 할 때, 각 점의 좌표를 구해 보자.

(1) 점 $P(x,\ y)$를 직선 $x=a$에 대하여 대칭이동시킨 점 P_1의 좌표 구하기

직선 $x=a$는 선분 PP_1의 수직이등분선이므로

$$\frac{x+x_1}{2}=a, \leftarrow x_1=2a-x$$

$$y_1=y$$

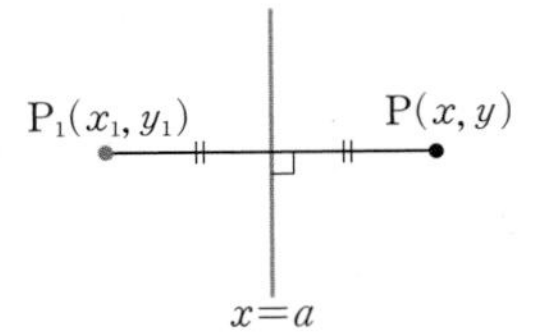

이다. 따라서 점 P_1의 좌표는 다음과 같다.

$$(2a-x,\ y)$$

거꾸로 $P(x,\ y)$, $P_1(2a-x,\ y)$와 같이 두 점의 좌표가 주어졌을 때 x좌표의 합이 $2a$이고, y좌표가 서로 같으면 주어진 두 점은 직선 $x=a$에 대하여 서로 대칭이다.

(2) 점 $P(x,\ y)$를 직선 $y=b$에 대하여 대칭이동시킨 점 P_2의 좌표 구하기

직선 $y=b$는 선분 PP_2의 수직이등분선이므로

$$x_2=x,$$

$$\frac{y+y_2}{2}=b \leftarrow y_2=2b-y$$

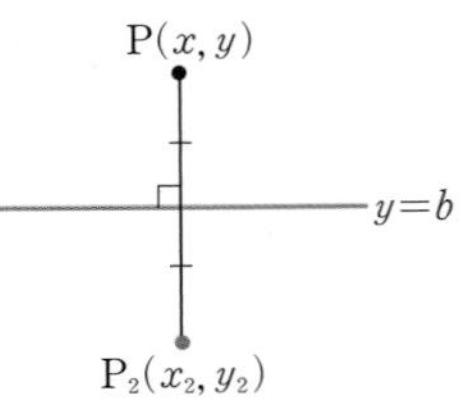

따라서 점 P_2의 좌표는 다음과 같다.

$$(x,\ 2b-y)$$

거꾸로 $\mathrm{P}(x,\ y)$, $\mathrm{P}_2(x,\ 2b-y)$와 같이 두 점의 좌표가 주어졌을 때 x좌표가 서로 같고, y좌표의 합이 $2b$이면 주어진 두 점은 직선 $y=b$에 대하여 서로 대칭이다.

(3) 점 $\mathrm{P}(x,\ y)$를 점 $(a,\ b)$에 대하여 대칭이동시킨 점 P_3의 좌표 구하기

점 $(a,\ b)$는 선분 PP_3의 중점이므로

$$\frac{x+x_3}{2}=a, \leftarrow x_3=2a-x$$

$$\frac{y+y_3}{2}=b \leftarrow y_3=2b-y$$

이다. 따라서 점 P_3의 좌표는 다음과 같다.

$$(2a-x,\ 2b-y)$$ ← 점 P를 직선 $x=a$에 대하여 대칭이동시킨 후 직선 $y=b$에 대하여 대칭이동시킨 것과 같다.

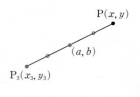

거꾸로 $\mathrm{P}(x,\ y)$, $\mathrm{P}_3(2a-x,\ 2b-y)$와 같이 두 점의 좌표가 주어졌을 때 두 점의 x좌표의 합이 $2a$이고 y좌표의 합이 $2b$이면 주어진 두 점은 점 $(a,\ b)$에 대하여 서로 대칭이다.

example

점 $(2,\ 1)$을 직선 $y=-3$에 대하여 대칭이동시킨 점의 좌표를 $(2,\ a)$라 하면

두 점 $(2,\ 1)$, $(2,\ a)$를 이은 선분의 중점 $\left(2,\ \frac{1+a}{2}\right)$가 직선 $y=-3$ 위의 점이므로 $\frac{1+a}{2}=-3$에서 $a=-7$

따라서 대칭이동시킨 점의 좌표는 $(2,\ -7)$

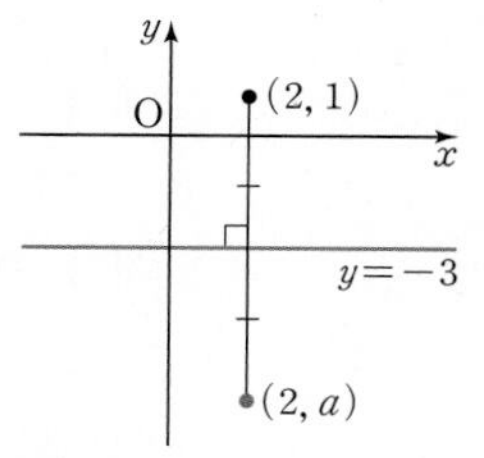

참고 대칭이동시킨 점의 좌표는 $(2,\ 2\times(-3)-1)$, 즉 $(2,\ -7)$로 빠르게 구할 수 있다.

2 직선 또는 점에 대하여 대칭이동시킨 도형의 방정식

방정식 $f(x,\ y)=0$이 나타내는 도형을

(1) 직선 $x=a$에 대하여 대칭이동시킨 도형의 방정식은 $f(2a-x,\ y)=0$

(2) 직선 $y=b$에 대하여 대칭이동시킨 도형의 방정식은 $f(x,\ 2b-y)=0$

(3) 점 $(a,\ b)$에 대하여 대칭이동시킨 도형의 방정식은 $f(2a-x,\ 2b-y)=0$

방정식 $f(x,\ y)=0$이 나타내는 도형 F를 직선 $x=a$, 직선 $y=b$, 점 $(a,\ b)$에 대하여 대칭이동시킨 도형 F_1, F_2, F_3의 방정식은 도형 F 위의 임의의 점을 직선 $x=a$, 직선 $y=b$, 점 $(a,\ b)$에 대하여 대칭이동시킨 점의 좌표를 이용하면 구할 수 있다.

방정식 $f(x,\ y)=0$이 나타내는 도형 F 위의 임의의 점 $\mathrm{P}(x,\ y)$를 직선 $x=a$, 직선 $y=b$, 점 $(a,\ b)$에 대하여 대칭이동시킨 점을 각각 $\mathrm{P}_1(x_1,\ y_1)$, $\mathrm{P}_2(x_2,\ y_2)$, $\mathrm{P}_3(x_3,\ y_3)$이라 하자.

(1) 도형 F_1의 방정식 구하기

$$x_1=2a-x,\ y_1=y$$

에서

$$x=2a-x_1,\ y=y_1$$

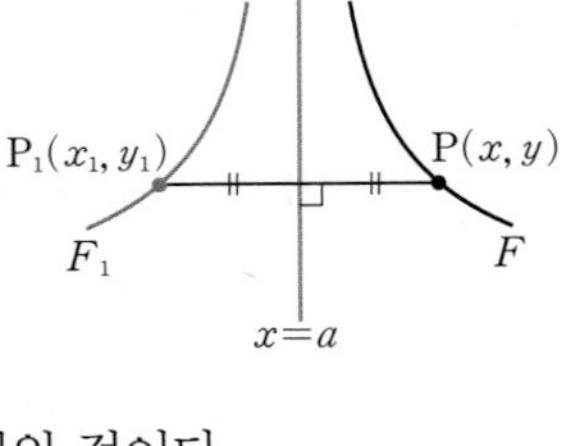

이다. 이것을 $f(x,\ y)=0$에 대입하면

$$f(2a-x_1,\ y_1)=0$$

이므로 점 $\mathrm{P}_1(x_1,\ y_1)$은 방정식 $f(2a-x,\ y)=0$이 나타내는 도형 위의 점이다.

따라서 도형 F_1의 방정식은 다음과 같다.

$f(2a-x,\ y)=0$ ← 방정식 $f(x,\ y)=0$에 x 대신 $2a-x$를 대입하여 구할 수 있다.

거꾸로 두 방정식 $f(x,\ y)=0$, $f(2a-x,\ y)=0$이 나타내는 도형은 직선 $x=a$에 대하여 서로 대칭이다.

(2) 도형 F_2의 방정식 구하기

$$x_2=x,\ y_2=2b-y$$

에서

$$x=x_2,\ y=2b-y_2$$

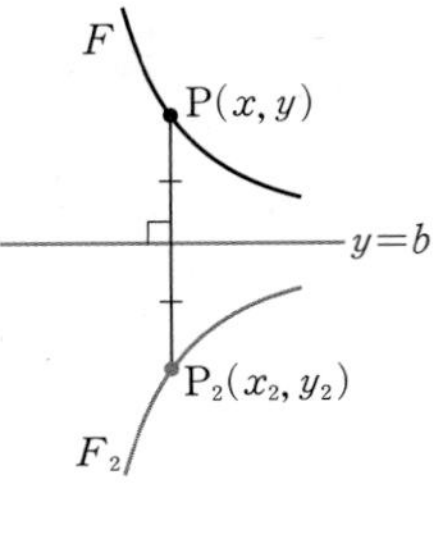

이다. 이것을 $f(x,\ y)=0$에 대입하면

$$f(x_2,\ 2b-y_2)=0$$

이므로 점 $\mathrm{P}_2(x_2,\ y_2)$는 방정식 $f(x,\ 2b-y)=0$이 나타내는 도형 위의 점이다.

따라서 도형 F_2의 방정식은 다음과 같다.

$f(x,\ 2b-y)=0$ ← 방정식 $f(x,\ y)=0$에 y 대신 $2b-y$를 대입하여 구할 수 있다.

거꾸로 두 방정식 $f(x,\ y)=0$, $f(x,\ 2b-y)=0$이 나타내는 도형은 직선 $y=b$에 대하여 서로 대칭이다.

(3) 도형 F_3의 방정식 구하기

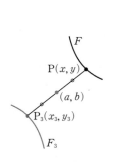

$$x_3=2a-x,\ y_3=2b-y$$

에서

$$x=2a-x_3,\ y=2b-y_3$$

이다. 이것을 $f(x,\ y)=0$에 대입하면

$$f(2a-x_3,\ 2b-y_3)=0$$

이므로 점 $\mathrm{P}_3(x_3,\ y_3)$은 방정식 $f(2a-x,\ 2b-y)=0$이 나타내는 도형 위의 점이다.

따라서 도형 F_3의 방정식은 다음과 같다.

$f(2a-x,\ 2b-y)=0$ ← 방정식 $f(x,\ y)=0$에 x 대신 $2a-x$를 대입하고 y 대신 $2b-y$를 대입하여 구할 수 있다. 또한 도형 F를 직선 $x=a$에 대하여 대칭이동시킨 후 직선 $y=b$에 대하여 대칭이동시킨 것과 같다.

거꾸로 두 방정식 $f(x, y)=0$, $f(2a-x, 2b-y)=0$이 나타내는 도형은 점 (a, b)에 대하여 서로 대칭이다.

example

(1) 두 직선의 방정식이 $y=3x$, $y=6-3x$로 주어졌을 때 $y=6-3x$는 $y=3(2\times1-x)$와 같으므로 주어진 두 직선은 직선 $x=1$에 대하여 서로 대칭이다.

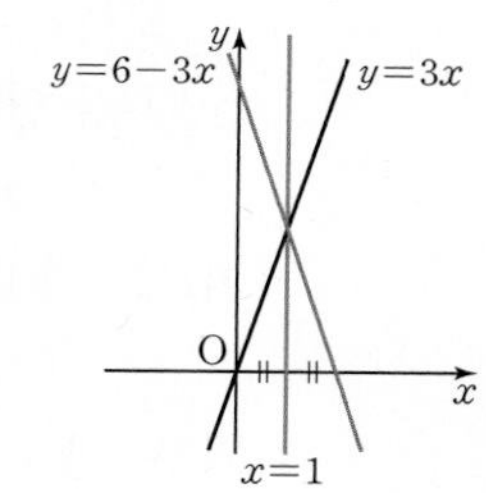

(2) 원 $(x+5)^2+(y-6)^2=1$을 점 $(-4, 3)$에 대하여 대칭이동시킨 원의 중심을 (a, b)라 하면 점 $(-4, 3)$이 두 점 $(-5, 6)$, (a, b)를 이은 선분의 중점이므로

$\dfrac{-5+a}{2}=-4$, $\dfrac{6+b}{2}=3$에서 $a=-3$, $b=0$

따라서 주어진 원을 대칭이동시킨 원의 중심의 좌표는 $(-3, 0)$이고 반지름의 길이는 1이므로 대칭이동시킨 원의 방정식은 $(x+3)^2+y^2=1$

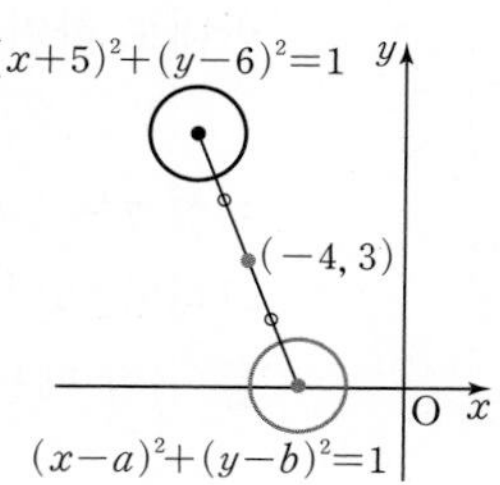

참고 대칭이동시킨 원의 방정식은 주어진 방정식에 x 대신 $2\times(-4)-x$를 대입하고, y 대신 $2\times3-y$를 대입하여 빠르게 구할 수 있다.
$(-8-x+5)^2+(6-y-6)^2=1$, $(x+3)^2+y^2=1$

3 직선 $y=-x$에 대하여 대칭이동시킨 점의 좌표

점 (x, y)를 직선 $y=-x$에 대하여 대칭이동시킨 점의 좌표는 $(-y, -x)$

좌표평면 위의 점 $\mathrm{P}(x, y)$를 직선 $y=-x$에 대하여 대칭이동시킨 점을 $\mathrm{P}'(x', y')$이라 하자. 직선 $y=-x$가 선분 PP'의 수직이등분선임을 이용하면 점 P'의 좌표를 다음과 같이 구할 수 있다.

❶ 선분 PP'의 중점은 직선 $y=-x$ 위에 있다.

선분 PP'의 중점의 좌표는 $\left(\dfrac{x+x'}{2}, \dfrac{y+y'}{2}\right)$이므로

$\dfrac{y+y'}{2}=-\dfrac{x+x'}{2}$, 즉 $x'+y'=-x-y$이다. …… ㉠

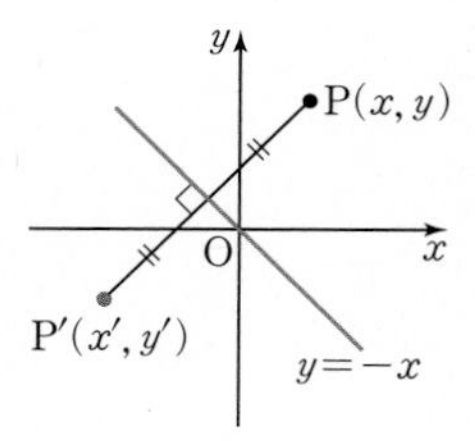

❷ 두 직선 PP′, $y=-x$는 서로 수직이다.

서로 수직인 두 직선의 기울기의 곱은 -1이므로

$\frac{y'-y}{x'-x}\times(-1)=-1$, 즉 $x'-y'=x-y$이다. …… ㉡

㉠, ㉡을 연립하여 풀면

$$x'=-y,\ y'=-x$$

이므로 점 P′의 좌표는 $(-y, -x)$이다. ← x좌표와 y좌표의 부호를 반대로 한 후 자리를 바꾼다.

거꾸로 $\mathrm{P}(x, y)$, $\mathrm{P}(-y, -x)$와 같이 두 점의 좌표가 주어졌을 때 x좌표와 y좌표의 부호 모두 반대로 하여 자리가 바뀌어 있으면 주어진 두 점은 직선 $y=-x$에 대하여 서로 대칭이다.

직선 $y=\pm x$에 대하여 대칭이동시킨 점의 좌표는 앞서 배운 공식을 암기하는 것을 권장한다. 그러나 일반적으로 점 $\mathrm{P}(x, y)$를 직선 $y=mx+n$에 대하여 대칭이동시킨 점 $\mathrm{P}'(x', y')$의 좌표를 구할 때는 직선 $y=mx+n$이 선분 PP′의 수직이등분선임을 이용하면 된다.

❶ 중점 조건: 선분 PP′의 중점은 직선 $y=mx+n$ 위에 있다.

선분 PP′의 중점의 좌표는 $\left(\frac{x+x'}{2}, \frac{y+y'}{2}\right)$이므로

$\frac{y+y'}{2}=m\times\frac{x+x'}{2}+n$ …… ㉠

❷ 수직 조건: 직선 PP′과 직선 $y=mx+n$은 서로 수직이다.

서로 수직인 두 직선의 기울기의 곱은 -1이므로

$\frac{y'-y}{x'-x}\times m=-1$ …… ㉡

㉠, ㉡을 연립하여 x', y'의 값을 구한다.

example

점 $\mathrm{P}(4, 2)$를 직선 $y=x+3$에 대하여 대칭이동시킨 점을 $\mathrm{P}'(x', y')$이라 하면

선분 PP′의 중점 $\left(\frac{4+x'}{2}, \frac{2+y'}{2}\right)$은 직선 $y=x+3$ 위에 있으므로

$\frac{2+y'}{2}=\frac{4+x'}{2}+3$, 즉 $x'-y'=-8$ …… ㉠

두 직선 PP′, $y=x+3$은 서로 수직이므로

$\frac{y'-2}{x'-4}\times 1=-1$, 즉 $x'+y'=6$ …… ㉡

㉠, ㉡을 연립하여 풀면 $x'=-1$, $y'=7$이므로

점 P′의 좌표는 $(-1, 7)$이다.

y
y=x+3
P′(x′, y′)
P(4, 2)
O
x

참고 점 (a, b)를

직선 $y=x+k$에 대하여 대칭이동시킨 점의 좌표는 $(b-k, a+k)$이고,

직선 $y=-x+k$에 대하여 대칭이동시킨 점의 좌표는 $(-b+k, -a+k)$이다. (단, k는 상수)

4 직선 $y=-x$에 대하여 대칭이동시킨 도형의 방정식

방정식 $f(x,\ y)=0$이 나타내는 도형을 직선 $y=-x$에 대하여 대칭이동시킨 도형의 방정식은

$$f(-y,\ -x)=0$$

방정식 $f(x,\ y)=0$이 나타내는 도형 F를 직선 $y=-x$에 대하여 대칭이동시킨 도형 F'의 방정식은 도형 F 위의 임의의 점을 직선 $y=-x$에 대하여 대칭이동시킨 점의 좌표를 이용하면 구할 수 있다.

방정식 $f(x,\ y)=0$이 나타내는 도형 F 위의 임의의 점 $\mathrm{P}(x,\ y)$를 직선 $y=-x$에 대하여 대칭이동시킨 점을 $\mathrm{P}'(x',\ y')$이라 하면

$$x'=-y,\ y'=-x$$

이므로

$$x=-y',\ y=-x'$$

이다. 이것을 $f(x,\ y)=0$에 대입하면

$$f(-y',\ -x')=0$$

이므로 점 $\mathrm{P}'(x',\ y')$은 방정식 $f(-y,\ -x)=0$이 나타내는 도형 위의 점이다.
따라서 도형 F'의 방정식은 다음과 같다.

$f(-y,\ -x)=0$ ← 방정식 $f(x,\ y)=0$에 x 대신 $-y$를 대입하고 y 대신 $-x$를 대입하여 구할 수 있다.

거꾸로 두 방정식 $f(x,\ y)=0$, $f(-y,\ -x)=0$이 나타내는 도형은 직선 $y=-x$에 대하여 대칭이다.

example

직선 $y=\frac{1}{2}x+3$ 위의 임의의 점 $\mathrm{P}(x,\ y)$를 직선 $y=-x$에 대하여 대칭이동시킨 점을 $\mathrm{P}'(x',\ y')$이라 하자.

$x'=-y$, $y'=-x$이므로 $x=-y'$, $y=-x'$이다.

이것을 $y=\frac{1}{2}x+3$에 대입하면 $-x'=-\frac{1}{2}y'+3$, 즉 $y'=2x'+6$이다.

따라서 직선 $y=\frac{1}{2}x+3$을 직선 $y=-x$에 대하여 대칭이동시킨 직선의 방정식은 $y=2x+6$이다.

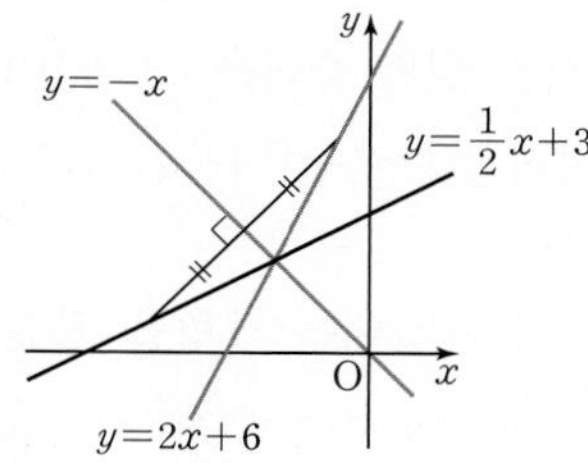

참고 구하는 직선은 두 직선 $y=\frac{1}{2}x+3$, $y=-x$의 교점 $(-2,\ 2)$를 지나고 기울기는 직선 $y=\frac{1}{2}x+3$의 기울기의 역수이다.

바이블 PLUS ⊕ 직선 $y=mx+n$에 대하여 대칭이동시킨 원과 직선의 방정식

방정식 $f(x, y)=0$이 나타내는 도형 F 위의 임의의 점 P를 직선 $y=mx+n$에 대하여 대칭이동시킨 점을 P′이라 할 때, 도형 F를 직선 $y=mx+n$에 대하여 대칭이동시킨 도형 F'의 방정식은 직선 $y=mx+n$이 선분 PP′의 수직이등분선임을 이용하면 구할 수 있다.

예를 들어 직선 $y=2x-5$를 직선 $y=-x-2$에 대하여 대칭이동시킨 직선의 방정식을 구해 보자.
직선 $y=2x-5$ 위의 임의의 점을 $\mathrm{P}(x, y)$라 하고, 점 P를 직선 $y=-x-2$에 대하여 대칭이동시킨 점을 $\mathrm{P}'(x', y')$이라 하자.

❶ 중점 조건: 선분 PP′의 중점은 직선 $y=-x-2$ 위에 있다.

선분 PP′의 중점의 좌표는 $\left(\frac{x+x'}{2}, \frac{y+y'}{2}\right)$이므로

$\frac{y+y'}{2}=-\frac{x+x'}{2}-2$, 즉 $x'+y'=-x-y-4$ …… ㉠

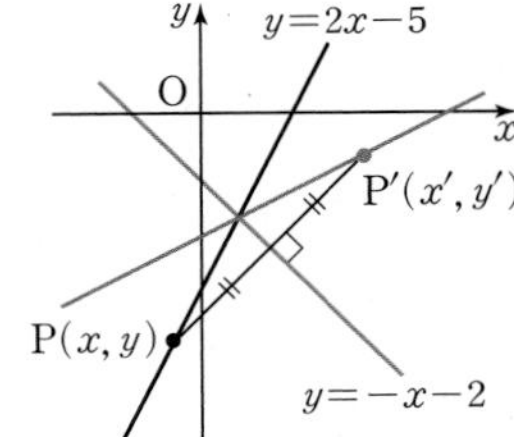

❷ 수직 조건: 직선 PP′와 직선 $y=-x-2$는 서로 수직이다.

$\frac{y'-y}{x'-x}\times(-1)=-1$, 즉 $x'-y'=x-y$ …… ㉡

㉠, ㉡을 연립하여 x, y에 대하여 풀면 $x=-y'-2$, $y=-x'-2$이다.

이를 $y=2x-5$에 대입하면 ← 점 (x, y), 즉 $(-y'-2, -x'-2)$는 직선 $y=2x-5$ 위의 점이다.

$-x'-2=2(-y'-2)-5$, 즉 $y'=\frac{1}{2}x'-\frac{7}{2}$이므로 구하는 도형의 방정식은 $y=\frac{1}{2}x-\frac{7}{2}$이다.

직선 $y=mx+n$에 대하여 대칭이동시킨 원의 방정식은 위와 마찬가지 방법으로 구하거나, 직선 $y=mx+n$에 대하여 원의 중심을 대칭이동시켜 구할 수 있다.

예를 들어 중심이 $\mathrm{C}(-2, 6)$인 원 $(x+2)^2+(y-6)^2=5$를 직선 $y=x+3$에 대하여 대칭이동시킨 원의 방정식을 구해 보자.

주어진 원의 중심 C를 직선 $y=x+3$에 대하여 대칭이동시킨 점을 C′이라 할 때 직선 $y=x+3$이 선분 CC′의 수직이등분선임을 이용하여 점 C′의 좌표를 구하면 $(3, 1)$이다.

즉, 주어진 원을 평행이동시킨 원의 중심은 $(3, 1)$이고, 반지름의 길이는 $\sqrt{5}$이므로 구하는 원의 방정식은 $(x-3)^2+(y-1)^2=5$이다.

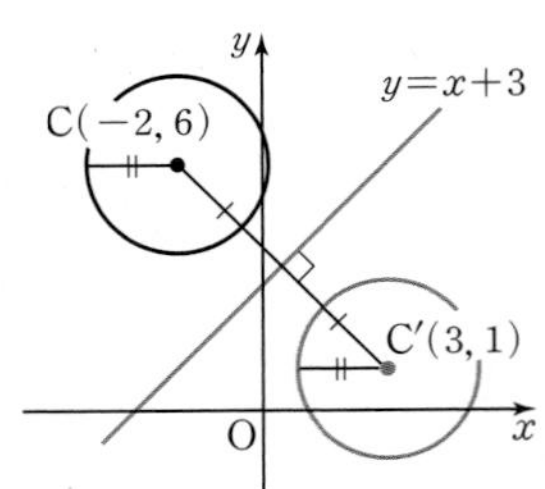

참고로 방정식 $f(x, y)=0$이 나타내는 도형을 직선 $y=x+k$, $y=-x+k$에 대하여 대칭이동시킨 도형의 방정식은 각각 $f(y-k, x+k)=0$, $f(-y+k, -x+k)=0$이다.

01 점 $(3,\ -2)$를 다음 직선 또는 점에 대하여 대칭이동시킨 점의 좌표를 구하시오.

(1) 직선 $x=-1$
(2) 직선 $y=-1$
(3) 점 $(-1,\ -1)$
(4) 직선 $y=-x$

02 직선 $y=4x-5$를 다음 직선 또는 점에 대하여 대칭이동시킨 직선의 방정식을 구하시오.

(1) 직선 $x=1$
(2) 직선 $y=2$
(3) 점 $(3,\ 3)$
(4) 직선 $y=-x$

03 원 $(x+4)^2+(y-3)^2=6$을 다음 직선 또는 점에 대하여 대칭이동시킨 원의 방정식을 구하시오.

(1) 직선 $x=-1$
(2) 직선 $y=-2$
(3) 점 $(-1,\ 1)$
(4) 직선 $y=-x$

04 포물선 $y=(x-3)^2+4$를 다음 직선 또는 점에 대하여 대칭이동시킨 포물선의 방정식을 구하시오.

(1) 직선 $x=1$
(2) 직선 $y=2$
(3) 점 $(0,\ -1)$

대표 예제 | 07

다음 물음에 답하시오.

(1) 점 $(8,\ -2)$를 점 $(6,\ 1)$에 대하여 대칭이동시킨 점의 좌표를 구하시오.

(2) 원 $x^2+y^2-10x+4y+27=0$을 점 $(3,\ -3)$에 대하여 대칭이동시킨 원의 방정식을 구하시오.

바로 접근

(1) 점 P를 점 A에 대하여 대칭이동시킨 점을 P′이라 하면 점 A는 선분 PP′의 중점이다.

(2) 점 P를 중심으로 하는 원을 점 A에 대하여 대칭이동시킨 원의 중심을 P′이라 하면 점 A는 선분 PP′의 중점이고, 반지름의 길이는 변하지 않는다.

바른 풀이

(1) 점 $(8,\ -2)$를 점 $(6,\ 1)$에 대하여 대칭이동시킨 점의 좌표를 $(a,\ b)$라 하자.

점 $(6,\ 1)$이 두 점 $(8,\ -2)$, $(a,\ b)$를 이은 선분의 중점이므로

$$\frac{8+a}{2}=6,\ \frac{-2+b}{2}=1$$

$\therefore\ a=4,\ b=4$

즉, 구하는 점의 좌표는 $(4,\ 4)$

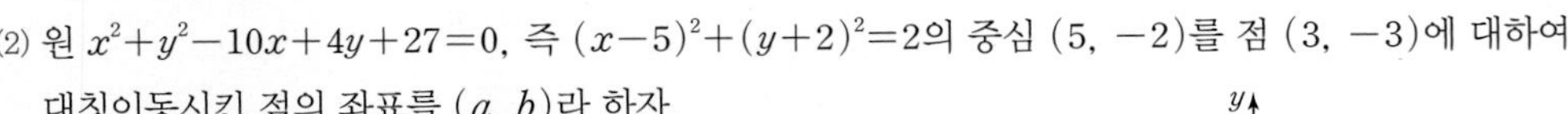

(2) 원 $x^2+y^2-10x+4y+27=0$, 즉 $(x-5)^2+(y+2)^2=2$의 중심 $(5,\ -2)$를 점 $(3,\ -3)$에 대하여 대칭이동시킨 점의 좌표를 $(a,\ b)$라 하자.

점 $(3,\ -3)$이 두 점 $(5,\ -2)$, $(a,\ b)$를 이은 선분의 중점이므로

$$\frac{5+a}{2}=3,\ \frac{-2+b}{2}=-3$$

$\therefore\ a=1,\ b=-4$

따라서 주어진 원을 대칭이동시킨 원의 중심의 좌표는 $(1,\ -4)$이고, 반지름의 길이는 $\sqrt{2}$이므로 구하는 원의 방정식은

$(x-1)^2+(y+4)^2=2$

정답 (1) $(4,\ 4)$ (2) $(x-1)^2+(y+4)^2=2$

Bible Says

점에 대하여 대칭이동시킨 점의 좌표 또는 도형의 방정식은 다음과 같이 빠르게 구할 수 있다.

(1) 점 $P(x,\ y)$를 점 $A(\alpha,\ \beta)$에 대하여 대칭이동시킨 점 P′의 좌표는

$$P'(2\alpha-x,\ 2\beta-y)$$

따라서 (1)에서 구하는 점의 x좌표는 $2\times6-8=4$, y좌표는 $2\times1-(-2)=4$이다.

(2) 방정식 $f(x,\ y)=0$이 나타내는 도형을 점 $A(\alpha,\ \beta)$에 대하여 대칭이동시킨 도형의 방정식은

$$f(2\alpha-x,\ 2\beta-y)=0$$

따라서 (2)에서 구하는 원의 방정식은 방정식 $(x-5)^2+(y+2)^2=2$에 x 대신 $2\times3-x$를 대입하고, y 대신 $2\times(-3)-y$를 대입하여 얻는다.

$$(6-x-5)^2+(-6-y+2)^2=2,\ 즉\ (x-1)^2+(y+4)^2=2$$

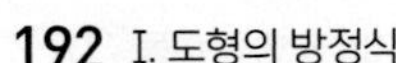

빠른 정답 • 511쪽 / 정답과 풀이 • 74쪽

한 번 더하기

07-1

다음 물음에 답하시오.

(1) 점 $(-6,\ 1)$을 점 $(0,\ 2)$에 대하여 대칭이동시킨 점의 좌표를 구하시오.

(2) 원 $x^2+y^2+8x-2y+13=0$을 점 $(-5,\ -2)$에 대하여 대칭이동시킨 원의 방정식을 구하시오.

표현 더하기

07-2

점 $(4,\ a)$를 점 $(-3,\ 3)$에 대하여 대칭이동시킨 점의 좌표가 $(b,\ -2)$일 때, $a+b$의 값을 구하시오.

표현 더하기

07-3

직선 $2x-y+4=0$을 점 $(a,\ 0)$에 대하여 대칭이동시킨 직선의 방정식이 $2x+by+12=0$일 때, $a+b$의 값을 구하시오. (단, b는 상수이다.)

실력 더하기

07-4

두 포물선 $y=x^2-6x+1$, $y=-x^2-10x-19$가 점 P에 대하여 대칭일 때, 점 P의 좌표를 구하시오.

대표 예제 08

다음 물음에 답하시오.

(1) 점 $(2,\ 4)$를 직선 $y=2x-5$에 대하여 대칭이동시킨 점의 좌표를 구하시오.

(2) 직선 $y=-3x$를 직선 $x=4$에 대하여 대칭이동시킨 직선의 방정식을 구하시오.

바로 접근 점 P를 직선 l에 대하여 대칭이동시킨 점을 P′이라 하면

❶ 중점 조건: 선분 PP′의 중점은 직선 l 위에 있다.

❷ 수직 조건: 두 직선 PP′, l은 서로 수직이다. (직선 PP′의 기울기)$\times$(직선 l의 기울기)$=-1$

바른 풀이 (1) 점 $(2,\ 4)$를 직선 $y=2x-5$에 대하여 대칭이동시킨 점의 좌표를 $(a,\ b)$라 하자.

두 점 $(2,\ 4)$, $(a,\ b)$를 이은 선분의 중점

$\left(\dfrac{2+a}{2},\ \dfrac{4+b}{2}\right)$가 직선 $y=2x-5$ 위의 점이므로

$\dfrac{4+b}{2}=2\times\dfrac{2+a}{2}-5$, 즉 $2a-b=10$ ······ ㉠

두 점 $(2,\ 4)$, $(a,\ b)$를 지나는 직선과 직선 $y=2x-5$가 서로 수직이므로

$\dfrac{b-4}{a-2}\times2=-1$, 즉 $a+2b=10$ ······ ㉡

㉠, ㉡을 연립하여 풀면 $a=6$, $b=2$이므로 구하는 점의 좌표는 $(6,\ 2)$

(2) 직선 $y=-3x$ 위의 임의의 점 $\mathrm{P}(x,\ y)$를 직선 $x=4$에 대하여 대칭이동시킨 점의 점을 $\mathrm{P'}(x',\ y')$이라 하자.

선분 PP′의 중점이 직선 $x=4$ 위에 있으므로 $\dfrac{x+x'}{2}=4$에서 $x=8-x'$이고, $y=y'$이다.

점 $\mathrm{P}(8-x',\ y')$은 직선 $y=-3x$ 위의 점이므로 $y'=-3(8-x')$

따라서 구하는 직선의 방정식은 $y=3x-24$

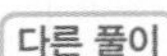
다른 풀이

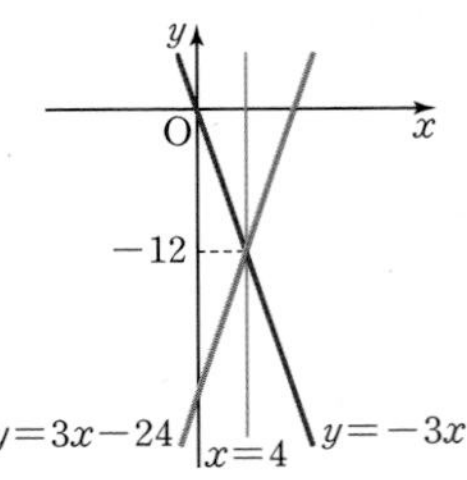

직선 $y=-3x$를 직선 $x=4$에 대하여 대칭이동시킨 직선은 기울기가 3이고 두 직선 $y=-3x$, $x=4$의 교점 $(4,\ -12)$를 지난다.

따라서 구하는 직선의 방정식은 $y-(-12)=3(x-4)$, 즉 $y=3x-24$

참고 직선 $y=mx+n$을 x축 또는 y축에 수직인 직선에 대하여 대칭이동시킨 직선의 기울기는 $-m$이다.

정답 (1) $(6,\ 2)$ (2) $y=3x-24$

Bible Says

직선 $y=f(x)$를 x축 또는 y축에 수직인 직선으로 대칭이동시킨 방정식은 다음과 같이 빠르게 구할 수 있다.

직선 $x=a$에 대하여 대칭이동시킨 직선의 방정식은 $f(2a-x,\ y)=0$

직선 $y=b$에 대하여 대칭이동시킨 직선의 방정식은 $f(x,\ 2b-y)=0$

따라서 (2)에서 구하는 직선의 방정식은 직선 $y=-3x$에 x 대신 $2\times4-x$를 대입하여 얻는다.

$y=-3(8-x)$, 즉 $y=3x-24$

빠른 정답 • 511쪽 / 정답과 풀이 • 75쪽

08-1

다음 물음에 답하시오.

(1) 점 $(-4,\ -3)$을 직선 $y=-2x-1$에 대하여 대칭이동시킨 점의 좌표를 구하시오.

(2) 직선 $y=6x-1$을 직선 $y=4$에 대하여 대칭이동시킨 직선의 방정식을 구하시오.

표현 더하기

08-2

두 점 $(5,\ -2)$, $(11,\ -4)$가 직선 $y=ax+b$에 대하여 대칭일 때, 상수 a, b에 대하여 $a-b$의 값을 구하시오.

표현 더하기

08-3

직선 $y=2x+a$를 직선 $y=-x$에 대하여 대칭이동시킨 직선의 방정식이 $y=bx-3$일 때, 상수 a, b에 대하여 $a+b$의 값을 구하시오.

실력 더하기

08-4

직선 $ax-2y+5=0$을 직선 $y=4x-1$에 대하여 대칭이동시킨 도형이 자기 자신이 될 때, 상수 a의 값을 구하시오.

대표 예제 I 09

대칭이동을 이용한 최단거리

두 점 A$(-2, 3)$, B$(1, 1)$과 x축 위를 움직이는 점 P에 대하여 $\overline{AP}+\overline{BP}$의 최솟값을 구하시오.

바로 접근

선분 AB를 지나지 않는 직선 l 위를 움직이는 점 P에 대하여 $\overline{AP}+\overline{BP}$의 최솟값은 다음과 같은 순서로 구할 수 있다.

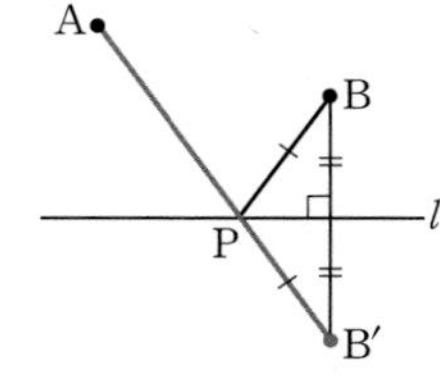

❶ 점 B를 직선 l에 대하여 대칭이동시킨 점 B′의 좌표를 구한다.
점 B′의 좌표는 직선 l이 선분 BB′의 수직이등분선임을 이용하면 구할 수 있다.

❷ $\overline{AP}+\overline{BP}=\overline{AP}+\overline{B'P}$이므로 세 점 A, P, B′이 한 직선 위에 있을 때 최솟값을 갖는다.
즉, $\overline{AP}+\overline{B'P}\ge\overline{AB'}$이므로 구하는 최솟값은 $\overline{AB'}$이다.

바른 풀이

점 B$(1, 1)$을 x축에 대하여 대칭이동시킨 점을 B′이라 하면
B′$(1, -1)$이고 $\overline{BP}=\overline{B'P}$이므로

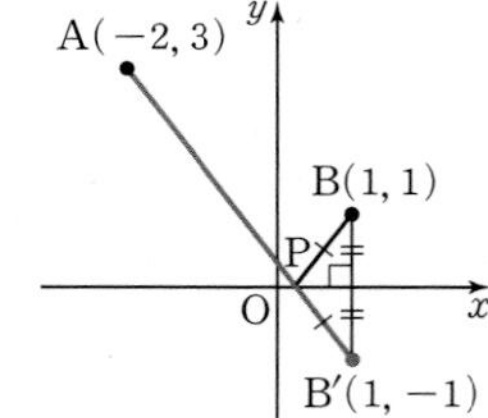

$$\begin{aligned}\overline{AP}+\overline{BP}&=\overline{AP}+\overline{B'P}\\&\ge\overline{AB'}\\&=\sqrt{\{1-(-2)\}^2+\{(-1)-3\}^2}\\&=\sqrt{25}=5\end{aligned}$$

따라서 $\overline{AP}+\overline{BP}$의 최솟값은 5

정답 5

Bible Says

세 점 A, P, B′이 한 직선 위에 있을 때 $\overline{AP}+\overline{B'P}$가 최솟값을 가짐을 다음과 같이 보일 수 있다.
세 점 A, P, B′이 한 직선 위에 있을 때의 점 P를 P_1이라 하고 세 점 A, P, B′이 한 직선 위에 있지 않을 때의 점 P를 P_2라 하자.
삼각형 AB′P_2에서 한 변의 길이 $\overline{AB'}(=\overline{AP_1}+\overline{B'P_1})$은 나머지 두 변의 길이의 합 $\overline{AP_2}+\overline{B'P_2}$보다 작다.
즉, $\overline{AP}+\overline{B'P}$는 세 점 A, P, B′이 한 직선 위에 있을 때 최솟값 $\overline{AB'}$을 갖는다.

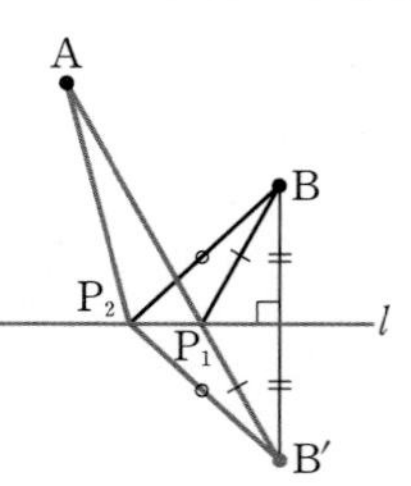

한 번 더하기

09-1

두 점 A$(1,\ -5)$, B$(2,\ 1)$과 y축 위를 움직이는 점 P에 대하여 $\overline{\text{AP}}+\overline{\text{BP}}$의 최솟값을 구하시오.

표현 더하기

09-2

두 점 A$(3,\ 2)$, B$(1,\ -4)$와 직선 $y=x$ 위를 움직이는 점 P에 대하여 $\overline{\text{AP}}+\overline{\text{BP}}$의 최솟값을 구하시오.

표현 더하기

09-3

두 점 A$(a,\ 7)$, B$(-2,\ 1)$과 x축 위를 움직이는 점 P에 대하여 $\overline{\text{AP}}+\overline{\text{BP}}$의 최솟값이 10일 때, 양수 a의 값을 구하시오.

실력 더하기

09-4

두 점 A$(1,\ 4)$, B$(5,\ 2)$와 y축 위를 움직이는 점 P, x축 위를 움직이는 점 Q에 대하여 $\overline{\text{AP}}+\overline{\text{PQ}}+\overline{\text{QB}}$의 최솟값을 구하시오.

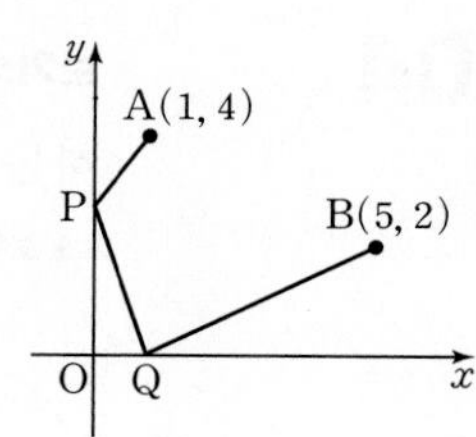

중단원 연습문제

S·T·E·P 1 기본 다지기

01 점 P를 x축의 방향으로 2만큼, y축의 방향으로 -6만큼 평행이동시킨 점을 P′이라 할 때, 선분 PP′의 길이를 구하시오.

02 직선 $x-2y-4=0$을 x축의 방향으로 m만큼, y축의 방향으로 4만큼 평행이동시킨 직선과 x축 및 y축으로 둘러싸인 부분의 넓이가 16일 때, m의 값을 구하시오. (단, $m>4$)

03 도형 $f(x, y)=0$을 도형 $f(x+3, y-1)=0$으로 옮기는 평행이동에 의하여 포물선 $y=x^2+2ax+8$이 옮겨지는 포물선의 꼭짓점의 좌표가 $(-1, b)$일 때, ab의 값을 구하시오. (단, a는 상수이다.)

04 **보기**의 방정식이 나타내는 도형 중 평행이동시킨 도형이 원 $x^2+y^2-4x+6y+4=0$과 일치하는 것만을 있는 대로 고르시오.

보기

ㄱ. $x^2+y^2=9$

ㄴ. $(x+2)^2+(y-5)^2=4$

ㄷ. $x^2+y^2+6x-2y+1=0$

05 점 $A(1, a)$를 원점에 대하여 대칭이동시킨 점을 B, 직선 $y=x$에 대하여 대칭이동시킨 점을 C라 하자. 직선 BC가 점 $(6, 2)$를 지나도록 하는 a의 값을 구하시오.

06 점 $(1, -3)$을 지나는 직선 $y=ax+b$를 y축에 대하여 대칭이동시킨 직선은 직선 $2x+y-7=0$과 만나지 않는다. 상수 a, b에 대하여 $a-b$의 값을 구하시오.

07 원 $x^2+y^2-2x-4y-4=0$을 원점에 대하여 대칭이동시킨 후 x축의 방향으로 a만큼, y축의 방향으로 b만큼 평행이동시킨 원이 x축, y축에 동시에 접할 때, 양수 a, b에 대하여 $a+b$의 값을 구하시오.

08 포물선 $y=x^2-6x+a$를 x축의 방향으로 b만큼, y축의 방향으로 5만큼 평행이동시킨 후 원점에 대하여 대칭이동시킨 포물선이 두 점 $(0, 0)$, $(-3, -9)$를 지난다. 상수 a, b에 대하여 $a+b$의 값을 구하시오.

중단원 연습문제

09 좌표평면 위의 점 A$(-3,\ 2)$를 직선 $y=x$에 대하여 대칭이동시킨 점을 B라 하고, 점 B를 x축의 방향으로 8만큼, y축의 방향으로 k만큼 평행이동시킨 점을 C라 하자. 세 점 A, B, C가 한 직선 위에 있을 때, 상수 k의 값을 구하시오.

10 포물선 $y=2x^2+12x+3$을 점 $(a,\ -a)$에 대하여 대칭이동시킨 포물선의 꼭짓점이 제1사분면 위에 있도록 하는 모든 정수 a의 개수를 구하시오.

11 y축에 접하는 원 C를 직선 $y=-x$에 대하여 대칭이동시킨 후 x축의 방향으로 5만큼, y축의 방향으로 -2만큼 평행이동시킨 원을 C'이라 하자. 두 원 C, C'의 중심을 각각 C, C′이라 할 때, 선분 CC′의 수직이등분선이 x축이다. 원 C'의 방정식을 구하시오.

12 두 점 A$(-3,\ -4)$, B$(1,\ -2)$와 x축 위를 움직이는 점 P에 대하여 $\overline{\text{AP}}+\overline{\text{BP}}$의 값이 최소가 되게 하는 점 P의 좌표를 구하시오.

STEP 2 실력 다지기

13 세 점 A$(1, -1)$, B$(5, -3)$, C(a, b)를 x축의 방향으로 $2a$만큼, y축의 방향으로 $2b$만큼 평행이동시킨 점을 각각 A′, B′, C′이라 하자. 삼각형 A′B′C′의 무게중심이 점 C와 일치할 때, $a+b$의 값을 구하시오.

14 평행이동 $(x, y) \longrightarrow (x-4, y+1)$에 의하여 원 $(x-3)^2+y^2=5$를 평행이동시킨 원이 직선 $x-2y+k=0$과 서로 다른 두 점에서 만나도록 하는 실수 k의 값의 범위를 구하시오.

15 방정식 $f(x, y)=0$이 나타내는 도형이 그림과 같다. 방정식 $f(-y, x+3)=0$이 나타내는 도형 위의 점 P와 원점 사이의 거리의 최댓값을 구하시오.

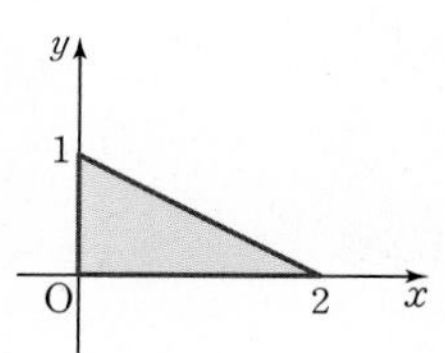

16 직선 $4x-3y-15=0$을 점 $(2, -1)$에 대하여 대칭이동시킨 직선을 l이라 할 때, 원 $x^2+y^2-8x+4y+4=0$과 중심이 같고, 직선 l에 접하는 원의 넓이를 구하시오.

중단원 연습문제

17 두 점 A(1, 3), B(4, 7)을 직선 $y=3x+5$에 대하여 대칭이동시킨 점을 각각 C, D라 할 때, 삼각형 ACD의 넓이를 구하시오.

18 좌표평면 위에 두 점 A$(-3,\ 1)$, B$(5,\ 5)$이 있다. 점 B를 중심으로 하고 반지름의 길이가 4인 원 위의 점 P와 x축 위의 점 Q에 대하여 $\overline{\mathrm{AQ}}+\overline{\mathrm{QP}}$의 최솟값을 구하시오.

challenge 교육청 기출

19 그림과 같이 좌표평면 위에 두 점 A$(2,\ 3)$, B$(-3,\ 1)$이 있다. 서로 다른 두 점 C와 D가 각각 x축과 직선 $y=x$ 위에 있을 때, $\overline{\mathrm{AD}}+\overline{\mathrm{CD}}+\overline{\mathrm{BC}}$의 최솟값은?

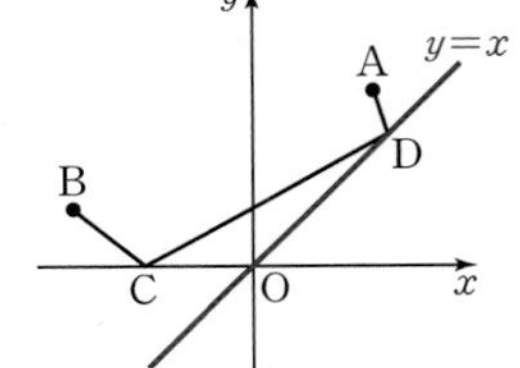

① $\sqrt{42}$ ② $\sqrt{43}$ ③ $2\sqrt{11}$
④ $3\sqrt{5}$ ⑤ $\sqrt{46}$

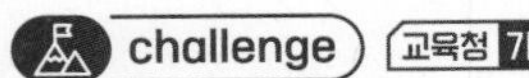

20 그림과 같이 원 $x^2+y^2=100$ 위에 x좌표가 각각 3, 7인 두 점 A_1, A_2가 있다. 점 B$(-10,\ 0)$을 지나고 두 직선 $\mathrm{A}_1\mathrm{B}$, $\mathrm{A}_2\mathrm{B}$에 각각 수직인 두 직선이 원과 만나는 점 중 점 B가 아닌 두 점을 각각 C_1, C_2라 하자. 점 C_1의 y좌표를 a, 점 C_2의 x좌표를 b라 할 때, a^2+b^2의 값을 구하시오. (단, 두 점 A_1, A_2는 제1사분면 위에 있다.)

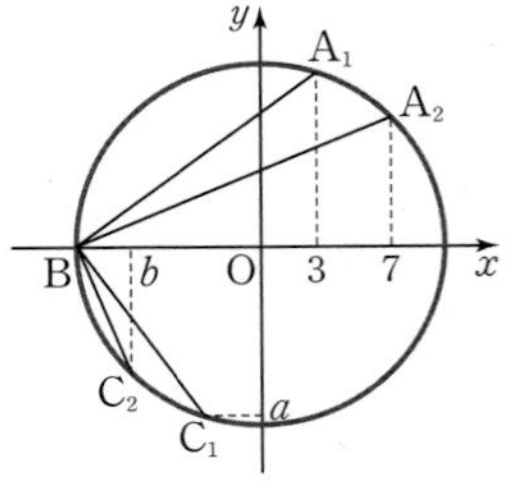

05

집합의 뜻

01 집합의 뜻과 표현

집합의 뜻	(1) 집합: 어떤 기준에 의하여 그 대상을 분명히 정할 수 있을 때, 그 대상들의 모임 (2) 원소: 집합을 이루는 대상 하나하나
집합의 표현	(1) 원소나열법: 집합에 속하는 모든 원소를 기호 { } 안에 나열하는 방법 (2) 조건제시법: 집합에 속하는 모든 원소들이 갖는 공통된 성질을 조건으로 제시하는 방법 (3) 벤다이어그램: 원, 사각형 등의 도형을 이용하여 집합을 나타낸 그림 A a c b
집합의 원소의 개수	(1) 유한집합: 원소가 유한개인 집합 (2) 무한집합: 원소가 무수히 많은 집합 (3) $n(A)$: 유한집합 A의 원소의 개수를 기호로 나타낸 것 (4) 공집합: 원소가 하나도 없는 집합. 기호로 $\varnothing$이라 나타내고, $n(\varnothing)=0$이다.

02 집합 사이의 포함 관계

부분집합	집합 A의 모든 원소가 집합 B에 속할 때, 집합 A는 집합 B의 부분집합이라 하고 이것을 기호로 $A\subset B$와 같이 나타낸다. B A
서로 같은 집합과 진부분집합	두 집합 A, B에 대하여 (1) $A\subset B$이고 $B\subset A$일 때, 두 집합 A, B는 서로 같다고 하고, 이것을 기호로 $A=B$와 같이 나타낸다. 두 집합 A, B가 서로 같지 않을 때, 이것을 기호로 $A\neq B$와 같이 나타낸다. (2) $A\subset B$이고 $A\neq B$일 때, 집합 A를 집합 B의 진부분집합이라 한다.
부분집합의 개수	원소의 개수가 n인 집합 A에 대하여 (1) 집합 A의 부분집합의 개수: 2^n (2) 집합 A의 진부분집합의 개수: 2^n-1 (3) 특정한 원소 k개는 반드시 갖고, 특정한 원소 l개는 갖지 않는 집합 A의 부분집합의 개수: 2^{n-k-l} (단, $k+l<n$)

집합의 뜻과 표현

1 집합의 뜻

(1) **집합:** 어떤 기준에 의하여 그 대상을 분명히 정할 수 있을 때, 그 대상들의 모임
(2) **원소:** 집합을 이루는 대상 하나하나

05

일상생활에서 같은 성질을 가진 대상들을 모아서 하나의 모임을 만들 수 있다. 이러한 모임 중 객관적으로 구분할 수 있는 성질, 즉 대상을 명확하게 구분할 수 있을 때, 그 대상들의 모임을 **집합**이라 한다. 예를 들어

수학을 잘 하는 사람들의 모임

을 생각해 보면 '수학을 잘 한다.'에 대한 판단 기준은 판단자가 누구인지, 당시의 상황이 어떠한지 등에 따라 달라질 수 있다. 따라서 기준이 명확하지 않아 그 대상을 분명히 정할 수 없으므로 이 모임은 집합이 아니다. 반면

3 이하의 자연수의 모임

은 1, 2, 3으로 그 대상을 분명히 정할 수 있는 모임이므로 집합이다.
이때 어떠한 집합을 이루는 대상 하나하나를 그 집합의 **원소**라 한다.

example

(1) '6에 가까운 자연수의 모임'은 '가깝다.'의 기준이 명확하지 않아 그 대상을 분명히 정할 수 없으므로 집합이 아니다.
(2) '12의 양의 약수의 모임'은 그 대상을 분명히 정할 수 있으므로 집합이고, 이 집합의 원소는 1, 2, 3, 4, 6, 12이다.

a가 집합 A의 원소일 때 a는 집합 A에 속한다고 하고, 기호로

$a \in A$ ← 일반적으로 집합은 알파벳 대문자 A, B, C, …로 나타내고, 원소는 소문자 a, b, c, …로 나타낸다.

와 같이 나타낸다. 또한 b가 집합 A의 원소가 아닐 때 b는 집합 A에 속하지 않는다고 하고, 기호로

$b \notin A$

와 같이 나타낸다.

example

정수 전체의 집합을 Z, 유리수 전체의 집합을 Q, 실수 전체의 집합을 R라 할 때, $\frac{3}{4}$은 정수는 아니지만 유리수이자 실수이므로

$$\frac{3}{4} \notin Z,\ \frac{3}{4} \in Q,\ \frac{3}{4} \in R$$

2 집합의 표현

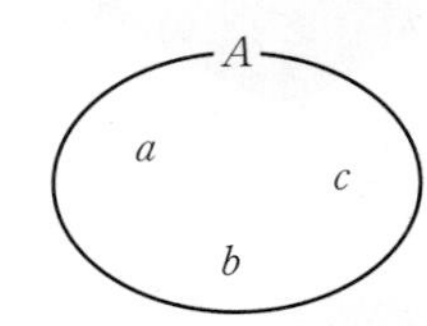

(1) **원소나열법:** 집합에 속하는 모든 원소를 기호 { } 안에 나열하는 방법

(2) **조건제시법:** 집합에 속하는 모든 원소들이 갖는 공통된 성질을 조건으로 제시하는 방법

(3) **벤다이어그램:** 원, 사각형 등의 도형을 이용하여 집합을 나타낸 그림

집합의 대상인 원소를 모두 보여주면 이 집합이 무엇을 나타내는지 분명하게 전달할 수 있다. 예를 들어 집합 A가 1부터 7까지의 자연수의 모임일 때,

$$A=\{1,\ 2,\ 3,\ 4,\ 5,\ 6,\ 7\}$$

과 같이 나타낸다. 이와 같이 집합에 속하는 모든 원소를 기호 { } 안에 나열하는 방법을 **원소나열법**이라 한다. 이때 같은 원소는 중복하여 쓰지 않고, 원소를 나열하는 순서는 바뀌어도 된다. 또한 원소가 많고 일정한 규칙에 따라 원소를 차례대로 나열할 수 있을 때는 기호 '…'를 사용하여 원소의 일부를 생략하기도 한다. ← 위의 예에서 집합 A를 $A=\{1,\ 2,\ 3,\ \cdots,\ 7\}$과 같이 나타낼 수도 있다.

집합의 모든 원소를 보여주는 방법이 아니라 집합의 원소들이 공통으로 가지는 성질을 제시하여도 이 집합이 무엇을 나타내는지 분명하게 전달할 수 있다. 예를 들어 집합 $B=\{1,\ 2,\ 5,\ 10\}$의 원소는 10의 양의 약수이므로

$$B=\{x\,|\,x\text{는 10의 양의 약수}\}$$

와 같이 나타낸다. 이와 같이 어떤 집합에 속하는 원소가 만족시켜야 하는 성질을 조건으로 제시하는 방법을 **조건제시법**이라 한다. 이때 조건제시법으로 나타낸 집합 $\{x\,|\,x$에 대한 조건$\}$은 조건을 만족시키는 '모든' x들의 모임인 것에 주의해야 한다.

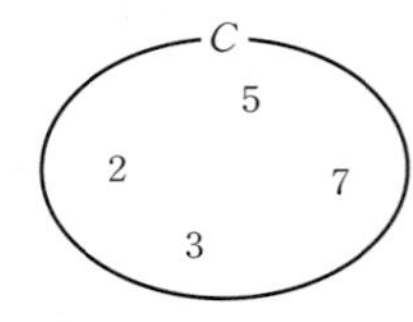

집합을 나타낼 때는 원, 사각형 등의 도형을 이용하여 그림으로 집합을 나타낼 수도 있다. 예를 들어 집합 C가 한 자리의 소수인 자연수의 모임일 때, 오른쪽 그림과 같이 나타낼 수 있다. 이와 같이 집합을 나타낸 그림을 **벤다이어그램**이라 한다. ← 집합을 그림으로 나타내면 직관적으로 쉽게 이해할 수 있다.

example

부등식 $|x|\le 2$를 만족시키는 정수 x의 집합을 A라 할 때, 집합 A는 다음과 같이 여러 가지 방법으로 나타낼 수 있다.

집합	원소나열법	조건제시법	벤다이어그램
A	$A=\{-2,\ -1,\ 0,\ 1,\ 2\}$ (원소)	$A=\{x\,\|\,\|x\|\le 2,\ x\text{는 정수}\}$ (x: 원소의 형태, $\|x\|\le 2,\ x$는 정수: 원소가 만족시켜야 하는 성질)	A (집합을 나타내는 기호): -1, -2 (원소), 2, 0, 1

3 집합의 원소의 개수

(1) **유한집합:** 원소가 유한개인 집합
(2) **무한집합:** 원소가 무수히 많은 집합
(3) $\boldsymbol{n(A)}$**:** 유한집합 A의 원소의 개수를 기호로 나타낸 것
(4) **공집합:** 원소가 하나도 없는 집합 ➔ 기호로 $\varnothing$이라 나타내고, $n(\varnothing)=0$이다.

원소가 유한개인 집합을 **유한집합**이라 하고, 원소가 무수히 많은 집합을 **무한집합**이라 한다. (유한: 개수를 세기 시작했을 때 언젠가 셈이 끝나는 상태 / 무수히 많은: 유한하지 않은)
유한집합 A의 원소의 개수를 기호로 $\boldsymbol{n(A)}$와 같이 나타낸다.
원소가 하나도 없는 집합을 **공집합**이라 하고, 이것을 기호로 $\varnothing$과 같이 나타낸다. 이때 공집합은 원소의 개수가 0인 유한집합으로 생각하고, $n(\varnothing)=0$이다.

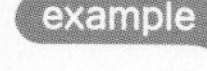

(1) 집합 $A=\{x|x$는 소수 중 짝수인 자연수$\}$를 원소나열법으로 나타내면 $A=\{2\}$이다. 따라서 집합 A의 원소의 개수는 1이므로 A는 유한집합이고, $n(A)=1$이다.
(2) 집합 $B=\{x|x$는 홀수인 자연수$\}$를 원소나열법으로 나타내면 $B=\{1,\ 3,\ 5,\ \cdots\}$이다. 이때 집합 B의 원소는 무수히 많으므로 B는 무한집합이다.

개념 CHECK

빠른 정답 • 511쪽 / 정답과 풀이 • 82쪽

01. 집합의 뜻과 표현

01 **보기**에서 집합인 것만을 있는 대로 고르시오.

보기

ㄱ. $\sqrt{2}$에 가까운 정수의 모임
ㄴ. 직선 $y=x$ 위의 점들의 모임
ㄷ. 아름다운 꽃들의 모임
ㄹ. 세 자리 자연수의 모임

02 18의 양의 약수의 집합을 A라 할 때, 다음 □ 안에 기호 $\in$, $\notin$ 중 알맞은 것을 써넣으시오.

(1) $2\ \square\ A$
(2) $6\ \square\ A$
(3) $8\ \square\ A$
(4) $12\ \square\ A$

03 **보기**에서 유한집합인 것만을 있는 대로 고르고, 유한집합인 경우 $n(A)$를 구하시오.

보기

ㄱ. $A=\{x|x$는 자연수$\}$
ㄴ. $A=\{1,\ 2,\ 3,\ \cdots,\ 29,\ 30\}$
ㄷ. $A=\{x|x^2-x-20<0,\ x$는 정수$\}$
ㄹ. $A=\{x|x$는 3의 양의 배수$\}$

대표 예제 | 01

네 집합 A, B, C, D가 다음과 같을 때, 물음에 답하시오.

$A=\{1, 2, 3, 4, 6, 8, 12, 24\}$, $B=\{2, 4, 6, \cdots, 50\}$

$C=\{x|x$는 10 초과 20 미만인 자연수$\}$, $D=\{x|x$는 $2x-1<9$인 자연수$\}$

(1) **보기**에서 옳은 것만을 있는 대로 고르시오.

보기

ㄱ. $24\in A$ ㄴ. $35\in B$ ㄷ. $10\in C$ ㄹ. $6\in D$

(2) 두 집합 A, B를 조건제시법으로 각각 나타내시오.

바로 접근

(1) a가 집합 A의 원소일 때 ➡ $a\in A$

b가 집합 A의 원소가 아닐 때 ➡ $b\notin A$

(2) 원소들의 공통된 성질을 찾아 조건제시법으로 나타낸다.

바른 풀이

(1) ㄱ. 24는 집합 A의 원소이므로 $24\in A$ (참)

ㄴ. 35는 집합 B의 원소가 아니므로 $35\notin B$ (거짓)

ㄷ. $C=\{11, 12, 13, 14, 15, 16, 17, 18, 19\}$이므로 $10\notin C$ (거짓)

ㄹ. $2x-1<9$에서 $2x<10$ $\quad\therefore x<5$

즉, $D=\{1, 2, 3, 4\}$이므로 $6\notin D$ (거짓)

따라서 옳은 것은 ㄱ이다.

(2) 1, 2, 3, 4, 6, 8, 12, 24는 모두 24의 양의 약수이므로

$A=\{x|x$는 24의 양의 약수$\}$

또한 $2, 4, 6, \cdots, 50$은 2 이상 50 이하의 짝수이므로

$B=\{x|x$는 2 이상 50 이하의 짝수$\}$

참고 조건제시법으로 나타내는 방법은 일반적으로 다양하다. 예를 들어 집합 B를

$B=\{x|x$는 50 이하의 2의 양의 배수$\}$

와 같이 나타낼 수도 있다.

정답 (1) ㄱ

(2) $A=\{x|x$는 24의 양의 약수$\}$,

$B=\{x|x$는 2 이상 50 이하의 짝수$\}$

Bible Says

집합의 표현 방법

① 원소나열법: 집합에 속하는 모든 원소를 기호 { } 안에 나열하는 방법

② 조건제시법: 집합에 속하는 모든 원소들이 갖는 공통된 성질을 조건으로 제시하는 방법

③ 벤다이어그램: 원, 사각형 등의 도형을 이용하여 집합을 나타낸 그림

빠른 정답 • 511쪽 / 정답과 풀이 • 82쪽

한번 더하기

01-1

50 이하의 4의 양의 배수의 집합을 A, 12의 양의 약수의 집합을 B라 할 때, **보기**에서 옳은 것만을 있는 대로 고르시오.

보기

ㄱ. $1 \in A$ ㄴ. $36 \in A$ ㄷ. $3 \in B$ ㄹ. $24 \in B$

표현 더하기

01-2

두 집합 $A=\{x \mid x^2-5x+4=0\}$, $B=\{x \mid x^2-9<0,\ x$는 정수$\}$에 대하여 다음 □ 안에 기호 $\in$, $\notin$ 중 알맞은 것을 써넣으시오.

(1) $1\ \square\ A$ (2) $-4\ \square\ A$

(3) $-2\ \square\ B$ (4) $3\ \square\ B$

표현 더하기

01-3

다음 물음에 답하시오.

(1) 집합 $A=\{3,\ 6,\ 9,\ 12,\ 15\}$를 조건제시법과 벤다이어그램으로 각각 나타내시오.

(2) 집합 $B=\{x \mid x=2a+1,\ a$는 5보다 작은 자연수$\}$를 원소나열법과 벤다이어그램으로 각각 나타내시오.

표현 더하기

01-4

오른쪽 벤다이어그램과 같은 집합 A를 원소나열법과 조건제시법으로 각각 나타내시오.

대표 예제 | 02

조건제시법으로 나타내어진 집합

집합 $A=\{-1, 0, 1\}$에 대하여 다음 집합을 원소나열법으로 나타내시오.

(1) $B=\{ab \mid a\in A,\ b\in A\}$

(2) $C=\{(a, b) \mid a\in A,\ b\in A\}$

바로 접근

(1) 집합 B는 집합 A의 원소 a, b의 곱 ab를 원소로 갖는 집합이다.

(2) 집합 C는 집합 A의 원소 a, b의 순서쌍 (a, b)를 원소로 갖는 집합이다.

바른 풀이

(1) 집합 B는 집합 A의 두 원소 a, b의 곱 ab를 원소로 갖는 집합이다. 이때 ab의 값은 오른쪽 표와 같다.

$\therefore B=\{-1, 0, 1\}$

a \ b	-1	0	1
-1	1	0	-1
0	0	0	0
1	-1	0	1

(2) 집합 C는 집합 A의 두 원소 a, b의 순서쌍이다. 이때 순서쌍 (a, b)는 오른쪽 표와 같다.

$\therefore C=\{(-1, -1), (-1, 0), (-1, 1), (0, -1), (0, 0), (0, 1), (1, -1), (1, 0), (1, 1)\}$

a \ b	-1	0	1
-1	$(-1, -1)$	$(-1, 0)$	$(-1, 1)$
0	$(0, -1)$	$(0, 0)$	$(0, 1)$
1	$(1, -1)$	$(1, 0)$	$(1, 1)$

정답 (1) $B=\{-1, 0, 1\}$

(2) $C=\{(-1, -1), (-1, 0), (-1, 1), (0, -1), (0, 0), (0, 1), (1, -1), (1, 0), (1, 1)\}$

Bible Says

여러 가지 조건제시법

① $\{x \mid x$의 조건$\}$: 조건을 만족시키는 모든 x를 원소로 갖는 집합

② $\{x+y \mid x, y$의 조건$\}$: 조건을 만족시키는 모든 x, y의 합 $x+y$를 원소로 갖는 집합

③ $\{xy \mid x, y$의 조건$\}$: 조건을 만족시키는 모든 x, y의 곱 xy를 원소로 갖는 집합

④ $\{(x, y) \mid x, y$의 조건$\}$: 조건을 만족시키는 모든 x, y의 순서쌍 (x, y)를 원소로 갖는 집합

즉, 집합은 조건제시법으로 {원소의 형태 | 원소의 조건}과 같이 나타낼 수 있다.

한번 더하기

02-1

두 집합 $A=\{2, 4, 6, 8\}$, $B=\{x \mid x$는 9의 양의 약수$\}$에 대하여 집합 C가

$$C=\{x+y \mid x \in A, y \in B\}$$

일 때, 집합 C의 원소의 개수를 구하시오.

표현 더하기

02-2

집합 $A=\{a \mid a$는 $0<a<10$인 3의 양의 배수$\}$에 대하여 집합 $B=\{b \mid b=2a-1, a \in A\}$를 원소나열법으로 나타내시오.

표현 더하기

02-3

집합 $S=\{1, 2, 3, 4\}$에 대하여 집합 X가 $X=\{(p, q) \mid p \in S, q \in S, p$는 q의 양의 약수$\}$ 일 때, 집합 X의 원소의 개수를 구하시오.

실력 더하기

02-4

두 집합 $A=\{0, 1\}$, $B=\{1, 2\}$에 대하여 집합 $A \otimes B$를

$$A \otimes B=\{ab \mid a \in A, b \in B\}$$

라 할 때, 집합 $B \otimes (A \otimes B)$의 모든 원소의 합을 구하시오.

대표 예제 03

보기에서 옳은 것만을 있는 대로 고르시오.

보기

ㄱ. $n(\varnothing)=0$
ㄴ. $n(\{2, 3, 5\})-n(\{2, 3\})=5$
ㄷ. $n(\{1\})<n(\{2\})$
ㄹ. $A=\{x|x$는 $x<1$인 자연수$\}$이면 $n(A)=1$이다.
ㅁ. $A=\{x|x^2=-1, x$는 복소수$\}$이면 $n(A)=2$이다.

바로 접근

$n(A)$ ➔ 유한집합 A의 원소의 개수
따라서 집합 A가 조건제시법으로 주어진 경우 $n(A)$를 구하려면 집합 A를 원소나열법으로 나타낸 후 집합 A의 원소의 개수를 세도록 한다.

바른 풀이

ㄱ. 공집합은 원소의 개수가 0이므로
$n(\varnothing)=0$ (참)
ㄴ. $n(\{2, 3, 5\})=3$, $n(\{2, 3\})=2$이므로
$n(\{2, 3, 5\})-n(\{2, 3\})=3-2=1$ (거짓)
ㄷ. $n(\{1\})=1$, $n(\{2\})=1$이므로
$n(\{1\})=n(\{2\})$ (거짓)
ㄹ. $x<1$을 만족시키는 자연수 x는 존재하지 않으므로
$n(A)=n(\varnothing)=0$ (거짓)
ㅁ. $x^2=-1$이고 x는 복소수이므로 $x=i$ 또는 $x=-i$
즉, $A=\{-i, i\}$이므로 $n(A)=2$ (참)
따라서 옳은 것은 ㄱ, ㅁ이다.

정답 ㄱ, ㅁ

Bible Says

위의 문제의 ㄴ, ㄷ에서 원소끼리 연산하거나 원소 사이의 대소를 따지지 않도록 주의한다.

빠른 정답 • 511쪽 / 정답과 풀이 • 83쪽

한 번 더하기

03-1

다음 중 옳은 것은?

① $n(\{\varnothing\})=n(\varnothing)$

② $n(\{-3,\ -2,\ -1\})<n(\{1,\ 2,\ 3\})$

③ $A=\{0\}$이면 $n(A)=0$이다.

④ $A=\{x|x^2=-2,\ x$는 실수$\}$이면 $n(A)=0$이다.

⑤ $A=\{x|x$는 8의 양의 약수$\}$, $B=\{x|x$는 14의 양의 약수$\}$이면 $n(A)<n(B)$이다.

표현 더하기

03-2

세 집합 $A=\{x|x$는 25보다 작은 4의 양의 배수$\}$, $B=\{x|x$는 $x^2=4$인 음수$\}$, $C=\{x|x$는 $|x|<2$인 정수$\}$에 대하여 $n(A)+n(B)-n(C)$의 값을 구하시오.

표현 더하기

03-3

집합 $A=\{x|kx^2+8x-4=0,\ x$는 실수$\}$에 대하여 $n(A)=1$이 되도록 하는 모든 실수 k의 개수를 구하시오.

실력 더하기

03-4

두 집합

$A=\{(x,\ y)|x^2+y^2=1,\ x,\ y$는 정수$\}$,

$B=\{x|x^2-(k+2)x+2k<0,\ x$는 자연수$\}$

에 대하여 $n(A)=n(B)$를 만족시키는 자연수 k의 값을 구하시오.

02 집합 사이의 포함 관계

1 부분집합

(1) 부분집합의 뜻

집합 A의 모든 원소가 집합 B에 속할 때, 집합 A는 집합 B의 부분집합이라 하고 이것을 기호로

$A\subset B$

와 같이 나타낸다.

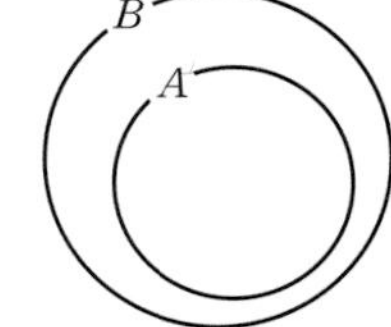

(2) 부분집합의 성질

① 모든 집합은 자기 자신의 부분집합이며, 공집합은 모든 집합의 부분집합으로 정한다.
즉, 집합 A에 대하여 $A\subset A$, $\varnothing\subset A$이다.

② 세 집합 A, B, C에 대하여 $A\subset B$이고 $B\subset C$이면 $A\subset C$이다.

하나의 원소는 오직 하나의 집합에만 속하는 것은 아니다. 예를 들어 두 집합

$A=\{1, 2\}$, $B=\{1, 2, 3, 4\}$

에서 1은 집합 A의 원소인 동시에 집합 B의 원소이기도 하다. 이러한 관계를 조금 확장하면 집합 A의 모든 원소가 집합 B에 속하는 경우도 생각할 수 있다. 이와 같이 집합 A의 모든 원소 x에 대하여

$x\in A$이면 $x\in B$

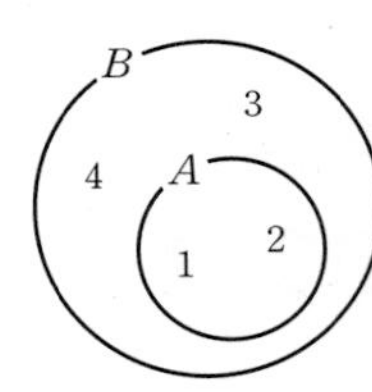

일 때, 집합 A를 집합 B의 **부분집합**이라 하고, 이것을 기호로

$A\subset B$ ← '집합 A는 집합 B에 포함된다.' 또는 '집합 B는 집합 A를 포함한다.'와 같이 말한다.

와 같이 나타낸다.

한편, 집합 A가 집합 B의 부분집합이 아닐 때, 이것을 기호로

$A\not\subset B$ ← $x\in A$이지만 $x\notin B$인 x가 적어도 하나 존재한다.

와 같이 나타낸다.

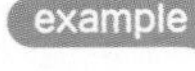

(1) 두 집합 $A=\{1, 3, 5\}$, $B=\{1, 2, 3, 4, 5\}$에 대하여 집합 A의 원소 1, 3, 5는 모두 집합 B에 속하므로 $A\subset B$이다.

(2) 두 집합 $X=\{1, 2, 3\}$, $Y=\{2, 3, 4\}$에 대하여
집합 X의 원소 1은 집합 Y에 속하지 않으므로 $X\not\subset Y$이고,
집합 Y의 원소 4는 집합 X에 속하지 않으므로 $Y\not\subset X$이다.

참고 (1)에서 집합 B의 원소 2는 집합 A에 속하지 않으므로 $B\not\subset A$이다. 즉, $A\subset B$라 해서 $B\subset A$인 것은 아님에 주의해야 한다. 마찬가지로 (2)와 같이 $X\not\subset Y$라 해서 $Y\subset X$는 아님에 주의해야 한다.

부분집합의 성질에 대하여 알아보자.

집합 A의 모든 원소는 집합 A에 속하므로 부분집합의 뜻에 의하여 $A \subset A$이다. 즉, 모든 집합은 자기 자신의 부분집합이다.
또한 원소가 하나도 없는 집합, 즉 공집합은 모든 집합의 부분집합으로 생각한다. 따라서 임의의 집합 A에 대하여 $\varnothing \subset A$이다.

집합 A가 집합 B의 부분집합이고 집합 B가 집합 C의 부분집합일 때, 이를 그림과 같이 벤다이어그램으로 나타내면 집합 A는 집합 C의 부분집합이 되는 것을 알 수 있다.
즉, $A \subset B$이고 $B \subset C$이면 $A \subset C$이다.

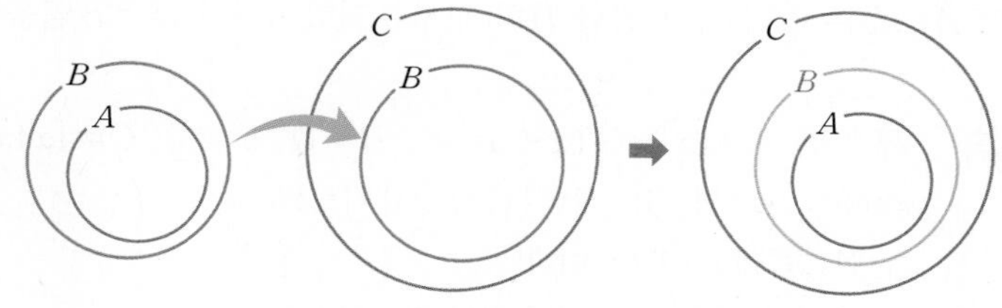

example

실수 전체의 집합의 세 부분집합 $A=\{x \mid x^2+x-1=0\}$, $B=\{x \mid x^2+x-6<0\}$, $C=\{x \mid x^2+4x-12 \le 0\}$에 대하여 $A \subset C$임을 증명하면
$a \in A$이면 $a^2+a-1=0$이므로 $a^2+a-6=(a^2+a-1)-5=-5<0$
$\therefore A \subset B$
한편, $x^2+x-6=(x+3)(x-2)$이므로 $B=\{x \mid -3<x<2\}$이고
$x^2+4x-12=(x+6)(x-2)$이므로 $C=\{x \mid -6 \le x \le 2\}$이다.
$\therefore B \subset C$
따라서 $A \subset B$이고 $B \subset C$이므로 $A \subset C$이다.

2 서로 같은 집합과 진부분집합

두 집합 A, B에 대하여
(1) $A \subset B$이고 $B \subset A$일 때, 두 집합 A, B는 서로 같다고 하고, 이것을 기호로 $A=B$와 같이 나타낸다.
두 집합 A, B가 서로 같지 않을 때, 이것을 기호로 $A \ne B$와 같이 나타낸다.
(2) 집합 A가 집합 B의 부분집합이고 두 집합 A, B가 서로 같지 않을 때, 즉 $A \subset B$이고 $A \ne B$일 때, 집합 A를 집합 B의 진부분집합이라 한다.

두 집합 $A=\{1, 2, 3, 4\}$, $B=\{x \mid x$는 5보다 작은 자연수$\}$에 대하여 $B=\{1, 2, 3, 4\}$이므로 집합 A의 모든 원소는 집합 B에 속하고, 집합 B의 모든 원소는 집합 A에 속한다.
즉, $A \subset B$이고 $B \subset A$이다.

이와 같이 두 집합 A, B에 대하여 $A\subset B$이고 $B\subset A$일 때, A와 B는 서로 같다고 하고, 이것을 기호로 $A=B$와 같이 나타낸다.
또한 두 집합 A, B가 서로 같지 않을 때는 $A\neq B$로 나타낸다.

두 집합 A, B에 대하여 $A\subset B$일 때, 두 집합 A, B는 오른쪽 그림과 같이 두 가지 경우가 있다.
이 중에서 집합 A가 집합 B의 부분집합이고 A, B가 서로 같지 않은 경우, 즉

$$A\subset B\text{이고 } A\neq B$$

일 때, 집합 A를 집합 B의 **진부분집합**이라 한다.
정리하면 $A\subset B$는 집합 A가 집합 B의 진부분집합이거나 $A=B$임을 뜻한다.

$A\subset B$의 형태

B A 또는 $A=B$

$A\subset B$이고 $A\neq B$

example 세 집합 $A=\{x\,|\,x^2-6x+5=0\}$, $B=\{1,\ 5,\ 25\}$, $C=\{x\,|\,x$는 25의 양의 약수$\}$에 대하여 $A=\{1,\ 5\}$, $C=\{1,\ 5,\ 25\}$이므로
(1) $A\subset C$이고 $A\neq C$이다.
따라서 집합 A는 집합 C의 진부분집합이다.
(2) $B\subset C$이고 $C\subset B$이다.
따라서 $B=C$이다.

3 부분집합의 개수

원소의 개수가 n인 집합 A에 대하여
(1) 집합 A의 부분집합의 개수: 2^n
(2) 집합 A의 진부분집합의 개수: 2^n-1
(3) 특정한 원소 k개는 반드시 갖고, 특정한 원소 l개는 갖지 않는 집합 A의 부분집합의 개수
: 2^{n-k-l} (단, $k+l<n$)

앞에서 공집합 $\varnothing$은 모든 집합의 부분집합이고, 모든 집합은 자기 자신의 부분집합임을 학습하였다.
이를 이용하여 집합 $\{1,\ 2,\ 3\}$의 부분집합을 모두 구해 보면 다음과 같다.

$$\varnothing,\ \{1\},\ \{2\},\ \{3\},\ \{1,\ 2\},\ \{1,\ 3\},\ \{2,\ 3\},\ \{1,\ 2,\ 3\}$$

또한 집합 A의 진부분집합은 집합 A의 부분집합 중 A 자기 자신을 제외해야 하므로

$$\varnothing,\ \{1\},\ \{2\},\ \{3\},\ \{1,\ 2\},\ \{1,\ 3\},\ \{2,\ 3\}$$

이다. 즉, 집합 $\{1,\ 2,\ 3\}$의 부분집합의 개수는 8이고, 진부분집합의 개수는 집합 $\{1,\ 2,\ 3\}$의 부분집합의 개수에서 집합 $\{1,\ 2,\ 3\}$ 자기 자신을 제외한 $8-1=7$이다.

어떤 유한집합의 부분집합의 개수는 그 집합의 원소의 개수와 관련이 있다.
원소의 개수가 1, 2, 3, ⋯, n인 집합의 부분집합의 개수를 각각 구해 보면 다음과 같다.

원소의 개수	집합	부분집합	부분집합의 개수
1	$\{1\}$	$\varnothing$, $\{1\}$	$2=2^1$
2	$\{1, 2\}$	$\varnothing$, $\{1\}$, $\{2\}$, $\{1, 2\}$	$4=2^2$
3	$\{1, 2, 3\}$	$\varnothing$, $\{1\}$, $\{2\}$, $\{3\}$, $\{1, 2\}$, $\{1, 3\}$, $\{2, 3\}$, $\{1, 2, 3\}$	$8=2^3$
⋮	⋮	⋮	⋮
n	$\{1, 2, 3, \cdots, n\}$	$\varnothing$, $\{1\}$, $\{2\}$, $\{3\}$, ⋯, $\{1, 2, 3, \cdots, n\}$	2^n

위의 표를 정리하면

원소의 개수가 n인 집합 A의 부분집합의 개수는 2^n

이다.
또한 원소의 개수가 n인 집합 A의 진부분집합의 개수는

집합 A의 부분집합의 개수에서 집합 A 자기 자신을 제외한 2^n-1

이다.

example 집합 $A=\{-1, 1, 3, 5\}$의 원소의 개수는 4이므로

(1) $X \subset A$를 만족시키는 집합 X의 개수
즉, 집합 A의 부분집합의 개수는 $2^4=16$이다.

(2) $Y \subset A$이고 $Y \neq A$를 만족시키는 집합 Y의 개수
즉, 집합 A의 진부분집합의 개수는 $2^4-1=15$이다.

주의 어떤 집합의 부분집합 또는 진부분집합의 개수는 그 집합의 특정 원소와는 관계가 없음에 주의해야 한다.

참고 거꾸로 집합 A의 부분집합의 개수 또는 진부분집합의 개수를 알 때 집합 A의 원소의 개수를 구할 수 있다. 단, 집합 A의 원소는 알 수 없다.

부분집합의 개수를 구하는 방법을 이용하면 어떤 집합에서 특정한 원소를 반드시 갖거나 갖지 않는 부분집합의 개수도 구할 수 있다.
집합 $B=\{a, b, c\}$의 부분집합 중 a를 원소로 갖지 않는 부분집합을 구해 보면 다음과 같다.

$\varnothing$, $\{b\}$, $\{c\}$, $\{b, c\}$

이는 집합 B에서 원소 a를 뺀 집합 $\{b, c\}$의 부분집합과 같다. 따라서 집합 B의 부분집합 중 a를 원소로 갖지 않는 집합의 개수는 $2^{3-1}=2^2=4$이다.
같은 방법으로 생각해 보면 원소의 개수가 n인 집합에서 특정한 원소 l $(l<n)$개는 원소로 갖지 않는 부분집합의 개수는 n개의 원소 중 특정한 l개의 원소를 뺀 집합의 부분집합의 개수와 같으므로 2^{n-l}으로 구할 수 있다.

example 집합 $\{1, 2, 3, 4, 5\}$의 부분집합 중 홀수를 원소로 갖지 않는 부분집합의 개수는 세 원소 1, 3, 5를 제외한 집합 $\{2, 4\}$의 부분집합의 개수와 같으므로

$2^{5-3}=2^2=4$

집합 $B=\{a,\ b,\ c\}$의 부분집합 중 a를 원소로 반드시 갖는 부분집합을 구해 보면 다음과 같다.

$\{a\},\ \{a,\ b\},\ \{a,\ c\},\ \{a,\ b,\ c\}$

이는 집합 B에서 원소 a를 뺀 집합 $\{b,\ c\}$의 부분집합에 a를 원소로 각각 추가한 것과 같다.
따라서 집합 B의 부분집합 중 a를 원소로 반드시 갖는 집합의 개수는 $2^{3-1}=2^2=4$이다.
같은 방법으로 생각해 보면 원소의 개수가 n인 집합에서 특정한 원소 $k\ (k<n)$개는 반드시 원소로 갖는 부분집합의 개수는 n개의 원소 중 특정한 k개의 원소를 뺀 집합의 부분집합의 개수와 같으므로 2^{n-k}으로 구할 수 있다.

example

집합 $\{2,\ 4,\ 6,\ 8,\ 10\}$의 부분집합 중 2, 6을 반드시 원소로 갖는 부분집합의 개수는 두 원소 2, 6을 제외한 집합 $\{4,\ 8,\ 10\}$의 부분집합의 개수와 같으므로

$2^{5-2}=2^3=8$

더 나아가 원소의 개수가 n인 집합에서 특정한 원소 k개는 반드시 원소로 갖고, 특정한 원소 l개는 원소로 갖지 않는 부분집합의 개수는 n개의 원소 중 특정한 $(k+l)$개의 원소를 뺀 집합의 부분집합의 개수와 같으므로 2^{n-k-l}으로 구할 수 있다.

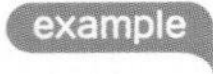

집합 $A=\{x|x$는 10 이하의 자연수$\}$의 부분집합 중 3, 7을 반드시 원소로 갖고, 10의 양의 약수를 원소로 갖지 않는 부분집합의 개수를 구하면
$n(A)=10$이고, 10의 양의 약수는 1, 2, 5, 10의 4개이므로 구하는 부분집합의 개수는

$2^{10-2-4}=2^4=16$

바이블 PLUS 부분집합의 개수의 원리

집합 $A=\{1,\ 2,\ 3\}$의 부분집합의 개수를 구해 보자.
집합 A의 세 원소 1, 2, 3은 집합 A의 부분집합에 속하거나 속하지 않는다. 이때 세 원소 1, 2, 3이 부분집합에 속하는 경우를 ○, 속하지 않는 경우를 ×로 나타내면 그림과 같이 1이 속하거나 속하지 않는 2가지 각각의 경우에 대하여 2가 속하거나 속하지 않는 2가지 경우가 있고, 그 각각의 경우에 대하여 3이 속하거나 속하지 않는 2가지 경우가 있다.

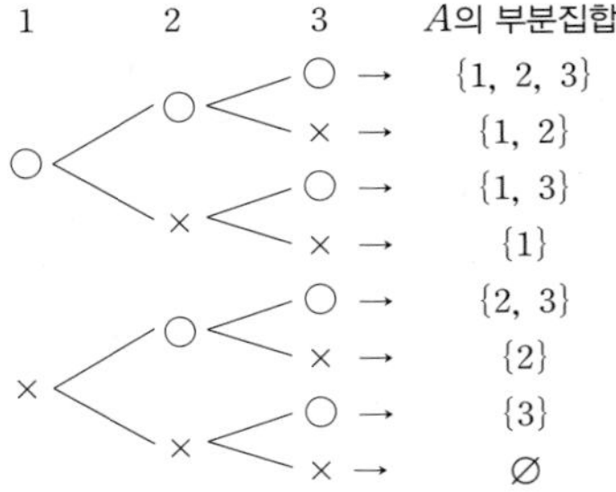

따라서 원소의 개수가 3인 집합 A의 부분집합의 개수는

$2\times2\times2=2^3=8$

이와 같은 원리로 원소의 개수가 n인 집합의 부분집합의 개수는

$\underbrace{2\times2\times2\times\cdots\times2}_{n\text{개}}=2^n$

개념 CHECK

02. 집합 사이의 포함 관계

01 다음 두 집합 A, B 사이의 포함 관계를 기호 $\subset$를 사용하여 나타내시오.

(1) $A=\{x \mid x$는 3의 양의 배수$\}$
$B=\{x \mid x$는 9의 양의 배수$\}$

(2) $A=\{x \mid x$는 정수$\}$
$B=\{x \mid x$는 유리수$\}$

02 다음 집합의 부분집합을 모두 구하시오.

(1) $\{0, 1\}$

(2) $\{x \mid x$는 7 이하의 짝수인 자연수$\}$

(3) $\{\varnothing, \{\varnothing\}\}$

03 다음 두 집합 A, B 사이의 관계를 기호 $=$ 또는 $\neq$를 사용하여 나타내시오.

(1) $A=\{3, 6, 9, \cdots\}$
$B=\{x \mid x$는 3으로 나눈 나머지가 0인 자연수$\}$

(2) $A=\{(x, y) \mid y=2x,\ x$는 자연수$\}$
$B=\{(x, y) \mid y=2x,\ y$는 4의 양의 배수$\}$

04 다음 집합 A에 대하여 부분집합의 개수와 진부분집합의 개수를 각각 구하시오.

(1) $A=\{a, c, e\}$

(2) $A=\{x \mid |x|<3,\ x$는 정수$\}$

05 집합 $A=\{1, 2, 3, 4, 5\}$에 대하여 다음을 구하시오.

(1) 집합 A의 부분집합 중 3과 4를 반드시 원소로 갖는 부분집합의 개수

(2) 집합 A의 부분집합 중 1을 원소로 갖지 않는 부분집합의 개수

(3) 집합 A의 부분집합 중 2를 반드시 원소로 갖고, 3, 5를 원소로 갖지 않는 부분집합의 개수

대표 예제 | 04

기호 $\in$, $\subset$의 사용

집합 $A=\{\varnothing, 0, 1, \{2\}\}$에 대하여 **보기**에서 옳은 것만을 있는 대로 고르시오.

보기

ㄱ. $\varnothing\subset A$ ㄴ. $\varnothing\in A$ ㄷ. $\{\varnothing\}\subset A$

ㄹ. $\{2\}\subset A$ ㅁ. $\{\varnothing, 0\}\subset A$

바로 접근

기호 $\in$, $\subset$는 집합과 원소 사이의 관계인지, 집합과 집합 사이의 관계인지를 구분하여 써야 한다.

➔ 집합과 원소 사이의 관계: $\in$, $\notin$를 사용

➔ 집합과 집합 사이의 관계: $\subset$, $\not\subset$를 사용

바른 풀이

집합 A의 원소는 $\varnothing$, 0, 1, $\{2\}$이다.

ㄱ. 공집합 $\varnothing$은 모든 집합에 포함되므로 $\varnothing\subset A$ (참)

ㄴ. $\varnothing$은 집합 A의 원소이므로 $\varnothing\in A$ (참)

ㄷ. 집합 $\{\varnothing\}$은 집합 A에 포함되므로 $\{\varnothing\}\subset A$ (참)

ㄹ. 집합 $\{2\}$는 집합 A의 원소이지만 2는 집합 A의 원소가 아니다.

즉, 집합 $\{2\}$는 집합 A에 포함되지 않으므로

$\{2\}\not\subset A$ (거짓)

ㅁ. 집합 $\{\varnothing, 0\}$은 집합 A에 포함되므로 $\{\varnothing, 0\}\subset A$ (참)

따라서 옳은 것은 ㄱ, ㄴ, ㄷ, ㅁ이다.

정답 ㄱ, ㄴ, ㄷ, ㅁ

Bible Says

집합 기호 안에 들어 있는 집합은 원소로 생각하여야 함에 주의한다.

① x가 집합 A의 원소이면 $x\in A$, $\{x\}\subset A$

② $\{x\}$가 집합 A의 원소이면 $\{x\}\in A$, $\{\{x\}\}\subset A$

따라서 위의 문제에서 ㄹ을 바르게 수정하면 $\{2\}\in A$ 또는 $\{\{2\}\}\subset A$로 나타낼 수 있다.

③ $\varnothing$은 공집합이고 $\{\varnothing\}$은 $\varnothing$을 원소로 하는 집합이다.

빠른 정답 • 512쪽 / 정답과 풀이 • 85쪽

한 번 더하기

04-1 집합 $S=\{\varnothing, 0, \{1\}, \{1, 2\}\}$에 대하여 다음 중 옳은 것을 모두 고르면? (정답 2개)

① $\varnothing \in S$　② $\{0\} \in S$　③ $\{1\} \subset S$
④ $\{1, 2\} \in S$　⑤ $\{0, 2\} \subset S$

표현 더하기

04-2 집합 $A=\{x \mid x=3n,\ n$은 4 이하의 자연수$\}$에 대하여 **보기**에서 옳은 것만을 있는 대로 고르시오.

보기
ㄱ. $9 \in A$　ㄴ. $4 \notin A$　ㄷ. $\{3, 10\} \subset A$　ㄹ. $A \subset \{3, 6, 9\}$

표현 더하기

04-3 두 집합 A, B를 벤다이어그램으로 나타내면 그림과 같을 때, 다음 중 옳지 않은 것은?

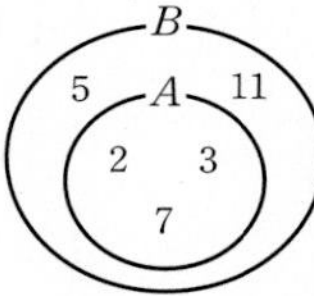

① $\varnothing \subset A$　② $3 \in B$　③ $5 \notin A$
④ $\{7\} \subset A$　⑤ $\{2, 3, 11\} \not\subset B$

표현 더하기

04-4 집합 $A=\{1, 2, 3\}$에 대하여 집합 $B=\{x \mid x=ab,\ a \in A,\ b \in A\}$일 때, 다음 중 옳은 것은?

① $5 \in B$　② $9 \notin B$　③ $\{4, 6, 8\} \subset B$
④ $A \subset B$　⑤ $B \subset A$

대표 예제 | 05

집합 사이의 포함 관계가 성립하도록 하는 미지수 구하기

두 집합 $A=\{a^2-1, 2\}$, $B=\{a+1, 0, a^2-7\}$에 대하여 $A\subset B$일 때, 상수 a의 값을 구하시오.

바로 접근

두 집합 A, B에 대하여

$A\subset B$이면 집합 A의 모든 원소는 집합 B의 원소이어야 한다.

바른 풀이

$A\subset B$이므로 $2\in A$에서 $2\in B$

$a+1=2$ 또는 $a^2-7=2$ $\quad\therefore a=1$ 또는 $a=\pm3$

(i) $a=1$일 때

$A=\{0, 2\}$, $B=\{-6, 0, 2\}$이므로 $A\subset B$

(ii) $a=-3$일 때

$A=\{2, 8\}$, $B=\{-2, 0, 2\}$이므로 $A\not\subset B$

(iii) $a=3$일 때

$A=\{2, 8\}$, $B=\{0, 2, 4\}$이므로 $A\not\subset B$

(i)~(iii)에서 $A\subset B$일 때의 상수 a의 값은 1이다.

정답 1

Bible Says

집합의 조건이 부등식으로 주어지면 두 집합을 수직선 위에 나타내고, 포함 관계가 성립할 조건을 찾는다. 이때 등호의 포함 여부에 주의한다.

예를 들어 두 집합 $P=\{x|a\le x<b\}$, $Q=\{x|2<x\le6\}$에 대하여

① $P\subset Q$이기 위한 a, b의 값의 범위 ➔ $2<a<6$, $2<b\le6$

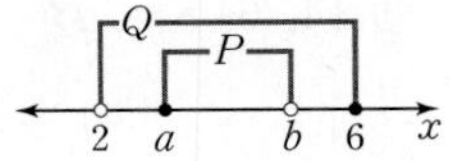

② $Q\subset P$이기 위한 a, b의 값의 범위 ➔ $a\le2$, $b>6$

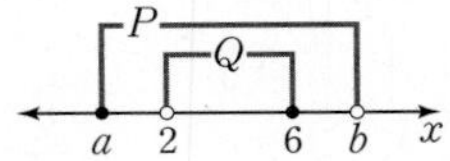

빠른 정답 • 512쪽 / 정답과 풀이 • 86쪽

한 번 더하기

05-1 두 집합 $A=\{a+1, 7\}$, $B=\{a+3, a^2-2, 4\}$에 대하여 $A\subset B$일 때, 상수 a의 값을 구하시오.

한 번 더하기

05-2 두 집합 $A=\{-4, -2\}$, $B=\{a, a+2, a^2\}$에 대하여 $A\subset B$를 만족시키는 실수 a의 값을 구하시오.

표현 더하기

05-3 두 집합 $A=\{x|a<x\leq 3a+7\}$, $B=\{x|0\leq x<4\}$에 대하여 $B\subset A$가 성립하도록 하는 실수 a의 값의 범위를 구하시오.

실력 더하기

05-4 세 집합 $A=\{x|x^2-x-2<0\}$, $B=\{x||x|\leq k\}$, $C=\{x|x-1\leq 3\}$에 대하여 $A\subset B\subset C$를 만족시키는 모든 자연수 k의 값의 합을 구하시오.

서로 같은 집합

대표 예제 06

두 집합 $A=\{5, a^2+2\}$, $B=\{3, a^2-4a\}$에 대하여 $A=B$일 때, 상수 a의 값을 구하시오.

바로 접근

두 집합 A, B에 대하여 $A=B$이다.

➡ 집합 A의 모든 원소는 집합 B의 모든 원소와 같다.

바른 풀이

$A=B$이므로 $A\subset B$이고 $B\subset A$

이때 $A\subset B$이므로 $5\in A$에서 $5\in B$

$a^2-4a=5$, $a^2-4a-5=0$

$(a+1)(a-5)=0$ $\quad\therefore a=-1$ 또는 $a=5$

(i) $a=-1$일 때

$A=\{3, 5\}$, $B=\{3, 5\}$이므로 $A=B$

(ii) $a=5$일 때

$A=\{5, 27\}$, $B=\{3, 5\}$이므로 $A\neq B$

(i), (ii)에서 $A=B$일 때의 a의 값은 -1이다.

다른 풀이

$A=B$이므로 $A\subset B$이고 $B\subset A$

이때 $5\in A$, $3\in B$이므로 $5\in B$, $3\in A$이어야 한다.

즉, $a^2-4a=5$, $a^2+2=3$을 동시에 만족시켜야 한다.

(i) $a^2-4a=5$일 때

$a^2-4a-5=0$, $(a+1)(a-5)=0$

$\therefore a=-1$ 또는 $a=5$

(ii) $a^2+2=3$일 때

$a^2=1$ $\quad\therefore a=-1$ 또는 $a=1$

(i), (ii)를 동시에 만족시키는 a의 값은 -1이다.

정답 -1

Bible Says

두 집합 $\{a, b\}$와 $\{1, 2\}$가 서로 같다고 해서 반드시 $a=1$, $b=2$인 것은 아니다.
집합에서 원소를 나열하는 순서는 바뀌어도 상관없으므로 이 경우 $a=1$, $b=2$ 또는 $a=2$, $b=1$이다.

한 번 더하기

06-1 두 집합 $A=\{2,\ a^2+2a\}$, $B=\{3,\ a^2-a+2\}$에 대하여 $A=B$일 때, 상수 a의 값을 구하시오.

표현 더하기

06-2 두 집합 $A=\{0,\ a,\ 4\}$, $B=\{0,\ b^2,\ b^2+1\}$에 대하여 $A\subset B$이고 $B\subset A$일 때, 자연수 a, b에 대하여 $a+b$의 값을 구하시오.

표현 더하기

06-3 두 집합 $A=\{x|x^2-x+a=0\}$, $B=\{-3,\ b\}$에 대하여 $A=B$일 때, 상수 a, b에 대하여 $a+b$의 값을 구하시오.

실력 더하기

06-4 두 집합 $A=\{x|x^2+ax-10\le 0\}$, $B=\{x|-5\le x\le b\}$에 대하여 $A\subset B$이고 $B\subset A$일 때, 상수 a, b에 대하여 ab의 값을 구하시오.

대표 예제 07

집합 $A=\{1, 2, 3, 4\}$에 대하여 다음을 모두 구하시오.

(1) 집합 A의 부분집합 중 원소의 개수가 2인 부분집합
(2) 집합 A의 부분집합 중 4를 원소로 갖지 않는 부분집합
(3) 집합 A의 진부분집합 중 1, 2를 모두 원소로 갖는 부분집합

바로 접근

부분집합과 진부분집합의 뜻을 정확히 이해하고 문제를 해결한다.
① $X \subset A$ ➡ 집합 X의 모든 원소가 집합 A에 속한다.
➡ 집합 X가 집합 A의 부분집합이다.
② $X \subset A$, $X \neq A$ ➡ 집합 X가 집합 A의 부분집합이지만 서로 같은 집합은 아니다.
➡ 집합 X가 집합 A의 진부분집합이다.

바른 풀이

(1) 집합 A의 부분집합 중 원소의 개수가 2인 부분집합은
$\{1, 2\}$, $\{1, 3\}$, $\{1, 4\}$, $\{2, 3\}$, $\{2, 4\}$, $\{3, 4\}$
(2) 집합 A의 부분집합 중 4를 원소로 갖지 않는 부분집합은
$\varnothing$, $\{1\}$, $\{2\}$, $\{3\}$, $\{1, 2\}$, $\{1, 3\}$, $\{2, 3\}$, $\{1, 2, 3\}$
(3) 집합 A의 진부분집합 중 1, 2를 모두 원소로 갖는 부분집합은
$\{1, 2\}$, $\{1, 2, 3\}$, $\{1, 2, 4\}$

정답 (1) $\{1, 2\}$, $\{1, 3\}$, $\{1, 4\}$, $\{2, 3\}$, $\{2, 4\}$, $\{3, 4\}$
(2) $\varnothing$, $\{1\}$, $\{2\}$, $\{3\}$, $\{1, 2\}$, $\{1, 3\}$, $\{2, 3\}$, $\{1, 2, 3\}$
(3) $\{1, 2\}$, $\{1, 2, 3\}$, $\{1, 2, 4\}$

Bible Says

위의 각 문제는 다음과 같이 접근한다.
(1) 집합은 원소를 나열하는 순서를 생각하지 않는다.

$\{1, 2\}$	$\{1, 3\}$	$\{1, 4\}$	$\{2, 3\}$	$\{2, 4\}$	$\{3, 4\}$
‖	‖	‖	‖	‖	‖
$\{2, 1\}$	$\{3, 1\}$	$\{4, 1\}$	$\{3, 2\}$	$\{4, 2\}$	$\{4, 3\}$

따라서 같은 집합을 중복하여 나열하지 않도록 주의하자.
(2) 집합 A에서 원소 4를 제외한 집합 $\{1, 2, 3\}$의 부분집합이다.
(3) 집합 A에서 원소 1, 2를 제외한 집합 $\{3, 4\}$의 진부분집합에 1, 2를 원소로 추가한 집합이다.

$\varnothing$	$\{3\}$	$\{4\}$	⬅ 집합 $\{3, 4\}$의 진부분집합
↓	↓	↓	
$\{1, 2\}$	$\{1, 2, 3\}$	$\{1, 2, 4\}$	⬅ 각 진부분집합에 1, 2를 원소로 추가한 집합

한 번 더하기

07-1

집합 $A=\{a, b, c, d, e\}$에 대하여 다음을 구하시오.

(1) 집합 A의 부분집합 중 원소의 개수가 3인 부분집합

(2) 집합 A의 부분집합 중 a, b를 원소로 갖지 않는 부분집합

(3) 집합 A의 진부분집합 중 a, c, e를 원소로 갖는 부분집합

표현 더하기

07-2

보기에서 집합 $A=\{x|x$는 $|x|\le 1$인 정수$\}$의 부분집합인 것만을 있는 대로 고르시오.

보기

ㄱ. $\varnothing$

ㄴ. $\{-1, 0, 1\}$

ㄷ. $\{x|x$는 1 이하의 정수$\}$

ㄹ. $\{x|x$는 2보다 작은 자연수$\}$

표현 더하기

07-3

집합 $A=\{x|x$는 10 이하의 짝수인 자연수$\}$에 대하여 $X\subset A$이고 $n(X)=3$인 집합 X를 모두 구하시오.

표현 더하기

07-4

집합 $A=\{x|x$는 $x^2-6x+8\le 0$인 정수$\}$에 대하여 $X\subset A$이고 $X\neq A$인 집합 X를 모두 구하시오.

대표 예제 | 08

집합 $A=\{1, 3, 5, 7, 9\}$에 대하여 다음을 구하시오.

(1) 집합 A의 부분집합 중 1, 3을 반드시 원소로 갖는 부분집합의 개수

(2) 집합 A의 부분집합 중 5는 반드시 원소로 갖고 7, 9는 원소로 갖지 않는 부분집합의 개수

(3) 집합 A의 부분집합 중 적어도 한 개의 3의 배수를 원소로 갖는 부분집합의 개수

바로 접근

원소의 개수가 n인 집합에서

(1) 특정한 원소 k개는 반드시 원소로 갖는(또는 원소로 갖지 않는) 부분집합의 개수

➔ 2^{n-k} (단, $k<n$)

(2) 특정한 원소 k개는 반드시 원소로 갖고 특정한 원소 l개는 원소로 갖지 않는 부분집합의 개수

➔ 2^{n-k-l} (단, $k+l<n$)

(3) 특정한 원소 k개 중 적어도 한 개를 원소로 갖는 부분집합의 개수

➔ (모든 부분집합의 개수)−(특정한 원소 k개를 원소로 갖지 않는 부분집합의 개수)

$=2^n-2^{n-k}$ (단, $k<n$)

바른 풀이

(1) 집합 A의 부분집합 중 1, 3을 반드시 원소로 갖는 부분집합의 개수는

$2^{5-2}=2^3=8$

(2) 집합 A의 부분집합 중 5는 반드시 원소로 갖고 7, 9는 원소로 갖지 않는 부분집합의 개수는

$2^{5-1-2}=2^2=4$

(3) 구하는 부분집합의 개수는 모든 부분집합의 개수에서 3의 배수를 원소로 갖지 않는 부분집합의 개수를 뺀 것과 같다.

집합 A의 부분집합의 개수는 $2^5=32$

집합 A의 부분집합 중 3, 9를 원소로 갖지 않는 부분집합의 개수는 $2^{5-2}=2^3=8$

따라서 구하는 부분집합의 개수는

$32-8=24$

정답 (1) 8 (2) 4 (3) 24

Bible Says

(3)을 아래와 같이 구하는 것도 가능하다. 이때 중복되어 세어진 것을 제외하는 것이 중요하다.

(i) 3을 원소로 갖는 부분집합의 개수: $2^{5-1}=2^4=16$

(ii) 9를 원소로 갖는 부분집합의 개수: $2^{5-1}=2^4=16$

(i), (ii)에서 3, 9를 모두 원소로 갖는 부분집합의 개수 $2^{5-2}=2^3=8$이 중복되어 세어졌으므로 구하는 부분집합의 개수는

$16+16-8=24$

빠른 정답 • 512쪽 / 정답과 풀이 • 88쪽

한 번 더하기

08-1

집합 $A=\{x|x$는 10 이하의 자연수$\}$의 부분집합 중 1, 2, 3, 4를 반드시 원소로 갖는 부분집합의 개수를 a라 하고, 1, 3은 반드시 원소로 갖고 5, 7, 9는 원소로 갖지 않는 부분집합의 개수를 b라 할 때, $a+b$의 값을 구하시오.

표현 더하기

08-2

집합 $A=\{2, 4, 6, 8, 10, 12\}$에 대하여 $2\in X$, $4\in X$, $8\notin X$를 만족시키는 집합 A의 부분집합 X의 개수를 구하시오.

표현 더하기

08-3

집합 $A=\{1, 2, 4, 8\}$의 진부분집합 중 적어도 한 개의 짝수를 원소로 갖는 부분집합의 개수를 구하시오.

표현 더하기

08-4

집합 $A=\{x|x$는 n 이하의 자연수$\}$의 부분집합 중 1, 2를 반드시 원소로 갖는 부분집합의 개수가 32일 때, 자연수 n의 값을 구하시오.

대표 예제 09

두 집합 $A=\{x\mid x^2-8x+12=0\}$, $B=\{x\mid x$는 18의 양의 약수$\}$에 대하여 $A\subset X\subset B$를 만족시키는 집합 X의 개수를 구하시오.

바로 접근

두 집합 A, B에 대하여 $A\subset B$이고, $n(A)<n(B)$일 때
$A\subset X\subset B$를 만족시키는 집합 X의 개수 ➔ $2^{n(B)-n(A)}$

바른 풀이

$x^2-8x+12=0$에서
$(x-2)(x-6)=0$ $\quad\therefore x=2$ 또는 $x=6$
$\therefore A=\{2, 6\}$
또한 18의 양의 약수는 1, 2, 3, 6, 9, 18이므로
$B=\{1, 2, 3, 6, 9, 18\}$
이때 $A\subset X\subset B$이면 X는 집합 B의 부분집합 중 2, 6을 반드시 원소로 갖는 집합이다.
따라서 구하는 집합 X의 개수는
$2^{6-2}=2^4=16$

정답 16

Bible Says

$A\subset X\subset B$를 차례대로 해석해 보자.
$A\subset X$는 집합 A의 모든 원소가 집합 X에 속함을 의미하고,
$X\subset B$는 집합 X의 모든 원소가 집합 B에 속함을 의미한다.
정리하면 $A\subset X\subset B$를 만족시키는 집합 X는 집합 B의 부분집합 중 집합 A를 포함하는, 즉 집합 A의 모든 원소(집합 B의 입장에서는 특정한 원소)를 원소로 갖는 집합을 의미한다.
따라서 이 문제는 결국 앞의 대표 예제 08에서 학습한 원소의 개수가 n인 집합에서 특정한 원소 k개는 반드시 원소로 갖는 부분집합의 개수가 2^{n-k}임을 이용하는 문제와 같다.

한 번 더하기

09-1

두 집합 $A=\{x|x$는 $x^2-6x+5\leq 0$인 정수$\}$, $B=\{x|x^2-6x+8=0\}$에 대하여 $B\subset X\subset A$를 만족시키는 집합 X의 개수를 구하시오.

한 번 더하기

09-2

두 집합 $A=\{5, 7, 11\}$, $B=\{x|x$는 15보다 작은 소수$\}$에 대하여 $A\subset X\subset B$, $X\neq A$, $X\neq B$를 만족시키는 집합 X의 개수를 구하시오.

표현 더하기

09-3

두 집합 $A=\{2, 6, 12\}$, $B=\{x|x$는 24의 양의 약수$\}$에 대하여 $A\subset X\subset B$, $n(X)=4$를 만족시키는 집합 X의 개수를 구하시오.

표현 더하기

09-4

두 집합 $A=\{x|x$는 $x^2-5x+4\leq 0$인 정수$\}$, $B=\{x|x$는 k 이하의 자연수$\}$에 대하여 $A\subset X\subset B$를 만족시키는 집합 X의 개수가 64일 때, 자연수 k의 값을 구하시오.

중단원 연습문제

STEP 1 기본 다지기

01 그림과 같이 벤다이어그램으로 나타내어진 집합 A를 조건제시법으로 바르게 나타낸 것만을 **보기**에서 있는 대로 고르시오.

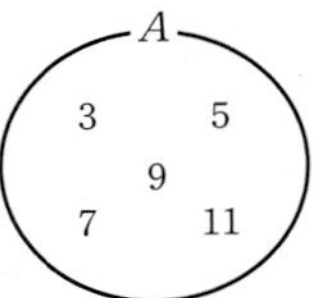

보기

ㄱ. $A=\{x|x$는 $2<x\leq 11$인 소수$\}$

ㄴ. $A=\{x|x=k-7$, k는 20보다 작은 두 자리의 짝수$\}$

ㄷ. $A=\{x|x=2n-1,\ n=1,\ 2,\ 3,\ 4,\ 5\}$

ㄹ. $A=\{x|x$는 $(x-1)(x-12)<0$인 홀수$\}$

02 두 집합 $A=\{2,\ 4,\ 6,\ 8,\ 10\}$, $B=\{3,\ 6,\ 9\}$에 대하여 집합

$$X=\{a-b|a\in A,\ b\in B,\ a\geq b\}$$

의 원소의 개수를 구하시오.

03 두 집합 $A=\{x|x$는 $-7\leq 2x+3\leq 9$인 정수$\}$, $B=\{x|x$는 k의 양의 약수$\}$에 대하여 $n(A)+n(B)=13$을 만족시키는 자연수 k의 최솟값을 구하시오.

04 집합 $A=\{(x,\ y)|ax-by=7\}$에 대하여 $(9,\ 4)\in A$, $(-1,\ -2)\in A$일 때, 상수 a, b에 대하여 $a+b$의 값을 구하시오.

05 집합에 대한 설명 중 **보기**에서 옳은 것만을 있는 대로 고르시오.

보기

ㄱ. $0 \in \varnothing$
ㄴ. $A=\{1, 2, \{2, 3\}, \{1, 2, 3\}\}$일 때, $3 \in A$이다.
ㄷ. $n(\{a, b, \{a, b\}, c\})=4$
ㄹ. $\{x | x$는 7보다 작은 소수$\} \subset \{1, 3, 5, 7, 9\}$

06 두 집합 $A=\{k, k+2\}$, $B=\{x | x^4-10x^2+9=0\}$에 대하여 $A \subset B$가 성립하도록 하는 정수 k의 개수를 구하시오.

07 두 집합 $A=\{6, x^2\}$, $B=\{4, y^2-y\}$에 대하여 $A \subset B$이고 $B \subset A$일 때, 두 실수 x, y에 대하여 $x+y$의 최댓값을 구하시오.

08 집합 $A=\{x | 2x^2-7x-4<0, x$는 정수$\}$에 대하여 $X \subset A$, $X \neq A$, $X \neq \varnothing$인 집합 X의 개수를 구하시오.

09 집합 $A=\{x|x$는 한 자리의 자연수$\}$의 부분집합 중 가장 큰 원소가 7인 집합의 개수를 구하시오.

10 집합 $A=\{x|1\leq x\leq 7,\ x$는 자연수$\}$의 부분집합 중 홀수가 한 개 이상 속해 있는 집합의 개수를 구하시오.

11 두 집합 $A=\{x|x$는 12 이하의 짝수$\}$, $B=\{x|x^2-8x+12=0\}$에 대하여 $B\subset X\subset A$, $X\neq A$, $X\neq B$를 만족시키는 집합 X의 개수를 구하시오.

12 집합 $A=\{1,\ 2,\ 3\}$에 대하여 $B=\{xy|x\in A,\ y\in A\}$, $C=\{x|x\in B$이고 $x\notin A\}$라 할 때, $C\subset X\subset B$를 만족시키는 집합 X의 개수를 구하시오.

STEP 2 실력 다지기

13 두 집합

$$A=\{-5,\ a+1\},\ B=\{a+2,\ a+b,\ b^2-a\}$$

가 있다. $A\subset B$를 만족시키는 자연수 a, b에 대하여 ab의 값을 구하시오.

14 세 집합 $A=\{x-3\,|\,2\le x<5\}$, $B=\{x+a\,|\,-2<x\le 9\}$, $C=\{x\,|\,x\ge 3a\}$에 대하여 $A\subset B\subset C$가 성립하도록 하는 정수 a의 개수를 구하시오.

교육청 기출

15 자연수 n에 대하여 자연수 전체 집합의 부분집합 A_n을 다음과 같이 정의하자.

$$A_n=\{x\,|\,x\text{는 } \sqrt{n} \text{ 이하의 홀수}\}$$

$A_n\subset A_{25}$를 만족시키는 n의 최댓값을 구하시오.

16 집합 $U=\{1,\ 2,\ 3,\ \cdots,\ 20\}$의 부분집합 중 두 개의 원소를 가지는 집합을 $A=\{a,\ b\}$로 나타낼 때, 두 원소의 곱 ab가 어떤 자연수의 제곱이 되는 집합 A의 개수를 구하시오.

중단원 연습문제

17 집합 $A=\{x|x$는 k 이하의 자연수$\}$의 부분집합 중 2, 4, 7을 반드시 원소로 갖고, 1, 3을 원소로 갖지 않는 부분집합의 개수가 64일 때, 자연수 k의 값을 구하시오.

18 두 집합 $A=\{x|x^2-5x+4=0\}$, $B=\{x|x$는 20의 양의 약수$\}$에 대하여 다음 조건을 만족시키는 집합 X의 개수를 구하시오.

(가) $A\subset X\subset B$	(나) $n(X)\geq 4$

challenge

19 자연수 전체의 집합의 부분집합 중 $x\in A$이면 $\frac{18}{x}\in A$를 만족시키는 집합 A의 개수를 구하시오. (단, $A\neq\varnothing$)

challenge

20 집합 $A=\{3, 4, 5, 6\}$의 공집합이 아닌 서로 다른 15개의 부분집합을 각각

$$A_1,\ A_2,\ A_3,\ \cdots,\ A_{15}$$

라 하고, 부분집합 A_n ($n=1, 2, 3, \cdots, 15$)의 원소 중 가장 작은 원소를 a_n이라 할 때, $a_1+a_2+a_3+\cdots+a_{15}$의 값을 구하시오.

06

집합의 연산

01 집합의 연산

집합의 연산	(1) 합집합: $A\cup B=\{x\mid x\in A$ 또는 $x\in B\}$ (2) 교집합: $A\cap B=\{x\mid x\in A$ 그리고 $x\in B\}$ (3) 여집합: $A^C=\{x\mid x\in U$ 그리고 $x\notin A\}$ (단, U는 전체집합) (4) 차집합: $A-B=\{x\mid x\in A$ 그리고 $x\notin B\}$
집합의 연산에 대한 성질	(1) 합집합과 교집합에 대한 성질 ① $A\cup\varnothing=A$, $A\cap\varnothing=\varnothing$ ② $A\cup A=A$, $A\cap A=A$ ③ $(A\cap B)\subset A$, $A\subset(A\cup B)$ ④ $A\cup(A\cap B)=A$, $A\cap(A\cup B)=A$ (2) 여집합과 차집합에 대한 성질 (단, U는 전체집합) ① $U^C=\varnothing$, $\varnothing^C=U$ ② $A\cup A^C=U$, $A\cap A^C=\varnothing$ ③ $(A^C)^C=A$ ④ $A^C=U-A$ ⑤ $A-B=A\cap B^C$

02 집합의 연산 법칙

집합의 연산 법칙	전체집합 U의 세 부분집합 A, B, C에 대하여 (1) 교환법칙: $A\cup B=B\cup A$, $A\cap B=B\cap A$ (2) 결합법칙: $(A\cup B)\cup C=A\cup(B\cup C)$, $(A\cap B)\cap C=A\cap(B\cap C)$ (3) 분배법칙: $A\cap(B\cup C)=(A\cap B)\cup(A\cap C)$, $A\cup(B\cap C)=(A\cup B)\cap(A\cup C)$
드모르간의 법칙	전체집합 U의 두 부분집합 A, B에 대하여 $(A\cup B)^C=A^C\cap B^C$, $(A\cap B)^C=A^C\cup B^C$

03 유한집합의 원소의 개수

합집합과 교집합의 원소의 개수	두 집합 A, B의 원소가 유한개일 때 $n(A\cup B)=n(A)+n(B)-n(A\cap B)$
여집합과 차집합의 원소의 개수	전체집합 U의 원소가 유한개일 때, 두 부분집합 A, B에 대하여 (1) $n(A^C)=n(U)-n(A)$ (2) $n(A-B)=n(A)-n(A\cap B)=n(A\cup B)-n(B)$

집합의 연산

1 집합의 연산

두 집합 A, B에 대하여

(1) 합집합: $A\cup B=\{x|x\in A$ 또는 $x\in B\}$

(2) 교집합: $A\cap B=\{x|x\in A$ 그리고 $x\in B\}$

(3) 여집합: $A^C=\{x|x\in U$ 그리고 $x\notin A\}$ (단, U는 전체집합)

(4) 차집합: $A-B=\{x|x\in A$ 그리고 $x\notin B\}$

06

(1) 합집합

두 집합 A, B에 대하여 집합 A에 속하거나 집합 B에 속하는 모든 원소로 이루어진 집합을 A와 B의 **합집합**이라 하고, 이것을 기호로

$$A\cup B$$

와 같이 나타낸다. 집합 $A\cup B$를 조건제시법으로 나타내면 다음과 같다.

$$A\cup B=\{x|x\in A \text{ 또는 } x\in B\}$$

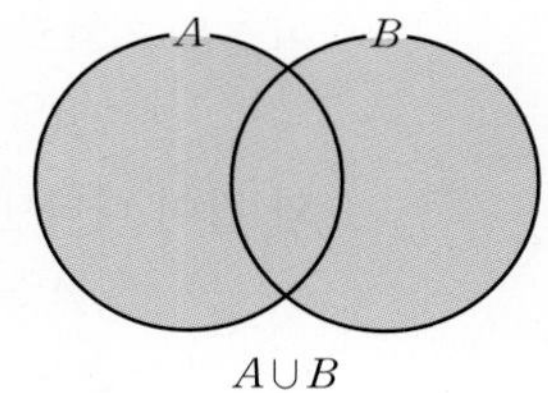

$A\cup B$

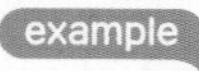

두 집합 $A=\{1, 2, 3\}$, $B=\{2, 3, 4, 5\}$에 대하여 $A\cup B$는 집합 A에 속하거나 집합 B에 속하는 모든 원소로 이루어진 집합이므로

$$A\cup B=\{1, 2, 3, 4, 5\}$$

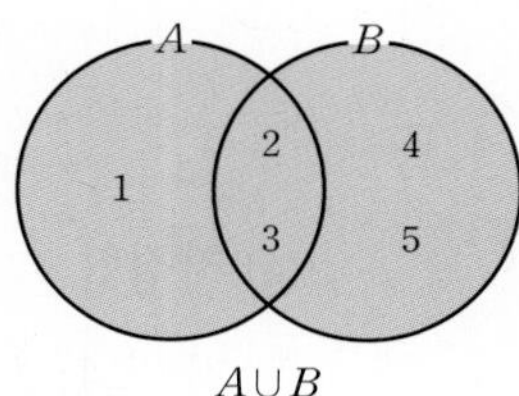

$A\cup B$

(2) 교집합

두 집합 A, B에 대하여 집합 A에도 속하고 집합 B에도 속하는 모든 원소로 이루어진 집합을 A와 B의 **교집합**이라 하고, 이것을 기호로

$$A\cap B$$

와 같이 나타낸다. 집합 $A\cap B$를 조건제시법으로 나타내면 다음과 같다.

$$A\cap B=\{x|x\in A \text{ 그리고 } x\in B\}$$

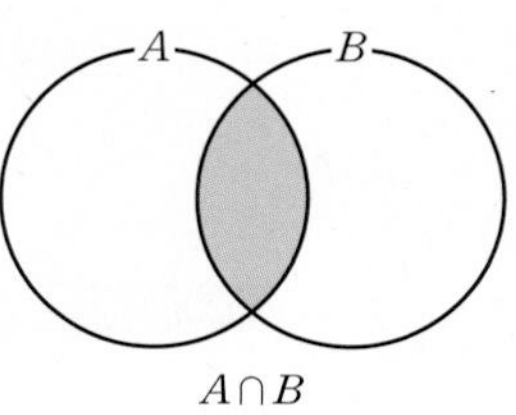

$A\cap B$

두 집합 A, B의 공통인 원소가 하나도 없을 때, 즉 $A\cap B=\varnothing$일 때, A와 B는 **서로소**라 한다.

이때 공집합은 모든 집합과 공통인 원소가 없으므로 모든 집합과 서로소이다.

example

(1) 두 집합 $A=\{1, 3, 5\}$, $B=\{2, 3, 4\}$에 대하여 $A\cap B$는 집합 A에도 속하고 집합 B에도 속하는 모든 원소로 이루어진 집합이므로

$A\cap B=\{3\}$

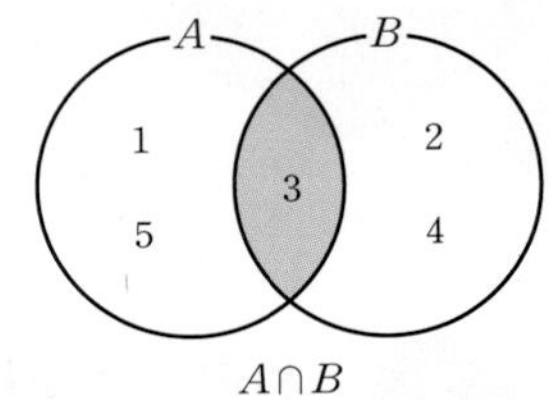

$A\cap B$

(2) 두 집합 $C=\{1, 2, 4\}$, $D=\{3, 5\}$에 대하여 $C\cap D=\varnothing$이므로 두 집합 C와 D는 서로소이다.

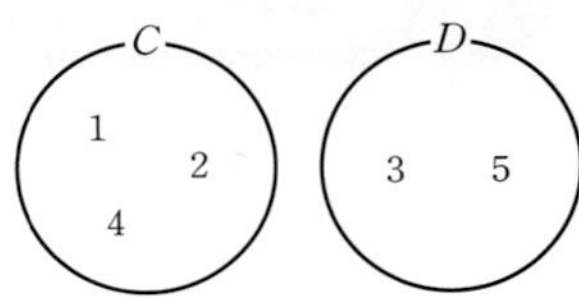

(3) **여집합**

어떤 집합에 대하여 그 집합의 부분집합을 생각할 때, 처음에 주어진 집합을 **전체집합**이라 하고, 이것을 기호로 U와 같이 나타낸다.

전체집합 U의 부분집합 A에 대하여 집합 U의 원소 중 집합 A에 속하지 않는 모든 원소로 이루어진 집합을 U에 대한 A의 **여집합**이라 하고, 이것을 기호로

A^C

와 같이 나타낸다. 집합 A^C를 조건제시법으로 나타내면 다음과 같다.

$A^C=\{x\,|\,x\in U$ 그리고 $x\notin A\}$

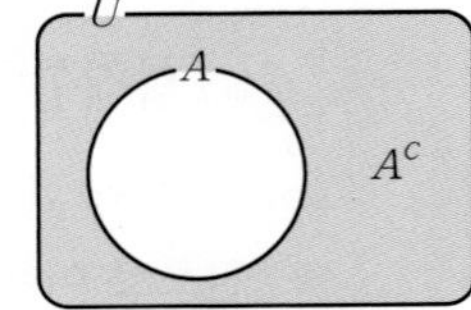

example

전체집합 $U=\{1, 2, 3, 4, 5\}$의 부분집합 $A=\{2, 4, 5\}$에 대하여 집합 A^C는 집합 U의 원소 중 집합 A에 속하지 않는 모든 원소로 이루어진 집합이므로

$A^C=\{1, 3\}$

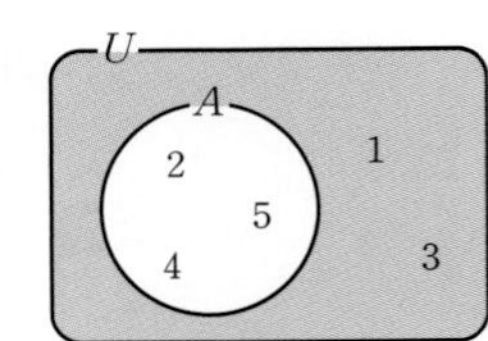

(4) **차집합**

두 집합 A, B에 대하여 집합 A에는 속하지만 집합 B에는 속하지 않는 모든 원소로 이루어진 집합을 A에 대한 B의 **차집합**이라 하고, 이것을 기호로

$A-B$

와 같이 나타낸다. 집합 $A-B$를 조건제시법으로 나타내면 다음과 같다.

$A-B=\{x\,|\,x\in A$ 그리고 $x\notin B\}$

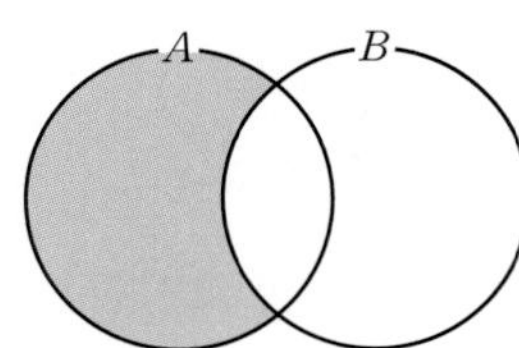

두 집합 $A=\{1, 2, 3, 6\}$, $B=\{1, 3, 9\}$에 대하여 $A-B$는 집합 A에는 속하지만 집합 B에는 속하지 않는 모든 원소로 이루어진 집합이므로

$A-B=\{2, 6\}$

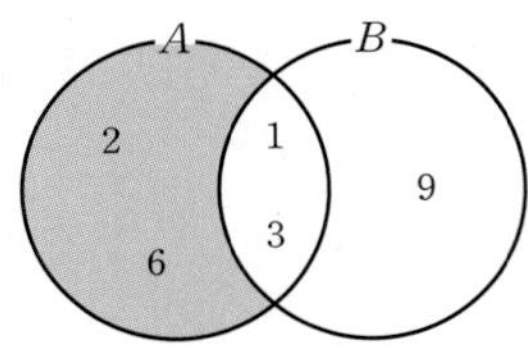

2 집합의 연산에 대한 성질

전체집합 U의 두 부분집합 A, B에 대하여

(1) 합집합과 교집합에 대한 성질

① $A\cup\varnothing=A$, $A\cap\varnothing=\varnothing$

② $A\cup A=A$, $A\cap A=A$

③ $(A\cap B)\subset A$, $(A\cap B)\subset B$, $A\subset(A\cup B)$, $B\subset(A\cup B)$

④ $A\cup(A\cap B)=A$, $A\cap(A\cup B)=A$

(2) 여집합과 차집합에 대한 성질

① $U^C=\varnothing$, $\varnothing^C=U$

② $A\cup A^C=U$, $A\cap A^C=\varnothing$

③ $(A^C)^C=A$

④ $A^C=U-A$

⑤ $A-B=A\cap B^C$

06

벤다이어그램을 이용하면 집합의 연산에 대한 성질을 보다 쉽게 이해할 수 있다.
직관적으로 이해하기 쉽게 집합을 나타낸 그림

(1) 합집합과 교집합에 대한 성질

공집합 $\varnothing$과 집합 A에 대하여

① $A\cup\varnothing=A$, $A\cap\varnothing=\varnothing$

② $A\cup A=A$, $A\cap A=A$

가 성립함은 쉽게 알 수 있으므로 ③, ④의 성질을 벤다이어그램으로 확인해 보자.

③ $(A\cap B)\subset A$, $(A\cap B)\subset B$, $A\subset(A\cup B)$, $B\subset(A\cup B)$

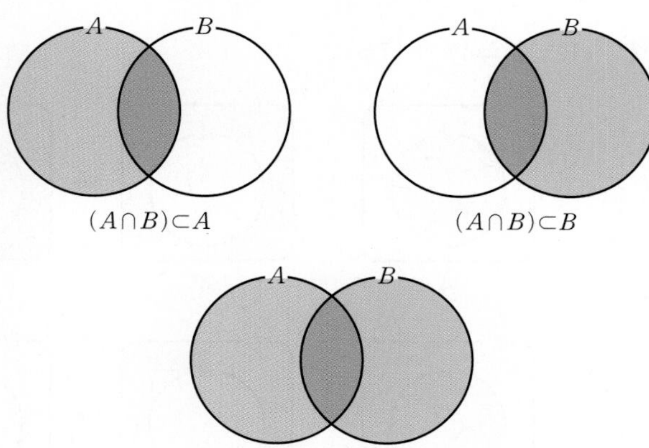

$(A\cap B)\subset A$　$(A\cap B)\subset B$

$A\subset(A\cup B)$, $B\subset(A\cup B)$

따라서 $(A\cap B)\subset A$, $(A\cap B)\subset B$이고 $A\subset(A\cup B)$, $B\subset(A\cup B)$임을 알 수 있다.

④ $A\cup(A\cap B)=A$, $A\cap(A\cup B)=A$

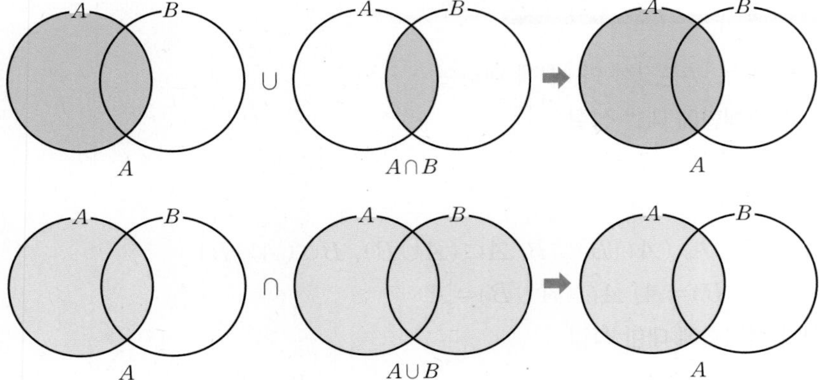

따라서 $A\cup(A\cap B)=A$, $A\cap(A\cup B)=A$임을 알 수 있다.

example

두 집합 $A=\{1, 2, 3, 4\}$, $B=\{3, 4, 5, 6\}$에 대하여
$A\cap B=\{3, 4\}$이므로 $(A\cap B)\subset A$, $(A\cap B)\subset B$이고,
$A\cup B=\{1, 2, 3, 4, 5, 6\}$이므로
$A\subset(A\cup B)$, $B\subset(A\cup B)$이다.

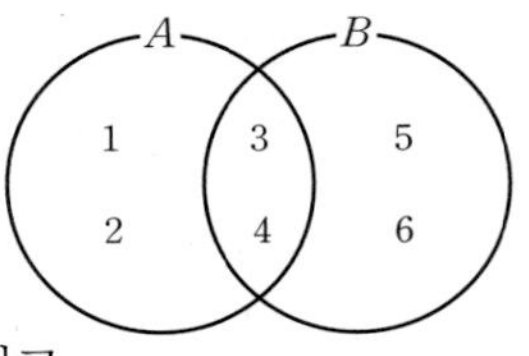

또한 $A\cup(A\cap B)=\{1, 2, 3, 4\}\cup\{3, 4\}=\{1, 2, 3, 4\}=A$이고
$A\cap(A\cup B)=\{1, 2, 3, 4\}\cap\{1, 2, 3, 4, 5, 6\}=\{1, 2, 3, 4\}=A$이다.

(2) **여집합과 차집합에 대한 성질**

전체집합 U와 공집합 $\varnothing$에 대하여
① $U^C=\varnothing$, $\varnothing^C=U$
가 성립함은 쉽게 알 수 있으므로 ②, ③, ④, ⑤의 성질을 벤다이어그램으로 확인해 보자.

② $A\cup A^C=U$, $A\cap A^C=\varnothing$

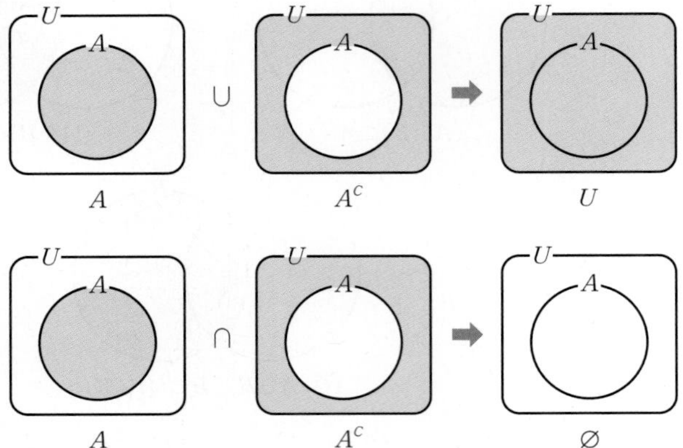

따라서 $A\cup A^C=U$, $A\cap A^C=\varnothing$임을 알 수 있다.

③ $(A^C)^C=A$

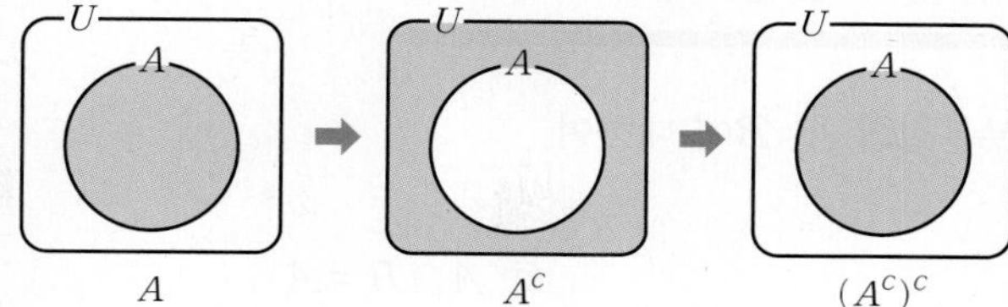

A $\quad$ A^C $\quad$ $(A^C)^C$

따라서 $(A^C)^C=A$임을 알 수 있다.

④ $A^C=U-A$

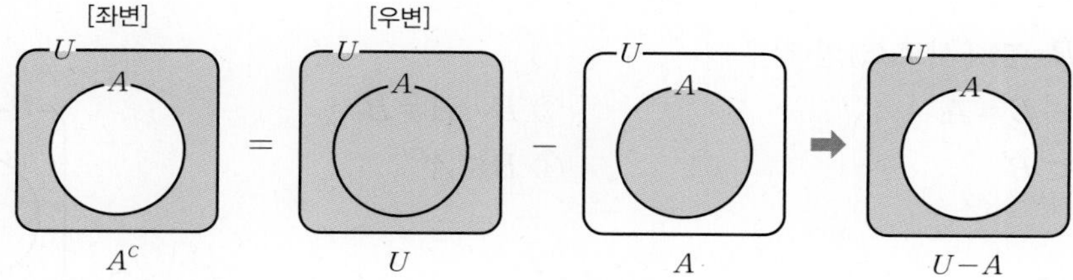

A^C $\quad$ U $\quad$ A $\quad$ $U-A$

따라서 $A^C=U-A$임을 알 수 있다.

⑤ $A-B=A\cap B^C$

[좌변] [우변]

$A-B$ $\quad$ A $\quad$ B^C $\quad$ $A\cap B^C$

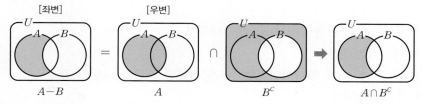

따라서 $A-B=A\cap B^C$임을 알 수 있다.

마찬가지로 벤다이어그램을 이용하면

$$A-B=A\cap B^C=A-(A\cap B)=(A\cup B)-B=B^C-A^C$$

임을 확인할 수 있다.

example

전체집합 $U=\{1, 2, 3, 4, 5, 6\}$의 두 부분집합 $A=\{1, 2, 3, 6\}$, $B=\{2, 4, 6\}$에 대하여 $A^C=\{4, 5\}$, $B^C=\{1, 3, 5\}$이므로

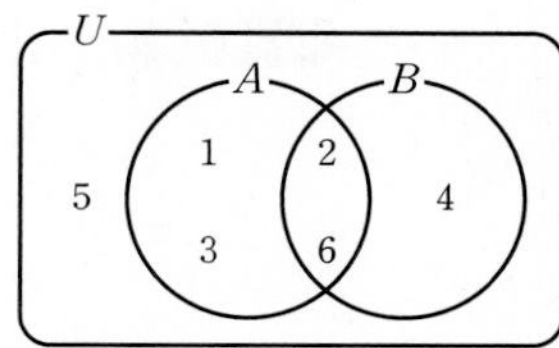

(1) $A\cup A^C=\{1, 2, 3, 6\}\cup\{4, 5\}$

$=\{1, 2, 3, 4, 5, 6\}=U$

(2) $(A^C)^C=\{1, 2, 3, 6\}=A$

(3) $U-A=\{1, 2, 3, 4, 5, 6\}-\{1, 2, 3, 6\}=\{4, 5\}$

이므로 $A^C=U-A$이다.

(4) $A-B=\{1, 2, 3, 6\}-\{2, 4, 6\}=\{1, 3\}$,

$A\cap B^C=\{1, 2, 3, 6\}\cap\{1, 3, 5\}=\{1, 3\}$

이므로 $A-B=A\cap B^C$이다.

3 집합의 연산을 이용한 여러 가지 표현

전체집합 U의 두 부분집합 A, B에 대하여

(1) $A\subset B$인 경우

① $A\cup B=B$ ② $A\cap B=A$

③ $A-B=\varnothing$ ④ $B^C\subset A^C$

⑤ $A^C\cup B=U$

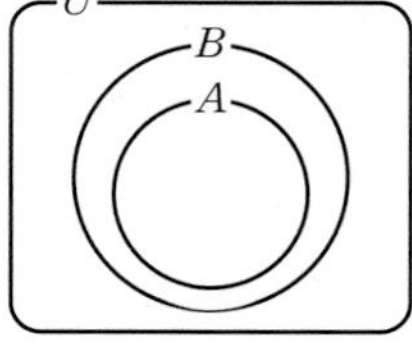

(2) $A\cap B=\varnothing$ (서로소)인 경우

① $A-B=A$ ② $B-A=B$

③ $A\subset B^C$ ④ $B\subset A^C$

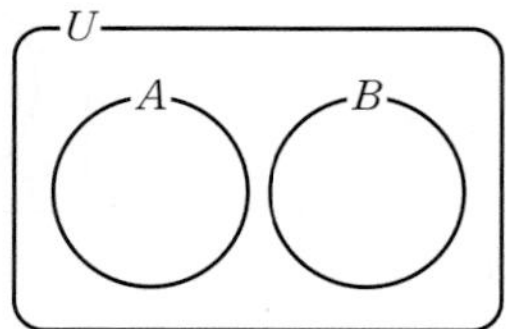

집합의 연산을 이용하여 특수한 관계에 있는 두 집합을 어떻게 나타낼 수 있는지 알아보자.

전체집합 U의 두 부분집합 A, B에 대하여

(1) $A\subset B$인 경우

두 집합 A, B를 벤다이어그램으로 나타내면 오른쪽 그림과 같으므로 다음이 성립한다.

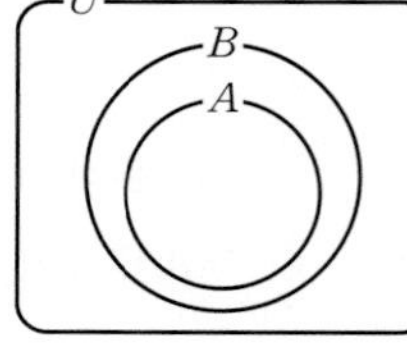

① $A\cup B=B$ ② $A\cap B=A$

③ $A-B=\varnothing$ ← $A\cap B^C=\varnothing$ ④ $B^C\subset A^C$ ← $B^C-A^C=\varnothing$

⑤ $A^C\cup B=U$

거꾸로 ①~⑤ 중 어느 하나라도 만족시킨다면 $A\subset B$이다.

example 전체집합 $U=\{1, 3, 5, 7, 9\}$의 부분집합 $A=\{1, 5, 9\}$에 대하여

(1) $A\cup B=B$이면 $1\in(A\cup B)$, $5\in(A\cup B)$, $9\in(A\cup B)$이므로 $1\in B$, $5\in B$, $9\in B$이다. 즉, 집합 A의 모든 원소는 집합 B에 속하므로 $A\subset B$이다.

(2) $A\cap B=A$이면 $1\in(A\cap B)$, $5\in(A\cap B)$, $9\in(A\cap B)$이므로 $1\in B$, $5\in B$, $9\in B$이다. 즉, 집합 A의 모든 원소는 집합 B에 속하므로 $A\subset B$이다.

(3) $A-B=\varnothing$이면 $A\cap B^C=\varnothing$이므로 $1\notin B^C$, $5\notin B^C$, $9\notin B^C$이다. 따라서 $1\in B$, $5\in B$, $9\in B$, 즉 집합 A의 모든 원소는 집합 B에 속하므로 $A\subset B$이다.

(4) $B^C\subset A^C$이면 $B^C\subset\{3, 7\}$에서 $1\notin B^C$, $5\notin B^C$, $9\notin B^C$이므로 $1\in B$, $5\in B$, $9\in B$이다. 즉, 집합 A의 모든 원소는 집합 B에 속하므로 $A\subset B$이다.

(5) $A^C\cup B=U$이면 $\{3, 7\}\cup B=\{1, 3, 5, 7, 9\}$에서 $1\in B$, $5\in B$, $9\in B$이다. 즉, 집합 A의 모든 원소는 집합 B에 속하므로 $A\subset B$이다.

(2) $A\cap B=\varnothing$ (서로소)인 경우

두 집합 A, B를 벤다이어그램으로 나타내면 오른쪽 그림과 같으므로 다음이 성립한다.

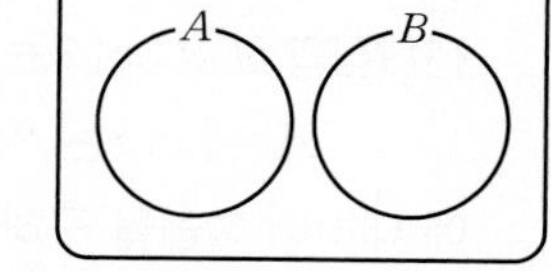

① $A-B=A$ ② $B-A=B$

③ $A\subset B^C$ ④ $B\subset A^C$

거꾸로 ①~④ 중 어느 하나라도 만족시킨다면 $A\cap B=\varnothing$, 즉 A와 B는 서로소이다.

example 전체집합 $U=\{2,\ 4,\ 6,\ 8\}$의 부분집합 $A=\{2,\ 6\}$에 대하여

(1) $A-B=A$, 즉 $A\cap B^C=A$이면 $2\in(A\cap B^C)$, $6\in(A\cap B^C)$이므로 $2\in B^C$, $6\in B^C$이다. 즉, $2\notin B$, $6\notin B$이므로 $A\cap B=\varnothing$이다.

(2) $B-A=B$, 즉 $B\cap A^C=B$이면 $B\subset A^C$이다.
이때 $A^C=\{4,\ 8\}$에서 $2\notin B$, $6\notin B$이므로 $A\cap B=\varnothing$이다.

(3) $A\subset B^C$이면 $2\in B^C$, $6\in B^C$, 즉 $2\notin B$, $6\notin B$이므로 $A\cap B=\varnothing$이다.

(4) $B\subset A^C$이면 $2\notin B$, $6\notin B$이므로 $A\cap B=\varnothing$이다.

06

개념 CHECK

01. 집합의 연산

빠른 정답 • 512쪽 / 정답과 풀이 • 92쪽

01 두 집합 $A=\{a,\ b,\ d\}$, $B=\{b,\ c,\ d,\ e\}$에 대하여 $A\cup B$와 $A\cap B$를 각각 구하시오.

02 **보기**에서 두 집합 A, B가 서로소인 것만을 있는 대로 고르시오.

보기

ㄱ. $A=\varnothing$, $B=\{1,\ 2,\ 3\}$

ㄴ. $A=\{x|x$는 6보다 큰 한 자리의 자연수$\}$, $B=\{3,\ 6,\ 9\}$

ㄷ. $A=\{x|2x-6\geq0\}$, $B=\{x|(x-2)^2\geq1\}$

03 전체집합 U와 두 부분집합 A, B가 오른쪽 그림과 같을 때, 다음을 구하시오.

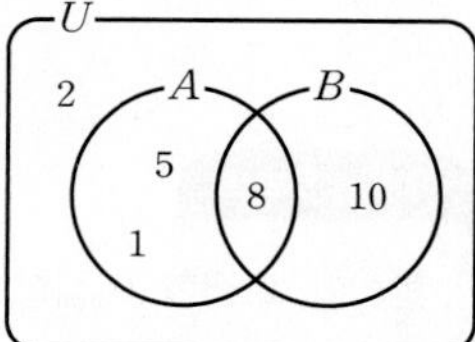

(1) A^C (2) B^C (3) $A-B$

(4) $B-A$ (5) $(A\cup B)^C$ (6) $(A\cap B)^C$

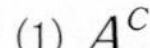

04 전체집합 $U=\{x|x$는 10 이하의 자연수$\}$의 부분집합

$A=\{x|x$는 4의 배수가 아닌 자연수$\}$

에 대하여 $B\subset A^C$를 만족시키는 공집합이 아닌 집합 B의 개수를 구하시오.

대표 예제 01

전체집합 $U=\{x|x$는 12 이하의 자연수$\}$의 세 부분집합

$A=\{x|x$는 짝수$\}$, $B=\{x|x$는 3의 배수$\}$, $C=\{x|x$는 30의 약수$\}$

에 대하여 다음을 구하시오.

(1) $A\cup B$ (2) $(A\cap B)\cup C$ (3) A^C

(4) $A-C$ (5) $(B\cup C)^C$ (6) $B-(A\cap C)$

바로 접근

전체집합 U의 두 부분집합 A, B에 대하여 합집합, 교집합, 여집합, 차집합의 원소는 다음과 같다.

① $A\cup B$ ➔ A에 속하거나 B에 속하는 모든 원소

② $A\cap B$ ➔ A에도 속하고 B에도 속하는 모든 원소

③ A^C ➔ U의 원소 중 A에 속하지 않는 모든 원소

④ $A-B$ ➔ A에는 속하지만 B에는 속하지 않는 모든 원소

바른 풀이

$U=\{1, 2, 3, \cdots, 12\}$이므로

$A=\{2, 4, 6, 8, 10, 12\}$, $B=\{3, 6, 9, 12\}$, $C=\{1, 2, 3, 5, 6, 10\}$

(1) $A\cup B=\{2, 3, 4, 6, 8, 9, 10, 12\}$

(2) $(A\cap B)\cup C=\{6, 12\}\cup\{1, 2, 3, 5, 6, 10\}$

$=\{1, 2, 3, 5, 6, 10, 12\}$

(3) $A^C=\{1, 3, 5, 7, 9, 11\}$

(4) $A-C=\{4, 8, 12\}$

(5) $B\cup C=\{1, 2, 3, 5, 6, 9, 10, 12\}$이므로

$(B\cup C)^C=\{4, 7, 8, 11\}$

(6) $A\cap C=\{2, 6, 10\}$이므로

$B-(A\cap C)=\{3, 6, 9, 12\}-\{2, 6, 10\}$

$=\{3, 9, 12\}$

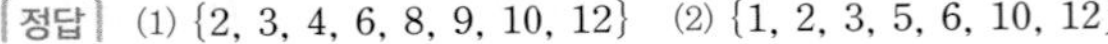

정답 (1) $\{2, 3, 4, 6, 8, 9, 10, 12\}$ (2) $\{1, 2, 3, 5, 6, 10, 12\}$

(3) $\{1, 3, 5, 7, 9, 11\}$ (4) $\{4, 8, 12\}$

(5) $\{4, 7, 8, 11\}$ (6) $\{3, 9, 12\}$

Bible Says

합집합, 교집합, 여집합, 차집합 등 집합의 연산에 대한 문제는 벤다이어그램으로 나타내면 간단히 해결할 수 있다.

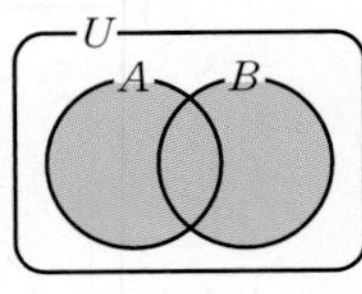

$A\cup B$

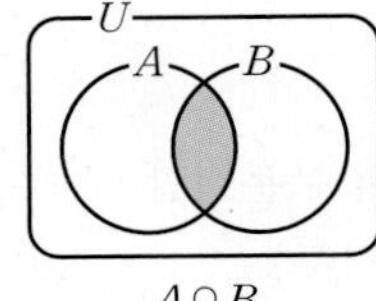

$A\cap B$

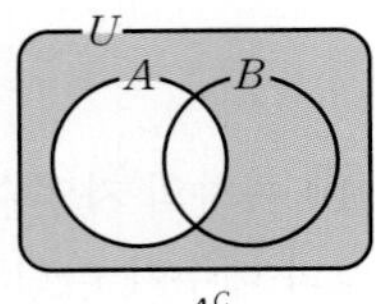

A^C

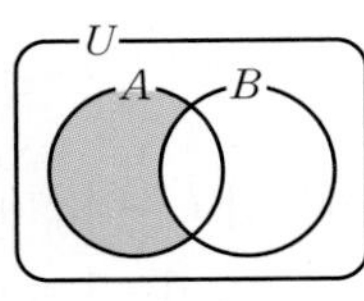

$A-B$

한 번 더하기

01-1 세 집합 $A=\{x|x$는 6의 양의 약수$\}$, $B=\{2, 5, 7\}$, $C=\{x|x$는 10 이하의 짝수$\}$에 대하여 다음을 구하시오.

(1) $(A\cup B)\cup C$ (2) $A\cap(B\cap C)$ (3) $(A\cup B)\cap C$

한 번 더하기

01-2 전체집합 $U=\{x|x$는 8 이하의 자연수$\}$의 세 부분집합

$A=\{x|x$는 10의 약수$\}$, $B=\{x|x$는 소수$\}$, $C=\{1, 5, 7\}$

에 대하여 다음을 구하시오.

(1) $(A\cap C)^C$ (2) $(B\cup C)-A$ (3) $B-(A\cap C^C)$

표현 더하기

01-3 전체집합 $U=\{x|x$는 10 이하의 자연수$\}$의 두 부분집합

$A=\{x|x$는 12의 약수$\}$, $B=\{x|x$는 짝수$\}$

에 대하여 벤다이어그램에서 색칠한 부분이 나타내는 집합의 모든 원소의 합을 구하시오.

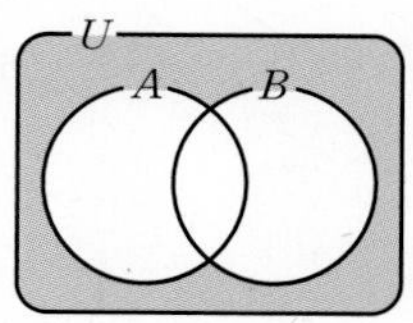

표현 더하기

01-4 두 집합 A, B에 대하여

$A=\{x|x$는 12의 양의 약수$\}$,

$A\cap B=\{3, 4, 12\}$, $A\cup B=\{1, 2, 3, 4, 5, 6, 7, 9, 12\}$

일 때, 집합 B를 구하시오.

대표 예제 02

두 집합 $A=\{2, 3, a^2+1\}$, $B=\{a+1, 5, 3a-2\}$에 대하여 $A\cap B=\{3, 5\}$일 때, 상수 a의 값을 구하시오.

바로 접근

$A\cap B=\{3, 5\}$이므로 $5\in A$임을 이용하면 미지수 a에 대한 방정식을 얻을 수 있다.
이때 구한 a의 값을 집합 B의 각 원소에 대입하여 주어진 조건을 만족시키는지 반드시 확인하도록 한다.

바른 풀이

$A\cap B=\{3, 5\}$에서 $5\in A$이므로

$a^2+1=5$, $a^2=4$ $\quad\therefore a=-2$ 또는 $a=2$

(i) $a=-2$일 때

$A=\{2, 3, 5\}$, $B=\{-8, -1, 5\}$이므로

$A\cap B=\{5\}$

(ii) $a=2$일 때

$A=\{2, 3, 5\}$, $B=\{3, 4, 5\}$이므로

$A\cap B=\{3, 5\}$

(i), (ii)에서 $A\cap B=\{3, 5\}$일 때, $a=2$이다.

다른 풀이

$A\cap B=\{3, 5\}$에서 $3\in B$이므로

$a+1=3$ 또는 $3a-2=3$

(i) $a+1=3$일 때

$a=2$이므로 $B=\{3, 4, 5\}$

또한 $a^2+1=2^2+1=5$이므로 $A=\{2, 3, 5\}$

$\therefore A\cap B=\{3, 5\}$

(ii) $3a-2=3$일 때

$a=\frac{5}{3}$이므로 $B=\left\{\frac{8}{3}, 3, 5\right\}$

또한 $a^2+1=\left(\frac{5}{3}\right)^2+1=\frac{34}{9}$이므로 $A=\left\{2, 3, \frac{34}{9}\right\}$

$\therefore A\cap B=\{3\}$

(i), (ii)에서 $A\cap B=\{3, 5\}$일 때, $a=2$이다.

정답 2

Bible Says

$a\in(A\cup B)$이면 ➜ $a\in A$ 또는 $a\in B$
$b\in(A\cap B)$이면 ➜ $b\in A$ 그리고 $b\in B$
$c\in(A-B)$이면 ➜ $c\in A$ 그리고 $c\notin B$

한번 더하기

02-1

두 집합 $A=\{1, 2, a^2-a+1\}$, $B=\{3, 2a, a+3\}$에 대하여 $A\cap B=\{3\}$일 때, 집합 B를 구하시오. (단, a는 상수이다.)

표현 더하기

02-2

두 집합 $A=\{3, 5, a-2\}$, $B=\{1, 2a\}$에 대하여 $A\cup B=\{1, 3, 5, 6\}$일 때, 집합 B의 모든 원소의 합을 구하시오. (단, a는 상수이다.)

표현 더하기

02-3

두 집합 $A=\{2, 3, 4, 2a-b\}$, $B=\{1, 3, 3a+b\}$에 대하여 $A-B=\{2\}$일 때, 상수 a, b에 대하여 $a+b$의 값을 구하시오.

표현 더하기

02-4

두 집합 $A=\{x\,|\,x^2+ax+4=0\}$, $B=\{x\,|\,2x^2+3x+b=0\}$에 대하여 $A\cap B=\{-2\}$일 때, 집합 $A\cup B$를 구하시오. (단, a, b는 상수이다.)

대표 예제 | 03

서로소인 두 집합

보기의 집합 중 집합 $\{2, 4, 6, 8\}$과 서로소인 것만을 있는 대로 고르시오.

보기

ㄱ. $\{1, 4, 6\}$
ㄴ. $\{x|x$는 9의 양의 약수$\}$
ㄷ. $\{x|x^2-4x=0\}$
ㄹ. $\{x|x$는 2보다 작은 짝수인 자연수$\}$
ㅁ. $\{x|x$는 10 이하의 홀수인 자연수$\}$
ㅂ. $\{x|x$는 3의 양의 배수$\}$

바로 접근

두 집합 A, B가 서로소이다.
➔ $A\cap B=\varnothing$
➔ 공통인 원소가 하나도 없다.

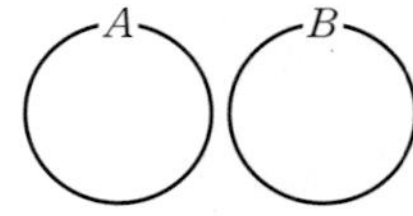

바른 풀이

ㄱ. $\{2, 4, 6, 8\}\cap\{1, 4, 6\}=\{4, 6\}$이므로 서로소가 아니다.
ㄴ. 9의 양의 약수는 1, 3, 9이고
$\{2, 4, 6, 8\}\cap\{1, 3, 9\}=\varnothing$이므로 서로소이다.
ㄷ. $x^2-4x=0$에서 $x(x-4)=0$ $\quad\therefore x=0$ 또는 $x=4$
$\{2, 4, 6, 8\}\cap\{0, 4\}=\{4\}$이므로 서로소가 아니다.
ㄹ. 2보다 작은 짝수인 자연수는 존재하지 않고,
$\{2, 4, 6, 8\}\cap\varnothing=\varnothing$이므로 서로소이다.
ㅁ. 10 이하의 홀수인 자연수는 1, 3, 5, 7, 9이고
$\{2, 4, 6, 8\}\cap\{1, 3, 5, 7, 9\}=\varnothing$이므로 서로소이다.
ㅂ. 3의 양의 배수는 3, 6, 9, $\cdots$이고
$\{2, 4, 6, 8\}\cap\{3, 6, 9, \cdots\}=\{6\}$이므로 서로소가 아니다.
따라서 집합 $\{2, 4, 6, 8\}$과 서로소인 것은 ㄴ, ㄹ, ㅁ이다.

정답 ㄴ, ㄹ, ㅁ

Bible Says

공집합은 모든 집합과 공통인 원소가 없으므로 모든 집합과 서로소이다.

빠른 정답 • 512쪽 / 정답과 풀이 • 93쪽

한번 더하기

03-1

다음 중 두 집합 A, B가 서로소인 것은?

① $A=\{2,\ 3,\ 5,\ 7\}$, $B=\{x|x$는 $x<3$인 자연수$\}$

② $A=\{x|x^2-2x=0\}$, $B=\{x|x^2-4=0\}$

③ $A=\{x|x$는 짝수인 자연수$\}$, $B=\{x|x$는 6 이하의 자연수$\}$

④ $A=\{x|x=3n,\ n$은 자연수$\}$, $B=\{x|x=3n+1,\ n$은 자연수$\}$

⑤ $A=\{x|x$는 5의 양의 배수$\}$, $B=\{x|x$는 7의 양의 배수$\}$

표현 더하기

03-2

세 집합 $A=\{x|x$는 10의 양의 약수$\}$, $B=\{x|x$는 8 이하의 소수$\}$, $C=\{x|x$는 3의 양의 배수$\}$에 대하여 서로소인 두 집합을 구하시오.

표현 더하기

03-3

집합 $A=\{a,\ e,\ i,\ o,\ u\}$의 부분집합 중 집합 $B=\{a,\ e\}$와 서로소인 집합의 개수를 구하시오.

표현 더하기

03-4

전체집합 $U=\{x|x$는 10 이하의 자연수$\}$의 두 부분집합 $A=\{x|x$는 6의 약수$\}$, $B=\{2,\ 3,\ 5,\ 7\}$에 대하여 U의 부분집합 중 집합 $A\cup B$와 서로소인 집합의 개수를 구하시오.

대표 예제 | 04

조건을 만족시키는 집합 구하기

전체집합 $U=\{x|x$는 10 이하의 자연수$\}$의 두 부분집합 A, B에 대하여

$$(A\cup B)^C=\{1, 6\},\ A\cap B=\{2, 5, 8\},\ A-B=\{7, 10\}$$

일 때, 집합 B를 구하시오.

바로 접근 집합의 연산에 대한 문제는 주어진 조건을 벤다이어그램으로 나타내면 간단히 해결할 수 있다. 주어진 조건에 맞도록 벤다이어그램의 각 영역에 원소를 써넣어 보자.

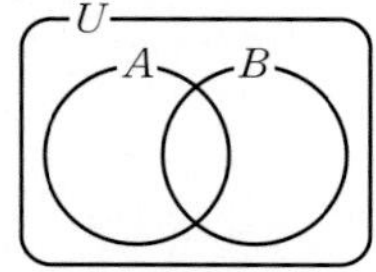

바른 풀이 전체집합 $U=\{1, 2, 3, 4, 5, 6, 7, 8, 9, 10\}$과 주어진 조건을 만족시키는 두 부분집합 A, B를 벤다이어그램으로 나타내면 다음 그림과 같다.

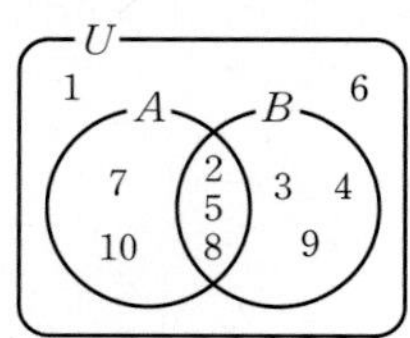

$\therefore\ B=\{2, 3, 4, 5, 8, 9\}$

정답 $\{2, 3, 4, 5, 8, 9\}$

Bible Says

원소를 벤다이어그램에 나타낼 때
① 전체집합의 원소 중 빠진 원소가 없는지
② 중복되는 원소가 없는지
를 꼭 확인하도록 한다.

한 번 더하기

04-1

전체집합 $U=\{x|x$는 8 이하의 자연수$\}$의 두 부분집합 A, B에 대하여

$$A\cap B=\{7\},\ A^C\cap B=\{4,\ 5\},\ A^C\cap B^C=\{1,\ 6\}$$

일 때, 집합 A를 구하시오.

한 번 더하기

04-2

두 집합 A, B에 대하여

$$A=\{a,\ b,\ d\},\ A\cap B=\{b,\ d\},\ A\cup B=\{a,\ b,\ c,\ d,\ e\}$$

일 때, 집합 B를 구하시오.

표현 더하기

04-3

전체집합 $U=\{x|x$는 7 이하의 자연수$\}$의 두 부분집합 A, B에 대하여

$$A=\{1,\ 3,\ 5,\ 7\},\ A\cap B=\{3,\ 5\},\ A\cup B=U$$

일 때, 집합 B의 모든 원소의 합을 구하시오.

표현 더하기

04-4

전체집합 $U=\{x|x$는 10보다 작은 홀수인 자연수$\}$의 두 부분집합 A, B에 대하여

$$A-B=\{5\},\ B-A=\{1,\ 9\},\ A^C\cap B^C=\varnothing$$

일 때, 집합 A를 구하시오.

대표 예제 05

전체집합 U의 두 부분집합 A, B에 대하여 **보기**에서 항상 옳은 것만을 있는 대로 고르시오.

보기

ㄱ. $(A\cup B)\subset U$ ㄴ. $A-B^C=A\cap B$

ㄷ. $(A\cup A^C)\cup B=B$ ㄹ. $(A\cup B)\cap(A\cap B)=\varnothing$

ㅁ. $B\subset A$이면 $B-A=\varnothing$ ㅂ. $A\cap B=A$이면 $A\cap B^C=\varnothing$

바로 접근

다음의 집합의 연산에 대한 성질을 이용하여 식을 변형해 보자.

① $A\cup\varnothing=A$, $A\cap\varnothing=\varnothing$ ② $A\cup A=A$, $A\cap A=A$

③ $(A\cap B)\subset A$, $A\subset(A\cup B)$ ④ $A\cup(A\cap B)=A$, $A\cap(A\cup B)=A$

⑤ $U^C=\varnothing$, $\varnothing^C=U$ ⑥ $A\cup A^C=U$, $A\cap A^C=\varnothing$

⑦ $(A^C)^C=A$ ⑧ $A^C=U-A$

⑨ $A-B=A\cap B^C=A-(A\cap B)=(A\cup B)-B=B^C-A^C$

이때 벤다이어그램을 이용하면 간단히 답을 구할 수 있다.

바른 풀이

ㄱ. 두 집합 A, B는 전체집합 U의 부분집합이므로 오른쪽 벤다이어그램에서 $(A\cup B)\subset U$ (참)

ㄴ. $A-B^C=A\cap(B^C)^C=A\cap B$ (참)

ㄷ. $(A\cup A^C)\cup B=U\cup B=U$ (거짓)

ㄹ. $(A\cap B)\subset(A\cup B)$이므로 $(A\cup B)\cap(A\cap B)=A\cap B$ (거짓)

ㅁ. $B\subset A$이므로 오른쪽 벤다이어그램에서 $B-A=\varnothing$ (참)

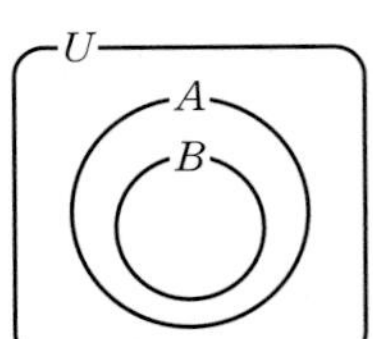

ㅂ. $A\cap B=A$에서 $A\subset B$이므로 오른쪽 벤다이어그램에서 $A\cap B^C=\varnothing$ (참)

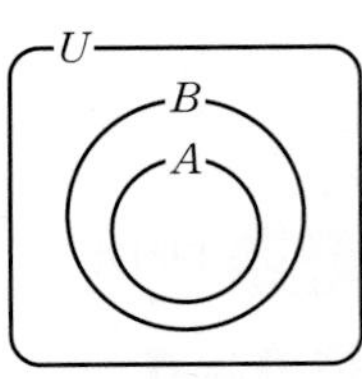

따라서 옳은 것은 ㄱ, ㄴ, ㅁ, ㅂ이다.

정답 ㄱ, ㄴ, ㅁ, ㅂ

Bible Says

자주 사용되는 집합의 연산의 성질과 포함 관계

① $B\subset A$이면

$A\cup B=A$, $A\cap B=B$, $B-A=\varnothing$, $A^C\subset B^C$

② $A\cap B=\varnothing$이면

$A-B=A$, $B-A=B$, $A\subset B^C$, $B\subset A^C$

한 번 더하기

05-1

전체집합 U의 두 부분집합 A, B에 대하여 **보기**에서 항상 옳은 것만을 있는 대로 고르시오.

보기

ㄱ. $A \subset U^C$
ㄴ. $(U \cup A) \cap B = B$
ㄷ. $A \cap (A \cup B) = A$
ㄹ. $A - A^C = A$

표현 더하기

05-2

전체집합 U의 두 부분집합 A, B에 대하여 $A^C \subset B^C$일 때, 다음 중 항상 옳은 것은?

① $A \subset B$
② $A \cap B = A$
③ $A \cup B = B$
④ $B - A = \varnothing$
⑤ $B \cup A^C = U$

표현 더하기

05-3

전체집합 U의 두 부분집합 A, B에 대하여 다음 중 A, B의 포함 관계가 나머지 넷과 다른 하나는?

① $A \subset B$
② $A \cap B = A$
③ $A - B = \varnothing$
④ $A^C \cap B = \varnothing$
⑤ $A^C \cup B = U$

표현 더하기

05-4

전체집합 U의 두 부분집합 A, B가 서로소일 때, **보기**에서 항상 옳은 것만을 있는 대로 고르시오.

보기

ㄱ. $A - B = A$
ㄴ. $A \subset B^C$
ㄷ. $(A \cap B)^C = U$
ㄹ. $A \cup B = U$
ㅁ. $A^C \cup B = U$
ㅂ. $A \cap (B - A) = \varnothing$

대표 예제 | 06

두 집합 $A=\{1, 2, 3, 4, 5\}$, $B=\{4, 5, 6, 7\}$에 대하여 다음 물음에 답하시오.

(1) $(A\cap B)\subset X\subset(A\cup B)$를 만족시키는 집합 X의 개수를 구하시오.

(2) $A\cap X=X$, $(A-B)\cup X=X$를 만족시키는 집합 X의 개수를 구하시오.

바로 접근

(1) 집합의 연산을 이용하여 집합 X에 반드시 속하는 원소를 찾는다.

(2) A, X, $A-B$ 사이의 포함 관계를 알아본 후, 집합 X에 반드시 속하는 원소를 찾는다.

바른 풀이

(1) $A\cap B=\{4, 5\}$, $A\cup B=\{1, 2, 3, 4, 5, 6, 7\}$

이때 $(A\cap B)\subset X\subset(A\cup B)$이므로

$\{4, 5\}\subset X\subset\{1, 2, 3, 4, 5, 6, 7\}$

따라서 집합 X는 집합 $A\cup B$의 부분집합 중 4, 5를 반드시 원소로 갖는 부분집합이므로

구하는 집합 X의 개수는

$2^{7-2}=2^5=32$

(2) $A\cap X=X$에서 $X\subset A$

$(A-B)\cup X=X$에서 $(A-B)\subset X$

$\therefore (A-B)\subset X\subset A$

이때 $A-B=\{1, 2, 3\}$이므로

$\{1, 2, 3\}\subset X\subset\{1, 2, 3, 4, 5\}$

따라서 집합 X는 집합 A의 부분집합 중 1, 2, 3을 반드시 원소로 갖는 부분집합이므로

구하는 집합 X의 개수는

$2^{5-3}=2^2=4$

정답 (1) 32 (2) 4

Bible Says

두 집합 A, B에 대하여 $n(A)<n(B)$일 때

$A\subset X\subset B$를 만족시키는 집합 X의 개수 ➔ $2^{n(B)-n(A)}$

한번 더하기

06-1

두 집합 $A=\{x|x$는 7 이하의 소수$\}$, $B=\{x|x$는 10 이하의 홀수인 자연수$\}$에 대하여 $(A\cap B)\subset X\subset B$를 만족시키는 집합 X의 개수를 구하시오.

한번 더하기

06-2

전체집합 $U=\{a, b, c, d, e, f, g\}$의 두 부분집합 $A=\{a, c, e\}$, $B=\{a, d, e, g\}$에 대하여

$$(A\cup B)\cap X=X,\ (A\cap B^C)\cup X=X$$

를 만족시키는 집합 X의 개수를 구하시오.

표현 더하기

06-3

전체집합 $U=\{x|x$는 10 이하의 자연수$\}$의 두 부분집합 $A=\{1, 3, 5\}$, $B=\{7, 8, 9, 10\}$에 대하여 $A-X=\varnothing$, $B-X=B$를 만족시키는 집합 U의 부분집합 X의 개수를 구하시오.

실력 더하기

06-4

전체집합 $U=\{x|x$는 12의 양의 약수$\}$의 두 부분집합 $A=\{1, 2, 3\}$, $B=\{3, 6, 12\}$에 대하여 $A\cup X=B\cup X$를 만족시키는 U의 부분집합 X의 개수를 구하시오.

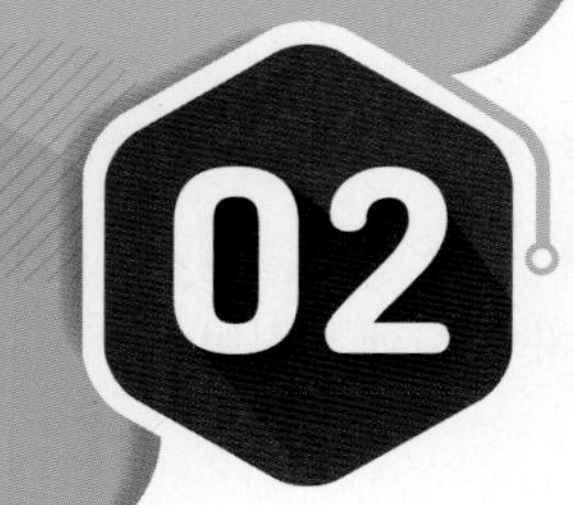

02 집합의 연산 법칙

1 집합의 연산 법칙

전체집합 U의 세 부분집합 A, B, C에 대하여

(1) 교환법칙: $A\cup B=B\cup A$, $A\cap B=B\cap A$

(2) 결합법칙: $(A\cup B)\cup C=A\cup(B\cup C)$, $(A\cap B)\cap C=A\cap(B\cap C)$

(3) 분배법칙: $A\cap(B\cup C)=(A\cap B)\cup(A\cap C)$, $A\cup(B\cap C)=(A\cup B)\cap(A\cup C)$

(1) 교환법칙

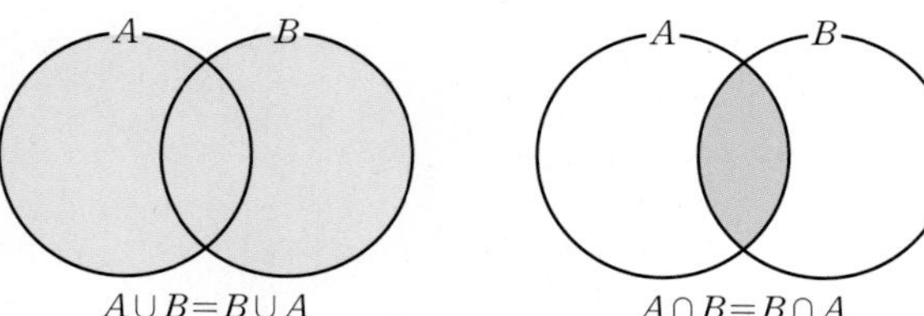

$A\cup B=B\cup A$　　$A\cap B=B\cap A$

따라서 $A\cup B=B\cup A$, $A\cap B=B\cap A$임을 알 수 있다.

(2) 결합법칙

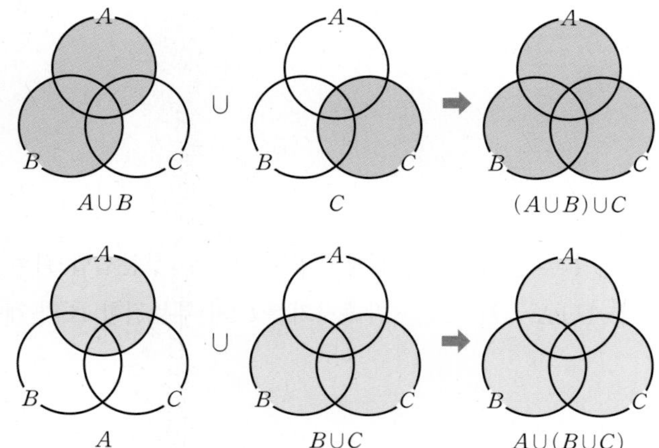

$A\cup B$　　C　　$(A\cup B)\cup C$

A　　$B\cup C$　　$A\cup(B\cup C)$

따라서 $(A\cup B)\cup C=A\cup(B\cup C)$임을 알 수 있다.

결합법칙이 성립하므로 괄호를 생략하여 $A\cup B\cup C$와 같이 나타내기도 한다.

마찬가지로 결합법칙 $(A\cap B)\cap C=A\cap(B\cap C)$가 성립함을 벤다이어그램으로 확인할 수 있다.

결합법칙이 성립하므로 괄호를 생략하여 $A\cap B\cap C$와 같이 나타내기도 한다.

(3) **분배법칙**

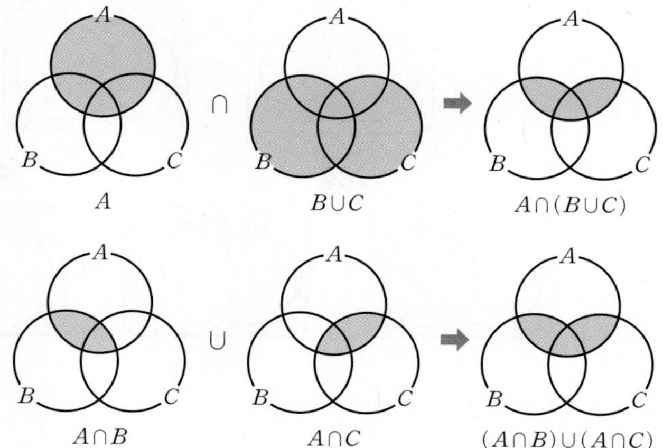

따라서 $A\cap(B\cup C)=(A\cap B)\cup(A\cap C)$임을 알 수 있다.
마찬가지로 분배법칙 $A\cup(B\cap C)=(A\cup B)\cap(A\cup C)$가 성립함을 벤다이어그램으로 확인할 수 있다.

example 세 집합 $A=\{1, 2, 3\}$, $B=\{2, 3, 4\}$, $C=\{3, 4, 5\}$에 대하여

(1) $A\cup B=\{1, 2, 3, 4\}=B\cup A$
$A\cap B=\{2, 3\}=B\cap A$

(2) $(A\cap B)\cap C=\{2, 3\}\cap\{3, 4, 5\}=\{3\}$,
$A\cap(B\cap C)=\{1, 2, 3\}\cap\{3, 4\}=\{3\}$
이므로 $(A\cap B)\cap C=A\cap(B\cap C)$이다.

(3) $A\cap(B\cup C)=\{1, 2, 3\}\cap\{2, 3, 4, 5\}=\{2, 3\}$,
$(A\cap B)\cup(A\cap C)=\{2, 3\}\cup\{3\}=\{2, 3\}$
이므로 $A\cap(B\cup C)=(A\cap B)\cup(A\cap C)$이다.

주의 종종 $A\cap(B\cup C)=(A\cap B)\cup C$와 같이 두고 풀이하는 실수를 할 때가 있다. 괄호를 기준으로 안과 밖의 연산이 서로 다를 때는 결합법칙이 아닌 분배법칙을 이용하여 풀이함에 주의하자.

2 드모르간의 법칙

전체집합 U의 두 부분집합 A, B에 대하여
$$(A\cup B)^C=A^C\cap B^C,\ (A\cap B)^C=A^C\cup B^C$$

일반적으로 전체집합 U의 두 부분집합 A, B에 대하여 다음이 성립한다.
$$(A\cup B)^C=A^C\cap B^C,\ (A\cap B)^C=A^C\cup B^C$$
이를 드모르간의 법칙이라 한다.

(1) $(A\cup B)^C=A^C\cap B^C$

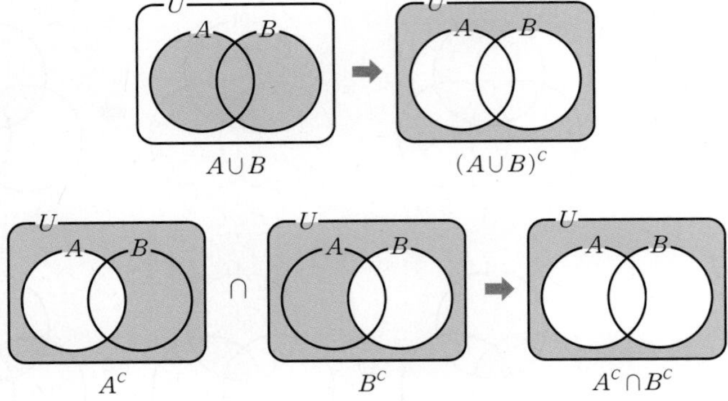

따라서 $(A\cup B)^C=A^C\cap B^C$임을 알 수 있다.

(2) $(A\cap B)^C=A^C\cup B^C$

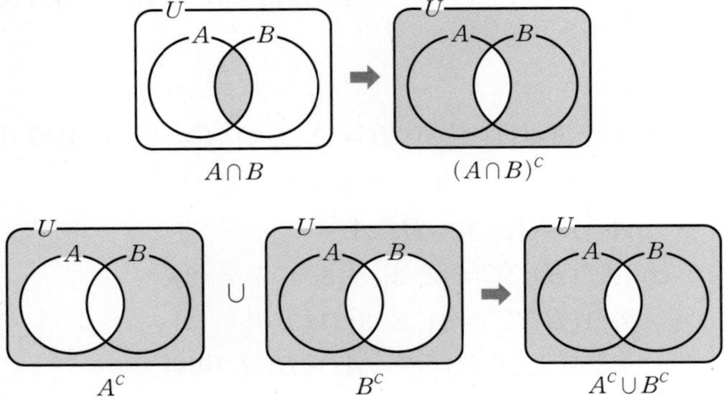

따라서 $(A\cap B)^C=A^C\cup B^C$임을 알 수 있다.

드모르간의 법칙은 여집합의 기호가 괄호 안으로 들어갈 때, 각각의 집합에 여집합의 기호가 붙고, ∪을 ∩으로, ∩을 ∪으로 바꾸어준다고 생각하면 쉽게 익힐 수 있다.

$$(A\cup B)^C = A^C\cap B^C$$

$$(A\cap B)^C = A^C\cup B^C$$

example 전체집합 U의 두 부분집합 A, B에 대하여

$A\cap(A^C\cap B^C)^C=A\cap\{(A^C)^C\cup(B^C)^C\}$ ← 드모르간의 법칙

$=A\cap(A\cup B)$ ← 여집합과 차집합에 대한 성질 ③

$=(A\cap A)\cup(A\cap B)$ ← 분배법칙

$=A\cup(A\cap B)$ ← 합집합과 교집합에 대한 성질 ②

$=A$ ← 합집합과 교집합에 대한 성질 ④

빠른 정답 • 513쪽 / 정답과 풀이 • 95쪽

01 세 집합 A, B, C에 대하여

$$A\cup B=\{1,\ 3,\ 5\},\ C\cup A=\{4,\ 5,\ 6\}$$

일 때, $A\cup(B\cap C)$를 구하시오.

02 다음은 전체집합 U의 두 부분집합 A, B에 대하여

$$(A\cap B)\cup\{(B-A)\cup(A-B)\}=A\cup B$$

임을 보이는 과정이다.

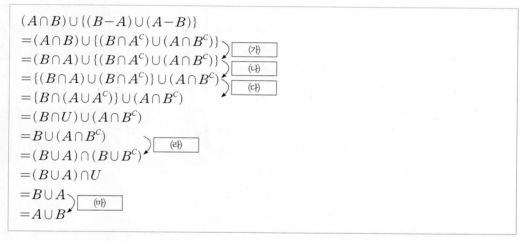

$(A\cap B)\cup\{(B-A)\cup(A-B)\}$
$=(A\cap B)\cup\{(B\cap A^C)\cup(A\cap B^C)\}$ ↘ (가) [　　]
$=(B\cap A)\cup\{(B\cap A^C)\cup(A\cap B^C)\}$ ↘ (나) [　　]
$=\{(B\cap A)\cup(B\cap A^C)\}\cup(A\cap B^C)$ ↘ (다) [　　]
$=\{B\cap(A\cup A^C)\}\cup(A\cap B^C)$
$=(B\cap U)\cup(A\cap B^C)$
$=B\cup(A\cap B^C)$ ↘ (라) [　　]
$=(B\cup A)\cap(B\cup B^C)$
$=(B\cup A)\cap U$
$=B\cup A$ ↘ (마) [　　]
$=A\cup B$

위의 (가)~(마)에 교환법칙, 결합법칙, 분배법칙 중 사용된 법칙으로 알맞은 것을 쓰시오.

03 전체집합 $U=\{x\,|\,x$는 10 이하의 자연수$\}$의 두 부분집합

$$A=\{x\,|\,x\text{는 3의 배수}\},\ B=\{x\,|\,x\text{는 홀수}\}$$

에 대하여 $A\cap(A^C\cup B^C)$를 구하시오.

대표 예제 | 07

전체집합 U의 두 부분집합 A, B에 대하여 다음을 간단히 하시오.

(1) $(A\cup B)\cap(A\cup B^C)$ (2) $A\cap(A-B)^C$

(3) $B^C\cup(A-B)^C$ (4) $(A-B)\cap(B-A)$

바로 접근

벤다이어그램을 이용하는 방법도 있지만 연산이 복잡해지면 집합의 연산 법칙, 차집합의 성질, 드모르간의 법칙을 이용하는 것이 수월한 경우도 있다.

바른 풀이

(1) $(A\cup B)\cap(A\cup B^C)$

$=A\cup(B\cap B^C)$ ← 분배법칙

$=A\cup\varnothing=A$

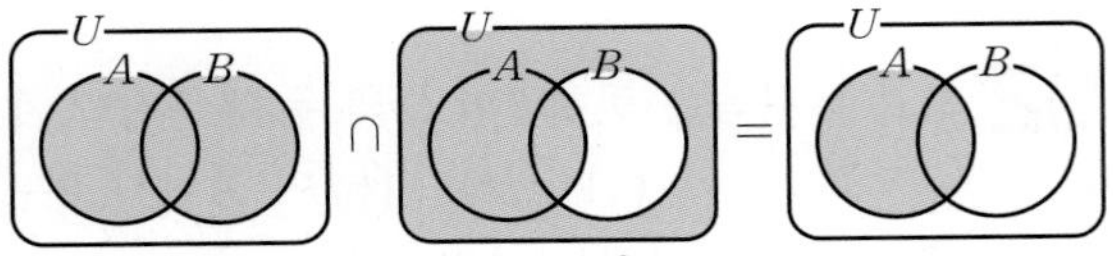

$A\cup B$ $A\cup B^C$ A

(2) $A\cap(A-B)^C$

$=A\cap(A\cap B^C)^C$ ← 차집합의 성질

$=A\cap(A^C\cup B)$ ← 드모르간의 법칙

$=(A\cap A^C)\cup(A\cap B)$ ← 분배법칙

$=\varnothing\cup(A\cap B)=A\cap B$

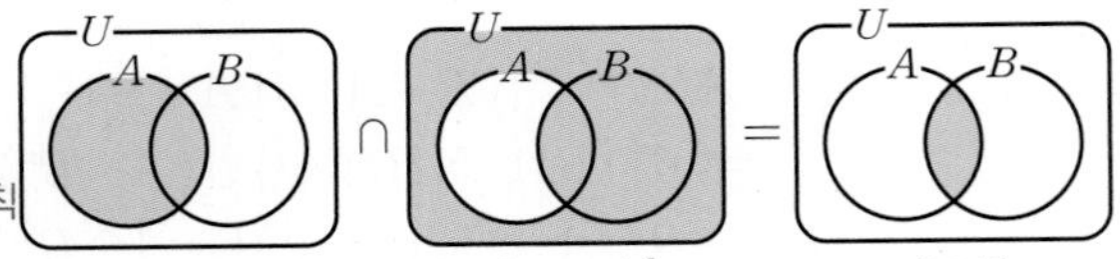

A $(A-B)^C$ $A\cap B$

(3) $B^C\cup(A-B)^C$

$=B^C\cup(A\cap B^C)^C$ ← 차집합의 성질

$=B^C\cup(A^C\cup B)$ ← 드모르간의 법칙

$=B^C\cup(B\cup A^C)$ ← 교환법칙

$=(B^C\cup B)\cup A^C$ ← 결합법칙

$=U\cup A^C=U$

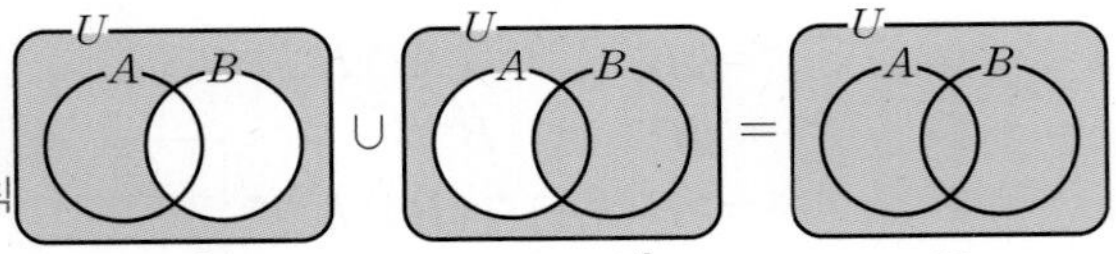

B^C $(A-B)^C$ U

(4) $(A-B)\cap(B-A)$

$=(A\cap B^C)\cap(B\cap A^C)$ ← 차집합의 성질

$=A\cap(B^C\cap B)\cap A^C$ ← 결합법칙

$=A\cap\varnothing\cap A^C=\varnothing$

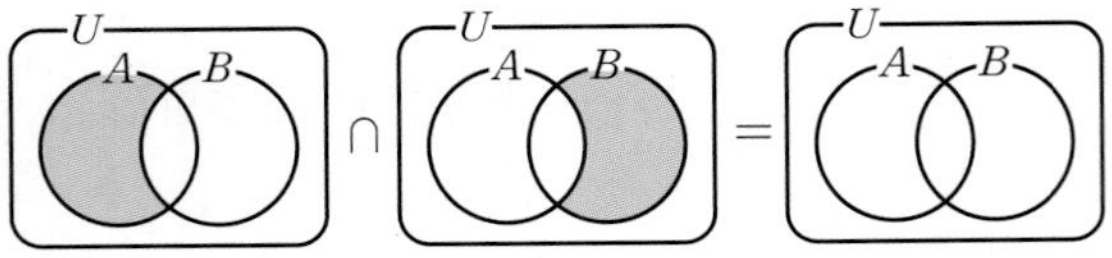

$A-B$ $B-A$ $\varnothing$

정답 (1) A (2) $A\cap B$ (3) U (4) $\varnothing$

Bible Says

① 교환법칙: $A\cup B=B\cup A$, $A\cap B=B\cap A$

② 결합법칙: $(A\cup B)\cup C=A\cup(B\cup C)$

$(A\cap B)\cap C=A\cap(B\cap C)$

③ 분배법칙: $A\cap(B\cup C)=(A\cap B)\cup(A\cap C)$

$A\cup(B\cap C)=(A\cup B)\cap(A\cup C)$

④ 드모르간의 법칙: $(A\cup B)^C=A^C\cap B^C$

$(A\cap B)^C=A^C\cup B^C$

빠른 정답 • 513쪽 / 정답과 풀이 • 96쪽

한 번 더하기

07-1

전체집합 U의 두 부분집합 A, B에 대하여 다음을 간단히 하시오.

(1) $(A-B)\cup(A^C\cup B^C)^C$ (2) $A-(A-B)$

한 번 더하기

07-2

전체집합 U의 세 부분집합 A, B, C에 대하여

$$\{A\cap(A^C\cup B)\}\cup\{B\cap(B^C\cap C^C)^C\}$$

를 간단히 하시오.

06

표현 더하기

07-3

전체집합 $U=\{1, 2, 3, 4, 5, 6\}$의 두 부분집합 $A=\{1, 2, 3, 4\}$, $B=\{3, 4, 5\}$에 대하여 집합의 연산 법칙을 이용하여 집합 $(A-B)^C\cup A^C$의 모든 원소의 합을 구하시오.

실력 더하기

07-4

전체집합 U의 세 부분집합 A, B, C에 대하여 집합의 연산 법칙을 이용하여 $(A-B)-C=A-(B\cup C)$가 성립함을 설명하시오.

대표 예제 08

전체집합 U의 두 부분집합 A, B에 대하여 $(A\cup B)\cap(A^C\cap B)^C=A\cap B$가 성립할 때, **보기**에서 항상 옳은 것만을 있는 대로 고르시오.

보기

ㄱ. $B\subset A$　　ㄴ. $B^C\subset A^C$　　ㄷ. $A\cup B=A$

ㄹ. $A^C\cup B=U$　　ㅁ. $B\cap A^C=\varnothing$

바로 접근

전체집합 U의 두 부분집합 A, B에 대하여 다음은 모두 같은 표현이다.

① $A\subset B$　　② $A\cap B=A$　　③ $A\cup B=B$

④ $A-B=\varnothing$　　⑤ $B^C\subset A^C$　　⑥ $A^C\cup B=U$

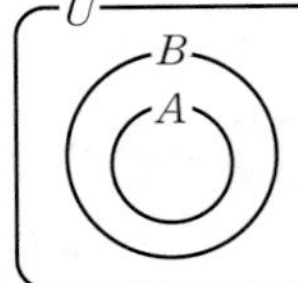

바른 풀이

주어진 등식의 좌변을 간단히 하면

$$\begin{aligned}(A\cup B)\cap(A^C\cap B)^C&=(A\cup B)\cap(A\cup B^C) &\leftarrow \text{드모르간의 법칙}\\ &=A\cup(B\cap B^C) &\leftarrow \text{분배법칙}\\ &=A\cup\varnothing=A\end{aligned}$$

이므로 $(A\cup B)\cap(A^C\cap B)^C=A\cap B$에서 $A=A\cap B$

이로부터 이끌어낼 수 있는 연산과 포함 관계는 다음과 같다.

ㄱ. 두 집합 A, B의 포함 관계는 $A\subset B$ (거짓)

ㄴ. 두 집합 A^C, B^C의 포함 관계는 $B^C\subset A^C$ (참)

ㄷ. ㄱ에 의하여 $A\subset B$이므로 $A\cup B=B$ (거짓)

ㄹ. ㄱ에 의하여 $A\subset B$이므로 $A^C\cup B=U$ (참)

ㅁ. ㄹ에 의하여 $(A^C\cup B)^C=U^C$에서 항상 $A\cap B^C=\varnothing$이지만
항상 $B\cap A^C=\varnothing$인 것은 아니다. (거짓)

따라서 항상 옳은 것은 ㄴ, ㄹ이다.

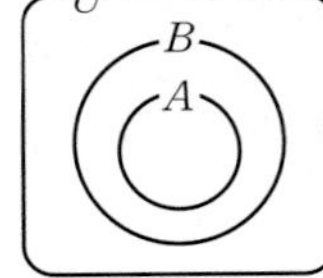

정답 ㄴ, ㄹ

Bible Says

두 집합의 관계는 대부분 포함 관계를 통하여 이야기한다. 포함 관계를 이야기하기 위해서는 집합의 연산을 이용하여 주어진 집합을 간단히 해야 하는데, 이때 '집합의 연산의 성질'과 '집합의 연산 법칙'을 모두 이용할 수 있다. '집합의 연산 법칙'을 이용하면 많은 경우 복잡한 식을 간결하게 만들 수 있지만, 주어진 식을 간단히 하는 것이 헷갈린다면 다음과 같이 벤다이어그램을 이용하여 나타내어 보는 것도 좋다.

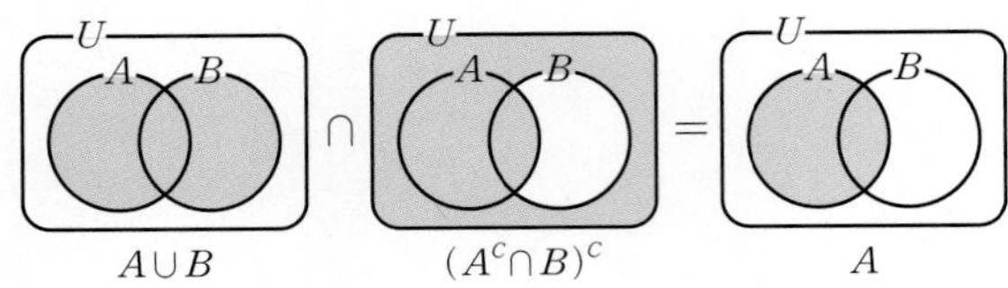

빠른 정답 • 513쪽 / 정답과 풀이 • 96쪽

한번 더하기

08-1

전체집합 U의 두 부분집합 A, B에 대하여 $(A\cup B)\cap B^C=\varnothing$이 성립할 때, **보기**에서 항상 옳은 것만을 있는 대로 고르시오.

보기

ㄱ. $A\cap B=A$　　ㄴ. $A\cup B=A$

ㄷ. $B-A=\varnothing$　　ㄹ. $A^C\cup B=U$

표현 더하기

08-2

전체집합 U의 두 부분집합 A, B에 대하여 $\{(A\cap B)\cup(B-A)\}\cup A=A$가 성립할 때, 다음 중 항상 옳은 것은?

① $A-B=\varnothing$　② $A\cap B=A$　③ $A=B$

④ $B-A=\varnothing$　⑤ $B^C\subset A^C$

표현 더하기

08-3

전체집합 U의 두 부분집합 A, B에 대하여 $(A\cup B)-(A^C\cap B)=A\cup B$가 성립할 때, 다음 중 A, B 사이의 관계를 바르게 나타낸 것은?

①
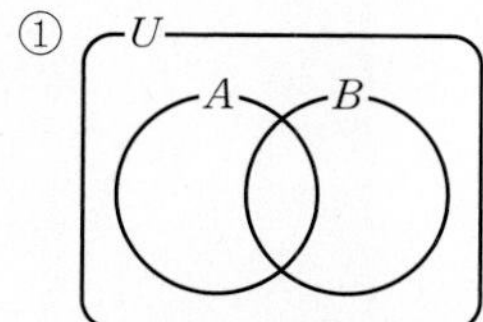

②
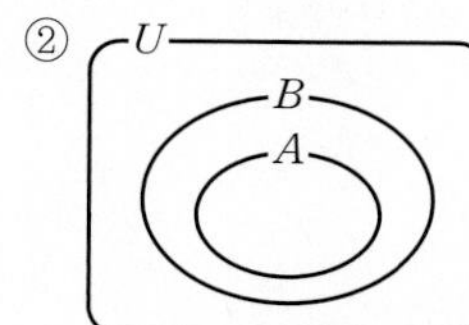

③
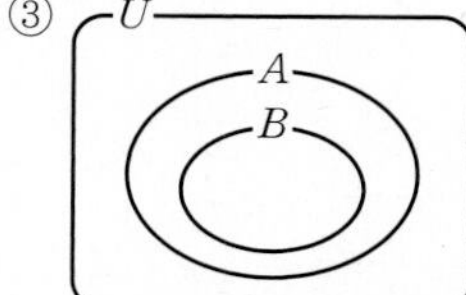

④
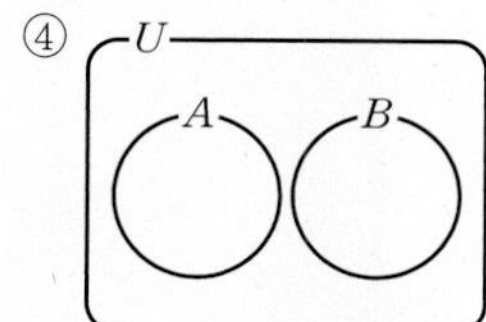

⑤
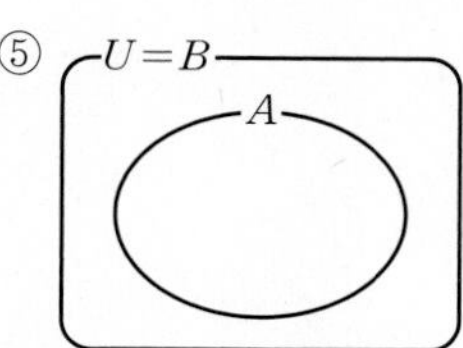

대표 예제 09

전체집합 U의 두 부분집합 A, B에 대하여 연산 $\triangle$를

$$A\triangle B=(A-B)\cup(B-A)$$

라 할 때, **보기**에서 항상 옳은 것만을 있는 대로 고르시오.

보기

ㄱ. $A\triangle A=\varnothing$　　ㄴ. $A\triangle\varnothing=A$　　ㄷ. $A\triangle A^C=\varnothing$

ㄹ. $A\triangle B=B\triangle A$　　ㅁ. $A\triangle U=A^C$　　ㅂ. $U\triangle\varnothing=\varnothing$

바로 접근 새롭게 약속된 집합의 연산의 뜻에 맞게 구한다.
이때 연산이 복잡하면 집합의 연산 법칙, 차집합의 성질, 드모르간의 법칙을 이용하여 간단히 정리한다.

바른 풀이 ㄱ. $A\triangle A=(A-A)\cup(A-A)$
$=\varnothing\cup\varnothing=\varnothing$ (참)

ㄴ. $A\triangle\varnothing=(A-\varnothing)\cup(\varnothing-A)$
$=A\cup\varnothing=A$ (참)

ㄷ. $A\triangle A^C=(A-A^C)\cup(A^C-A)$
$=A\cup A^C=U$ (거짓)

ㄹ. $A\triangle B=(A-B)\cup(B-A)$
$=(B-A)\cup(A-B)=B\triangle A$ (참)

ㅁ. $A\triangle U=(A-U)\cup(U-A)$
$=\varnothing\cup A^C=A^C$ (참)

ㅂ. $U\triangle\varnothing=(U-\varnothing)\cup(\varnothing-U)$
$=U\cup\varnothing=U$ (거짓)

따라서 옳은 것은 ㄱ, ㄴ, ㄹ, ㅁ이다.

정답 ㄱ, ㄴ, ㄹ, ㅁ

Bible Says

두 차집합 $A-B$와 $B-A$의 합집합을 대칭차집합이라 하고, 이를 다양한 연산으로 다음과 같이 나타낼 수 있다.

$(A-B)\cup(B-A)=(A\cup B)-(A\cap B)=(A\cup B)\cap(A\cap B)^C$

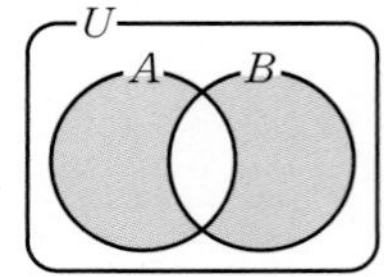

한 번 더하기

09-1

전체집합 U의 두 부분집합 A, B에 대하여 연산 $\triangle$를 $A\triangle B=(A-B)\cup(B-A)$라 하자. $A\triangle B=\varnothing$이 성립할 때, **보기**에서 항상 옳은 것만을 있는 대로 고르시오.

보기

ㄱ. $A\cup B=A^C$　ㄴ. $A\cap B=A$　ㄷ. $A\cap B^C=\varnothing$　ㄹ. $A\cup B^C=U$

표현 더하기

09-2

전체집합 U의 두 부분집합 A, B에 대하여 연산 ◎를 $A◎B=(A\cup B)\cap B^C$라 할 때, **보기**에서 항상 옳은 것만을 있는 대로 고르시오.

보기

ㄱ. $A◎A=A$　ㄴ. $A◎A^C=\varnothing$　ㄷ. $A◎\varnothing=A$

ㄹ. $A◎U=A$　ㅁ. $A◎B^C=A\cap B$　ㅂ. $A^C◎B^C=B◎A$

표현 더하기

09-3

전체집합 U의 두 부분집합 A, B에 대하여 연산 $*$를 $A*B=A\cup(A\cup B)^C$라 할 때, $A*(A*B)$를 간단히 하면?

① A　② B　③ A^C

④ $A\cap B$　⑤ $A\cup B$

실력 더하기

09-4

두 집합 A, B에 대하여 연산 $\triangle$를 $A\triangle B=(A-B)\cup(B-A)$라 하고, 자연수 k에 대하여 집합 A_k를 $A_k=\{x|x$는 k의 양의 약수$\}$라 하자. 집합 $(A_9\triangle A_{12})\triangle A_8$의 모든 원소의 합을 구하시오.

03 유한집합의 원소의 개수

1 합집합과 교집합의 원소의 개수

두 집합 A, B의 원소가 유한개일 때

$$n(A\cup B)=n(A)+n(B)-n(A\cap B)$$

두 집합 A, B의 원소가 유한개일 때, 오른쪽 벤다이어그램과 같이 각 영역에 속하는 원소의 개수를 각각 x, y, z라 하면

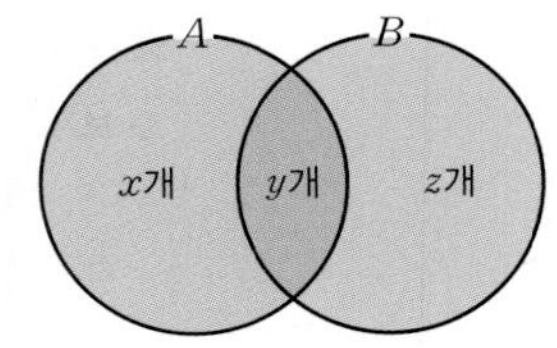

$$n(A)=x+y,\ n(B)=y+z$$
$$n(A\cap B)=y,\ n(A\cup B)=x+y+z$$

이다. 집합 A의 원소 $(x+y)$개를 모두 세어준 후 집합 B의 원소 $(y+z)$개를 모두 세어주면 집합 $A\cap B$에 대한 영역의 원소 y개는 중복하여 세어진다. 따라서 집합 $A\cup B$의 원소의 개수는 두 집합 A, B의 원소의 개수의 합에서 집합 $A\cap B$의 원소의 개수를 빼서 구할 수 있다. 즉,

$$\begin{aligned}n(A\cup B)&=x+y+z\\&=(x+y)+(y+z)-y\\&=n(A)+n(B)-n(A\cap B)\end{aligned}$$

이다. 이때 두 집합 A와 B가 서로소, 즉 $A\cap B=\varnothing$이면 $n(A\cap B)=0$이므로

$$n(A\cup B)=n(A)+n(B)$$

이다.

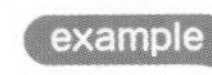

두 집합 A, B에 대하여 $n(A)=6$, $n(B)=4$, $n(A\cap B)=2$일 때

$$\begin{aligned}n(A\cup B)&=n(A)+n(B)-n(A\cap B)\\&=6+4-2=8\end{aligned}$$

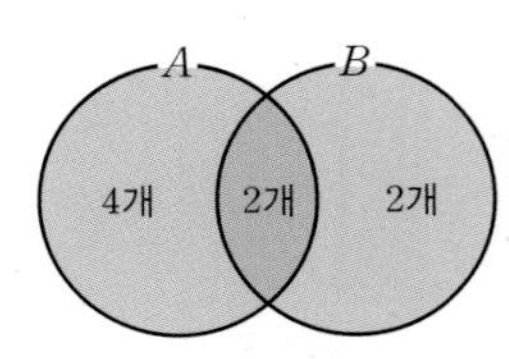

집합의 개수를 늘려서 생각해 보자. 세 유한집합 A, B, C에 대하여 오른쪽 벤다이어그램과 같이 각 영역에 속하는 원소의 개수를 각각 a, b, c, d, e, f, g라 하면

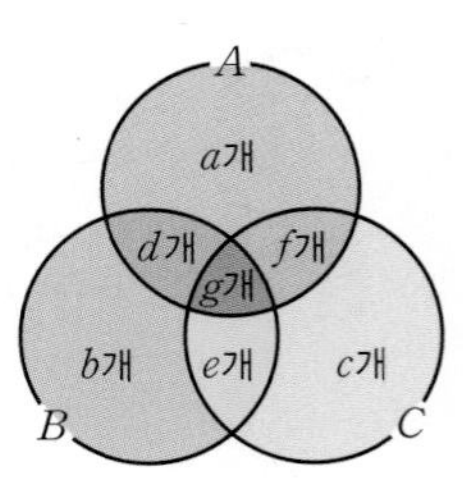

$$n(A)=a+d+f+g,\ n(B)=b+d+e+g$$
$$n(C)=c+e+f+g,\ n(A\cap B)=d+g$$
$$n(B\cap C)=e+g,\ n(C\cap A)=f+g,\ n(A\cap B\cap C)=g$$
$$n(A\cup B\cup C)=a+b+c+d+e+f+g$$

이다. 세 집합 A, B, C의 원소의 개수를 모두 세어주면 원소의 개수가 d, e, f인 영역에 속하는 원소는 각각 2번씩 세어지므로 중복하여 세어지지 않도록 세 집합 $A\cap B$, $B\cap C$, $C\cap A$의 원소의 개수를 빼준다. 이때 집합 $A\cap B\cap C$가 나타내는 영역의 원소는 세 집합 A, B, C의 원소를 세어줄 때 3번씩 세어지고, 세 집합 $A\cap B$, $B\cap C$, $C\cap A$의 원소를 세어줄 때 마찬가지로 3번씩 세어지므로 원소의 개수를 더한만큼 빼면서 결과적으로 세어주지 않은 것과 같게 된다. 따라서 집합 $A\cap B\cap C$의 원소의 개수를 더하면 집합 $A\cup B\cup C$의 원소의 개수를 구할 수 있다. 즉,

$$\begin{aligned}n(A\cup B\cup C)&=a+b+c+d+e+f+g\\&=(a+d+f+g)+(b+d+e+g)+(c+e+f+g)\\&\qquad-(d+g)-(e+g)-(f+g)+g\\&=n(A)+n(B)+n(C)-n(A\cap B)-n(B\cap C)-n(C\cap A)\\&\qquad+n(A\cap B\cap C)\end{aligned}$$

이다.

06

example 세 집합 A, B, C에 대하여 $n(A)=n(B)=n(C)=6$, $n(A\cap B)=n(B\cap C)=n(C\cap A)=3$, $n(A\cap B\cap C)=1$일 때

$$\begin{aligned}&n(A\cup B\cup C)\\&=n(A)+n(B)+n(C)\\&\qquad-n(A\cap B)-n(B\cap C)-n(C\cap A)+n(A\cap B\cap C)\\&=6+6+6-3-3-3+1=10\end{aligned}$$

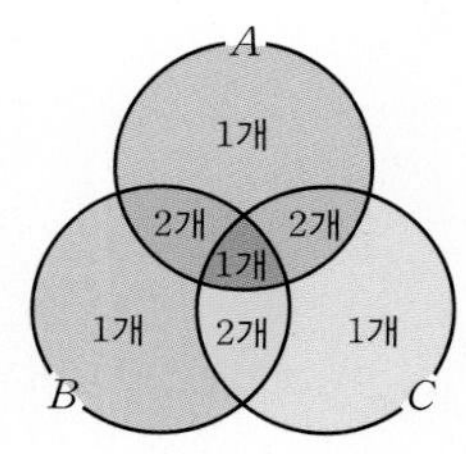

2 여집합과 차집합의 원소의 개수

전체집합 U의 원소가 유한개일 때, 두 부분집합 A, B에 대하여

(1) $n(A^C)=n(U)-n(A)$

(2) $n(A-B)=n(A)-n(A\cap B)=n(A\cup B)-n(B)$

전체집합 U의 원소가 유한개일 때, 부분집합 A에 대하여

$$A^C=\{x\,|\,x\in U \text{ 그리고 } x\notin A\}$$

이므로 $n(A^C)=n(U)-n(A)$이다.

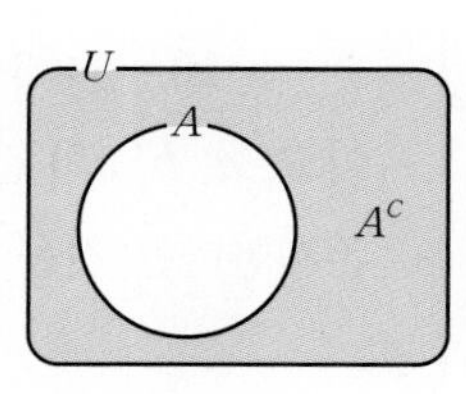

또한

$A-B=A-(A\cap B)$이고 $(A\cap B)\subset A$,

$A-B=(A\cup B)-B$이고 $B\subset(A\cup B)$

이므로 두 집합 A, B의 원소가 유한개일 때

$n(A-B)=n(A)-n(A\cap B)=n(A\cup B)-n(B)$이다.

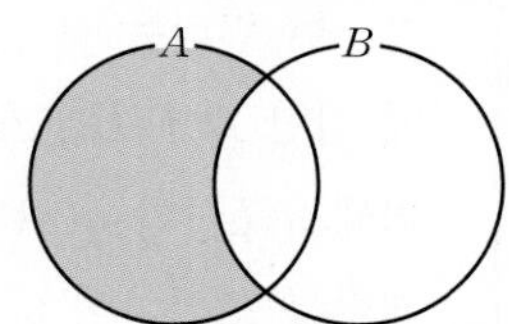

특히, $B\subset A$이면 $A\cap B=B$이므로

$$n(A-B)=n(A)-n(B)$$

이다. ← $B\not\subset A$이면 $n(A-B)\neq n(A)-n(B)$임에 주의하자.

example

전체집합 $U=\{2, 4, 6, 8, 10\}$의 두 부분집합

$A=\{2, 6, 8\}$, $B=\{4, 8, 10\}$에 대하여

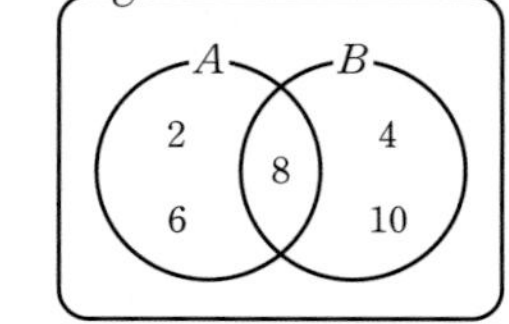

(1) $A^C=\{4, 10\}$이므로 $n(A^C)=2$

$n(U)-n(A)=5-3=2$

따라서 $n(A^C)=n(U)-n(A)$임을 확인할 수 있다.

(2) $A-B=\{2, 6, 8\}-\{4, 8, 10\}=\{2, 6\}$이므로

$n(A-B)=2$

$n(A)-n(A\cap B)=3-1=2$

$n(A\cup B)-n(B)=5-3=2$

따라서 $n(A-B)=n(A)-n(A\cap B)=n(A\cup B)-n(B)$임을 확인할 수 있다.

바이블 PLUS ⊕ 비둘기집의 원리

마당에 모이를 쪼는 10마리의 비둘기가 있고, 마당의 옆쪽에 비둘기를 위한 9개의 비둘기집이 마련되어 있다고 하자. 마당에서 모이를 쪼던 10마리의 비둘기가 남김없이 준비된 이 9개의 비둘기집에 들어갔다고 하면 당연하게 두 마리 이상의 비둘기가 들어가 있는 비둘기집이 적어도 한 개 이상 존재한다는 것을 알 수 있다.

쉽게 이해할 수 있는 이 내용이 비둘기집의 원리의 전부이다. 내용은 상당히 간단하지만 이 원리는 수학에서 무언가를 계산하고 증명할 때 중요하게 사용된다. 단순한 예로 $a+b+c=10$인 세 자연수 a, b, c를 생각해 보자. 이때 3개의 자연수를 다루므로 10을 3으로 나누었을 때, 몫과 나머지를 구하면

$10=3\times3+1$ ← 몫: 3, 나머지: 1

이고, a, b, c의 값을 아무리 잘 정해봤자 비둘기집의 원리를 적용하여 생각하면 4 이상의 수는 반드시 존재한다는 것을 알 수 있다.

이러한 원리는 집합에서도 유용하게 사용할 수 있다. 전체집합 U는 서로소인 네 집합 $A^C\cap B^C$, $A-B$, $A\cap B$, $B-A$의 합집합이다.
이때 $n(U)$와 $n(A\cap B)$를 알고 있다면 두 집합 $A-B$, $B-A$의 원소의 개수를 조절하여 $n(A^C\cap B^C)$의 최댓값과 최솟값을 구할 수 있다.

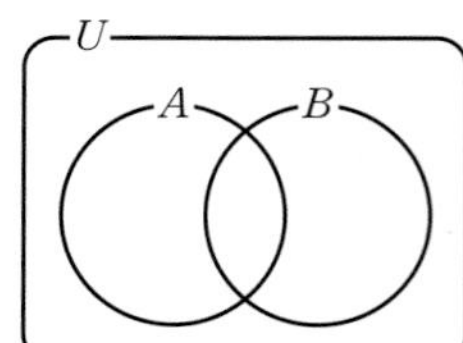

개념 CHECK

03. 유한집합의 원소의 개수

01 두 집합 A, B에 대하여

$$n(A)=54,\ n(B)=37,\ n(A\cup B)=70$$

일 때, $n(A\cap B)$를 구하시오.

02 서로소인 두 집합 A, B에 대하여

$$n(A)=16,\ n(B)=8$$

일 때, $n(A\cup B)$를 구하시오.

03 세 집합 A, B, C에 대하여

$$n(A)=n(B)=n(C)=30,\ n(A\cup B\cup C)=74$$

$$n(A\cap B)+n(B\cap C)+n(C\cap A)=19$$

일 때, $n(A\cap B\cap C)$를 구하시오.

04 전체집합 U의 부분집합 A에 대하여

$$n(A)=12,\ n(A^C)=48$$

일 때, $n(U)$를 구하시오.

05 두 집합 A, B에 대하여

$$n(A)=50,\ n(B)=24,\ n(A-B)=36$$

일 때, $n(A\cup B)$와 $n(A\cap B)$를 각각 구하시오.

대표 예제 10

전체집합 U의 두 부분집합 A, B에 대하여 $n(U)=50$, $n(A)=26$, $n(B)=33$, $n(A^C\cap B^C)=10$일 때, 다음을 구하시오.

(1) $n(A\cap B)$

(2) $n(A-B)$

바로 접근

$n(A\cup B)=n(A)+n(B)-n(A\cap B)$를 이용할 수 있도록 주어진 조건을 변형하여야 한다. 드모르간의 법칙과 여집합의 성질을 이용하여 $n(A^C\cap B^C)$에서 $n(A\cup B)$를 구해 보자.

바른 풀이

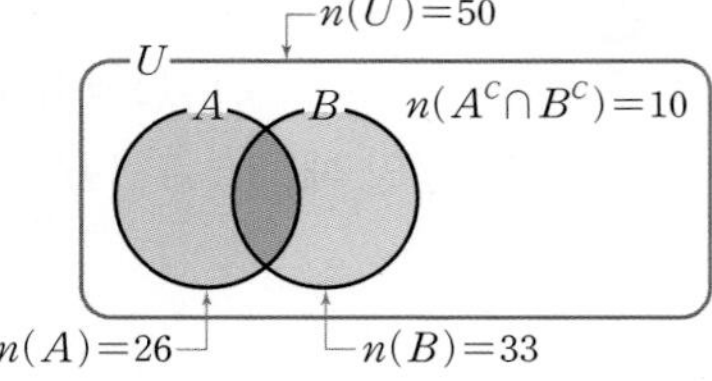

(1) $n(A^C\cap B^C)=n((A\cup B)^C)$

$=n(U)-n(A\cup B)$

$=50-n(A\cup B)=10$

에서 $n(A\cup B)=40$

$\therefore n(A\cap B)=n(A)+n(B)-n(A\cup B)$

$=26+33-40=19$

(2) $n(A)=26$, $n(A\cap B)=19$이므로

$n(A-B)=n(A)-n(A\cap B)$

$=26-19=7$

다른 풀이

(2) $n(A\cup B)=40$, $n(B)=33$이므로

$n(A-B)=n(A\cup B)-n(B)$

$=40-33=7$

정답 (1) 19 (2) 7

Bible Says

원소가 유한개인 전체집합 U의 세 부분집합 A, B, C에 대하여

① $n(A\cup B)=n(A)+n(B)-n(A\cap B)$

② $n(A\cup B\cup C)=n(A)+n(B)+n(C)-n(A\cap B)-n(B\cap C)-n(C\cap A)+n(A\cap B\cap C)$

③ $n(A^C)=n(U)-n(A)$

④ $n(A-B)=n(A)-n(A\cap B)=n(A\cup B)-n(B)$

한번 더하기

10-1

전체집합 U의 두 부분집합 A, B에 대하여 $n(U)=30$, $n(A\cap B)=14$, $n(A^C\cap B^C)=9$일 때, $n(A)+n(B)$를 구하시오.

표현 더하기

10-2

세 집합 A, B, C에 대하여 A와 C가 서로소이고 $n(A)=10$, $n(B)=9$, $n(C)=7$, $n(A\cup B)=15$, $n(B\cup C)=11$일 때, $n(A\cup B\cup C)$를 구하시오.

표현 더하기

10-3

어느 학교 학생 100명 중 음악과 미술을 모두 좋아하는 학생 수는 8명, 음악과 미술을 모두 좋아하지 않는 학생 수는 10명일 때, 이 100명 중 음악과 미술 중 하나만 좋아하는 학생 수를 구하시오.

실력 더하기

10-4

수강생이 35명인 어느 학원에서 모든 수강생을 대상으로 세 종류의 자격증 A, B, C의 취득 여부를 조사하였다. 자격증 A, B, C를 취득한 수강생이 각각 21명, 18명, 15명이고, 어느 자격증도 취득하지 못한 수강생이 3명이다. 이 학원의 수강생 중 세 자격증 A, B, C를 모두 취득한 수강생이 없을 때, 자격증 A, B, C 중 두 종류의 자격증만 취득한 수강생의 수를 구하시오.

대표 예제 11

유한집합의 원소의 개수의 최댓값과 최솟값

전체집합 U의 두 부분집합 A, B에 대하여 $n(U)=20$, $n(A)=14$, $n(B)=11$일 때, $n(A\cap B)$의 최댓값을 M, 최솟값을 m이라 하자. $M+m$의 값을 구하시오.

바로 접근

전체집합 U의 두 부분집합 A, B에 대하여

$n(A\cap B)=\underbrace{n(A)+n(B)}_{\text{일정한 값}}-n(A\cup B)$

① $n(A\cap B)$가 최대인 경우 (단, $n(B)\le n(A)$)
➜ $n(A\cup B)$가 최소일 때, 즉 $B\subset A$

② $n(A\cap B)$가 최소인 경우
➜ $n(A\cup B)$가 최대일 때, 즉 $A\cup B=U$

바른 풀이

$n(A)=20$, $n(B)=14$이므로

$n(A\cap B)=n(A)+n(B)-n(A\cup B)$ …… ㉠

에서 $n(A)+n(B)$의 값은 $20+14=34$로 일정하다.

따라서 $n(A\cap B)$의 최댓값과 최솟값은 $n(A\cup B)$에 의해 결정된다.

(i) $n(A\cap B)$가 최댓값을 가질 때

㉠에 의하여 $n(A\cup B)$가 최소이어야 한다.

이때 주어진 조건에서 $n(A)\ge n(B)$이므로

$n(A\cup B)$가 최소이려면 $B\subset A$이어야 한다.

$\therefore M=n(B)=11$

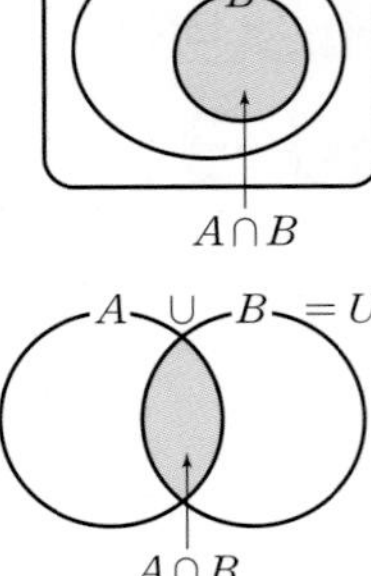

(ii) $n(A\cap B)$가 최솟값을 가질 때

㉠에 의하여 $n(A\cup B)$가 최대이어야 한다.

이때 $n(A\cup B)$가 최대이려면 $A\cup B=U$이어야 한다.

$\therefore m=n(A)+n(B)-n(U)=14+11-20=5$

(i), (ii)에 의하여 $M+m=11+5=16$

다른 풀이

$A\subset(A\cup B)$, $B\subset(A\cup B)$이므로

$n(A)\le n(A\cup B)$, $n(B)\le n(A\cup B)$ $\quad\therefore n(A\cup B)\ge 14$

$(A\cup B)\subset U$이므로 $n(A\cup B)\le n(U)$ $\quad\therefore n(A\cup B)\le 20$

$\therefore 14\le n(A\cup B)\le 20$ …… ㉠

$n(A\cap B)=n(A)+n(B)-n(A\cup B)$

$=14+11-n(A\cup B)=25-n(A\cup B)$ …… ㉡

㉠, ㉡에 의하여 $25-20\le n(A\cap B)\le 25-14$, 즉 $5\le n(A\cap B)\le 11$

따라서 $M=11$, $m=5$이므로 $M+m=11+5=16$

정답 16

Bible Says

주어진 조건에 의하여 일정한 값이 무엇인지, 일정하지 않은 값이 무엇인지를 구분하여 접근하도록 하자.

빠른 정답 • 513쪽 / 정답과 풀이 • 99쪽

한번 더하기

11-1

전체집합 $U=\{x|x$는 15 이하의 자연수$\}$의 두 부분집합 A, B에 대하여 $n(A)=9$, $n(B)=12$일 때, $n(A\cap B)$의 최댓값과 최솟값을 각각 구하시오.

표현 더하기

11-2

두 집합 A, B에 대하여 $n(A)=15$, $n(B)=13$, $n(A\cap B)\geq 4$일 때, $n(A\cup B)$의 최댓값과 최솟값의 합을 구하시오.

표현 더하기

11-3

전체집합 U의 두 부분집합 A, B에 대하여 $n(U)=40$, $n(A)=27$, $n(B)=23$일 때, $n(A-B)$의 최댓값을 구하시오.

표현 더하기

11-4

전체 학생이 30명인 어느 학급이 있다. 이 학급의 학생들 중 방과 후 수업으로 수학을 신청한 학생이 24명, 영어를 신청한 학생이 15명일 때, 수학과 영어를 모두 신청한 학생의 수의 최댓값과 최솟값의 합을 구하시오.

중단원 연습문제

STEP 1 기본 다지기

01 전체집합 $U=\{x|x$는 $1\le x\le 9$인 자연수$\}$의 두 부분집합 $A=\{x|x$는 짝수$\}$, $B=\{x|x$는 소수$\}$에 대하여 집합 $(A-B)^C$의 모든 원소의 합을 구하시오.

02 전체집합 $U=\{1, 2, 3, 4, 5, 6, 7, 8\}$의 두 부분집합 $A=\{2, 5, 8\}$, $B=\{a-3, 4, 7\}$에 대하여 $A\cap B^C=\{5, 8\}$이다. 자연수 a의 값을 구하시오.

03 두 집합 $A=\{x|x<2a-7\}$, $B=\{x||x-a|<3\}$에 대하여 A, B가 서로소일 때, 상수 a의 최댓값을 구하시오.

교육청 기출

04 집합 $A=\{1, 2, 3, 4\}$에 대하여 집합 B가 $B-A=\{5, 6\}$을 만족시킨다. 집합 B의 모든 원소의 합이 12일 때, 집합 $A-B$의 모든 원소의 합은?

① 5 ② 6 ③ 7 ④ 8 ⑤ 9

05 전체집합 U의 두 부분집합 A, B에 대하여 $B-A=B$일 때, **보기**에서 항상 옳은 것만을 있는 대로 고르시오.

보기

ㄱ. $A^C \subset B$
ㄴ. $A \cup B^C = B^C$
ㄷ. $B^C - A^C = A$
ㄹ. $(A \cap B^C) \cup (A^C \cap B) = U$

06 전체집합 $U=\{x|x$는 15 이하의 소수$\}$의 두 부분집합 $A=\{2, 5\}$, $B=\{3, 5, 11\}$에 대하여 $A-X=\varnothing$, $(B-A) \subset X^C$를 만족시키는 집합 U의 부분집합 X의 개수를 구하시오.

07 전체집합 $U=\{x|x$는 10보다 작은 자연수$\}$의 두 부분집합 A, B에 대하여

$$A=\{2, 4, 6, 8\}, \ A^C \cap B^C = \{1, 5, 7\}$$

을 만족시키는 집합 B의 모든 원소의 합의 최솟값을 구하시오.

08 전체집합 U의 두 부분집합 A, B에 대하여 $\{(B-A) \cup (A \cup B)^C\} \cup B^C = A^C$가 성립할 때, **보기**에서 항상 옳은 것만을 있는 대로 고르시오.

보기

ㄱ. $A-B=\varnothing$
ㄴ. $A \cup B^C = U$
ㄷ. $A=B$
ㄹ. $A \cap B = A$

09 전체집합 U의 두 부분집합 A, B에 대하여 연산 $\triangledown$를 $A\triangledown B=(A\cup B^{C})\cap(B\cup A^{C})$라 할 때, 다음 중 $(A\triangledown B)\triangledown A$와 같은 집합은?

① A　② B　③ $A\cap B$　④ $A\cup B$　⑤ U

교육청 기출

10 전체집합 $U=\{x|x$는 100 이하의 자연수$\}$의 두 부분집합

$A=\{x|x$는 홀수$\}$, $B=\{x|x$는 7의 배수$\}$

에 대하여 $n(A\cup B)$의 값은?

① 53　② 54　③ 55　④ 56　⑤ 57

11 어떤 반의 학생 23명을 대상으로 좋아하는 운동을 조사하였더니 야구를 좋아하는 학생은 16명, 축구를 좋아하는 학생은 9명, 야구와 축구를 모두 좋아하는 학생은 5명이었다. 야구와 축구 중 어떤 것도 좋아하지 않는 학생 수를 구하시오.

12 전체집합 $U=\{1, 2, 3, \cdots, 9\}$의 두 부분집합 A, B에 대하여 $n(A)=5$, $n(A\cap B)=2$일 때, $n(B)$의 최댓값을 M, 최솟값을 m이라 하자. $M-m$의 값을 구하시오.

STEP 2 실력 다지기

13 두 집합 $A=\{2, a-1, a+1\}$, $B=\{2, 5, a-5\}$에 대하여 $(A-B)\cup(B-A)=\{-1, 3\}$일 때, 상수 a의 값을 구하시오.

14 전체집합 $U=\{x|x$는 5 이하의 자연수$\}$의 부분집합 A에 대하여 $\{2, 5\}\cap A\neq\varnothing$을 만족시키는 모든 집합 A의 개수를 구하시오.

15 두 집합 $A=\{1, 2, 3, 4\}$, $B=\{a+1, a+2, a+3\}$에 대하여 $A\cap X=X$, $(A\cap B)\cup X=X$를 만족시키는 집합 X의 개수가 4일 때, 자연수 a의 값을 구하시오.

16 전체집합 $U=\{x|x$는 10 이하의 자연수$\}$의 두 부분집합 A, B에 대하여

$$A=\{x|x\text{는 소수}\}$$

일 때, $\{A\cup(A^C\cap B)\}\cap\{B^C\cup(A^C\cap B^C)^C\}=A$를 만족시키는 집합 B의 개수를 구하시오.

중단원 연습문제

17

전체집합 $U=\{x|x$는 10 이하의 자연수$\}$의 두 부분집합 A, B에 대하여 연산 ☆를

$$A☆B=(A\cup B)\cap(A\cap B)^C$$

라 하자. $A^C☆B^C=\{x|x$는 짝수$\}$, $A=\{x|x$는 10의 약수$\}$일 때, 집합 B를 구하시오.

18

25명의 학생을 대상으로 사과와 바나나에 대한 선호도를 조사하였더니 사과를 좋아하는 학생은 13명, 바나나를 좋아하는 학생은 17명이다. 바나나만 좋아하는 학생 수의 최댓값을 구하시오.

challenge 교육청 기출

19

100명의 학생을 대상으로 세 문제 a, b, c를 풀게 하였다. 문제 a를 맞힌 학생의 집합을 A, 문제 b를 맞힌 학생의 집합을 B, 문제 c를 맞힌 학생의 집합을 C라 할 때, $n(A)=40$, $n(B)=35$, $n(C)=52$, $n(A\cap B)=15$, $n(A\cap C)=10$, $n(A^C\cap B^C\cap C^C)=7$이다.
세 문제 중 두 문제 이상을 맞힌 학생 수의 최솟값은?

① 18 ② 20 ③ 22 ④ 24 ⑤ 26

20

자연수 전체의 집합의 두 부분집합 A, B는 다음 조건을 만족시킨다.

> ㈎ $n(A)=n(B)=3$
> ㈏ $x\in A$이면 $x+k\in B$이다. (단, k는 상수)
> ㈐ $B-A=\{1\}$

집합 A의 모든 원소의 합이 15일 때, 집합 B의 모든 원소의 합을 구하시오.

07

명제

01 명제와 조건

명제와 조건	(1) 명제: 참, 거짓을 명확하게 판별할 수 있는 문장이나 식 (2) 조건: 변수를 포함하는 문장이나 식 중에서 변수의 값에 따라 참, 거짓을 판별할 수 있는 문장이나 식
명제와 조건의 부정	(1) 명제 또는 조건 p에 대하여 'p가 아니다.'를 p의 부정이라 하고, 기호로 $\sim p$와 같이 나타낸다. (2) 명제 p가 참이면 $\sim p$는 거짓이고, 명제 p가 거짓이면 $\sim p$는 참이다.
명제 $p \longrightarrow q$의 참, 거짓의 판별	명제 $p \longrightarrow q$에 대하여 두 조건 p, q의 진리집합을 각각 P, Q라 할 때 $P \subset Q$이면 명제 $p \longrightarrow q$는 참이고, $P \not\subset Q$이면 명제 $p \longrightarrow q$는 거짓이다.
'모든'이나 '어떤'을 포함한 명제	전체집합 U에 대하여 조건 p의 진리집합을 P라 할 때 (1) $P=U$이면 '모든 x에 대하여 p이다.'는 참인 명제이고, $P \neq U$이면 '모든 x에 대하여 p이다.'는 거짓인 명제이다. (2) $P \neq \varnothing$이면 '어떤 x에 대하여 p이다.'는 참인 명제이고, $P=\varnothing$이면 '어떤 x에 대하여 p이다.'는 거짓인 명제이다.

02 명제 사이의 관계

명제 $p \longrightarrow q$의 역과 대우	명제 $p \longrightarrow q$에 대하여 (1) 가정 p와 결론 q를 서로 바꾸어 놓은 명제 $q \longrightarrow p$를 역이라 한다. (2) 가정 p와 결론 q를 각각 부정하여 서로 바꾸어 놓은 명제 $\sim q \longrightarrow \sim p$를 대우라 한다.
충분조건과 필요조건	(1) $p \Longrightarrow q$일 때 p는 q이기 위한 충분조건, q는 p이기 위한 필요조건이다. (2) $p \Longleftrightarrow q$일 때 p는 q이기 위한 필요충분조건, q는 p이기 위한 필요충분조건이다.

03 명제의 증명

여러 가지 증명	(1) 대우를 이용한 증명: 대우가 참임을 증명하여 원래의 명제가 참임을 증명하는 방법 (2) 귀류법: 어떤 명제가 참임을 증명할 때, 주어진 명제의 결론을 부정하여 모순됨을 보여 원래의 명제가 참임을 증명하는 방법

01 명제와 조건

1 명제와 조건

(1) **명제:** 참, 거짓을 명확하게 판별할 수 있는 문장이나 식

(2) **조건:** 변수를 포함하는 문장이나 식 중에서 변수의 값에 따라 참, 거짓을 판별할 수 있는 문장이나 식

(3) **진리집합:** 전체집합의 원소 중 조건을 참이 되게 하는 모든 원소의 집합

문장이나 식 중에는 그 내용이 참인지 거짓인지를 판별할 수 있는 것과 판별할 수 없는 것이 있다.

예를 들어 '2는 짝수이다.'는 참임을 판별할 수 있는 문장이고, '$1+1=3$'은 거짓임을 판별할 수 있는 식이다. 이와 같이 참, 거짓을 명확하게 판별할 수 있는 문장이나 식을 **명제**라 한다.
반면 '2는 작은 수이다.'는 '작다.'의 기준이 명확하지 않아서 참, 거짓을 판별할 수 없는 문장이고, '$2x \geq x+1$'은 x의 값이 정해져 있지 않아 참, 거짓을 판별할 수 없는 식이다. 이와 같은 문장이나 식은 명제가 아니다.

example
(1) '9는 소수이다.'는 9는 3을 약수로 가지므로 거짓인 명제이다.
(2) 'x는 3의 배수이다.'는 x의 값이 정해져 있지 않아 참, 거짓을 판별할 수 없으므로 명제가 아니다.
(3) '두 집합 A, B에 대하여 $A \subset (A \cup B)$이다.'는 참인 명제이다.
주의 거짓인 문장이나 식도 명제이다.

'x는 4의 약수이다.'와 같이 변수가 포함된 경우 그 자체로 참, 거짓을 판별할 수 없지만 $x=1$이면 참인 명제가 되고, $x=3$이면 거짓인 명제가 된다. 이와 같이 변수를 포함한 문장이나 식의 참, 거짓이 변수의 값에 따라 판별될 때, 그 문장이나 식을 **조건**이라 한다.

실수 x에 대한 조건 '$x(x-2)=0$'을 참이 되게 하는 모든 x의 값의 집합은 $\{0, 2\}$이다. 이와 같이 전체집합의 원소 중 조건을 참이 되게 하는 모든 원소의 집합을 그 조건의 **진리집합**이라 한다.
특별한 말이 없는 경우에 전체집합은 실수 전체의 집합으로 생각한다.

example
전체집합이 $U=\{x \mid x$는 10 이하의 자연수$\}$일 때
조건 'p: x는 홀수이다.'의 진리집합을 P라 하면 $P=\{1, 3, 5, 7, 9\}$이고,
조건 'q: $(x-2)(x-8)<0$'의 진리집합을 Q라 하면 $Q=\{3, 4, 5, 6, 7\}$이다.
참고 일반적으로 명제와 조건은 알파벳 소문자 p, q, r, …로 나타내고, 조건 p, q, r, …의 진리집합은 알파벳 대문자 P, Q, R, …로 나타낸다.

2 명제와 조건의 부정

(1) 명제 또는 조건 p에 대하여 'p가 아니다.'를 p의 부정이라 하고, 기호로 $\sim p$와 같이 나타낸다.
(2) 명제 p가 참이면 $\sim p$는 거짓이고, 명제 p가 거짓이면 $\sim p$는 참이다.
(3) 조건 p의 진리집합을 P라 할 때, $\sim p$의 진리집합은 P^C이다.
(4) 명제 또는 조건 p에 대하여 $\sim p$의 부정은 p이다.

명제 '5는 소수이다.'에서 '5는 소수가 아니다.'라는 명제를 생각할 수 있다.
이와 같이 명제 p에 대하여 'p가 아니다.'를 명제 p의 **부정**이라 하고, 이것을 기호로

$\sim p$ ← '*not p*'라 읽는다.

와 같이 나타낸다.

이때 명제 'p: 5는 소수이다.'는 참이고, 그 부정 '$\sim p$: 5는 소수가 아니다.'는 거짓이다.
이와 같이 명제 p가 참이면 $\sim p$는 거짓이고, 명제 p가 거짓이면 $\sim p$는 참이다.

명제와 마찬가지로 조건 p에 대하여 'p가 아니다.'를 조건 p의 부정이라 하고, $\sim p$로 나타낸다.
전체집합 U에 대하여 조건 p의 진리집합을 P라 할 때,
그 부정 $\sim p$의 진리집합은 P^C이다.

U
P
P^C

또한 명제 또는 조건 p에 대하여 $\sim p$의 부정은 p이다.
즉, $\sim(\sim p)=p$이다.

다음 내용이 포함된 명제 또는 조건의 부정을 구할 때 주의하도록 하자.

$x<a$ (미만) —부정→ $x \geq a$ (이상) ← '$x>a$ (초과)'가 아님에 주의하자.
$x>a$ (초과) —부정→ $x \leq a$ (이하) ← '$x<a$ (미만)'가 아님에 주의하자.
음수이다. —부정→ 0 또는 양수이다. ← '양수이다.'가 아님에 주의하자.
양수이다. —부정→ 0 또는 음수이다. ← '음수이다.'가 아님에 주의하자.

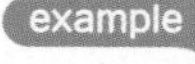

(1) 참인 명제 '$\varnothing \subset \{a, b, c\}$'의 부정은 '$\varnothing \not\subset \{a, b, c\}$'이고 거짓이다.
(2) 전체집합 $U=\{x \mid x$는 실수$\}$에 대하여
조건 'p: $x^2+2x+1 \neq 0$'의 진리집합을 $P=\{x \mid x$는 -1이 아닌 실수$\}$라 하면
조건 '$\sim p$: $x^2+2x+1=0$'의 진리집합은 $P^C=\{-1\}$이다.
(3) 전체집합 $U=\{-2, -1, 0, 1, 2\}$에서의 조건 'q: $|x|>1$'의 진리집합을
$Q=\{-2, 2\}$라 하면 조건 '$\sim q$: $|x| \leq 1$'의 진리집합은 $Q^C=\{-1, 0, 1\}$이다.

3 조건 'p 또는 q'와 'p 그리고 q'

전체집합 U에서의 두 조건 p, q의 진리집합을 각각 P, Q라 할 때

(1) 조건 'p 또는 q'의 진리집합은 $P\cup Q$

조건 'p 그리고 q'의 진리집합은 $P\cap Q$

(2) 조건 'p 또는 q'의 부정은 '$\sim p$ 그리고 $\sim q$'이고, 진리집합은 $P^C\cap Q^C$

조건 'p 그리고 q'의 부정은 '$\sim p$ 또는 $\sim q$'이고, 진리집합은 $P^C\cup Q^C$

전체집합 U에서의 두 조건 p, q에 대하여 p, q의 진리집합을 각각 P, Q라 할 때 두 조건 'p 또는 q', 'p 그리고 q'와 그 부정의 진리집합은 다음과 같다.

조건 'p 또는 q'의 진리집합은 $P\cup Q$

조건 'p 그리고 q'의 진리집합은 $P\cap Q$

조건 'p 또는 q'의 부정은 '$\sim p$ 그리고 $\sim q$'이고,

진리집합은 $(P\cup Q)^C=P^C\cap Q^C$ ← 드모르간의 법칙

조건 'p 그리고 q'의 부정은 '$\sim p$ 또는 $\sim q$'이고,

진리집합은 $(P\cap Q)^C=P^C\cup Q^C$

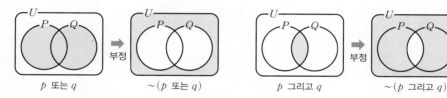

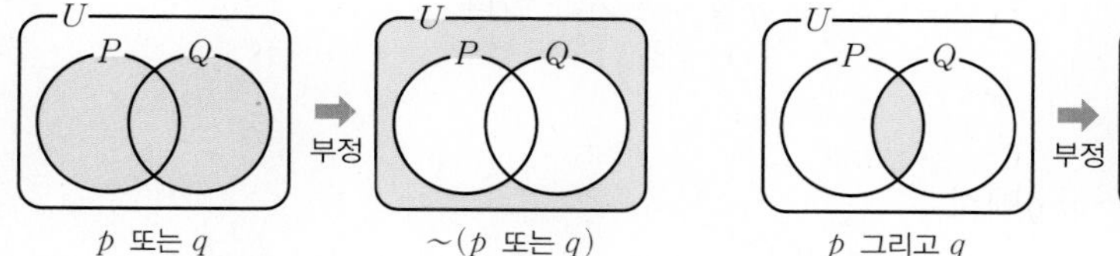

예를 들어 '$a<x<b$'를 풀어서 쓰면 '$x>a$이고 $x<b$'이므로 이 조건의 부정은 다음과 같다.

'$x\le a$ 또는 $x\ge b$'

example

(1) 조건 '$x=0$ 또는 $x=2$'의 부정은 '$x\ne0$이고 $x\ne2$'이다.

(2) 조건 '$x\ne0$이고 $y\ne1$이고 $z\ne2$'의 부정은 '$x=0$ 또는 $y=1$ 또는 $z=2$'이다.

(3) 조건 '$x\le-2$ 또는 $x\ge3$'의 부정은 '$-2<x<3$'이다.

(4) 전체집합 $U=\{x|x$는 8 이하의 자연수$\}$에서의 두 조건

p: x는 소수이다.

q: x는 12의 약수이다.

의 진리집합을 각각 P, Q라 하자.

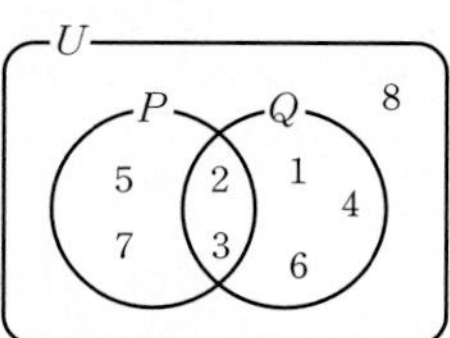

조건 'p 또는 q'의 진리집합은 $P\cup Q=\{1, 2, 3, 4, 5, 6, 7\}$

그 부정 '$\sim p$ 그리고 $\sim q$'의 진리집합은 $P^C\cap Q^C=\{8\}$

조건 'x는 소수이거나 12의 약수이다.'의 부정은 'x는 소수가 아니고 12의 약수도 아니다.'이다.

조건 'p 그리고 q'의 진리집합은 $P\cap Q=\{2, 3\}$

그 부정 '$\sim p$ 또는 $\sim q$'의 진리집합은 $P^C\cup Q^C=\{1, 4, 5, 6, 7, 8\}$

조건 'x는 소수이고 12의 약수이다.'의 부정은 'x는 소수가 아니거나 12의 약수가 아니다.'이다.

4 명제 $p \longrightarrow q$의 참, 거짓의 판별

명제 $p \longrightarrow q$에 대하여 두 조건 p, q의 진리집합을 각각 P, Q라 할 때

(1) $P \subset Q$이면 명제 $p \longrightarrow q$는 참이다.
거꾸로 명제 $p \longrightarrow q$가 참이면 $P \subset Q$이다.

(2) $P \not\subset Q$이면 명제 $p \longrightarrow q$는 거짓이다.
거꾸로 명제 $p \longrightarrow q$가 거짓이면 $P \not\subset Q$이다.

'$x=2$이면 $x^2=4$이다.'는 두 조건

p: $x=2$,

q: $x^2=4$

를 결합한 문장으로 참, 거짓을 판변할 수 있다.

이와 같이 'p이면 q이다.' 꼴의 문장은 명제이고, 기호로

$p \longrightarrow q$

와 같이 나타낸다. 이때 p를 **가정**, q를 **결론**이라 한다.

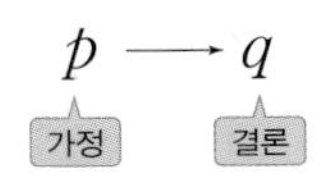

또한 명제 $p \longrightarrow q$에서

조건 p를 참이 되게 하는 모든 원소가 조건 q를 참이 되게 하면 명제 $p \longrightarrow q$는 참이고

조건 p를 참이 되게 하는 원소 중 하나라도 조건 q를 거짓이 되게 하면 명제 $p \longrightarrow q$는 거짓이다.

명제 $p \longrightarrow q$의 참, 거짓과 두 조건의 진리집합 사이의 관계를 알아보자.

명제 '4의 양의 약수는 8의 양의 약수이다.'는 두 조건

p: x는 4의 양의 약수이다.,

q: x는 8의 양의 약수이다.

를 결합한 문장이다. 두 조건 p, q의 진리집합을 각각 P, Q라 하면

$P=\{1,\ 2,\ 4\}$,

$Q=\{1,\ 2,\ 4,\ 8\}$

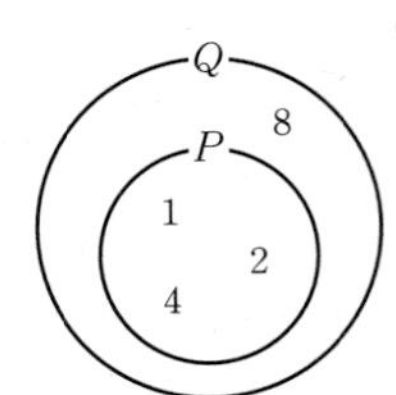

이다. 이때 $P \subset Q$이므로 ← $x \in P$인 모든 x에 대하여 $x \in Q$이다.

조건 p를 참이 되게 하는 모든 원소가 조건 q를 참이 되게 한다.

즉, $P \subset Q$이면 명제 $p \longrightarrow q$는 참이다.

거꾸로 명제 $p \longrightarrow q$가 참이면 $P \subset Q$이다.

한편, 명제 'x가 4의 양의 약수이면 x는 6의 양의 약수이다.'는 두 조건

p: x는 4의 양의 약수이다.,

q: x는 6의 양의 약수이다.

를 결합한 문장이다. 두 조건 p, q의 진리집합을 각각 P, Q라 하면

$P=\{1, 2, 4\}$,

$Q=\{1, 2, 3, 6\}$

이다. 이때 $P \not\subset Q$이므로 ← $x \in P$인 어떤 x에 대하여 $x \notin Q$이다.

조건 p를 참이 되게 하는 원소 중 조건 q를 거짓이 되게 하는 원소가 존재한다.

즉, $P \not\subset Q$이면 명제 $p \longrightarrow q$는 거짓이다.

거꾸로 명제 $p \longrightarrow q$가 거짓이면 $P \not\subset Q$이다.

명제 $p \longrightarrow q$를 거짓으로 판별할 때 진리집합 P, Q를 각각 구할 필요 없이 조건 p를 참이 되게 하지만 조건 q를 거짓이 되게 하는 예가 하나라도 있음을 보여도 된다. 이와 같은 예를 **반례**라 한다.

위의 명제에서 4는 조건 p를 참이 되게 하지만 조건 q를 거짓이 되게 하므로 명제 $p \longrightarrow q$는 거짓이 되고, 이때의 반례는 4이다.

example 다음 명제의 참, 거짓을 진리집합의 포함 관계를 이용하여 판별하면

(1) 소수는 홀수인 자연수이다.

주어진 명제는 두 조건

p: x는 소수이다.,

q: x는 홀수인 자연수이다.

를 결합한 문장이다. 두 조건 p, q의 진리집합을 각각 P, Q라 하면

$P=\{2, 3, 5, 7, \cdots\}$, $Q=\{1, 3, 5, 7, \cdots\}$이다.

이때 $P \not\subset Q$이므로 주어진 명제는 거짓이다.

Tip 반례로 소수이지만 홀수가 아닌 자연수가 있음을 찾아서 거짓임을 판별할 수도 있다.
[반례] 2는 소수이지만 짝수이므로 주어진 명제는 거짓이다.

(2) $x>3$이면 $x \ge 1$이다.

주어진 명제는 두 조건

p: $x>3$,

q: $x \ge 1$

을 결합한 문장이다. 두 조건 p, q의 진리집합을 각각 P, Q라 하면

$P=\{x|x>3\}$, $Q=\{x|x \ge 1\}$이다.

이를 수직선 위에 나타내면 오른쪽 그림과 같이 $P \subset Q$이므로 주어진 명제는 참이다.

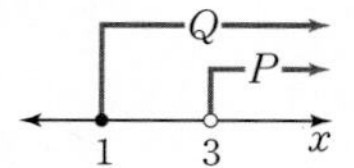

5 '모든'이나 '어떤'을 포함한 명제의 참, 거짓 판별

전체집합 U에 대하여 조건 p의 진리집합을 P라 할 때

(1) $P=U$이면 '모든 x에 대하여 p이다.'는 참인 명제이고,
$P\neq U$이면 '모든 x에 대하여 p이다.'는 거짓인 명제이다.

(2) $P\neq\varnothing$이면 '어떤 x에 대하여 p이다.'는 참인 명제이고,
$P=\varnothing$이면 '어떤 x에 대하여 p이다.'는 거짓인 명제이다.

조건 '실수 x에 대하여 $x^2=1$이다.'는 참, 거짓을 판별할 수 없으나, 다음과 같이 '모든'이나 '어떤'으로 변수의 범위를 제한하면 다음과 같이 참, 거짓을 판별할 수 있게 된다.

'모든 실수 x에 대하여 $x^2=1$이다.'

는 $x\neq\pm1$일 때 $x^2\neq1$이므로 거짓인 명제이다. ← '모든'을 포함한 명제는 성립하지 않는 예가 하나만 있어도 거짓이다.

'어떤 실수 x에 대하여 $x^2=1$이다.'

는 $x=\pm1$일 때 $x^2=1$이므로 참인 명제이다. ← '어떤'을 포함한 명제는 성립하는 예가 하나만 있어도 참이다.

전체집합 U에 대하여 조건 p의 진리집합을 P라 할 때, 다음 명제의 참, 거짓과 진리집합 P의 관계를 알아보자.

'모든 x에 대하여 p이다.' ······ ㉠ ← '임의의 x에 대하여 p이다.'와 같은 표현이다.

'어떤 x에 대하여 p이다.' ······ ㉡ ← 'p를 만족시키는 x가 존재한다.', 'x 중 적어도 하나는 p이다.'와 같은 표현이다.

전체집합 U에 속하는 모든 원소가 조건 p를 참이 되게 하면 ㉠은 참이다.
($x\in U$인 모든 x에 대하여 $x\in P$이면)

즉, $P=U$이면 '모든 x에 대하여 p이다.'는 참이다.

$P=U$

전체집합 U에 속하는 원소 중 적어도 하나가 조건 p를 거짓이 되게 하면 ㉠은 거짓이다.
($x\in U$이지만 $x\notin P$인 원소 x가 존재)

즉, $P\neq U$이면 '모든 x에 대하여 p이다.'는 거짓이다.

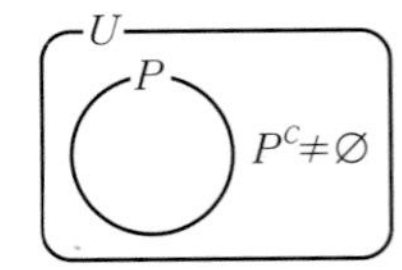

전체집합 U에 속하는 원소 중 적어도 하나가 조건 p를 참이 되게 하면 ㉡은 참이다.
($x\in U$이면서 $x\in P$인 원소 x가 존재)

즉, $P\neq\varnothing$이면 '어떤 x에 대하여 p이다.'는 참이다.

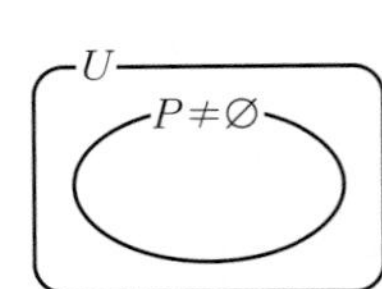

전체집합 U에 속하는 모든 원소가 조건 p를 거짓이 되게 하면 ㉡은 거짓이다.
($x\in U$인 모든 x에 대하여 $x\notin P$이면)

즉, $P=\varnothing$이면 '어떤 x에 대하여 p이다.'는 거짓이다.

example

다음 명제의 참, 거짓을 전체집합과 진리집합의 포함 관계를 이용하여 판별하면

(1) 모든 실수 x에 대하여 $x^2>0$이다.

전체집합 U는 실수 전체의 집합이고,

조건 'p: $x^2>0$'의 진리집합을 P라 하면

$P=\{x \mid x$는 $x\neq0$인 실수$\}$

$P\neq U$이므로 이 명제는 거짓이다.

Tip $x\in U$이지만 $x\notin P$인 실수 x를 한 개만 찾아도 주어진 명제가 거짓임을 증명할 수 있다.
[반례] $x=0$이면 $x^2=0$이므로 주어진 명제는 거짓이다.

(2) 모든 실수 x에 대하여 $x^2+1\geq0$이다.

전체집합 U는 실수 전체의 집합이고,

조건 'p: $x^2+1\geq0$'의 진리집합을 P라 하면

$P=\{x \mid x$는 실수$\}$

$P=U$이므로 이 명제는 참이다.

(3) 어떤 자연수 n에 대하여 $n^2-3n\leq0$이다.

전체집합 U는 자연수 전체의 집합이고,

조건 'p: $n^2-3n\leq0$'의 진리집합을 P라 하면

$P=\{1, 2, 3\}$

$P\neq\varnothing$이므로 이 명제는 참이다.

Tip 조건을 참이 되게 하는 자연수 n을 한 개만 찾아도 주어진 명제가 참임을 증명할 수 있다.
[예] $n=1$이면 $n^2-3n=-2<0$이므로 주어진 명제는 참이다.

(4) $n(n+1)$이 홀수가 되도록 하는 자연수 n이 존재한다.

전체집합 U는 자연수 전체의 집합이고,

조건 'p: $n(n+1)$이 홀수이다.'의 진리집합을 P라 하자.

$P=\varnothing$이므로 이 명제는 거짓이다.

참고 주어진 명제를 '어떤 자연수 n에 대하여 $n(n+1)$이 홀수이다.'로 해석할 수 있다.

6 '모든'이나 '어떤'을 포함한 명제의 부정

조건 p에 대하여

(1) '모든 x에 대하여 p이다.'의 부정은 '어떤 x에 대하여 $\sim p$이다.'이다.

(2) '어떤 x에 대하여 p이다.'의 부정은 '모든 x에 대하여 $\sim p$이다.'이다.

2개의 자연수로 이루어진 집합 U에 대하여 다음 3가지 경우가 가능하다.

'집합 U의 모든 원소는 짝수이다.'

'집합 U의 두 원소 중 하나는 짝수이고 하나는 홀수이다.'

'집합 U의 모든 원소는 홀수이다.'

← '집합 U의 어떤 원소는 홀수이다.'

이때 '모든'을 포함한 명제

'집합 U의 모든 원소는 짝수이다.'

의 부정은 '집합 U의 두 원소 중 하나는 짝수이고 하나는 홀수이거나, 두 원소 모두 홀수이다.'이다. 이를 간단하게

'집합 U의 어떤 원소는 홀수이다.'

로 나타낼 수 있다. 이와 같이 '모든' 또는 '어떤'을 포함한 명제의 부정은 다음과 같다.

명제 '모든 x에 대하여 p이다.'의 부정은 'p를 만족시키지 않는 x가 존재한다.'는 뜻이므로

'어떤 x에 대하여 $\sim p$이다.' ← '적어도 하나는 $\sim p$이다.'와 같은 표현이다.

이다. 또 명제 '어떤 x에 대하여 p이다.'의 부정은 'p를 만족시키는 x가 존재하지 않는다.'는 뜻이므로

'모든 x에 대하여 $\sim p$이다.'

이다.

example 다음 명제의 부정을 구하고, 그것의 참, 거짓을 판별하면

(1) '어떤 실수 x에 대하여 $|x|<0$이다.'의 부정은
'모든 실수 x에 대하여 $|x|\geq 0$이다.'이다. (참)

(2) '모든 직사각형은 정사각형이다.'의 부정은
'어떤 직사각형은 정사각형이 아니다.'이다.
[예] 그림과 같이 가로의 길이가 세로의 길이의 2배인 직사각형은 정사각형이 아니다. (참)

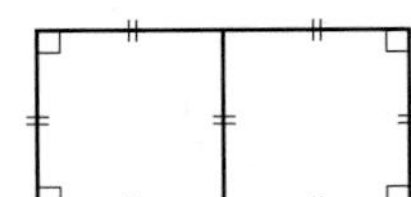

(3) '$n(n+2)$가 홀수가 되도록 하는 자연수 n이 존재한다.'의 부정은 '모든 자연수 n에 대하여 $n(n+2)$는 짝수이다.'이다.
[반례] $n=1$이면 $n(n+2)$의 값은 3이므로 홀수이다. (거짓)
참고 주어진 명제는 '어떤 자연수 n에 대하여 $n(n+2)$는 홀수이다.'로 해석할 수 있다.

빠른 정답 • 513쪽 / 정답과 풀이 • 104쪽

개념 CHECK

01. 명제와 조건

01 다음 중 명제인 것을 찾고, 명제인 것은 참, 거짓을 판별하시오.

(1) $\sqrt{9}$는 유리수이다.

(2) 직사각형의 두 대각선의 길이는 같다.

(3) $x^2-5x-6=0$

(4) $\frac{1}{3}+\frac{1}{4}\leq\frac{5}{12}$

02

전체집합 $U=\{1, 2, 3, 4, 5, 6\}$에 대하여 두 조건 p, q가

p: x는 짝수이다., q: $x^2-5x+6=0$

일 때, 다음 조건의 진리집합을 구하시오.

(1) $\sim p$
(2) $\sim p$ 또는 q
(3) p 그리고 $\sim q$

07

03

다음 명제의 참, 거짓을 판별하시오.

(1) $|x+2|=1$이면 $x=-1$이다.
(2) $-1\le x\le 4$이면 $-2<x<4$이다.
(3) 두 정삼각형의 넓이가 같으면 두 정삼각형은 합동이다.
(4) $xz<yz$이면 $x<y$이다. (단, x, y, z는 실수이다.)

04

다음 명제의 부정을 구하고, 그것의 참, 거짓을 판별하시오.

(1) 어떤 실수 x에 대하여 $|x+1|>(x+1)^2$이다.
(2) 모든 12의 양의 약수는 4의 양의 배수이다.
(3) 9의 양의 약수 중 짝수인 것이 존재한다.
(4) 임의의 실수 x에 대하여 $x^2+2x-1\ge 0$이다.
(5) $2n+3$이 홀수가 되도록 하는 자연수 n은 존재하지 않는다.

대표 예제 01

다음 중 명제인 것을 찾고, 그 명제의 참, 거짓을 판별하시오.

(1) 100은 큰 수이다.

(2) 두 홀수인 자연수의 합은 짝수이다.

(3) 6과 8의 최소공배수는 48이다.

(4) $x^2+3x-4\leq 0$

(5) 삼각형의 세 내각의 크기의 합은 180°이다.

바로 접근

참인 문장이나 식, 거짓인 문장이나 식을 명제라 한다.

참, 거짓을 판별할 수 없는 문장이나 식은 명제가 아니다.

예를 들어

3과 서로소인 자연수는 짝수이다. ➡ 3과 서로소인 자연수 중 5는 홀수이므로 거짓인 명제이다.

x는 짝수이다. ➡ x의 값이 정해지지 않아 참, 거짓을 판별할 수 없으므로 명제가 아니다.

바른 풀이

(1) '크다.'는 기준이 분명하지 않아 참, 거짓을 판별할 수 없으므로 명제가 아니다.

(2) 두 홀수인 자연수 합은 짝수이므로 참인 명제이다.

(3) 6과 8의 최소공배수는 24이므로 거짓인 명제이다.

(4) x의 값이 정해지지 않아 참, 거짓을 판별할 수 없으므로 명제가 아니다.

(5) 삼각형의 세 내각의 크기의 합은 180°이므로 참인 명제이다.

정답 (1) 명제가 아니다. (2) 참인 명제 (3) 거짓인 명제 (4) 명제가 아니다. (5) 참인 명제

Bible Says

참, 거짓을 판별할 수 있는 문장이나 식이 항상 성립하면 참인 명제이고, 한 가지라도 성립하지 않는 경우가 있으면 거짓인 명제이다.

이때 거짓인 문장 또는 식을 명제가 아니라고 착각하지 않도록 주의하자. 거짓인 문장 또는 식도 명제이다.

빠른 정답 • 513쪽 / 정답과 풀이 • 105쪽

한 번 더하기

01-1

다음 중 명제인 것을 찾고, 그 명제의 참, 거짓을 판별하시오.

(1) 홀수인 자연수는 소수이다.

(2) 정삼각형은 이등변삼각형이다.

(3) 0.00001은 0에 가까운 수이다.

(4) $3x-2>2x+1$

(5) 무리수를 제곱한 값은 유리수이다.

표현 더하기

01-2

보기에서 명제인 것만을 있는 대로 고르시오.

• 보기 •

ㄱ. $3+1=5$
ㄴ. $x+2=x-2$
ㄷ. $-3x=x-4x$
ㄹ. $2x=3(x-1)$

표현 더하기

01-3

다음 중 참인 명제인 것은?

① 정오각형의 한 내각의 크기는 $120°$이다.

② $x<y$이면 $x+3>y+3$이다.

③ π는 4보다 크다.

④ $x=0$이면 $xy=0$이다.

⑤ 모든 정사각형은 합동이다.

표현 더하기

01-4

다음 중 거짓인 명제인 것은?

① $x=-3$이면 $x^2=9$이다.

② 4의 양의 약수는 3개이다.

③ 999보다 작은 자연수는 많다.

④ 두 자연수 a, b가 홀수이면 ab는 홀수이다.

⑤ 두 실수 a, b에 대하여 $ab>0$이면 $a>0$이고 $b>0$이다.

대표 예제 02

다음 명제 또는 조건의 부정을 쓰시오.

(1) 4는 합성수이다.
(2) 1은 2보다 작다.
(3) $x \neq 0$ 또는 $y \neq 0$
(4) $-3 \leq x \leq 5$

바로 접근

자주 사용되는 명제 또는 조건의 부정은 다음과 같다.

① ~이다. $\xleftrightarrow{\text{부정}}$ ~가 아니다.

② $x=a$ $\xleftrightarrow{\text{부정}}$ $x \neq a$

③ $x>a$ $\xleftrightarrow{\text{부정}}$ $x \leq a$

④ p 또는 q $\xleftrightarrow{\text{부정}}$ $\sim p$ 그리고 $\sim q$

바른 풀이

(1) 4는 합성수가 아니다.

(2) 1은 2보다 크거나 같다.

(3) $x=0$이고 $y=0$

(4) $x<-3$ 또는 $x>5$

정답 (1) 풀이 참조 (2) 풀이 참조 (3) 풀이 참조 (4) 풀이 참조

Bible Says

(1) '4는 합성수이다.'의 부정을 '4는 소수이다.'로 구하지 않도록 주의하자.
'2 이상의 자연수'라는 전제 조건이 있어야지만 다음과 같이 부정을 구할 수 있다.
p: 2 이상의 자연수에서 4는 합성수이다. $\sim p$: 2 이상의 자연수에서 4는 소수이다.

참고 자연수
- 소수: 1보다 큰 자연수 중 1과 그 자신만을 약수로 가지는 수
- 합성수: 1보다 큰 자연수 중 소수가 아닌 수
- 1(소수도 아니고 합성수도 아니다.)

(2) '작다.'의 부정은 '크다.'가 아니라 '크거나 같다.'임에 주의하자.

(3) '$x \neq 0$', '또는', '$y \neq 0$' 각각을 모두 고려하여 조건의 부정을 구한다.

(4) '$-3 \leq x \leq 5$'는 '$x \geq -3$이고 $x \leq 5$'와 같은 표현이다.

빠른 정답 • 513쪽 / 정답과 풀이 • 105쪽

한 번 더하기

02-1

다음 명제 또는 조건의 부정을 말하시오.

(1) $\sqrt{5}$는 무리수이다.

(2) $x \in A$이고 $x \in B$

(3) $x=-3$ 또는 $x=2$

(4) x, y 중 적어도 하나는 양수이다.

표현 더하기

02-2

다음 중 실수 x, y에 대하여 조건 '$x^2+y^2=0$'의 부정과 서로 같은 것은?

① $x \neq y$　② $xy \neq 0$　③ $x+y \neq 0$

④ $x \neq 0$이고 $y=0$　⑤ $x \neq 0$ 또는 $y \neq 0$

표현 더하기

02-3

보기의 명제 중 그 부정이 참인 것만을 있는 대로 고르시오.

보기

ㄱ. 2는 소수이다.

ㄴ. 직사각형은 평행사변형이다.

ㄷ. $4^2>(-4)^2$

ㄹ. 16은 3의 배수 또는 6의 배수이다.

표현 더하기

02-4

실수 a, b, c에 대하여 조건 '$(a-b)(b-c)(c-a)=0$'의 부정과 서로 같은 것은?

① $a-b \neq c$　② $a+b+c \neq 0$　③ $a \neq b$ 또는 $b \neq c$ 또는 $c \neq a$

④ $a \neq b$이고 $b \neq c$이고 $c \neq a$　⑤ $abc \neq 0$

대표 예제 | 03

전체집합 $U=\{x|x$는 8 이하의 자연수$\}$에 대하여 두 조건 p, q가

p: x는 6의 약수이다., q: $x^2-7x+10\le 0$

일 때, 다음 조건의 진리집합을 구하시오.

(1) $\sim(\sim q)$

(2) $\sim p$ 또는 $\sim q$

(3) $\sim(p$ 또는 $\sim q)$

바로 접근 두 조건 p, q의 진리집합을 각각 P, Q라 하면

조건	$\sim p$	p 또는 q	p 그리고 q
진리집합	P^C	$P\cup Q$	$P\cap Q$

바른 풀이 전체집합 $U=\{1, 2, 3, \cdots, 8\}$에 대하여 두 조건 p, q의 진리집합을 각각 P, Q라 하면

$P=\{1, 2, 3, 6\}$

$x^2-7x+10\le 0$에서 $(x-2)(x-5)\le 0$ $\quad\therefore 2\le x\le 5$

$Q=\{2, 3, 4, 5\}$

(1) 조건 '$\sim(\sim q)$'의 진리집합은

$(Q^C)^C=Q=\{2, 3, 4, 5\}$

(2) 조건 '$\sim p$ 또는 $\sim q$'의 진리집합은

$$\begin{aligned}P^C\cup Q^C&=(P\cap Q)^C\\&=U-(P\cap Q)\\&=\{1, 2, 3, \cdots, 8\}-\{2, 3\}\\&=\{1, 4, 5, 6, 7, 8\}\end{aligned}$$

(3) 조건 '$\sim(p$ 또는 $\sim q)$'의 진리집합은

$$\begin{aligned}(P\cup Q^C)^C&=P^C\cap Q\\&=\{4, 5, 7, 8\}\cap\{2, 3, 4, 5\}\\&=\{4, 5\}\end{aligned}$$

정답 (1) $\{2, 3, 4, 5\}$ (2) $\{1, 4, 5, 6, 7, 8\}$ (3) $\{4, 5\}$

Bible Says

(2)에서 $P^C=\{4, 5, 7, 8\}$, $Q^C=\{1, 6, 7, 8\}$을 각각 구한 후 집합 $P^C\cup Q^C$를 구해도 된다.

빠른 정답 • 513쪽 / 정답과 풀이 • 106쪽

한 번 더하기

03-1

전체집합 $U=\{x|x$는 10 이하의 자연수$\}$에 대하여 두 조건 p, q가

$$p:\ (2x-5)(x-8)\geq 0,\qquad q:\ x\text{는 6과 서로소이다.}$$

일 때, 다음 조건의 진리집합을 구하시오.

(1) p 또는 $\sim q$

(2) $\sim p$ 그리고 q

(3) $\sim(\sim p$ 또는 $q)$

표현 더하기

03-2

정수 전체의 집합에서 두 조건 p, q가

$$p:\ |x|\leq 2,\qquad q:\ x\leq -1 \text{ 또는 } x\geq 5$$

일 때, 조건 'p 그리고 $\sim q$'의 진리집합의 모든 원소의 합을 구하시오.

표현 더하기

03-3

실수 전체의 집합에서 두 조건

$$p:\ x\geq 7,\qquad q:\ x<-4$$

의 진리집합을 각각 P, Q라 할 때, 다음 중 조건 '$-4\leq x<7$'의 진리집합을 나타내는 것은?

① $P\cap Q^C$　② $P^C\cap Q$　③ $(P\cup Q)^C$

④ $P^C\cup Q$　⑤ $P^C\cup Q^C$

실력 더하기

03-4

전체집합 $U=\{-3, -2, -1, 0, 1, 2, 3\}$에 대하여 두 조건 p, q가

$$p:\ |x|>1,\qquad q:\ x^2-ax=0$$

이다. 조건 '$\sim p$ 또는 q'의 진리집합의 원소의 개수가 4가 되도록 하는 정수 a의 값의 개수를 구하시오.

대표 예제 04

두 조건 p, q가 다음과 같을 때, 명제 $p \longrightarrow q$의 참, 거짓을 판별하시오. (단, x, y는 실수이다.)

(1) p: x는 4의 양의 배수이다., q: x는 2의 양의 배수이다.
(2) p: x, y는 무리수이다., q: $x+y$는 무리수이다.
(3) p: $x^2=y^2$, q: $x=y$
(4) p: $x^2-4x+3=0$, q: $2 \le x \le 3$

바로 접근

두 조건 p, q의 진리집합을 각각 P, Q라 할 때,
(i) $P \subset Q$이면 명제 $p \longrightarrow q$는 참이다.
(ii) $P \not\subset Q$이면 명제 $p \longrightarrow q$는 거짓이다.

바른 풀이

(1) 두 조건 p, q의 진리집합을 각각 P, Q라 하자.
$P=\{4, 8, 12, \cdots\}$, $Q=\{2, 4, 6, \cdots\}$
따라서 $P \subset Q$이므로 명제 $p \longrightarrow q$는 참이다.
(2) [반례] $x=\sqrt{2}$, $y=-\sqrt{2}$이면 x, y는 무리수이지만 $x+y$는 유리수이다.
따라서 명제 $p \longrightarrow q$는 거짓이다.
(3) [반례] $x=1$, $y=-1$이면 $x^2=y^2$이지만 $x \ne y$이다.
따라서 명제 $p \longrightarrow q$는 거짓이다.
(4) 두 조건 p, q의 진리집합을 각각 P, Q라 하자.
$P=\{x \mid x^2-4x+3=0\}=\{x \mid (x-1)(x-3)=0\}=\{1, 3\}$
$Q=\{x \mid 2 \le x \le 3\}$
따라서 $P \not\subset Q$이므로 명제 $p \longrightarrow q$는 거짓이다.

정답 (1) 참 (2) 거짓 (3) 거짓 (4) 거짓

Bible Says

주어진 명제가 거짓임이 명백할 때에는 반례를 찾아보자. 이때 반례가 하나만 존재해도 그 명제는 거짓이다.

빠른 정답 • 513쪽 / 정답과 풀이 • 106쪽

한 번 더하기

04-1

두 조건 p, q가 다음과 같을 때, 명제 $p \longrightarrow q$의 참, 거짓을 판별하시오. (단, x는 실수이다.)

(1) p: x는 4의 양의 약수이다., q: x는 8의 양의 약수이다.

(2) p: x^2은 유리수이다., q: x는 유리수이다.

(3) p: $x^2=1$, q: $x^3=1$

(4) p: $|x|<3$, q: $x<3$

표현 더하기

04-2

전체집합 U에 대하여 두 조건 p, q의 진리집합을 각각 P, Q라 하자. 두 집합 P, Q가 오른쪽 그림과 같을 때, 명제 $\sim p \longrightarrow q$가 거짓임을 보일 수 있는 모든 반례의 합을 구하시오.

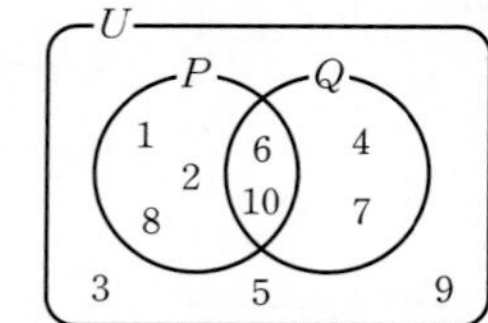

07

표현 더하기

04-3

전체집합 U에 대하여 세 조건 p, q, r의 진리집합을 각각 P, Q, R라 하자. $P \cup Q=P$, $Q \cap R=R$일 때, **보기**에서 항상 참이라 할 수 없는 명제만을 있는 대로 고르시오.

보기

ㄱ. $r \longrightarrow p$ ㄴ. $r \longrightarrow q$ ㄷ. $q \longrightarrow p$

ㄹ. $p \longrightarrow q$ ㅁ. $p \longrightarrow r$

표현 더하기

04-4

전체집합 U에 대하여 두 조건 p, q의 진리집합을 각각 P, Q라 하자. 명제 $p \longrightarrow \sim q$가 참일 때, **보기**에서 항상 옳은 것만을 있는 대로 고르시오.

보기

ㄱ. $P \subset Q^C$ ㄴ. $P \cap Q=\varnothing$ ㄷ. $P-Q=\varnothing$

ㄹ. $P \cup Q^C=Q^C$ ㅁ. $P^C \cup Q^C=U$

대표 예제 05

다음 물음에 답하시오.

(1) 실수 x에 대한 두 조건 p, q가

p: $x<2$, q: $x-a<4$

일 때, 명제 $p \longrightarrow q$가 참이 되도록 하는 실수 a의 값의 범위를 구하시오.

(2) 실수 x에 대한 두 조건 p, q가

p: $x<-1$ 또는 $x\geq 1$, q: $a-3<x\leq a+2$

일 때, 명제 $\sim p \longrightarrow q$가 참이 되도록 하는 실수 a의 값의 범위를 구하시오.

바로 접근

두 조건 p, q의 진리집합을 각각 P, Q라 할 때

명제 $p \longrightarrow q$가 참이 되도록 하는 미지수 구하기: $P\subset Q$가 되도록 P, Q를 수직선 위에 나타낸다.

명제 $\sim p \longrightarrow q$가 참이 되기 위한 미지수 구하기: $P^C\subset Q$가 되도록 P^C, Q를 수직선 위에 나타낸다.

바른 풀이

(1) 두 조건 p, q의 진리집합을 각각 P, Q라 하면

$P=\{x|x<2\}$, $Q=\{x|x<a+4\}$

명제 $p \longrightarrow q$가 참이 되려면 $P\subset Q$이어야 하고,

이를 만족시키도록 두 집합 P, Q를 수직선 위에 나타내면 그림과 같다.

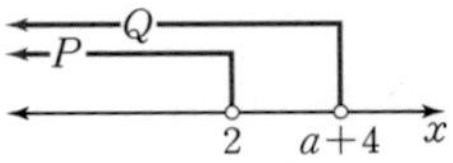

즉, $2\leq a+4$

$\therefore a\geq -2$

(2) 두 조건 p, q의 진리집합을 각각 P, Q라 하면

$P^C=\{x|-1\leq x<1\}$, $Q=\{x|a-3<x\leq a+2\}$

명제 $\sim p \longrightarrow q$가 참이 되려면 $P^C\subset Q$이어야 하고, 이를 만족시키도록 두 집합 P^C, Q를 수직선 위에 나타내면 그림과 같다.

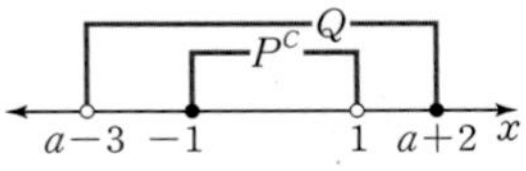

즉, $a-3<-1$에서 $a<2$

$1\leq a+2$에서 $a\geq -1$

$\therefore -1\leq a<2$

정답 (1) $a\geq -2$ (2) $-1\leq a<2$

Bible Says

미지수의 값의 범위를 구할 때 경계가 되는 값에 주의한다.

① p: $x<a$, q: $x<b$
② p: $x\leq a$, q: $x\leq b$
③ p: $x<a$, q: $x\leq b$

일 때 명제 $p \longrightarrow q$가 참이려면 $a\leq b$이어야 한다.

④ p: $x\leq a$, q: $x<b$일 때 명제 $p \longrightarrow q$가 참이려면 $a<b$이어야 한다.

①, ②, ③에서 부등호의 방향이 반대인 경우 명제 $p \longrightarrow q$가 참이려면 $a\geq b$이어야 하고, ④에서 부등호의 방향이 반대인 경우 명제 $p \longrightarrow q$가 참이려면 $a>b$이어야 한다.

빠른 정답 • 513쪽 / 정답과 풀이 • 107쪽

한 번 더하기

05-1

실수 x에 대한 두 조건 p, q가

$$p:\ -3<x<-2a+1, \qquad q:\ a+1\le x\le 5$$

일 때, 명제 $q \longrightarrow p$가 참이 되도록 하는 실수 a의 값의 범위를 구하시오.

한 번 더하기

05-2

실수 x에 대한 두 조건 p, q가

$$p:\ x\le -4 \text{ 또는 } x\ge 1, \qquad q:\ x-3\ge 2x+k$$

일 때, 명제 $\sim p \longrightarrow q$가 참이 되도록 하는 실수 k의 최댓값을 구하시오.

07

표현 더하기

05-3

실수 x에 대한 세 조건 p, q, r가

$$p:\ -3\le x\le 2 \text{ 또는 } x\ge 4, \qquad q:\ a\le x\le 1, \qquad r:\ x\ge b$$

일 때, 두 명제 $q \longrightarrow p$, $p \longrightarrow r$가 모두 참이 되도록 하는 실수 a의 최솟값과 실수 b의 최댓값의 곱을 구하시오.

실력 더하기

05-4

전체집합 $U=\{x|x$는 10 이하의 자연수$\}$에서의 두 조건 p, q의 진리집합을 각각 P, Q라 하자. 집합 $P=\{x|x^2-8x+a\ge 0\}$에 대하여 다음 조건을 만족시키는 모든 자연수 a의 값의 합을 구하시오.

명제 $\sim p \longrightarrow q$가 참이 되도록 하는 집합 Q의 개수가 32이다.

대표 예제 | 06

전체집합 $U=\{-3, -2, -1, 0, 1, 2, 3\}$에 대하여 $x\in U$일 때, **보기**에서 참인 명제인 것만을 있는 대로 고르시오.

보기

ㄱ. 모든 x에 대하여 $|x|>0$이다.

ㄴ. 어떤 x에 대하여 $x^2>4$이다.

ㄷ. 모든 x에 대하여 $2x-6\le 0$이다.

ㄹ. 어떤 x에 대하여 $x-2=2$이다.

바로 접근

전체집합 U에 대하여 조건 p의 진리집합을 P라 하자.

① 모든 x에 대하여 p이다. ➔ $P=U$이면 참이고, $P\ne U$이면 거짓이다.

② 어떤 x에 대하여 p이다. ➔ $P\ne\varnothing$이면 참이고, $P=\varnothing$이면 거짓이다.

바른 풀이

ㄱ. p: $|x|>0$이라 하고 조건 p의 진리집합을 P라 하자.
집합 P는 집합 U의 원소 중
$x<0$ 또는 $x>0$인 모든 값을 원소로 가지므로
$P=\{-3, -2, -1, 1, 2, 3\}$ $\quad\therefore P\ne U$ (거짓)

ㄴ. p: $x^2>4$라 하고 조건 p의 진리집합을 P라 하자.
집합 P는 집합 U의 원소 중
$(x+2)(x-2)>0$, 즉 $x<-2$ 또는 $x>2$인 모든 값을 원소로 가지므로
$P=\{-3, 3\}$ $\quad\therefore P\ne\varnothing$ (참)

ㄷ. p: $2x-6\le 0$이라 하고 조건 p의 진리집합을 P라 하자.
집합 P는 집합 U의 원소 중
$2x\le 6$, 즉 $x\le 3$인 모든 값을 원소로 가지므로
$P=\{-3, -2, -1, 0, 1, 2, 3\}$ $\quad\therefore P=U$ (참)

ㄹ. p: $x-2=2$라 하고 조건 p의 진리집합을 P라 하자.
집합 P는 집합 U의 원소 중
$x=4$인 값을 원소로 갖는데 $4\notin U$이다.
$\therefore P=\varnothing$ (거짓)

따라서 참인 명제는 ㄴ, ㄷ이다.

다른 풀이

ㄱ. [반례] $x=0$이면 $|x|=0$이므로 주어진 명제는 거짓이다.

ㄴ. [예] $x=3$이면 $x^2=9>4$이므로 주어진 명제는 참이다.

정답 ㄴ, ㄷ

Bible Says

'모든 x에 대하여'를 포함한 명제 ➔ 조건을 만족시키지 않는 $x\in U$가 하나라도 존재하면 이 명제는 거짓이다.

'어떤 x에 대하여'를 포함한 명제 ➔ 조건을 만족시키는 $x\in U$가 하나라도 존재하면 이 명제는 참이다.

빠른 정답 • 513쪽 / 정답과 풀이 • 108쪽

한 번 더하기

06-1

전체집합 $U=\{-2,\ -1,\ 0,\ 1,\ 2\}$에 대하여 $x\in U$일 때, **보기**에서 참인 명제인 것만을 있는 대로 고르시오.

보기

ㄱ. 모든 x에 대하여 $3x-2<7$이다.
ㄴ. 어떤 x에 대하여 $|x|>2$이다.
ㄷ. 어떤 x에 대하여 $x^2>3-2x$이다.
ㄹ. 모든 x에 대하여 $|x|=-x$이다.

표현 더하기

06-2

다음 명제의 부정을 말하고, 그 부정의 참, 거짓을 판별하시오.

(1) 어떤 유리수 x에 대하여 $3x=4$이다.

(2) 모든 실수 x에 대하여 $2x+1>3$이다.

(3) 어떤 실수 x에 대하여 $(x+1)^2\leq 0$이다.

(4) 모든 실수 x에 대하여 $x^2-x+3>0$이다.

표현 더하기

06-3

명제 '모든 실수 x에 대하여 $3x^2+8x+k\geq 0$이다.'가 참이 되도록 하는 정수 k의 최솟값을 구하시오.

표현 더하기

06-4

자연수 a에 대한 조건 '모든 양의 실수 x에 대하여 $x-a+3>0$이다.'가 참인 명제가 되도록 하는 자연수 a의 개수를 구하시오.

02 명제 사이의 관계

1 명제 $p \longrightarrow q$의 역과 대우

명제 $p \longrightarrow q$에 대하여

(1) 가정 p와 결론 q를 서로 바꾸어 놓은 명제 $q \longrightarrow p$를 역이라 한다.

(2) 가정 p와 결론 q를 각각 부정하여 서로 바꾸어 놓은 명제 $\sim q \longrightarrow \sim p$를 대우라 한다.
명제 $p \longrightarrow q$와 그 대우 $\sim q \longrightarrow \sim p$의 참, 거짓은 일치한다.

명제 $p \longrightarrow q$에서 가정과 결론의 자리를 바꾸거나 가정과 결론의 부정을 이용하여 여러 가지 새로운 명제를 만들 수 있다.

그중에서 가정과 결론의 자리를 서로 바꾼 명제

$$q \longrightarrow p$$

를 명제 $p \longrightarrow q$의 역이라 한다.

또한 가정과 결론을 각각 부정하여 자리를 서로 바꾼 명제

$$\sim q \longrightarrow \sim p$$

를 명제 $p \longrightarrow q$의 대우라 한다.

명제 $p \longrightarrow q$와 그 역, 대우 사이의 관계를 그림으로 나타내면 다음과 같다.

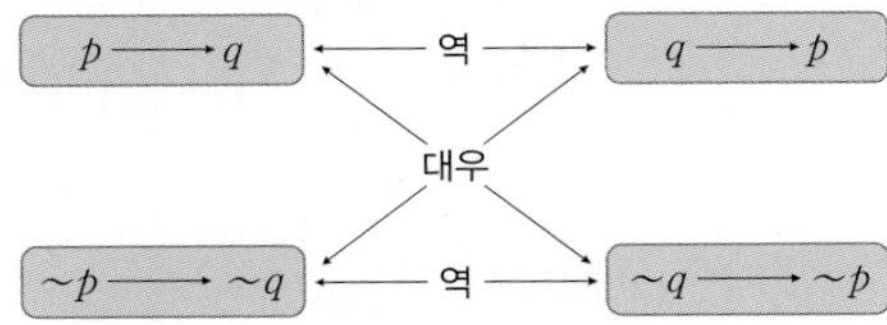

example

실수 x, y에 대하여 다음 명제의 역과 대우를 구하면

(1) $x=-1$이면 $x^2=1$이다.
역: $x^2=1$이면 $x=-1$이다.
대우: $x^2\neq1$이면 $x\neq-1$이다.

(2) $xy=0$이면 $x=0$ 또는 $y=0$이다.
역: $x=0$ 또는 $y=0$이면 $xy=0$이다.
대우: $x\neq0$이고 $y\neq0$이면 $xy\neq0$이다.

명제와 그 대우 사이의 관계에 대하여 알아보자.

전체집합 U에 대하여 명제 $p \longrightarrow q$에서 두 조건 p, q의 진리집합을 각각 P, Q라 하면 두 조건 $\sim p$, $\sim q$의 진리집합은 각각 P^C, Q^C이다.

명제 $p \longrightarrow q$가 참이면 $P \subset Q$이고,
$P \subset Q$이면 $Q^C \subset P^C$이므로 명제 $\sim q \longrightarrow \sim p$는 참이다.
거꾸로 명제 $\sim q \longrightarrow \sim p$가 참이면 $Q^C \subset P^C$이고,
$Q^C \subset P^C$이면 $P \subset Q$이므로 명제 $p \longrightarrow q$는 참이다.

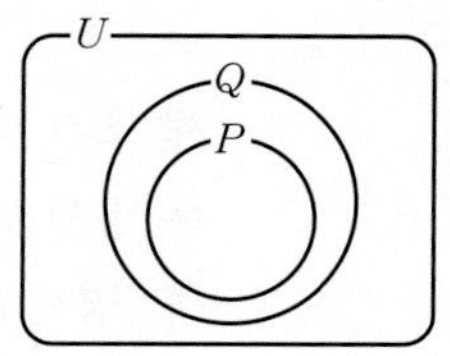

명제 $p \longrightarrow q$가 거짓이면 $P \not\subset Q$이고,
$P \not\subset Q$이면 $Q^C \not\subset P^C$이므로 명제 $\sim q \longrightarrow \sim p$는 거짓이다.
거꾸로 명제 $\sim q \longrightarrow \sim p$가 거짓이면 $Q^C \not\subset P^C$이고,
$Q^C \not\subset P^C$이면 $P \not\subset Q$이므로 명제 $p \longrightarrow q$는 거짓이다.

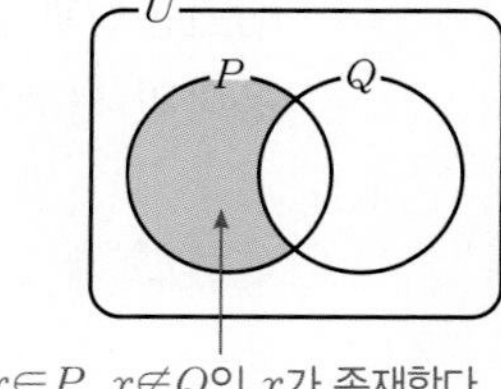

$x \in P$, $x \notin Q$인 x가 존재한다.

즉, 명제 $p \longrightarrow q$와 그 대우 $\sim q \longrightarrow \sim p$의 참, 거짓은 일치한다.

example 전체집합 $U = \{1, 2, 3, 4, 5\}$에 대하여 두 조건

p: 6의 약수가 아니다.,

q: 12의 약수가 아니다.

의 진리집합을 각각 P, Q라 하면
$P = \{4, 5\}$, $Q = \{5\}$이고 $P^C = \{1, 2, 3\}$, $Q^C = \{1, 2, 3, 4\}$이다.
$P \not\subset Q$이므로 명제 $p \longrightarrow q$는 거짓이고,
$Q \subset P$이므로 명제의 역 $q \longrightarrow p$는 참이고,
$Q^C \not\subset P^C$이므로 명제의 대우 $\sim q \longrightarrow \sim p$는 거짓이다.

주의 명제 $p \longrightarrow q$와 그 역 $q \longrightarrow p$의 참, 거짓은 특정한 관계가 없다.

2 삼단논법

세 조건 p, q, r에 대하여 두 명제 $p \longrightarrow q$, $q \longrightarrow r$가 모두 참이면 명제 $p \longrightarrow r$가 참이다.

참인 두 명제 '정사각형이면 직사각형이다.', '직사각형이면 평행사변형이다.'에서 새로운 결론

'정사각형이면 평행사변형이다.'

를 이끌어낼 수 있다.

이와 같이 세 조건 p, q, r에 대하여

'두 명제 $p \longrightarrow q$, $q \longrightarrow r$가 모두 참이면 명제 $p \longrightarrow r$가 참이다.'

를 이끌어 내는 논리 전개 방법을 삼단논법이라 하고, 다음과 같이 명제 $p \longrightarrow r$가 참임을 보일 수 있다.

세 조건 p, q, r의 진리집합을 P, Q, R라 할 때
두 명제 $p \longrightarrow q$, $q \longrightarrow r$가 모두 참이면 $P \subset Q$, $Q \subset R$이므로 $P \subset R$이다.
즉, 명제 $p \longrightarrow r$가 참이다.

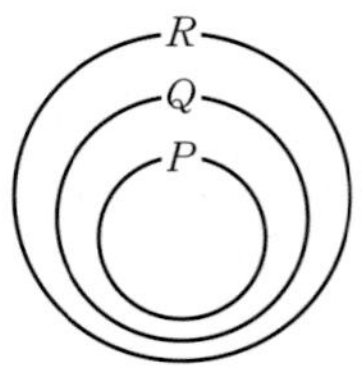

삼단논법과 앞에서 학습한 '명제와 그 대우의 참, 거짓이 일치한다.'는 것을 이용하면 새로운 참인 명제를 이끌어낼 수 있다.

example

세 조건 p, q, r에 대하여 두 명제 $p \longrightarrow \sim q$, $\sim p \longrightarrow r$가 모두 참이라 하자.
명제 $p \longrightarrow \sim q$가 참이므로 그 대우 $q \longrightarrow \sim p$가 참이다. 따라서 두 명제 $q \longrightarrow \sim p$, $\sim p \longrightarrow r$가 참이므로 삼단논법에 의하여 명제 $q \longrightarrow r$가 참이다.

3 충분조건과 필요조건

두 조건 p, q에 대하여

(1) 명제 $p \longrightarrow q$가 참일 때, 이것을 기호로 $p \Longrightarrow q$와 같이 나타낸다.
이때 p는 q이기 위한 충분조건, q는 p이기 위한 필요조건이라 한다.

(2) $p \Longrightarrow q$이고 $q \Longrightarrow p$일 때, 이것을 기호로 $p \Longleftrightarrow q$와 같이 나타낸다.
이때 p는 q이기 위한 필요충분조건, q는 p이기 위한 필요충분조건이라 한다.

두 조건 p, q에 대하여 명제 $p \longrightarrow q$가 참일 때, 기호로

$\boldsymbol{p \Longrightarrow q}$ ← 명제 $q \longrightarrow p$가 참이면 기호로 $q \Longrightarrow p$라 나타낸다.

와 같이 나타낸다. 이때

p는 q이기 위한 **충분조건**, ← 조건 p를 만족시키면 충분히 조건 q를 만족시킨다.

q는 p이기 위한 **필요조건** ← 조건 q를 만족시키면 조건 p를 만족시키기 위한 추가 조건을 필요로 한다.

이라 한다.

p이기 위한 필요조건

$p \Longrightarrow q$

q이기 위한 충분조건

특히 $p \Longrightarrow q$이고 $q \Longrightarrow p$일 때, 이것을 기호로

$\boldsymbol{p \Longleftrightarrow q}$ ← 순서를 바꾸어 $q \Longleftrightarrow p$로 나타내도 같은 의미이다.

와 같이 나타낸다. 이때 p는 q이기 위한 충분조건인 동시에 필요조건이므로

p는 q이기 위한 **필요충분조건** ← q도 p이기 위한 필요충분조건이다.

이라 한다.

두 조건 p, q의 진리집합을 P, Q라 할 때 진리집합과 충분조건, 필요조건의 관계는 다음과 같다.

$P \subset Q$이면 $p \Longrightarrow q$이므로 p는 q이기 위한 충분조건

$Q \subset P$이면 $q \Longrightarrow p$이므로 p는 q이기 위한 필요조건

$P = Q$이면 $p \Longleftrightarrow q$이므로 p는 q이기 위한 필요충분조건

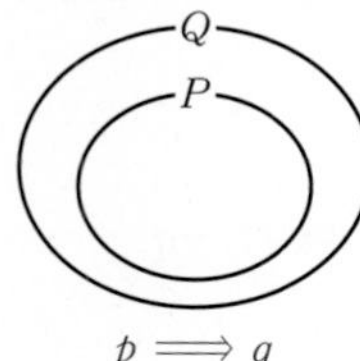

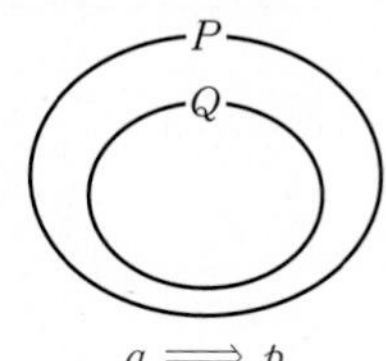

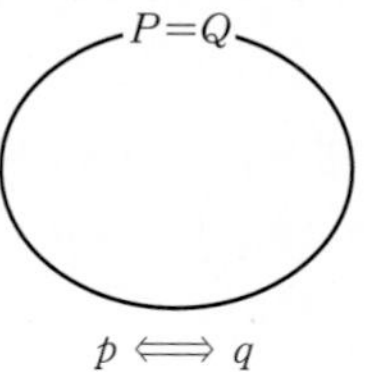

07

개념 CHECK

02. 명제 사이의 관계

빠른 정답 • 514쪽 / 정답과 풀이 • 109쪽

01 다음 명제의 역과 대우를 구하고, 각각의 참, 거짓을 판별하시오.

(1) x와 y가 모두 자연수이면 xy는 자연수이다.

(2) x, y가 실수일 때 $x+y \geq 2$이면 $x \geq 1$ 또는 $y \geq 1$이다.

(3) 두 집합 A, B에 대하여 $A \cap B = A$이면 $A \neq B$이다.

02 세 조건

p: x와 y는 모두 홀수이다.

q: $x+y$는 짝수이다.

r: xy는 짝수이다.

에 대하여 □ 안에 충분, 필요, 필요충분 중에서 가장 알맞은 말을 써넣으시오. (단, x, y는 자연수이다.)

(1) p는 q이기 위한 □ 조건이다.

(2) $\sim p$는 $\sim q$이기 위한 □ 조건이다.

(3) $\sim r$는 p이기 위한 □ 조건이다.

대표 예제 07

명제의 역, 대우의 참, 거짓

다음 명제의 역과 대우를 말하고, 그것의 참, 거짓을 판별하시오. (단, x, y는 실수이다.)

(1) $xy \neq 3$이면 $x \neq 1$ 또는 $y \neq 3$이다.

(2) $\frac{x}{y} > 1$이면 $x > y$이다. (단, $y \neq 0$)

(3) $x^2 = y^2$이면 $x = y$이다.

바로 접근

명제 $p \longrightarrow q$에 대하여

① 역: $q \longrightarrow p$　　② 대우: $\sim q \longrightarrow \sim p$

바른 풀이

(1) 역: $x \neq 1$ 또는 $y \neq 3$이면 $xy \neq 3$이다. (거짓)

[반례] $x=3$, $y=1$이면 $x \neq 1$, $y \neq 3$이지만 $xy=3$이다.

대우: $x=1$이고 $y=3$이면 $xy=3$이다. (참)

(2) 역: $x > y$이면 $\frac{x}{y} > 1$이다. (거짓)

[반례] $x=1$, $y=-1$이면 $x > y$이지만 $\frac{x}{y} = -1 < 1$이다.

대우: $x \leq y$이면 $\frac{x}{y} \leq 1$이다. (거짓)

[반례] $x=-2$, $y=-1$이면 $x \leq y$이지만 $\frac{x}{y} = 2 > 1$이다.

(3) 역: $x=y$이면 $x^2=y^2$이다. (참)

대우: $x \neq y$이면 $x^2 \neq y^2$이다. (거짓)

[반례] $x=1$, $y=-1$이면 $x \neq y$이지만 $x^2=y^2$이다.

정답 (1) 풀이 참조　(2) 풀이 참조　(3) 풀이 참조

Bible Says

① 명제의 참, 거짓을 판별할 때에는 진리집합의 포함 관계를 따져 보거나 반례를 찾는다.

② 명제와 그 대우의 참, 거짓은 일치하므로 명제의 참, 거짓을 판별하기 어려우면 대우의 참, 거짓을 판별해 본다.

③ 명제와 그 역의 참, 거짓 사이에는 특정한 관계가 없다.

빠른 정답 • 514쪽 / 정답과 풀이 • 109쪽

한 번 더하기

07-1

다음 명제의 역과 대우를 말하고, 그것의 참, 거짓을 판별하시오. (단, x, y는 실수이다.)

(1) $x>1$이고 $y>1$이면 $x+y>2$이다.

(2) 두 집합 A, B에 대하여 $A\cap B=A$이면 $A\subset B$이다.

(3) $xy>0$이면 $x>0$이고 $y>0$이다.

(4) 삼각형 ABC의 두 내각의 크기가 같으면 삼각형 ABC는 정삼각형이다.

표현 더하기

07-2

다음 **보기**에서 역과 대우가 모두 참인 명제를 있는 대로 고르시오. (단, x, y, z는 실수이다.)

보기

ㄱ. $xy<0$이면 $x^2+y^2>0$이다.

ㄴ. $x=y$이면 $xz=yz$이다.

ㄷ. $xy\neq0$이면 $x\neq0$이고 $y\neq0$이다.

ㄹ. $|x|+|y|=0$이면 $x=0$이고 $y=0$이다.

표현 더하기

07-3

명제 '$x^2-2kx+3\neq0$이면 $x\neq3$이다.'가 참이 되도록 하는 상수 k의 값을 구하시오.

표현 더하기

07-4

두 조건 p, q가 p: $|x-a|\leq3$, q: $-1<x\leq3$일 때, 명제 $p\longrightarrow q$의 역이 참이 되도록 하는 정수 a의 개수를 구하시오.

대표 예제 | 08

세 조건 p, q, r에 대하여 **보기**에서 항상 옳은 것만을 있는 대로 고르시오.

보기

ㄱ. 두 명제 $p \longrightarrow \sim q$, $\sim r \longrightarrow q$가 모두 참이면 명제 $p \longrightarrow r$도 참이다.
ㄴ. 두 명제 $p \longrightarrow q$, $r \longrightarrow \sim q$가 모두 참이면 명제 $r \longrightarrow \sim p$도 참이다.
ㄷ. 두 명제 $p \longrightarrow \sim r$, $q \longrightarrow r$가 모두 참이면 명제 $\sim q \longrightarrow p$도 참이다.

바로 접근

두 명제 $p \longrightarrow q$, $q \longrightarrow r$가 모두 참일 때, 명제의 대우와 삼단논법을 적용하면 다음 네 가지 참인 명제를 찾을 수 있다.

① $p \longrightarrow q$의 대우: $\sim q \longrightarrow \sim p$
② $q \longrightarrow r$의 대우: $\sim r \longrightarrow \sim q$
③ 삼단논법: $p \longrightarrow r$
④ $p \longrightarrow r$의 대우: $\sim r \longrightarrow \sim p$

바른 풀이

ㄱ. 명제 $\sim r \longrightarrow q$가 참이므로 그 대우 $\sim q \longrightarrow r$도 참이다.
따라서 두 명제 $p \longrightarrow \sim q$, $\sim q \longrightarrow r$가 모두 참이므로 명제 $p \longrightarrow r$도 참이다.
ㄴ. 명제 $p \longrightarrow q$가 참이므로 그 대우 $\sim q \longrightarrow \sim p$도 참이다.
따라서 두 명제 $r \longrightarrow \sim q$, $\sim q \longrightarrow \sim p$가 모두 참이므로 명제 $r \longrightarrow \sim p$도 참이다.
ㄷ. 명제 $q \longrightarrow r$가 참이므로 그 대우 $\sim r \longrightarrow \sim q$도 참이다.
따라서 두 명제 $p \longrightarrow \sim r$, $\sim r \longrightarrow \sim q$가 모두 참이므로 명제 $p \longrightarrow \sim q$와 그 대우 $q \longrightarrow \sim p$도 참이다.
그러나 명제 $p \longrightarrow \sim q$의 역 $\sim q \longrightarrow p$의 참, 거짓은 알 수 없다.

따라서 항상 옳은 것은 ㄱ, ㄴ이다.

다른 풀이

ㄴ. 명제 $r \longrightarrow \sim q$가 참이므로 그 대우 $q \longrightarrow \sim r$도 참이다.
따라서 두 명제 $p \longrightarrow q$, $q \longrightarrow \sim r$가 모두 참이므로 명제 $p \longrightarrow \sim r$와 그 대우 $r \longrightarrow \sim p$도 참이다.

정답 ㄱ, ㄴ

Bible Says

대표 예제 | 07에서 학습한 바와 같이
ㄷ에서 명제 $p \longrightarrow \sim q$가 참이라고 해서 이 명제의 역 $\sim q \longrightarrow p$를 반드시 참이라 할 수 없다.
예를 들어 전체집합 $U=\{x|x$는 자연수$\}$에서 두 조건 p, q를

p: x는 4의 배수이다.,
q: x는 홀수이다. ($\sim q$: x는 짝수이다.)

라 하자.
$p \longrightarrow \sim q$: x가 4의 배수이면 짝수이다. (참)
$\sim q \longrightarrow p$: x가 짝수이면 4의 배수이다. (거짓)
[반례] 2는 짝수이지만 4의 배수는 아니다.

빠른 정답 • 514쪽 / 정답과 풀이 • 110쪽

한번 더하기

08-1

세 조건 p, q, r에 대하여 **보기**에서 항상 옳은 것만을 있는 대로 고르시오.

보기

ㄱ. 두 명제 $p \longrightarrow q$, $\sim r \longrightarrow \sim q$가 모두 참이면 명제 $p \longrightarrow r$도 참이다.
ㄴ. 두 명제 $p \longrightarrow r$, $q \longrightarrow r$가 모두 참이면 명제 $p \longrightarrow \sim q$도 참이다.
ㄷ. 두 명제 $p \longrightarrow \sim r$, $\sim q \longrightarrow r$가 모두 참이면 $p \longrightarrow q$도 참이다.

표현 더하기

08-2

세 조건 p, q, r에 대하여 두 명제 $p \longrightarrow \sim q$, $r \longrightarrow q$가 모두 참일 때, 다음 명제 중 항상 참이라 할 수 없는 것은?

① $p \longrightarrow \sim r$ ② $q \longrightarrow \sim p$ ③ $\sim q \longrightarrow p$
④ $\sim q \longrightarrow \sim r$ ⑤ $r \longrightarrow \sim p$

표현 더하기

08-3

네 조건 p, q, r, s에 대하여 세 명제 $p \longrightarrow s$, $\sim s \longrightarrow q$, $s \longrightarrow \sim r$가 모두 참일 때, **보기**에서 항상 참인 명제만을 있는 대로 고르시오.

보기

ㄱ. $p \longrightarrow \sim r$ ㄴ. $\sim q \longrightarrow r$ ㄷ. $r \longrightarrow q$ ㄹ. $r \longrightarrow s$

실력 더하기

08-4

아래 두 명제가 모두 참일 때, 다음 중 항상 참인 명제인 것은?

(가) 국어를 좋아하는 사람은 독서를 좋아한다.
(나) 수학을 좋아하는 사람은 독서를 좋아하지 않는다.

① 독서를 좋아하는 사람은 국어를 좋아한다.
② 독서를 좋아하는 사람은 수학을 좋아한다.
③ 국어를 좋아하는 사람은 수학을 좋아하지 않는다.
④ 국어를 좋아하지 않는 사람은 수학을 좋아한다.
⑤ 수학을 좋아하는 사람은 국어를 좋아한다.

대표 예제 | 09

충분조건, 필요조건, 필요충분조건

두 조건 p, q가 다음과 같을 때, p는 q이기 위한 어떤 조건인지 쓰시오. (단, x, y는 실수이다.)

(1) p: $x=0$이고 $y=0$, q: $xy=0$

(2) p: $x^2>y^2$, q: $x>y>0$

(3) p: $x^2+y^2=0$, q: $|x|+|y|=0$

바로 접근

두 조건 p, q에 대하여

① 명제 $p \longrightarrow q$가 참일 때 $p \Longrightarrow q$로 나타내고,
p는 q이기 위한 충분조건, q는 p이기 위한 필요조건이라 한다.

② 두 명제 $p \longrightarrow q$, $q \longrightarrow p$가 모두 참일 때 $p \Longleftrightarrow q$로 나타내고,
p는 q이기 위한 필요충분조건, q는 p이기 위한 필요충분조건이라 한다.

두 조건 p, q에 대하여 어떤 조건인지 판단할 때 두 개의 명제 $p \longrightarrow q$, $q \longrightarrow p$ 모두 참, 거짓을 따져 주어야 한다. 하나의 명제의 참, 거짓만 판단한 후 p는 q이기 위한 충분조건 또는 필요조건이라 답하지 않도록 주의하자.

바른 풀이

(1) (i) 명제 $p \longrightarrow q$의 참, 거짓 판단
$x=0$이고 $y=0$이면 $xy=0$이므로 명제 $p \longrightarrow q$는 참이다.
(ii) 명제 $q \longrightarrow p$의 참, 거짓 판단
[반례] $x=0$, $y=3$이면 $xy=0$이지만 $y\neq0$이므로 명제 $q \longrightarrow p$는 거짓이다.
(i), (ii)에 의하여 p는 q이기 위한 충분조건이다.

(2) (i) 명제 $p \longrightarrow q$의 참, 거짓 판단
[반례] $x=-2$, $y=1$이면 $x^2>y^2$이지만 $x<y$이므로 명제 $p \longrightarrow q$는 거짓이다.
(ii) 명제 $q \longrightarrow p$의 참, 거짓 판단
$x>y>0$이면 $x^2>y^2$이므로 명제 $q \longrightarrow p$는 참이다.
(i), (ii)에 의하여 p는 q이기 위한 필요조건이다.

(3) (i) 명제 $p \longrightarrow q$의 참, 거짓 판단
$x^2+y^2=0$, 즉 $x=0$이고 $y=0$이면 $|x|+|y|=0$이므로 명제 $p \longrightarrow q$는 참이다.
(ii) 명제 $q \longrightarrow p$의 참, 거짓 판단
$|x|+|y|=0$, 즉 $x=0$이고 $y=0$이면 $x^2+y^2=0$이므로 명제 $q \longrightarrow p$는 참이다.
(i), (ii)에 의하여 p는 q이기 위한 필요충분조건이다.

정답 (1) 충분조건 (2) 필요조건 (3) 필요충분조건

Bible Says

충분조건, 필요조건이 헷갈릴 경우 아래와 같이 화살표를 주고받는 방향과 연관 지어 기억해 두자.

p는 충분해서 준다.
p는 q이기 위한 충분조건이다.

$p \Longrightarrow q$

q는 필요해서 받는다.
q는 p이기 위한 필요조건이다.

빠른 정답 • 514쪽 / 정답과 풀이 • 111쪽

한 번 더하기

09-1

다음 두 조건 p, q가 다음과 같을 때, p는 q이기 위한 어떤 조건인지 쓰시오. (단, x, y, z는 실수이다.)

(1) p: 사각형 ABCD는 평행사변형,　　q: 사각형 ABCD는 직사각형
(2) p: $x=y=z$,　　q: $(x-y)(y-z)=0$
(3) p: $x^2=1$,　　q: $|x|=1$

표현 더하기

09-2

두 조건 p, q에 대하여 p는 q이기 위한 필요조건이지만 충분조건이 아닌 것만을 **보기**에서 있는 대로 고르시오. (단, x, y, z는 실수이다.)

보기

ㄱ. p: $x^2=y^2$,　　q: $x=y$
ㄴ. p: $x>y$,　　q: $x-z>y-z$
ㄷ. p: $x=1$,　　q: $x^2=x$
ㄹ. p: $x>0$ 또는 $y>0$,　　q: $x+y>0$

표현 더하기

09-3

두 조건 p, q에 대하여 p는 q이기 위한 필요충분조건인 것만을 **보기**에서 있는 대로 고르시오. (단, x, y는 실수이다.)

보기

ㄱ. p: $x>1$이고 $y>1$,　　q: $xy>1$
ㄴ. p: $x^2+y^2>0$,　　q: $x+y>0$
ㄷ. p: $x<0$,　　q: $x+|x|=0$
ㄹ. p: $x^2-2x-3\leq 0$,　　q: $|x-1|\leq 2$

실력 더하기

09-4

두 조건 p, q에 대하여 다음 중 p는 q이기 위한 충분조건이지만 필요조건이 아닌 것은?
(단, x, y, z는 실수이고, A, B는 유한집합이다.)

① p: x는 12의 양의 약수,　　q: x는 6의 양의 약수
② p: $x+y$는 정수이다.,　　q: x, y는 모두 정수이다.
③ p: $A\cap B=A$,　　q: $A-B=\varnothing$
④ p: $A\cup B=A$,　　q: $n(B)\leq n(A)$
⑤ p: $x=y=z$,　　q: $(x-y)^2+(y-z)^2+(z-x)^2=0$

대표 예제 | 10

충분조건, 필요조건과 진리집합

전체집합 U에 대하여 두 조건 p, q의 진리집합을 각각 P, Q라 하자. $\sim p$는 $\sim q$이기 위한 필요조건일 때, **보기**에서 항상 옳은 것만을 있는 대로 고르시오.

보기

ㄱ. $P \cup Q = P$ ㄴ. $P \cap Q = Q$ ㄷ. $Q - P = \varnothing$

ㄹ. $P^C \cup Q = U$ ㅁ. $P^C \cap Q^C = \varnothing$

바로 접근

두 조건 p, q의 진리집합을 각각 P, Q라 하면

① p는 q이기 위한 충분조건, q는 p이기 위한 필요조건, 즉 $p \Longrightarrow q$이면 $P \subset Q$

② p는 q이기 위한 필요충분조건, q는 p이기 위한 필요충분조건, 즉 $q \Longleftrightarrow p$이면 $P = Q$

$p \Rightarrow q$ $p \Leftrightarrow q$

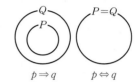

바른 풀이

$\sim p$는 $\sim q$이기 위한 필요조건, 즉 $\sim q \Longrightarrow \sim p$이므로 $Q^C \subset P^C$ $\therefore P \subset Q$

두 집합 P, Q 사이의 포함 관계를 벤다이어그램으로 나타내면 다음 그림과 같다.

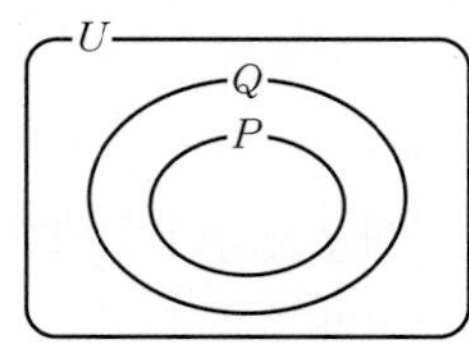

ㄱ. $P \cup Q = Q$ (거짓)

ㄴ. $P \cap Q = P$ (거짓)

ㄷ. $P - Q = \varnothing$이지만 항상 $Q - P = \varnothing$인 것은 아니다. (거짓)

ㄹ. $P^C \cup Q = U$ (참)

ㅁ. $P^C \cap Q^C = (P \cup Q)^C = Q^C$ (거짓)

따라서 항상 옳은 것은 ㄹ이다.

정답 ㄹ

Bible Says

두 조건 p, q의 진리집합 사이의 포함 관계를 벤다이어그램으로 나타내어 보면 쉽게 판별할 수 있다.
또한 집합 단원 대표 예제에서 학습한 집합의 연산의 성질과 포함 관계를 다시 한 번 복습해 보자.
두 집합 A, B에 대하여 다음은 각각 서로 필요충분조건이다.

① $B \subset A \Longleftrightarrow A \cup B = A \Longleftrightarrow A \cap B = B \Longleftrightarrow B - A = \varnothing \Longleftrightarrow A^C \subset B^C$

② $A \cap B = \varnothing \Longleftrightarrow A - B = A \Longleftrightarrow B - A = B \Longleftrightarrow A \subset B^C \Longleftrightarrow B \subset A^C$

빠른 정답 • 514쪽 / 정답과 풀이 • 112쪽

한 번 더하기

10-1

전체집합 U에 대하여 두 조건 p, q의 진리집합을 각각 P, Q라 하자. q는 $\sim p$이기 위한 충분조건일 때, 다음 중 항상 옳은 것은?

① $P\cap Q=P$ ② $Q-P=\varnothing$ ③ $P\cup Q=U$
④ $P^C\subset Q$ ⑤ $P\cap Q^C=P$

표현 더하기

10-2

세 조건 p, q, r에 대하여 q는 p이기 위한 충분조건이고, q는 r이기 위한 필요조건이다. 전체집합 U에 대하여 세 조건 p, q, r의 진리집합을 각각 P, Q, R라 할 때, 다음 중 항상 옳은 것은?

① $P\subset(Q\cup R)$ ② $(Q\cap R)\subset P$ ③ $(P\cap Q)\subset R$
④ $P-Q=R$ ⑤ $R-Q=P$

10-3

전체집합 U에 대하여 세 조건 p, q, r의 진리집합을 각각 P, Q, R라 하자. 세 집합 사이의 포함 관계가 오른쪽 그림과 같을 때, **보기**에서 항상 옳은 것만을 있는 대로 고르시오.

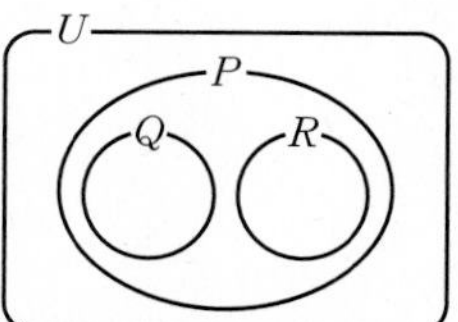

보기

ㄱ. p는 q이기 위한 필요조건이다.
ㄴ. r는 p이기 위한 필요조건이다.
ㄷ. $\sim p$는 q이기 위한 충분조건이다.
ㄹ. $\sim r$는 $\sim p$이기 위한 필요조건이다.

10-4

전체집합 U에 대하여 세 조건 p, q, r의 진리집합을 각각 P, Q, R라 하자. $P-R^C=\varnothing$, $Q\cap P^C=\varnothing$일 때, **보기**에서 항상 옳은 것만을 있는 대로 고르시오.

보기

ㄱ. p는 q이기 위한 충분조건이다.
ㄴ. p는 $\sim r$이기 위한 충분조건이다.
ㄷ. r는 $\sim q$이기 위한 필요조건이다.

대표 예제 11

충분조건, 필요조건이 되도록 하는 상수 구하기

다음 물음에 답하시오.

(1) 두 조건

p: $-3\le x\le 2$, $\quad q$: $|x|\le a$

에 대하여 p는 q이기 위한 필요조건일 때, 실수 a의 값의 범위를 구하시오. (단, $a>0$)

(2) $x^2-kx+2k-8\ne 0$은 $x+2\ne 0$이기 위한 충분조건일 때, 실수 k의 값을 구하시오.

바로 접근

(1) 조건이 부등식으로 주어진 경우에는 각각의 부등식의 해를 수직선 위에 나타낸 후, 포함 관계를 알아본다.

(2) 조건이 기호 '$\ne$'를 포함한 식으로 주어진 경우는 대우를 이용한다.

바른 풀이

(1) 두 조건 p, q의 진리집합을 각각 P, Q라 하면

$P=\{x|-3\le x\le 2\}$

$Q=\{x||x|\le a\}=\{x|-a\le x\le a\}$

p가 q이기 위한 필요조건이면 $Q\subset P$이므로

이를 만족시키도록 두 집합 P, Q를 수직선 위에 나타내면 오른쪽 그림과 같다.

P Q -3 $-a$ a 2 x

따라서 $-3\le -a$, $a\le 2$에서 $a\le 2$이고

문제의 조건에서 $a>0$이라 주어졌으므로 구하는 a의 값의 범위는

$0<a\le 2$

(2) $x^2-kx+2k-8\ne 0$이 $x+2\ne 0$이기 위한 충분조건이므로

명제 '$x^2-kx+2k-8\ne 0$이면 $x+2\ne 0$이다.'가 참이다.

따라서 이 명제의 대우 '$x+2=0$이면 $x^2-kx+2k-8=0$이다.'가 참이다.

$x+2=0$에서 $x=-2$이므로 이를 $x^2-kx+2k-8=0$에 대입하면

$4+2k+2k-8=0$, $4k=4$ $\qquad \therefore k=1$

정답 (1) $0<a\le 2$ (2) 1

Bible Says

대표 예제 10과 마찬가지로 두 조건 p, q의 진리집합을 각각 P, Q라 하고, 진리집합의 포함 관계를 이용한다.

① p는 q이기 위한 충분조건 또는 q는 p이기 위한 필요조건이라 주어진 경우

: $P\subset Q$를 만족시키는 미지수의 값 또는 범위를 구한다.

② p는 q이기 위한 필요충분조건이라 주어진 경우

: $P=Q$를 만족시키는 미지수의 값 또는 범위를 구한다.

또한 대표 예제 05와 마찬가지로 미지수의 값의 범위를 구할 때 경계가 되는 값에 주의한다.

빠른 정답 • 514쪽 / 정답과 풀이 • 112쪽

한번 더하기

11-1

실수 x에 대하여 두 조건

$$p: |x-3|<a, \qquad q: (x+4)(x+1)\geq 0$$

이다. p는 q이기 위한 충분조건이 되도록 하는 자연수 a의 개수를 구하시오.

한번 더하기

11-2

두 조건

$$p: x+2a\neq 0, \qquad q: x^2-2x-3\neq 0$$

에 대하여 p는 q이기 위한 필요조건이 되도록 하는 모든 실수 a의 값의 합을 구하시오.

07

표현 더하기

11-3

두 조건

$$p: x^2-ax+b=0, \qquad q: (x+2)(x-3)^2=0$$

에 대하여 p는 q이기 위한 필요충분조건일 때, a, b의 값을 각각 구하시오. (단, a, b는 상수이다.)

실력 더하기

11-4

세 조건

$$p: -4<x<3 \text{ 또는 } x>5, \qquad q: x>a, \qquad r: x\geq b$$

에 대하여 p는 q이기 위한 필요조건이고, p는 r이기 위한 충분조건이 되도록 하는 a의 최솟값과 b의 최댓값의 합을 구하시오. (단, a, b는 상수이다.)

03 명제의 증명

1 정의, 증명, 정리

정의: 용어의 뜻을 명확하게 정한 문장
증명: 정의나 명제의 가정 또는 이미 옳다고 밝혀진 성질을 근거로 어떤 명제가 참임을 설명하는 것
정리: 참임이 증명된 명제에서 기본이 되는 것이나 다른 명제를 증명할 때 이용할 수 있는 것

수학에서 의사소통이 정확하게 이루어지려면 사용하는 용어의 뜻을 명확하게 밝혀야 한다.
용어의 뜻을 명확하게 정한 것을 그 용어의 **정의**라 한다. 예를 들어

이등변삼각형의 정의는 '두 변의 길이가 같은 삼각형'

평행사변형의 정의는 '두 쌍의 대변이 각각 평행한 사각형'

이다.

정의나 명제의 가정 또는 이미 옳다고 밝혀진 성질을 근거로 어떤 명제가 참임을 설명하는 것을 **증명**이라 한다.

또한 참임이 증명된 명제에서 기본이 되는 것이나 다른 명제를 증명할 때 이용할 수 있는 것을 **정리**라 한다. 예를 들어

'이등변삼각형의 두 밑각의 크기는 같다.'

'평행사변형의 두 대각선은 서로 다른 것을 이등분한다.'

는 정리이다. ← 피타고라스 정리처럼 중요한 정리에는 이름이 붙어 있는 경우도 있다.

정의는 용어의 뜻을 명확하게 정한 문장으로 증명할 필요가 없지만 정리는 증명을 필요로 한다.

example

중학교 과정에서 '평각의 크기는 180°이다.'를 이용하여 명제

'맞꼭지각의 크기는 서로 같다.'

가 참임을 증명한 내용을 복습해 보자.

오른쪽 그림에서 $\angle a$, $\angle c$는 서로 맞꼭지각이고 $\angle b$, $\angle d$는 서로 맞꼭지각이다.

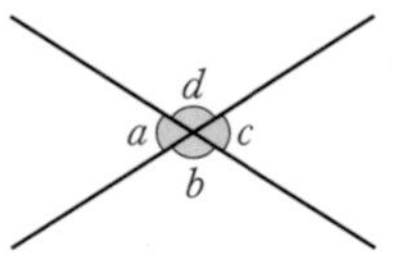

$$\angle a+\angle b=180°,\ \angle b+\angle c=180°$$

에 의하여

$\angle a=180^\circ-\angle b$, $\angle c=180^\circ-\angle b$

이므로

$\angle a=\angle c$

이다. 같은 방법으로 $\angle b=\angle d$임을 알 수 있다.

2 여러 가지 증명

(1) **대우를 이용한 증명:** 대우가 참임을 증명하여 원래의 명제가 참임을 증명하는 방법

(2) **귀류법:** 어떤 명제가 참임을 증명할 때, 주어진 명제의 결론을 부정하여 가정 또는 이미 알려진 수학적 사실에 모순됨을 보여 원래의 명제가 참임을 증명하는 방법

07

(1) 대우를 이용한 증명

명제 $p \longrightarrow q$와 그 대우 $\sim q \longrightarrow \sim p$의 참, 거짓이 일치하므로 명제 $p \longrightarrow q$가 참임을 증명하는 대신 그 대우 $\sim q \longrightarrow \sim p$가 참임을 보이면 주어진 명제가 참임을 증명할 수 있다.

예를 들어 두 자연수 x, y에 대하여 명제

'xy가 짝수이면 x, y 중 적어도 하나는 짝수이다.'

가 참임을 증명하는 대신 주어진 명제의 대우

'x, y가 모두 홀수이면 xy가 홀수이다.' ← '적어도 하나는 ~이다.'의 부정은 '모두 ~이 아니다.'이다.

가 참임을 보이면 주어진 명제가 참임을 증명할 수 있다.

x, y가 홀수이면

$x=2m+1$, $y=2n+1$ (단, m, n은 음이 아닌 정수)

로 나타낼 수 있다.

$$\begin{aligned} xy&=(2m+1)(2n+1)\\ &=4mn+2m+2n+1\\ &=2(2mn+m+n)+1 \end{aligned}$$

에서 $2mn+m+n$이 음이 아닌 정수이므로 xy는 홀수이다.

따라서 주어진 명제의 대우가 참이므로 주어진 명제도 참이다.

(2) 귀류법

어떤 명제가 참임을 증명할 때, 주어진 명제의 결론을 부정하면 가정 또는 이미 알려진 수학적 사실에 모순이 생긴다는 것을 보여도 된다. 이와 같이 증명하는 방법을 **귀류법**이라 한다.

a, b가 실수일 때 명제

'$a^2+b^2=0$이면 $a=0$이고 $b=0$이다.'

를 귀류법을 이용하여 증명해 보자.

결론을 부정하여 $a\neq0$ 또는 $b\neq0$이라 하자.
(i) $a\neq0$, $b=0$이면 $a^2>0$, $b^2=0$이므로
$a^2+b^2>0$, 즉 $a^2+b^2\neq0$
(ii) $a=0$, $b\neq0$이면 $a^2=0$, $b^2>0$이므로
$a^2+b^2>0$, 즉 $a^2+b^2\neq0$
(iii) $a\neq0$, $b\neq0$이면 $a^2>0$, $b^2>0$이므로
$a^2+b^2>0$, 즉 $a^2+b^2\neq0$
이때 세 가지 경우 모두 $a^2+b^2=0$이라는 가정에 모순이다.
따라서 a, b가 실수일 때 '$a^2+b^2=0$이면 $a=0$이고 $b=0$이다.'

3 절대부등식과 그 증명

절대부등식: 문자를 포함한 부등식에서 문자에 어떤 실수를 대입하여도 항상 성립하는 부등식

부등식 $x^2-4<0$은 $-2<x<2$일 때 성립하지만 $x\leq-2$ 또는 $x\geq2$일 때 성립하지 않는다.

한편, 부등식 $x^2+4>0$은 모든 실수 x에 대하여 항상 성립한다.
이와 같이 문자를 포함하는 부등식에서 전체집합에 속하는 어떤 실수를 대입하여도 항상 성립하는 부등식을 절대부등식이라 한다.

어떤 부등식이 절대부등식임을 증명할 때는 이미 알려진 성질을 이용하여 밝혀야 한다.
절대부등식임을 증명할 때 자주 이용되는 실수의 성질은 다음과 같다.

a, b가 임의의 실수일 때
① $a>b \Longleftrightarrow a-b>0$
② $a^2\geq0$, $a^2+b^2\geq0$
③ $a^2+b^2=0 \Longleftrightarrow a=0$, $b=0$
④ $|a|^2=a^2$, $|ab|=|a||b|$, $|a|\geq a$
⑤ $a>0$, $b>0$일 때, $a>b \Longleftrightarrow a^2>b^2 \Longleftrightarrow \sqrt{a}>\sqrt{b}$
⑥ $a>0$, $b>0 \Longleftrightarrow a+b>0$, $ab>0$

실수의 성질을 이용하여 최댓값이나 최솟값을 구할 때 유용하게 쓰이는 두 개의 절대부등식을 증명해 보자. ← 등호가 포함된 부등식이 성립함을 증명할 때는 특별한 말이 없더라도 등호가 성립하는 조건을 찾도록 하자.

(1) 산술평균과 기하평균의 관계 ← $a>0$, $b>0$일 때 $\frac{a+b}{2}$, $\sqrt{ab}$를 각각 a, b의 산술평균, 기하평균이라 한다.

$a>0$, $b>0$일 때, 부등식 $\frac{a+b}{2}\ge\sqrt{ab}$가 성립한다. (단, 등호는 $a=b$일 때 성립)

$$\frac{a+b}{2}-\sqrt{ab}=\frac{a+b-2\sqrt{ab}}{2}$$

$$=\frac{(\sqrt{a})^2-2\sqrt{a}\sqrt{b}+(\sqrt{b})^2}{2}$$ ← $a>0$, $b>0$일 때 $\sqrt{ab}=\sqrt{a}\sqrt{b}$이다.

$$=\frac{(\sqrt{a}-\sqrt{b})^2}{2}\ge0$$ ← 등호가 성립할 조건은 $\sqrt{a}-\sqrt{b}=0$이다.

따라서 $\frac{a+b}{2}\ge\sqrt{ab}$이다.

단, 등호는 $\sqrt{a}=\sqrt{b}$, 즉 $a=b$일 때 성립한다.

example

(1) $a>0$, $b>0$이고 $ab=9$일 때, 산술평균과 기하평균의 관계에 의하여
$a+b\ge2\sqrt{ab}=2\sqrt{9}=6$이다. (단, 등호는 $a=b=3$일 때 성립)
따라서 $a+b$의 최솟값은 6이다.

(2) $a>0$, $b>0$이고 $a+b=6$일 때, 산술평균과 기하평균의 관계에 의하여
$\sqrt{ab}\le\frac{a+b}{2}=\frac{6}{2}=3$이다. (단, 등호는 $a=b=3$일 때 성립)
따라서 ab의 최댓값은 $3^2=9$이다.

주의 두 수가 항상 양수이고, 두 수의 합 또는 곱이 일정할 때만 산술평균과 기하평균의 관계를 이용하여 최댓값 또는 최솟값을 구할 수 있다.

(2) 코시 - 슈바르츠 부등식

a, b, x, y가 실수일 때, 부등식 $(a^2+b^2)(x^2+y^2)\ge(ax+by)^2$이 성립한다.
(단, 등호는 $ay=bx$일 때 성립)

$$(a^2+b^2)(x^2+y^2)-(ax+by)^2=(a^2x^2+a^2y^2+b^2x^2+b^2y^2)-(a^2x^2+2axby+b^2y^2)$$

$$=(ay)^2+(bx)^2-2\times ay\times bx$$

$$=(ay-bx)^2\ge0$$ ← 등호가 성립할 조건은 $ay-bx=0$이다.

따라서 $(a^2+b^2)(x^2+y^2)\ge(ax+by)^2$이다.

단, 등호는 $ay=bx$일 때 성립한다.

바이블 PLUS ⊕ 절대부등식의 기하적 증명

양수 a, b $(a \ge b)$에 대하여 다음과 같은 세 가지 평균을 '피타고라스 평균'이라 한다.

산술평균: $\dfrac{a+b}{2}$, 기하평균: $\sqrt{ab}$, 조화평균: $\dfrac{2ab}{a+b}$

피타고라스 평균에서 성립하는 절대부등식은 다음과 같다.

$\dfrac{a+b}{2} \ge \sqrt{ab} \ge \dfrac{2ab}{a+b}$ (단, 등호는 $a=b$일 때 성립)

$a=b$일 때 등호가 성립함은 $\dfrac{a+a}{2}=\sqrt{a^2}=\dfrac{2a^2}{a+a}$ $(=a)$와 같이 간단히 보일 수 있고,

$a>b$일 때는 다음과 같이 증명할 수 있다.

그림과 같이 중심이 O이고 선분 AB를 지름으로 하는 반원이 있다.
선분 OB 위의 점 C를 지나고 직선 AB에 수직인 직선이 호 AB와 만나는 점을 D라 하고, 점 C에서 선분 OD에 내린 수선의 발을 E라 하자.
(단, 점 C는 점 O가 아니고 점 B도 아니다.)

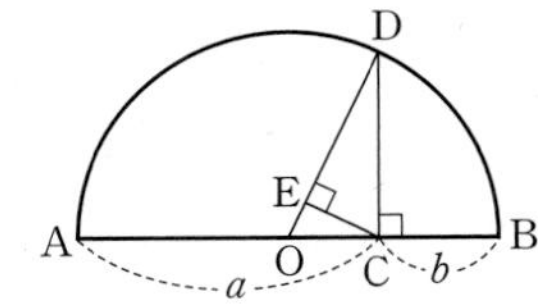

직각삼각형의 세 변 중 빗변이 가장 긴 변이므로

직각삼각형 OCD에서 $\overline{DO}>\overline{DC}$
직각삼각형 CED에서 $\overline{DC}>\overline{DE}$

$\Rightarrow \overline{DO}>\overline{DC}>\overline{DE}$ ...... ㉠

$\overline{AC}=a$, $\overline{BC}=b$ $(a>b>0)$라 할 때, $\overline{DO}$, $\overline{DC}$, $\overline{DE}$의 값을 구해 보자.

❶ 선분 DO는 선분 AB를 지름으로 하는 반원의 반지름이므로

$\overline{DO}=\dfrac{\overline{AB}}{2}$
$=\dfrac{a+b}{2}$

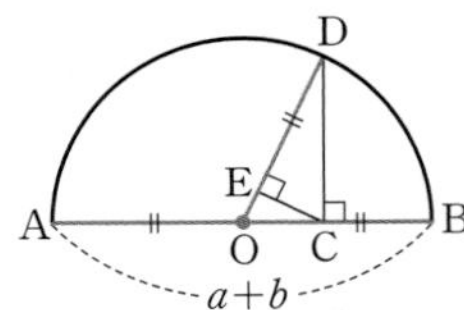

❷ 직각삼각형 OCD에서 피타고라스 정리에 의하여

$\overline{DC}=\sqrt{\overline{DO}^2-\overline{CO}^2}=\sqrt{\overline{DO}^2-(\overline{AC}-\overline{AO})^2}$
$=\sqrt{\left(\dfrac{a+b}{2}\right)^2-\left(a-\dfrac{a+b}{2}\right)^2}=\sqrt{\left(\dfrac{a+b}{2}\right)^2-\left(\dfrac{a-b}{2}\right)^2}$
$=\sqrt{ab}$

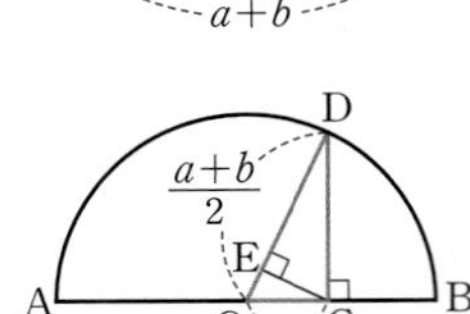

❸ 닮음인 두 직각삼각형 OCD, CED에 대하여

$\overline{DC} : \overline{DO}=\overline{DE} : \overline{DC}$이므로

$\overline{DE}=\dfrac{\overline{DC}^2}{\overline{DO}}=\dfrac{ab}{\dfrac{a+b}{2}}$
$=\dfrac{2ab}{a+b}$

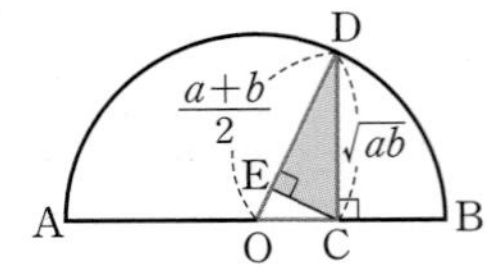

㉠에 $\overline{DO}$, $\overline{DC}$, $\overline{DE}$의 값을 대입하면 $\dfrac{a+b}{2}>\sqrt{ab}>\dfrac{2ab}{a+b}$이다.

빠른 정답 • 514쪽 / 정답과 풀이 • 113쪽

01 대우를 이용하여 명제

'자연수 n에 대하여 $x^3+x^2=n$이면 $x\neq 0$이다.'

가 참임을 증명하시오.

02 다음은 명제 '두 자연수 a, b에 대하여 a, b가 서로소이면 a 또는 b가 홀수이다.'가 참임을 귀류법을 이용하여 증명하는 과정이다.

> 두 자연수 a, b에 대하여 a, b가 모두 [(가)]라 가정하면
>
> $a=2k$, $b=2l$ (k, l은 자연수)
>
> 로 나타낼 수 있다.
>
> a, b는 2를 공약수로 가지므로 이것은 a, b가 [(나)]라는 가정에 모순이다.
>
> 따라서 주어진 명제는 참이다.

위의 (가), (나)에 알맞은 것을 각각 써넣으시오.

03 **보기**에서 절대부등식인 것만을 있는 대로 고르시오.

보기

ㄱ. $2x+1>2x$	ㄴ. $x^2-6x+9>0$
ㄷ. $x^2-4x+5>0$	ㄷ. $x^3\geq x$

04 $a>0$, $b>0$일 때, 부등식 $\frac{b}{a}+\frac{a}{b}\geq 2$이 성립함을 증명하시오.

대표 예제 12

다음 명제가 참임을 대우를 이용하여 증명하시오.

(1) 자연수 n에 대하여 n^2이 홀수이면 n도 홀수이다.

(2) $ab\neq0$이면 $a\neq0$이고 $b\neq0$이다.

바로 접근 명제와 그 대우의 참, 거짓은 항상 일치하므로 명제가 참임을 직접 증명하기 어려우면 명제의 대우가 참임을 증명한다.
특히, 기호 '$\neq$'를 포함한 명제의 증명은 주로 대우를 이용한다.

바른 풀이 (1) 주어진 명제의 대우는 '자연수 n에 대하여 n이 짝수이면 n^2도 짝수이다.'이다.
n이 짝수이면 $n=2k$ (k는 자연수)로 나타낼 수 있다.
이때 $n^2=(2k)^2=4k^2=2\times2k^2$
이므로 n^2도 짝수이다.
따라서 주어진 명제의 대우가 참이므로 주어진 명제도 참이다.

(2) 주어진 명제의 대우는 '$a=0$ 또는 $b=0$이면 $ab=0$이다.'이다.
$a=0$이면 b의 값에 관계없이 $ab=0$이고
$b=0$이면 a의 값에 관계없이 $ab=0$이다.
따라서 주어진 명제의 대우가 참이므로 주어진 명제도 참이다.

정답 (1) 풀이 참조 (2) 풀이 참조

Bible Says

대우를 이용하여 증명할 때, 명제의 전제 조건은 그대로 유지되는 것에 유의하도록 하자.

빠른 정답 • 514쪽 / 정답과 풀이 • 114쪽

한 번 더하기

12-1

다음 명제가 참임을 대우를 이용하여 증명하시오.

(1) 실수 x, y에 대하여 $x+y\geq2$이면 $x\geq1$ 또는 $y\geq1$이다.

(2) 자연수 n에 대하여 n^2이 짝수이면 n도 짝수이다.

표현 더하기

12-2

다음은 명제 '자연수 n에 대하여 n^2이 3의 배수이면 n도 3의 배수이다.'가 참임을 그 대우를 이용하여 증명하는 과정이다.

> 주어진 명제의 대우는
> '자연수 n에 대하여 [(가)]'이다.
> n이 3의 배수가 아니면 $n=3k-2$ 또는 $n=$ [(나)] (k는 자연수)로 놓을 수 있다.
> (i) $n=3k-2$이면 $n^2=3($ [(다)] $)+1$
> (ii) $n=$ [(나)]이면 $n^2=3(3k^2-2k)+$ [(라)]
> 즉, n^2을 3으로 나누었을 때의 나머지가 0이 아니므로 n^2은 3의 배수가 아니다.
> 따라서 주어진 명제의 대우가 참이므로 주어진 명제도 참이다.

위의 (가)~(라)에 각각 알맞은 것을 써넣으시오.

표현 더하기

12-3

명제 '실수 a, b에 대하여 $a^2+b^2=0$이면 $a=0$이고 $b=0$이다.'가 참임을 대우를 이용하여 증명하시오.

표현 더하기

12-4

명제 '자연수 a, b에 대하여 $a+b$가 홀수이면 a, b 중 하나는 홀수이고 다른 하나는 짝수이다.'에 대하여 다음 물음에 답하시오.

(1) 명제의 대우를 말하시오.

(2) (1)을 이용하여 주어진 명제가 참임을 그 대우를 이용하여 증명하시오.

귀류법

대표 예제 | 13

명제 '$\sqrt{2}$는 유리수가 아니다.'가 참임을 귀류법을 이용하여 증명하시오.

바로 접근

주어진 명제 또는 그 대우가 참임을 직접 증명하기 어려울 때는 귀류법을 이용하여 증명한다.
이 문제에서는 결론을 부정하여 $\sqrt{2}$가 유리수라 가정하고 증명하는 과정에서 모순이 생김을 보이면 된다.

바른 풀이

결론을 부정하여
$\sqrt{2}$가 유리수라고 가정하면
$\sqrt{2}=\frac{n}{m}$ (m, n은 서로소인 자연수)으로 나타낼 수 있다.
즉, $n=\sqrt{2}m$이고 양변을 제곱하면 $n^2=2m^2$
이때 n^2이 짝수이므로 n도 짝수이다.
따라서 $n=2k$ (k는 자연수)로 나타낼 수 있으므로
$4k^2=2m^2$, 즉 $2k^2=m^2$
이때 m^2이 짝수이므로 m도 짝수이다.
그런데 m, n이 모두 짝수이므로 m, n이 서로소라는 가정에 모순이다.
따라서 $\sqrt{2}$는 유리수가 아니다.

정답 풀이 참조

Bible Says

결론을 부정하면 모순이 생김을 보여서 주어진 명제가 참임을 증명하는 방법을 귀류법이라 한다.
앞에서 명제의 참, 거짓을 판별하는 문제들을 다루면서 주어진 명제가 거짓임이 명백할 때는 진리집합 사이의 포함 관계를 이용하는 것보다 반례를 찾는 것이 쉽다는 것을 느낄 수 있었다.
귀류법 역시 조금 더 쉬운 방법인 '부정'을 이용하는 것으로 생각한다면 '귀류법'의 의미를 조금 더 쉽게 이해할 수 있다.

한 번 더하기

13-1

다음 물음에 답하시오.

(1) 명제 '$\sqrt{3}$은 유리수가 아니다.'가 참임을 귀류법을 이용하여 증명하시오.

(2) (1)을 이용하여 명제 '$2-\sqrt{3}$은 유리수가 아니다.'가 참임을 귀류법을 이용하여 증명하시오.

표현 더하기

13-2

명제 '자연수 a, b, c에 대하여 $a+b+c=13$일 때, a, b, c 중 적어도 하나는 4보다 크다.'가 참임을 귀류법을 이용하여 증명하시오.

표현 더하기

13-3

다음은 명제 '자연수 m, n에 대하여 m^2+n^2이 홀수이면 mn은 짝수이다.'가 참임을 귀류법을 이용하여 증명하는 과정이다.

> 자연수 m, n에 대하여 m^2+n^2이 홀수일 때, mn이 [(가)]라 가정하면 m, n은 모두 [(나)]이어야 하므로
>
> $m=2k-1$, $n=2l-1$ (k, l은 자연수)
>
> 로 나타낼 수 있다. 이때
>
> $m^2+n^2=(2k-1)^2+(2l-1)^2=2(2k^2-2k+2l^2-2l+1)$
>
> 이므로 m^2+n^2은 [(다)]이다.
>
> 그런데 이것은 m^2+n^2이 [(라)]라는 가정에 모순이다.
>
> 따라서 자연수 m, n에 대하여 m^2+n^2이 홀수이면 mn은 짝수이다.

위의 (가)~(라)에 각각 알맞은 것을 써넣으시오.

실력 더하기

13-4

$\sqrt{2}$가 무리수임을 이용하여 다음 명제가 참임을 귀류법을 이용하여 증명하시오.

> 유리수 a, b에 대하여 $a+b\sqrt{2}=0$이면 $a=0$이고 $b=0$이다.

대표 예제 | 14

실수 a, b에 대하여 다음 부등식이 성립함을 증명하시오.

(1) $a^2+b^2 \geq ab$

(2) $\sqrt{a}+\sqrt{b} \geq \sqrt{a+b}$ (단, $a \geq 0$, $b \geq 0$)

바로 접근

두 식 A, B의 대소 $A \geq B$를 증명할 때 다음과 같은 방법을 이용한다.

(1) A, B가 다항식인 경우

$A-B \geq 0$임을 보인다.

이때 $A-B$를 완전제곱식을 이용하여 나타내면 0과 대소 관계를 비교하기 쉽다.

(2) A, B가 절댓값 또는 제곱근을 포함한 식인 경우

$A^2-B^2 \geq 0$임을 보인다.

등호가 포함되어 있는 부등식을 증명할 때는 등호가 성립하는 조건을 찾아 서술해야 한다.

바른 풀이

(1) $(a^2+b^2)-ab=a^2-ab+b^2=\left(a-\frac{b}{2}\right)^2+\frac{3}{4}b^2$

실수 a, b에 대하여 $\left(a-\frac{b}{2}\right)^2 \geq 0$, $\frac{3}{4}b^2 \geq 0$이므로

$a^2-ab+b^2 \geq 0$, 즉 $a^2+b^2 \geq ab$ (단, 등호는 $a=b=0$일 때 성립)

(2) $(\sqrt{a}+\sqrt{b})^2-(\sqrt{a+b})^2=a+2\sqrt{ab}+b-(a+b)=2\sqrt{ab} \geq 0$

$\therefore (\sqrt{a}+\sqrt{b})^2 \geq (\sqrt{a+b})^2$

이때 $\sqrt{a}+\sqrt{b} \geq 0$, $\sqrt{a+b} \geq 0$이므로

$\sqrt{a}+\sqrt{b} \geq \sqrt{a+b}$ (단, 등호는 $a=0$ 또는 $b=0$일 때 성립)

정답 풀이 참조

Bible Says

절대부등식을 증명할 때 자주 이용되는 실수의 성질

a, b가 실수일 때

① $a>b \Longleftrightarrow a-b>0$

② $a^2 \geq 0$, $a^2+b^2 \geq 0$

③ $a^2+b^2=0 \Longleftrightarrow a=0$, $b=0$

④ $|a|^2=a^2$, $|ab|=|a||b|$, $|a| \geq a$

⑤ $a>0$, $b>0$일 때, $a>b \Longleftrightarrow a^2>b^2 \Longleftrightarrow \sqrt{a}>\sqrt{b}$

⑥ $a>0$, $b>0 \Longleftrightarrow a+b>0$, $ab>0$

빠른 정답 • 514쪽 / 정답과 풀이 • 115쪽

한 번 더하기

14-1

실수 a, b에 대하여 다음 부등식이 성립함을 증명하시오.

(1) $a^2+7b^2 \geq 4ab$

(2) $|a|+|b| \geq |a+b|$

표현 더하기

14-2

다음은 a, b가 실수일 때, 부등식 $|a-b| \geq |a|-|b|$가 성립함을 증명하는 과정이다.

$|a-b|^2-(|a|-|b|)^2=2($ (가) $)\geq 0$
따라서 $|a-b|^2 \geq (|a|-|b|)^2$이다.
(i) $|a| \geq |b|$일 때,
$|a-b| \geq |a|-|b|$
(ii) $|a|<|b|$일 때,
$|a-b|$ (나) $|a|-|b|$
(i), (ii)에 의하여 $|a-b| \geq |a|-|b|$
여기서 등호는 ab (다) 0이고 $|a| \geq |b|$일 때 성립한다.

위의 (가)~(다)에 각각 알맞은 식 또는 부등호를 써넣으시오.

표현 더하기

14-3

$a>b>0$일 때, 부등식 $\sqrt{a-b}>\sqrt{a}-\sqrt{b}$가 성립함을 증명하시오.

실력 더하기

14-4

a, b, c가 실수일 때, 부등식 $a^2+b^2+c^2+ab+bc+ca \geq 0$이 성립함을 증명하시오.

대표 예제 | 15

산술평균과 기하평균의 관계 – 합 또는 곱이 일정할 때

$x>0$, $y>0$일 때, 다음 물음에 답하시오.

(1) $xy=1$일 때, $3x+5y$의 최솟값을 구하시오.

(2) $x+3y=12$일 때, xy의 최댓값을 구하시오.

바로 접근

$a>0$, $b>0$이면 산술평균 $\frac{a+b}{2}$와 기하평균 $\sqrt{ab}$의 관계에 의하여

$\frac{a+b}{2}\geq\sqrt{ab}$, 즉 $a+b\geq 2\sqrt{ab}$ (단, 등호는 $a=b$일 때 성립)

이를 이용하면 ab의 최댓값 또는 $a+b$의 최솟값을 구할 수 있다.

바른 풀이

(1) $3x>0$, $5y>0$이므로 산술평균과 기하평균의 관계에 의하여

$3x+5y\geq 2\sqrt{3x\times 5y}=2\sqrt{15xy}$ (단, 등호는 $3x=5y$일 때 성립)

이때 $xy=1$이므로

$3x+5y\geq 2\sqrt{15\times 1}=2\sqrt{15}$

따라서 $3x+5y$의 최솟값은 $2\sqrt{15}$

(2) $x>0$, $3y>0$이므로 산술평균과 기하평균의 관계에 의하여

$x+3y\geq 2\sqrt{x\times 3y}=2\sqrt{3xy}$ (단, 등호는 $x=3y$일 때 성립)

이때 $x+3y=12$이므로

$12\geq 2\sqrt{3xy}$, $6\geq\sqrt{3xy}$, $36\geq 3xy$

$\therefore xy\leq 12$

따라서 xy의 최댓값은 12

다른 풀이

(2) $x=12-3y$를 xy에 대입하면

$xy=(12-3y)y=-3y^2+12y$

$=-3(y^2-4y+4-4)$

$=-3(y-2)^2+12$

따라서 $y=2$, $x=6$일 때 xy의 최댓값은 12

정답 (1) $2\sqrt{15}$ (2) 12

Bible Says

양수 조건과 함께 합이나 곱의 꼴이 있는 식의 최댓값 또는 최솟값을 구하는 문제는 산술평균과 기하평균의 관계를 이용하는 것을 우선적으로 생각해 보자.

빠른 정답 • 514쪽 / 정답과 풀이 • 116쪽

한 번 더하기

15-1

두 양수 a, b에 대하여 다음 물음에 답하시오.

(1) $ab=14$일 때, $2a+7b$의 최솟값을 구하시오.

(2) $5a+2b=20$일 때, ab의 최댓값을 구하시오.

표현 더하기

15-2

양수 x에 대하여 $3x+\frac{12}{x}$의 최솟값을 m, 그때의 x의 값을 n이라 하자. $m+n$의 값을 구하시오.

표현 더하기

15-3

양수 x, y에 대하여 $4x^2+9y^2=60$일 때, xy의 최댓값을 구하시오.

실력 더하기

15-4

양수 a, b에 대하여 $3a+4b=12$일 때, $\frac{4}{a}+\frac{3}{b}$의 최솟값을 구하시오.

대표 예제 | 16

다음 물음에 답하시오.

(1) $a>0$, $b>0$일 때, $(a+3b)\left(\frac{3}{a}+\frac{4}{b}\right)$의 최솟값을 구하시오.

(2) $x>2$일 때, $x+\frac{4}{x-2}$의 최솟값을 구하시오.

바로 접근

(1) 식을 전개하여 $\alpha A+\frac{\beta}{A}$ 꼴을 만든 후 산술평균과 기하평균의 관계를 이용한다.

(2) 적당한 수를 빼고 더하여 $\alpha A+\frac{\beta}{A}$ 꼴을 만든 후 산술평균과 기하평균의 관계를 이용한다.

바른 풀이

(1) $(a+3b)\left(\frac{3}{a}+\frac{4}{b}\right)=3+\frac{4a}{b}+\frac{9b}{a}+12=\frac{4a}{b}+\frac{9b}{a}+15$

$\frac{4a}{b}>0$, $\frac{9b}{a}>0$이므로 산술평균과 기하평균의 관계에 의하여

$$\frac{4a}{b}+\frac{9b}{a}+15\ge2\sqrt{\frac{4a}{b}\times\frac{9b}{a}}+15$$

$$=2\times6+15=27 \left(\text{단, 등호는 } \frac{4a}{b}=\frac{9b}{a}\text{, 즉 } 2a=3b\text{일 때 성립}\right)$$

따라서 구하는 최솟값은 27

(2) $x+\frac{4}{x-2}=x-2+\frac{4}{x-2}+2$

$x>2$에서 $x-2>0$이므로 산술평균과 기하평균의 관계에 의하여

$$x-2+\frac{4}{x-2}+2\ge2\sqrt{(x-2)\times\frac{4}{x-2}}+2$$

$$=2\times2+2=6 \left(\text{단, 등호는 } x-2=\frac{4}{x-2}\text{, 즉 } x=4\text{일 때 성립}\right)$$

따라서 구하는 최솟값은 6

정답 (1) 27 (2) 6

Bible Says

(1)에서 괄호 안의 식에 각각 산술평균과 기하평균의 관계를 적용하였을 때

$a+3b\ge2\sqrt{3ab}$ (단, 등호는 $a=3b$일 때 성립) ······ ㉠

$\frac{3}{a}+\frac{4}{b}\ge2\sqrt{\frac{12}{ab}}$ $\left(\text{단, 등호는 } \frac{3}{a}=\frac{4}{b}\text{, 즉 } 4a=3b\text{일 때 성립}\right)$ ······ ㉡

라고 해서 $(a+3b)\left(\frac{3}{a}+\frac{4}{b}\right)\ge2\sqrt{3ab}\times2\sqrt{\frac{12}{ab}}=24$이므로 최솟값을 24로 구하지 않도록 한다.

㉠, ㉡의 등호가 동시에 성립하는 a, b의 값이 존재하지 않기 때문에 잘못된 풀이이다.

한 번 더하기

16-1 $x>0$, $y>0$일 때, $(2x+3y)\left(\frac{2}{x}+\frac{3}{y}\right)$의 최솟값을 구하시오.

한 번 더하기

16-2 $x>-3$일 때, $x+\frac{16}{x+3}$의 최솟값을 구하시오.

표현 더하기

16-3 양수 x, y에 대하여 $(x+y)\left(\frac{1}{x}+\frac{a}{y}\right)$의 최솟값이 9일 때, 양수 a의 값을 구하시오.

표현 더하기

16-4 $x>1$일 때, $3x+\frac{12}{x-1}$의 최솟값을 m, 그때의 x의 값을 n이라 하자. 상수 m, n에 대하여 $m+n$의 값을 구하시오.

대표 예제 | 17

코시－슈바르츠 부등식

x, y가 실수일 때, 다음 물음에 답하시오.

(1) $x^2+y^2=13$일 때, $3x+2y$의 값의 범위를 구하시오.

(2) $x+3y=20$일 때, x^2+y^2의 최솟값을 구하시오.

바로 접근 a, b, x, y가 실수일 때,

$(a^2+b^2)(x^2+y^2)\ge(ax+by)^2$ (단, 등호는 $ay=bx$일 때 성립)

임을 이용하여 주어진 값의 범위와 최솟값 또는 최댓값을 구한다.

바른 풀이 (1) x, y가 실수이므로 코시－슈바르츠 부등식에 의하여

$(3^2+2^2)(x^2+y^2)\ge(3x+2y)^2$ (단, 등호는 $3y=2x$일 때 성립)

이때 $x^2+y^2=13$이므로 $13\times13\ge(3x+2y)^2$

$\therefore -13\le3x+2y\le13$

(2) x, y가 실수이므로 코시－슈바르츠 부등식에 의하여

$(1^2+3^2)(x^2+y^2)\ge(x+3y)^2$ (단, 등호는 $y=3x$일 때 성립)

이때 $x+3y=20$이므로 $10(x^2+y^2)\ge20^2$

$\therefore x^2+y^2\ge40$

따라서 x^2+y^2의 최솟값은 40

다른 풀이

$x=20-3y$를 x^2+y^2에 대입하면

$x^2+y^2=(20-3y)^2+y^2=10y^2-120y+400$

$=10(y-6)^2+40$

따라서 $y=6$, $x=2$일 때 x^2+y^2의 최솟값은 40

정답 (1) $-13\le3x+2y\le13$ (2) 40

Bible Says

$ax+by$의 값이 주어졌을 때 x^2+y^2의 최솟값을 묻거나

x^2+y^2의 값이 주어졌을 때 $ax+by$의 최댓값을 묻는 경우 코시－슈바르츠 부등식을 이용한다.

산술평균과 기하평균의 관계로 풀 때와 마찬가지로 코시－슈바르츠 부등식으로 풀 때도 등호가 성립할 조건을 빠뜨리지 않고 확인하도록 하자.

빠른 정답 • 514쪽 / 정답과 풀이 • 117쪽

한 번 더하기

17-1

x, y가 실수일 때, 다음 물음에 답하시오.

(1) $x^2+y^2=5$일 때, $2x+4y$의 최댓값과 최솟값을 구하시오.

(2) $3x+4y=10$일 때, x^2+y^2의 최솟값을 구하시오.

표현 더하기

17-2

$a^2+b^2=50$을 만족시키는 실수 a, b에 대하여 $(a+2b)^2$의 값이 최대가 될 때, a의 값을 모두 구하시오.

표현 더하기

17-3

두 양수 x, y에 대하여 $x+y=29$일 때, $2\sqrt{x}+5\sqrt{y}$의 최댓값을 구하시오.

실력 더하기

17-4

$x^2+y^2=a$를 만족시키는 실수 x, y에 대하여 $4x+y$의 최댓값과 최솟값의 차가 34일 때, 양수 a의 값을 구하시오.

대표 예제 | 18

길이가 60 cm인 끈을 겹치는 부분 없이 모두 사용하여 그림과 같이 합동인 4개의 직사각형 모양으로 이루어진 구역을 만들려고 한다. 이때 구역의 전체 넓이의 최댓값은 $k\ \text{cm}^2$일 때, k의 값을 구하시오. (단, 끈의 굵기는 무시한다.)

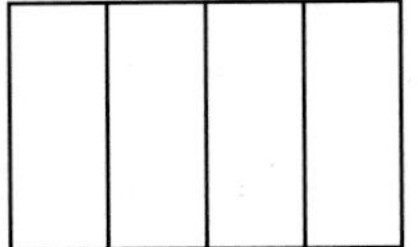

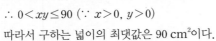

바로 접근

바깥쪽 직사각형의 가로의 길이를 x cm, 세로의 길이를 y cm로 놓으면 $x>0$, $y>0$, 즉 양수 조건이 주어진 것과 같다. 또한 구하는 값은 $x\times y$의 최댓값, 즉 곱의 꼴이 있는 식의 값의 최댓값이다.
따라서 x와 y 사이의 관계식을 구한 후 산술평균과 기하평균의 관계를 이용한다.

바른 풀이

바깥쪽 직사각형의 가로의 길이를 x cm, 세로의 길이를 y cm라 하면
구역의 전체 넓이는 $xy\ \text{cm}^2$이고,
철사의 전체 길이가 60 cm이므로 $2x+5y=60$이다.
$x>0$, $y>0$이므로 산술평균과 기하평균의 관계에 의하여
$2x+5y\geq 2\sqrt{2x\times 5y}$ (단, 등호는 $2x=5y$일 때 성립)
$60\geq 2\sqrt{10xy}$, $\sqrt{10xy}\leq 30$, $10xy\leq 900$
$\therefore 0<xy\leq 90$ ($\because x>0$, $y>0$)
따라서 구하는 넓이의 최댓값은 $90\ \text{cm}^2$이다.
$\therefore k=90$

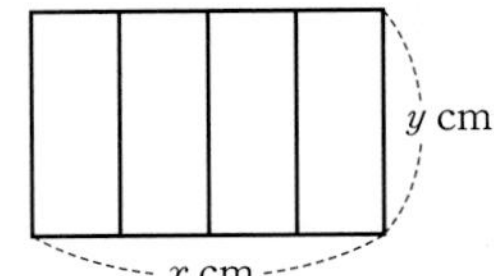

정답 90

Bible Says

두 양수의 합의 꼴의 최솟값, 두 양수의 곱의 꼴의 최댓값을 구할 때에는 산술평균과 기하평균의 관계를 이용한다.
이때 등호가 성립하는 경우를 이용하여 최대 또는 최소일 때의 미지수의 값을 구할 수 있다.
예를 들어 산술평균과 기하평균의 관계 $2x+5y\geq 2\sqrt{10xy}$에서 등호가 성립하는 경우는 $2x=5y$일 때이다.
이를 $2x+5y=60$에 대입하여 풀면 $x=15$, $y=6$이다.
이처럼 구하는 값이 최댓값 또는 최솟값을 가질 때, 주어진 미지수의 값이 어떻게 되는지 찾아보는 연습도 하자.

한 번 더하기

18-1

길이가 36 m인 끈을 겹치는 부분 없이 모두 사용하여 그림과 같이 6개의 직사각형 모양으로 이루어진 구역을 만들려고 한다. 구역 전체 넓이의 최댓값은 $k\ \mathrm{m}^2$일 때, k의 값을 구하시오. (단, 끈의 굵기는 무시한다.)

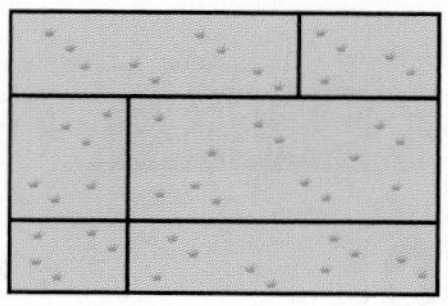

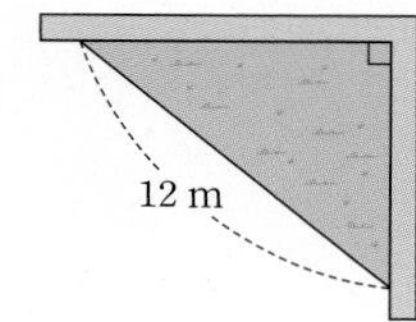

표현 더하기

18-2

그림과 같이 수직인 두 벽면 사이를 길이가 12 m인 철망으로 막아 삼각형 모양의 텃밭을 만들려고 한다. 이 텃밭의 넓이의 최댓값이 $k\ \mathrm{m}^2$일 때, k의 값을 구하시오. (단, 철망의 두께는 무시한다.)

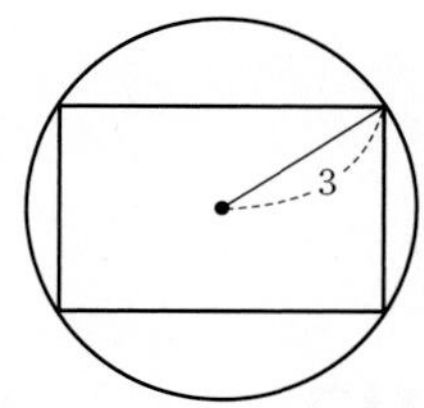

표현 더하기

18-3

그림과 같이 반지름의 길이가 3인 원에 내접하는 직사각형의 둘레의 길이의 최댓값을 구하시오.

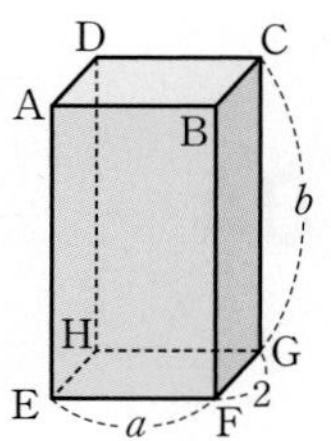

실력 더하기

18-4

그림과 같이 세 모서리의 길이가 각각 a, 2, b인 직육면체 ABCD−EFGH가 있다. 선분 AG의 길이가 $\sqrt{22}$일 때, 이 직육면체의 모든 모서리의 길이의 합의 최댓값을 구하시오.

중단원 연습문제

STEP 1 기본 다지기

01 **보기**의 명제 중 거짓인 것의 개수를 구하시오.

보기

ㄱ. 자연수 n이 소수이면 n^2은 홀수이다.
ㄴ. 삼각형 ABC가 정삼각형이면 $\angle B=\angle C$이다.
ㄷ. $x+y$와 xy가 모두 정수이면 x, y는 정수이다.
ㄹ. $x+y>2$, $xy>1$이면 $x>1$이고 $y>1$이다.
ㅁ. $|x|\le 1$이면 $x^2-3x-4\le 0$이다.

02 실수 x, y, z에 대하여 조건 '$(x-y)^2+(y-z)^2+(z-x)^2=0$'의 부정과 서로 같은 것은?

① $x=y=z$
② $x\ne y$이고 $y\ne z$이고 $z\ne x$
③ x, y, z 중 적어도 두 수는 서로 다르다.
④ x, y, z는 모두 0이 아니다.
⑤ x, y, z 중 적어도 하나는 0이다.

03 전체집합 $U=\{x|x$는 $|x|\le 3$인 정수$\}$에 대한 두 조건

p: $x(x^2-1)=0$,　　q: $x^2-4x+3\le 0$

에 대하여 조건 '$\sim p$ 또는 q'의 진리집합의 모든 원소의 합을 구하시오.

04 전체집합 $U=\{x|x$는 10보다 작은 자연수$\}$에 대하여 두 조건 p, q의 진리집합을 각각 P, Q라 하자. 조건 p가

p: x는 소수이다.

일 때, 명제 $\sim p \longrightarrow q$가 참이 되도록 하는 집합 Q의 개수를 구하시오.

교육청 기출

05

실수 x에 대한 두 조건

p: $|x-a| \le 1$,　　q: $x^2-2x-8>0$

에 대하여 $p \longrightarrow \sim q$가 참이 되도록 하는 실수 a의 최댓값은?

① 1　② 2　③ 3　④ 4　⑤ 5

06

보기의 명제 중 대우가 거짓인 것만을 있는 대로 고르시오.

보기

ㄱ. 0이 아닌 a, b에 대하여 $a>b$이면 $\frac{1}{a}<\frac{1}{b}$이다.

ㄴ. $a<-2$ 또는 $a\ge5$이면 $a^2-3a-10\ge0$이다.

ㄷ. a, b가 무리수이면 $a+b$도 무리수이다.

07

네 조건 p, q, r, s에 대하여 두 명제 $p \longrightarrow \sim q$, $r \longrightarrow \sim s$가 모두 참일 때, 다음 중 명제 $p \longrightarrow \sim r$가 참임을 보이기 위해 필요한 참인 명제로 옳은 것은?

① $p \longrightarrow r$　② $p \longrightarrow \sim s$　③ $q \longrightarrow \sim r$　④ $\sim q \longrightarrow \sim s$　⑤ $\sim s \longrightarrow q$

08

전체집합 U에 대하여 서로 다른 세 조건 p, q, r의 진리집합을 각각 P, Q, R라 하자. p는 q 또는 r이기 위한 필요조건일 때, 다음 중 항상 옳은 것이 아닌 것은?

① $P\cap Q=Q$　② $P\cup R=P$　③ $P^C\cap Q=\varnothing$　④ $(Q\cap R)\subset P$　⑤ $Q\cap R^C=\varnothing$

중단원 연습문제

09 다음은 자연수 a, b, c에 대하여 명제 '$a^2+b^2=c^2$이면 a, b, c 중 적어도 하나는 짝수이다.'가 참임을 증명하는 과정이다.

> 자연수 a, b, c에 대하여 주어진 명제의 대우
> 'a, b, c가 모두 [(가)]이면 [(나)]이다.'가 참임을 보이면 된다.
> a, b, c가 모두 [(가)]이면 a^2, b^2, c^2은 모두 [(다)]이므로
> a^2+b^2은 [(라)], c^2은 [(다)]가 되어 [(나)]이다.
> 따라서 주어진 명제의 대우가 참이므로 주어진 명제도 참이다.

위의 (가)~(라)에 각각 알맞은 것을 써넣으시오.

교육청 기출

10 $x>0$인 실수 x에 대하여 $4x+\frac{a}{x}$ $(a>0)$의 최솟값이 2일 때, 상수 a의 값은?

① $\frac{1}{4}$　② $\frac{1}{2}$　③ $\frac{3}{4}$　④ 1　⑤ $\frac{5}{4}$

11 실수 x, y에 대하여 $x^2+y^2=2$일 때, x^2+x+y^2+3y의 최댓값을 구하시오.

12 양수 m에 대하여 직선 $y=mx+3m+4$가 x축, y축과 만나는 점을 각각 A, B라 하자. 삼각형 OAB의 넓이의 최솟값을 구하시오. (단, O는 원점이다.)

STEP 2 실력 다지기

13 명제 '어떤 실수 x에 대하여 $x^2-6x+3k-5<0$이다.'가 거짓이 되도록 하는 정수 k의 최솟값을 구하시오.

14 아래 세 문장이 모두 참일 때, 다음 중 항상 참인 명제는?

(가) 등산을 좋아하는 사람은 달리기를 좋아한다. (나) 등산을 좋아하지 않는 사람은 활동적이지 않다. (다) 달리기를 좋아하지 않는 사람은 독서를 좋아한다.

① 등산을 좋아하는 사람은 활동적이다.
② 독서를 좋아하는 사람은 달리기를 좋아한다.
③ 독서를 좋아하는 사람은 활동적이지 않다.
④ 활동적인 사람은 달리기를 좋아한다.
⑤ 활동적이지 않은 사람은 등산을 좋아하지 않는다.

15 전체집합 U에 대하여 공집합이 아닌 세 부분집합 P, Q, R는 각각 조건 p, q, r의 진리집합이다. $R\cap(P\cap Q)^C=R$, $R\cap Q^C=\varnothing$일 때, **보기**에서 항상 옳은 것만을 있는 대로 고르시오.

보기
ㄱ. p는 $\sim r$이기 위한 충분조건이다.
ㄴ. r는 p 또는 q이기 위한 필요조건이다.
ㄷ. $\sim p$ 그리고 q는 r이기 위한 필요조건이다.

16 세 조건 p, q, r의 진리집합을 각각

$$P=\{5\},\ Q=\{a^2+1,\ a+2\},\ R=\{4,\ b\}$$

라 하자. p는 q이기 위한 충분조건, q는 r이기 위한 필요충분조건일 때, 상수 a, b에 대하여 $a+b$의 값을 구하시오.

중단원 연습문제

17 양수 x, y에 대하여 $5x+2y=25$일 때, $\sqrt{5x}+\sqrt{2y}$의 최댓값을 구하시오.

18 그림과 같이 한 변의 길이가 8인 정삼각형 ABC의 내부의 한 점 P와 세 변 AB, BC, CA 사이의 거리를 각각 a, b, $2b$라 할 때, a^2+b^2의 최솟값은 $\frac{q}{p}$이다. $p+q$의 값을 구하시오. (단, p와 q는 서로소인 자연수이다.)

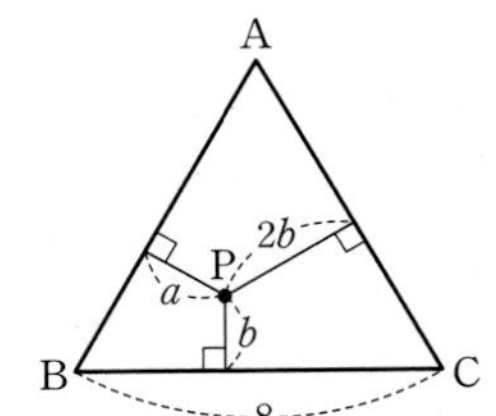

challenge

19 정수 x에 대한 두 조건 p: $-3\le x\le a$, q: $-b\le x\le 2$가 있다. 명제 'p이면 q이다.'가 거짓임을 보이는 반례의 개수가 3이 되도록 하는 10 이하의 두 자연수 a, b의 모든 순서쌍 (a, b)에 대하여 $a+b$의 최댓값을 M, 최솟값을 m이라 하자. $M+m$의 값을 구하시오.

challenge 교육청 기출

20 그림과 같이 양수 a에 대하여 이차함수 $f(x)=x^2-2ax$의 그래프와 직선 $g(x)=\frac{1}{a}x$가 두 점 O, A에서 만난다. 이차함수 $y=f(x)$의 그래프의 꼭짓점을 B라 하고 선분 AB의 중점을 C라 하자. 점 C에서 y축에 내린 수선의 발을 H라 할 때, 선분 CH의 길이의 최솟값은? (단, O는 원점이다.)

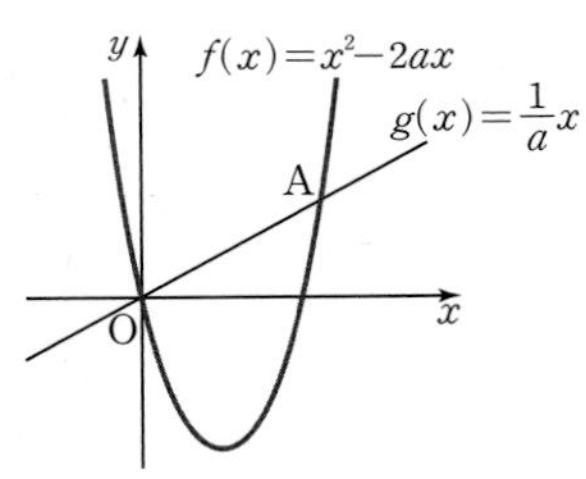

① $\sqrt{3}$ ② 2 ③ $\sqrt{5}$
④ $\sqrt{6}$ ⑤ $\sqrt{7}$

08

함수

01 함수

함수	집합 X의 각 원소에 집합 Y의 원소가 오직 하나씩 대응할 때, 이 대응 f를 X에서 Y로의 함수라 하고 기호로 $f : X \longrightarrow Y$와 같이 나타낸다. 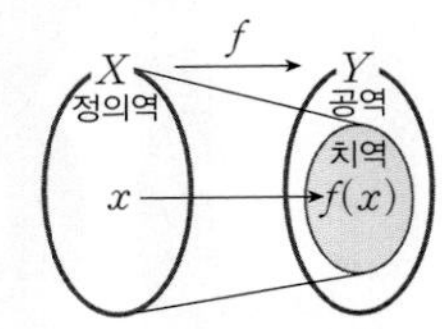
여러 가지 함수	(1) 일대일함수: 함수 $f : X \longrightarrow Y$에서 X의 임의의 두 원소 x_1, x_2에 대하여 $x_1 \neq x_2$이면 $f(x_1) \neq f(x_2)$를 만족시키는 함수 (2) 일대일대응: 함수 $f : X \longrightarrow Y$에서 일대일함수이고, 치역과 공역이 같은 함수 (3) 항등함수: 함수 $f : X \longrightarrow X$에서 X의 임의의 원소 x에 대하여 $f(x)=x$인 함수 (4) 상수함수: 함수 $f : X \longrightarrow Y$에서 X의 모든 원소 x에 Y의 단 하나의 원소가 대응되는 함수, 즉 $f(x)=c$ (c는 상수)인 함수

02 합성함수

합성함수	두 함수 $f : X \longrightarrow Y$, $g : Y \longrightarrow Z$에 대하여 집합 X의 각 원소 x에 집합 Z의 원소 $g(f(x))$를 대응시키는 함수를 f와 g의 합성함수라 하고, 이것을 기호로 $g \circ f : X \longrightarrow Z$와 같이 나타낸다. 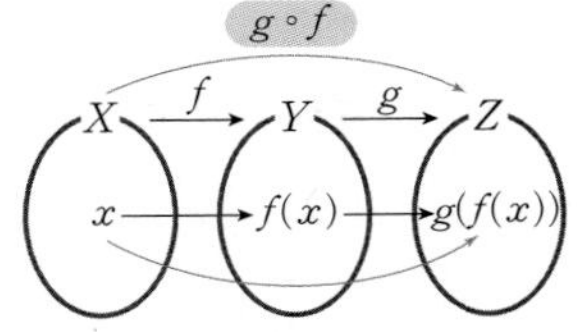

03 역함수

역함수	일대일대응 $f : X \longrightarrow Y$에 대하여 집합 Y의 각 원소 y에 $f(x)=y$인 집합 X의 원소 x를 대응시켜서 만든 Y를 정의역, X를 공역으로 하는 새로운 함수를 f의 역함수라 하고 기호로 $f^{-1} : Y \longrightarrow X$와 같이 나타낸다. 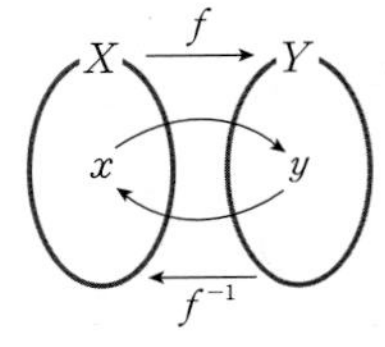

04 절댓값 기호를 포함한 함수와 그래프

절댓값 기호를 포함한 식의 그래프	절댓값 기호를 포함한 식의 그래프는 절댓값 기호 안의 식의 값이 0이 되는 x 또는 y의 값을 기준으로 그래프를 나타낸다.

함수

1 함수의 뜻

(1) **대응:** 집합 X의 원소에 집합 Y의 원소를 짝짓는 것을 X에서 Y로의 대응이라 한다. 이때 X의 원소 x에 Y의 원소 y가 대응하는 것을 기호로

$$x \longrightarrow y$$

와 같이 나타낸다.

(2) **함수:** 집합 X의 각 원소에 집합 Y의 원소가 오직 하나씩 대응할 때, 이 대응을 X에서 Y로의 함수라 하고, 이것을 기호로

$$f : X \longrightarrow Y$$

와 같이 나타낸다.

08

집합 X에서 집합 Y로의 대응 중 집합 X의 원소를 하나 정하면 그 원소에 대하여 집합 Y의 원소가 반드시, 그리고 오직 하나만 결정되는 대응을 X에서 Y로의 **함수**라 하고, 이것을 기호로

$$f : X \longrightarrow Y$$ ← 함수를 나타낼 때, 보통 f, g, h와 같은 알파벳 소문자를 사용한다.

와 같이 나타낸다.

X에서 Y로의 대응은 집합 X의 원소 중 집합 Y의 원소가 하나도 대응하지 않거나 집합 X의 원소 하나에 집합 Y의 두 개 이상의 원소가 대응하는 것도 있다. 따라서 X에서 Y로의 대응이 함수인지 아닌지 판별할 때는 집합 X의 각 원소(모든 원소가 빠짐없이)에 집합 Y의 원소가 오직 하나씩만 대응하는지 확인한다.

다음과 같은 세 개의 대응이 함수인지 아닌지 살펴보자.

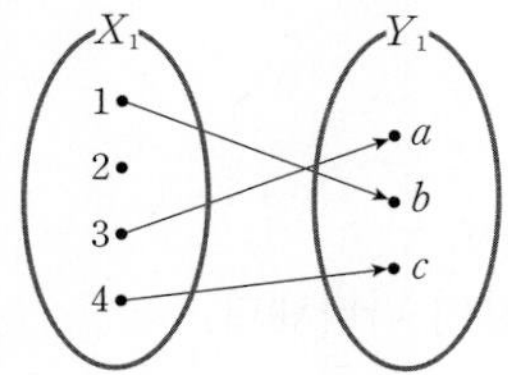

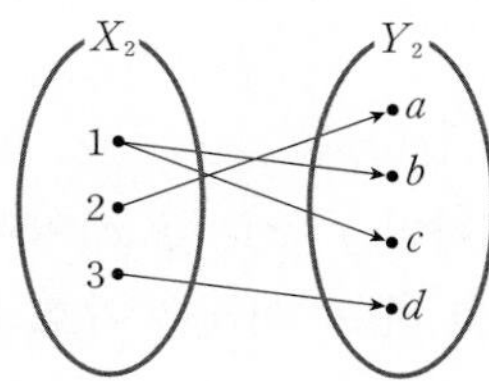

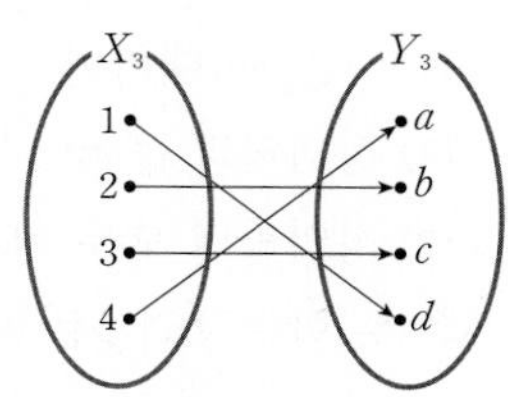

첫 번째 대응은 집합 X_1의 원소 2에 대응하는 집합 Y_1의 원소가 없으므로 함수가 아니다.
두 번째 대응은 집합 X_2의 원소 1에 집합 Y_2의 두 원소 b, c가 대응하므로 함수가 아니다.
세 번째 대응은 집합 X_3의 각 원소에 집합 Y_3의 원소가 하나씩 대응하므로 함수이다.

2 정의역, 공역, 치역

(1) **정의역과 공역:** 함수 $f : X \longrightarrow Y$에서 집합 X를 함수 f의 정의역, 집합 Y를 함수 f의 공역이라 한다.

(2) **함숫값과 치역:** 함수 $f : X \longrightarrow Y$에서 정의역 X의 원소 x에 공역 Y의 원소 y가 대응할 때, 이것을 기호로 $y=f(x)$와 같이 나타내고, $f(x)$를 x에서의 함숫값이라 한다. 또한 함숫값 전체의 집합 $\{f(x) | x \in X\}$를 함수 f의 치역이라 한다.

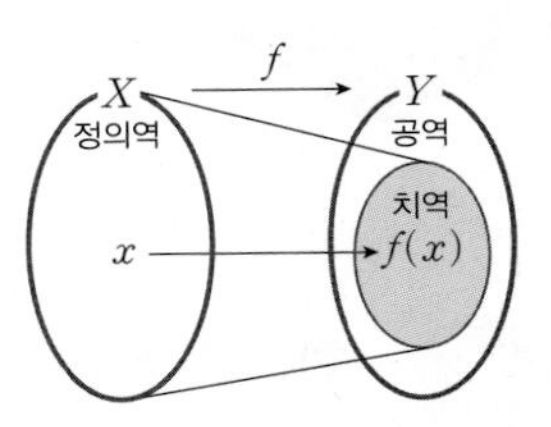

두 집합 $X=\{1, 2, 3, 4\}$, $Y=\{a, b, c, d\}$에 대하여 X에서 Y로의 대응이 오른쪽 그림과 같을 때, 집합 X의 각 원소에 집합 Y의 원소가 하나씩 대응하고 있으므로 이 대응은 함수이다.
이때 집합 X를 이 함수의 **정의역**, 집합 Y를 이 함수의 **공역**, 함숫값 전체의 집합 $\{b, c, d\}$를 이 함수의 **치역**이라 한다.

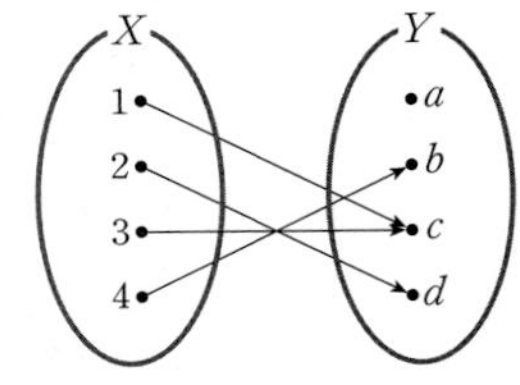

함수의 치역은 공역의 부분집합이다. 치역의 원소 b, c, d는 모두 공역에 속하지만 공역의 원소 a가 치역에 속하지 않듯, 공역의 원소 중 정의역의 각 원소에 대응하지 않는 것이 있어도 된다.

한편, 함수 $y=f(x)$의 정의역이나 공역이 주어지지 않은 경우에는 함숫값 $f(x)$가 정의되는 실수 x의 값 전체의 집합을 정의역으로 하고, 실수 전체의 집합을 공역으로 생각한다.

example 자연수 전체의 집합을 N이라 할 때, 함수

$$f : N \longrightarrow N,\ f(x)=2x$$

의 정의역과 공역은 자연수 전체의 집합이고, 치역은 $\{y | y$는 짝수인 자연수$\}$이다.

3 서로 같은 함수

두 함수 f, g에 대하여

(1) 정의역과 공역이 각각 서로 같다.

(2) 정의역의 모든 원소 x에 대하여 $f(x)=g(x)$이다.

일 때, 두 함수 f와 g는 서로 같다고 하고, 이것을 기호 $f=g$와 같이 나타낸다.

두 함수 f, g가 서로 같다는 것은 두 함수 f, g의 함수식이 같다는 것이 아니라 정의역의 각 원소에 대하여 두 함수의 함숫값이 서로 같다는 뜻이다.

한편, 두 함수 f와 g가 서로 같지 않을 때, 이것을 기호로 $f \neq g$와 같이 나타낸다.

example

(1) 정의역이 $\{-1, 0, 1\}$이고 공역이 실수 전체의 집합인 두 함수 $f(x)=x$, $g(x)=x^3$에 대하여 $f(-1)=g(-1)$, $f(0)=g(0)$, $f(1)=g(1)$이므로 두 함수 f와 g는 서로 같다. 즉, $f=g$이다.

(2) 정의역과 공역이 모두 실수 전체의 집합인 두 함수 $f(x)=x$, $g(x)=x^3$에 대하여 $f(2) \neq g(2)$이므로 두 함수 f와 g는 서로 같지 않다. 즉, $f \neq g$이다.

참고 (1)과 (2)는 두 함수의 정의역만 차이가 있을 뿐이다. 이처럼 두 함수는 정의역에 따라서 서로 같을 수도, 서로 같지 않을 수도 있다. 따라서 정의역의 각 원소에 대하여 두 함수의 함숫값이 서로 같은지 확인해야 한다.
또한 (1)과 같이 두 함수가 서로 같은지 확인할 때 함수식이 서로 다르다고 다른 함수라 단정 지어서는 안 된다.

4 함수와 그래프

함수 $f: X \longrightarrow Y$에서 정의역 X의 원소 x와 이에 대응하는 함숫값 $f(x)$의 순서쌍 $(x, f(x))$ 전체의 집합 $\{(x, f(x)) | x \in X\}$를 함수 f의 그래프라 한다.

함수 $y=f(x)$의 정의역과 공역의 원소가 모두 실수이면 순서쌍 $(x, f(x))$를 좌표평면 위의 점으로 나타낼 수 있으므로 함수 $y=f(x)$의 그래프를 좌표평면 위에 나타낼 수 있다. 이처럼 함수 $y=f(x)$의 그래프를 좌표평면 위에 나타내어 보면, 두 변수 x, y가 어떠한 관계를 가지고 있는지 쉽게 파악할 수 있다.

예를 들어 집합 $X=\{1, 2, 3\}$에서 집합 $Y=\{2, 3, 4\}$로의 함수 f의 대응 관계가 오른쪽 그림과 같을 때, 이 함수 f의 그래프는

$$\{(1, 2), (2, 3), (3, 4)\}$$

이고, 이 함수의 그래프를 좌표평면 위에 나타내면 다음 그림과 같다.

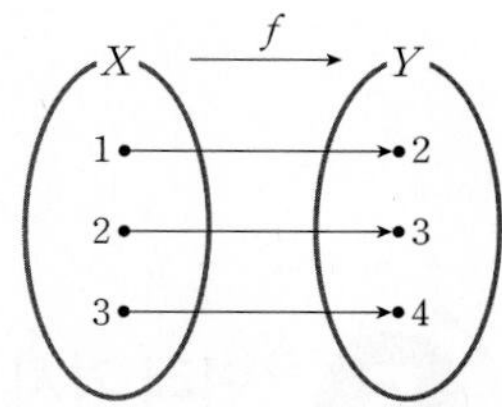

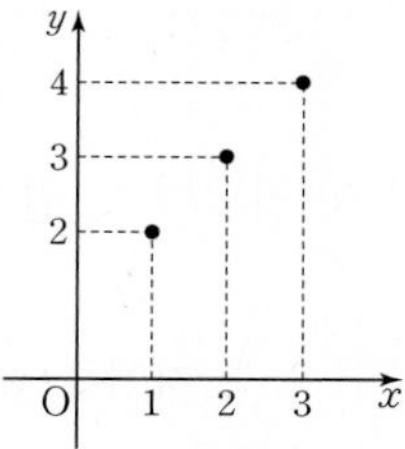

함수 $y=f(x)$의 그래프를 좌표평면 위에 나타내는 것을 '그래프를 그린다.'라 하고, 그래프의 기하적 표현이라 한다. 또한 그래프의 기하적 표현에 의하여 나타난 도형을 간단히 '그래프'라고도 말한다.

한편, 함수의 정의에 의하여 정의역의 각 원소에는 공역의 원소가 오직 하나씩만 대응해야 한다. 따라서 함수의 그래프는 오른쪽 그림과 같이 정의역의 각 원소 a에 대하여 x축에 수직인 직선(y축에 평행한 직선) $x=a$와 오직 한 점에서 만난다. ← y축에 수직인 직선 $y=b$ (b는 실수)와의 교점의 개수는 함수의 정의와 관계가 없다.

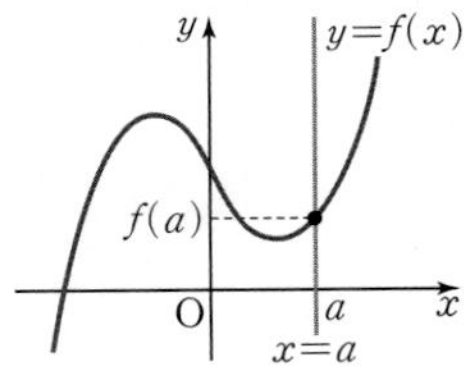

따라서 어떤 그래프가 정의역의 각 원소 a에 대하여 직선 $x=a$와 오직 한 점에서만 만나면 그 그래프는 a를 정의역의 원소로 갖는 함수의 그래프이고, 만나지 않거나 2개 이상의 점에서 만나면 그 그래프는 a를 정의역의 원소로 갖는 함수의 그래프가 될 수 없다. ← 함수가 아니다.

example 다음 중 함수의 그래프인 것을 찾아보자.

(1)

(2)

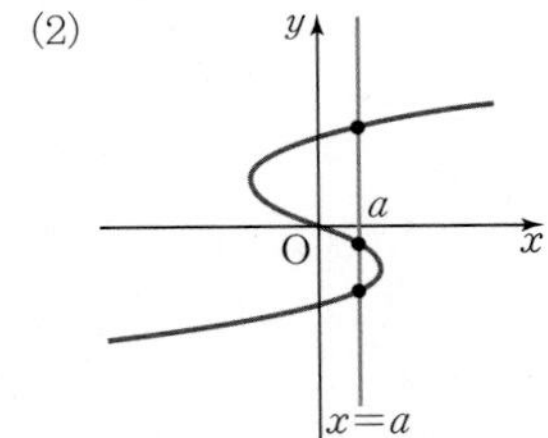

(3)

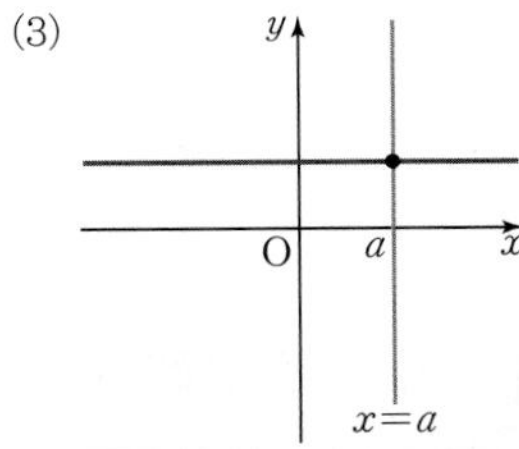

(1) 정의역의 원소 a에 대하여 x축에 수직인 직선 $x=a$를 그리면 2개의 점에서 만나므로 함수의 그래프가 아니다.

(2) 정의역의 원소 a에 대하여 x축에 수직인 직선 $x=a$를 그리면 3개의 점에서 만나므로 함수의 그래프가 아니다.

(3) 정의역의 각 원소 a에 대하여 직선 $x=a$와 한 점에서만 만나므로 함수의 그래프이다.

참고 함수의 그래프인지 아닌지 확인하기 위해서는 정의역을 반드시 알아야 한다.
(1)에서 주어진 도형과 직선 $x=a$의 개수가 2일 수 있으므로 빠르게 함수의 그래프가 아님을 확인할 수 있었지만 정의역이 실수 전체의 집합이고 a의 값이 충분히 클 때, 주어진 도형과 직선 $x=a$의 교점의 개수가 0일 수 있으므로 함수의 그래프가 아니라는 결론을 내릴 수도 있다.

5 여러 가지 함수

(1) 일대일함수: 함수 $f: X \longrightarrow Y$에서 정의역 X의 임의의 두 원소 x_1, x_2에 대하여 $x_1 \neq x_2$이면 $f(x_1) \neq f(x_2)$를 만족시키는 함수

(2) 일대일대응: 함수 $f: X \longrightarrow Y$에서 일대일함수이고, 치역과 공역이 같은 함수

(3) 항등함수: 함수 $f: X \longrightarrow X$에서 정의역 X의 임의의 원소 x에 대하여 $f(x)=x$인 함수

(4) 상수함수: 함수 $f: X \longrightarrow Y$에서 정의역 X의 모든 원소 x에 공역 Y의 단 하나의 원소가 대응되는 함수, 즉 $f(x)=c$ (c는 상수)인 함수

함수는 '정의역 X의 각 원소에 공역 Y의 원소가 오직 하나씩 대응한다.'는 조건만 만족하면 되므로 두 집합의 대응 속에는 여러 가지 함수가 존재한다.
이 중에서 대응 형태에 따라 다음과 같은 4종류의 대표적인 함수를 생각할 수 있다.

(1) 일대일함수

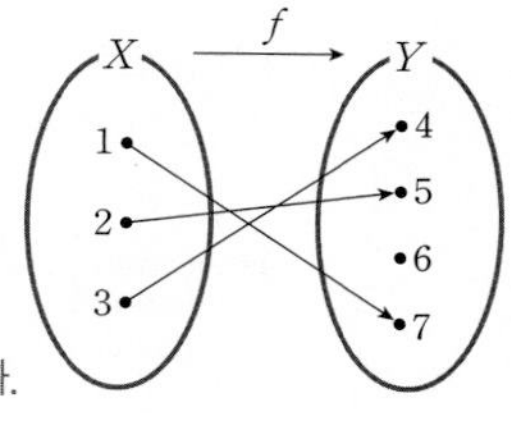

오른쪽 그림과 같은 함수 $f : X \longrightarrow Y$에서 $f(1)=7$, $f(2)=5$, $f(3)=4$이므로 $f(1)\neq f(2)$, $f(2)\neq f(3)$, $f(3)\neq f(1)$이다.
이와 같이 정의역 X의 임의의 두 원소 x_1, x_2에 대하여

$$x_1\neq x_2\text{이면 } f(x_1)\neq f(x_2)$$

'$f(x_1)\neq f(x_2)$이면 $x_1\neq x_2$'는 f가 함수이면 성립하는 성질이므로 순서에 주의한다.

일 때, 함수 f를 X에서 Y로의 **일대일함수**라 한다.
이때 명제가 참이면 그 대우도 참이므로 정의역 X의 임의의 두 원소 x_1, x_2에 대하여 '$x_1\neq x_2$이면 $f(x_1)\neq f(x_2)$'의 대우인 '$f(x_1)=f(x_2)$이면 $x_1=x_2$'가 성립할 때도 함수 f는 일대일함수이다.

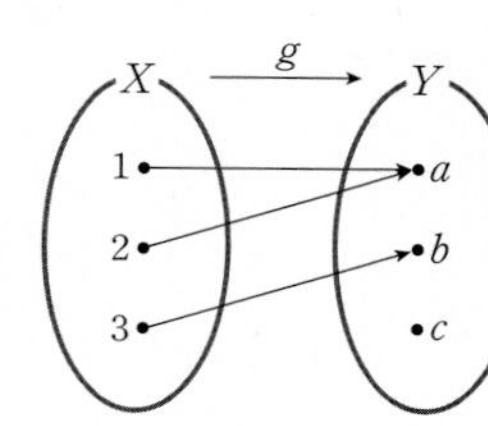

예를 들어 오른쪽 그림과 같은 함수 $g : X \longrightarrow Y$에서 정의역의 두 원소 $x_1=1$, $x_2=2$에 대하여 $f(x_1)=f(x_2)$이지만 $x_1\neq x_2$이므로 함수 g는 일대일함수가 아니다.

일대일함수는 정의역의 각 원소가 공역의 서로 다른 원소에 대응하므로 정의역이 유한집합인 함수의 경우, 정의역과 치역의 원소의 개수와 같은지 따져보고 일대일함수인지 판단할 수도 있다.

집합 X에서 집합 Y로의 일대일함수에서는 정의역 X의 서로 다른 원소에 대응하는 공역 Y의 원소가 항상 서로 다르다. 따라서 일대일함수의 그래프는 치역의 각 원소 a에 대하여 y축에 수직인 직선(x축에 평행한 직선) $y=a$와 오직 한 점에서 만난다.

example

(1) 함수 $f(x)=x+1$에서 $f(x_1)=f(x_2)$이면 $x_1+1=x_2+1$에서 $x_1=x_2$이므로 함수 $f(x)$는 일대일함수이다.

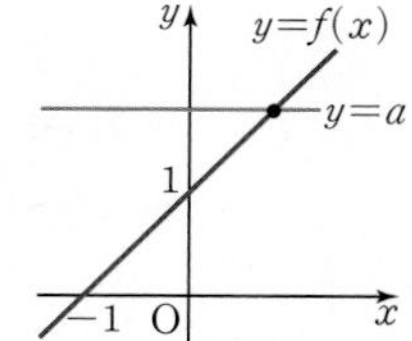

다른 풀이

함수 $f(x)$의 치역의 각 원소 a에 대하여 함수 $y=f(x)$의 그래프는 직선 $y=a$와 오직 한 점에서 만나므로
함수 $f(x)$는 일대일함수이다.

(2) 함수 $g(x)=-x^2+4$에서 정의역의 서로 다른 두 원소 -1, 1에 대하여 $g(-1)=g(1)$이므로
함수 $g(x)$는 일대일함수가 아니다.

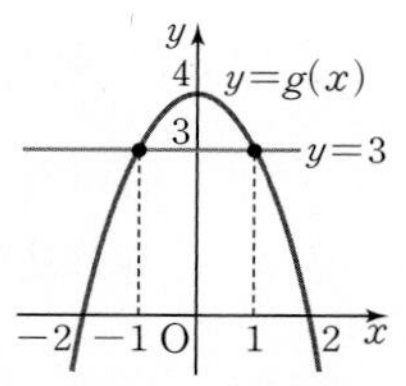

다른 풀이

함수 $y=g(x)$의 그래프와 직선 $y=3$은 2개의 점에서 만나므로
함수 $g(x)$는 일대일함수가 아니다.

참고 y축에 수직인 직선과의 교점의 개수는 '함수의 정의'와 관계가 없으나 '일대일함수'인지 판단할 때는 중요하게 쓰인다.

(2) **일대일대응**

일대일함수인 $f: X \longrightarrow Y$의 치역과 공역이 서로 같을 때, 이 함수 f를 **일대일대응**이라 한다.
$x_1 \neq x_2$이면 $f(x_1) \neq f(x_2)$　　$\{f(x) \mid x \in X\} = Y$

일대일대응은 일대일함수 중 치역과 공역이 서로 같다는 조건까지 만족시키는 함수이다. 따라서 일대일대응이면 일대일함수이지만, 일대일함수라 해서 모두 일대일대응인 것은 아니다.

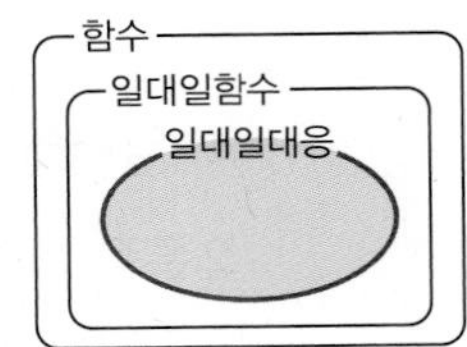

example

다음 그림과 같은 세 함수 f, g, h를 이용하여 함수의 집합, 일대일함수의 집합, 일대일대응의 집합의 포함 관계를 살펴보자.

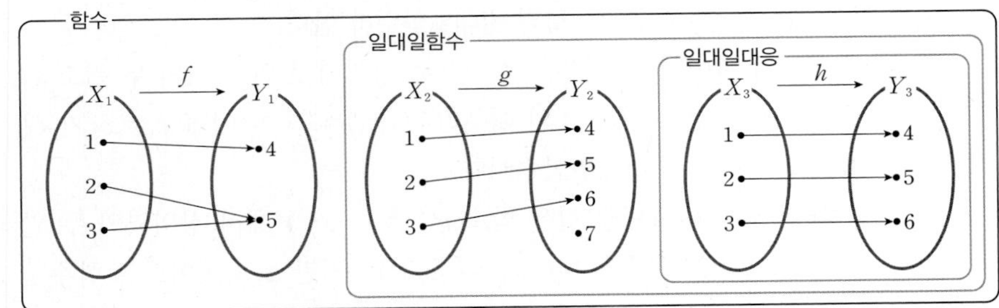

(1) 함수 f는 공역과 치역이 집합 $Y_1=\{4, 5\}$로 서로 같지만, 정의역의 서로 다른 두 원소 2, 3에 대하여 $f(2)=f(3)$이므로 함수 f는 일대일함수가 아니다.

(2) 함수 g는 정의역의 서로 다른 두 원소에 대응하는 공역의 원소가 항상 서로 다르므로 일대일함수이지만, 공역과 치역이 서로 다르므로 일대일대응은 아니다.

(3) 함수 h는 정의역의 서로 다른 두 원소에 대응하는 공역의 원소가 항상 서로 다르므로 일대일함수이고, 공역과 치역이 서로 같으므로 일대일대응이다.

이와 같이 함수이지만 일대일함수가 아닌 경우, 일대일함수이지만 일대일대응이 아닌 경우를 통하여

{일대일대응}⊂{일대일함수}⊂{함수}

의 포함 관계가 성립함을 확인할 수 있다.

또한 두 집합 사이에 일대일대응 관계가 성립하면 집합 X의 원소 하나에 집합 Y의 원소가 하나씩만 대응하므로 두 집합 X, Y의 원소가 유한개일 때, 정의역과 공역의 원소의 개수는 서로 같다.

(3) **항등함수**

일대일대응 중 정의역과 공역이 서로 같고, 정의역의 각 원소가 자기 자신으로 대응될 때, 즉
정의역이 X, 공역이 Y일 때, $X=Y$

$$f: X \longrightarrow X,\ f(x)=x$$

일 때, 이 함수 f를 집합 X에서의 **항등함수**라 한다.
항등함수는 보통 I로 나타낸다.

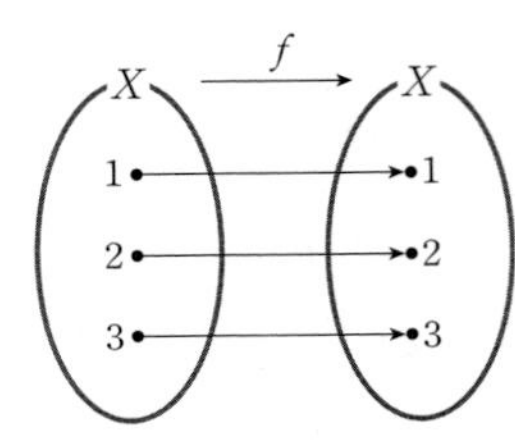

정의역과 공역이 모두 실수 전체의 집합일 때, 항등함수의 그래프를 좌표평면 위에 나타내면 기울기가 1이고 원점을 지나는 직선 $y=x$가 된다.
또한 집합 X에서 정의된 항등함수 f에 대하여 $f(x)=x$이므로 함수 $y=f(x)$의 그래프는 직선 $y=x$ 위에 나타나며, 정의역 X에 따라 그 그래프는 달라진다.

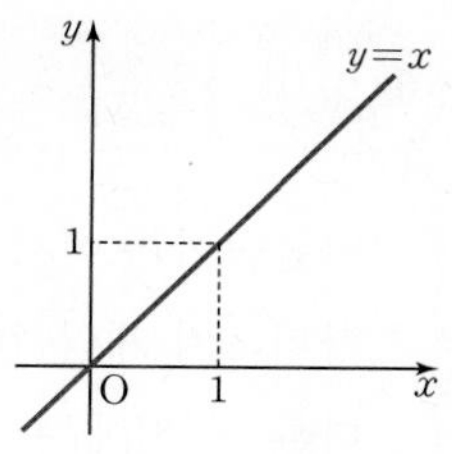

(4) 상수함수

정의역 X의 모든 원소가 공역 Y의 단 하나의 원소로만 대응될 때, 즉

$$f : X \longrightarrow Y,\ f(x)=c \ (c\text{는 상수})$$ ← 치역의 원소의 개수는 1이다.

일 때, 함수 f를 X에서 Y로의 **상수함수**라 한다.

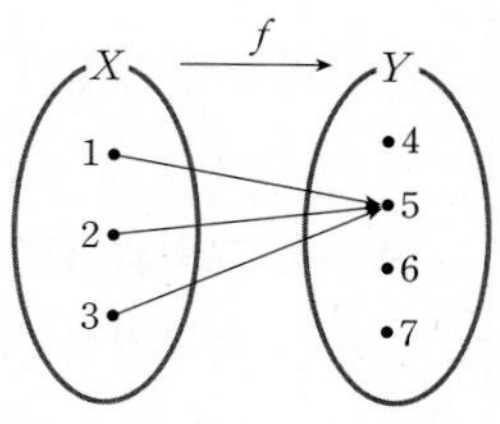

정의역과 공역이 모두 실수 전체의 집합일 때, 상수함수의 그래프를 좌표평면 위에 나타내면 y축에 수직인 직선(x축에 평행한 직선) $y=c$ (c는 상수)가 된다.

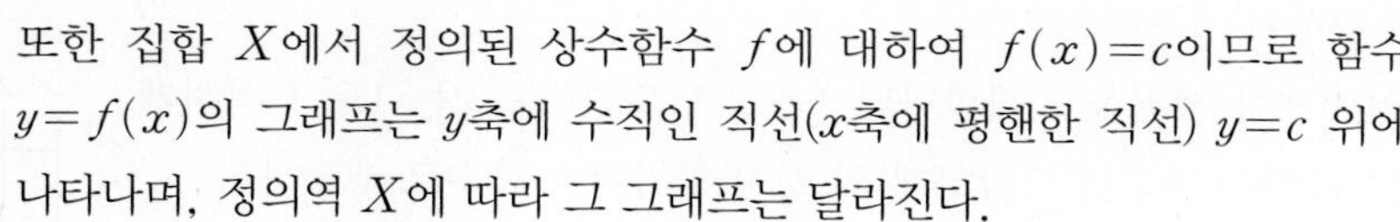

또한 집합 X에서 정의된 상수함수 f에 대하여 $f(x)=c$이므로 함수 $y=f(x)$의 그래프는 y축에 수직인 직선(x축에 평행한 직선) $y=c$ 위에 나타나며, 정의역 X에 따라 그 그래프는 달라진다.

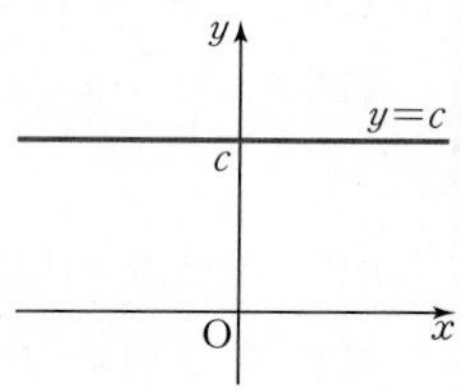

바이블 PLUS ⊕ 사다리타기 게임과 일대일대응

사람들이 모여서 무작위로 무언가를 정할 때 많이 사용하는 게임 중 하나가 바로 사다리타기 게임이다. 사다리타기 게임은 사람 수만큼 세로줄을 긋고 한 편에는 이름, 다른 한 편에는 상품이나 벌칙을 쓴 뒤 세로줄 사이사이에 가로줄을 무작위로 그은 후 세로줄을 타고 아래로 내려가면서 가로줄을 만날 때마다 가로줄로 연결된 다른 세로줄로 옮겨가는 게임이다.

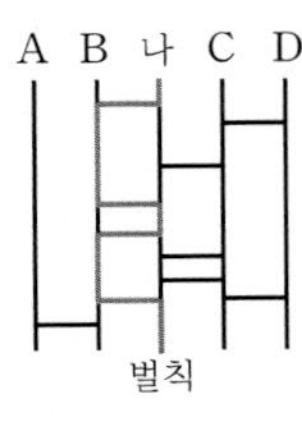

사다리타기 게임과 앞서 학습한 함수의 개념을 서로 비교해 보자.

오른쪽 그림과 같이 사람 수만큼 있는 세로줄의 위, 아래에 서로 같은 수를 적은 후 가로줄을 아무것도 그리지 않고 게임을 시작한다면 각각의 수는 모두 자기 자신으로 도착한다. 이를 함수로 생각하면 정의역의 각 원소가 자기 자신으로 대응되는 함수, 즉 항등함수이다. ← 항등함수는 일대일대응이다.

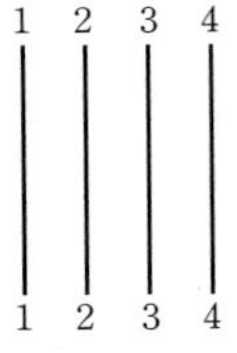

이제 가로줄 하나를 추가하여 생각해보자.
오른쪽 그림과 같은 상태에서 게임을 시작한다면 1은 2로 도착하고 2는 1로 도착하게 된다. 즉, 1과 2는 서로 자리를 바꾸어 도착하게 되고, 마찬가지로 함수로 생각하면 $f(1)=2$, $f(2)=1$, $f(3)=3$, $f(4)=4$이다. 이때 가로줄이 없을 때와 비교하여 본다면 1과 2는 서로 자리가 바뀌었을 뿐 '일대일대응'임에는 변함이 없다.

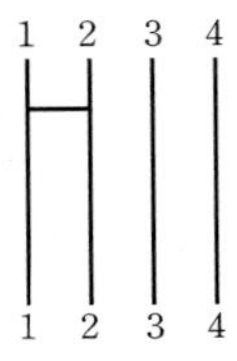

가로줄 하나를 더 추가하여 생각해보자.
오른쪽 그림과 같은 상태에서 게임을 시작한다면 1은 3으로 도착하고 2는 1로, 3은 2로 도착하게 된다. 순서대로 생각하면 첫 번째 가로줄에 의해 1은 2에 도착해야 하는데 두 번째 가로줄에 의해 3과 자리를 한 번 더 바꾼 것이다. 마찬가지로 함수로 생각하면 $f(1)=3$, $f(2)=1$, $f(3)=2$, $f(4)=4$이므로 여전히 일대일대응이다.

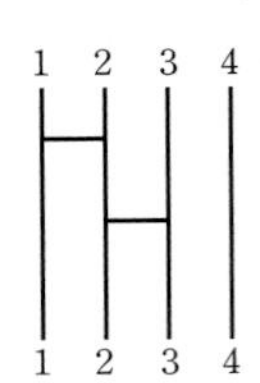

결국 가로줄 하나는 이 가로줄로 연결된 결과를 서로 '바꾸어주는' 역할만 할 뿐이다. 따라서 함수로 생각했을 때, 가로줄이 아무리 많이 증가하여도 '일대일대응'임에는 변함이 없다.

개념 CHECK

01. 함수

01 다음 대응이 집합 X에서 집합 Y로의 함수인지 판별하고, 함수인 것은 정의역, 공역, 치역을 구하시오.

(1)
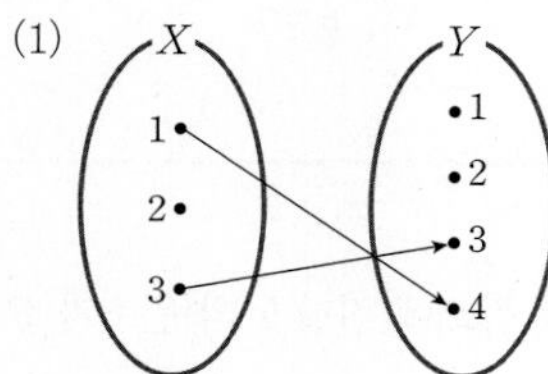

(2)
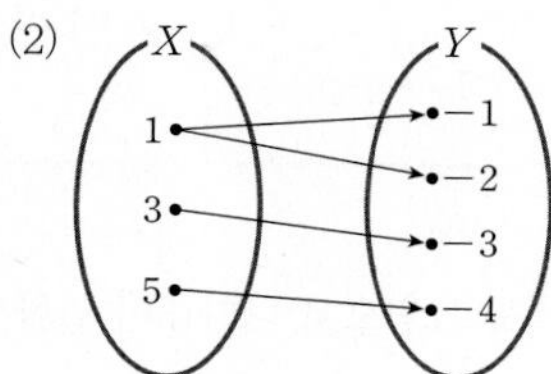

(3)
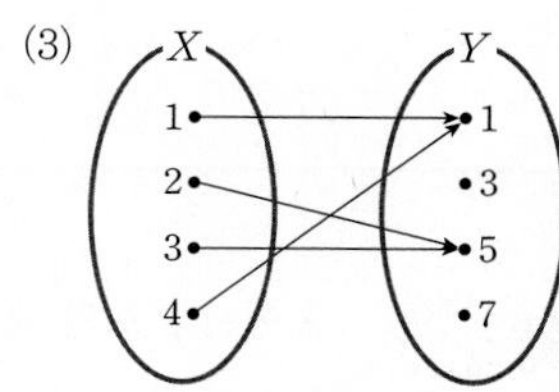

02 두 함수 f, g의 정의역이 $\{-1, 1\}$일 때, 다음 두 함수가 서로 같은 함수인지 판단하시오.

(1) $f(x)=x$, $g(x)=\frac{1}{x}$

(2) $f(x)=-x-1$, $g(x)=x^2-x$

03 정의역이 다음과 같을 때, 함수 $y=x+2$의 그래프를 좌표평면 위에 나타내시오.

(1) $\{0, 2\}$

(2) $\{x \mid x$는 실수$\}$

04 **보기**의 함수 중 다음에 해당하는 것을 있는 대로 고르시오.

보기

ㄱ. $y=1$　　ㄴ. $y=x$　　ㄷ. $y=-x$

(1) 일대일함수

(2) 일대일대응

(3) 항등함수

(4) 상수함수

대표 예제 I 01

함수의 뜻

두 집합 $X=\{-1, 0, 1\}$, $Y=\{1, 2, 3, 4\}$에 대하여 집합 X의 원소 x에 집합 Y의 원소 y로의 대응 중 X에서 Y로의 함수인 것을 **보기**에서 있는 대로 고르시오.

보기

ㄱ. $y=3$　　ㄴ. $y=x+2$　　ㄷ. $y=|x|$　　ㄹ. $y=x^2$

바로 접근

X에서 Y로의 대응 관계를 그림으로 나타내어 집합 X의 각 원소에 집합 Y의 원소가 오직 하나씩 대응되는지 알아본다.

이때 다음의 대응은 함수가 될 수 없다.

① X의 원소 중 Y의 원소에 대응하지 않는 원소가 있을 때

② X의 한 원소에 Y의 원소가 두 개 이상 대응될 때

바른 풀이

주어진 대응 관계를 그림으로 나타내면 다음과 같다.

ㄱ.

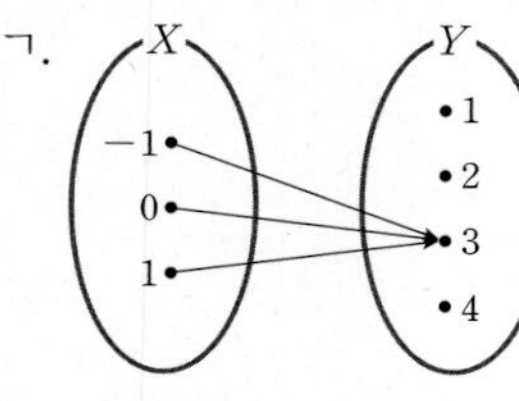

ㄴ.

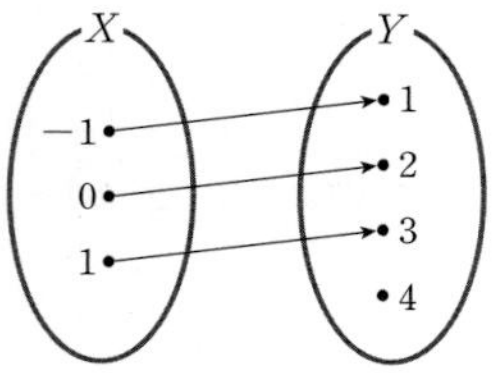

ㄷ.

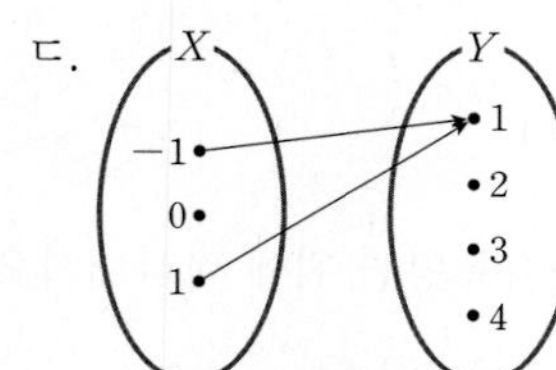

ㄹ.

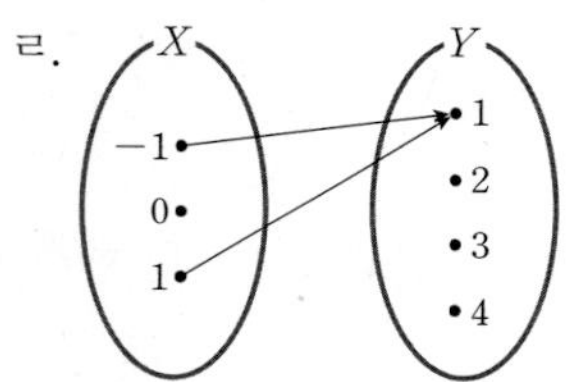

이때 ㄷ, ㄹ은 집합 X의 원소 0에 대응하는 집합 Y의 원소가 없으므로 함수가 아니다.

따라서 함수인 것은 ㄱ, ㄴ이다.

정답 ㄱ, ㄴ

Bible Says

X에서 Y로의 함수가 되려면 다음 조건을 모두 만족시켜야 한다.

① 집합 X의 모든 원소에 집합 Y의 원소가 대응해야 한다.

② 집합 X의 각 원소에 대응하는 집합 Y의 원소는 오직 하나이어야 한다.

다만, 공역 Y의 원소 중 정의역의 원소에 대응하지 않는 원소가 있을 수 있다.

빠른 정답 • 515쪽 / 정답과 풀이 • 124쪽

한 번 더하기

01-1

두 집합 $X=\{-2, -1, 0\}$, $Y=\{-1, 0, 1, 2\}$에 대하여 집합 X의 원소 x에 집합 Y의 원소 y로의 대응 중 X에서 Y로의 함수인 것을 **보기**에서 있는 대로 고르시오.

보기

ㄱ. $y=0$　　ㄴ. $y=2x+3$　　ㄷ. $y=|x+1|$　　ㄹ. $y=(x+1)^2$

한 번 더하기

01-2

두 집합 $X=\{0, 1, 2\}$, $Y=\{1, 3, 5\}$에 대하여 다음 대응 중 X에서 Y로의 함수가 아닌 것은?

① $x \longrightarrow 3$　　② $x \longrightarrow 2x+1$　　③ $x \longrightarrow |-2x+5|$
④ $x \longrightarrow x^2-x+3$　　⑤ $x \longrightarrow x^2+x+1$

표현 더하기

01-3

두 집합 $X=\{-2, 2\}$, $Y=\{0, a\}$에 대하여 집합 X의 원소 x에 집합 Y의 원소 y로의 대응 $y=(x+2)^2$이 X에서 Y로의 함수일 때, a의 값을 구하시오.

실력 더하기　교육청 기출

01-4

무리수 전체의 집합을 X라 할 때, X에서 X로의 함수인 것을 **보기**에서 모두 고른 것은?

보기

ㄱ. $f(x)=x+1$　　ㄴ. $g(x)=x+\sqrt{2}$　　ㄷ. $h(x)=x^2$

① ㄱ　　② ㄴ　　③ ㄱ, ㄷ
④ ㄴ, ㄷ　　⑤ ㄱ, ㄴ, ㄷ

대표 예제 02

정의역, 공역, 치역

집합 $X=\{-2, -1, 0, 1, 2\}$를 정의역으로 하는 함수 f가 다음과 같을 때, 함수 f의 치역을 구하시오.

(1) $f(x)=\begin{cases} 2x+1 & (x<0) \\ 2x-1 & (x\geq 0) \end{cases}$

(2) $f(x)=\begin{cases} -x^2+4 & (x=0) \\ x^2-4 & (|x|\geq 1) \end{cases}$

바로 접근 집합 X의 원소를 주어진 함수 f에 차례대로 대입하여 함숫값을 모두 구한 후 집합으로 나타내어 치역을 구한다.

바른 풀이 (1) (i) $x<0$일 때

$f(x)=2x+1$이므로

$f(-2)=2\times(-2)+1=-3$, $f(-1)=2\times(-1)+1=-1$

(ii) $x\geq 0$일 때

$f(x)=2x-1$이므로

$f(0)=2\times 0-1=-1$, $f(1)=2\times 1-1=1$, $f(2)=2\times 2-1=3$

(i), (ii)에서 함수 f의 치역은

$\{-3, -1, 1, 3\}$

(2) (i) $x=0$일 때

$f(x)=-x^2+4$이므로

$f(0)=-0^2+4=4$

(ii) $|x|\geq 1$일 때

$f(x)=x^2-4$이므로

$f(-2)=(-2)^2-4=0$, $f(-1)=(-1)^2-4=-3$,

$f(1)=1^2-4=-3$, $f(2)=2^2-4=0$

(i), (ii)에서 함수 f의 치역은

$\{-3, 0, 4\}$

정답 (1) $\{-3, -1, 1, 3\}$ (2) $\{-3, 0, 4\}$

Bible Says

함수 $f: X \longrightarrow Y$에서 함숫값 전체의 집합 $\{f(x)\,|\,x\in X\}$를 함수 f의 치역이라 한다.
이때 함숫값의 일부로 이루어진 집합을 치역으로 생각하거나 함수의 공역을 치역과 같다고 착각하지 않도록 주의하자.

한 번 더하기

02-1

집합 $X=\{1,\ 2,\ 3,\ \cdots,\ 10\}$을 정의역으로 하는 함수 f가

$$f(x)=\begin{cases} -x+11 & (x\text{는 홀수}) \\ x & (x\text{는 짝수}) \end{cases}$$

일 때, 함수 f의 치역을 구하시오.

표현 더하기

02-2

집합 $X=\{x\,|\,0\le x\le 5,\ x\text{는 정수}\}$를 정의역으로 하는 함수 $f : X \longrightarrow X$를

$$f(x)=(x^2\text{을 4로 나누었을 때의 나머지})$$

로 정의할 때, 함수 f의 치역을 구하시오.

표현 더하기

02-3

집합 $X=\{1,\ 2\}$를 정의역으로 하는 두 함수

$$f(x)=ax+b,\ g(x)=x^2+x$$

의 치역이 서로 같을 때, 상수 a, b에 대하여 ab의 값을 모두 구하시오.

실력 더하기

02-4

집합 $X=\{1,\ 2,\ 3,\ 4\}$에 대하여 함수 $f : X \longrightarrow X$가

$$f(x)=ax+a-1$$

일 때, $f(a)$의 값을 구하시오. (단, a는 상수이다.)

대표 예제 | 03

서로 같은 함수

집합 $X=\{1, 3\}$을 정의역으로 하는 두 함수 $f(x)=x^2-x$, $g(x)=ax+b$에 대하여 $f=g$일 때, 상수 a, b의 값을 각각 구하시오.

바로 접근

두 함수 f, g가 서로 같으면

① 두 함수의 정의역과 공역이 각각 서로 같다.

② 정의역의 모든 원소 x에 대하여 $f(x)=g(x)$이다.

따라서 정의역의 모든 원소에 대응하는 함숫값이 서로 같은지를 비교한다.

바른 풀이

두 함수 f, g에 대하여 $f=g$이므로

정의역의 모든 원소 x에 대하여 $f(x)=g(x)$이다.

$f(1)=g(1)$에서 $1-1=a+b$

$\therefore a+b=0$ ······ ㉠

$f(3)=g(3)$에서 $9-3=3a+b$

$\therefore 3a+b=6$ ······ ㉡

㉠, ㉡을 연립하여 풀면

$a=3$, $b=-3$

다른 풀이

두 함수 f, g에 대하여 $f=g$이므로

$f(1)=g(1)$, $f(3)=g(3)$

따라서 1, 3은 모두 방정식 $f(x)=g(x)$, 즉 $f(x)-g(x)=0$의 근이다.

이때

$$f(x)-g(x)=(x^2-x)-(ax+b)$$
$$=x^2-(a+1)x-b$$

에서 $f(x)-g(x)$는 최고차항의 계수가 1인 이차식이고,

최고차항의 계수가 1인 x에 대한 이차방정식의 두 근이 $x=1$, $x=3$이면

이 이차방정식은 $(x-1)(x-3)=0$, 즉 $x^2-4x+3=0$으로 나타낼 수 있다.

$x^2-(a+1)x-b=x^2-4x+3$

에서 $a=3$, $b=-3$

정답 $a=3$, $b=-3$

Bible Says

두 함수가 서로 같은 함수인지 판단할 때는 정의역의 각 원소에 대한 두 함수의 함숫값을 비교해야 한다.
이때 함숫값이 서로 같으므로 다른 풀이 와 같이 $f(1)=g(1)$, $f(3)=g(3)$에서 방정식 $f(x)-g(x)=0$의 해가 $x=1$ 또는 $x=3$임을 이용하여 $f(x)-g(x)$의 식을 구하는 방법은 많이 응용되므로 함께 익혀두도록 하자.

빠른 정답 • 515쪽 / 정답과 풀이 • 125쪽

한 번 더하기

03-1

집합 $X=\{-1, 1\}$을 정의역으로 하는 두 함수 $f(x)=x^2+ax$, $g(x)=x+b$에 대하여 $f=g$일 때, 상수 a, b의 값을 각각 구하시오.

한 번 더하기

03-2

집합 $X=\{1, 2, 3\}$을 정의역으로 하는 두 함수 f, g에 대하여 **보기**에서 $f=g$인 것만을 있는 대로 고르시오.

보기

ㄱ. $f(x)=x$, $g(x)=-x+4$

ㄴ. $f(x)=|x-2|+1$, $g(x)=(x-2)^2+1$

ㄷ. $f(x)=x-3$, $g(x)=\dfrac{x^2-9}{x+3}$

표현 더하기

03-3

집합 $X=\{a, b\}$를 정의역으로 하는 두 함수

$$f(x)=x^2+3,\ g(x)=4x$$

에 대하여 $f=g$가 성립할 때, 상수 a, b에 대하여 $a+b$의 값을 구하시오.

실력 더하기

03-4

실수 전체의 집합의 부분집합 X를 정의역으로 하는 두 함수

$$f(x)=3x^2-4x+5,\ g(x)=x^2+2x+1$$

에 대하여 $f=g$가 성립하도록 하는 공집합이 아닌 집합 X의 개수를 구하시오.

대표 예제 | 04

다음 중 함수의 그래프인 것을 있는 대로 고르시오.

(1)
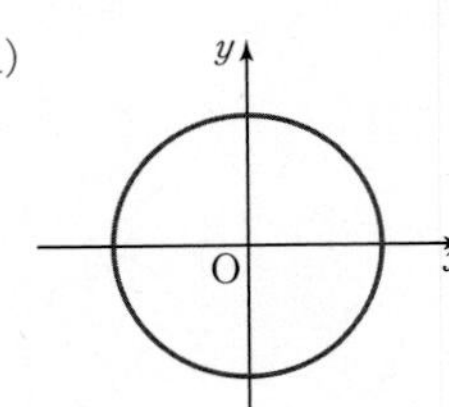
(2)
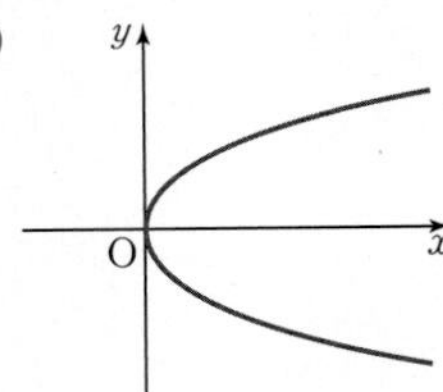
(3)
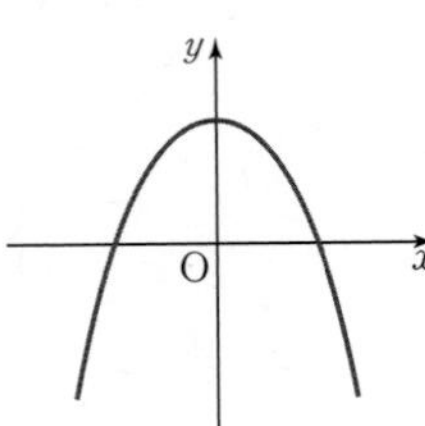
(4)
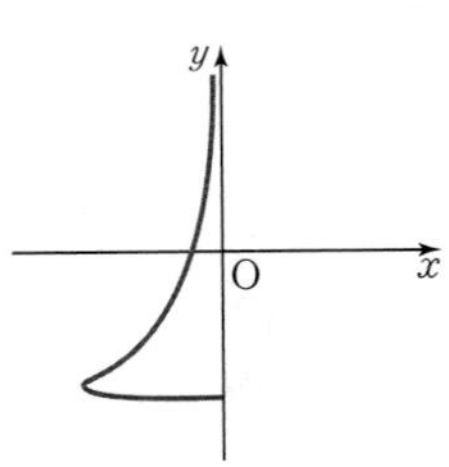

바로 접근

x축과 수직인 직선을 그려서 이 직선과 주어진 그래프의 교점의 개수를 세어 본다.
이때 교점의 개수가 항상 1이면 함수의 그래프이고, 2 이상인 경우가 있거나 교점이 존재하지 않으면 함수의 그래프가 아니다.

바른 풀이

정의역의 각 원소 a에 대하여 x축과 수직인 직선 $x=a$를 그려서 교점의 개수가 항상 1인 것을 찾는다.

(1)
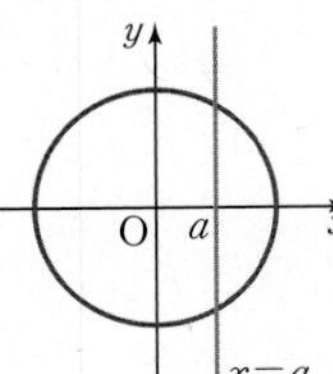
(2)
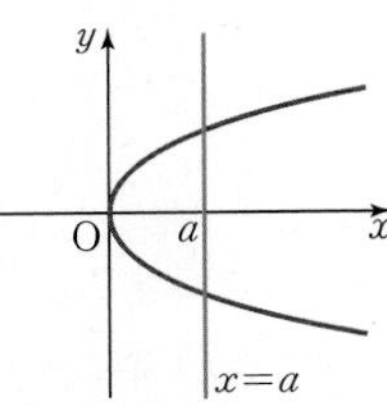
(3)
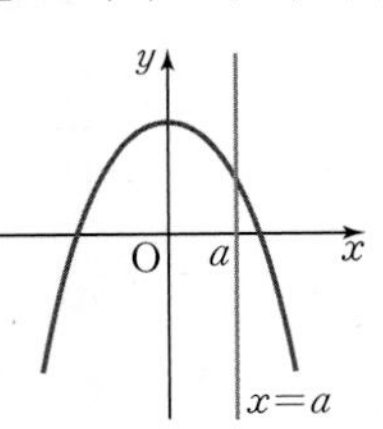
(4)
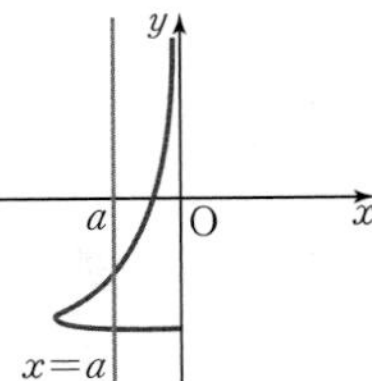

(3)은 직선 $x=a$와 항상 한 점에서만 만나므로 함수의 그래프이고,
(1), (2), (4)는 직선 $x=a$와 2개의 점에서 만나기도 하므로 함수의 그래프가 아니다.
따라서 함수의 그래프인 것은 (3)이다.

정답 (3)

Bible Says

X에서 Y로의 함수가 되려면 다음 조건을 모두 만족시켜야 한다.
① 집합 X의 모든 원소에 집합 Y의 원소가 대응해야 한다.
② 집합 X의 각 원소에 대응하는 집합 Y의 원소는 오직 하나이어야 한다.
따라서 함수의 그래프는 정의역의 각 원소 a에 대하여 x축과 수직인 직선 $x=a$를 그렸을 때, 교점의 개수가 항상 1이어야 한다.

한번 더하기

04-1

보기에서 함수의 그래프인 것을 있는 대로 고르시오.

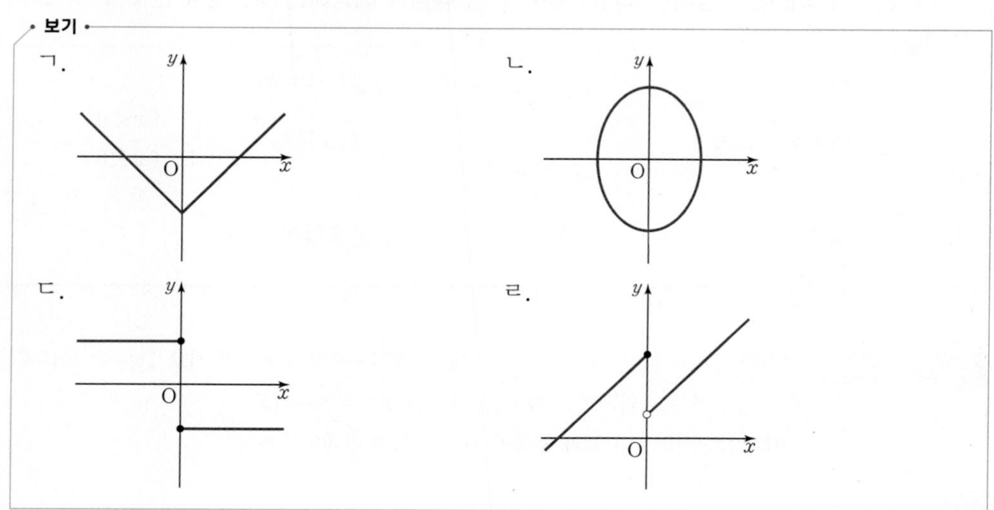

한번 더하기

04-2

다음은 집합 $X=\{1,\ 2,\ 3,\ 4,\ 5\}$에서 정의된 대응을 그래프로 나타낸 것이다. 이 중 함수의 그래프인 것을 있는 대로 고르시오.

(1)
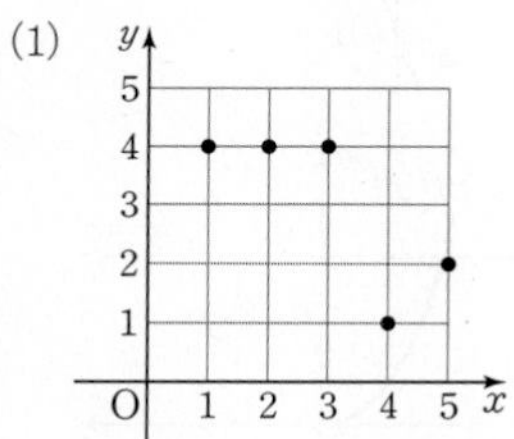

(2)
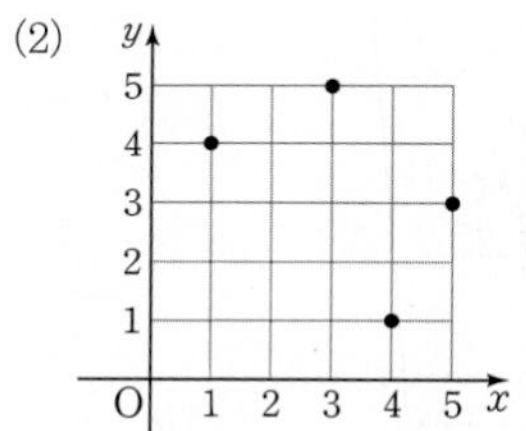

(3)
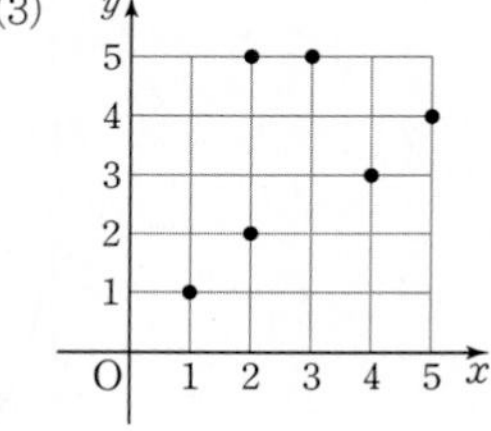

표현 더하기

04-3

실수 전체의 집합을 R라 할 때, 다음 중 R에서 R로의 함수의 그래프인 것을 있는 대로 고르시오.

(1)
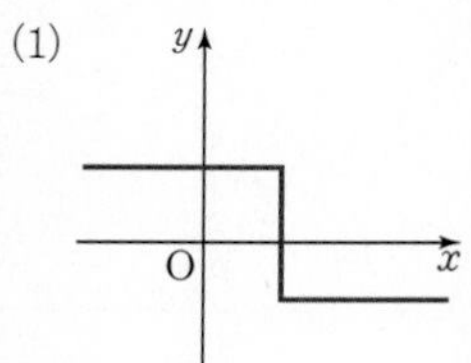

(2)
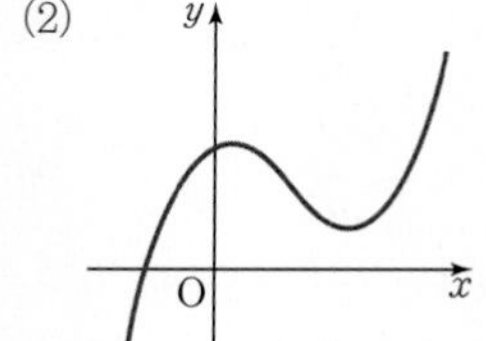

(3)
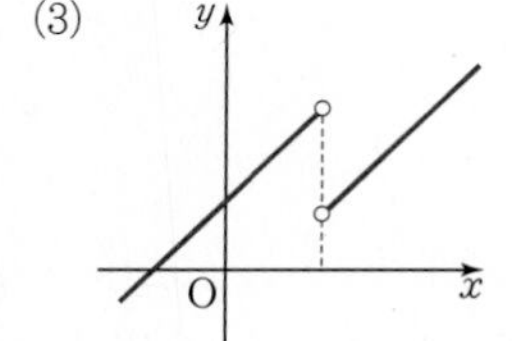

(4)
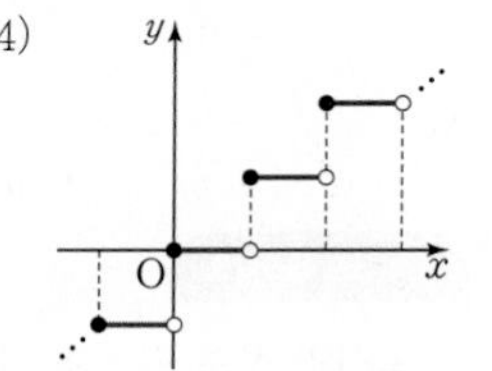

대표 예제 | 05

실수 전체의 집합에서 정의된 **보기**의 함수 f 중 다음에 해당하는 것만을 있는 대로 고르시오.

보기

ㄱ. $f(x)=3$

ㄴ. $f(x)=3x-1$

ㄷ. $f(x)=x^2-4x+3$

ㄹ. $f(x)=\begin{cases} x^2 & (x<0) \\ -x-1 & (x\geq 0) \end{cases}$

(1) 일대일함수

(2) 일대일대응

바로 접근

정의역의 서로 다른 임의의 두 원소에 대응하는 공역의 원소가 서로 같은지, 다른지를 확인한다.
이때 대응하는 공역의 원소가 서로 다르면 일대일함수이고,
일대일함수이면서 치역과 공역이 서로 같으면 일대일대응이다.

바른 풀이

주어진 함수의 그래프를 좌표평면에 나타내고 치역의 각 원소 a에 대하여 y축과 수직인 직선 $y=a$를 그려 보면 다음과 같다.

ㄱ.

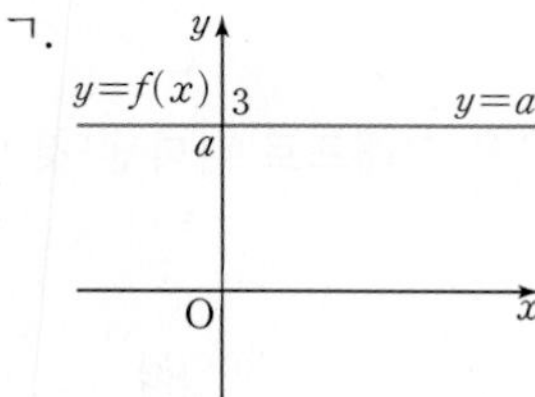

ㄴ.

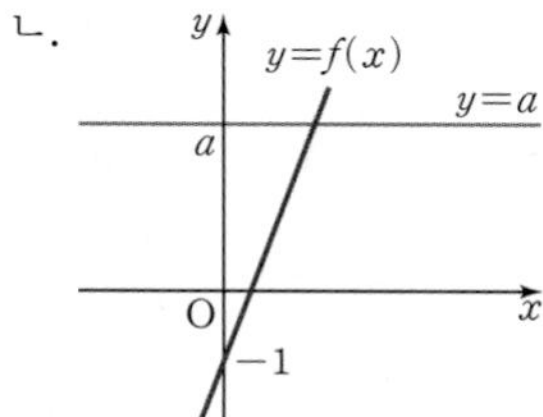

ㄷ.

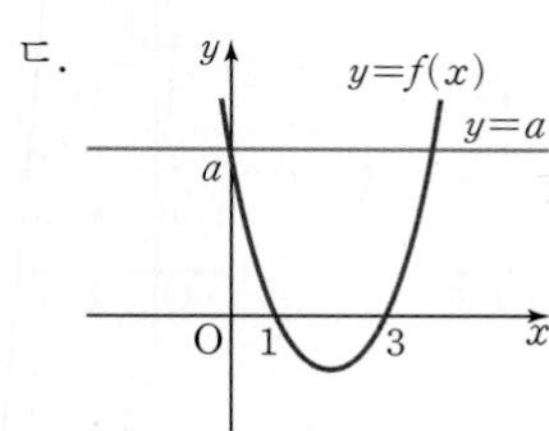

ㄹ.

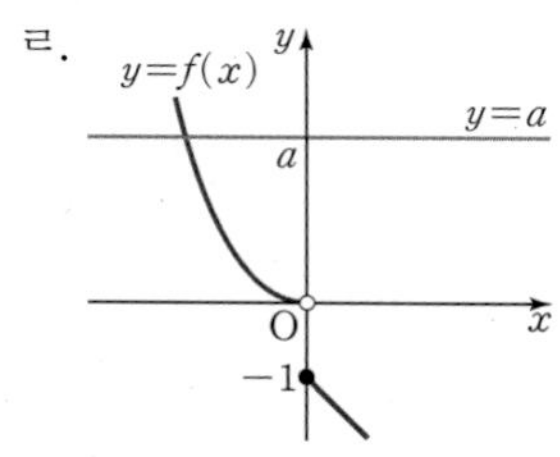

(1) 일대일함수는 정의역의 서로 다른 임의의 두 원소에 대응하는 공역의 원소가 서로 다르므로 ㄴ, ㄹ이다.

(2) 일대일대응은 일대일함수이면서 치역과 공역이 서로 같으므로 ㄴ이다.

참고 함수 ㄹ의 치역은 $\{y|y\leq -1$ 또는 $y>0\}$이다.

정답 (1) ㄴ, ㄹ (2) ㄴ

Bible Says

'정의역 X의 원소 x_1, x_2에 대하여 $x_1\neq x_2$이면 $f(x_1)\neq f(x_2)$이다.'의 대우인
'정의역 X의 원소 x_1, x_2에 대하여 $f(x_1)=f(x_2)$이면 $x_1=x_2$이다.'를 만족시킬 때도 함수 f는 일대일함수이다.
따라서 공역 Y의 한 원소와 대응하는 정의역 X의 원소가 두 개 이상이 있는 경우는 일대일함수가 아니다.

빠른 정답 • 515쪽 / 정답과 풀이 • 127쪽

한 번 더하기

05-1

실수 전체의 집합에서 정의된 **보기**의 함수 중 다음에 해당하는 것만을 있는 대로 고르시오.

보기

ㄱ. $y=1$　　ㄴ. $y=x$　　ㄷ. $y=2x+1$　　ㄹ. $y=x^2-1$

(1) 일대일함수　　(2) 일대일대응

표현 더하기

05-2

집합 $X=\{1, 2, 3, 4\}$에 대하여 **보기**의 그래프는 X에서 X로의 함수의 그래프를 좌표평면에 나타낸 것이다. 다음에 해당하는 것만을 **보기**에서 있는 대로 고르시오.

보기

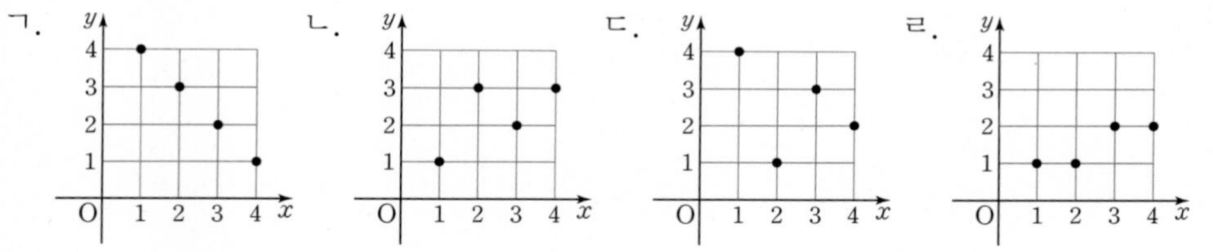

ㄱ. ㄴ. ㄷ. ㄹ.

(1) 일대일함수　　(2) 일대일대응

표현 더하기

05-3

보기의 함수의 그래프 중 일대일함수, 일대일대응의 그래프를 있는 대로 고르시오.

(단, 정의역과 공역은 모두 실수 전체의 집합이다.)

보기

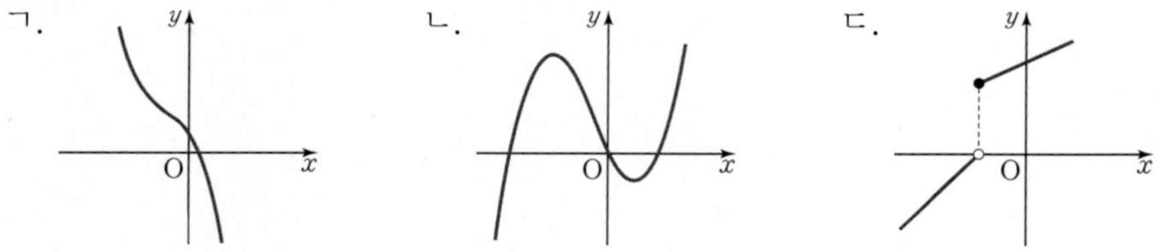

ㄱ. ㄴ. ㄷ.

대표 예제 06

두 집합 $X=\{x|-1\le x\le 1\}$, $Y=\{y|4\le y\le 10\}$에 대하여 X에서 Y로의 함수 $f(x)=ax+b\ (a>0)$가 일대일대응일 때, 상수 a, b의 값을 각각 구하시오.

바로 접근 함수 $f(x)=ax+b\ (a>0)$는 x의 값이 커질 때 함숫값도 커지므로 정의역의 양 끝값에서의 함숫값을 이용하여 치역과 공역이 서로 일치하도록 a, b의 값을 정한다.

바른 풀이 $a>0$이므로 함수 $f(x)=ax+b$는 x의 값이 커질 때 함숫값도 커진다.
따라서 함수 $f(x)$가 일대일대응이려면 함수 $y=f(x)$의 그래프는 오른쪽 그림과 같이 두 점 $(-1,\ 4)$, $(1,\ 10)$을 지나야 한다.

$f(-1)=4$에서 $-a+b=4$ ······ ㉠

$f(1)=10$에서 $a+b=10$ ······ ㉡

㉠, ㉡을 연립하여 풀면

$a=3$, $b=7$

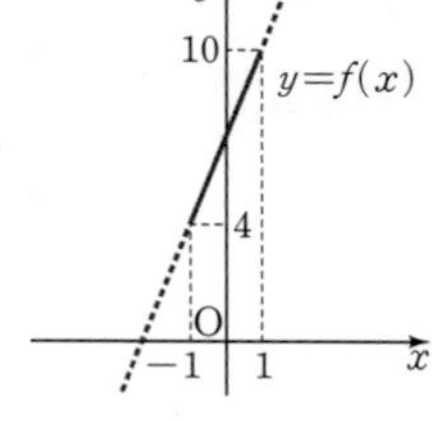

정답 $a=3$, $b=7$

Bible Says

일대일대응이려면 일대일함수이면서 치역과 공역이 서로 일치해야 한다.
이때 $f(x)=ax+b\ (a>0)$는 x의 값이 커질 때 함숫값도 커지므로 이 함수가 일대일대응이면 정의역의 양 끝값에서의 함숫값은 공역의 최댓값과 최솟값이다.

빠른 정답 • 515쪽 / 정답과 풀이 • 128쪽

한 번 더하기

06-1

두 집합 $X=\{x|3\le x\le 5\}$, $Y=\{y|2\le y\le 6\}$에 대하여 X에서 Y로의 함수 $f(x)=ax+b\ (a<0)$가 일대일대응일 때, 상수 a, b의 값을 각각 구하시오.

표현 더하기

06-2

두 집합 $X=\{x|x\ge 1\}$, $Y=\{y|y\ge 4\}$에 대하여 X에서 Y로의 함수 $f(x)=x^2+k$가 일대일대응일 때, 상수 k의 값을 구하시오.

표현 더하기

06-3

두 집합 $X=\{x|-1\le x\le 1\}$, $Y=\{y|-2\le y\le 2\}$에 대하여 X에서 Y로의 함수 $f(x)=ax+b$가 일대일대응일 때, 상수 a, b에 대하여 a^2+b^2의 값을 구하시오.

실력 더하기

06-4

실수 전체의 집합에서 정의된 함수

$$f(x)=\begin{cases} 3x & (x<0) \\ (5-a)x & (x\ge 0) \end{cases}$$

가 일대일대응이 되도록 하는 모든 자연수 a의 값의 합을 구하시오.

대표 예제 | 07

자연수 전체의 집합에서 정의된 두 함수 f, g에 대하여 f가 항등함수일 때, 다음을 구하시오.

(1) 모든 자연수 x에 대하여 $g(x)=5$일 때, $f(2)+g(3)$의 값

(2) g가 상수함수이고 $f(1)+g(3)=5$일 때, 방정식 $g(x)=x$를 만족시키는 x의 값

바로 접근

항등함수는 정의역과 공역이 같으면서 정의역의 각 원소 x가 그 자기 자신인 x에 대응하는 함수이고, 상수함수는 정의역의 모든 원소가 공역의 단 하나의 원소에 대응하는 함수이다.
따라서 각 함수의 정의에 맞는 함수식을 구하고 각각의 함숫값을 구하면 된다.

바른 풀이

(1) 함수 f는 항등함수이므로 $f(x)=x$

$\therefore f(2)=2$

모든 자연수 x에 대하여 $g(x)=5$이므로 g는 상수함수이다.

$\therefore g(3)=5$

$\therefore f(2)+g(3)=2+5=7$

(2) 함수 f는 항등함수이므로 $f(x)=x$

g가 상수함수이므로 $g(x)=k$로 놓으면

$f(1)+g(3)=1+k=5$에서 $k=4$

따라서 모든 자연수 x에 대하여 $g(x)=4$이므로

방정식 $g(x)=x$를 만족시키는 x의 값은 4이다.

정답 (1) 7 (2) 4

Bible Says

① 항등함수 $f: X \longrightarrow X$, $f(x)=x$

② 상수함수 $f: X \longrightarrow Y$, $f(x)=c$ $(c \in Y)$

빠른 정답 • 515쪽 / 정답과 풀이 • 129쪽

한 번 더하기

07-1

정수 전체의 집합에서 정의된 두 함수 f, g에 대하여 f가 항등함수일 때, 다음을 구하시오.

(1) 모든 정수 x에 대하여 $g(x)=3$일 때, $f(1)+g(-2)$의 값

(2) g가 상수함수이고 $f(-3)+g(5)=7$일 때, $g(2)$의 값

표현 더하기

07-2

0이 아닌 실수 a에 대하여 집합 X를 $X=\{-a, a\}$라 하자. X에서 X로의 두 함수 f, g는 각각 항등함수, 상수함수이고 $f(-a)+f(a)+g(-a)+g(a)=-6$일 때, $f(|a|)$의 값을 구하시오.

표현 더하기

07-3

집합 $X=\{1, 3, 5\}$에 대하여 X에서 X로의 세 함수 f, g, h가 각각 일대일대응, 항등함수, 상수함수이고

$$f(3)=g(1)=h(5),\ f(1)=g(3)+2h(1)$$

을 만족시킬 때, $f(5)+g(5)+h(5)$의 값을 구하시오.

실력 더하기

07-4

X에서 X로의 함수 $f(x)=x^2-x-3$이 항등함수가 되도록 하는 공집합이 아닌 집합 X의 개수를 구하시오. (단, X는 실수 전체의 집합의 부분집합이다.)

08

대표 예제 | 08

두 집합 $X=\{0, 1, 2, 3\}$, $Y=\{1, 2, 3, 4, 5\}$에 대하여 다음을 구하시오.

(1) X에서 Y로의 함수의 개수
(2) X에서 Y로의 일대일함수의 개수
(3) X에서 X로의 일대일대응의 개수
(4) X에서 Y로의 상수함수의 개수

바로 접근

함수의 개수는 계승을 이용하면 간단하게 나타낼 수 있다. 예를 들어 (2)의 경우는
0의 함숫값이 될 수 있는 것은 1, 2, 3, 4, 5의 5개
1의 함숫값이 될 수 있는 것은 1, 2, 3, 4, 5 중 0의 함숫값을 제외한 4개
2의 함숫값이 될 수 있는 것은 1, 2, 3, 4, 5 중 0, 1의 함숫값을 제외한 3개
3의 함숫값이 될 수 있는 것은 1, 2, 3, 4, 5 중 0, 1, 2의 함숫값을 제외한 2개
이므로 X에서 Y로의 일대일함수의 개수는 $5\times4\times3\times2$와 같이 계산하여 구한다.
이때 연속한 자연수를 차례대로 곱하는 형태의 곱셈은 순열의 수를 이용하여 ${}_5\mathrm{P}_4$로 간단히 나타낼 수 있다.
이처럼 두 집합 X, Y의 원소의 개수가 각각 m, n $(m\leq n)$일 때 일대일함수의 개수는 ${}_n\mathrm{P}_m$이다.

바른 풀이

(1) 정의역의 각 원소의 함숫값이 될 수 있는 것은 1, 2, 3, 4, 5의 5개이므로
X에서 Y로의 함수의 개수는
$5\times5\times5\times5=5^4=625$

(2) 집합 X의 원소의 개수는 4, 집합 Y의 원소의 개수는 5이므로
X에서 Y로의 일대일함수의 개수는
${}_5\mathrm{P}_4=5\times4\times3\times2=120$

(3) 일대일대응이 되려면 정의역 X의 원소 각각에 대응하는 공역 X의 원소가 모두 달라야 한다.
집합 X의 원소의 개수는 4이므로 X에서 X로의 일대일대응의 개수는
${}_4\mathrm{P}_4=4!=4\times3\times2\times1=24$

(4) X에서 Y로의 함수를 f라 하자.
$f(0)=f(1)=f(2)=f(3)=k$로 놓으면
k의 값이 될 수 있는 것은 1, 2, 3, 4, 5의 5개
따라서 X에서 Y로의 상수함수의 개수는 5

정답 (1) 625 (2) 120 (3) 24 (4) 5

Bible Says

두 집합 X, Y의 원소의 개수가 각각 m, n일 때, X에서 Y로의
① 함수의 개수: n^m
② 일대일함수의 개수: ${}_n\mathrm{P}_m$ (단, $m\leq n$)
③ 일대일대응의 개수: ${}_n\mathrm{P}_n=n!$
④ 상수함수의 개수: n

한 번 더하기

08-1

두 집합 $X=\{-1,\ 0,\ 1\}$, $Y=\{2,\ 4,\ 6,\ 8\}$에 대하여 다음을 구하시오.

(1) X에서 Y로의 함수의 개수

(2) X에서 Y로의 일대일함수의 개수

(3) X에서 X로의 일대일대응의 개수

(4) X에서 Y로의 상수함수의 개수

한 번 더하기

08-2

두 집합 $X=\{1,\ 2,\ 3\}$, $Y=\{1,\ 2,\ 3,\ 4,\ 5\}$에 대하여 다음을 구하시오.

(1) X에서 Y로의 일대일함수의 개수

(2) X에서 X로의 일대일대응의 개수

(3) X에서 X로의 항등함수의 개수

표현 더하기

08-3

두 집합 $X=\{-2,\ -1,\ 0,\ 1\}$, $Y=\{-2,\ -1,\ 0,\ 1,\ 2\}$에 대하여 X에서 Y로의 함수 중 일대일함수의 개수를 a, 일대일대응의 개수를 b, 상수함수의 개수를 c라 할 때, $a+b+c$의 값을 구하시오.

실력 더하기

08-4

집합 $X=\{1,\ 2,\ 3,\ \cdots,\ n\}$, $Y=\{1,\ 2,\ 3,\ \cdots,\ 2n\}$에 대하여 X에서 Y로의 상수함수의 개수가 6일 때, X에서 Y로의 일대일함수의 개수를 구하시오.

02 합성함수

1 합성함수

두 함수 $f : X \longrightarrow Y$, $g : Y \longrightarrow Z$에 대하여 집합 X의 각 원소 x에 집합 Z의 원소 $g(f(x))$를 대응시키는 함수를 f와 g의 합성함수라 하고, 이것을 기호로 $g \circ f$와 같이 나타낸다.
또한 함수 $g \circ f : X \longrightarrow Z$에서 x의 함숫값을 기호로 $(g \circ f)(x)$와 같이 나타낸다. 즉,

$$g \circ f : X \longrightarrow Z,\ (g \circ f)(x) = g(f(x))$$

따라서 f와 g의 합성함수를 $y = g(f(x))$와 같이 나타낼 수 있다.

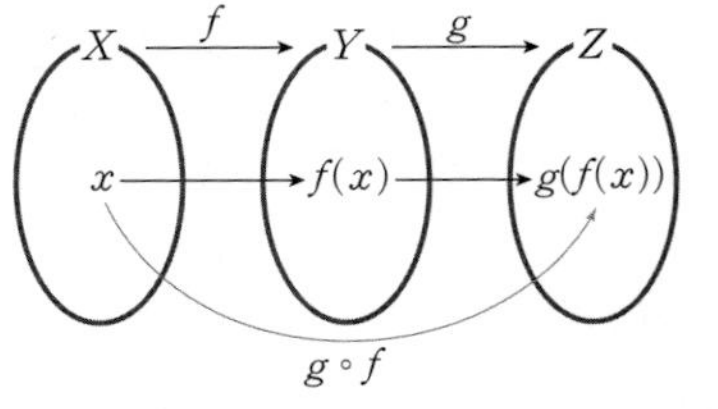

세 집합 $X = \{1, 2, 3, 4\}$, $Y = \{a, b, c, d\}$, $Z = \{p, q, r\}$에 대하여 두 함수 $f : X \longrightarrow Y$, $g : Y \longrightarrow Z$가 오른쪽 그림과 같다고 하자.

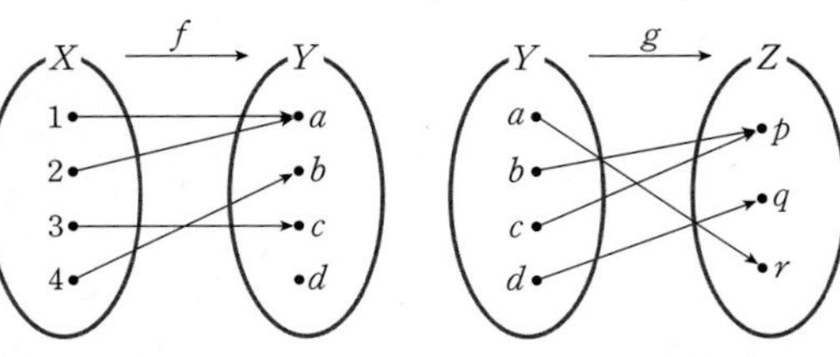

이때 함수 f의 공역과 함수 g의 정의역이 서로 같으므로 두 함수 f, g의 대응을 연속적으로 나타내면 [그림 1]과 같고, [그림 1]의 연속적인 대응 관계에서 X의 원소와 Z의 원소 사이의 대응만을 보면 [그림 2]와 같다.

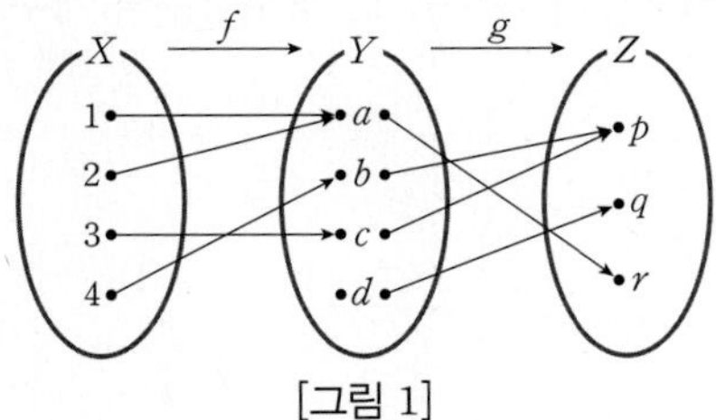

[그림 1]

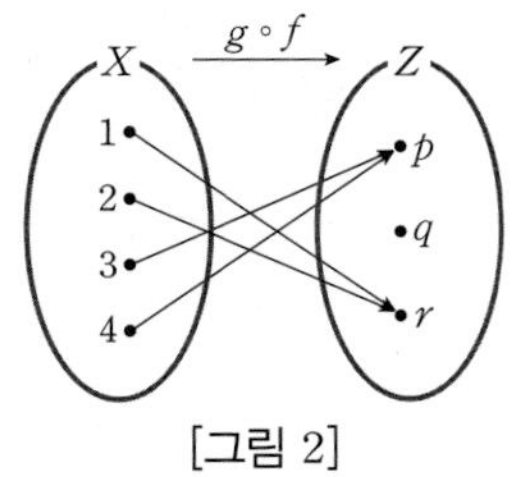

[그림 2]

이렇게 두 함수 $f : X \longrightarrow Y$, $g : Y \longrightarrow Z$로 정의역이 X이고 공역이 Z인 새로운 함수를 만들 수 있다. 이 새로운 함수를 f와 g의 **합성함수**라 하고, 이것을 기호로 $g \circ f$와 같이 나타낸다.
이때 집합 X의 원소 x에 집합 Z의 원소 $g(f(x))$가 대응하므로

$$(g \circ f)(x) = g(f(x))$$

이다. 따라서 f와 g의 합성함수를 $y = g(f(x))$와 같이 나타낼 수 있다.

합성함수 $g \circ f$는 함수 f의 치역이 함수 g의 정의역의 부분집합일 때만 정의된다. 위에서 함수 f의 치역 $\{a, b, c\}$는 함수 g의 정의역 Y의 부분집합이므로 합성함수 $g \circ f$가 정의되지만 함수 g

의 치역 $\{p, q, r\}$는 함수 f의 정의역 X의 부분집합이 아니므로 합성함수 $f \circ g$는 정의되지 않는다. 즉, 서로 다른 두 함수를 합성할 때는 합성하는 순서에 따라서 합성함수가 정의될 수도, 정의되지 않을 수도 있으므로 합성함수에서는 반드시 합성하는 순서에 주의해야 한다.

합성함수 $g \circ f$가 주어졌을 때, 이 함수는 함수 f에 함수 g를 합성한 함수이다. 즉, 합성함수의 기호 $g \circ f$는 오른쪽에 있는 함수 f에서 왼쪽에 있는 함수 g의 순서로 대응 관계를 살펴본다. 이처럼 먼저 적용하는 함수를 오른쪽에 나타낸다고 생각하면 순서를 쉽게 기억할 수 있다.

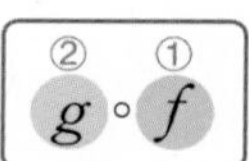

example 세 집합 $X=\{1, 2, 3\}$, $Y=\{4, 5, 6\}$, $Z=\{0, 1, 2\}$에 대하여 두 함수 f, g는 그림과 같다.

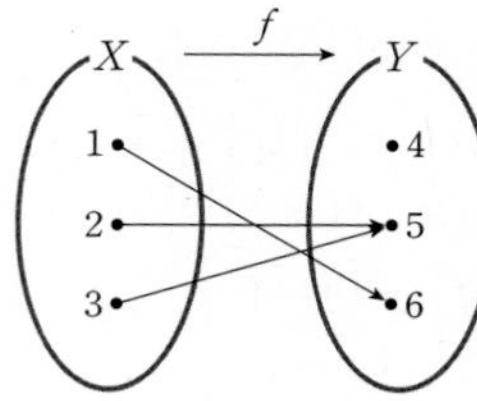

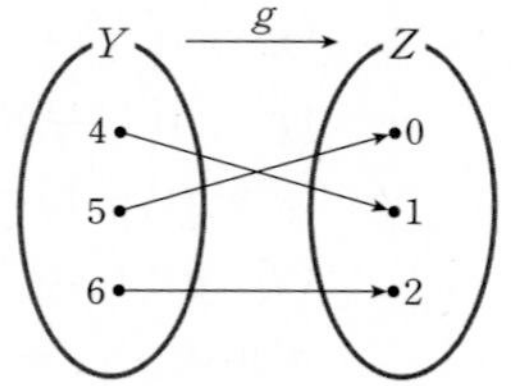

(1) 함수 f의 치역은 $\{5, 6\}$이고 함수 g의 정의역은 $\{4, 5, 6\}$, 즉 함수 f의 치역이 함수 g의 정의역의 부분집합이므로 합성함수 $g \circ f$를 정의할 수 있다. 이때

$$(g \circ f)(1)=g(f(1))=g(6)=2,$$
$$(g \circ f)(2)=g(f(2))=g(5)=0,$$
$$(g \circ f)(3)=g(f(3))=g(5)=0$$

이므로 합성함수 $g \circ f$를 나타내면 오른쪽 그림과 같다.

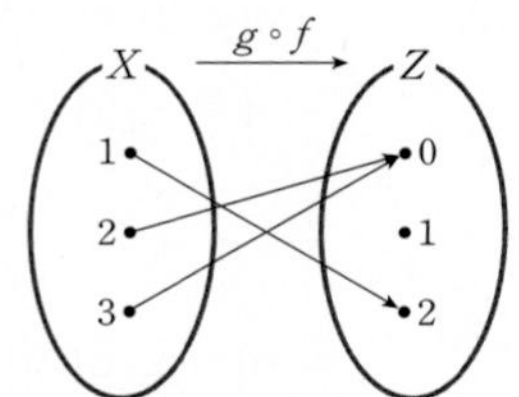

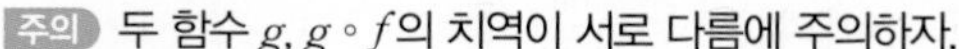

주의 두 함수 g, $g \circ f$의 치역이 서로 다름에 주의하자.

(2) 함수 g의 치역은 $\{0, 1, 2\}$이고 함수 f의 정의역은 $\{1, 2, 3\}$, 즉 함수 g의 치역이 함수 f의 정의역의 부분집합이 아니므로 합성함수 $f \circ g$를 정의할 수 없다.

2 합성함수의 성질

세 함수 f, g, h에 대하여

(1) $g \circ f \neq f \circ g$

(2) $h \circ (g \circ f)=(h \circ g) \circ f$

(3) 함수 $f : X \longrightarrow Y$와 두 항등함수 $I_X : X \longrightarrow X$, $I_Y : Y \longrightarrow Y$에 대하여

$$f \circ I_X = I_Y \circ f = f$$

합성함수의 정의를 이용하여 위의 합성함수의 성질을 확인해 보자.

(1) $g \circ f \neq f \circ g$

$g \circ f = f \circ g$라 가정하자.
[반례] 두 함수 $f(x)=2x-1$, $g(x)=3x+1$에 대하여
$(g \circ f)(x)=g(f(x))=g(2x-1)=3(2x-1)+1=6x-2$, …… ㉠
$(f \circ g)(x)=f(g(x))=f(3x+1)=2(3x+1)-1=6x+1$ …… ㉡
㉠≠㉡이므로 $g \circ f \neq f \circ g$이다.

이처럼 함수의 합성에 대한 교환법칙은 성립하지 않는다.

example

집합 $X=\{-1, 1\}$에 대하여 정의역과 공역이 모두 X인 두 함수 $f(x)$, $g(x)$가
$f(x)=-x^2+2$, $g(x)=|x|-2$일 때,
$(g \circ f)(-1)=g(f(-1))=g(1)=-1$,
$(g \circ f)(1)=g(f(1))=g(1)=-1$,
$(f \circ g)(-1)=f(g(-1))=f(-1)=1$,
$(f \circ g)(1)=f(g(1))=f(-1)=1$
이므로 $g \circ f \neq f \circ g$이다.

함수의 합성에 대한 교환법칙이 항상 성립하지 않는 것은 아니다.
예를 들어 두 함수 $f(x)=x-1$, $g(x)=x+1$에 대하여

$$(g \circ f)(x)=g(f(x))=g(x-1)=(x-1)+1=x,$$
$$(f \circ g)(x)=f(g(x))=f(x+1)=(x+1)-1=x$$

이므로 이 경우는 $g \circ f = f \circ g$이다.
하지만 일반적으로 교환법칙은 성립하지 않으므로 앞에서 언급한 바와 같이 합성함수에서는 반드시 합성하는 순서에 주의해야 한다.

(2) $h \circ (g \circ f)=(h \circ g) \circ f$

세 함수 $f : X \longrightarrow Y$, $g : Y \longrightarrow Z$, $h : Z \longrightarrow W$에 대하여

$g \circ f : X \longrightarrow Z$이므로 $h \circ (g \circ f) : X \longrightarrow W$,
$h \circ g : Y \longrightarrow W$이므로 $(h \circ g) \circ f : X \longrightarrow W$

따라서 두 합성함수 $h \circ (g \circ f)$, $(h \circ g) \circ f$는 모두 X에서 W로의 함수이다.
또한 집합 X의 임의의 원소 x에 대하여

$$(h \circ (g \circ f))(x)=h((g \circ f)(x))=h(g(f(x))),$$
$$((h \circ g) \circ f)(x)=(h \circ g)(f(x))=h(g(f(x)))$$

따라서 $h \circ (g \circ f)=(h \circ g) \circ f$이다. ← $h \circ (g \circ f)=(h \circ g) \circ f$가 성립하므로 $h \circ g \circ f$와 같이 나타낼 수 있다.

이처럼 함수의 합성에 대한 결합법칙은 성립한다.

example

세 함수 $f(x)=x+2$, $g(x)=2x+3$, $h(x)=3x+4$에 대하여

$(g\circ f)(x)=g(f(x))=g(x+2)=2(x+2)+3=2x+7$이므로

$(h\circ(g\circ f))(x)=h((g\circ f)(x))=h(2x+7)$

$\qquad\qquad\qquad\quad =3(2x+7)+4=6x+25$

$(h\circ g)(x)=h(g(x))=h(2x+3)=3(2x+3)+4=6x+13$이므로

$((h\circ g)\circ f)(x)=(h\circ g)(f(x))=(h\circ g)(x+2)$

$\qquad\qquad\qquad\quad =6(x+2)+13=6x+25$

따라서 $h\circ(g\circ f)=(h\circ g)\circ f$이다.

(3) $f\circ I_X=I_Y\circ f=f$

X에서의 항등함수를 I_X, Y에서의 항등함수를 I_Y라 하자.

집합 X의 임의의 원소 x에 대하여

$$(f\circ I_X)(x)=f(I_X(x))=f(x),$$
$$(I_Y\circ f)(x)=I_Y(f(x))=f(x)$$

이므로 $(f\circ I_X)(x)=(I_Y\circ f)(x)=f(x)$

따라서 $f\circ I_X=I_Y\circ f=f$이다.

example

두 집합 $X=\{1, 2\}$, $Y=\{0, 3\}$에 대하여 함수 $f: X \longrightarrow Y$를 $f(x)=x^2-1$이라 할 때, X에서의 항등함수 I_X에 대하여

$(f\circ I_X)(1)=f(I_X(1))=f(1)$,

$(f\circ I_X)(2)=f(I_X(2))=f(2)$

이므로 $(f\circ I_X)(x)=f(x)$이다. …… ㉠

또한 Y에서의 항등함수 I_Y에 대하여

$(I_Y\circ f)(1)=I_Y(f(1))=f(1)$,

$(I_Y\circ f)(2)=I_Y(f(2))=f(2)$

이므로 $(I_Y\circ f)(x)=f(x)$이다. …… ㉡

㉠, ㉡에서 $(f\circ I_X)(x)=(I_Y\circ f)(x)=f(x)$이다.

또한 $f\circ I_X=I_Y\circ f=f$이므로 함수 $f: X \longrightarrow X$와 X에서의 항등함수 I에 대하여

$$f\circ I=I\circ f=f$$

이다. 이때 항등함수 I는 덧셈에서의 0과 같이 연산의 결과가 자기 자신이 나오도록 하는 함수이므로 함수의 합성 과정에서 무시할 수 있다. ← $a+0=0+a=a$와 $f\circ I=I\circ f=f$를 비교하면 된다.

바이블 PLUS 합성함수의 그래프 그리기

다음 그림과 같은 두 함수 $f(x)$, $g(x)$에 대하여 합성함수 $y=(g\circ f)(x)$의 그래프를 그려보자.

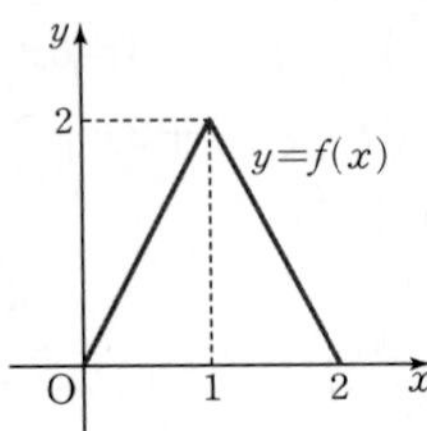
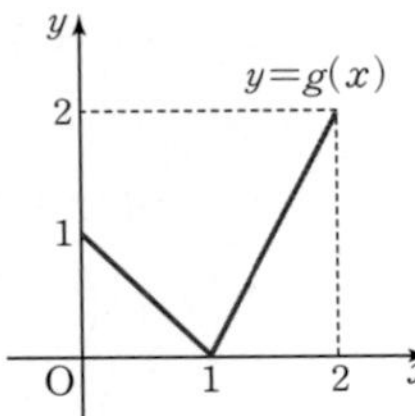

함수 $y=f(x)$의 그래프에서 $0\le x<1$일 때 x의 값이 커지면 $f(x)$의 값은 0부터 2까지 커진다.
이때 $0\le x<2$이면 함수 $y=g(x)$의 그래프 ✓가 모두 나타나므로
함수 $y=(g\circ f)(x)$의 그래프에서 $0\le x<1$일 때 ✓가 모두 나타나도록 그래프를 그린다.

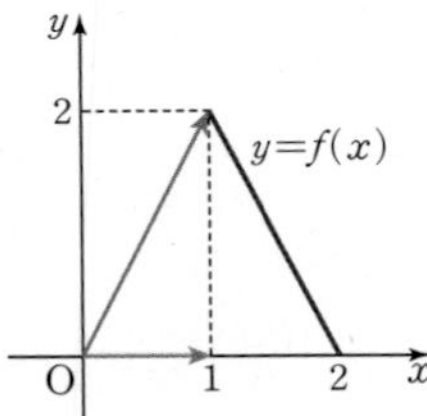
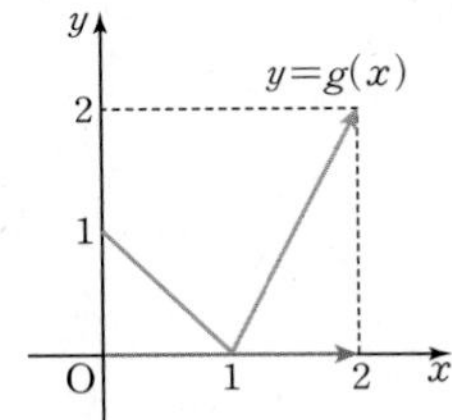
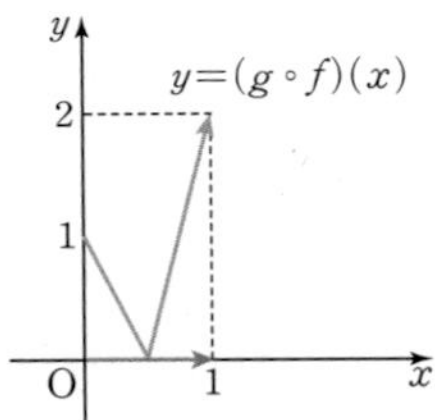

함수 $y=f(x)$의 그래프에서 $1\le x\le 2$일 때 x의 값이 커지면 $f(x)$의 값은 2부터 0까지 작아진다.
이때 $0\le x<2$이면 함수 $y=g(x)$의 그래프 ✓가 모두 나타나므로
함수 $y=(g\circ f)(x)$의 그래프에서 $1\le x\le 2$일 때 ✓의 좌우를 바꾸어 ╲╱가 모두 나타나도록 그래프를 그린다.

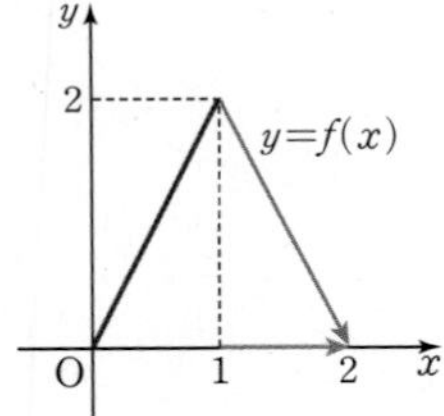
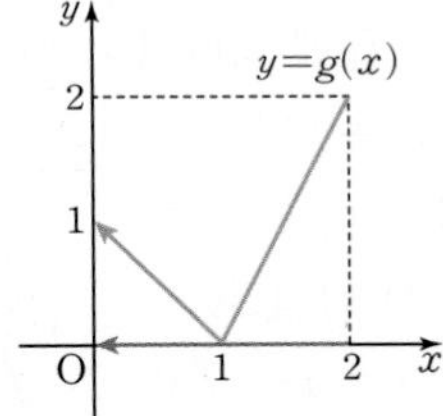
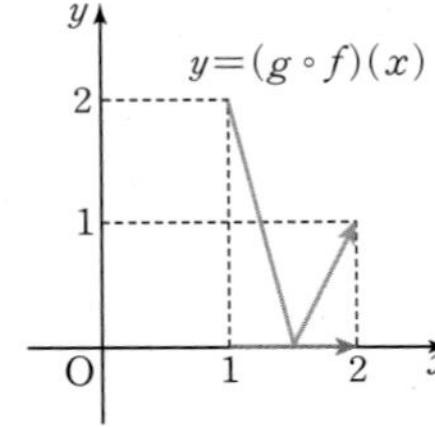

이를 종합하여 $0\le x\le 2$에서 합성함수 $y=(g\circ f)(x)$의 그래프의 개형을 그리면 다음과 같다.

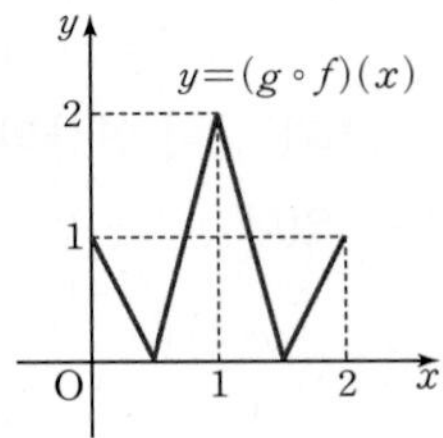

01 두 함수 $f : X \longrightarrow Y$, $g : Y \longrightarrow X$가 그림과 같을 때, 다음을 구하시오.

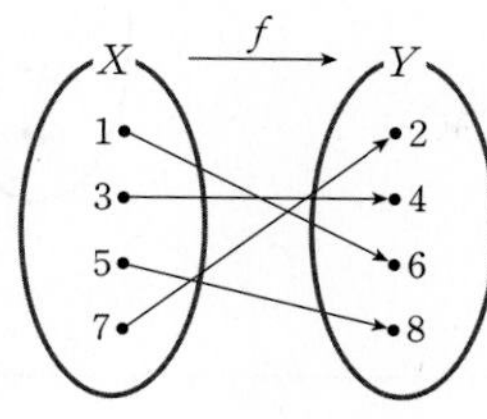

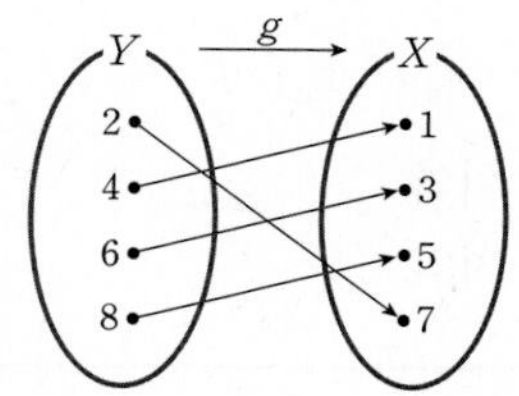

(1) $(g \circ f)(3)$
(2) $(g \circ f)(5)$
(3) $(f \circ g)(4)$
(4) $(f \circ g)(6)$

02 집합 $X=\{-1, 0, 1\}$과 실수 전체의 집합 R에 대하여 X에서 R로의 함수 $f(x)$와 R에서 R로의 함수 $g(x)$가

$$f(x)=-\frac{1}{2}x+\frac{1}{2},\ g(x)=2x$$

일 때, 합성함수 $g \circ f$의 정의역과 치역을 구하시오.

03 두 함수 $f(x)=-2x+1$, $g(x)=x-2$에 대하여 다음 합성함수를 구하시오.

(1) $f \circ f$
(2) $g \circ g$
(3) $g \circ f$
(4) $f \circ g$

04 세 함수 $f(x)=3x-2$, $g(x)=2x-1$, $h(x)=x^2$에 대하여

$$h \circ (g \circ f)=(h \circ g) \circ f$$

가 성립함을 보이시오.

대표 예제 | 09

두 함수 $f : X \longrightarrow Y$, $g : Y \longrightarrow X$가 그림과 같을 때, 다음을 구하시오.

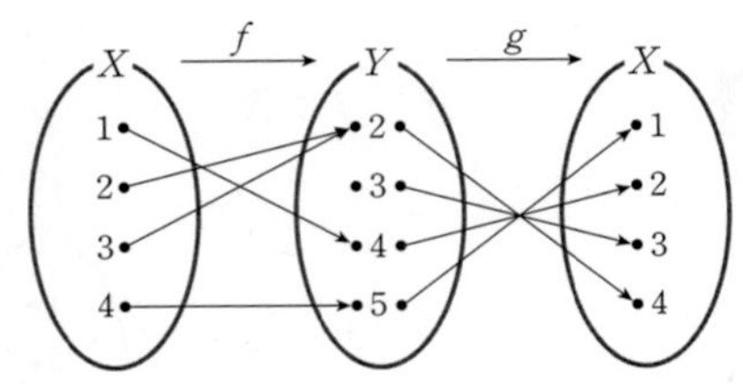

(1) $(g \circ f)(2)$
(2) $(f \circ g)(2)$
(3) 함수 $g \circ f$의 치역
(4) 함수 $f \circ g$의 치역

바로 접근

$(f \circ g)(x)=f(g(x))$는 $f(x)$의 x의 자리에 $g(x)$를 대입하여 구할 수 있다.
따라서 합성함수 $f \circ g$의 함숫값을 구하려면 g의 함숫값을 f에 대입하면 된다.
이때 합성함수 $f \circ g$의 치역과 $g \circ f$의 치역이 서로 같지 않을 수 있음에 주의하자.

바른 풀이

(1) $f(2)=2$이므로
$(g \circ f)(2)=g(f(2))=g(2)=4$
(2) $g(2)=4$이므로
$(f \circ g)(2)=f(g(2))=f(4)=5$
(3) $(g \circ f)(1)=g(f(1))=g(4)=2$
$(g \circ f)(2)=g(f(2))=g(2)=4$
$(g \circ f)(3)=g(f(3))=g(2)=4$
$(g \circ f)(4)=g(f(4))=g(5)=1$
따라서 함수 $g \circ f$의 치역은 $\{1, 2, 4\}$이다.
(4) $(f \circ g)(2)=f(g(2))=f(4)=5$
$(f \circ g)(3)=f(g(3))=f(3)=2$
$(f \circ g)(4)=f(g(4))=f(2)=2$
$(f \circ g)(5)=f(g(5))=f(1)=4$
따라서 함수 $f \circ g$의 치역은 $\{2, 4, 5\}$이다.

정답 (1) 4 (2) 5 (3) $\{1, 2, 4\}$ (4) $\{2, 4, 5\}$

Bible Says

세 함수 f, g, h에 대하여 합성함수는 다음의 성질을 만족시킨다.
① $f \circ g \neq g \circ f$
② $(f \circ g) \circ h = f \circ (g \circ h)$

한번 더하기

09-1

두 함수 $f: X \longrightarrow Y$, $g: Y \longrightarrow Z$가 그림과 같을 때, 다음을 구하시오.

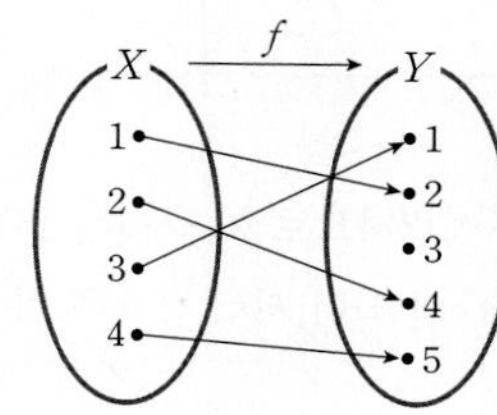
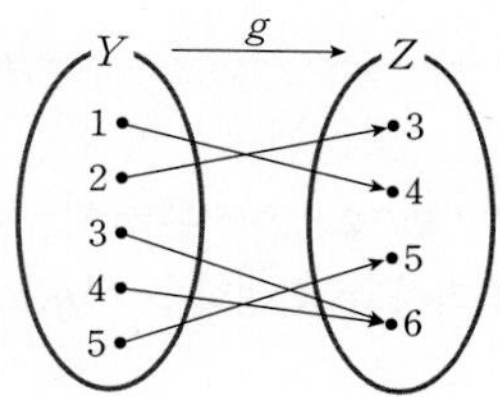

(1) $(g \circ f)(2)$

(2) 함수 $g \circ f$의 치역

한번 더하기 교육청 기출

09-2

그림은 두 함수 $f: X \longrightarrow Y$, $g: Y \longrightarrow X$를 나타낸 것이다.

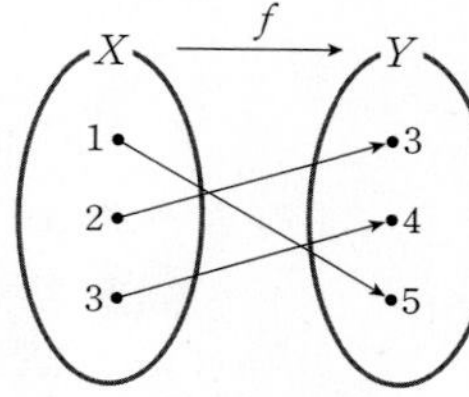
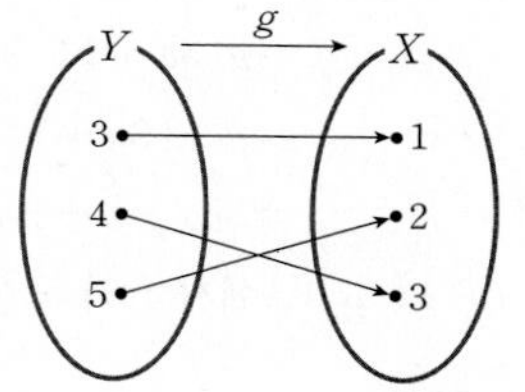

$(g \circ f)(3)-(f \circ g)(3)$의 값은?

① -4　② -3　③ -2　④ -1　⑤ 0

표현 더하기

09-3

두 함수 $f(x)=2x+3$, $g(x)=\begin{cases} -x+2 & (x<2) \\ x^2-1 & (x \geq 2) \end{cases}$에 대하여 $(g \circ f)(1)-(f \circ g)(1)$의 값을 구하시오.

표현 더하기

09-4

두 함수 $f(x)=x+2$, $g(x)=x^2-1$에 대하여 다음을 구하시오.

(1) $(f \circ g)(-1)$

(2) $(f \circ g \circ f)(-5)$

(3) $((g \circ f) \circ g)(x)$

$f\circ g=g\circ f$인 경우

대표 예제 10

두 함수 $f(x)=3x+1$, $g(x)=ax-1$에 대하여 $f\circ g=g\circ f$가 성립할 때, 상수 a의 값을 구하시오.

바로 접근

$f\circ g=g\circ f$는 모든 실수 x에 대하여 성립하므로 이 등식은 x에 대한 항등식이다.
따라서 두 합성함수 $f(g(x))$, $g(f(x))$의 식이 서로 같음을 이용하여 상수 a의 값을 구한다.

바른 풀이

풀이 1

$f(x)=3x+1$, $g(x)=ax-1$에서

$$\begin{aligned}(f\circ g)(x)&=f(g(x))\\&=f(ax-1)\\&=3\times(ax-1)+1\\&=3ax-2 \quad \cdots\cdots ㉠\end{aligned}$$

$$\begin{aligned}(g\circ f)(x)&=g(f(x))\\&=g(3x+1)\\&=a\times(3x+1)-1\\&=3ax+a-1 \quad \cdots\cdots ㉡\end{aligned}$$

$f\circ g=g\circ f$에서 ㉠과 ㉡이 서로 같아야 하므로

$3ax-2=3ax+a-1$

이 등식은 x에 대한 항등식이므로

$-2=a-1 \qquad \therefore a=-1$

풀이 2

$f\circ g=g\circ f$이므로 $(f\circ g)(0)=(g\circ f)(0)$

$g(0)=-1$이므로

$$\begin{aligned}(f\circ g)(0)&=f(g(0))=f(-1)\\&=3\times(-1)+1=-2\end{aligned}$$

$f(0)=1$이므로

$$\begin{aligned}(g\circ f)(0)&=g(f(0))=g(1)\\&=a\times1-1=a-1\end{aligned}$$

$(f\circ g)(0)=(g\circ f)(0)$에서

$-2=a-1 \qquad \therefore a=-1$

참고 항등식에서 정해져 있지 않은 계수를 정하는 방법은 다음과 같다.

① 계수비교법: 항등식에서 양변의 동류항의 계수는 서로 같다는 항등식의 성질을 이용한 방법

② 수치대입법: 항등식은 문자에 어떤 값을 대입하여도 항상 성립한다는 항등식의 뜻을 이용한 방법

정답 -1

Bible Says

$f\circ g=g\circ f$인 경우

① 두 합성함수 $f(g(x))$, $g(f(x))$의 '함수식'이 서로 같음을 이용한다.

② 두 합성함수 $f(g(x))$, $g(f(x))$의 '함숫값'이 항상 같음을 이용한다.

정의역이 무한집합인 경우 보통 ①을 이용하고, 정의역이 유한집합인 경우 항상 ②를 이용하여 구한다.

정의역이 유한집합인 경우 두 함수가 같다고 해서 함수식이 서로 같을 필요는 없음에 주의하자.

한 번 더하기

10-1

두 함수 $f(x)=2x-3$, $g(x)=-x+a$에 대하여 $f\circ g=g\circ f$가 성립할 때, 상수 a의 값을 구하시오.

한 번 더하기

10-2

두 함수 $f(x)=ax+b$, $g(x)=x^2+x+1$에 대하여 $f\circ g=g\circ f$가 성립할 때, 상수 a, b에 대하여 $f(a+b)$의 값을 구하시오. (단, $a\neq0$)

표현 더하기

10-3

집합 $X=\{a, b\}$를 정의역으로 하는 두 함수 $f(x)=|x-2|$, $g(x)=-x+3$에 대하여 $f\circ g=g\circ f$일 때, $b-a$의 값을 구하시오. (단, $a<b$)

실력 더하기

10-4

집합 $X=\{1, 2, 3\}$에 대하여 함수 $f: X \longrightarrow X$는 그림과 같다. 함수 $g: X \longrightarrow X$가 $g(1)=2$, $f\circ g=g\circ f$를 만족시킬 때, $g(2)-g(3)$의 값을 구하시오.

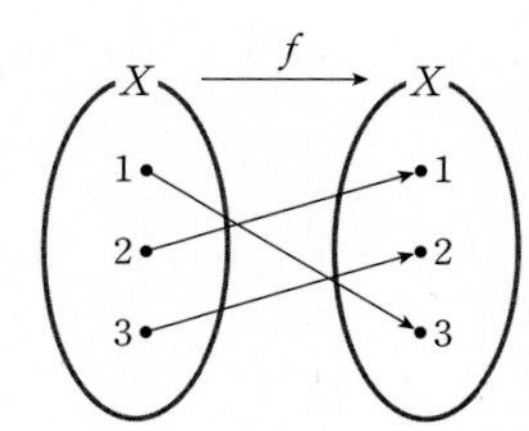

대표 예제 | 11

$f \circ g = h$를 만족시키는 함수 구하기

두 함수 $f(x)=3x-2$, $g(x)=2x+3$에 대하여 다음을 만족시키는 함수 $h(x)$를 구하시오.

(1) $(f \circ h)(x)=g(x)$

(2) $(h \circ g)(x)=f(x)$

바로 접근

함수 h를 구하는 방법은 다음과 같다.

① $f \circ h=g$인 경우 $f \circ h$를 h에 대한 식으로 나타낸 후 식을 정리하여 h를 구한다.

② $h \circ g=f$인 경우 $g(x)=t$로 치환하여 $h(t)$를 구한다.

바른 풀이

(1) $f(x)=3x-2$에서

$(f \circ h)(x)=f(h(x))=3h(x)-2$이므로

$(f \circ h)(x)=g(x)$에서 $3h(x)-2=2x+3$

$3h(x)=2x+5 \qquad \therefore h(x)=\frac{2}{3}x+\frac{5}{3}$

(2) $(h \circ g)(x)=h(g(x))=h(2x+3)$이므로

$(h \circ g)(x)=f(x)$에서 $h(2x+3)=3x-2$ ······ ㉠

$2x+3=t$로 놓으면 $2x=t-3$

$\therefore x=\frac{t-3}{2}$ ······ ㉡

㉠에 ㉡을 대입하면

$h(t)=3\times\frac{t-3}{2}-2=\frac{3}{2}t-\frac{13}{2}$

$\therefore h(x)=\frac{3}{2}x-\frac{13}{2}$

정답 (1) $h(x)=\frac{2}{3}x+\frac{5}{3}$ (2) $h(x)=\frac{3}{2}x-\frac{13}{2}$

Bible Says

$h \circ g=f$에서 $g(x)=t$로 치환하여 구한 $h(t)=at+b$와 $h(x)=ax+b$는 서로 같은 함수임에 유의한다.

한 번 더하기

11-1

두 함수 $f(x)=2x-1$, $g(x)=x+2$에 대하여 다음을 만족시키는 함수 $h(x)$를 구하시오.

(1) $(f \circ h)(x)=g(x)$

(2) $(h \circ g)(x)=f(x)$

표현 더하기

11-2

두 함수 $f(x)=\frac{1}{2}x+1$, $g(x)=-x^2+5$가 있다. 함수 $h(x)$가 $(f \circ h)(x)=g(x)$를 만족시킬 때, $h(3)$의 값은?

① -10 ② -5 ③ 0 ④ 5 ⑤ 10

표현 더하기

11-3

정의역이 실수 전체의 집합인 함수 f가 모든 실수 x에 대하여 $f\left(\frac{2x-4}{3}\right)=4x+6$을 만족시킬 때, 함수 f를 구하시오.

실력 더하기

11-4

두 함수 $f(x)=2x+1$, $g(x)=-2x+3$에 대하여

$$(f \circ h \circ f)(x)=g(x)$$

를 만족시키는 함수 $h(x)$를 구하시오.

대표 예제 | 12

f^n 꼴의 합성함수

함수 $f(x)=x+5$에 대하여

$$f^1=f,\ f^{n+1}=f\circ f^n\ (n\text{은 자연수})$$

으로 정의할 때, $f^{10}(3)$의 값을 구하시오.

바로 접근 함수 f를 연속으로 합성하여 f^2, f^3, f^4, …를 구하여 규칙성을 찾아본다.

바른 풀이

풀이 1

$f^1(x)=f(x)=x+5$

$f^2(x)=(f\circ f^1)(x)=f(f^1(x))$
$=f(x+5)=(x+5)+5$
$=x+10$

$f^3(x)=(f\circ f^2)(x)=f(f^2(x))$
$=f(x+10)=(x+10)+5$
$=x+15$

$f^4(x)=(f\circ f^3)(x)=f(f^3(x))$
$=f(x+15)=(x+15)+5$
$=x+20$

⋮

$\therefore\ f^n(x)=x+5n$

따라서 $f^{10}(x)=x+5\times10=x+50$이므로

$f^{10}(3)=3+50=53$

풀이 2

$f(x)=x+5$에서

$f^1(3)=f(3)=3+5=8$

$f^2(3)=(f\circ f^1)(3)=f(f^1(3))$
$=f(8)=8+5$
$=13$

$f^3(3)=(f\circ f^2)(3)=f(f^2(3))$
$=f(13)=13+5$
$=18$

$f^4(3)=(f\circ f^3)(3)=f(f^3(3))$
$=f(18)=18+5$
$=23$

⋮

$\therefore\ f^n(3)=3+5n$

$\therefore\ f^{10}(3)=3+5\times10=53$

정답 53

Bible Says

f^n 꼴의 합성함수는 f^2, f^3, f^4, …를 구하여 찾은 규칙으로 f^n을 구한다.

한 번 더하기

12-1

함수 $f(x)=2x+1$에 대하여

$$f^1=f,\ f^{n+1}=f\circ f^n\ (n\text{은 자연수})$$

으로 정의할 때, $f^7(1)$의 값을 구하시오.

한 번 더하기

12-2

함수 $f(x)=-x+3$에 대하여

$$f^1=f,\ f^{n+1}=f\circ f^n\ (n\text{은 자연수})$$

으로 정의할 때, $f^{25}(1)+f^{50}(2)$의 값을 구하시오.

표현 더하기

12-3

집합 $X=\{1,\ 2,\ 3\}$에 대하여 X에서 X로의 함수 f는 그림과 같다.

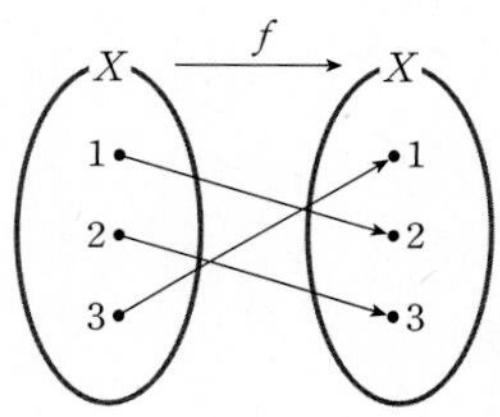

$$f^1=f,\ f^{n+1}=f\circ f^n\ (n\text{은 자연수})$$

으로 정의할 때, $f^{100}(1)+f^{101}(2)$의 값을 구하시오.

실력 더하기

12-4

집합 $X=\{1,\ 2,\ 3,\ 4\}$에 대하여 함수 $f: X \longrightarrow X$는 다음과 같다.

$$f(x)=\begin{cases} x+1 & (x<4) \\ 1 & (x=4) \end{cases}$$

$f^1=f,\ f^{n+1}=f\circ f^n$ (n은 자연수)으로 정의할 때, $f^{50}(4)$의 값을 구하시오.

대표 예제 | 13

함수 $y=f(x)$의 그래프와 직선 $y=x$가 그림과 같을 때, 다음을 구하시오.
(단, 모든 점선은 x축 또는 y축에 평행하다.)

(1) $(f\circ f)(d)$
(2) $(f\circ f)(x)=a$를 만족시키는 x의 값

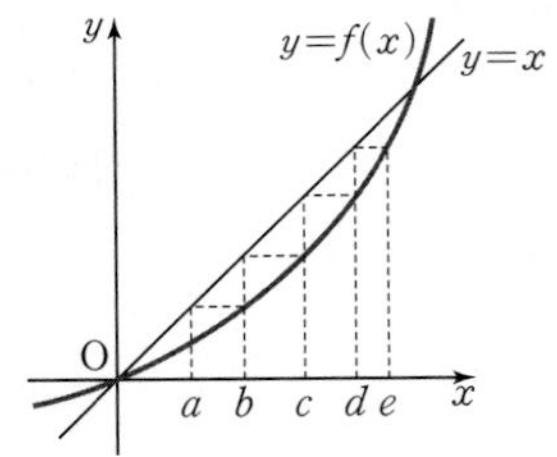

바로 접근 직선 $y=x$를 이용하여 점선과 y축이 만나는 점의 y좌표, 즉 함숫값을 구한 후 합성함수의 정의를 이용하여 문제를 해결한다.

바른 풀이 (1) $f(d)=c$, $f(c)=b$이므로
$(f\circ f)(d)=f(f(d))=f(c)=b$
(2) $f(x)=t$로 놓으면
$(f\circ f)(x)=f(f(x))=f(t)$이므로
$(f\circ f)(x)=a$에서 $f(t)=a$ $\therefore t=b$
따라서 $f(x)=b$에서 $x=c$

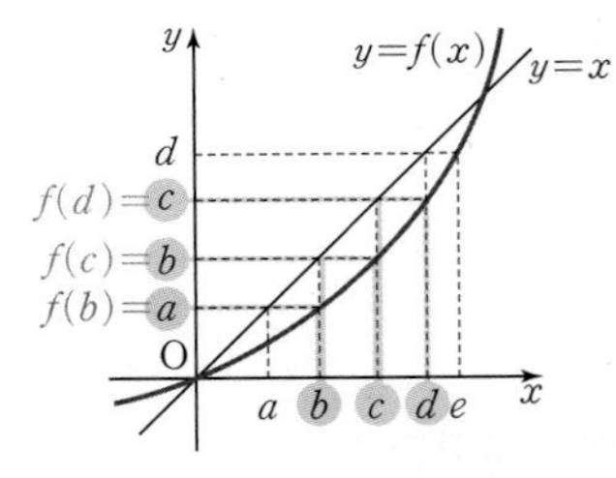

정답 (1) b (2) c

Bible Says

함수 $y=f(x)$의 그래프와 직선 $y=x$가 주어졌을 때, 직선 $y=x$ 위의 점은 x좌표와 y좌표가 서로 같음을 이용하여 함숫값을 구한다.
눈으로 보고 풀이하기보다는 그래프에 직접 선을 그어 보면서 만나는 점의 x좌표, y좌표를 찾아 적는 것이 실수를 줄이는 데 도움이 된다.

한번 더하기

13-1

함수 $y=f(x)$의 그래프와 직선 $y=x$가 그림과 같을 때, 다음을 구하시오. (단, 모든 점선은 x축 또는 y축에 평행하다.)

(1) $(f\circ f)(b)$

(2) $(f\circ f)(x)=e$를 만족시키는 x의 값

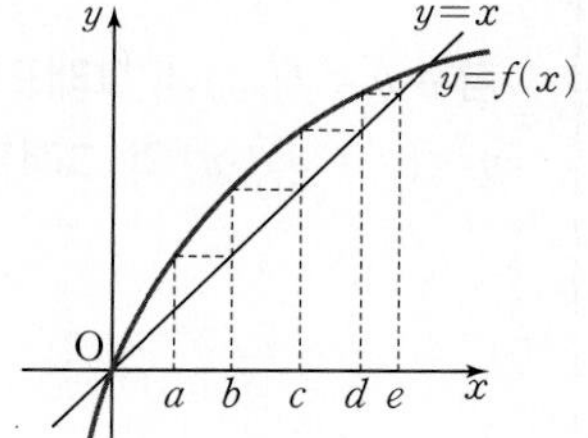

한번 더하기

13-2

함수 $y=f(x)$의 그래프와 직선 $y=x$가 그림과 같을 때, $(f\circ f\circ f)(d)$의 값을 구하시오.

(단, 모든 점선은 x축 또는 y축에 평행하다.)

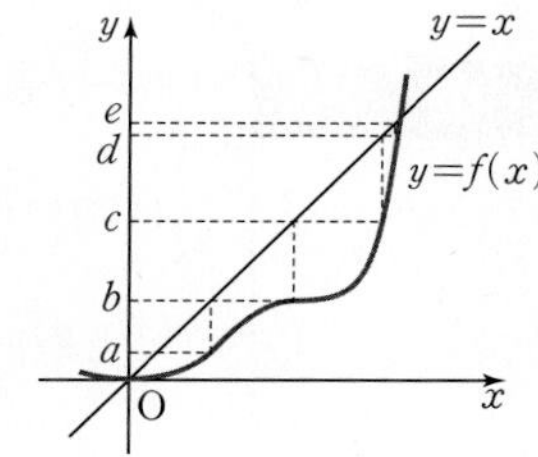

표현 더하기

13-3

$0\leq x\leq 2$에서 정의된 함수 $y=f(x)$의 그래프가 그림과 같을 때, $(f\circ f\circ f)\left(\frac{3}{4}\right)$의 값을 구하시오.

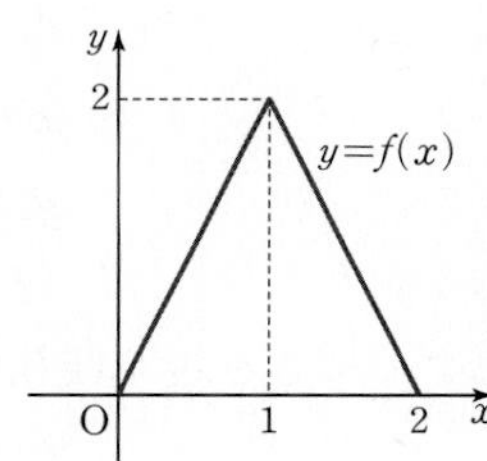

실력 더하기

13-4

$1\leq x\leq 4$에서 정의된 함수 $y=f(x)$의 그래프가 그림과 같을 때, $(f\circ f)(k)=2$를 만족시키는 모든 실수 k의 값의 합을 구하시오.

(단, $1\leq k\leq 4$)

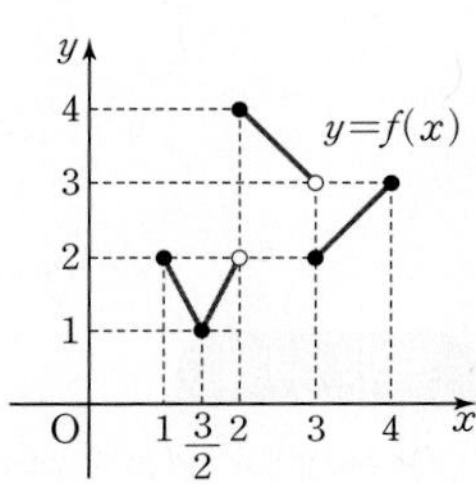

대표 예제 14

합성함수의 그래프 그리기

함수 $y=f(x)$의 그래프가 그림과 같을 때, 함수 $g(x)=x+2$에 대하여 합성함수 $y=(f \circ g)(x)$의 그래프를 그리시오.

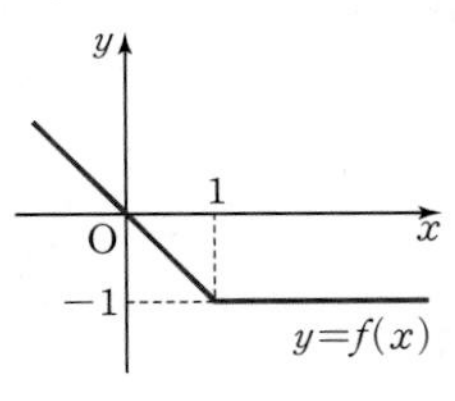

바로 접근 함수 $f(x)$는 $x<1$과 $x \geq 1$에서 함수식이 서로 다르므로 주어진 그래프를 보고 함수식을 구한 후 $g(x)$의 값이 1이 되는 x의 값을 기준으로 범위를 나누어 $(f \circ g)(x)$를 구한다.

바른 풀이 함수 f를 식으로 나타내면 다음과 같다.

$$f(x)=\begin{cases} -x & (x<1) \\ -1 & (x \geq 1) \end{cases}$$

$$(f \circ g)(x)=f(g(x))$$

$$=\begin{cases} -g(x) & (g(x)<1) \\ -1 & (g(x) \geq 1) \end{cases}$$

$g(x)=x+2$이므로

(i) $x<-1$일 때

$g(x)<1$이므로

$(f \circ g)(x)=-g(x)=-(x+2)=-x-2$

(ii) $x \geq -1$일 때

$g(x) \geq 1$이므로

$(f \circ g)(x)=-1$

(i), (ii)에서 합성함수 $y=(f \circ g)(x)$의 그래프는 다음 그림과 같다.

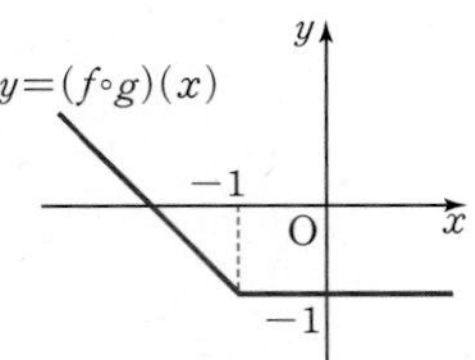

정답 풀이 참조

Bible Says

이 문제에서 $g(x)=x+2$이므로 $(f \circ g)(x)=f(g(x))=f(x+2)$이다.
따라서 함수 $y=f(x)$의 그래프를 x축의 방향으로 -2만큼 평행이동시켜 함수 $y=(f \circ g)(x)$의 그래프를 그릴 수도 있다.
주어진 그래프를 보고 함수식을 구한 후 $(f \circ g)(x)$를 구하여 그래프를 그리는 것을 원칙으로 하고,
이 문제와 같이 평행이동으로 해석 가능한 경우는 문제 풀이 후 풀이가 맞는지 빠르게 검산까지 해 보도록 하자.

한 번 더하기

14-1

함수 $y=f(x)$의 그래프가 그림과 같을 때, 함수 $g(x)=x-2$에 대하여 합성함수 $y=(f\circ g)(x)$의 그래프를 그리시오.

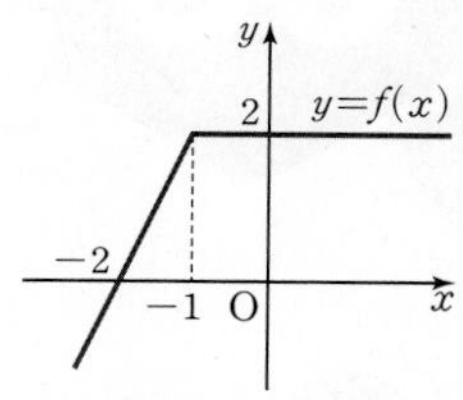

표현 더하기

14-2

$0\le x\le 1$에서 정의된 함수 $y=f(x)$의 그래프가 그림과 같다.
함수 $g(x)=\frac{1}{4}x-\frac{1}{4}$에 대하여 $1\le x\le 5$에서 정의된 함수 $y=(f\circ g)(x)$의 그래프를 그리시오.

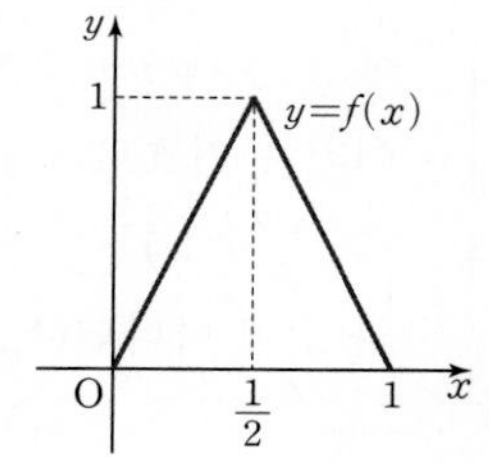

표현 더하기

14-3

$0\le x\le 3$에서 정의된 두 함수 $y=f(x)$, $y=g(x)$의 그래프가 그림과 같을 때, 합성함수 $y=(g\circ f)(x)$의 그래프를 그리시오.

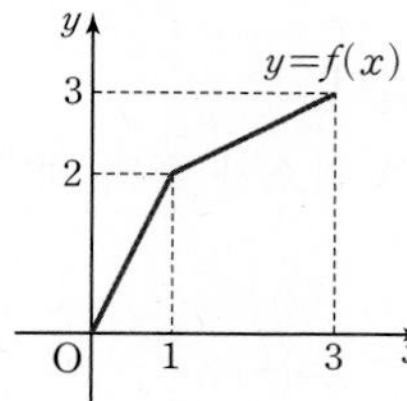

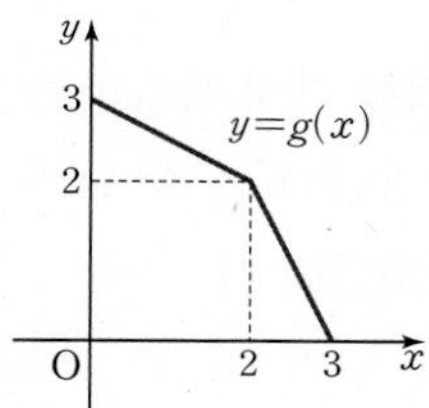

실력 더하기

14-4

$0\le x\le 2$에서 정의된 함수 $y=f(x)$의 그래프가 그림과 같을 때, 합성함수 $y=(f\circ f)(x)$의 그래프를 그리시오.

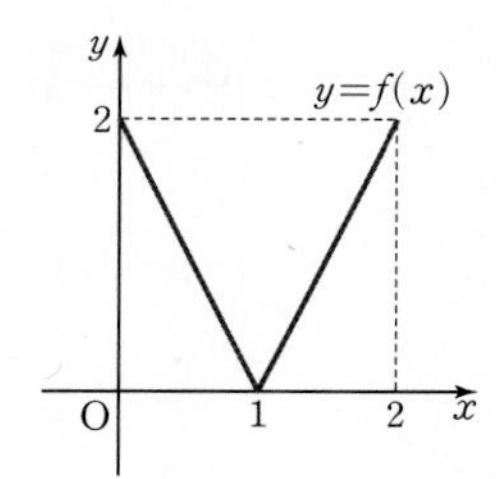

역함수

1 역함수

함수 $f: X \longrightarrow Y$가 일대일대응이면 집합 Y의 각 원소 y에 대하여 $f(x)=y$인 집합 X의 원소 x가 오직 하나 존재한다. 이때 집합 Y의 각 원소 y에 $f(x)=y$인 집합 X의 원소 x를 대응시키는 함수를 f의 역함수라 하고, 이것을 기호로

$f^{-1}: Y \longrightarrow X$

와 같이 나타낸다. 이때 $y=f(x)$에서 $f^{-1}(y)=x$이다.

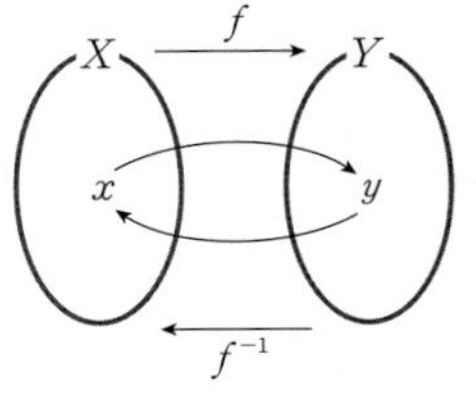

집합 X의 원소 x에 집합 Y의 원소 y가 대응하는 것을 $x \longrightarrow y$로 나타내었다. 이것을 짝지어진 관계를 이용하여 x로 y를 찾는다는 것으로 해석해본다면 반대로 y로 x를 찾을 수 있는지도 생각해볼 수 있다. 즉, 함수 $f: X \longrightarrow Y$가 주어졌을 때, Y에서 X로의 대응을 생각해 볼 수 있다. 이때 f의 반대 방향으로의 대응이 함수이면 이를 f의 **역함수**라 하고, 기호로 f^{-1}와 같이 나타낸다.

함수의 정의를 다시 복습해보면 다음과 같다.

함수: 집합 X의 각 원소에 집합 Y의 원소가 오직 하나씩 대응할 때, 이 대응을 X에서 Y로의 함수라 한다.

f의 반대 방향으로의 대응, 즉 Y에서 X로의 대응도 함수이기 위해서는 집합 Y의 각 원소에 집합 X의 원소가 오직 하나씩 대응해야 한다. 따라서 함수 f의 역함수가 존재하기 위해서는 f는 일대일대응이어야 한다.

example 그림과 같은 함수 $f: X \longrightarrow Y$에 대하여 f는 일대일대응이므로 역함수 f^{-1}가 존재한다.

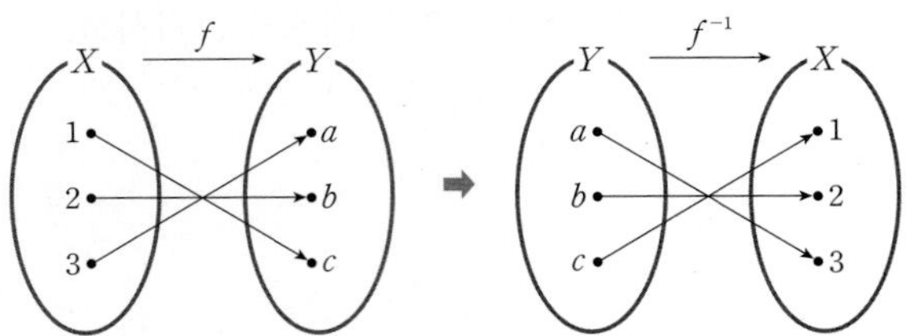

이때 $f(1)=c$, $f(2)=b$, $f(3)=a$이므로 $f^{-1}(a)=3$, $f^{-1}(b)=2$, $f^{-1}(c)=1$이다.

함수 f가 일대일대응이 아닌 경우, 역함수 f^{-1}가 존재할 수 있는지 살펴보자.

(1) $\boldsymbol{f}$**가 일대일함수가 아닌 경우**

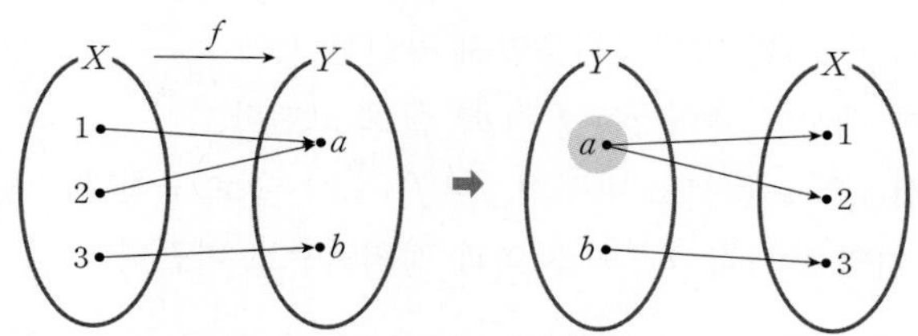

집합 Y에서 집합 X로의 대응이 함수가 되려면 함수의 정의에 따라 집합 Y의 각 원소에 집합 X의 원소가 오직 하나씩 대응되어야 한다.
하지만 그림과 같이 X에서 Y로의 함수가 일대일함수가 아니면 반대 방향으로의 대응에서 집합 Y의 원소 a에 대응하는 집합 X의 원소가 1, 2의 2개이므로 반대 방향으로의 대응은 함수가 아니다.

08

example 정의역이 실수 전체의 집합인 함수 $f(x)=x^2$에서 정의역의 서로 다른 두 원소 -1, 1에 대하여 $f(-1)=f(1)$이므로 함수 f는 일대일함수가 아니다.
따라서 함수 f에 대하여 역함수 f^{-1}는 존재하지 않는다.

(2) $\boldsymbol{f}$**의 치역과 공역이 같지 않은 경우**

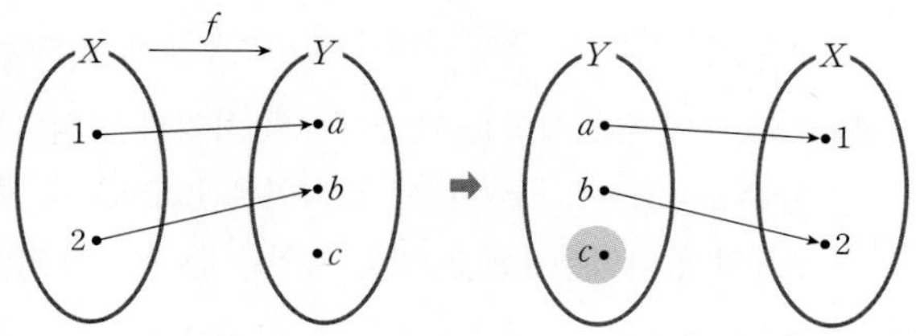

그림과 같이 치역과 공역이 같지 않으면 반대 방향으로의 대응에서 집합 Y의 원소 c에 대응하는 집합 X의 원소가 존재하지 않으므로 반대 방향으로의 대응은 함수가 아니다.

(1), (2)에서 함수 f가 일대일대응이 아니면 반대 방향으로의 대응은 함수가 아니다. 즉, 어떤 함수의 역함수가 존재하기 위한 필요충분조건은 그 함수가 일대일대응인 것이다.

example 양의 실수 전체의 집합을 정의역과 공역으로 하는 함수 $f(x)=x+1$에서 이 함수의 치역은 $\{y|y>1\}$이므로 치역과 공역이 같지 않다.
따라서 함수 f에 대하여 역함수 f^{-1}는 존재하지 않는다.

2 역함수 구하기

함수 $y=f(x)$의 역함수는 다음과 같은 순서로 구한다.

❶ 주어진 함수 $y=f(x)$가 일대일대응인지 확인한다.

❷ $y=f(x)$를 x에 대하여 풀어 $x=f^{-1}(y)$ 꼴로 고친다.

❸ $x=f^{-1}(y)$에서 x와 y를 서로 바꾸어 $y=f^{-1}(x)$ 꼴로 고친다.

❹ f의 정의역과 치역을 각각 f^{-1}의 치역과 정의역으로 바꾼다.

일반적으로 함수를 나타낼 때 정의역의 원소를 x로, x에 대한 함숫값을 y로 하여 $y=f(x)$와 같이 나타내므로 역함수 $x=f^{-1}(y)$에서도 x와 y를 서로 바꾸어 $y=f^{-1}(x)$와 같이 나타낸다.
이때 함수 f의 정의역이 제한되면 치역, 즉 함수 f^{-1}의 정의역도 제한되므로 역함수의 정의역이 실수 전체의 집합이 아닌 경우에는 함수 f의 치역을 구하여 반드시 역함수 f^{-1}의 정의역을 나타내어야 한다.

example 공역이 $\{y|y\geq 2\}$인 함수 $y=3x-1\ (x\geq 1)$의 역함수를 구해보자.

❶ 주어진 함수 $y=f(x)$가 일대일대응인지 확인한다.
함수 $y=3x-1\ (x\geq 1)$은 집합 $\{x|x\geq 1\}$에서 집합 $\{y|y\geq 2\}$로의 일대일대응이므로 역함수가 존재한다.

❷ $y=f(x)$를 x에 대하여 풀어 $x=f^{-1}(y)$ 꼴로 고친다.
$y=3x-1$에서 $y+1=3x$ $\quad\therefore x=\frac{1}{3}(y+1)$

❸ $x=f^{-1}(y)$에서 x와 y를 서로 바꾸어 $y=f^{-1}(x)$ 꼴로 고친다.
x와 y를 서로 바꾸어 나타내면 $y=\frac{1}{3}(x+1)=\frac{1}{3}x+\frac{1}{3}$

❹ f의 정의역과 치역을 각각 f^{-1}의 치역과 정의역으로 바꾼다.
함수 $y=3x-1\ (x\geq 1)$의 정의역은 $\{x|x\geq 1\}$, 치역은 $\{y|y\geq 2\}$이므로
f^{-1}의 정의역은 $\{x|x\geq 2\}$, 치역은 $\{y|y\geq 1\}$이다.
즉, 역함수는 $y=\frac{1}{3}x+\frac{1}{3}\ (x\geq 2)$이다.

3 역함수의 성질

일대일대응인 함수 $f: X \longrightarrow Y$, $g: Y \longrightarrow Z$와 그 역함수 f^{-1}, g^{-1}에 대하여

(1) $(f^{-1})^{-1}=f$

(2) $f^{-1}\circ f=I_X$, $f\circ f^{-1}=I_Y$ (단, I_X는 X에서의 항등함수, I_Y는 Y에서의 항등함수)

(3) $(g\circ f)^{-1}=f^{-1}\circ g^{-1}$

함수 $f: X \longrightarrow Y$가 일대일대응일 때, 그 역함수 $f^{-1}: Y \longrightarrow X$는 역함수의 대응 관계에 의하여

$$y=f(x) \Longleftrightarrow x=f^{-1}(y)$$

가 항상 성립한다. 이를 이용한다면 역함수의 성질이 항상 성립함을 보일 수 있다.

(1) $(f^{-1})^{-1}(x)=f(x)$

$y=f(x)$에서 $x=f^{-1}(y)$
이때 함수 $f^{-1}: Y \longrightarrow X$는 일대일대응이므로 역함수가 존재한다.
따라서 $x=f^{-1}(y)$에서 $y=(f^{-1})^{-1}(x)$
즉, 함수 f^{-1}의 역함수는 f이다.

example 함수 $f(x)=3x+2$는 역함수 f^{-1}가 존재하고, $f^{-1}(-1)=k$이면 $f(k)=-1$이므로 $3k+2=-1$에서 $k=-1$, 즉 $f^{-1}(-1)=-1$이다.
또한 $(f^{-1})^{-1}(x)=f(x)$에서 $(f^{-1})^{-1}(-1)=f(-1)=-1$
따라서 $f^{-1}(-1)+(f^{-1})^{-1}(-1)=(-1)+(-1)=-2$이다.

(2) $f^{-1} \circ f=I_X$, $f \circ f^{-1}=I_Y$

$$(f^{-1} \circ f)(x)=f^{-1}(f(x))=f^{-1}(y)=x \text{ (단, } x \in X)$$
$$(f \circ f^{-1})(y)=f(f^{-1}(y))=f(x)=y \text{ (단, } y \in Y)$$

따라서 합성함수 $f^{-1} \circ f: X \longrightarrow X$는 X에서의 항등함수이고, 합성함수 $f \circ f^{-1}: Y \longrightarrow Y$는 Y에서의 항등함수이다.

주의 이 성질을 이용하여 합성함수가 항등함수이면 두 함수는 역함수 관계임을 생각할 수 있다. 두 함수 $f: X \longrightarrow Y$, $g: Y \longrightarrow X$가 모두 일대일대응이고 $g \circ f=I_X$와 $f \circ g=I_Y$ 중 하나가 성립하면 $g=f^{-1}$이다. 하지만 '두 함수 f, g가 일대일대응이다.'라는 조건이 없을 때는 $g \circ f=I_X$와 $f \circ g=I_Y$를 모두 만족시켜야 $g=f^{-1}$이다.

example 함수 $f(x)=2x-1$에 대하여
$\underline{(f^{-1})^{-1}}(2)+\underline{(f \circ f^{-1})}(1)=f(2)+1=3+1=4$
$(f^{-1})^{-1}=f$　　$f \circ f^{-1}=I$ (단, I는 항등함수)

(3) $(g \circ f)^{-1}=f^{-1} \circ g^{-1}$

$f^{-1} \circ f$는 X에서의 항등함수이고, 합성함수 $f \circ f^{-1}$는 Y에서의 항등함수인 성질을 이용하자.
두 함수 $f: X \longrightarrow Y$, $g: Y \longrightarrow Z$가 일대일대응이고, 그 역함수가 각각 f^{-1}, g^{-1}일 때,

$$\begin{aligned}(f^{-1} \circ g^{-1}) \circ (g \circ f) &= f^{-1} \circ (g^{-1} \circ g) \circ f && \leftarrow \text{함수의 합성에 대한 결합법칙}\\ &= f^{-1} \circ I_Y \circ f && \leftarrow I_Y\text{는 } Y\text{에서의 항등함수}\\ &= f^{-1} \circ f = I_X && \leftarrow I_X\text{는 } X\text{에서의 항등함수}\end{aligned}$$

$$\begin{aligned}(g \circ f) \circ (f^{-1} \circ g^{-1}) &= g \circ (f \circ f^{-1}) \circ g^{-1} && \leftarrow \text{함수의 합성에 대한 결합법칙}\\ &= g \circ I_Y \circ g^{-1} && \leftarrow I_Y\text{는 } Y\text{에서의 항등함수}\\ &= g \circ g^{-1} = I_Z && \leftarrow I_Z\text{는 } Z\text{에서의 항등함수}\end{aligned}$$

따라서 $f^{-1} \circ g^{-1}$는 함수 $g \circ f$의 역함수이다.

08

example 역함수가 존재하는 두 함수 f, g에 대하여 $(g\circ f)(1)=2$이면 $(f^{-1}\circ g^{-1})(2)=(g\circ f)^{-1}(2)=1$이다.

역함수의 성질은 그림을 이용하면 조금 더 쉽게 이해할 수 있다.

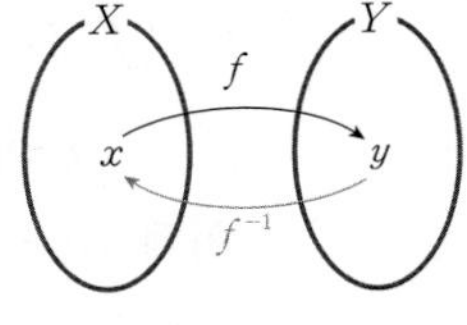

오른쪽 그림과 같이 함수 f의 역함수가 f^{-1}이므로 함수 f^{-1}의 역함수 $(f^{-1})^{-1}$는 f이다.
또한 합성함수 $f^{-1}\circ f$에서 x는 자기 자신인 x와 대응되므로

$$f^{-1}\circ f=I_X \text{ (단, } I_X\text{는 } X\text{에서의 항등함수)}$$

이다. 마찬가지로 $f\circ f^{-1}=I_Y$ (단, I_Y는 Y에서의 항등함수)이다.

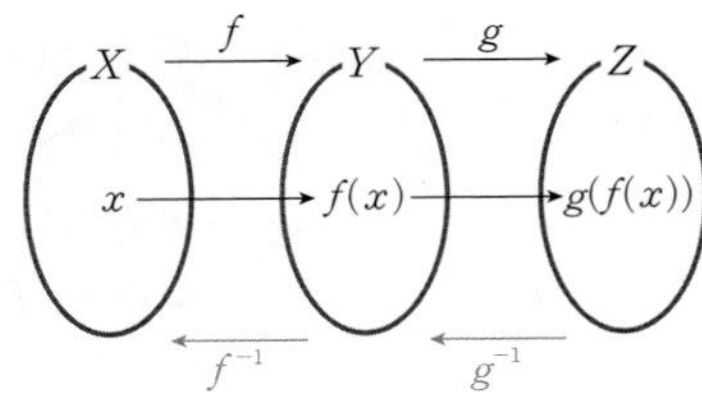

역함수가 존재하는 두 함수 $f: X \longrightarrow Y$, $g: Y \longrightarrow Z$에 대하여 오른쪽 그림과 같이 두 함수 f, g의 대응을 연속적으로 나타내었을 때, 반대 방향으로의 대응 g^{-1}, f^{-1}에 의하여

$$(g\circ f)^{-1}=f^{-1}\circ g^{-1}$$

이다.

4 역함수의 그래프

함수 $y=f(x)$의 그래프와 그 역함수 $y=f^{-1}(x)$의 그래프는 직선 $y=x$에 대하여 대칭이다.

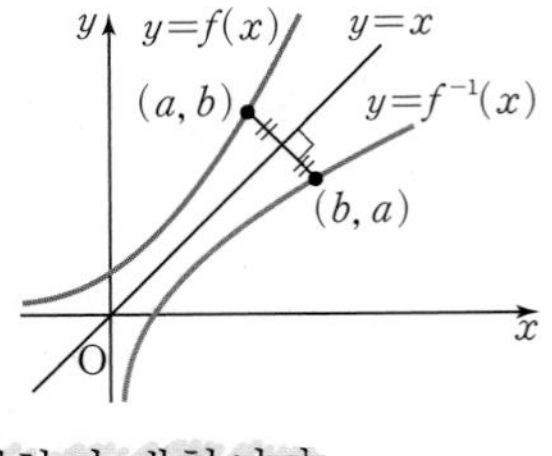

함수 $f(x)$의 역함수 $f^{-1}(x)$가 존재할 때, 함수 $y=f(x)$의 그래프 위의 한 점의 좌표가 (a, b)이면

$$b=f(a) \Longleftrightarrow a=f^{-1}(b)$$

이므로 점 (b, a)는 역함수 $y=f^{-1}(x)$의 그래프 위의 점이다.
이때 점 (a, b)와 점 (b, a)는 직선 $y=x$에 대하여 대칭이므로 함수 $y=f(x)$의 그래프와 그 역함수 $y=f^{-1}(x)$의 그래프는 직선 $y=x$에 대하여 대칭이다.

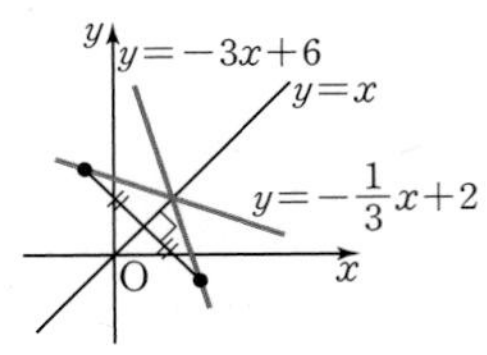

example 오른쪽 그림과 같이 함수 $y=-3x+6$의 그래프와 그 역함수 $y=-\frac{1}{3}x+2$의 그래프는 직선 $y=x$에 대하여 대칭이다.

빠른 정답 • 515쪽 / 정답과 풀이 • 137쪽

01 함수 $f(x)=2x-5$에 대하여 다음 등식을 만족시키는 상수 a의 값을 구하시오.

(1) $f^{-1}(2)=a$

(2) $f^{-1}(a)=7$

02 집합 $X=\{1,\ 2,\ 3\}$에 대하여 함수 $f : X \longrightarrow X$의 역함수가 존재하고 $f(1)=f^{-1}(3)=2$일 때, $f(3)$의 값을 구하시오.

03 그림과 같은 함수 $f : X \longrightarrow Y$에 대하여 다음을 구하시오.

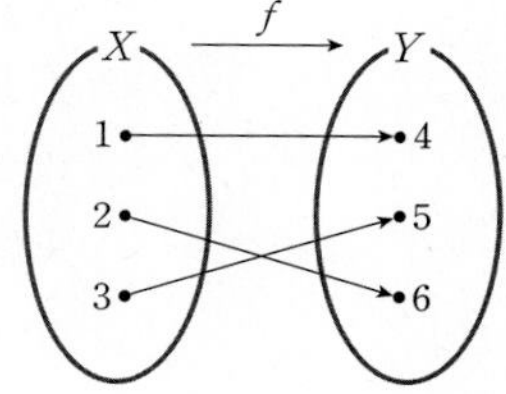

(1) $f^{-1}(4)$

(2) $(f^{-1})^{-1}(2)$

(3) $(f \circ f^{-1})(5)$

(4) $(f^{-1} \circ f)(3)$

04 두 함수 $f(x)=\frac{1}{3}x+3$, $g(x)=2x-1$에 대하여 다음을 구하시오.

(1) $f^{-1}(1)$

(2) $g^{-1}(x)$

(3) $(g \circ f)^{-1}(3)$

(4) $(f^{-1} \circ g^{-1})(x)$

05 함수 $f(x)=-2x+3$의 역함수 $f^{-1}(x)$를 구하고, 그 그래프를 그리시오.

대표 예제 | 15

함수 $f(x)=ax+b$ $(a\neq0)$에 대하여 다음 물음에 답하시오. (단, a, b는 상수이다.)

(1) $f^{-1}(9)=1$, $f^{-1}(1)=-3$일 때, $2a+b$의 값을 구하시오.

(2) $f^{-1}(5)=2$, $f(f(2))=14$일 때, $f(3)$의 값을 구하시오.

바로 접근 함수 f의 역함수 f^{-1}가 존재할 때, 역함수를 직접 구하지 않아도 역함수의 뜻을 이용하여 함숫값을 쉽게 찾을 수 있다.

바른 풀이

(1) $f^{-1}(9)=1$에서 $f(1)=9$

$\therefore a+b=9$ …… ㉠

$f^{-1}(1)=-3$에서 $f(-3)=1$

$\therefore -3a+b=1$ …… ㉡

㉠, ㉡을 연립하여 풀면

$a=2$, $b=7$

$\therefore 2a+b=2\times2+7=11$

(2) $f^{-1}(5)=2$에서 $f(2)=5$ …… ㉠

$\therefore 2a+b=5$ …… ㉡

또한 ㉠에 의하여 $f(f(2))=f(5)=14$

$\therefore 5a+b=14$ …… ㉢

㉡, ㉢을 연립하여 풀면

$a=3$, $b=-1$

따라서 $f(x)=3x-1$이므로

$f(3)=3\times3-1=8$

정답 (1) 11 (2) 8

Bible Says

함수 $f: X \longrightarrow Y$가 역함수 f^{-1}를 가질 때

$$y=f(x) \Longleftrightarrow x=f^{-1}(y)$$

즉, $f^{-1}(a)=b$의 조건이 주어졌을 때 $f(b)=a$임을 이용하여 풀면 된다.

빠른 정답 • 516쪽 / 정답과 풀이 • 138쪽

한 번 더하기

15-1 함수 $f(x)=2x+a$에 대하여 다음 물음에 답하시오. (단, a는 상수이다.)

(1) $f^{-1}(5)=1$일 때, $f(a)$의 값을 구하시오.

(2) $f(f(a))=-7$일 때, $f^{-1}(7)$의 값을 구하시오.

한 번 더하기

15-2 함수 $f(x)=ax+b\ (a\neq0)$에 대하여 $f^{-1}(0)=1$, $f(f(1))=3$일 때, $f(-1)$의 값을 구하시오. (단, a, b는 상수이다.)

08

표현 더하기

15-3 두 함수 $f(x)=4x-1$, $g(x)=-3x+2$에 대하여 $(f\circ g^{-1})(k)=-5$를 만족시키는 실수 k의 값을 구하시오.

실력 더하기

15-4 함수 $f(x)=\begin{cases} x+1 & (x<1) \\ 2x & (x\geq1) \end{cases}$에 대하여 $f^{-1}(6)+f^{-1}(a)=0$을 만족시키는 실수 a의 값을 구하시오.

대표 예제 | 16

두 집합 $X=\{x|-2\le x\le 2\}$, $Y=\{y|0\le y\le 12\}$에 대하여 X에서 Y로의 함수 $f(x)=ax+b$의 역함수가 존재할 때, 양수 a, b에 대하여 $a+b$의 값을 구하시오.

바로 접근 함수 f의 역함수 f^{-1}가 존재하기 위해서는 f는 일대일대응이어야 하고, f가 일대일대응이려면 f는 일대일함수이면서 치역과 공역이 서로 일치해야 한다.

바른 풀이 함수 $f(x)$의 역함수가 존재하므로 $f(x)$는 일대일대응이다.

이때 $a>0$이므로 함수 $f(x)=ax+b$는 x의 값이 커질 때 함숫값도 커진다.

따라서 함수 f가 일대일대응이려면 함수 $y=f(x)$의 그래프는 오른쪽 그림과 같이 두 점 $(-2,\ 0)$, $(2,\ 12)$를 지나야 한다.

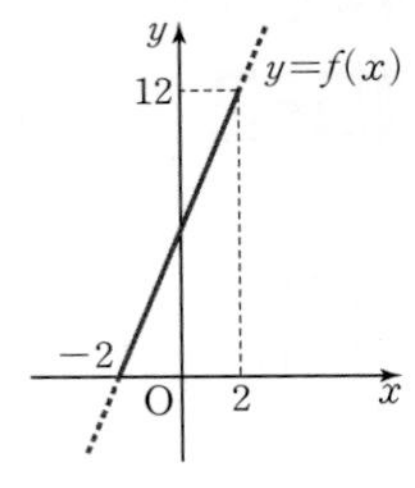

$f(-2)=0$에서 $-2a+b=0$ …… ㉠

$f(2)=12$에서 $2a+b=12$ …… ㉡

㉠, ㉡을 서로 연립하여 풀면

$a=3$, $b=6$ $\quad\therefore a+b=9$

정답 9

Bible Says

(함수 $f(x)$의 역함수가 존재하기 위한 조건)=(함수 $f(x)$가 일대일대응이기 위한 조건)이고,
함수 $f(x)$가 일대일대응이려면 다음의 두 조건을 만족시켜야 한다.

① 정의역의 임의의 두 원소 x_1, x_2에 대하여 $x_1\neq x_2$이면 $f(x_1)\neq f(x_2)$이다.

② 치역과 공역이 서로 같다.

이 중 ②에 주목하여 정의역의 양 끝값과 공역의 양 끝값을 맞춘다.

위의 문제에서 $f(x)=ax+b\ (a>0)$은 x의 값이 커질 때 함숫값도 커지는 함수이므로

$$X=\{x|-2\le x\le 2\},\ Y=\{y|0\le y\le 12\}$$

$f(-2)=0$

$f(2)=12$

한 번 더하기

16-1 두 집합 $X=\{x|-3\leq x\leq 2\}$, $Y=\{y|-2\leq y\leq 3\}$에 대하여 X에서 Y로의 함수 $f(x)=ax+b$의 역함수가 존재할 때, 양수 a, b에 대하여 $a+b$의 값을 구하시오.

한 번 더하기

16-2 두 집합 $X=\{x|1\leq x\leq 4\}$, $Y=\{y|a\leq y\leq b\}$에 대하여 X에서 Y로의 함수 $f(x)=-3x+1$의 역함수가 존재할 때, $b-a$의 값을 구하시오. (단, $a<b$)

표현 더하기

16-3 두 집합 $X=\{x|x\leq -1\}$, $Y=\{y|y\leq -4\}$에 대하여 X에서 Y로의 함수 $f(x)=ax(x-1)$의 역함수가 존재할 때, 상수 a의 값을 구하시오.

표현 더하기

16-4 실수 전체의 집합에서 정의된 함수

$$f(x)=\begin{cases} 5x+3 & (x<0) \\ (a-1)x+3 & (x\geq 0) \end{cases}$$

의 역함수가 존재할 때, 실수 a의 값의 범위를 구하시오.

역함수 구하기

대표 예제 17

함수 $y=\frac{1}{2}x+3$의 역함수가 $y=ax+b$일 때, 상수 a, b에 대하여 $a+b$의 값을 구하시오.

바로 접근

역함수를 구하는 순서는 다음과 같다.

❶ 함수 $y=f(x)$가 일대일대응인지 확인한다.

❷ $y=f(x)$를 x에 대하여 풀어 $x=f^{-1}(y)$ 꼴로 나타낸다.

❸ $x=f^{-1}(y)$에서 x와 y를 서로 바꾸어 $y=f^{-1}(x)$ 꼴로 나타낸다.

❹ f의 정의역과 치역을 각각 f^{-1}의 치역과 정의역으로 바꾼다.

바른 풀이

함수 $y=\frac{1}{2}x+3$은 실수 전체의 집합 R에서 R로의 일대일대응이므로 역함수가 존재한다.

$y=\frac{1}{2}x+3$을 x에 대하여 풀면 $y-3=\frac{1}{2}x$

$\therefore x=2(y-3)$

x와 y를 서로 바꾸어 나타내면 $y=2(x-3)=2x-6$

$\therefore a=2,\ b=-6$

$\therefore a+b=2+(-6)=-4$

정답 -4

Bible Says

원칙적으로 역함수의 식은 주어진 식에서 x와 y를 서로 바꾸어 정리하여 구한다.
하지만 일차함수의 역함수 역시 일차함수임을 이용하면 주어진 함수의 두 함숫값을 이용하여 역함수의 식을 찾을 수도 있다. 위의 문제에서 $f(x)=\frac{1}{2}x+3$이라 하면

$f(0)=3,\ f(2)=4$이므로 $f^{-1}(3)=0,\ f^{-1}(4)=2$

이때 두 점 $(3, 0)$, $(4, 2)$를 지나는 직선의 방정식은 $y=\frac{2-0}{4-3}(x-3)$, 즉 $y=2x-6$이므로

$a=2,\ b=-6$임을 구할 수 있다.

원칙적인 방법과 임의의 두 함숫값을 이용하여 구하는 방법 모두 이용하여 역함수의 식을 구하는 연습을 하자.

빠른 정답 • 516쪽 / 정답과 풀이 • 139쪽

한번 더하기

17-1 함수 $y=x-7$의 역함수가 $y=ax+b$일 때, 상수 a, b에 대하여 ab의 값을 구하시오.

한번 더하기

17-2 함수 $y=\frac{1}{3}x+a$의 역함수가 $y=bx-6$일 때, 상수 a, b에 대하여 $a+b$의 값을 구하시오.

표현 더하기

17-3 정의역이 $X=\{x|x\geq1\}$, 공역이 $Y=\{y|y\geq-2\}$인 함수 $f(x)=2x-4$의 역함수를 구하시오.

실력 더하기

17-4 두 집합 $X=\{x|0\leq x\leq2\}$, $Y=\{y|-2\leq y\leq2\}$에 대하여 $f: X \longrightarrow Y$가

$$f(x)=ax-2$$

이다. 함수 f가 일대일대응일 때, 이 함수의 역함수 f^{-1}를 구하시오. (단, a는 상수이다.)

대표 예제 | 18

두 함수 $f(x)=2x+4$, $g(x)=3x-1$에 대하여 다음을 구하시오.

(1) $(f^{-1}\circ f\circ f^{-1})^{-1}(4)$

(2) $(f\circ g)^{-1}(4)$

(3) $(f\circ(g\circ f)^{-1})(x)$

바로 접근 역함수를 직접 구하여 역함수의 함숫값을 구할 수도 있지만 함수의 식이 복잡하게 주어질 수도 있으므로 역함수의 성질을 이용하여 푸는 것이 좋다.

바른 풀이

(1) 항등함수를 I라 하면

$(f^{-1}\circ f\circ f^{-1})^{-1}(4)$

$=(f^{-1}\circ(f\circ f^{-1}))^{-1}(4)$

$=(f^{-1}\circ I)^{-1}(4)$

$=(f^{-1})^{-1}(4)=f(4)=12$

(2) $(f\circ g)^{-1}=g^{-1}\circ f^{-1}$이므로

$(f\circ g)^{-1}(4)=(g^{-1}\circ f^{-1})(4)$

$=g^{-1}(f^{-1}(4))$

$f^{-1}(4)=a$로 놓으면 $f(a)=4$이므로

$2\times a+4=4\quad\therefore a=0$

$g^{-1}(f^{-1}(4))=g^{-1}(0)=b$로 놓으면

$g(b)=0$이므로

$3\times b-1=0\quad\therefore b=\frac{1}{3}$

$\therefore (f\circ g)^{-1}(4)=\frac{1}{3}$

(3) 항등함수를 I라 하면

$(f\circ(g\circ f)^{-1})(x)$

$=(f\circ f^{-1}\circ g^{-1})(x)$

$=((f\circ f^{-1})\circ g^{-1})(x)$

$=(I\circ g^{-1})(x)=g^{-1}(x)$

$y=3x-1$로 놓고 x에 대하여 풀면 $y+1=3x$

$\therefore x=\frac{1}{3}(y+1)$

x와 y를 서로 바꾸어 나타내면 $y=\frac{1}{3}(x+1)$

$\therefore (f\circ(g\circ f)^{-1})(x)$

$=\frac{1}{3}(x+1)=\frac{1}{3}x+\frac{1}{3}$

정답 (1) 12 (2) $\frac{1}{3}$ (3) $(f\circ(g\circ f)^{-1})(x)=\frac{1}{3}x+\frac{1}{3}$

Bible Says

일대일대응인 함수 $f: X\longrightarrow Y$, $g: Y\longrightarrow Z$와 그 역함수 f^{-1}, g^{-1}에 대하여

① $(f^{-1})^{-1}=f$

② $f^{-1}\circ f=I_X$, $f\circ f^{-1}=I_Y$ (단, I_X, I_Y는 각각 X, Y에서의 항등함수이다.)

③ $(g\circ f)^{-1}=f^{-1}\circ g^{-1}$

빠른 정답 • 516쪽 / 정답과 풀이 • 140쪽

한번 더하기

18-1 두 함수 $f(x)=x+3$, $g(x)=3x+1$에 대하여 다음을 구하시오.

(1) $(f\circ f^{-1}\circ f)^{-1}(4)$

(2) $(g^{-1}\circ f)^{-1}(2)$

(3) $((g\circ f)^{-1}\circ g)(x)$

표현 더하기

18-2 역함수를 갖는 함수 f가 모든 실수 x에 대하여

$$(f\circ f^{-1}\circ f)(x)=3x-2$$

를 만족시킬 때, $(f^{-1}\circ f\circ f^{-1})^{-1}(k)=4$를 만족시키는 실수 k의 값을 구하시오.

표현 더하기

18-3 역함수가 존재하는 두 함수 $f(x)$, $g(x)$가 모든 실수 x에 대하여 $(g\circ f)(x)=2x-5$를 만족시킬 때, 함수 $h(x)=-x+4$에 대하여 $(f^{-1}\circ g^{-1}\circ h^{-1})(1)$의 값을 구하시오.

실력 더하기

18-4 역함수가 존재하는 두 함수 $f(x)$, $g(x)$는 모든 실수 x에 대하여 $(f\circ g)(x)=5x-3$을 만족시킨다. $f^{-1}(2)=4$일 때, $g^{-1}(4)$의 값을 구하시오.

대표 예제 19

그래프를 이용하여 역함수의 함숫값 구하기

함수 $y=f(x)$의 그래프와 직선 $y=x$가 그림과 같을 때, 다음을 구하시오.
(단, 모든 점선은 x축 또는 y축에 평행하다.)

(1) $f^{-1}(d)$
(2) $(f \circ f)^{-1}(d)$

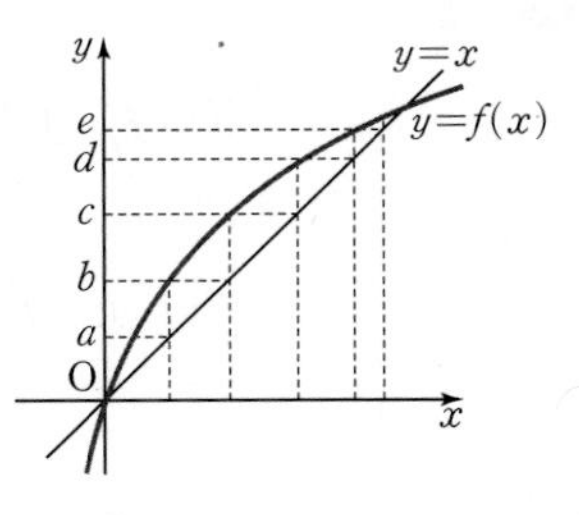

바로 접근 역함수의 함숫값을 구할 때 역함수의 그래프를 직접 그리지 않고, 직선 $y=x$를 이용하여 함숫값을 구한 후 역함수의 성질을 이용한다.

바른 풀이 (1) $f^{-1}(d)=k$로 놓으면 $f(k)=d$

$\therefore k=c$

$\therefore f^{-1}(d)=c$

(2) (1)에서 $f^{-1}(d)=c$이고

$f^{-1}(c)=t$로 놓으면 $f(t)=c$

$\therefore t=b$

$\therefore (f \circ f)^{-1}(d)=(f^{-1} \circ f^{-1})(d)=f^{-1}(f^{-1}(d))$
$=f^{-1}(c)=b$

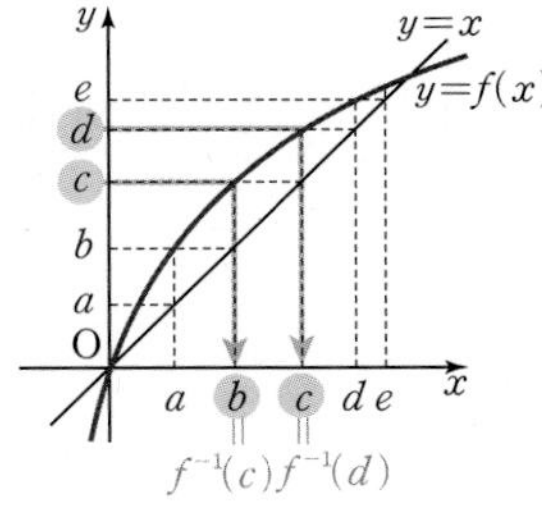

정답 (1) c (2) b

Bible Says

함수 $y=f(x)$의 그래프와 역함수 $y=f^{-1}(x)$의 그래프는 직선 $y=x$에 대하여 대칭이므로 함수 $y=f(x)$의 그래프가 점 (a, b)를 지나면 역함수 $y=f^{-1}(x)$의 그래프는 점 (b, a)를 지남을 이용한다.

$$f(a)=b \Longleftrightarrow f^{-1}(b)=a$$

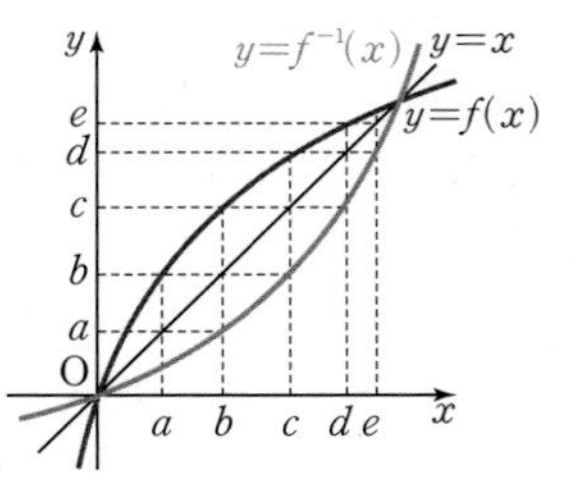

한 번 더하기

19-1

함수 $y=f(x)$의 그래프와 직선 $y=x$가 그림과 같을 때, 다음을 구하시오. (단, 모든 점선은 x축 또는 y축에 평행하다.)

(1) $f^{-1}(b)$

(2) $(f \circ f)^{-1}(c)$

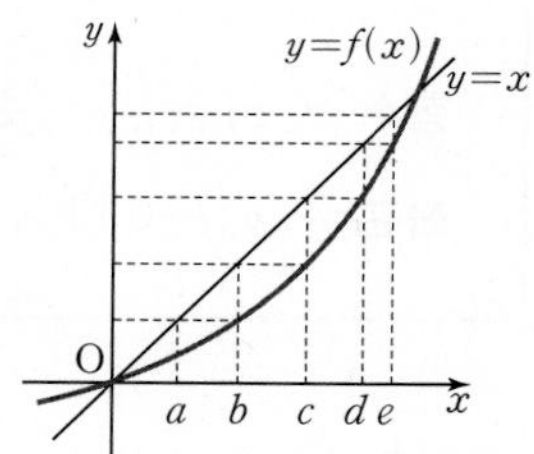

표현 더하기

19-2

집합 {1, 2, 3, 4, 5}를 정의역으로 하는 함수 $y=f(x)$의 그래프가 그림과 같을 때, $f^{-1}(2)+(f \circ f)^{-1}(4)$의 값을 구하시오.

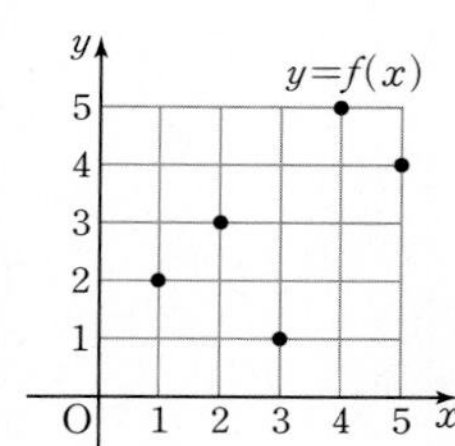

표현 더하기

19-3

함수 $y=f(x)$의 그래프와 직선 $y=x$가 그림과 같을 때, $(f \circ f)^{-1}(2)$의 값을 구하시오.

(단, 모든 점선은 x축 또는 y축에 평행하다.)

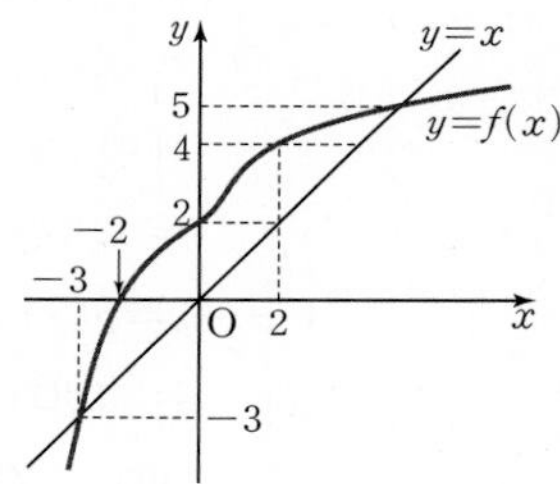

표현 더하기

19-4

두 함수 $y=f(x)$, $y=g(x)$의 그래프와 직선 $y=x$가 그림과 같을 때, 다음을 구하시오.

(단, 모든 점선은 x축 또는 y축에 평행하다.)

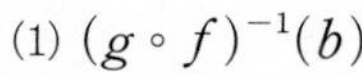
(1) $(g \circ f)^{-1}(b)$

(2) $(g \circ f^{-1})^{-1}(d)$

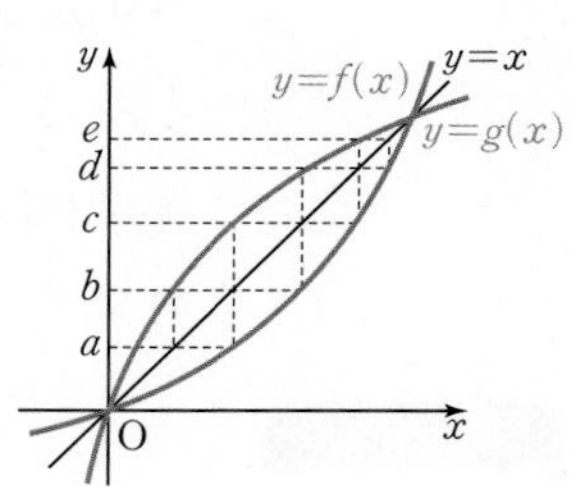

대표 예제 | 20

함수 $f(x)=\frac{1}{3}x+\frac{4}{3}$의 역함수를 $g(x)$라 할 때, 두 함수 $y=f(x)$, $y=g(x)$의 그래프의 교점의 좌표는 (a, b)이다. $a+b$의 값을 구하시오.

바로 접근

주어진 함수와 역함수의 그래프의 교점의 좌표를 찾을 때 다음의 성질을 이용하여 계산하면 편리하다.
역함수가 존재하는 함수 f에 대하여

① x의 값이 커질 때 $f(x)$의 값이 커지면
두 함수 $y=f(x)$, $y=f^{-1}(x)$의 그래프의 교점은 직선 $y=x$ 위에 존재한다.

② x의 값이 커질 때 $f(x)$의 값이 작아지면,
두 함수 $y=f(x)$, $y=f^{-1}(x)$의 그래프의 교점은 직선 $y=x$ 위에 뿐만 아니라 직선 $y=x$ 밖에도 존재할 수 있다. 이때의 교점은 쌍으로 존재하며, 직선 $y=x$에 대하여 대칭이다.

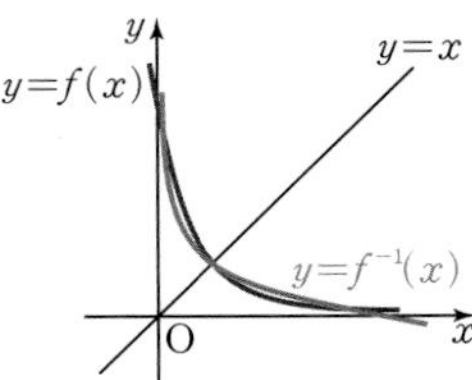

바른 풀이

함수 $f(x)=\frac{1}{3}x+\frac{4}{3}$의 그래프와 역함수 $y=g(x)$의 그래프는 직선 $y=x$에 대하여 대칭이므로 두 함수 $y=f(x)$, $y=g(x)$의 그래프는 그림과 같다.

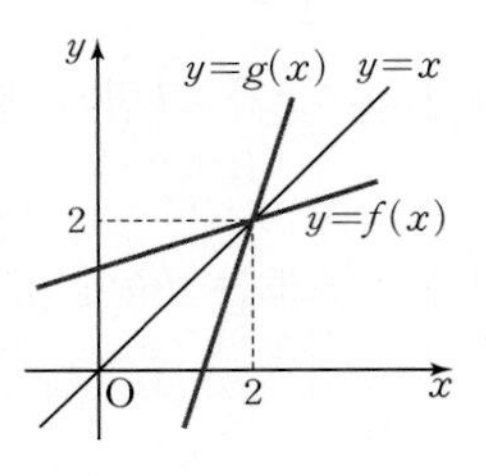

이때 두 함수 $y=f(x)$, $y=g(x)$의 그래프의 교점의 개수는 1이고, 이 교점이 직선 $y=x$ 위에 있으므로 두 함수 $y=f(x)$, $y=g(x)$의 그래프의 교점은 함수 $y=f(x)$의 그래프와 직선 $y=x$의 교점과 같다.

$\frac{1}{3}x+\frac{4}{3}=x$에서 $\frac{2}{3}x=\frac{4}{3}$ $\quad\therefore x=2$

따라서 교점의 좌표는 $(2, 2)$이므로

$a=2$, $b=2$ $\quad\therefore a+b=4$

다른 풀이

$y=\frac{1}{3}x+\frac{4}{3}$를 x에 대하여 풀면 $x=3y-4$

x와 y를 서로 바꾸면 $y=3x-4$, 즉 $g(x)=3x-4$

방정식 $f(x)=g(x)$에서

$\frac{1}{3}x+\frac{4}{3}=3x-4$, $\frac{8}{3}x=\frac{16}{3}$ $\quad\therefore x=2$

또한 $f(2)=\frac{2}{3}+\frac{4}{3}=2$이므로 두 함수 $y=f(x)$, $y=g(x)$의 그래프의 교점의 좌표는 $(2, 2)$이다.

$a=2$, $b=2$

$\therefore a+b=4$

정답 4

Bible Says

함수 $y=f(x)$의 그래프와 그 역함수의 그래프는 직선 $y=x$에 대하여 대칭이므로 두 함수 $y=f(x)$, $y=f^{-1}(x)$의 그래프의 교점이 존재할 때, 이 교점은 직선 $y=x$ 위에 존재하거나 직선 $y=x$에 대하여 대칭인 쌍으로 존재한다.
이 부분에서는 교점이 직선 $y=x$ 위에 있을 때를 주로 연습하는데, 교점이 직선 $y=x$ 위에 없을 수도 있음에 주의하자.

한 번 더하기

20-1

함수 $f(x)=-3x+8$의 역함수를 $g(x)$라 할 때, 두 함수 $y=f(x)$, $y=g(x)$의 그래프의 교점의 좌표는 $(a,\ b)$이다. ab의 값을 구하시오.

표현 더하기

20-2

함수 $f(x)=2x+k$의 역함수를 $g(x)$라 하고, 두 함수 $y=f(x)$, $y=g(x)$의 그래프의 교점을 P라 하자. 원점과 점 P 사이의 거리가 $3\sqrt{2}$가 되도록 하는 모든 실수 k의 값의 곱을 구하시오.

표현 더하기

20-3

함수 $f(x)=\frac{1}{2}(x+2)^2-2\ (x\geq-2)$의 그래프와 그 역함수 $y=f^{-1}(x)$의 그래프가 서로 다른 두 점에서 만날 때, 이 두 교점 사이의 거리를 구하시오.

실력 더하기

20-4

함수

$$f(x)=\begin{cases}2x & (x<1)\\ \frac{1}{2}x+\frac{3}{2} & (x\geq1)\end{cases}$$

의 역함수를 $g(x)$라 할 때, 두 함수 $y=f(x)$, $y=g(x)$의 그래프로 둘러싸인 도형의 넓이를 구하시오.

04 절댓값 기호를 포함한 함수와 그래프

1 절댓값 기호를 포함한 함수의 그래프

절댓값 기호를 포함한 함수의 그래프는 다음과 같은 순서로 그린다.
❶ 절댓값 기호 안의 식의 값이 0이 되는 x의 값을 구한다.
❷ ❶에서 구한 값을 경계로 범위를 나누고, 각 범위에서의 절댓값 기호를 없앤 식을 구한다.
❸ ❶에서 구한 값을 경계로 하는 각 영역에 대하여 ❷에서 구한 식의 그래프를 그린다.

『공통수학 1』의 **「방정식과 부등식」** 단원에서 절댓값 기호를 포함한 식은 다음과 같은 순서로 풀었다.
❶ 절댓값 기호 안의 식이 0이 되는 x의 값을 기준으로 범위를 나눈다.
❷ 각 범위에서 절댓값 기호를 없앤 후 x의 값을 구한다.
❸ ❷에서 구한 x의 값 중 각각의 범위에 속하는 것만이 주어진 방정식 또는 부등식의 해이다.

마찬가지로 절댓값 기호를 포함한 함수의 그래프를 그릴 때 절댓값 기호 안의 식의 값이 0이 되는 x의 값을 기준으로 식을 세운 후 각 영역에 그래프를 그린다.

식을 세울 때 이용할 수 있는 절댓값의 성질은 다음과 같다.

(1) $|A|=\begin{cases}-A & (A<0)\\ A & (A\geq 0)\end{cases}$ (2) $|A|\geq 0$

(3) $|-A|=|A|$ (4) $|A|^2=A^2$

(5) $|AB|=|A|\times|B|$ (6) $\left|\dfrac{A}{B}\right|=\dfrac{|A|}{|B|}$ (단, $B\neq 0$)

example 함수 $f(x)=x^2-|x|$의 그래프를 그려보면
절댓값 기호 안의 식의 값이 0이 되는 x의 값은 0이므로
(i) $x<0$일 때
$|x|=-x$이므로 $f(x)=x^2+x$
(ii) $x\geq 0$일 때
$|x|=x$이므로 $f(x)=x^2-x$
(i), (ii)에서 함수 $y=f(x)$의 그래프는 오른쪽 그림과 같다.

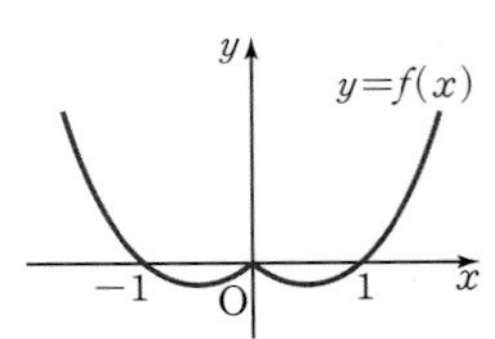

2 절댓값 기호를 포함한 식의 그래프

절댓값 기호를 포함한 식의 그래프는 대칭이동을 이용하면 쉽게 그릴 수 있다.

(1) $y=|f(x)|$의 그래프

$y=f(x)$에 대하여 $y=|f(x)|$는

$$y=\begin{cases} -f(x) & (f(x)<0) \\ f(x) & (f(x)\geq 0) \end{cases}$$

으로 나타낼 수 있다. 즉, $y=f(x)$에서 y의 값이 항상 0 이상이 되도록 $f(x)$의 값의 부호를 바꾸어주는 것으로 생각할 수 있다. 따라서 $y=|f(x)|$의 그래프는 대칭이동을 이용하여 다음과 같은 순서로 그린다.

❶ $y=f(x)$의 그래프를 그린다.

❷ $y<0$인 부분을 x축에 대하여 대칭이동시킨 부분과 $y\geq 0$인 부분을 함께 나타낸다.

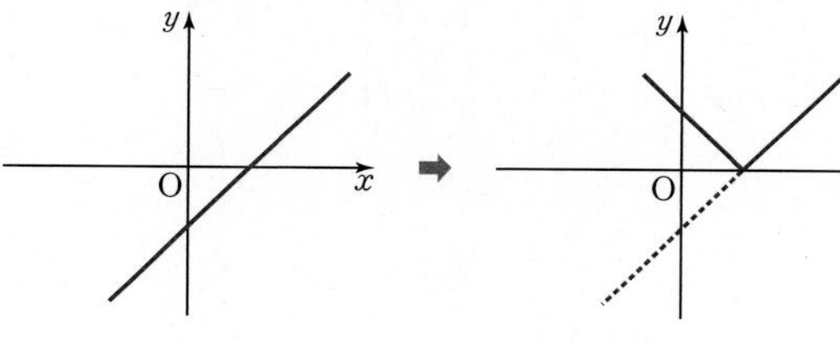

example $y=f(x)$의 그래프가 오른쪽 그림과 같을 때, $y=|f(x)|$의 그래프는 다음 그림과 같다.

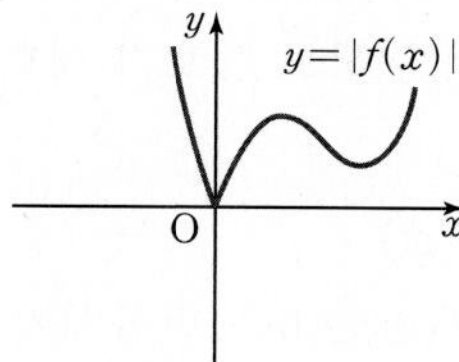

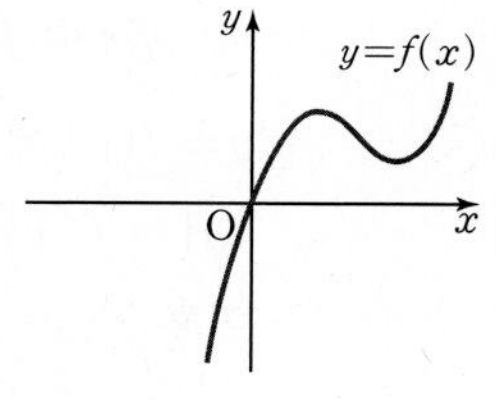

(2) $y=f(|x|)$의 그래프

$y=f(x)$에 대하여 $y=f(|x|)$는

$$y=\begin{cases} f(-x) & (x<0) \\ f(x) & (x\geq 0) \end{cases}$$

으로 나타낼 수 있다. 즉, $y=f(x)$에서 x의 값이 항상 0 이상이 되도록 x의 부호를 바꾸어주는 것으로 생각할 수 있다. 따라서 $y=f(|x|)$의 그래프는 대칭이동을 이용하여 다음과 같은 순서로 그린다.

❶ $y=f(x)$의 그래프를 그린다.

❷ $x<0$인 부분을 없앤다.

❸ $x\geq 0$인 부분을 y축에 대하여 대칭이동시킨 부분과 $x\geq 0$인 부분을 함께 나타낸다.

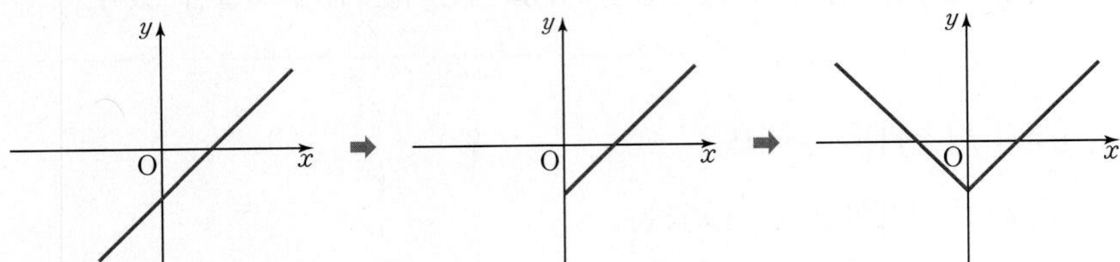

참고 $f(|x|)=f(|-x|)$이므로 $y=f(|x|)$의 그래프는 y축에 대하여 대칭이다.

example $y=f(x)$의 그래프가 오른쪽 그림과 같을 때, $y=f(|x|)$의 그래프는 다음 그림과 같다.

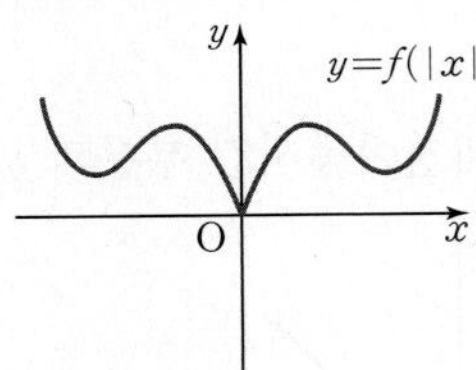

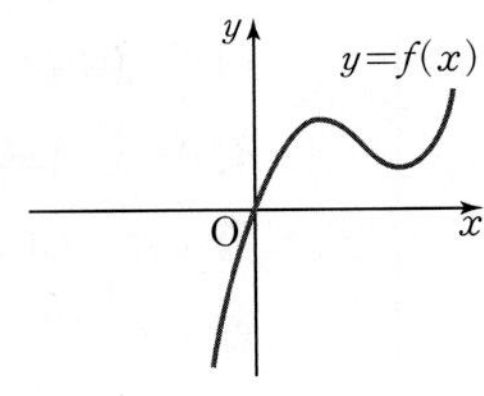

(3) $|y|=f(x)$의 그래프

$y=f(x)$에 대하여 $|y|=f(x)$의 의미를 해석해보자.

$|y|=f(x)$에서 $|y|$의 값은 0 이상이므로 등호가 성립하기 위해서는 $f(x)\geq 0$이어야 한다.

이후 $f(x)\geq 0$일 때

$$y=f(x) \text{ 또는 } -y=f(x)$$

로 나타낼 수 있다. 즉, 부등식 $f(x)\geq 0$을 만족시키는 x의 값에 대하여 y의 값은 $f(x)$ 또는 $-f(x)$이다.

따라서 $|y|=f(x)$의 그래프는 대칭이동을 이용하여 다음과 같은 순서로 그린다.

❶ $y=f(x)$의 그래프를 그린다.

❷ $y<0$인 부분을 없앤다.

❸ $y\geq 0$인 부분을 x축에 대하여 대칭이동시킨 부분과 $y\geq 0$인 부분을 함께 나타낸다.

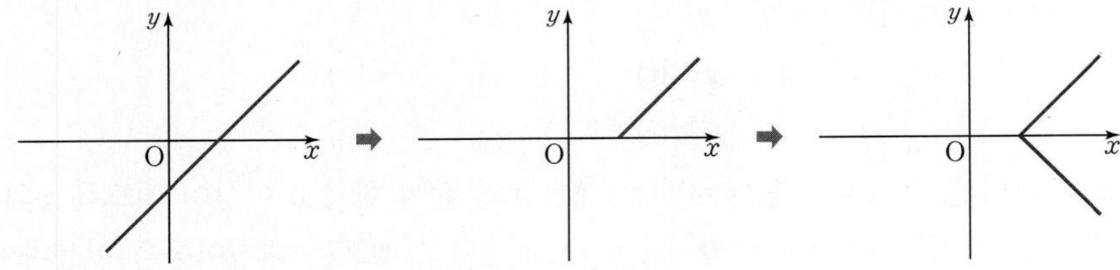

참고 $|y|=|-y|$이므로 $|y|=f(x)$의 그래프는 x축에 대하여 대칭이다.

example

$y=f(x)$의 그래프가 오른쪽 그림과 같을 때,
$|y|=f(x)$의 그래프는 다음 그림과 같다.

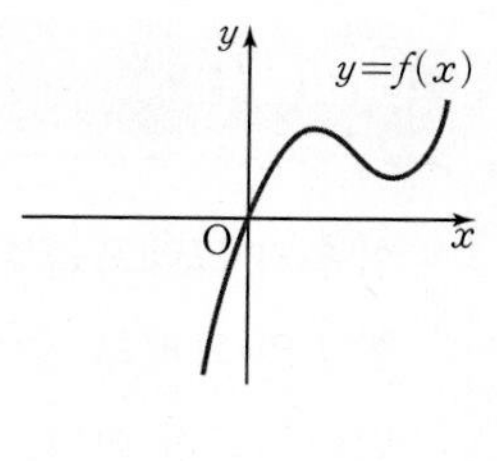

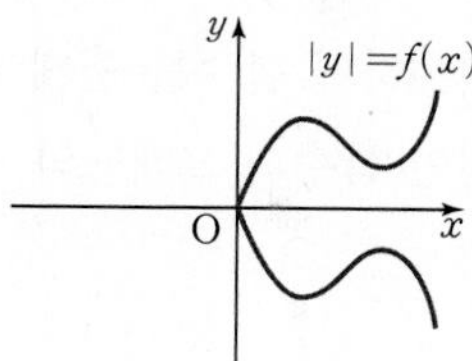

(4) $\boldsymbol{|y|=f(|x|)}$**의 그래프**

$g(x)=f(|x|)$라 놓으면 $y=g(x)$에서 $|y|=g(x)$를 따지는 (3)과 같다.
따라서 $|y|=f(|x|)$의 그래프는 (2)와 (3)의 방식을 바탕으로 대칭이동을 이용하여 다음과 같은 순서로 그린다.

❶ $y=f(x)$의 그래프를 그린다.
❷ $x\geq 0$, $y\geq 0$인 부분을 제외하고 모두 없앤다.
❸ ❷의 그래프를 x축, y축, 원점에 대하여 각각 대칭이동한 부분과 ❷의 그래프를 함께 나타낸다.

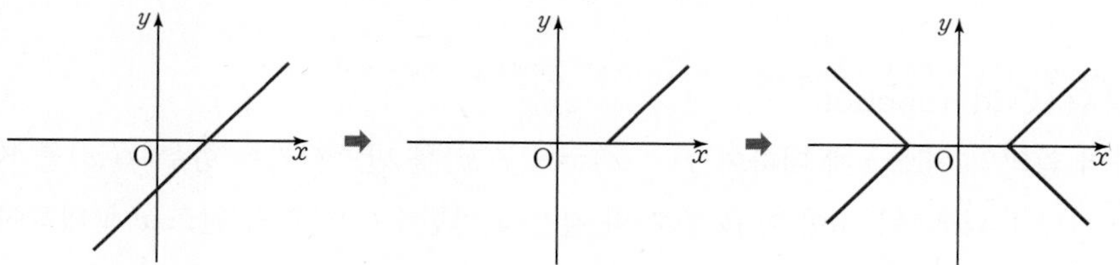

참고 $|y|=f(|x|) \Leftrightarrow |\pm y|=f(|\pm x|)$이므로 $|y|=f(|x|)$의 그래프는 x축, y축 및 원점에 대하여 각각 대칭이다.

example

$y=f(x)$의 그래프가 오른쪽 그림과 같을 때,
$|y|=f(|x|)$의 그래프는 다음 그림과 같다.

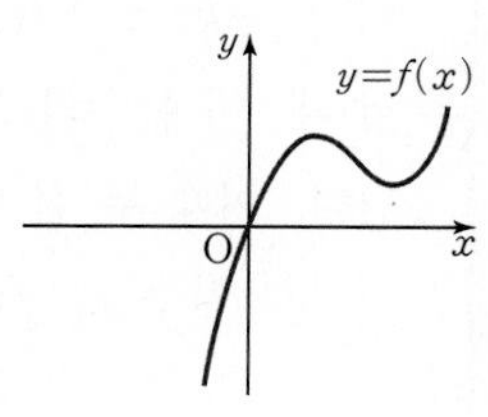

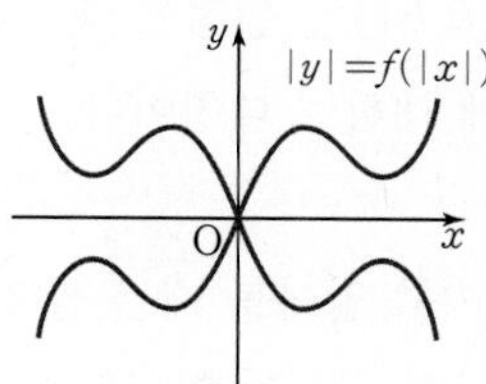

08

바이블 PLUS ⊕ 우함수와 기함수

함수의 그래프를 나타낼 때, 대칭성을 이용하면 함수를 쉽게 분석할 수 있는 경우가 많다. 이번에는 함수의 그래프 중에서 y축에 대하여 대칭인 함수의 그래프와 원점에 대하여 대칭인 함수의 그래프를 알아보고자 한다.

(1) 우함수 (Even function)

정의역의 임의의 원소 x에 대하여 $f(-x)=f(x)$를 만족시키는 함수 $f(x)$를 우함수라 한다. 예를 들어 $f(x)=ax^2$ (a는 0이 아닌 상수)과 같은 이차함수는 임의의 원소 x에 대하여 $f(-x)=f(x)$를 만족시키므로 우함수이고, $f(x)=1$과 같은 상수함수 또한 우함수이다.

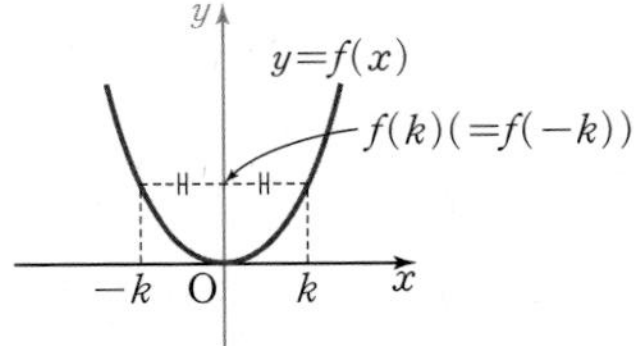

임의의 원소 x에 대하여 $f(-x)=f(x)$를 만족시킬 때 상수 k에 대하여 $f(-k)=f(k)$이므로 함수 $y=f(x)$의 그래프가 점 $(k,\ f(k))$를 지날 때, 이 함수의 그래프는 점 $(-k,\ f(-k))$, 즉 점 $(-k,\ f(k))$를 지난다. 이때 두 점 $(k,\ f(k))$, $(-k,\ f(k))$는 y축에 대하여 서로 대칭이므로 함수 $y=f(x)$의 그래프는 y축에 대하여 대칭이다.

(2) 기함수 (Odd function)

정의역의 임의의 원소 x에 대하여 $f(-x)=-f(x)$를 만족시키는 함수 $f(x)$를 기함수라 한다. 예를 들어 $f(x)=bx$ (b는 0이 아닌 상수)와 같은 일차함수는 임의의 원소 x에 대하여 $f(-x)=-f(x)$를 만족시키므로 기함수이다.

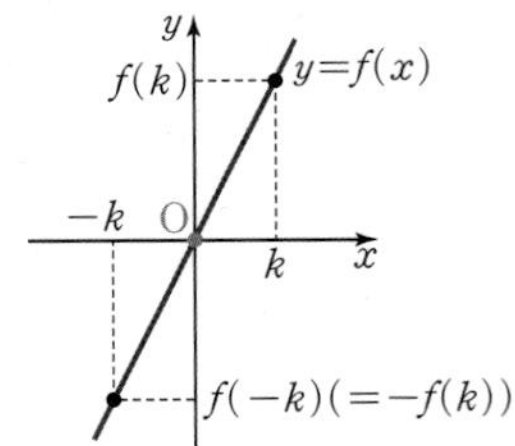

임의의 원소 x에 대하여 $f(-x)=-f(x)$를 만족시킬 때 상수 k에 대하여 $f(-k)=-f(k)$이므로 함수 $y=f(x)$의 그래프가 점 $(k,\ f(k))$를 지날 때, 이 함수의 그래프는 점 $(-k,\ f(-k))$, 즉 점 $(-k,\ -f(k))$를 지난다. 이때 두 점 $(k,\ f(k))$, $(-k,\ -f(k))$는 원점에 대하여 서로 대칭이므로 함수 $y=f(x)$의 그래프는 원점에 대하여 대칭이다.

어떤 함수 $f(x)$가 우함수인지 기함수인지를 알아볼 때는 함수식 $f(x)$에 x 대신 $-x$를 대입하여 구한 식 $f(-x)$가 $f(x)$와 같은지, $-f(x)$와 같은지 확인하면 된다.

개념 CHECK

04. 절댓값 기호를 포함한 함수와 그래프

01 함수 $f(x)=2x+1$에 대하여 다음 식의 그래프를 그리시오.

(1) $y=|f(x)|$

(2) $y=f(|x|)$

(3) $|y|=f(x)$

(4) $|y|=f(|x|)$

02 $f(x)=x^2-3x+2$일 때, $y=f(|x|)$의 그래프를 그리시오.

03 $|y|=(|x|-1)^2$의 그래프를 그리시오.

04 함수 $y=f(x)$에 대하여 $y=f(|x|)$의 그래프가 그림과 같을 때, $|y|=f(|x|)$의 그래프를 그리시오.

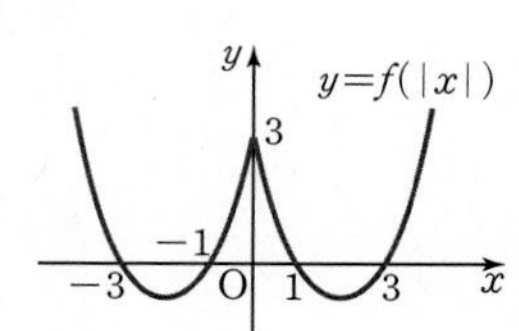

대표 예제 21

다음 함수의 그래프를 그리시오.

(1) $f(x)=2|x|+x$

(2) $f(x)=x^2-2|x|+1$

(3) $f(x)=\dfrac{|x|}{x}$ (단, $x\neq0$)

바로 접근

절댓값 기호를 포함한 방정식을 풀이할 때, 절댓값 기호 안의 식의 값이 0이 되는 값을 기준으로 나누어 풀었다. 마찬가지로 절댓값 기호를 포함한 함수의 그래프를 그릴 때, 절댓값 기호 안의 식의 값이 0이 되는 값을 기준으로 함수식을 나누어 구한 후 그래프를 그린다.

바른 풀이

(1) $f(x)=2|x|+x$에서

(i) $x<0$일 때

$|x|=-x$이므로 $f(x)=-2x+x=-x$

(ii) $x\geq0$일 때

$|x|=x$이므로 $f(x)=2x+x=3x$

(i), (ii)에서 함수 $y=f(x)$의 그래프는 오른쪽 그림과 같다.

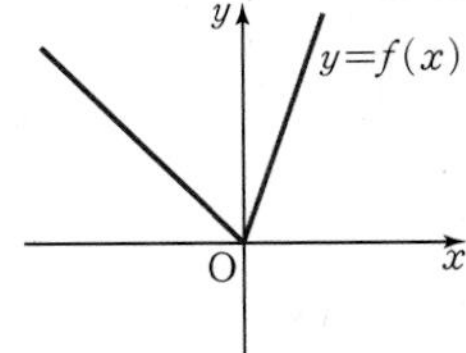

(2) $f(x)=x^2-2|x|+1$에서

(i) $x<0$일 때

$|x|=-x$이므로 $f(x)=x^2+2x+1=(x+1)^2$

(ii) $x\geq0$일 때

$|x|=x$이므로 $f(x)=x^2-2x+1=(x-1)^2$

(i), (ii)에서 함수 $y=f(x)$의 그래프는 오른쪽 그림과 같다.

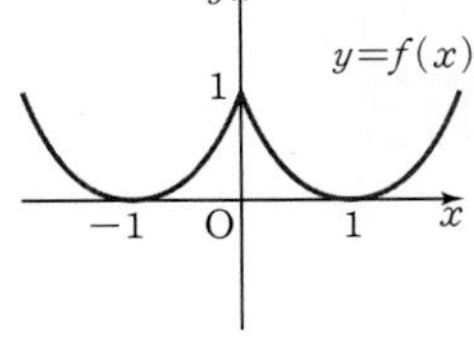

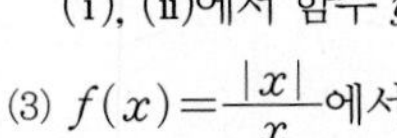

(3) $f(x)=\dfrac{|x|}{x}$에서

(i) $x<0$일 때

$|x|=-x$이므로 $f(x)=\dfrac{-x}{x}=-1$

(ii) $x>0$일 때

$|x|=x$이므로 $f(x)=\dfrac{x}{x}=1$

(i), (ii)에서 함수 $y=f(x)$의 그래프는 오른쪽 그림과 같다.

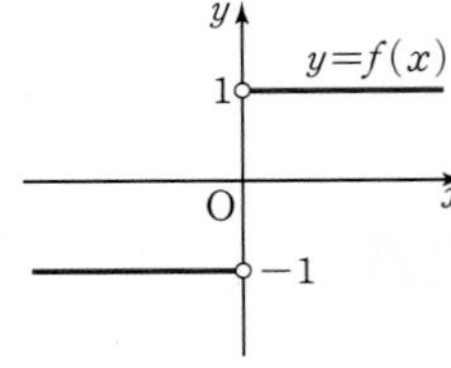

정답 (1) 풀이 참조 (2) 풀이 참조 (3) 풀이 참조

Bible Says

절댓값의 성질

① $|A|=\begin{cases}-A & (A<0)\\ A & (A\geq0)\end{cases}$

② $|A|\geq0$

③ $|-A|=|A|$

④ $|A|^2=A^2$

⑤ $|AB|=|A|\times|B|$

⑥ $\left|\dfrac{A}{B}\right|=\dfrac{|A|}{|B|}$ (단, $B\neq0$)

한 번 더하기

21-1

다음 함수의 그래프를 그리시오.

(1) $y=x-|x|$

(2) $y=x^2+|2x+1|$

(3) $y=-\frac{x}{|x|}$ (단, $x\neq0$)

한 번 더하기

21-2

함수 $y=|x^2+x|+|x|$의 그래프를 그리시오.

표현 더하기

21-3

함수 $y=\sqrt{x^2-2x+1}-|x-2|$의 그래프를 그리시오.

실력 더하기

21-4

함수 $y=|x^2-4|$의 그래프와 직선 $y=k$의 교점의 개수가 3이 되도록 하는 실수 k의 값을 구하시오.

대표 예제 | 22

$f(x)=x^2-x-2$에 대하여 다음 식의 그래프를 그리시오.

(1) $y=|f(x)|$　　(2) $y=f(|x|)$

(3) $|y|=f(x)$　　(4) $|y|=f(|x|)$

바로 접근 절댓값 기호를 포함한 식의 그래프는 대칭이동을 이용하여 그린다.

바른 풀이 $f(x)=x^2-x-2=(x+1)(x-2)$이므로

$f(x)=x^2-x-2$의 그래프는 오른쪽 그림과 같다.

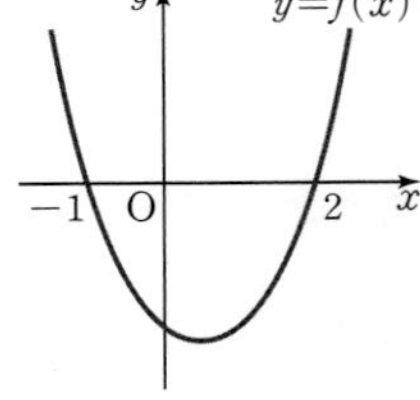

따라서 (1), (2), (3), (4)의 그래프는 다음과 같다.

(1)

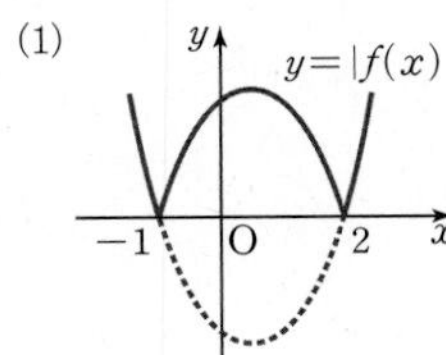

(2)

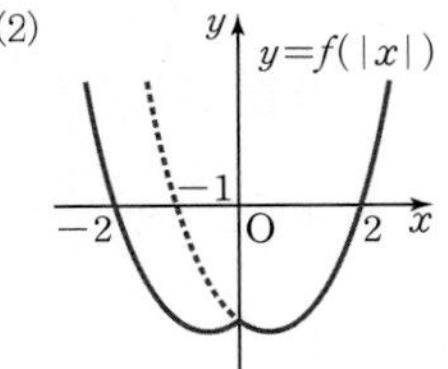

(3)

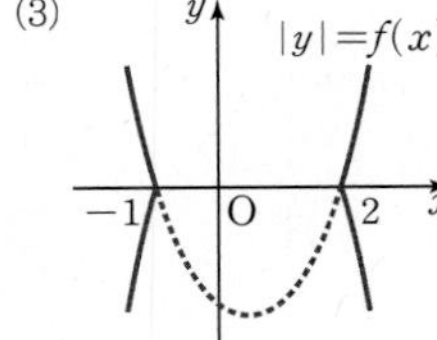

(4)

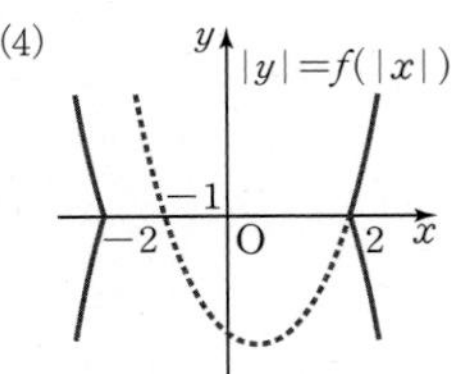

정답 (1) 풀이 참조 (2) 풀이 참조 (3) 풀이 참조 (4) 풀이 참조

Bible Says

① $y=|f(x)|$의 그래프

❶ $y=f(x)$의 그래프를 그린다.

❷ $y<0$인 부분을 x축에 대하여 대칭이동시킨 부분과 $y\ge0$인 부분을 함께 나타낸다.

② $y=f(|x|)$의 그래프

❶ $y=f(x)$의 그래프를 그린다.

❷ $x<0$인 부분을 없앤다.

❸ $x\ge0$인 부분을 y축에 대하여 대칭이동한 부분과 $x\ge0$인 부분을 함께 나타낸다.

③ $|y|=f(x)$의 그래프

❶ $y=f(x)$의 그래프를 그린다.

❷ $y<0$인 부분을 없앤다.

❸ $y\ge0$인 부분을 x축에 대하여 대칭이동시킨 부분과 $y\ge0$인 부분을 함께 나타낸다.

④ $|y|=f(|x|)$의 그래프

❶ $y=f(x)$의 그래프를 그린다.

❷ $x\ge0$, $y\ge0$인 부분을 제외하고 모두 없앤다.

❸ ❷의 그래프를 x축, y축, 원점에 대하여 각각 대칭이동시킨 부분과 ❷의 그래프를 함께 나타낸다.

빠른 정답 • 516쪽 / 정답과 풀이 • 145쪽

한 번 더하기

22-1 $f(x)=x^2-2x$에 대하여 다음 식의 그래프를 그리시오.

(1) $y=|f(x)|$ (2) $y=f(|x|)$

(3) $|y|=f(x)$ (4) $|y|=f(|x|)$

표현 더하기

22-2 좌표평면에 $y=|x^2-2|x||$의 그래프를 그리시오.

표현 더하기

22-3 좌표평면에 $|y|^2=x^2-2x+1$의 그래프를 그리시오.

실력 더하기

22-4 방정식 $3|x|+|y|=6$이 나타내는 도형의 넓이를 구하시오.

중단원 연습문제

STEP 1 기본 다지기

01

두 집합 $X=\{x|-1\le x\le 1\}$, $Y=\{y|0\le y\le 4\}$에 대하여 **보기**에서 X에서 Y로의 함수인 것을 있는 대로 고르시오.

보기

ㄱ. $f(x)=2-2x$ ㄴ. $f(x)=\frac{1}{2}x+3$ ㄷ. $f(x)=x^2-1$ ㄹ. $f(x)=(x+1)^2$

02

정의역이 $\{-1, 0, 1, 2\}$인 함수 $f(x)=ax^2+2$의 치역의 모든 원소의 합이 16일 때, 상수 a의 값을 구하시오.

03

집합 $X=\{-2, 1\}$을 정의역으로 하는 두 함수

$$f(x)=x^3+2ax+b,\ g(x)=ax+3b$$

가 서로 같을 때, 함수 f의 치역의 모든 원소의 합을 구하시오. (단, a, b는 상수이다.)

04

집합 $X=\{x|0\le x\le 3\}$과 0이 아닌 상수 a, b에 대하여 X에서 X로의 함수 $f(x)=ax^2+b$가 일대일대응일 때, $f(1)$의 값을 구하시오.

05 두 집합 $X=\{1, 2, 3, 4\}$, $Y=\{1, 2, 3, 4, 5\}$에 대하여 X에서 Y로의 모든 함수 f 중 $f(3)=5$이고 $f(2)$의 값은 짝수인 함수 f의 개수를 구하시오.

교육청 기출

06 함수 $f(x)=x^2-2x+a$가 $(f \circ f)(2)=(f \circ f)(4)$를 만족시킬 때, $f(6)$의 값은? (단, a는 상수이다.)

① 21 ② 22 ③ 23 ④ 24 ⑤ 25

07 두 함수 $f(x)=2x-1$, $g(x)=ax+b$가 $f \circ g=g \circ f$를 만족시킬 때, 함수 $y=g(x)$의 그래프는 a의 값에 관계없이 한 점을 지난다. 이 점의 좌표를 구하시오. (단, a, b는 상수이다.)

08 $0 \le x \le 3$에서 정의된 두 함수 $y=f(x)$, $y=g(x)$의 그래프가 그림과 같을 때,

$$(f \circ g \circ f)(2)+(g \circ f \circ g)(1)$$

의 값을 구하시오.

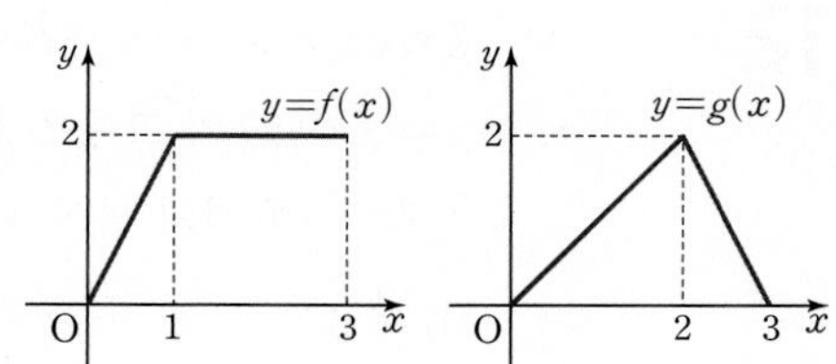

09 $0\le x\le 4$에서 정의된 함수 $f(x)$가 $f(x)=\begin{cases} 2x & (0\le x<2) \\ 4 & (2\le x\le 4) \end{cases}$일 때,
함수 $y=(f\circ f)(x)$의 그래프를 그리시오.

10 정의역이 $\{x|x\ge 1\}$인 이차함수 $f(x)=x^2+ax+b$가 역함수를 갖고 $f^{-1}(0)=2$, $f^{-1}(8)=4$일 때, $f(3)$의 값을 구하시오. (단, a, b는 상수이다.)

11 함수 $f(x)=ax-2\,(a\ne 0)$의 역함수 $f^{-1}(x)$에 대하여 $f=f^{-1}$일 때, 상수 a의 값을 구하시오.

교육청 기출

12 $k<0$인 실수 k에 대하여 함수 $f(x)=x^2-2x+k\ (x\ge 1)$의 그래프와 그 역함수 $y=f^{-1}(x)$의 그래프가 만나는 점을 P라 하고, 점 P에서 x축에 내린 수선의 발을 H라 하자. 삼각형 POH의 넓이가 8일 때, k의 값은? (단, O는 원점이다.)

① -6　② -5　③ -4　④ -3　⑤ -2

STEP 2 실력 다지기

13 집합 $X=\{a, b, c\}$를 정의역으로 하는 함수

$$f(x)=\begin{cases} 2 & (x<3) \\ 2x-5 & (3\le x<7) \\ x^2-12x+40 & (x\ge 7) \end{cases}$$

이 항등함수일 때, $a+b+c$의 값을 구하시오.

14 집합 $X=\{-2, -1, 0, 1, 2\}$에 대하여 X에서 X로의 함수 중

$$f(x)+f(-x)=0$$

을 만족시키는 함수 f의 개수를 구하시오.

15 두 함수 $f(x)=x+2$, $g(x)=\begin{cases} x^2-2ax+4 & (x<0) \\ x+4 & (x\ge 0) \end{cases}$에 대하여 합성함수 $(f \circ g)(x)$의 치역이 $\{y|y\ge 2\}$일 때, 상수 a의 값을 구하시오.

16 함수 $f(x)=\frac{x-1}{x+1}$ $(x\ne -1,\ x\ne 0,\ x\ne 1)$에 대하여

$$f^1=f,\ f^{n+1}=f\circ f^n\ (n\text{은 자연수})$$

으로 정의할 때, $f^m(2)=2$를 만족시키는 두 자리의 자연수 m의 개수를 구하시오.

중단원 연습문제

교육청 기출

17 $0\le x\le 2$에서 정의된 함수 $f(x)=\begin{cases} 2x & (0\le x<1) \\ -x+3 & (1\le x\le 2) \end{cases}$에 대하여 합성함수 $y=(f\circ f)(x)$의 그래프와 직선 $y=\frac{1}{2}x+1$의 교점의 개수는?

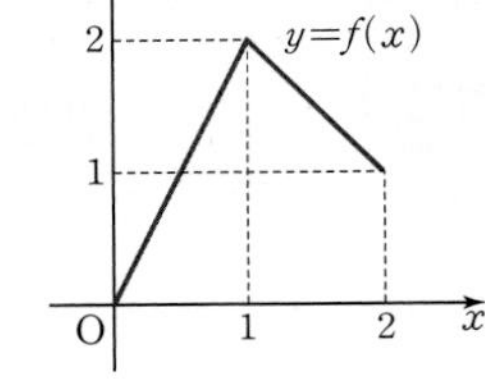

① 1　② 2　③ 3　④ 4　⑤ 5

18 세 함수 $f(x)=2x-1$, $g(x)=-3x+1$, $h(x)$에 대하여 $(f^{-1}\circ g^{-1}\circ h)(x)=f(x)$가 성립할 때, $h(1)$의 값을 구하시오.

challenge 교육청 기출

19 집합 $X=\{1, 2, 3, 4, 5\}$에 대하여 일대일대응인 함수 $f: X \longrightarrow X$가 다음 조건을 만족시킨다.

> (가) $f(2)-f(3)=f(4)-f(1)=f(5)$　(나) $f(1)<f(2)<f(4)$

$f(2)+f(5)$의 값은?

① 4　② 5　③ 6　④ 7　⑤ 8

challenge 교육청 기출

20 실수 전체의 집합에서 정의된 함수

$$f(x)=\begin{cases} 2x+2 & (x<2) \\ x^2-7x+16 & (x\ge 2) \end{cases}$$

에 대하여 $(f\circ f)(a)=f(a)$를 만족시키는 모든 실수 a의 값의 합을 구하시오.

09

유리식과 유리함수

01 유리식

유리식의 뜻과 성질	두 다항식 A, B $(B\neq0)$에 대하여 $\dfrac{A}{B}$ 꼴로 나타낸 식을 유리식이라 하고, 세 다항식 A, B, C $(B\neq0,\ C\neq0)$에 대하여 유리식은 다음의 성질을 만족시킨다. (1) $\dfrac{A}{B}=\dfrac{A\times C}{B\times C}$ (2) $\dfrac{A}{B}=\dfrac{A\div C}{B\div C}$
유리식의 사칙연산	네 다항식 A, B, C, D $(C\neq0,\ D\neq0)$에 대하여 (1) $\dfrac{A}{C}+\dfrac{B}{C}=\dfrac{A+B}{C}$ (2) $\dfrac{A}{C}-\dfrac{B}{C}=\dfrac{A-B}{C}$ (3) $\dfrac{A}{C}\times\dfrac{B}{D}=\dfrac{AB}{CD}$ (4) $\dfrac{A}{C}\div\dfrac{B}{D}=\dfrac{A}{C}\times\dfrac{D}{B}=\dfrac{AD}{BC}$ (단, $B\neq0$)

02 유리함수

유리함수 $y=\dfrac{k}{x}$ $(k\neq0)$의 그래프	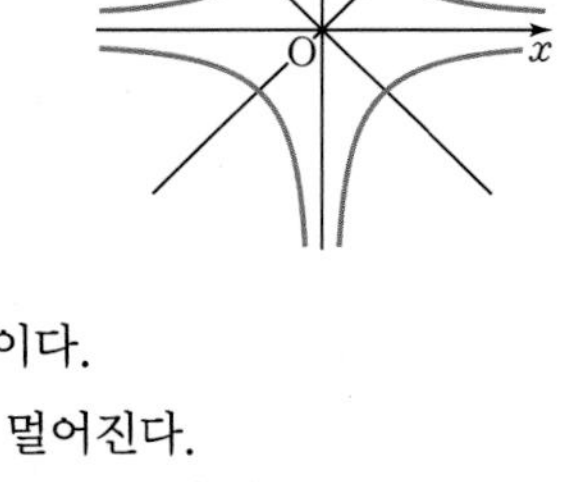 (1) 정의역과 치역은 모두 0이 아닌 실수 전체의 집합이다. (2) $k>0$이면 그래프는 제1, 3사분면에 있고, $k<0$이면 그래프는 제2, 4사분면에 있다. (3) 그래프는 원점 및 두 직선 $y=\pm x$에 대하여 각각 대칭이다. (4) 그래프의 점근선은 x축$(y=0)$과 y축$(x=0)$이다. (5) $\lvert k\rvert$의 값이 커질수록 그래프는 원점으로부터 멀어진다.
유리함수 $y=\dfrac{k}{x-p}+q$ $(k\neq0)$의 그래프	(1) 유리함수 $y=\dfrac{k}{x}$의 그래프를 x축의 방향으로 p만큼, y축의 방향으로 q만큼 평행이동시킨 것이다. (2) 정의역은 $\{x\mid x\neq p$인 실수$\}$이고, 치역은 $\{y\mid y\neq q$인 실수$\}$이다. (3) 그래프의 점근선은 두 직선 $x=p$, $y=q$이다. (4) 그래프는 점 $(p,\ q)$ 및 두 직선 $y=\pm(x-p)+q$에 대하여 대칭이다.
유리함수의 역함수	유리함수 $y=f(x)$의 역함수는 다음과 같은 순서로 구한다. ❶ $y=f(x)$를 x에 대하여 풀어 $x=f^{-1}(y)$ 꼴로 고친다. ❷ $x=f^{-1}(y)$에서 x와 y를 서로 바꾸어 $y=f^{-1}(x)$ 꼴로 고친다. ❸ f의 치역을 f^{-1}의 정의역으로 바꾼다.

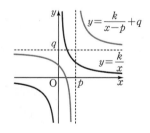

01 유리식

1 유리식의 뜻과 성질

두 다항식 A, B $(B\neq 0)$에 대하여 $\dfrac{A}{B}$ 꼴로 나타낸 식을 유리식이라 하고,
세 다항식 A, B, C $(B\neq 0,\ C\neq 0)$에 대하여 유리식은 다음의 성질을 만족시킨다.

(1) $\dfrac{A}{B}=\dfrac{A\times C}{B\times C}$ (2) $\dfrac{A}{B}=\dfrac{A\div C}{B\div C}$

중학교 과정에서 유리수는 두 정수 a, b $(b\neq 0)$를 $\dfrac{a}{b}$ 꼴로 나타낸 수라 학습하였다. 마찬가지로 두 다항식 A, B $(B\neq 0)$에 대하여 $\dfrac{A}{B}$ 꼴로 나타낸 식을 **유리식**이라 한다.

이때 B가 상수이면 $\dfrac{A}{B}$는 다항식이 되므로 다항식도 유리식이다. 즉, 다항식은 유리식의 특수한 경우이며, 다항식이 아닌 유리식을 분수식이라 한다.

유리식 ┌ 다항식: x, $3x^2+1$, $\dfrac{x^3-3}{2}$, $\cdots$
└ 분수식: $\dfrac{1}{x}$, $\dfrac{2x+3}{x-1}$, $\dfrac{x}{x^2+1}$, $\cdots$
다항식이 아닌 유리식

유리수와 마찬가지로 유리식도 분자, 분모에 0이 아닌 다항식을 곱하거나 분자, 분모를 0이 아닌 다항식으로 나누어도 그 값이 변하지 않는다. 따라서 세 다항식 A, B, C $(B\neq 0,\ C\neq 0)$에 대하여 유리식은 다음의 성질을 만족시킨다.

(1) $\dfrac{A}{B}=\dfrac{A\times C}{B\times C}$ (2) $\dfrac{A}{B}=\dfrac{A\div C}{B\div C}$

분모가 다른 두 개 이상의 유리식을 분모가 같은 유리식으로 고치는 것을 **통분**한다고 하고,
유리식의 분자, 분모를 공통인 인수로 나누어 식을 간단히 하는 것을 **약분**한다고 한다.
또한 분자, 분모를 더 이상 약분할 수 없는 유리식을 기약분수식이라 한다.
유리식을 통분하거나 약분할 때는 먼저 유리식의 분자와 분모를 각각 인수분해하면 공통인 인수를 구하기 쉽다.

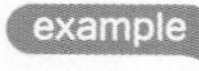

(1) $\dfrac{1}{x}$, $\dfrac{1}{x+1}$을 통분하면 각각 $\dfrac{x+1}{x(x+1)}$, $\dfrac{x}{x(x+1)}$이다.

(2) $\dfrac{x^2-1}{x^2+x-2}=\dfrac{(x-1)(x+1)}{(x-1)(x+2)}$이므로 기약분수식으로 나타내면 $\dfrac{x+1}{x+2}$이다.

2 유리식의 사칙연산

네 다항식 A, B, C, D $(C\neq0,\ D\neq0)$에 대하여

(1) **덧셈:** $\frac{A}{C}+\frac{B}{C}=\frac{A+B}{C}$

(2) **뺄셈:** $\frac{A}{C}-\frac{B}{C}=\frac{A-B}{C}$

(3) **곱셈:** $\frac{A}{C}\times\frac{B}{D}=\frac{AB}{CD}$

(4) **나눗셈:** $\frac{A}{C}\div\frac{B}{D}=\frac{A}{C}\times\frac{D}{B}=\frac{AD}{BC}$ (단, $B\neq0$)

유리식의 덧셈과 뺄셈에서 분모가 서로 다를 경우는 유리수의 덧셈과 뺄셈에서처럼 분모를 통분하여 계산한다.

즉, 네 다항식 A, B, C, D $(C\neq0,\ D\neq0)$에 대하여

$$\frac{A}{C}+\frac{B}{D}=\frac{AD+BC}{CD},\ \frac{A}{C}-\frac{B}{D}=\frac{AD-BC}{CD}$$

와 같이 계산한다.

또한 계산한 결과의 분자, 분모에 공통인 인수가 있다면 약분하여 기약분수식으로 나타낸다.

example

(1) $\frac{x}{(x+1)^2}+\frac{1}{(x+1)^2}=\frac{x+1}{(x+1)^2}$

$=\frac{1}{x+1}$ ← 계산 결과는 기약분수식으로 나타낸다.

(2) $\frac{1}{x+2}+\frac{1}{x+3}=\frac{x+3}{(x+2)(x+3)}+\frac{x+2}{(x+2)(x+3)}$ ← 통분하여 계산한다.

$=\frac{(x+3)+(x+2)}{(x+2)(x+3)}$

$=\frac{2x+5}{(x+2)(x+3)}$

(3) $\frac{2x}{x^3-1}-\frac{2}{x^3-1}=\frac{2x-2}{x^3-1}=\frac{2(x-1)}{(x-1)(x^2+x+1)}$

$=\frac{2}{x^2+x+1}$ ← 계산 결과는 기약분수식으로 나타낸다.

(4) $\frac{2}{x^2+x}-\frac{3}{x^2+2x}=\frac{2(x+2)}{x(x+1)(x+2)}-\frac{3(x+1)}{x(x+1)(x+2)}$ ← 통분하여 계산한다.

$=\frac{2(x+2)-3(x+1)}{x(x+1)(x+2)}$

$=\frac{-x+1}{x(x+1)(x+2)}$

유리식의 덧셈은 유리수의 덧셈과 같이 교환법칙과 결합법칙이 성립한다.

주의 유리식의 뺄셈은 교환법칙, 결합법칙이 성립하지 않음에 주의하자.

유리식의 곱셈은 유리수의 곱셈에서처럼 분자는 분자끼리, 분모는 분모끼리 곱하여 계산한다.
또한 유리식의 나눗셈은 유리수의 나눗셈에서처럼 나누는 식의 분자와 분모를 바꾸어 곱하여 계산한다.

즉, 네 다항식 A, B, C, D $(C\neq0,\ D\neq0)$에 대하여

$$\frac{A}{C}\times\frac{B}{D}=\frac{AB}{CD},\ \frac{A}{C}\div\frac{B}{D}=\frac{A}{C}\times\frac{D}{B}=\frac{AD}{BC}\ (\text{단, } B\neq0)$$

와 같이 계산한다. 이때 각 유리식의 분자, 분모를 인수분해하여 먼저 약분한 후 계산하면 편리하다.

example

(1) $\frac{x-1}{x^2+3x+2}\times\frac{x+2}{x^2-3x+2}=\frac{x-1}{(x+1)(x+2)}\times\frac{x+2}{(x-1)(x-2)}$

$=\frac{1}{(x+1)(x-2)}$

(2) $\frac{x-1}{x^2-1}\times\frac{x^2+3x}{x^2+5x+6}=\frac{x-1}{(x+1)(x-1)}\times\frac{x(x+3)}{(x+2)(x+3)}$

$=\frac{1}{x+1}\times\frac{x}{x+2}$ ← 먼저 약분한 후 계산하면 편리하다.

$=\frac{x}{(x+1)(x+2)}$

(3) $\frac{x^2-3x+2}{x+1}\div\frac{x^2-2x+1}{x+1}=\frac{(x-1)(x-2)}{x+1}\div\frac{(x-1)^2}{x+1}$

$=\frac{(x-1)(x-2)}{x+1}\times\frac{x+1}{(x-1)^2}$ ← 분자와 분모를 바꾸어 곱한다.

$=\frac{x-2}{x-1}$

(4) $\frac{x+4}{x^2-3x-10}\div\frac{x^2+3x-4}{x+2}=\frac{x+4}{(x+2)(x-5)}\div\frac{(x+4)(x-1)}{x+2}$

$=\frac{x+4}{(x+2)(x-5)}\times\frac{x+2}{(x+4)(x-1)}$

$=\frac{1}{(x-5)(x-1)}$

유리식의 곱셈은 유리수의 곱셈과 같이 교환법칙과 결합법칙이 성립한다.

주의 유리식의 나눗셈은 교환법칙, 결합법칙이 성립하지 않음에 주의하자.

example

유리식의 사칙연산을 이용하여 다음을 간단히 하면

$\frac{x+2}{x^2+2x-3}\times\frac{x+1}{x+2}\div\left(\frac{x^2-x-2}{x-1}-\frac{x^2-2x-3}{x-1}\right)$

$=\frac{x+2}{(x+3)(x-1)}\times\frac{x+1}{x+2}\div\frac{x^2-x-2-(x^2-2x-3)}{x-1}$

$=\frac{x+1}{(x+3)(x-1)}\div\frac{x+1}{x-1}$

$=\frac{x+1}{(x+3)(x-1)}\times\frac{x-1}{x+1}$

$=\frac{1}{x+3}$

3 여러 가지 형태의 유리식의 계산

(1) (분자의 차수)≥(분모의 차수)인 경우

분자의 차수가 분모의 차수보다 크거나 같은 유리식은 유리식의 분자를 분모로 나누어 분자의 차수를 분모의 차수보다 작게 나타낸 후 계산한다.

(2) 분모가 두 개 이상의 인수의 곱인 경우

유리식의 분모가 두 개 이상의 인수의 곱으로 이루어졌을 때 다음과 같이 부분분수로 변형하여 계산한다.

$$\frac{1}{AB}=\frac{1}{B-A}\left(\frac{1}{A}-\frac{1}{B}\right)\text{ (단, }A\neq0,\ B\neq0,\ A\neq B)$$

(3) 분자 또는 분모가 분수식인 경우

분자 또는 분모가 분수식이면 다음과 같이 분자에 분모의 역수를 곱하여 계산한다.

$$\frac{\frac{B}{A}}{\frac{D}{C}}=\frac{B}{A}\div\frac{D}{C}=\frac{B}{A}\times\frac{C}{D}=\frac{BC}{AD}\text{ (단, }A\neq0,\ C\neq0,\ D\neq0)$$

복잡한 형태의 유리식의 계산은 유리식의 형태에 따라 다음과 같이 계산한다.

(1) (분자의 차수)≥(분모의 차수)인 경우

유리수와 마찬가지로 유리식에서도 (분자의 차수)≥(분모의 차수)인 유리식의 사칙연산은 이 유리식을 다항식과 (분자의 차수)<(분모의 차수)인 유리식의 합으로 나타낸 후 계산하면 편리하다.

두 다항식 A, B (단, $B\neq0$)에 대하여 A를 B로 나누었을 때 몫을 Q, 나머지를 R라 하면 유리식 $\frac{A}{B}$는 다음과 같이 다항식과 (분자의 차수)<(분모의 차수)인 유리식의 합으로 나타낼 수 있다.

$$\frac{A}{B}=\frac{BQ+R}{B}=Q+\frac{R}{B}$$

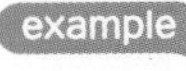

$$\begin{aligned}\frac{x+2}{x+1}-\frac{x+3}{x+2}&=\frac{(x+1)+1}{x+1}-\frac{(x+2)+1}{x+2}\\&=\left(1+\frac{1}{x+1}\right)-\left(1+\frac{1}{x+2}\right)\\&=\frac{1}{x+1}-\frac{1}{x+2}\\&=\frac{(x+2)-(x+1)}{(x+1)(x+2)}\\&=\frac{1}{(x+1)(x+2)}\end{aligned}$$

(2) 분모가 두 개 이상의 인수의 곱인 경우

분모가 두 개 이상의 인수의 곱으로 되어 있을 때, 다음과 같이 하나의 유리식을 두 유리식의 차로 나타낼 수 있다.

$\ulcorner \frac{1}{B-A}\left(\frac{1}{A}-\frac{1}{B}\right)=\frac{1}{B-A}\times\frac{B-A}{AB}=\frac{1}{AB}$

$$\frac{1}{AB}=\frac{1}{B-A}\left(\frac{1}{A}-\frac{1}{B}\right)\ (\text{단, } A\neq B,\ B\neq 0,\ A\neq 0)$$

이렇게 하나의 유리식을 통분하기 전의 두 유리식의 차로 나타내는 것을 **부분분수로의 변형** 또는 **부분분수로의 분해**라 한다.

부분분수로의 변형은 보통 규칙적으로 지워지는 형태로 식을 바꾸어 서로 소거하여 간단히 계산하기 위하여 사용한다.

example

$$\begin{aligned}
&\frac{1}{x(x+2)}+\frac{1}{(x+2)(x+4)}\\
&=\frac{1}{(x+2)-x}\left(\frac{1}{x}-\frac{1}{x+2}\right)+\frac{1}{(x+4)-(x+2)}\left(\frac{1}{x+2}-\frac{1}{x+4}\right)\\
&=\frac{1}{2}\left(\frac{1}{x}-\frac{1}{x+2}\right)+\frac{1}{2}\left(\frac{1}{x+2}-\frac{1}{x+4}\right)\\
&=\frac{1}{2}\left(\frac{1}{x}-\cancel{\frac{1}{x+2}}+\cancel{\frac{1}{x+2}}-\frac{1}{x+4}\right)\\
&=\frac{1}{2}\left(\frac{1}{x}-\frac{1}{x+4}\right)\\
&=\frac{1}{2}\times\frac{(x+4)-x}{x(x+4)}=\frac{1}{2}\times\frac{4}{x(x+4)}\\
&=\frac{2}{x(x+4)}
\end{aligned}$$

(3) 분자 또는 분모가 분수식인 경우

분자, 분모의 한 쪽 또는 양쪽 모두가 분수식으로 된 유리식을 **번분수식**이라 한다.
번분수식은 다음과 같이 유리식의 성질을 이용하여 분자에 분모의 역수를 곱하여 계산한다.

$$\frac{\frac{B}{A}}{\frac{D}{C}}=\frac{B}{A}\div\frac{D}{C}=\frac{B}{A}\times\frac{C}{D}=\frac{BC}{AD}\ (\text{단, } A\neq 0,\ C\neq 0,\ D\neq 0)$$

번분수식을 계산할 때 어떠한 인수가 분자가 되고, 어떠한 인수가 분모가 되는지 혼동하는 경우가 많다. 이때 번분수식에서 가운데(A, D)의 곱은 분모가 되고, 위, 아래(B, C)의 곱은 분자가 된다고 생각하면 계산 과정에서 실수를 줄일 수 있다.

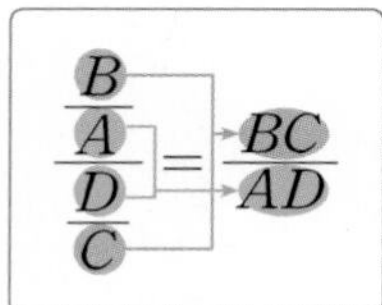

example

$$\frac{\frac{x+2}{x-1}}{\frac{x+1}{x-2}}=\frac{(x+2)(x-2)}{(x-1)(x+1)}$$

4 비례식

0이 아닌 실수 k에 대하여

(1) $a:b=c:d \Longleftrightarrow \dfrac{a}{b}=\dfrac{c}{d}=k \Longleftrightarrow a=bk,\ c=dk$

$a:b=c:d \Longleftrightarrow \dfrac{a}{c}=\dfrac{b}{d}=k \Longleftrightarrow a=ck,\ b=dk$

(2) $a:b:c=d:e:f \Longleftrightarrow \dfrac{a}{d}=\dfrac{b}{e}=\dfrac{c}{f}=k \Longleftrightarrow a=dk,\ b=ek,\ c=fk$

비율이 같은 두 개의 비 $a:b$와 $c:d$를 등호를 사용하여 $a:b=c:d$와 같이 나타낸 식을 **비례식**이라 한다.
이때 비례식에서 외항의 곱과 내항의 곱은 서로 같으므로 오른쪽 그림과 같이 나타낼 수 있다.

$$a:b=c:d \Longleftrightarrow ad=bc \Longleftrightarrow \frac{a}{b}=\frac{c}{d} \Longleftrightarrow \frac{a}{c}=\frac{b}{d}$$

비례식을 통하여 비율만 알 수 있으므로 조건이 비례식으로 주어진 유리식의 계산은 비례상수 k를 이용하여 계산하는 것이 일반적이다. 즉, 비의 값을 상수 k $(k\neq0)$로 놓고, 각 문자를 다음과 같이 k에 대한 식으로 나타낸 후 이를 식에 대입하여 계산한다.

$$a:b=c:d \Longleftrightarrow \frac{a}{b}=\frac{c}{d}=k \Longleftrightarrow a=bk,\ c=dk$$

$$a:b=c:d \Longleftrightarrow \frac{a}{c}=\frac{b}{d}=k \Longleftrightarrow a=ck,\ b=dk$$

항이 세 개인 비례식도 마찬가지로 다음과 같이 비례상수 k $(k\neq0)$를 이용하여 각 문자를 k에 대한 식으로 나타낸 후 이를 식에 대입하여 계산한다.

$$a:b:c=d:e:f \Longleftrightarrow \frac{a}{d}=\frac{b}{e}=\frac{c}{f}=k \Longleftrightarrow a=dk,\ b=ek,\ c=fk$$

example

(1) $x:y=1:2$일 때, $\dfrac{x}{1}=\dfrac{y}{2}=k$ (단, $k\neq0$)로 놓으면 $x=k$, $y=2k$이므로

$$\frac{2x^2+y^2}{xy}=\frac{2k^2+(2k)^2}{k\times2k}=\frac{6k^2}{2k^2}=3$$

(2) $x:y:z=3:4:5$일 때, $\dfrac{x}{3}=\dfrac{y}{4}=\dfrac{z}{5}=k$로 놓으면 $x=3k$, $y=4k$, $z=5k$이므로

$$\frac{x^2+y^2+z^2}{xy+yz+zx}=\frac{(3k)^2+(4k)^2+(5k)^2}{3k\times4k+4k\times5k+5k\times3k}=\frac{50k^2}{47k^2}=\frac{50}{47}$$

다른 풀이

(1) $x:y=1:2$일 때, $y=2x$이므로

$$\frac{2x^2+y^2}{xy}=\frac{2x^2+(2x)^2}{x\times2x}=\frac{6x^2}{2x^2}=3$$

개념 CHECK

01. 유리식

01 다음 식을 간단히 하시오.

(1) $\dfrac{1}{x+1}+\dfrac{2}{x+3}$

(2) $\dfrac{4x}{x^3+1}-\dfrac{3}{x^2-x+1}$

(3) $\dfrac{x+2}{x^2+3x-4}\times\dfrac{x+4}{x^2+3x+2}$

(4) $\dfrac{x-1}{x+3}\div\dfrac{x^2+2x-3}{x^2+6x+9}$

02 다음 식을 간단히 하시오.

(1) $\dfrac{x+3}{x+2}-\dfrac{x+4}{x+3}$

(2) $\dfrac{1}{x(x-1)}+\dfrac{2}{(x-1)(x-3)}$

03 $\dfrac{1-\dfrac{1}{x+1}}{x}$을 간단히 하시오.

04 0이 아닌 세 실수 x, y, z에 대하여 다음을 구하시오.

(1) $x:y=3:5$일 때, $\dfrac{xy}{y^2-x^2}$의 값

(2) $x:y:z=1:3:4$일 때, $\dfrac{5x-3y+2z}{x+y+z}$의 값

대표 예제 01

다음 식을 간단히 하시오.

(1) $\frac{x}{x^3+1}+\frac{1}{x^3+1}$

(2) $\frac{2x}{x^2-1}-\frac{1}{x^2-x}$

(3) $\frac{x-1}{x^2-x-2}\times\frac{x^2-5x+6}{x^2-x}$

(4) $\frac{x+2}{(x-1)^2}\div\frac{x^2+x-2}{x^2-1}$

바로 접근

① 유리식의 덧셈과 뺄셈은 분모를 통분하여 계산한다.

② 유리식의 곱셈과 나눗셈은 인수분해하여 약분한 후 계산한다.

바른 풀이

(1) $\frac{x}{x^3+1}+\frac{1}{x^3+1}=\frac{x+1}{x^3+1}=\frac{x+1}{(x+1)(x^2-x+1)}=\frac{1}{x^2-x+1}$

(2) $\frac{2x}{x^2-1}-\frac{1}{x^2-x}=\frac{2x}{(x-1)(x+1)}-\frac{1}{x(x-1)}$

$$=\frac{2x^2-x-1}{x(x-1)(x+1)}$$

$$=\frac{(2x+1)(x-1)}{x(x-1)(x+1)}=\frac{2x+1}{x(x+1)}$$

(3) $\frac{x-1}{x^2-x-2}\times\frac{x^2-5x+6}{x^2-x}=\frac{x-1}{(x-2)(x+1)}\times\frac{(x-2)(x-3)}{x(x-1)}$

$$=\frac{x-3}{x(x+1)}$$

(4) $\frac{x+2}{(x-1)^2}\div\frac{x^2+x-2}{x^2-1}=\frac{x+2}{(x-1)^2}\div\frac{(x-1)(x+2)}{(x-1)(x+1)}$

$$=\frac{x+2}{(x-1)^2}\times\frac{x+1}{x+2}=\frac{x+1}{(x-1)^2}$$

정답 (1) $\frac{1}{x^2-x+1}$ (2) $\frac{2x+1}{x(x+1)}$ (3) $\frac{x-3}{x(x+1)}$ (4) $\frac{x+1}{(x-1)^2}$

Bible Says

네 다항식 A, B, C, D $(C\neq0,\ D\neq0)$에 대하여

① $\frac{A}{C}\pm\frac{B}{C}=\frac{A\pm B}{C}$ (복부호동순)

② $\frac{A}{C}\pm\frac{B}{D}=\frac{AD\pm BC}{CD}$ (복부호동순)

③ $\frac{A}{C}\times\frac{B}{D}=\frac{AB}{CD}$

④ $\frac{A}{C}\div\frac{B}{D}=\frac{A}{C}\times\frac{D}{B}=\frac{AD}{BC}$ (단, $B\neq0$)

한 번 더하기

01-1

다음 식을 간단히 하시오.

(1) $\dfrac{x}{x^3-1}-\dfrac{1}{x^3-1}$

(2) $\dfrac{2x}{x^2-1}+\dfrac{1}{x^2+x}$

(3) $\dfrac{x}{x^2-3x+2}\times\dfrac{x^2-x-2}{x^2+x}$

(4) $\dfrac{x+3}{(x+1)^2}\div\dfrac{x^2+4x+3}{x^2-1}$

표현 더하기

01-2

다음 식을 간단히 하시오.

(1) $\dfrac{1}{x-1}-\dfrac{x+1}{x^2+x+1}-\dfrac{3}{x^3-1}$

(2) $\dfrac{1}{x-1}-\dfrac{1}{x+1}-\dfrac{2}{x^2+1}-\dfrac{4}{x^4+1}$

09

표현 더하기

01-3

$\dfrac{a+4}{a^2-a-2}\times\dfrac{a^2+3a+2}{a+1}\div\dfrac{a^2+5a+6}{a^2-3a+2}$을 간단히 하시오.

표현 더하기

01-4

$a^2+b^2=9$, $ab=-3$일 때, $\left(\dfrac{a-b}{a+b}+\dfrac{a+b}{a-b}\right)\div\left(\dfrac{a-b}{a+b}-\dfrac{a+b}{a-b}\right)$의 값을 구하시오.

대표 예제 02

$x\neq-1$인 모든 실수 x에 대하여 등식

$$\frac{2x^2+4}{x^3+1}=\frac{a}{x+1}+\frac{b}{x^2-x+1}$$

가 성립할 때, 상수 a, b의 값을 각각 구하시오.

바로 접근

주어진 등식이 $x\neq-1$인 모든 실수 x에 대하여 성립하므로
좌변과 우변의 분모가 서로 같도록 통분한 후 양변의 분자의 동류항의 계수를 비교하여 미정계수를 구한다.

바른 풀이

주어진 식의 우변을 통분하여 정리하면

$$\frac{a}{x+1}+\frac{b}{x^2-x+1}=\frac{a(x^2-x+1)+b(x+1)}{(x+1)(x^2-x+1)}$$

$$=\frac{ax^2+(-a+b)x+(a+b)}{x^3+1}$$

따라서 등식 $\frac{2x^2+4}{x^3+1}=\frac{ax^2+(-a+b)x+(a+b)}{x^3+1}$는 $x\neq-1$인 모든 실수 x에 대하여 성립하므로

양변의 분자의 동류항의 계수를 서로 비교하면

$a=2$, $-a+b=0$, $a+b=4$

이를 정리하여 풀면

$a=2$, $b=2$

정답 $a=2$, $b=2$

Bible Says

주어진 유리식이 서로 같을 때

➔ 양변의 분모가 같도록 통분한 후 양변의 분자의 동류항의 계수를 비교한다.

이때 양변에 적절한 식을 곱하여 분모가 1인 등식으로 만든 후 양변의 동류항의 계수를 비교하여도 좋다.

예를 들어 $\frac{2x^2+4}{x^3+1}=\frac{a}{x+1}+\frac{b}{x^2-x+1}$의 양변에 x^3+1을 곱하면

$2x^2+4=a(x^2-x+1)+b(x+1)$

$2x^2+4=ax^2+(-a+b)x+a+b$

이므로 동류항의 계수를 비교하여 $a=2$, $b=2$로 구할 수 있다.

한 번 더하기

02-1

$x \neq 1$인 모든 실수 x에 대하여 등식

$$\frac{3x^2+6}{x^3-1}=\frac{a}{x-1}+\frac{b}{x^2+x+1}$$

가 성립할 때, 상수 a, b의 값을 각각 구하시오.

한 번 더하기

02-2

$x \neq 1$, $x \neq 2$인 모든 실수 x에 대하여 등식

$$\frac{-2}{x^2-3x+2}=\frac{a}{x-1}-\frac{b}{x-2}$$

가 성립할 때, 상수 a, b의 값을 각각 구하시오.

표현 더하기

02-3

다음 식의 분모를 0으로 만들지 않는 모든 실수 x에 대하여

$$\frac{7x+a}{x^3-1}=\frac{b}{x-1}+\frac{cx+1}{x^2+x+1}$$

이 성립할 때, $a+2b-c$의 값을 구하시오. (단, a, b, c는 상수이다.)

표현 더하기

02-4

다음 식의 분모를 0으로 만들지 않는 모든 실수 x에 대하여

$$\frac{1}{x(x+1)^2}=\frac{a}{x}+\frac{b}{x+1}+\frac{c}{(x+1)^2}$$

가 성립할 때, $a-2b-3c$의 값을 구하시오. (단, a, b, c는 상수이다.)

(분자의 차수)≥(분모의 차수)인 유리식

대표 예제 03

다음 식을 간단히 하시오.

(1) $\frac{x^2+2x-1}{x-1}-\frac{x^2+5x+7}{x+2}$

(2) $\frac{x+2}{x+1}-\frac{x+3}{x+2}-\frac{x+4}{x+3}+\frac{x+5}{x+4}$

바로 접근 (분자의 차수)≥(분모의 차수)인 유리식은 분자를 분모로 나누어 분자의 차수가 분모의 차수보다 작게 나타낸 후 계산한다.

바른 풀이

(1) $\frac{x^2+2x-1}{x-1}-\frac{x^2+5x+7}{x+2}$

$=\frac{(x-1)(x+3)+2}{x-1}-\frac{(x+2)(x+3)+1}{x+2}$

$=\left\{(x+3)+\frac{2}{x-1}\right\}-\left\{(x+3)+\frac{1}{x+2}\right\}$

$=\frac{2}{x-1}-\frac{1}{x+2}$

$=\frac{2(x+2)-(x-1)}{(x-1)(x+2)}$

$=\frac{x+5}{(x-1)(x+2)}$

(2) $\frac{x+2}{x+1}-\frac{x+3}{x+2}-\frac{x+4}{x+3}+\frac{x+5}{x+4}$

$=\frac{(x+1)+1}{x+1}-\frac{(x+2)+1}{x+2}-\frac{(x+3)+1}{x+3}+\frac{(x+4)+1}{x+4}$

$=\left(1+\frac{1}{x+1}\right)-\left(1+\frac{1}{x+2}\right)-\left(1+\frac{1}{x+3}\right)+\left(1+\frac{1}{x+4}\right)$

$=\left(\frac{1}{x+1}-\frac{1}{x+3}\right)-\left(\frac{1}{x+2}-\frac{1}{x+4}\right)$

$=\frac{(x+3)-(x+1)}{(x+1)(x+3)}-\frac{(x+4)-(x+2)}{(x+2)(x+4)}$

$=\frac{2}{(x+1)(x+3)}-\frac{2}{(x+2)(x+4)}$

$=\frac{2(x+2)(x+4)-2(x+1)(x+3)}{(x+1)(x+2)(x+3)(x+4)}$

$=\frac{2(2x+5)}{(x+1)(x+2)(x+3)(x+4)}$

정답 (1) $\frac{x+5}{(x-1)(x+2)}$ (2) $\frac{2(2x+5)}{(x+1)(x+2)(x+3)(x+4)}$

Bible Says

특수한 형태의 유리식의 계산은 다음과 같이 한다.

① (분자의 차수)≥(분모의 차수)인 유리식의 계산

→ (분자의 차수)<(분모의 차수)가 되도록 변형하여 계산한다.

② 네 개 이상의 유리식의 계산은 적당히 두 개씩 묶어서 계산한다.

한 번 더하기

03-1

다음 식을 간단히 하시오.

(1) $\frac{x^2+2x+2}{x+1}-\frac{x^2-2x-1}{x-3}$

(2) $\frac{x+2}{x}-\frac{x+3}{x+1}-\frac{x+4}{x+2}+\frac{x+5}{x+3}$

표현 더하기

03-2

$\frac{4x^2+6x-2}{2x^2+3x-2}-\frac{2x^2+6x+5}{x^2+3x+2}$를 간단히 하시오.

표현 더하기

03-3

다음 식의 분모를 0으로 만들지 않는 모든 실수 x에 대하여

$$\frac{x^3}{x^2-x+1}-\frac{x^2+2x}{x+1}=\frac{ax^2+bx+c}{x^3+1}$$

일 때, $a^2+b^2+c^2$의 값을 구하시오. (단, a, b, c는 상수이다.)

표현 더하기

03-4

$|x|\neq1$, $|x|\neq2$인 모든 실수 x에 대하여

$$\frac{3x+4}{x+1}+\frac{x}{x-1}-\frac{3x+7}{x+2}-\frac{x-1}{x-2}=\frac{ax+b}{(x+2)(x+1)(x-1)(x-2)}$$

일 때, a^2+b^2의 값을 구하시오. (단, a, b는 상수이다.)

대표 예제 04

부분분수로의 변형

다음 물음에 답하시오.

(1) $\dfrac{2}{(x-4)(x-2)}+\dfrac{2}{x(x-2)}+\dfrac{2}{x(x+2)}+\dfrac{2}{(x+2)(x+4)}$를 간단히 하시오.

(2) $\dfrac{1}{1\times3}+\dfrac{1}{3\times5}+\dfrac{1}{5\times7}+\cdots+\dfrac{1}{11\times13}$의 값을 구하시오.

바로 접근

유리식의 분모가 두 개 이상의 인수의 곱으로 이루어졌을 때
부분분수로의 변형을 이용하여 유리식이 규칙적으로 지워지는 형태로 바꾸어 식을 간단히 계산할 수 있다.

바른 풀이

(1) $\dfrac{2}{(x-4)(x-2)}+\dfrac{2}{x(x-2)}+\dfrac{2}{x(x+2)}+\dfrac{2}{(x+2)(x+4)}$

$=\left(\dfrac{1}{x-4}-\dfrac{1}{x-2}\right)+\left(\dfrac{1}{x-2}-\dfrac{1}{x}\right)+\left(\dfrac{1}{x}-\dfrac{1}{x+2}\right)+\left(\dfrac{1}{x+2}-\dfrac{1}{x+4}\right)$

$=\dfrac{1}{x-4}-\dfrac{1}{x+4}$

$=\dfrac{(x+4)-(x-4)}{(x-4)(x+4)}$

$=\dfrac{8}{(x-4)(x+4)}$

(2) $\dfrac{1}{1\times3}+\dfrac{1}{3\times5}+\dfrac{1}{5\times7}+\cdots+\dfrac{1}{11\times13}$

$=\dfrac{1}{2}\left(1-\dfrac{1}{3}\right)+\dfrac{1}{2}\left(\dfrac{1}{3}-\dfrac{1}{5}\right)+\dfrac{1}{2}\left(\dfrac{1}{5}-\dfrac{1}{7}\right)+\cdots+\dfrac{1}{2}\left(\dfrac{1}{11}-\dfrac{1}{13}\right)$

$=\dfrac{1}{2}\left\{\left(1-\dfrac{1}{3}\right)+\left(\dfrac{1}{3}-\dfrac{1}{5}\right)+\left(\dfrac{1}{5}-\dfrac{1}{7}\right)+\cdots+\left(\dfrac{1}{11}-\dfrac{1}{13}\right)\right\}$

$=\dfrac{1}{2}\left(1-\dfrac{1}{13}\right)=\dfrac{6}{13}$

정답 (1) $\dfrac{8}{(x-4)(x+4)}$ (2) $\dfrac{6}{13}$

Bible Says

부분분수로의 변형은 다음과 같다.

$$\frac{1}{AB}=\frac{1}{B-A}\left(\frac{1}{A}-\frac{1}{B}\right)\text{(단, }A\neq B\text{)}$$

이때 (1)에서 $\dfrac{2}{(x-4)(x-2)}$, $\dfrac{2}{x(x-2)}$, $\dfrac{2}{x(x+2)}$, $\dfrac{2}{(x+2)(x+4)}$는 모두 분모의 인수의 차가 분자와 2로 같으므로 각각의 유리식을 부분분수로 변형하여 나타내면 항끼리 서로 소거하여 계산을 간단히 할 수 있다.
'부분분수로의 변형'은 유리수, 유리식의 계산에서 계산을 간소화하기 위하여 많이 이용되므로 충분히 연습해 두도록 하자.

한 번 더하기

04-1

다음 물음에 답하시오.

(1) $\frac{1}{(x-2)(x-1)}+\frac{1}{x(x-1)}+\frac{1}{x(x+1)}+\frac{1}{(x+1)(x+2)}$을 간단히 하시오.

(2) $\frac{1}{2\times4}+\frac{1}{4\times6}+\frac{1}{6\times8}+\cdots+\frac{1}{18\times20}$의 값을 구하시오.

표현 더하기

04-2

다음 식의 분모를 0으로 만들지 않는 모든 실수 x에 대하여 등식

$$\frac{2}{(x+1)(x+3)}+\frac{3}{(x+3)(x+6)}+\frac{4}{(x+6)(x+10)}=\frac{a}{(x+1)(x+b)}$$

가 성립할 때, $a+b$의 값을 구하시오. (단, a, b는 상수이다.)

표현 더하기

04-3

$\frac{1}{10}+\frac{1}{40}+\frac{1}{88}+\cdots+\frac{1}{(3n-1)(3n+2)}=\frac{3}{20}$을 만족시키는 자연수 n의 값을 구하시오.

실력 더하기

04-4

$f(x)=4x^2-1$일 때,

$$\frac{1}{f(1)}+\frac{1}{f(2)}+\frac{1}{f(3)}+\cdots+\frac{1}{f(99)}$$

의 값을 구하시오.

대표 예제 | 05

다음 식을 간단히 하시오.

(1) $\dfrac{\dfrac{1}{x+1}+\dfrac{1}{x-1}}{\dfrac{1}{x+1}-\dfrac{1}{x-1}}$ (2) $1+\dfrac{1}{2+\dfrac{1}{3+\dfrac{1}{x}}}$

바로 접근

복잡한 형태의 번분수식은 유리식의 성질을 차례대로 이용하여 정리하면 쉽게 해결할 수 있다.
(1)은 분자와 분모를 각각 통분한 후 번분수식을 계산하고,
(2)는 분모에 분수식이 반복되면 아래쪽의 분수식부터 차례대로 계산한다.

바른 풀이

(1) $\dfrac{\dfrac{1}{x+1}+\dfrac{1}{x-1}}{\dfrac{1}{x+1}-\dfrac{1}{x-1}}=\dfrac{\dfrac{(x-1)+(x+1)}{(x+1)(x-1)}}{\dfrac{(x-1)-(x+1)}{(x+1)(x-1)}}=\dfrac{\dfrac{2x}{(x+1)(x-1)}}{\dfrac{-2}{(x+1)(x-1)}}=\dfrac{2x(x+1)(x-1)}{-2(x+1)(x-1)}=-x$

(2) $1+\dfrac{1}{2+\dfrac{1}{3+\dfrac{1}{x}}}=1+\dfrac{1}{2+\dfrac{1}{\dfrac{3x+1}{x}}}=1+\dfrac{1}{2+\dfrac{x}{3x+1}}$

$=1+\dfrac{1}{\dfrac{2(3x+1)+x}{3x+1}}=1+\dfrac{1}{\dfrac{7x+2}{3x+1}}$

$=1+\dfrac{3x+1}{7x+2}=\dfrac{(7x+2)+(3x+1)}{7x+2}=\dfrac{10x+3}{7x+2}$

정답 (1) $-x$ (2) $\dfrac{10x+3}{7x+2}$

Bible Says

번분수식은 다음과 같이 유리식의 성질을 이용하여 계산한다.

$\dfrac{\dfrac{B}{A}}{\dfrac{D}{C}}=\dfrac{B}{A}\div\dfrac{D}{C}=\dfrac{B}{A}\times\dfrac{C}{D}=\dfrac{BC}{AD}$ (단, $ACD\neq0$) ➔ $\dfrac{\dfrac{B}{A}}{\dfrac{D}{C}}=\dfrac{BC}{AD}$

한 번 더하기

05-1

다음 식을 간단히 하시오.

(1) $\dfrac{\dfrac{1+x}{1-x}+\dfrac{1-x}{1+x}}{\dfrac{1+x}{1-x}-\dfrac{1-x}{1+x}}$

(2) $1+\dfrac{1}{1+\dfrac{1}{1+\dfrac{1}{x}}}$

표현 더하기

05-2

$1-\dfrac{1}{1+\dfrac{1}{1-\dfrac{1}{1+\dfrac{1}{x}}}}=\dfrac{x+a}{x+b}$를 만족시키는 상수 a, b에 대하여 $a+b$의 값을 구하시오.

표현 더하기

05-3

$x=\sqrt{3}$일 때, $\dfrac{x^2}{x-\dfrac{x+1}{x+1-\dfrac{x-1}{x}}}$의 값을 구하시오.

표현 더하기

05-4

$\dfrac{47}{10}=a+\dfrac{1}{b+\dfrac{1}{c+\dfrac{1}{d}}}$을 만족시키는 자연수 a, b, c, d에 대하여 $a+b+c+d$의 값을 구하시오.

대표 예제 | 06

$(x+y):(y+z):(z+x)=3:6:5$일 때, 다음 물음에 답하시오.

(1) $x:y:z$를 가장 간단한 자연수의 비로 나타내시오.

(2) $\frac{y}{x}+\frac{z}{y}+\frac{x}{z}$의 값을 구하시오.

(3) $\frac{x^2+y^2+z^2}{xy+yz+zx}$의 값을 구하시오.

바로 접근

조건이 $a:b:c=d:e:f$와 같이 비례식으로 주어지면 $\frac{a}{d}=\frac{b}{e}=\frac{c}{f}=k\ (k\neq0)$로 놓고

$$a=dk,\ b=ek,\ c=fk$$

로 나타내어 계산한다.

바른 풀이

$\frac{x+y}{3}=\frac{y+z}{6}=\frac{z+x}{5}=k\ (k\neq0)$로 놓으면

$x+y=3k$ ...... ㉠

$y+z=6k$ ...... ㉡

$z+x=5k$ ...... ㉢

㉠+㉡+㉢에서 $2(x+y+z)=14k$

$\therefore x+y+z=7k$ ...... ㉣

㉠을 ㉣에 대입하여 정리하면 $z=4k$

㉡을 ㉣에 대입하여 정리하면 $x=k$

㉢을 ㉣에 대입하여 정리하면 $y=2k$

(1) $x:y:z=k:2k:4k=1:2:4$

(2) $\frac{y}{x}+\frac{z}{y}+\frac{x}{z}=\frac{2k}{k}+\frac{4k}{2k}+\frac{k}{4k}=2+2+\frac{1}{4}=\frac{17}{4}$

(3) $\frac{x^2+y^2+z^2}{xy+yz+zx}=\frac{k^2+(2k)^2+(4k)^2}{k\times2k+2k\times4k+4k\times k}=\frac{21k^2}{14k^2}=\frac{3}{2}$

정답 (1) $1:2:4$ (2) $\frac{17}{4}$ (3) $\frac{3}{2}$

Bible Says

$a:b:c=d:e:f$ 또는 $\frac{a}{d}=\frac{b}{e}=\frac{c}{f}$가 주어질 때

① $\frac{a}{d}=\frac{b}{e}=\frac{c}{f}=k\ (k\neq0)$로 놓고 $a=dk,\ b=ek,\ c=fk$로 나타내어 계산한다.

② $\frac{a}{d}=\frac{b}{e}=\frac{c}{f}=\frac{a+b+c}{d+e+f}=\frac{pa+qb+rc}{pd+qe+rf}\ (d+e+f\neq0,\ pd+qe+rf\neq0)$로 변형하여 계산한다.

보통 ①의 방법으로 계산하고, ②를 '가비의 이'라 한다.

한 번 더하기

06-1 $(x+y):(y+z):(z+x)=5:4:3$일 때, 다음 물음에 답하시오

(1) $x:y:z$를 가장 간단한 자연수의 비로 나타내시오.

(2) $\frac{y}{x}+\frac{z}{y}+\frac{x}{z}$의 값을 구하시오.

(3) $\frac{x^2+y^2+3z^2}{xy+2yz+2zx}$의 값을 구하시오.

표현 더하기

06-2 0이 아닌 세 실수 x, y, z에 대하여 $2x=3y$, $3y=5z$일 때, $\frac{2x-y+z}{x+y-2z}$의 값을 구하시오.

09

표현 더하기

06-3 $x+3y-z=0$, $5x-3y-2z=0$일 때, $\frac{xy+yz+zx}{x^2+9y^2+z^2}$의 값을 구하시오. (단, $xyz\neq 0$)

실력 더하기

06-4 어느 고등학교 봉사 동아리는 1학년과 2학년으로 구성되어 있다. 이 동아리 회원 중 1학년의 남학생과 여학생 수의 비는 $3:4$이고 2학년의 남학생과 여학생 수의 비는 $9:2$이며 이 동아리 전체의 남학생과 여학생 수의 비는 $3:2$이다. 이 동아리의 전체 학생 수에 대한 1학년 학생 수의 비율이 $\frac{q}{p}$일 때, $p+q$의 값을 구하시오. (단, p와 q는 서로소인 자연수이다.)

02 유리함수

1 유리함수의 뜻

함수 $y=f(x)$에서 $f(x)$가 x에 대한 유리식일 때, 이 함수를 유리함수라 한다.

두 다항식 A, B $(B\neq0)$에 대하여 $\frac{A}{B}$ 꼴로 나타낸 식을 유리식이라 하고, B가 상수이면 $\frac{A}{B}$는 다항식이라 하였다. 마찬가지로 함수 $y=f(x)$에서 $f(x)$가 x에 대한 유리식일 때, 이 함수를 **유리함수**라 하고, $f(x)$가 x에 대한 다항식이면 이 함수를 **다항함수**라 한다. 예를 들어

$$y=\frac{1}{x},\ y=\frac{x}{x^2+1},\ y=2x+1$$

은 모두 유리함수이고, 이 중 $y=2x+1$은 다항함수이다.

유리함수에서 정의역이 주어지지 않은 경우에는 분모가 0이 되지 않도록 하는 실수 전체의 집합을 정의역으로 한다.

example

(1) 함수 $y=\frac{1}{x}$의 정의역은 $x\neq0$인 모든 실수의 집합, 즉 $\{x|x\neq0$인 실수$\}$이다.

(2) 함수 $y=\frac{x}{x^2+1}$에서 분모 x^2+1은 모든 실수 x에 대하여 $x^2+1\neq0$이므로 이 함수의 정의역은 실수 전체의 집합이다.

2 유리함수 $y=\frac{k}{x}$ $(k\neq0)$의 그래프

유리함수 $y=\frac{k}{x}$ $(k\neq0)$의 그래프의 특징은 다음과 같다.

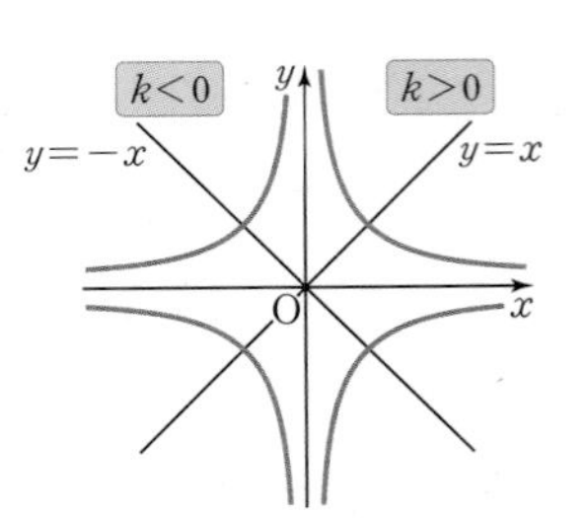

(1) 정의역과 치역은 모두 0이 아닌 실수 전체의 집합이다.

(2) $k>0$이면 그래프는 제1, 3사분면에 있고,
$k<0$이면 그래프는 제2, 4사분면에 있다.

(3) 그래프는 원점 및 두 직선 $y=x$, $y=-x$에 대하여 각각 대칭이다.

(4) 그래프의 점근선은 x축 $(y=0)$과 y축 $(x=0)$이다.

(5) $|k|$의 값이 커질수록 그래프는 원점으로부터 멀어진다.

중학교 과정에서 학습한 반비례 관계 $y=\frac{k}{x}$ $(k\neq0)$의 그래프에 대한 내용을 복습하면 다음과 같다.

x의 값이 2배, 3배, 4배, …로 변할 때 y의 값이 $\frac{1}{2}$배, $\frac{1}{3}$배, $\frac{1}{4}$배, …로 변하는 관계

	$k>0$일 때	$k<0$일 때
그래프		
지나는 사분면	제1사분면과 제3사분면	제2사분면과 제4사분면
그래프의 모양	원점에 대하여 대칭이고, 좌표축에 한없이 가까워지는 한 쌍의 곡선	

반비례 관계에 대한 내용을 그대로 유리함수 $y=\frac{k}{x}$ $(k\neq0)$에 적용시키자. 위의 표 안의 두 그래프로부터 유리함수 $y=\frac{k}{x}$의 정의역과 치역은 모두 0이 아닌 실수 전체의 집합임을 알 수 있다. 또한 유리함수 $y=\frac{k}{x}$의 그래프는 원점 및 두 직선 $y=x$, $y=-x$에 대하여 각각 대칭이다.

그래프를 조금 더 자세히 살펴보면 $x>0$일 때 x의 값이 커질수록 y의 값은 0에 가까워지고, x의 값이 0에 가까워질수록 y의 절댓값은 커진다. 또한 $x<0$일 때 x의 절댓값이 커질수록 y의 값은 0에 가까워지고, x의 값이 0에 가까워질수록 y의 절댓값은 커진다.

이처럼 곡선 위의 점이 어떤 직선에 한없이 가까워질 때, 이 직선을 그 곡선의 **점근선**이라 한다.

즉, 유리함수 $y=\frac{k}{x}$의 그래프의 점근선은 x축 $(y=0)$과 y축 $(x=0)$이다.

참고 유리함수 $y=\frac{k}{x}$의 그래프의 대칭의 중심인 원점은 두 점근선인 x축과 y축의 교점과 같다.

유리함수 $y=\frac{k}{x}$ $(k\neq0)$의 그래프는 점 $(1, k)$를 지나므로 k의 값에 따라 그래프를 그리면 다음과 같다.

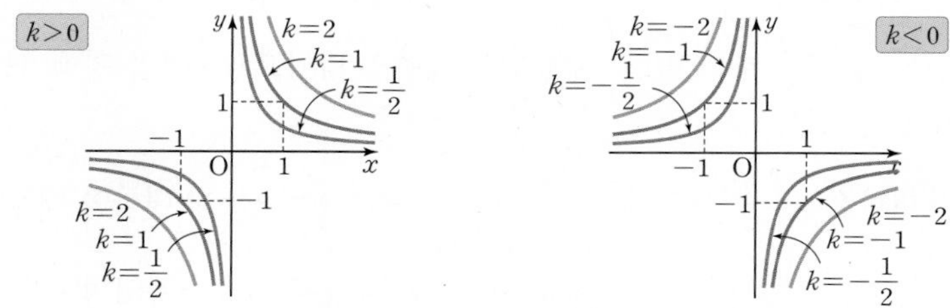

위의 그림과 같이 k의 절댓값, 즉 $|k|$의 값이 커질수록 그래프는 원점으로부터 멀어진다.

3 유리함수 $y=\dfrac{k}{x-p}+q\ (k\neq0)$의 그래프

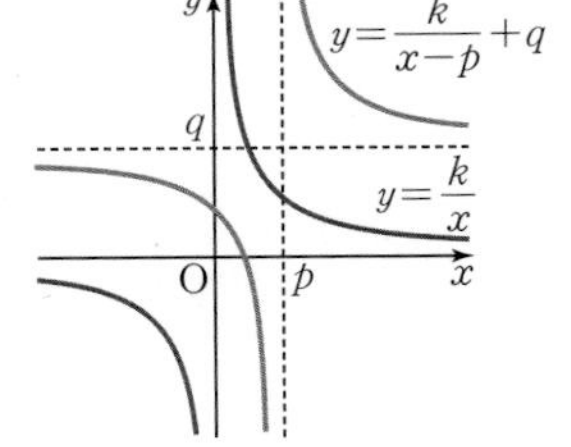

유리함수 $y=\dfrac{k}{x-p}+q\ (k\neq0)$의 그래프의 특징은 다음과 같다.

(1) 유리함수 $y=\dfrac{k}{x}$의 그래프를 x축의 방향으로 p만큼, y축의 방향으로 q만큼 평행이동시킨 것이다.

(2) 정의역은 $\{x\mid x\neq p$인 실수$\}$이고, 치역은 $\{y\mid y\neq q$인 실수$\}$이다.

(3) 그래프의 점근선은 두 직선 $x=p$, $y=q$이다.

(4) 그래프는 점 $(p,\ q)$ 및 두 직선 $y=(x-p)+q$, $y=-(x-p)+q$에 대하여 각각 대칭이다.

유리함수 $y=\dfrac{k}{x}\ (k\neq0)$의 그래프를 x축의 방향으로 p만큼, y축의 방향으로 q만큼 평행이동시킨 그래프의 식은 다음과 같다.

$$y=\frac{k}{x}\ \xrightarrow[\substack{y\text{축의 방향으로 }q\text{만큼}\\ \text{평행이동}}]{x\text{축의 방향으로 }p\text{만큼}}\ y-q=\frac{k}{x-p}\iff y=\frac{k}{x-p}+q$$

이때 평행이동에 의하여 정의역과 치역은 각각 다음과 같이 바뀐다.

$\{x\mid x\neq0$인 실수$\}$ ➡ $\{x\mid x\neq p$인 실수$\}$

$\{y\mid y\neq0$인 실수$\}$ ➡ $\{y\mid y\neq q$인 실수$\}$

마찬가지로 점근선의 방정식은 각각 다음과 같이 바뀐다.

$x=0$ ➡ $x=p$

$y=0$ ➡ $y=q$

따라서 유리함수 $y=\dfrac{k}{x-p}+q$의 그래프는 다음의 순서로 그리면 편리하다.

❶ 좌표평면에 두 직선 $x=p$, $y=q$를 점선으로 나타낸다.

❷ $k>0$이면 , $k<0$이면 의 형태로 ❶에서 그린 점선에 한없이 가까워지도록 그 그래프를 그린다. ← x축, y축과의 교점에 주의하여 정확하게 그리도록 한다.

한편, 유리함수 $y=\dfrac{k}{x}\ (k\neq0)$의 그래프는 원점에 대하여 대칭이므로 유리함수 $y=\dfrac{k}{x-p}+q$의 그래프는 원점을 x축의 방향으로 p만큼, y축의 방향으로 q만큼 평행이동시킨 점 $(p,\ q)$에 대하여 대칭이다.

또한 유리함수 $y=\dfrac{k}{x}$의 그래프는 두 직선 $y=x$, $y=-x$에 대하여 대칭이므로 유리함수 $y=\dfrac{k}{x-p}+q$의 그래프는 두 직선 $y=x$, $y=-x$를 각각 x축의 방향으로 p만큼, y축의 방향으로 q만큼 평행이동시킨 두 직선 $y=(x-p)+q$, $y=-(x-p)+q$에 대하여 각각 대칭이다.

example

함수 $y=\frac{2}{x+1}+1$, 즉 함수 $y=\frac{2}{x-(-1)}+1$의 그래프는 함수 $y=\frac{2}{x}$의 그래프를 x축의 방향으로 -1만큼, y축의 방향으로 1만큼 평행이동시킨 것이다.

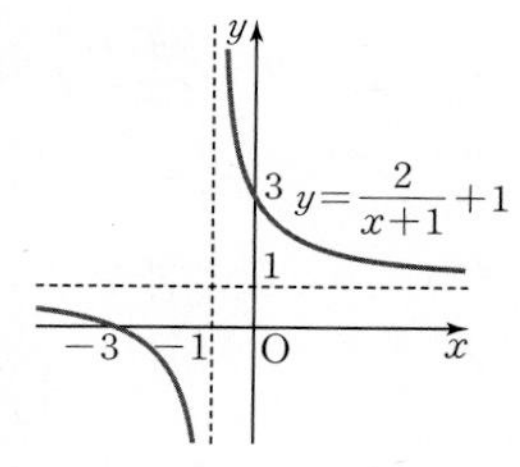

따라서 좌표평면에 두 직선 $x=-1$, $y=1$을 점선으로 나타낸 후, $2>0$이므로 ╮╰의 형태로 앞서 그린 두 점선에 한없이 가까워지도록 그 그래프를 그릴 수 있다.

이때 함수 $y=\frac{2}{x+1}+1$의 정의역은 $\{x|x\neq-1$인 실수$\}$, 치역은 $\{y|y\neq1$인 실수$\}$이고 함수 $y=\frac{2}{x+1}+1$의 그래프는 점 $(-1, 1)$ 및 두 직선 $y=x+2$, $y=-x$에 대하여 각각 대칭이다.

유리함수 $y=\frac{k}{x-p}+q$의 그래프는 유리함수 $y=\frac{k}{x}$의 그래프를 x축, y축의 방향으로 평행이동시켜 그린다. 따라서 k의 절댓값, 즉 $|k|$의 값이 서로 같은 유리함수의 그래프들은 p, q의 값에 관계없이 평행이동이나 대칭이동에 의하여 서로 겹칠 수 있다. ← k의 값이 서로 같으면 평행이동만으로도 서로 겹칠 수 있다.

09

4 유리함수 $y=\frac{ax+b}{cx+d}$ $(ad-bc\neq0,\ c\neq0)$의 그래프

유리함수 $y=\frac{ax+b}{cx+d}$ $(ad-bc\neq0,\ c\neq0)$의 그래프는 $y=\frac{k}{x-p}+q$ $(k\neq0)$ 꼴로 변형하여 그린다.

$y=\frac{ax+b}{cx+d}$ $(ad-bc\neq0,\ c\neq0)$는 분자를 분모로 나누어 $y=\frac{k}{x-p}+q$ $(k\neq0)$ 꼴로 나타낼 수 있다. 따라서 유리함수 $y=\frac{ax+b}{cx+d}$의 그래프는 $y=\frac{k}{x-p}+q$ 꼴로 나타낸 후 유리함수 $y=\frac{k}{x}$의 그래프를 평행이동시켜 그린다. (분자의 차수가 분모의 차수보다 작아지도록)

example

$y=\frac{x+3}{x+1}$에서

$y=\frac{(x+1)+2}{x+1}=\frac{2}{x+1}+1$

따라서 유리함수 $y=\frac{x+3}{x+1}$의 그래프는 그림과 같이 함수 $y=\frac{2}{x}$의 그래프를 x축의 방향으로 -1만큼, y축의 방향으로 1만큼 평행이동시킨 것이다.

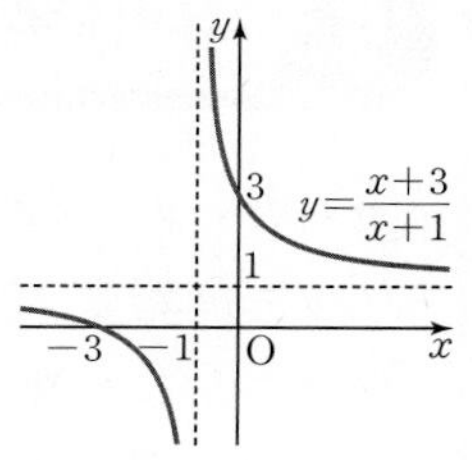

$y=\dfrac{ax+b}{cx+d}$를 $y=\dfrac{k}{x-p}+q$ 꼴로 고치지 않고 점근선의 방정식을 빠르게 찾는 방법을 살펴보자.

유리함수 $y=\dfrac{ax+b}{cx+d}$의 정의역은 분모를 0으로 만들지 않는 실수 전체의 집합

$\left\{x \middle| x\neq-\dfrac{d}{c}\text{인 실수}\right\}$ $y=\dfrac{k}{x-p}+q$ 꼴에서 $x=p$ 또한 분모를 0으로 만드는 경우이다.

이다. 따라서 이 유리함수의 한 점근선은 직선 $x=-\dfrac{d}{c}$이다. 즉, 분모가 0이 되는 값을 기준으로 한 점근선의 방정식을 빠르게 찾을 수 있다.

다음으로 **01 유리식**에서 학습한 (1) (분자의 차수)≥(분모의 차수)인 경우로 돌아가서 생각해 보자.

두 다항식 A, B (단, $B\neq0$)에 대하여 A를 B로 나누었을 때 몫을 Q, 나머지를 R라 하면 유리식 $\dfrac{A}{B}$는 다음과 같이 다항식과 (분자의 차수)<(분모의 차수)인 유리식의 합으로 나타낼 수 있었다.

$$\frac{A}{B}=\frac{BQ+R}{B}=Q+\frac{R}{B}$$

이때 $y=\dfrac{ax+b}{cx+d}$에서 분자 $ax+b$를 분모 $cx+d$로 나눈 몫(Q)은 x의 계수의 비율인 $\dfrac{a}{c}$이므로 유리함수 $y=\dfrac{ax+b}{cx+d}$의 그래프의 한 점근선은 직선 $y=\dfrac{a}{c}$이다.

따라서 유리함수 $y=\dfrac{ax+b}{cx+d}$ $(c\neq0,\ ad-bc\neq0)$의 그래프의 두 점근선의 방정식은

$x=-\dfrac{d}{c}$ ← 분모를 0으로 하는 x의 값

$y=\dfrac{a}{c}$ ← x의 계수의 비율

$y=\dfrac{\boxed{a}x+b}{\boxed{c}x+d}$

이다. 또한 $y=\dfrac{ax+b}{cx+d}$에 $x=0$을 대입하여 구한 값 $y=\dfrac{b}{d}$를 이용하여 두 점근선 $x=-\dfrac{d}{c}$, $y=\dfrac{a}{c}$를 기준으로 하고 점 $\left(0,\ \dfrac{b}{d}\right)$를 지나는 유리함수의 그래프를 그리면 된다.

example 유리함수 $y=\dfrac{\boxed{4}x+3}{\boxed{2}x+1}$의 그래프의 두 점근선의 방정식은 $x=-\dfrac{1}{2}$, $y=\dfrac{4}{2}=2$이다.

5 유리함수의 역함수

유리함수 $y=f(x)$의 역함수는 다음과 같은 순서로 구한다.

(1) $y=f(x)$를 x에 대하여 풀어 $x=f^{-1}(y)$ 꼴로 고친다.

(2) $x=f^{-1}(y)$에서 x와 y를 서로 바꾸어 $y=f^{-1}(x)$ 꼴로 고친다.

(3) f의 치역을 f^{-1}의 정의역으로 바꾼다.

유리함수 $y=\frac{ax+b}{cx+d}$ $(ad-bc\neq0,\ c\neq0)$는 정의역 $\left\{x \middle| x\neq-\frac{d}{c}\text{인 실수}\right\}$에서 공역 $\left\{y \middle| y\neq\frac{a}{c}\text{인 실수}\right\}$로의 일대일대응이므로 역함수가 항상 존재한다. 따라서 **08. 함수**에서 학습한 역함수를 구하는 방법을 이용하여 유리함수의 역함수를 다음의 순서로 구한다.

❶ $y=f(x)$를 x에 대하여 풀어 $x=f^{-1}(y)$ 꼴로 고친다.

$y=\frac{ax+b}{cx+d}$에서 $y(cx+d)=ax+b$

$cxy+dy=ax+b,\ cxy-ax=-dy+b$

$(cy-a)x=-dy+b \qquad \therefore\ x=\frac{-dy+b}{cy-a}$

❷ $x=f^{-1}(y)$에서 x와 y를 서로 바꾸어 $y=f^{-1}(x)$ 꼴로 고친다.

$x=\frac{-dy+b}{cy-a}$에서 x와 y를 서로 바꾸면

$y=\frac{-dx+b}{cx-a}$

❸ f의 치역을 f^{-1}의 정의역으로 바꾼다.

유리함수 $y=\frac{ax+b}{cx+d}$의 치역은 $\left\{y \middle| y\neq\frac{a}{c}\text{인 실수}\right\}$이므로 이 함수의 역함수 $y=\frac{-dx+b}{cx-a}$의 정의역은 $\left\{x \middle| x\neq\frac{a}{c}\text{인 실수}\right\}$이다.

example

유리함수 $y=\frac{x}{2x+4}$의 역함수를 구해 보자.

$y=\frac{x}{2x+4}$에서 $y(2x+4)=x$

$2yx+4y=x,\ 2yx-x=-4y$

$(2y-1)x=-4y \qquad \therefore\ x=-\frac{4y}{2y-1}$

x와 y를 서로 바꾸면

$y=-\frac{4x}{2x-1}$

이때 유리함수 $y=\frac{x}{2x+4}$의 치역은 $\left\{y \middle| y\neq\frac{1}{2}\text{인 실수}\right\}$이므로 이 함수의 역함수

$y=-\frac{4x}{2x-1}$의 정의역은 $\left\{x \middle| x\neq\frac{1}{2}\text{인 실수}\right\}$이다.

$\therefore\ y=-\frac{4x}{2x-1}\ \left(\text{단, } x\neq\frac{1}{2}\right)$

유리함수의 역함수는 다시 유리함수가 되는 것을 알 수 있다.

또한 유리함수 $y=\frac{ax+b}{cx+d}$의 역함수 $y=\frac{-dx+b}{cx-a}$는 원래의 함수식에서 분자의 x의 계수인 a와 분모의 상수항인 d의 부호를 모두 반대로 한 후, 서로 위치를 바꾼 것과 같다.

$y=\frac{ax+b}{cx+d}$ —역함수→ $y=\frac{-dx+b}{cx-a}$

08. **함수**에서 학습한 것과 같이 역함수의 그래프는 원래의 함수의 그래프를 직선 $y=x$에 대하여 대칭이동시킨 것과 같다. 이때 유리함수 $y=\dfrac{ax+b}{cx+d}$의 역함수는 다시 유리함수가 되므로 역함수의 그래프를 그렸을 때 두 점근선은 유리함수 $y=\dfrac{ax+b}{cx+d}$ 그래프의 두 점근선을 직선 $y=x$에 대하여 대칭이동시켜서 찾을 수 있다.

example

유리함수 $y=\dfrac{x}{2x+4}$의 그래프의 두 점근선의 방정식은 $x=-2$, $y=\dfrac{1}{2}$이다. 이때 두 직선 $x=-2$, $y=\dfrac{1}{2}$을 직선 $y=x$에 대하여 대칭이동시킨 직선의 방정식은 각각 $y=-2$, $x=\dfrac{1}{2}$이므로 역함수의 그래프의 두 점근선의 방정식은 $x=\dfrac{1}{2}$, $y=-2$이다.

또한 유리함수 $y=\dfrac{x}{2x+4}$의 그래프는 점 $(0,\ 0)$을 지나고, 점 $(0,\ 0)$을 직선 $y=x$에 대하여 대칭이동시킨 점의 좌표 역시 $(0,\ 0)$이므로 역함수의 그래프는 원점을 지난다.
따라서 역함수의 그래프는 다음 그림의 빨간색 그래프와 같다.

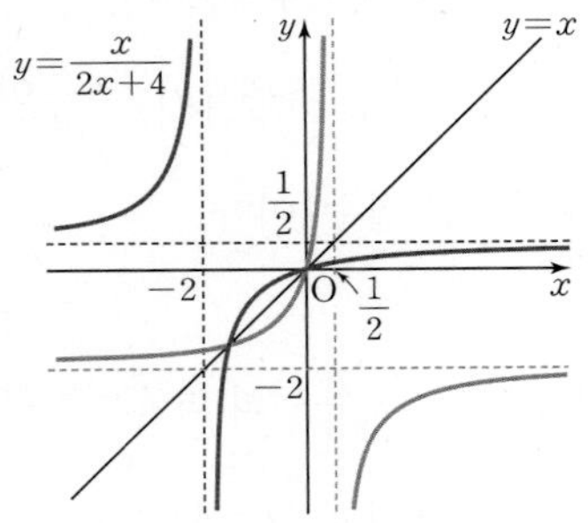

447쪽의 example에서 구한 것과 같이 유리함수 $y=\dfrac{x}{2x+4}$의 역함수는 $y=-\dfrac{4x}{2x-1}$이고, 이 식을 이용하여 역함수의 그래프가 원점을 지나는 것을 확인할 수 있다. 또한 그 그래프는 위의 그림에서의 빨간색 그래프와 일치하는 것을 알 수 있다.

개념 CHECK

02. 유리함수

01 **보기**에서 다음에 해당하는 것만을 있는 대로 고르시오.

보기

ㄱ. $y=x^2+1$　　ㄴ. $y=-\dfrac{3}{x}$　　ㄷ. $y=\dfrac{3x+2}{2x-1}$　　ㄹ. $y=\dfrac{3x-1}{4}$　　ㅁ. $y=\dfrac{-x+4}{x^2-3}$

(1) 다항함수

(2) 다항함수가 아닌 유리함수

02 다음 함수의 그래프를 그리고, 정의역과 치역을 구하시오.

(1) $y=\dfrac{2}{x+1}-1$　　(2) $y=-\dfrac{1}{2x+3}$

03 다음 함수의 그래프를 그리고, 점근선의 방정식을 구하시오.

(1) $y=\dfrac{x-1}{x-2}$　　(2) $y=\dfrac{6x+11}{3x+6}$

04 유리함수 $y=\dfrac{2x+3}{x-2}$의 그래프가 다음에 대하여 대칭일 때, p, q의 값을 각각 구하시오.

(1) 점 $(p,\ q)$

(2) 직선 $y=x+p$

(3) 직선 $y=-x+q$

05 유리함수 $y=\dfrac{3x-2}{x-1}$의 역함수를 구하고, 그 그래프를 그리시오.

대표 예제 | 07

다음 유리함수의 그래프를 그리시오.

(1) $y=\dfrac{3}{x-2}+1$

(2) $y=\dfrac{3x-1}{x+1}$

바로 접근

함수 $y=\dfrac{k}{x-p}+q\ (k\neq0)$의 그래프는 $y=\dfrac{k}{x}$의 그래프를 x축의 방향으로 p만큼, y축의 방향으로 q만큼 평행이동시킨 것이다. 이때 함수 $y=\dfrac{ax+b}{cx+d}\ (ad-bc\neq0,\ c\neq0)$의 그래프는 $y=\dfrac{k}{x-p}+q\ (k\neq0)$ 꼴로 변형하여 그래프를 그린다.

바른 풀이

(1) 함수 $y=\dfrac{3}{x-2}+1$의 그래프는 $y=\dfrac{3}{x}$의 그래프를 x축의 방향으로 2만큼, y축의 방향으로 1만큼 평행이동시킨 것이므로 그래프는 다음 그림과 같다.

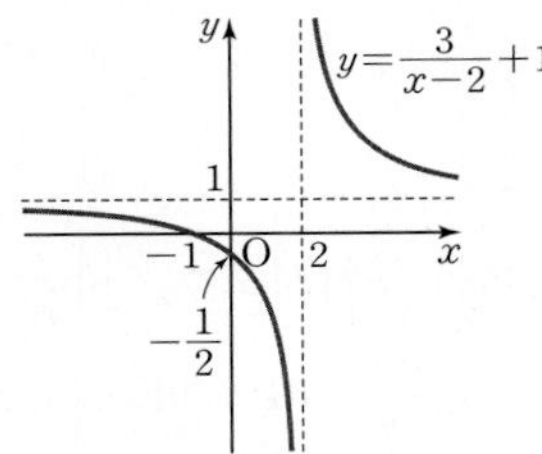

(2) $y=\dfrac{3x-1}{x+1}=\dfrac{3(x+1)-4}{x+1}=-\dfrac{4}{x+1}+3$이므로 함수 $y=\dfrac{3x-1}{x+1}$의 그래프는 $y=-\dfrac{4}{x}$의 그래프를 x축의 방향으로 -1만큼, y축의 방향으로 3만큼 평행이동시킨 것이다.

따라서 그 그래프는 다음 그림과 같다.

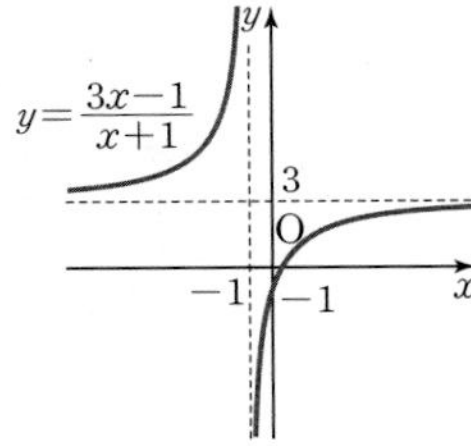

정답 (1) 풀이 참조 (2) 풀이 참조

Bible Says

평행이동을 이용하여 유리함수 $y=\dfrac{ax+b}{cx+d}\ (ad-bc\neq0,\ c\neq0)$의 그래프는 다음의 순서로 그린다.

❶ $y=\dfrac{ax+b}{cx+d}$를 $y=\dfrac{k}{x-p}+q\ (k\neq0)$ 꼴로 나타낸다.

❷ 좌표평면에 두 직선 $x=p$, $y=q$를 점선으로 나타낸다.

❸ $k>0$이면 ┘┌, $k<0$이면 ┐└의 형태로 ❷에서 그린 점선에 한없이 가까워지도록 그 그래프를 그린다.

이때 $y=\dfrac{k}{x-p}+q$에 $x=0$을 대입하면 $y=-\dfrac{k}{p}+q$이므로 좌표평면에 점 $\left(0,\ -\dfrac{k}{p}+q\right)$를 표시한 후 이 점을 지나도록 유리함수의 그래프를 나타내면 더욱 정확하게 그릴 수 있다.

빠른 정답 • 517쪽 / 정답과 풀이 • 160쪽

한 번 더하기

07-1

다음 유리함수의 그래프를 그리시오.

(1) $y=-\frac{2}{x-1}+3$　　　(2) $y=\frac{4x+9}{x+2}$

표현 더하기

07-2

함수 $y=-\frac{a}{x}$의 그래프를 x축의 방향으로 b만큼, y축의 방향으로 c만큼 평행이동시키면 함수 $y=-\frac{x+5}{x+3}$의 그래프와 일치할 때, $a-b-c$의 값을 구하시오. (단, a, b, c는 상수이다.)

09

표현 더하기

07-3

함수 $y=\frac{ax+9}{x-b}$의 그래프를 x축의 방향으로 -2만큼, y축의 방향으로 3만큼 평행이동시키면 함수 $y=\frac{3}{x}$의 그래프와 일치할 때, 상수 a, b에 대하여 a^2+b^2의 값을 구하시오.

실력 더하기

07-4

보기의 함수 중 그 그래프가 평행이동에 의하여 함수 $y=\frac{1}{2x}$의 그래프와 겹쳐지는 것만을 있는 대로 고르시오.

보기

ㄱ. $y=\frac{1}{2x-2}$　　ㄴ. $y=\frac{2x-5}{2x}$　　ㄷ. $y=\frac{4x-7}{2x-4}$　　ㄹ. $y=\frac{8x-5}{1-2x}$

대표 예제 | 08

유리함수 $y=\frac{2x+3}{x-1}$의 정의역이 $\{x|0\le x<1$ 또는 $1<x\le 2\}$일 때, 치역을 구하시오.

바로 접근 유리함수의 정의역이 주어졌을 때, 주어진 정의역에서 함수의 그래프를 그리고 함숫값의 범위를 확인하여 치역을 구한다.

바른 풀이 $y=\frac{2x+3}{x-1}=\frac{2(x-1)+5}{x-1}=\frac{5}{x-1}+2$이므로

함수 $y=\frac{2x+3}{x-1}$의 그래프는 $y=\frac{5}{x}$의 그래프를 x축의 방향으로 1만큼, y축의 방향으로 2만큼 평행이동시킨 것이다.

따라서 $0\le x<1$, $1<x\le 2$에서 그 그래프는 오른쪽 그림과 같다.

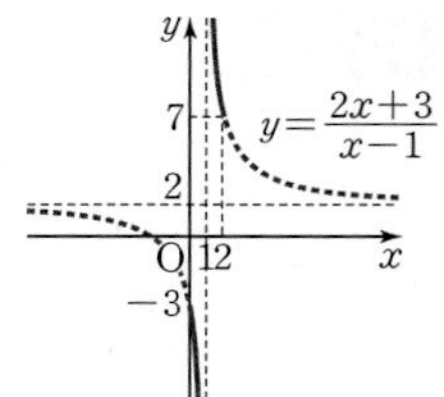

$x=0$일 때 $y=-3$,

$x=2$일 때 $y=7$

이므로 정의역이 $\{x|0\le x<1$ 또는 $1<x\le 2\}$일 때, 치역은

$\{y|y\le -3$ 또는 $y\ge 7\}$

정답 $\{y|y\le -3$ 또는 $y\ge 7\}$

Bible Says

유리함수 $y=\frac{ax+b}{cx+d}$ $(ad-bc\ne 0,\ c\ne 0)$의 정의역이 주어졌을 때 치역은 다음의 순서로 구한다.

❶ $y=\frac{ax+b}{cx+d}$ $(ad-bc\ne 0,\ c\ne 0)$를 $y=\frac{k}{x-p}+q$ $(k\ne 0)$ 꼴로 나타낸다.

❷ 주어진 정의역에서 함수 $y=\frac{k}{x-p}+q$ $(k\ne 0)$의 그래프를 그린다.

❸ 함숫값의 범위를 확인하여 치역을 구한다.

한 번 더하기

08-1

유리함수 $y=\frac{3x+2}{x-2}$의 정의역이 $\{x|1\leq x<2$ 또는 $2<x\leq 3\}$일 때, 치역을 구하시오.

한 번 더하기

08-2

유리함수 $y=\frac{2x-5}{x-1}$의 정의역이 다음과 같을 때, 치역을 구하시오.

(1) $\{x|x<1\}$

(2) $\{x|x\geq 4\}$

표현 더하기

08-3

유리함수 $y=\frac{4-2x}{x+1}$의 치역이 $\{y|y\leq -4$ 또는 $y\geq 4\}$일 때, 정의역에 속하는 모든 정수의 개수를 구하시오.

표현 더하기

08-4

두 상수 a, b에 대하여 정의역이 $\{x|-1\leq x\leq a\}$인 함수 $y=\frac{2-x}{x+2}$의 치역이 $\{y|0\leq y\leq b\}$일 때, ab의 값을 구하시오.

대표 예제 | 09

유리함수 $y=\dfrac{3x-4}{x-2}$의 그래프에 대하여 다음 물음에 답하시오.

(1) 두 점근선의 방정식을 구하시오.

(2) 그래프가 직선 $y=x+p$에 대하여 대칭일 때, 상수 p의 값을 구하시오.

(3) 그래프가 직선 $y=-x+q$에 대하여 대칭일 때, 상수 q의 값을 구하시오.

(4) 그래프가 점 $(a,\ b)$에 대하여 대칭일 때, $a+b$의 값을 구하시오.

바로 접근

주어진 유리함수를 $y=\dfrac{k}{x-p}+q\ (k\neq0)$ 꼴로 나타낸 후 두 점근선의 교점의 좌표를 구한다.
이때 유리함수의 그래프는 두 점근선의 교점 $(p,\ q)$를 기준으로 대칭성이 나타남을 이용한다.

바른 풀이

$y=\dfrac{3x-4}{x-2}=\dfrac{3(x-2)+2}{x-2}=\dfrac{2}{x-2}+3$이므로

함수 $y=\dfrac{3x-4}{x-2}$의 그래프는 $y=\dfrac{2}{x}$의 그래프를 x축의 방향으로 2만큼,
y축의 방향으로 3만큼 평행이동시킨 것이다.
따라서 그 그래프는 오른쪽 그림과 같다.

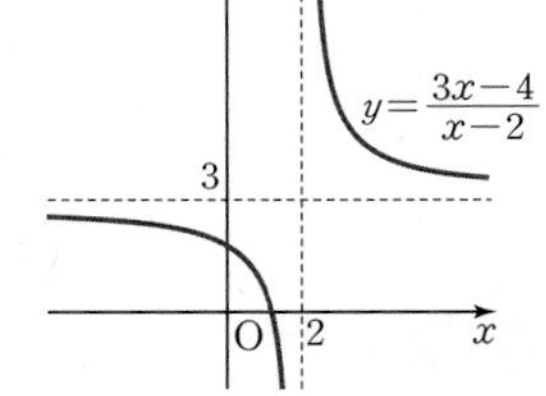

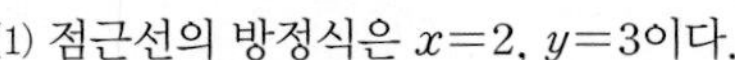

(1) 점근선의 방정식은 $x=2$, $y=3$이다.

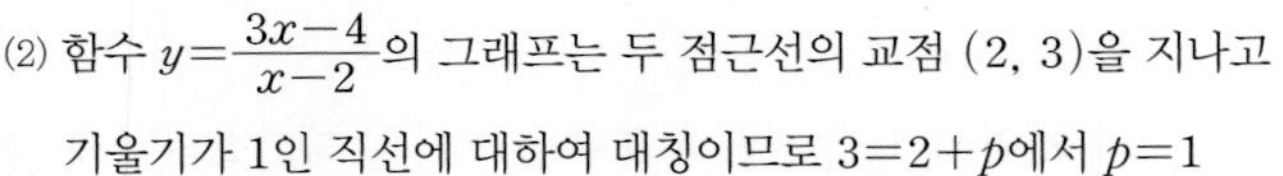

(2) 함수 $y=\dfrac{3x-4}{x-2}$의 그래프는 두 점근선의 교점 $(2,\ 3)$을 지나고
기울기가 1인 직선에 대하여 대칭이므로 $3=2+p$에서 $p=1$

(3) 함수 $y=\dfrac{3x-4}{x-2}$의 그래프는 두 점근선의 교점 $(2,\ 3)$을 지나고 기울기가 -1인 직선에 대하여 대칭이므로 $3=-2+q$에서 $q=5$

(4) 함수 $y=\dfrac{3x-4}{x-2}$의 그래프는 두 점근선의 교점 $(2,\ 3)$에 대하여 대칭이다.
$a=2$, $b=3$ $\quad\therefore a+b=5$

정답 (1) $x=2$, $y=3$ (2) 1 (3) 5 (4) 5

Bible Says

$y=\dfrac{ax+b}{cx+d}\ (ad-bc\neq0,\ c\neq0)$를 $y=\dfrac{k}{x-p}+q\ (k\neq0)$ 꼴로 변형할 때 다음과 같은 규칙을 이용하면 편리하다.

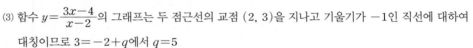

분모와 분자의 x항의 계수의 비율

$$y=\dfrac{ax+b}{cx+d} \Rightarrow p=-\dfrac{d}{c},\ q=\dfrac{a}{c}$$

$cx+d=0$인 x의 값

빠른 정답 • 517쪽 / 정답과 풀이 • 162쪽

한 번 더하기

09-1

유리함수 $y=\frac{2x-3}{x+1}$의 그래프에 대하여 다음 물음에 답하시오.

(1) 두 점근선의 방정식을 구하시오.
(2) 그래프가 직선 $y=x+p$에 대하여 대칭일 때, 상수 p의 값을 구하시오.
(3) 그래프가 직선 $y=-x+q$에 대하여 대칭일 때, 상수 q의 값을 구하시오.
(4) 그래프가 점 (a, b)에 대하여 대칭일 때, $a+b$의 값을 구하시오.

표현 더하기

09-2

함수 $y=\frac{4x-11}{x-3}$의 그래프가 점 (a, b)에 대하여 대칭이고, 직선 $y=-x+c$에 대하여 대칭일 때, $a+b+c$의 값을 구하시오. (단, c는 상수이다.)

표현 더하기

09-3

함수 $y=\frac{ax+3}{x+b}$의 그래프가 두 직선 $y=x+2$, $y=-x+6$에 대하여 대칭일 때, a^2+b^2의 값을 구하시오. (단, a, b는 상수이다.)

표현 더하기

09-4

두 함수 $y=\frac{2x-1}{x-1}$, $y=\frac{ax+3}{2x+b}$의 그래프의 점근선이 서로 같을 때, 상수 a, b에 대하여 $a+b$의 값을 구하시오.

대표 예제 | 10

유리함수의 식 구하기

유리함수 $y=\dfrac{ax+b}{x+c}$의 그래프가 그림과 같을 때, 상수 a, b, c의 값을 각각 구하시오.

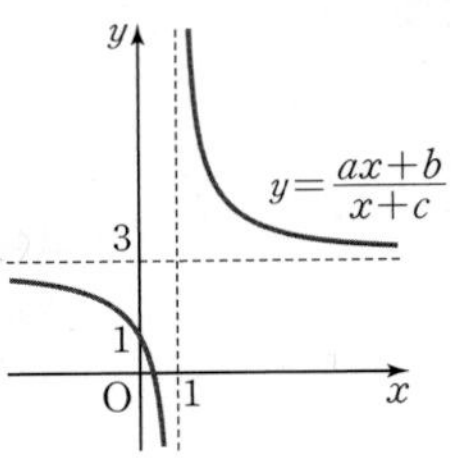

바로 접근

점근선의 방정식이 $x=p$, $y=q$이고 점 $(a,\ b)$를 지나는 유리함수의 식은 다음의 순서로 구한다.

❶ 함수의 식을 $y=\dfrac{k}{x-p}+q\ (k\neq0)$ 꼴로 놓는다.

❷ ❶의 함수의 식에 $x=a$, $y=b$를 대입하여 상수 k의 값을 구한다.

바른 풀이

주어진 유리함수의 그래프의 점근선의 방정식이 $x=1$, $y=3$이므로

함수의 식을 $y=\dfrac{k}{x-1}+3\ (k>0)$으로 놓을 수 있다. …… ㉠

이 함수의 그래프가 점 $(0,\ 1)$을 지나므로

$1=\dfrac{k}{0-1}+3$에서 $1=-k+3$ $\quad\therefore k=2$

㉠에 $k=2$를 대입하면

$y=\dfrac{2}{x-1}+3=\dfrac{2+3(x-1)}{x-1}=\dfrac{3x-1}{x-1}$

$\therefore a=3,\ b=-1,\ c=-1$

정답 $a=3,\ b=-1,\ c=-1$

Bible Says

유리함수의 식이 $y=\dfrac{ax+b}{cx+d}\ (ad-bc\neq0,\ c\neq0)$ 꼴로 주어지고 그래프가 주어졌을 때

$y=\dfrac{ax+b}{cx+d}$ ➡ 두 점근선의 방정식은 $x=-\dfrac{d}{c}$, $y=\dfrac{a}{c}$

와 같이 관계를 빠르게 파악할 수 있다. 반대로 이를 이용하면 두 점근선의 방정식을 알 때, 유리함수의 식 $y=\dfrac{ax+b}{cx+d}$에서 a, c, d의 값을 빠르게 찾을 수 있다.

한 번 더하기

10-1

유리함수 $y=\frac{ax+b}{x+c}$의 그래프가 그림과 같을 때, 상수 a, b, c의 값을 각각 구하시오.

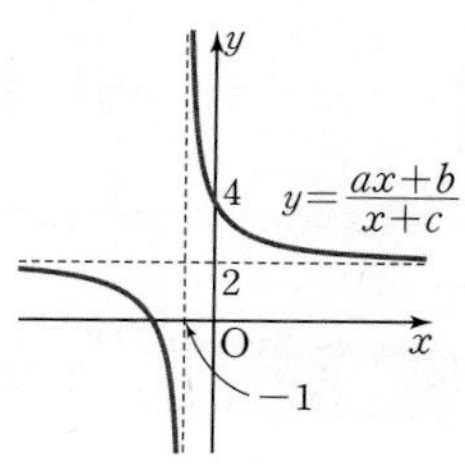

표현 더하기

10-2

함수 $y=\frac{ax+b}{x+c}$의 그래프가 점 $(-1,\ -2)$를 지나고 점근선의 방정식이 $x=-2$, $y=-1$일 때, 상수 a, b, c에 대하여 $a^2+b^2+c^2$의 값을 구하시오.

표현 더하기

10-3

함수 $y=\frac{ax-1}{bx-1}$의 그래프가 점 $(2,\ 5)$를 지나고 점근선 중 하나가 직선 $y=3$일 때, $a+b$의 값을 구하시오. (단, a, b는 상수이다.)

실력 더하기

10-4

교육청 기출

좌표평면에서 곡선 $y=\frac{k}{x-2}+1\ (k<0)$이 x축, y축과 만나는 점을 각각 A, B라 하고, 이 곡선의 두 점근선의 교점을 C라 하자. 세 점 A, B, C가 한 직선 위에 있도록 하는 상수 k의 값은?

① -5　　② -4　　③ -3　　④ -2　　⑤ -1

대표 예제 | 11

$-2\le x\le 1$에서 함수 $y=\dfrac{2x+2}{x+3}$의 최댓값을 M, 최솟값을 m이라 할 때, $M+m$의 값을 구하시오.

바로 접근

유리함수 $y=\dfrac{2x+2}{x+3}$를 $y=-\dfrac{4}{x+3}+2$ 꼴로 나타내었을 때, $-4<0$이므로

$-2\le x\le 1$에서 x의 값이 커질 때 함숫값도 커진다.

따라서 $x=-2$일 때 최솟값 m을 가지고, $x=1$일 때 최댓값 M을 가진다.

바른 풀이

$y=\dfrac{2x+2}{x+3}=\dfrac{2(x+3)-4}{x+3}=-\dfrac{4}{x+3}+2$이므로

함수 $y=\dfrac{2x+2}{x+3}$의 그래프는 $y=-\dfrac{4}{x}$의 그래프를 x축의 방향으로

-3만큼, y축의 방향으로 2만큼 평행이동시킨 것이다.

따라서 $-2\le x\le 1$에서 그 그래프는 오른쪽 그림과 같다.

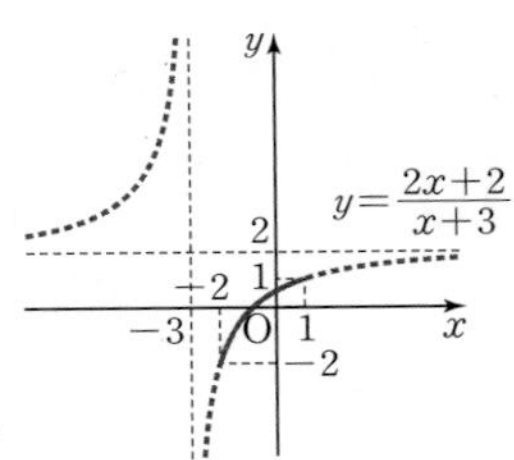

$x=1$일 때, 최댓값 $M=\dfrac{2\times 1+2}{1+3}=1$

$x=-2$일 때, 최솟값 $m=\dfrac{2\times(-2)+2}{(-2)+3}=-2$

$\therefore\ M+m=1+(-2)=-1$

정답 -1

Bible Says

유리함수 $y=\dfrac{ax+b}{x+c}$는 집합 $X=\{x|x$는 $-c$가 아닌 실수$\}$에서 집합 $Y=\{y|y$는 a가 아닌 실수$\}$로의 일대일대응이다.

따라서 $f(x)=\dfrac{2x+2}{x+3}\ (-2\le x\le 1)$라 할 때, 함수 $f(x)$도 일대일대응이므로 다음을 만족시킨다.

① 정의역의 임의의 두 원소 x_1, x_2에 대하여 $x_1\ne x_2$이면 $f(x_1)\ne f(x_2)$이다.

② 치역과 공역이 서로 같다.

이 중 ②에 주목하여 주어진 x의 값의 범위의 양 끝값을 이용하여 최댓값과 최솟값을 구한다.

한 번 더하기

11-1 $0 \le x \le 3$에서 함수 $y=\dfrac{3x+7}{x+1}$의 최댓값을 M, 최솟값을 m이라 할 때, $M-m$의 값을 구하시오.

표현 더하기

11-2 집합 $\{x \mid x^2-10x+16 \le 0\}$을 정의역으로 하는 함수 $y=\dfrac{2x+5}{x-1}$의 최댓값을 M, 최솟값을 m이라 할 때, Mm의 값을 구하시오.

표현 더하기

11-3 정의역이 $\{x \mid a \le x \le 7\}$인 함수 $y=\dfrac{3x-b}{x-2}$ $(b>6)$의 최댓값이 2이고 최솟값이 -2일 때, 상수 a, b에 대하여 $b-a$의 값을 구하시오.

표현 더하기

11-4 유리함수 $y=f(x)$의 그래프의 점근선의 방정식은 $x=3$, $y=2$이고 그래프가 원점을 지난다. $a \le x \le b$에서 함수 $y=f(x)$의 최댓값이 8, 최솟값이 3일 때, 두 상수 a, b에 대하여 $a+b$의 값을 구하시오.

대표 예제 | 12

유리함수 $y=\frac{3x+4}{x+1}$의 그래프와 직선 $y=mx+m+3$이 만나지 않도록 하는 실수 m의 값의 범위를 구하시오.

바로 접근 직선 $y=mx+m+3$이 m의 값에 관계없이 일정하게 지나는 점을 찾아 그래프를 그린 후 두 그래프의 위치 관계를 생각한다.

바른 풀이 $y=\frac{3x+4}{x+1}=\frac{3(x+1)+1}{x+1}=\frac{1}{x+1}+3$이므로

함수 $y=\frac{3x+4}{x+1}$의 그래프는 $y=\frac{1}{x}$의 그래프를 x축의 방향으로 -1만큼, y축의 방향으로 3만큼 평행이동시킨 것이다.

또한 직선 $y=mx+m+3$, 즉 $y=m(x+1)+3$은 m의 값에 관계없이 항상 점 $(-1, 3)$을 지난다.

따라서 그 그래프는 오른쪽 그림과 같으므로 함수 $y=\frac{3x+4}{x+1}$의 그래프와 직선이 만나지 않도록 하는 m의 값의 범위는

$m\le 0$

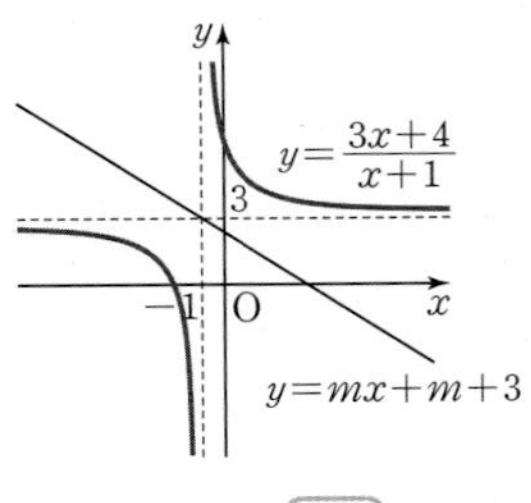

정답 $m\le 0$

Bible Says

대표 예제 | 12 는 직선이 유리함수의 그래프의 두 점근선의 교점을 지나는 특수한 경우이다.

일반적으로 유리함수 $y=f(x)$의 그래프와 직선 $y=g(x)$의 위치 관계를 찾는 문제는 방정식 $f(x)=g(x)$를 정리하여 이차식을 만들고 판별식을 이용하여 풀이한다.

예를 들어 $f(x)=-\frac{9}{x}$, $g(x)=x+k$ (k는 실수)일 때 $f(x)=g(x)$, 즉 $-\frac{9}{x}=x+k$에서

$-9=x(x+k)$, $x^2+kx+9=0$이므로 이 이차방정식의 판별식을 D라 하면

유리함수 $y=f(x)$의 그래프와 직선 $y=g(x)$는

① $D<0$일 때, 서로 만나지 않는다.

② $D=0$일 때, 한 점에서만 만난다. (접한다.)

③ $D>0$일 때, 서로 다른 두 점에서 만난다.

이므로 D, 즉 k^2-36의 값의 부호에 따라 유리함수 $y=f(x)$의 그래프와 직선 $y=g(x)$의 위치 관계를 찾을 수 있다.

한 번 더하기

12-1

유리함수 $y=\frac{3x}{x+2}$의 그래프와 직선 $y=mx+2m+3$이 만나지 않도록 하는 실수 m의 값의 범위를 구하시오.

표현 더하기

12-2

유리함수 $y=\frac{2x-5}{x-1}$의 그래프와 직선 $y=kx+2$가 오직 한 점에서 만날 때, 양수 k의 값을 구하시오.

표현 더하기

12-3

두 집합 $A=\left\{(x,\ y) \middle| y=\frac{4x+3}{x+1}\right\}$, $B=\{(x,\ y)\,|\,y=a(x+1)\}$에 대하여 $A\cap B\neq\varnothing$일 때, 실수 a의 최댓값을 구하시오.

실력 더하기

12-4

$3\leq x\leq 9$에서 부등식 $ax+3\leq\frac{3x+1}{x-2}\leq bx+3$이 항상 성립할 때, 양수 a, b에 대하여 $b-a$의 최솟값을 구하시오.

대표 예제 | 13

함수 $f(x)=\frac{ax-8}{x-3}$에 대하여 $f=f^{-1}$가 성립할 때, 상수 a의 값을 구하시오.

(단, f^{-1}는 f의 역함수이다.)

바로 접근

유리함수의 역함수를 구하는 순서는 다음과 같다.

❶ $y=f(x)$를 x에 대하여 풀어 $x=f^{-1}(y)$ 꼴로 고친다.

❷ $x=f^{-1}(y)$에서 x와 y를 서로 바꾸어 $y=f^{-1}(x)$ 꼴로 고친다.

❸ f의 치역을 f^{-1}의 정의역으로 바꾼다.

이 방법으로 함수 $f(x)=\frac{ax+b}{cx+d}$ $(ad-bc\neq0,\ c\neq0)$의 역함수를 구하면 $f^{-1}(x)=\frac{-dx+b}{cx-a}$이다.

바른 풀이

$f(x)=\frac{ax-8}{x-3}$에서 $y=\frac{ax-8}{x-3}$로 놓고 x에 대하여 풀면

$y(x-3)=ax-8,\ yx-ax=3y-8$

$(y-a)x=3y-8 \quad \therefore x=\frac{3y-8}{y-a}$

x와 y를 서로 바꾸어 나타내면 $y=\frac{3x-8}{x-a}$

$\therefore f^{-1}(x)=\frac{3x-8}{x-a}$

$f=f^{-1}$이므로 $\frac{ax-8}{x-3}=\frac{3x-8}{x-a} \quad \therefore a=3$

참고 $\frac{ax-8}{x-3}=\frac{3x-8}{x-a}$에서 $a=3$임을 찾는 방법은 다음과 같이 두 가지로 나누어 생각할 수 있다.

① 양변에 $(x-3)(x-a)$를 곱한 후 동류항의 계수를 서로 비교하여 구한다.

② 유리함수 $y=f(x)$의 그래프의 두 점근선의 방정식과 유리함수 $y=f^{-1}(x)$의 그래프의 두 점근선의 방정식이 서로 일치함을 이용하여 구한다.

다른 풀이

유리함수의 역함수 역시 유리함수임을 이용하여 구하자.

$f=f^{-1}$에서 유리함수 $y=f(x)$의 그래프의 두 점근선의 교점과 유리함수 $y=f^{-1}(x)$의 그래프의 두 점근선의 교점은 서로 같다. ...... ㉠

$f(x)=\frac{ax-8}{x-3}$에서 유리함수 $y=f(x)$의 그래프의 두 점근선의 교점의 좌표는 $(3,\ a)$이고, 이 교점을 직선 $y=x$에 대하여 대칭이동시킨 점의 좌표는 $(a,\ 3)$이다.

이때 점 $(a,\ 3)$은 함수 $y=f^{-1}(x)$의 그래프의 두 점근선의 교점이므로

㉠에 의하여 $(3,\ a)=(a,\ 3) \quad \therefore a=3$

참고 유리함수 f에 대하여 $f=f^{-1}$가 성립하려면 유리함수 $y=f(x)$의 그래프의 두 점근선의 교점은 직선 $y=x$ 위에 존재해야 한다.

정답 3

Bible Says

함수 f의 정의역이 무한집합인 경우 $f=f^{-1}$의 조건이 주어졌을 때 보통 두 함수 $f,\ f^{-1}$의 식이 서로 같음을 이용하여 풀이하지만 다른 풀이 와 같이 유리함수의 그래프의 성질을 이용한다면 보다 간단하게 문제를 해결할 수도 있다. 또한 역함수의 성질 $f^{-1}\circ f=I$ (I는 항등함수)를 이용하여 $f=f^{-1}$에서 $(f\circ f)(x)=x$이므로 $(f\circ f)(0)=0$에서 $f\left(\frac{8}{3}\right)=0$임을 이용하여 계산할 수도 있다.

한 번 더하기

13-1

함수 $f(x)=\dfrac{ax+1}{x-2}$에 대하여 $f=f^{-1}$가 성립할 때, 상수 a의 값을 구하시오.

$\left(\text{단, } a\neq-\dfrac{1}{2}\text{이고, } f^{-1}\text{는 } f\text{의 역함수이다.}\right)$

표현 더하기

13-2

함수 $f(x)=\dfrac{-x+2}{x-a}$의 역함수가 $f^{-1}(x)=\dfrac{bx+2}{x+c}$일 때, 상수 a, b, c에 대하여 $a-b+c$의 값을 구하시오.

표현 더하기

13-3

함수 $f(x)=\dfrac{ax+b}{x-1}$의 그래프와 그 역함수의 그래프가 모두 점 $(2, 5)$를 지날 때, $f(3)$의 값을 구하시오. (단, a, b는 상수이고, $a+b\neq0$이다.)

실력 더하기

13-4

유리함수 $f(x)=\dfrac{ax+b}{cx+d}$의 그래프는 직선 $y=x+3$에 대하여 대칭이고, 이 유리함수의 역함수 $y=f^{-1}(x)$의 그래프는 직선 $y=-x+5$에 대하여 대칭이다. 함수 $y=f(x)$의 그래프가 점 $(6, 6)$을 지날 때, $f(3)$의 값을 구하시오.

(단, a, b, c, d는 상수이고, $ad-bc\neq0$, $c\neq0$이다.)

중단원 연습문제

STEP 1 기본 다지기

01 $\frac{1}{x-2}+\frac{1}{x}-\frac{1}{x+2}-\frac{1}{x+4}$을 간단히 하시오.

02 다음 식의 분모를 0으로 만들지 않는 모든 실수 x에 대하여

$$\frac{2x^2-4x}{x^3+1}=\frac{a}{x+1}+\frac{b}{x^2-x+1}$$

가 성립할 때, $a-b$의 값을 구하시오. (단, a, b는 상수이다.)

03 다음 식의 분모를 0으로 만들지 않는 모든 실수 x에 대하여

$$\frac{1}{x(x+1)}+\frac{3}{(x+1)(x+4)}+\frac{5}{(x+4)(x+9)}=\frac{a}{(x+b)(x+c)}$$

가 성립할 때, $\sqrt{3a+b+c}$의 값을 구하시오. (단, a, b, c는 상수이다.)

04 함수 $f(x)=1+\cfrac{1}{1-\cfrac{1}{1+\cfrac{1}{1-\cfrac{1}{x}}}}$에 대하여 방정식 $f(x)=\frac{11}{4}$의 해를 구하시오.

05

$\frac{x+2y}{3z}=\frac{2y+3z}{x}=\frac{3z+x}{2y}$일 때, $\frac{x^2+y^2+z^2}{xy-yz+zx}$의 값을 구하시오. (단, $x+2y+3z\neq0$)

06

함수 $y=\frac{2x+1}{x-3}$의 그래프를 x축의 방향으로 a만큼, y축의 방향으로 b만큼 평행이동시키면 $y=\frac{3x+4}{x-1}$의 그래프와 일치할 때, 상수 a, b에 대하여 a^2+b^2의 값을 구하시오.

07

다음 중 함수 $y=\frac{3-2x}{x-1}$에 대한 설명으로 옳은 것은?

① 정의역은 $\{x|x\neq3$인 실수$\}$이다.

② 그래프는 점 $(1, 2)$에 대하여 대칭이다.

③ 그래프와 y축의 교점의 좌표는 $(0, 3)$이다.

④ 그래프는 제2사분면을 지나지 않는다.

⑤ 그래프는 함수 $y=\frac{3}{x}$의 그래프를 평행이동시킨 것이다.

교육청 기출

08

함수 $f(x)=\frac{bx}{ax+1}$의 정의역과 치역이 같다. 곡선 $y=f(x)$의 두 점근선의 교점이 직선 $y=2x+3$ 위에 있을 때, $a+b$의 값은? (단, a와 b는 0이 아닌 상수이다.)

① $-\frac{2}{3}$　② $-\frac{1}{3}$　③ 0　④ $\frac{1}{3}$　⑤ $\frac{2}{3}$

09 유리함수 $y=\dfrac{ax+5}{x+b}$의 그래프가 점 $(2,\ 3)$을 지나고 두 직선 $x=c$, $y=2$를 점근선으로 가질 때, $a+b-c$의 값을 구하시오.
(단, a, b, c는 상수이다.)

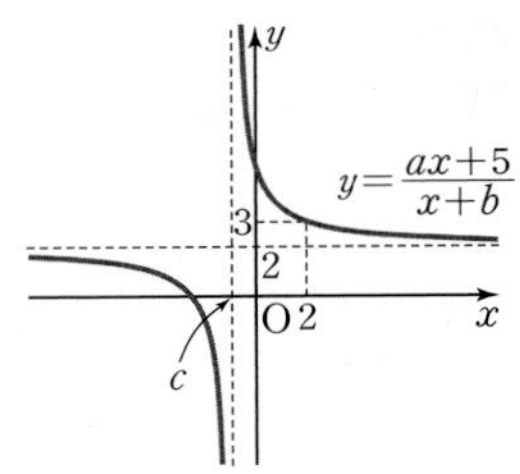

10 정의역이 $\{x|a\le x\le 10\}$인 함수 $y=\dfrac{3x+2}{x-2}$의 최댓값은 11, 최솟값은 m일 때, $a+m$의 값을 구하시오. (단, $2<a<10$)

11 두 집합 $A=\left\{(x,\ y)\,\middle|\,y=\dfrac{2x+1}{x+4}\right\}$, $B=\{(x,\ y)|y=ax+2\}$에 대하여 $A\cap B=\varnothing$일 때, 실수 a의 값의 범위를 구하시오.

교육청 기출

12 유리함수 $f(x)=\dfrac{2x+5}{x+3}$의 역함수 $y=f^{-1}(x)$의 그래프는 점 $(p,\ q)$에 대하여 대칭이다. $p-q$의 값은?

① 1　② 2　③ 3　④ 4　⑤ 5

빠른 정답 • 517쪽 / 정답과 풀이 • 170쪽

STEP 2 실력 다지기

13 $x \neq -1$인 모든 실수 x에 대하여

$$\frac{x^{99}+7}{(x+1)^{100}}=\frac{a_1}{x+1}+\frac{a_2}{(x+1)^2}+\frac{a_3}{(x+1)^3}+\cdots+\frac{a_{99}}{(x+1)^{99}}+\frac{a_{100}}{(x+1)^{100}}$$

이 성립할 때, $a_2+a_3+a_4+\cdots+a_{100}$의 값을 구하시오.

(단, a_1, a_2, a_3, $\cdots$, a_{100}은 상수이다.)

14 $f(x)=\frac{3}{x(x+3)}-\frac{1}{(x+1)(x+2)}$일 때,

$$f(1)+f(2)+f(3)+\cdots+f(8)$$

의 값을 구하시오.

09

15 $\dfrac{\frac{1}{n+3}-\frac{1}{n+7}}{\frac{1}{n+7}-\frac{1}{n+9}}$의 값이 자연수가 되도록 하는 모든 자연수 n의 값의 합을 구하시오.

교육청 기출

16 그림과 같이 함수 $y=\frac{4}{x}$의 그래프 위의 점 중 제1사분면에 있는 한 점을 $A\left(a, \frac{4}{a}\right)$라 하고, 점 A를 x축, y축, 원점에 대하여 대칭이동한 점을 각각 B, C, D라 하자. 직사각형 ACDB의 둘레의 길이의 최솟값은?

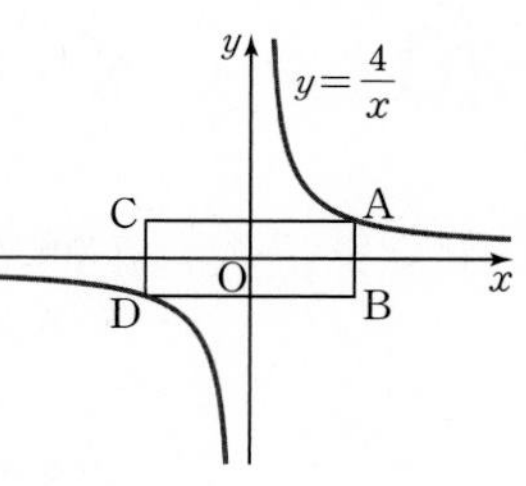

① 10 ② 12 ③ 14 ④ 16 ⑤ 18

17

두 함수 $y=\frac{2x}{x+a}$, $y=-\frac{ax-5}{x-2}$의 그래프의 점근선으로 둘러싸인 도형의 넓이가 25일 때, 양수 a의 값을 구하시오.

18

함수 $y=\frac{bx-c}{x+a}$의 그래프가 그림과 같이 원점을 지날 때, **보기**에서 옳은 것만을 있는 대로 고르시오. (단, a, b, c는 상수이다.)

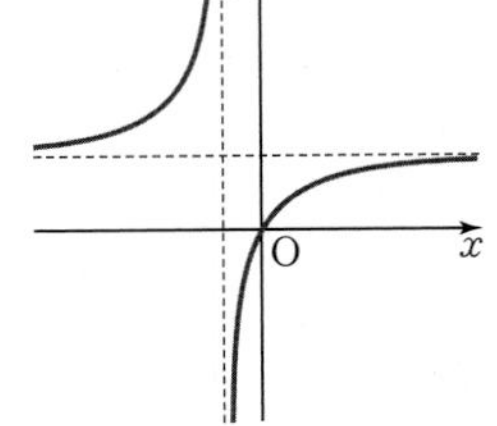

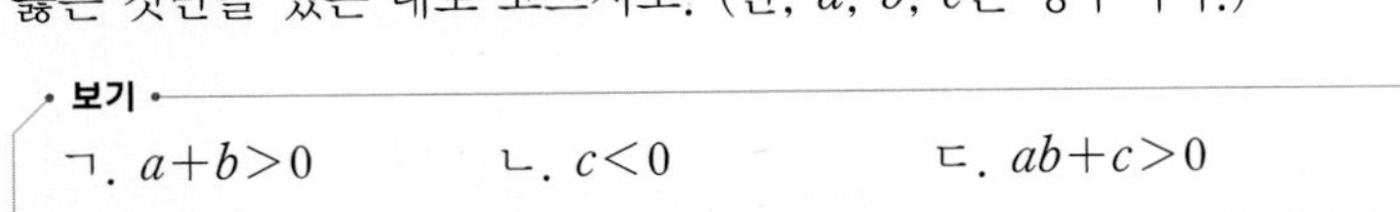
보기
ㄱ. $a+b>0$　　ㄴ. $c<0$　　ㄷ. $ab+c>0$

challenge 교육청 기출

19

그림과 같이 유리함수 $y=\frac{k}{x}$ $(k>0)$의 그래프가 직선 $y=-x+6$과 두 점 P, Q에서 만난다. 삼각형 OPQ의 넓이가 14일 때, 상수 k의 값은? (단, O는 원점이다.)

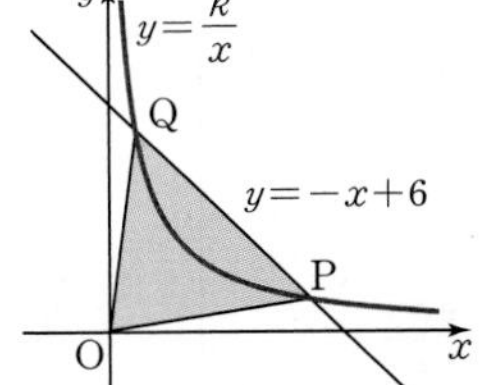

① $\frac{32}{9}$　② $\frac{34}{9}$　③ 4
④ $\frac{38}{9}$　⑤ $\frac{40}{9}$

challenge 교육청 기출

20

함수 $f(x)=\frac{a}{x}+b$ $(a\neq0)$가 다음 조건을 만족시킨다.

> (가) 곡선 $y=|f(x)|$는 직선 $y=2$와 한 점에서만 만난다.
> (나) $f^{-1}(2)=f(2)-1$

$f(8)$의 값은? (단, a, b는 상수이다.)

① $-\frac{1}{2}$　② $-\frac{1}{4}$　③ 0　④ $\frac{1}{4}$　⑤ $\frac{1}{2}$

10

무리식과 무리함수

01 무리식

무리식의 뜻	근호 안에 문자가 포함되어 있는 식 중 유리식으로 나타낼 수 없는 식을 무리식이라 하고, 무리식의 값이 실수가 되기 위한 조건은 다음과 같다. (근호 안에 있는 식의 값)≥ 0, (분모)$\neq 0$
분모의 유리화	분모가 무리식일 때, 다음과 같이 분모를 유리화한다. (1) $\frac{a}{\sqrt{b}}=\frac{a\sqrt{b}}{\sqrt{b}\sqrt{b}}=\frac{a\sqrt{b}}{b}$ (2) $\frac{c}{\sqrt{a}+\sqrt{b}}=\frac{c(\sqrt{a}-\sqrt{b})}{(\sqrt{a}+\sqrt{b})(\sqrt{a}-\sqrt{b})}=\frac{c(\sqrt{a}-\sqrt{b})}{a-b}$ (단, $a\neq b$) $\frac{c}{\sqrt{a}-\sqrt{b}}=\frac{c(\sqrt{a}+\sqrt{b})}{(\sqrt{a}-\sqrt{b})(\sqrt{a}+\sqrt{b})}=\frac{c(\sqrt{a}+\sqrt{b})}{a-b}$ (단, $a\neq b$)

02 무리함수

무리함수 $y=\pm\sqrt{ax}$ $(a\neq 0)$의 그래프	(1) 함수 $y=\sqrt{ax}$ $(a\neq 0)$의 그래프 $a>0$일 때, 정의역: $\{x\mid x\geq 0\}$, 치역: $\{y\mid y\geq 0\}$ $a<0$일 때, 정의역: $\{x\mid x\leq 0\}$, 치역: $\{y\mid y\geq 0\}$ (2) 함수 $y=-\sqrt{ax}$ $(a\neq 0)$의 그래프 $a>0$일 때, 정의역: $\{x\mid x\geq 0\}$, 치역: $\{y\mid y\leq 0\}$ $a<0$일 때, 정의역: $\{x\mid x\leq 0\}$, 치역: $\{y\mid y\leq 0\}$ 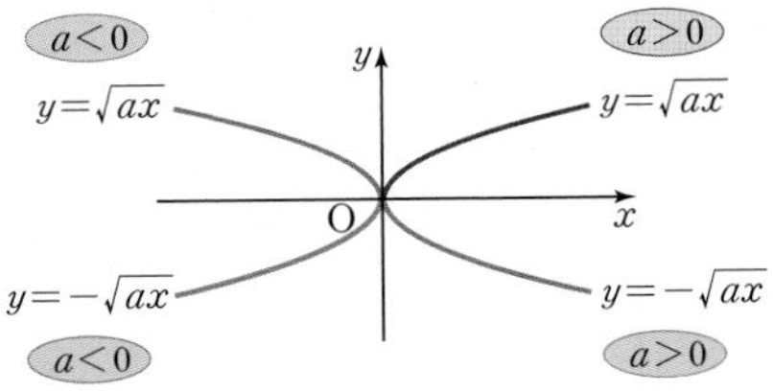
무리함수 $y=\sqrt{a(x-p)}+q$ $(a\neq 0)$의 그래프	무리함수 $y=\sqrt{a(x-p)}+q$ $(a\neq 0)$의 그래프는 다음과 같은 특징을 갖는다. (1) 함수 $y=\sqrt{ax}$의 그래프를 x축의 방향으로 p만큼, y축의 방향으로 q만큼 평행이동시킨 것이다. (2) $a>0$이면 정의역: $\{x\mid x\geq p\}$, 치역: $\{y\mid y\geq q\}$ $a<0$이면 정의역: $\{x\mid x\leq p\}$, 치역: $\{y\mid y\geq q\}$
무리함수의 역함수	무리함수 $y=f(x)$의 역함수는 다음과 같은 순서로 구한다. ❶ $y=f(x)$를 x에 대하여 풀어 $x=f^{-1}(y)$ 꼴로 고친다. ❷ $x=f^{-1}(y)$에서 x와 y를 서로 바꾸어 $y=f^{-1}(x)$ 꼴로 고친다. ❸ f의 치역을 f^{-1}의 정의역으로 바꾼다.

01 무리식

1 무리식의 뜻

근호 안에 문자가 포함되어 있는 식 중 유리식으로 나타낼 수 없는 식을 무리식이라 하고, 무리식의 값이 실수가 되기 위한 조건은 다음과 같다.

(근호 안에 있는 식의 값)≥ 0, (분모)$\neq 0$

실수에서 두 정수 a, b의 비인 꼴 $\frac{a}{b}(b\neq 0)$로 나타낼 수 없는 수를 무리수라 하듯, (유리수가 아닌 수)

$\sqrt{x}$, $\sqrt{2x-3}$, $\sqrt{\frac{1}{x}}$, $\frac{1}{\sqrt{x^2+3x}}$, $\cdots$

과 같이 근호 안에 문자가 포함되어 있는 식 중 유리식으로 나타낼 수 없는 식을 **무리식**이라 한다. 무리식의 값이 실수가 되려면 근호 안에 있는 식의 값이 0 이상이어야 하므로 무리식을 계산할 때는

(근호 안에 있는 식의 값)≥ 0, (분모)$\neq 0$

이 되는 범위에서만 생각한다. 즉, 무리식은 무리식의 값이 실수가 되는 경우에 대해서만 생각한다.

(1) 무리식 $\sqrt{-x+1}$에서 x의 값의 범위는 $-x+1\geq 0$, 즉 $x\leq 1$이다.

(2) 무리식 $\frac{x}{\sqrt{x-2}}$에서 x의 값의 범위는 $x-2\geq 0$, $x-2\neq 0$에서 $x-2>0$, 즉 $x>2$이다.

2 제곱근

(1) **제곱근:** 어떤 수 x를 제곱하여 a가 될 때, 즉 $x^2=a$일 때 x를 a의 제곱근이라 한다. 또한 제곱근의 성질은 다음과 같다.

$a>0$일 때 $(\sqrt{a})^2=a$, $(-\sqrt{a})^2=a$이고 $\sqrt{a^2}=a$, $\sqrt{(-a)^2}=a$이다.

(2) **제곱근의 계산:** $a>0$, $b>0$일 때 제곱근은 다음과 같이 계산한다.

$\sqrt{a}\sqrt{b}=\sqrt{ab}$, $\frac{\sqrt{a}}{\sqrt{b}}=\sqrt{\frac{a}{b}}$, $\sqrt{a^2b}=a\sqrt{b}$, $\sqrt{\frac{a}{b^2}}=\frac{\sqrt{a}}{b}$

무리식은 식의 값이 실수인 경우만 생각하므로 무리수의 계산과 같은 방법으로 제곱근의 성질을 이용하여 계산한다.

어떤 수 x를 제곱하여 a가 될 때, 즉 $x^2=a$일 때 x를 a의 **제곱근**이라 한다. 예를 들어 -3과 3을 제곱하면 모두 9이므로 9의 제곱근은 -3과 3이다. ← 0을 제곱하면 0이므로 0의 제곱근은 0이고, 0의 제곱근은 0뿐이다.

양수 a에 대하여

$$(\sqrt{a})^2=a,\ (-\sqrt{a})^2=a$$

가 성립한다. 또한 $3^2=9$, $(-3)^2=9$이므로 $\sqrt{3^2}=3$, $\sqrt{(-3)^2}=3$인 것과 같이

$$\sqrt{a^2}=a,\ \sqrt{(-a)^2}=a$$

가 성립한다. 이때 양수 a에 대하여 $\sqrt{a^2}=a$, $\sqrt{(-a)^2}=a$가 성립한다는 것을 바꾸어 생각하면 실수 b에 대하여 $\sqrt{b^2}$은 제곱하여 b^2이 되는 수 중 음이 아닌 수를 의미한다.

따라서 b의 부호에 따라

$$\sqrt{b^2}=|b|=\begin{cases}-b & (b<0)\\ b & (b\geq 0)\end{cases}$$

가 성립한다.

example

(1) $3=\sqrt{9}>\sqrt{8}=2\sqrt{2}$이므로 $2\sqrt{2}-3<0$, 즉 $3-2\sqrt{2}>0$

$\therefore\ \sqrt{(2\sqrt{2}-3)^2}=|2\sqrt{2}-3|=3-2\sqrt{2}$

(2) 두 실수 a, b에 대하여

$$\begin{aligned}\sqrt{(a-b)^2}&=|a-b|\\&=|b-a|=\sqrt{(b-a)^2}\end{aligned}$$

(3) 제곱근의 성질을 이용하여 식 $\sqrt{x^2+2x+1}$을 간단히 나타내면

$$\begin{aligned}\sqrt{x^2+2x+1}&=\sqrt{(x+1)^2}\\&=|x+1|\\&=\begin{cases}-x-1 & (x<-1)\\ x+1 & (x\geq -1)\end{cases}\end{aligned}$$

한편, $a>0$, $b>0$일 때 제곱근의 계산 방법은 다음과 같다.

(1) $\sqrt{a}\sqrt{b}=\sqrt{ab}$

(2) $\dfrac{\sqrt{a}}{\sqrt{b}}=\sqrt{\dfrac{a}{b}}$

(3) $\sqrt{a^2b}=a\sqrt{b}$

(4) $\sqrt{\dfrac{a}{b^2}}=\dfrac{\sqrt{a}}{b}$

이때 제곱근의 성질을 이용하여 (1)과 (3)을 증명하면 다음과 같다.

(1) $\sqrt{a}\sqrt{b}=\sqrt{ab}$

$\sqrt{a}=A$, $\sqrt{b}=B$라 하면 $A^2=a$, $B^2=b$

지수법칙에 의하여 $(AB)^2=A^2B^2=ab$이고

$A>0$, $B>0$이므로 $AB>0$

따라서 AB는 ab의 양의 제곱근이므로 $AB=\sqrt{ab}$이다.

$\therefore\ \sqrt{a}\sqrt{b}=AB=\sqrt{ab}$

양의 제곱근: ab의 제곱근 중 양수인 것, 마찬가지로 ab의 제곱근 중 음수인 것은 '음의 제곱근'이다.

(3) $\sqrt{a^2b}=a\sqrt{b}$

$\sqrt{a^2}=a$이므로 $\sqrt{a^2b}=\sqrt{a^2}\sqrt{b}=a\sqrt{b}$이다.

(2)는 (1)과 마찬가지 방법으로 증명하고, (4)는 (3)과 마찬가지 방법으로 증명하면 된다.

example

(1) $\sqrt{\frac{8}{3}}\left(\sqrt{\frac{27}{2}}-\sqrt{\frac{243}{8}}\right)=\sqrt{\frac{8}{3}}\sqrt{\frac{27}{2}}-\sqrt{\frac{8}{3}}\sqrt{\frac{243}{8}}$

$$=\sqrt{\frac{8\times27}{3\times2}}-\sqrt{\frac{8\times243}{3\times8}}$$

$$=\sqrt{36}-\sqrt{81}$$

$$=6-9=-3$$

(2) 제곱근의 계산 방법을 이용하여 $x>2$일 때 식 $\frac{\sqrt{x+1}}{\sqrt{x^2-3x+2}}\times\sqrt{\frac{x-1}{x^2-x-2}}$을 간단히 나타내면

$$\frac{\sqrt{x+1}}{\sqrt{x^2-3x+2}}\times\sqrt{\frac{x-1}{x^2-x-2}}=\sqrt{\frac{x+1}{x^2-3x+2}}\sqrt{\frac{x-1}{x^2-x-2}}$$

$$=\sqrt{\frac{x+1}{(x-1)(x-2)}\times\frac{x-1}{(x+1)(x-2)}}$$

$$=\sqrt{\frac{1}{(x-2)^2}}=\frac{1}{x-2}$$

『공통수학 1』의 **04. 복소수** 단원에서 학습한 음수의 제곱근의 성질도 함께 기억하도록 하자.

(1) $a<0$, $b<0$이면 $\sqrt{a}\sqrt{b}=-\sqrt{ab}$

(2) $a>0$, $b<0$이면 $\frac{\sqrt{a}}{\sqrt{b}}=-\sqrt{\frac{a}{b}}$

3 분모의 유리화

분모가 무리식일 때, 다음과 같이 분모를 유리화한다.

(1) $\frac{a}{\sqrt{b}}=\frac{a\sqrt{b}}{\sqrt{b}\sqrt{b}}=\frac{a\sqrt{b}}{b}$

(2) $\frac{c}{\sqrt{a}+\sqrt{b}}=\frac{c(\sqrt{a}-\sqrt{b})}{(\sqrt{a}+\sqrt{b})(\sqrt{a}-\sqrt{b})}=\frac{c(\sqrt{a}-\sqrt{b})}{a-b}$ (단, $a\neq b$)

$\frac{c}{\sqrt{a}-\sqrt{b}}=\frac{c(\sqrt{a}+\sqrt{b})}{(\sqrt{a}-\sqrt{b})(\sqrt{a}+\sqrt{b})}=\frac{c(\sqrt{a}+\sqrt{b})}{a-b}$ (단, $a\neq b$)

무리식은 무리수의 계산과 같은 방법으로 계산하므로 계산이 혼합된 식 또한 다음과 같이 간단히 나타낼 수 있다.

$$(\sqrt{x+1}+\sqrt{x})(\sqrt{x+1}-\sqrt{x})=(\sqrt{x+1})^2-(\sqrt{x})^2=(x+1)-x=1$$

이처럼 무리식의 계산에서도 곱셈 공식이 성립하고,

$$(x+y)(x-y)=x^2-y^2$$ ← 분모의 유리화 과정에서 많이 사용하는 곱셈 공식이다.

과 같은 곱셈 공식을 이용한다면 분모가 무리식인 경우에도 분모를 유리화하여 그 식을 간단히 할 수 있다.

유리화: 분자와 분모에 적당한 수 또는 식을 곱하여 분모에 근호가 포함되어 있지 않도록 변형하는 것

일반적으로 주어진 식의 모양에 따라서 다음과 같이 분모를 유리화한다.

(1) $\frac{a}{\sqrt{b}}=\frac{a\sqrt{b}}{\sqrt{b}\sqrt{b}}=\frac{a\sqrt{b}}{b}$ ← $x\times x=x^2$ 이용

(2) $\frac{c}{\sqrt{a}+\sqrt{b}}=\frac{c(\sqrt{a}-\sqrt{b})}{(\sqrt{a}+\sqrt{b})(\sqrt{a}-\sqrt{b})}=\frac{c(\sqrt{a}-\sqrt{b})}{a-b}$ (단, $a\neq b$) ← $(x+y)(x-y)=x^2-y^2$ 이용

$\frac{c}{\sqrt{a}-\sqrt{b}}=\frac{c(\sqrt{a}+\sqrt{b})}{(\sqrt{a}-\sqrt{b})(\sqrt{a}+\sqrt{b})}=\frac{c(\sqrt{a}+\sqrt{b})}{a-b}$ (단, $a\neq b$) ← $(x-y)(x+y)=x^2-y^2$ 이용

example

$$\begin{aligned}\frac{2}{\sqrt{x+1}-\sqrt{x-1}}&=\frac{2(\sqrt{x+1}+\sqrt{x-1})}{(\sqrt{x+1}-\sqrt{x-1})(\sqrt{x+1}+\sqrt{x-1})}\\&=\frac{2(\sqrt{x+1}+\sqrt{x-1})}{(\sqrt{x+1})^2-(\sqrt{x-1})^2}\\&=\frac{2(\sqrt{x+1}+\sqrt{x-1})}{(x+1)-(x-1)}=\sqrt{x+1}+\sqrt{x-1}\end{aligned}$$

바이블 PLUS + 이중근호

어떤 수 x를 제곱하여 a가 될 때, 즉 $x^2=a$일 때 x를 a의 제곱근이라 한다. 이때 a가 근호를 포함한 수라면 x는 근호 안에 또 다른 근호를 포함한 수로 표현된다. 예를 들어 $a=3+2\sqrt{2}$이면 $\sqrt{3+2\sqrt{2}}$는 a의 양의 제곱근이다. 이처럼 근호 안에 또 하나의 근호가 포함된 식을 **이중근호**의 식이라 한다.

양의 제곱근: a의 제곱근 중 양수인 것

이중근호를 없애는 방법은 상당히 제한적이다. 이 중 제곱근의 성질인 $\sqrt{A^2}=|A|$를 이용하여 이중근호를 없애는 방법을 살펴보고자 한다. 두 양수 α, β에 대하여

$$\sqrt{(\sqrt{\alpha}\pm\sqrt{\beta})^2}=|\sqrt{\alpha}\pm\sqrt{\beta}| \text{ (복부호동순)}$$

이고 이 등식에서 좌변의 근호 안을 전개하여 나타내면 $\sqrt{\alpha+\beta\pm2\sqrt{\alpha\beta}}$이다.

이를 다시 생각해본다면 $\sqrt{\alpha+\beta\pm2\sqrt{\alpha\beta}}$ 꼴의 이중근호는 $|\sqrt{\alpha}\pm\sqrt{\beta}|$와 같이 이중근호를 없앤 형태로 나타낼 수 있다는 의미이다.

따라서 이중근호는 다음과 같은 순서로 없앨 수 있다.

❶ 주어진 이중근호를 $\sqrt{p \pm 2\sqrt{q}}$ 꼴로 만든다. ← 숫자 2에 유의하여 변형한다.

❷ $p=\alpha+\beta$, $q=\alpha\beta$인 두 양수 α, β를 찾는다. ← x에 대한 이차방정식 $x^2-px+q=0$의 두 실근은 α, β임을 이용한다.

❸ $\sqrt{\alpha+\beta \pm 2\sqrt{\alpha\beta}}=|\sqrt{\alpha} \pm \sqrt{\beta}|$임을 이용하여 이중근호를 없앤다.

example

$\sqrt{7+4\sqrt{3}}$을 이중근호를 없앤 형태로 나타내보자.

❶ $4\sqrt{3}=2\sqrt{2^2 \times 3}=2\sqrt{12}$이므로 $\sqrt{7+4\sqrt{3}}=\sqrt{7+2\sqrt{12}}$

❷ 두 실수 α, $\beta(\alpha<\beta)$가 $\alpha+\beta=7$, $\alpha\beta=12$를 만족시킬 때

x에 대한 이차방정식 $x^2-7x+12=0$에서

$(x-3)(x-4)=0 \qquad \therefore x=3$ 또는 $x=4$

따라서 $\alpha=3$, $\beta=4$이다.

❸ $\sqrt{7+4\sqrt{3}}=\sqrt{(\sqrt{3}+\sqrt{4})^2}=|\sqrt{3}+\sqrt{4}|=\sqrt{3}+2$

이를 무리식의 계산에서 그대로 적용하면 $\sqrt{x+1-2\sqrt{x}}=|\sqrt{x}-1|$이다. 이때 $0 \le x < 1$이면 $|\sqrt{x}-1|=1-\sqrt{x}$이고 $x \ge 1$이면 $|\sqrt{x}-1|=\sqrt{x}-1$이므로 $\sqrt{x+1-2\sqrt{x}}$의 계산 결과를 단순히 $\sqrt{x}-1$과 같이 절댓값이 없는 형태로 쓰지 않도록 주의해야 한다.

10

개념 CHECK

빠른 정답 • 517쪽 / 정답과 풀이 • 174쪽

01. 무리식

01 다음 무리식의 값이 실수가 되도록 하는 실수 x의 값의 범위를 구하시오.

(1) $\sqrt{1-x}+\sqrt{3x-1}$

(2) $\dfrac{\sqrt{2x-4}}{\sqrt{3-x}}$

02 다음 식을 간단히 하시오.

(1) $(\sqrt{x+2}-\sqrt{x-1})(\sqrt{x+2}+\sqrt{x-1})$

(2) $\dfrac{\sqrt{x}}{\sqrt{x^2+5x+6}} \times \dfrac{\sqrt{x+3}}{\sqrt{x^2+2x}}$

03 다음 식을 간단히 하시오.

(1) $\dfrac{3}{\sqrt{x+1}-\sqrt{x-2}}$

(2) $\dfrac{1}{1+\sqrt{x}}+\dfrac{1}{1-\sqrt{x}}$

대표 예제 | 01

다음 식을 간단히 하시오.

(1) $(\sqrt{x+1}+1)(\sqrt{x+1}-1)$

(2) $\dfrac{2}{\sqrt{x+2}-\sqrt{x}}$

(3) $\dfrac{\sqrt{x}-\sqrt{x+1}}{\sqrt{x}+\sqrt{x+1}}-\dfrac{\sqrt{x}+\sqrt{x+1}}{\sqrt{x}-\sqrt{x+1}}$

(4) $\dfrac{x}{2+\sqrt{x+4}}+\dfrac{x}{2-\sqrt{x+4}}$

바로 접근 분모에 근호를 포함한 무리식을 계산할 때, 분모를 유리화하면 계산이 간단해진다.

바른 풀이

(1) $(\sqrt{x+1}+1)(\sqrt{x+1}-1)=(\sqrt{x+1})^2-1^2=(x+1)-1=x$

(2) $\dfrac{2}{\sqrt{x+2}-\sqrt{x}}=\dfrac{2(\sqrt{x+2}+\sqrt{x})}{(\sqrt{x+2}-\sqrt{x})(\sqrt{x+2}+\sqrt{x})}=\dfrac{2(\sqrt{x+2}+\sqrt{x})}{(x+2)-x}$

$=\dfrac{2(\sqrt{x+2}+\sqrt{x})}{2}=\sqrt{x+2}+\sqrt{x}$

(3) $\dfrac{\sqrt{x}-\sqrt{x+1}}{\sqrt{x}+\sqrt{x+1}}-\dfrac{\sqrt{x}+\sqrt{x+1}}{\sqrt{x}-\sqrt{x+1}}=\dfrac{(\sqrt{x}-\sqrt{x+1})^2-(\sqrt{x}+\sqrt{x+1})^2}{(\sqrt{x}+\sqrt{x+1})(\sqrt{x}-\sqrt{x+1})}$

$=\dfrac{\{x-2\sqrt{x(x+1)}+(x+1)\}-\{x+2\sqrt{x(x+1)}+(x+1)\}}{x-(x+1)}$

$=\dfrac{-4\sqrt{x(x+1)}}{-1}=4\sqrt{x(x+1)}$

(4) $\dfrac{x}{2+\sqrt{x+4}}+\dfrac{x}{2-\sqrt{x+4}}=\dfrac{x(2-\sqrt{x+4})+x(2+\sqrt{x+4})}{(2+\sqrt{x+4})(2-\sqrt{x+4})}$

$=\dfrac{2x-x\sqrt{x+4}+2x+x\sqrt{x+4}}{4-(x+4)}$

$=\dfrac{4x}{-x}=-4$

정답 (1) x (2) $\sqrt{x+2}+\sqrt{x}$ (3) $4\sqrt{x(x+1)}$ (4) -4

Bible Says

무리식의 계산은 무리수의 계산과 같이 분모의 유리화를 통하여 식을 간단히 할 수 있다.
이때 자주 이용되는 곱셈 공식은 $(a+b)(a-b)=a^2-b^2$이다.

한 번 더하기

01-1

다음 식을 간단히 하시오.

(1) $(\sqrt{x+4}+2)(\sqrt{x+4}-2)$

(2) $\dfrac{3}{\sqrt{x}-\sqrt{x-3}}$

(3) $\dfrac{\sqrt{x+1}+\sqrt{x-1}}{\sqrt{x+1}-\sqrt{x-1}}-\dfrac{\sqrt{x+1}-\sqrt{x-1}}{\sqrt{x+1}+\sqrt{x-1}}$

(4) $\dfrac{x}{\sqrt{x+1}+1}+\dfrac{x}{\sqrt{x+1}-1}$

한 번 더하기

01-2

$\dfrac{1}{\sqrt{x}+\sqrt{x+2}}+\dfrac{1}{\sqrt{x+2}+\sqrt{x+4}}+\dfrac{1}{\sqrt{x+4}+\sqrt{x+6}}$을 간단히 하시오.

표현 더하기

01-3

$\sqrt{2x+1}+\dfrac{1}{\sqrt{6-2x}}$의 값이 실수가 되도록 하는 실수 x에 대하여

$\sqrt{(x+3)^2}-\sqrt{x^2-8x+16}+|x+1|$을 간단히 하시오.

표현 더하기

01-4

두 실수 x, y에 대하여 $\dfrac{\sqrt{x-1}}{\sqrt{y+2}}=-\sqrt{\dfrac{x-1}{y+2}}$일 때, $\sqrt{x^2}+\sqrt{y^2-2y+1}-|x-y|$를 간단히 하시오. (단, $x\neq1$, $y\neq-2$)

대표 예제 | 02

무리식의 값 구하기

$x=\sqrt{2}$일 때, $\dfrac{\sqrt{x+1}+\sqrt{x-1}}{\sqrt{x+1}-\sqrt{x-1}}$의 값을 구하시오.

바로 접근

주어진 x의 값을 식에 대입하기 전에 분모를 유리화하여 식을 간단히 한 후 x의 값을 대입하여 식의 값을 구한다.

바른 풀이

$$\begin{aligned}\frac{\sqrt{x+1}+\sqrt{x-1}}{\sqrt{x+1}-\sqrt{x-1}}&=\frac{(\sqrt{x+1}+\sqrt{x-1})^2}{(\sqrt{x+1}-\sqrt{x-1})(\sqrt{x+1}+\sqrt{x-1})}\\&=\frac{x+1+2\sqrt{(x+1)(x-1)}+x-1}{(x+1)-(x-1)}\\&=\frac{2x+2\sqrt{x^2-1}}{2}\\&=x+\sqrt{x^2-1}\qquad \cdots\cdots \text{㉠}\end{aligned}$$

$x=\sqrt{2}$를 ㉠에서 대입하면 구하는 식의 값은

$x+\sqrt{x^2-1}=\sqrt{2}+\sqrt{(\sqrt{2})^2-1}=\sqrt{2}+1$

정답 $\sqrt{2}+1$

Bible Says

주어진 x의 값을 식에 바로 대입하면 $\sqrt{\sqrt{2}-1}$, $\sqrt{\sqrt{2}+1}$과 같이 근호 안에 근호가 있는 수를 다루게 된다.
따라서 먼저 주어진 식을 간단히 한 후 x의 값을 대입하여 식의 값을 구한다.

빠른 정답 • 517쪽 / 정답과 풀이 • 175쪽

한번 더하기

02-1

$x=\sqrt{5}$일 때, $\frac{\sqrt{x+2}+\sqrt{x-2}}{\sqrt{x+2}-\sqrt{x-2}}$의 값을 구하시오.

한번 더하기

02-2

$x=2+\sqrt{3}$일 때, $\frac{\sqrt{x}+1}{\sqrt{x}-1}+\frac{\sqrt{x}-1}{\sqrt{x}+1}$의 값을 구하시오.

표현 더하기

02-3

$x=\frac{\sqrt{2}+1}{\sqrt{2}-1}$, $y=\frac{\sqrt{2}-1}{\sqrt{2}+1}$일 때, $\frac{\sqrt{x}-\sqrt{y}}{\sqrt{x}+\sqrt{y}}+\frac{\sqrt{x}+\sqrt{y}}{\sqrt{x}-\sqrt{y}}$의 값을 구하시오.

실력 더하기

02-4

2 이상의 자연수 n에 대하여 $f(n)=\frac{2}{\sqrt{n+1}+\sqrt{n-1}}$일 때,

$$f(2)+f(4)+f(6)+\cdots+f(m)>8$$

을 만족시키는 짝수인 자연수 m의 최솟값을 구하시오.

02 무리함수

1 무리함수의 뜻

(1) 함수 $y=f(x)$에서 $f(x)$가 x에 대한 무리식일 때, 이 함수를 무리함수라 한다.
(2) 무리함수의 정의역이 주어지지 않은 경우에는

(근호 안에 있는 식의 값)≥ 0

이 되도록 하는 실수 전체의 집합을 정의역으로 한다.

유리식에서 유리함수를 생각하였듯, 무리식에서는 무리함수를 생각할 수 있다. 유리함수와 마찬가지로 함수 $y=f(x)$에서 $f(x)$가 x에 대한 무리식일 때, 이 함수를 **무리함수**라 한다. 예를 들어

$$y=\sqrt{x},\ y=\sqrt{2-3x}+4,\ y=\sqrt{2x^2+x}$$

는 모두 무리함수이고, $y=\sqrt{3}+x$와 같이 단순히 무리수를 포함한 다항함수는 무리함수가 아니다.
무리식은 무리식의 값이 실수가 되는 경우에 대해서만 생각하기로 하였다. 따라서 무리함수 $y=f(x)$에서도 함숫값 $f(x)$가 실수가 되어야 하므로 정의역이 주어지지 않은 경우에는

(근호 안에 있는 식의 값)≥ 0

이 되도록 하는 실수 x의 값의 집합을 정의역으로 한다.

example
(1) 무리함수 $y=\sqrt{x}$의 정의역은 $x\geq 0$에서 $\{x|x\geq 0\}$이다.
(2) 무리함수 $y=\sqrt{2-3x}+4$의 정의역은 $2-3x\geq 0$에서 $\left\{x \middle| x\leq \frac{2}{3}\right\}$이다.

2 무리함수 $y=\pm\sqrt{ax}\ (a\neq 0)$의 그래프

(1) 무리함수 $y=\sqrt{ax}\ (a\neq 0)$의 그래프
$a>0$일 때, 정의역: $\{x|x\geq 0\}$, 치역: $\{y|y\geq 0\}$
$a<0$일 때, 정의역: $\{x|x\leq 0\}$, 치역: $\{y|y\geq 0\}$

(2) 무리함수 $y=-\sqrt{ax}\ (a\neq 0)$의 그래프
$a>0$일 때, 정의역: $\{x|x\geq 0\}$, 치역: $\{y|y\leq 0\}$
$a<0$일 때, 정의역: $\{x|x\leq 0\}$, 치역: $\{y|y\leq 0\}$

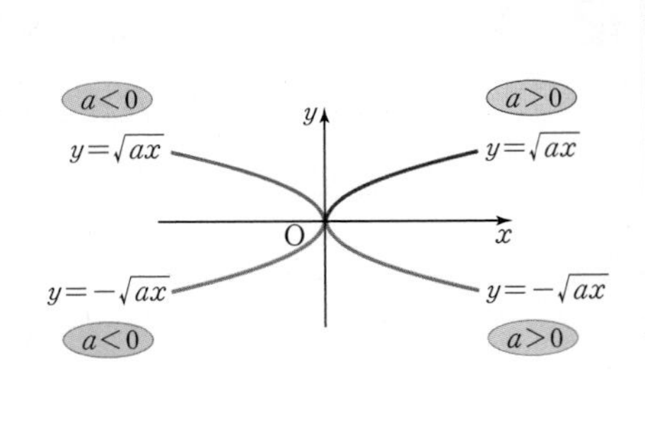

무리함수 중 가장 간단한 형태인 $y=\sqrt{x}$의 그래프를 어떻게 그릴지 생각해보자.

무리함수 $y=\sqrt{x}$는 정의역이 $\{x|x\geq0\}$이고 치역이 $\{y|y\geq0\}$인 일대일대응이므로 역함수가 존재한다. 따라서 역함수의 그래프를 이용하여 무리함수 $y=\sqrt{x}$의 그래프를 그릴 수 있다.
$y=\sqrt{x}\ (x\geq0)$를 x에 대하여 풀면 $x=y^2\ (y\geq0)$이고, 이 식에서 x와 y를 서로 바꾸면 역함수

$$y=x^2\ (x\geq0)$$

을 얻을 수 있다. 따라서 무리함수 $y=\sqrt{x}$의 역함수는 $y=x^2\ (x\geq0)$이므로 무리함수 $y=\sqrt{x}$의 그래프는 함수 $y=x^2\ (x\geq0)$의 그래프를 직선 $y=x$에 대하여 대칭이동시켜서 그릴 수 있다.

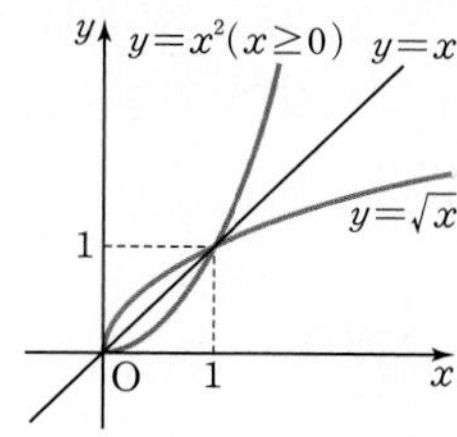

(1) 무리함수 $y=\sqrt{ax}$의 그래프

무리함수 $y=\sqrt{ax}\ (a\neq0)$의 그래프는 그 역함수 $y=\dfrac{x^2}{a}\ (x\geq0)$의 그래프와 직선 $y=x$에 대하여 대칭이므로 a의 값의 부호에 따라 다음과 같이 그릴 수 있다.

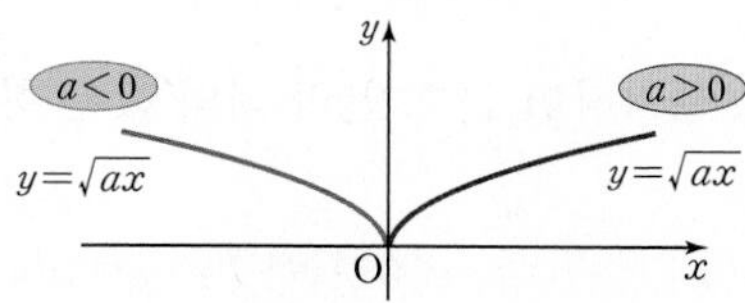

근호 안의 식의 값은 항상 0보다 크거나 같아야 하므로 무리함수 $y=\sqrt{ax}$의 정의역은

$$a>0\text{일 때 } \{x|x\geq0\},\ a<0\text{일 때 } \{x|x\leq0\}$$

이다. 또한 함숫값 y, 즉 $\sqrt{ax}$는 ax의 양의 제곱근 꼴이므로 치역은 a의 값의 부호에 관계없이 $\{y|y\geq0\}$이다.

ax의 제곱근 중 양수인 것

example 두 함수 $y=\sqrt{-3x}$, $y=\sqrt{3x}$의 그래프는 오른쪽 그림과 같다. 이때 함수 $y=\sqrt{-3x}$의 정의역은 $\{x|x\leq0\}$, 치역은 $\{y|y\geq0\}$이고 함수 $y=\sqrt{3x}$의 정의역은 $\{x|x\geq0\}$, 치역은 $\{y|y\geq0\}$이다.

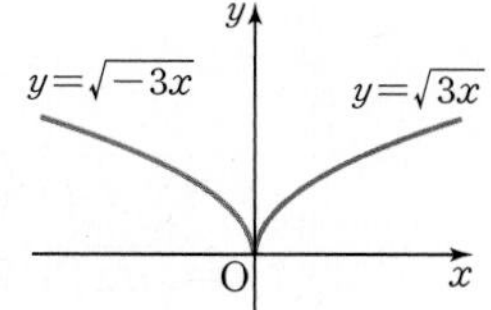

$a>0$이면 $\sqrt{ax}=\sqrt{a}\sqrt{x}$이므로 무리함수 $y=\sqrt{ax}$의 그래프는 무리함수 $y=\sqrt{x}$에서의 함숫값에 $\sqrt{a}$배 한 값을 y좌표로 가지는 그래프이다. 따라서 $y=\sqrt{ax}\ (a>0)$의 그래프는 a의 값이 1, 2, 3, …과 같이 커질수록 x축에서 멀어진다.
마찬가지로 $a<0$이면 $\sqrt{ax}=\sqrt{-a}\sqrt{-x}$에서 무리함수 $y=\sqrt{ax}$의 그래프는 무리함수 $y=\sqrt{x}$에서의 함숫값에 $\sqrt{-a}$배 한 값을 y좌표로 가지는 그래프를 y축에 대하여 대칭이동시켜서 나타낸 그래프이다.

$y=\sqrt{-x}$는 $y=\sqrt{x}$에서 x 대신 $-x$를 대입한 것이다.

따라서 $y=\sqrt{ax}\,(a<0)$의 그래프는 a의 값이 -1, -2, -3, $\cdots$과 같이 작아질수록 x축에서 멀어진다.

즉, $y=\sqrt{ax}\,(a\neq0)$의 그래프는 a의 절댓값이 커질수록 x축에서 멀어진다.

y축에 가까워진다.

example 세 함수 $y=\sqrt{x}$, $y=\sqrt{2x}$, $y=\sqrt{3x}$의 그래프는 오른쪽 그림과 같다. 이때 세 함수의 그래프에서 x좌표가 4인 점들의 y좌표는 각각 2, $2\sqrt{2}$, $2\sqrt{3}$이므로 $y=\sqrt{ax}\,(a\neq0)$의 그래프는 a의 절댓값이 커질수록 x축에서 멀어지는 것을 확인할 수 있다.

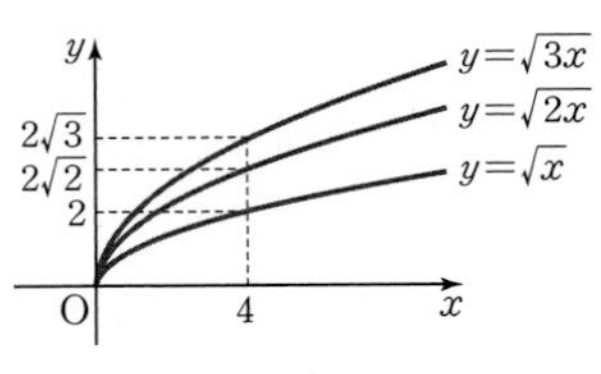

(2) **무리함수 $y=-\sqrt{ax}$의 그래프**

일반적으로 무리함수 $y=-\sqrt{ax}\,(a\neq0)$의 그래프는 그 역함수 $y=\dfrac{x^2}{a}\,(x\leq0)$의 그래프와 직선 $y=x$에 대하여 대칭이므로 a의 값의 부호에 따라 다음과 같이 그릴 수 있다.

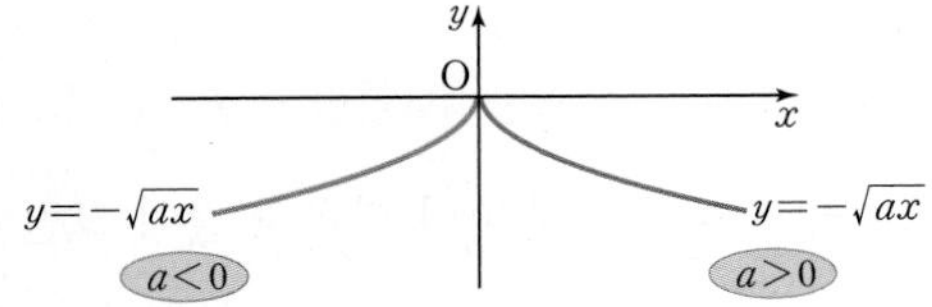

$y=\sqrt{ax}$와 마찬가지로 생각하면 근호 안의 식의 값은 항상 0보다 크거나 같아야 하므로 무리함수 $y=-\sqrt{ax}$의 정의역은

$$a>0\text{일 때 } \{x\,|\,x\geq0\},\ a<0\text{일 때 } \{x\,|\,x\leq0\}$$

이고 함숫값 y, 즉 $-\sqrt{ax}$는 ax의 음의 제곱근 꼴이므로 치역은 a의 값의 부호에 관계없이 $\{y\,|\,y\leq0\}$이다.

ax의 제곱근 중 음수인 것

example 두 함수 $y=-\sqrt{-3x}$, $y=-\sqrt{3x}$의 그래프는 오른쪽 그림과 같다. 이때 함수 $y=-\sqrt{-3x}$의 정의역은 $\{x\,|\,x\leq0\}$, 치역은 $\{y\,|\,y\leq0\}$이고 함수 $y=-\sqrt{3x}$의 정의역은 $\{x\,|\,x\geq0\}$, 치역은 $\{y\,|\,y\leq0\}$이다.

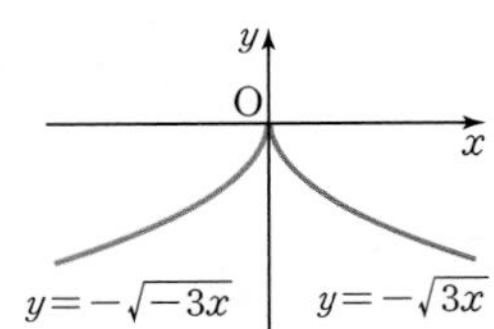

$y=-\sqrt{ax}$를 $-y=\sqrt{ax}$로 변형한 후 생각해보면, 무리함수 $y=-\sqrt{ax}$의 그래프는 무리함수 $y=\sqrt{ax}$의 그래프를 x축에 대하여 대칭이동시켜서 그린 것과 같으므로 $y=\sqrt{ax}\,(a\neq0)$의 그래프에서와 같이 a의 절댓값이 커질수록 x축에서 멀어진다.

example 세 함수 $y=-\sqrt{-x}$, $y=-\sqrt{-2x}$, $y=-\sqrt{-3x}$의 그래프는 오른쪽 그림과 같다. 이때 세 함수의 그래프에서 x좌표가 -4인 점들의 y좌표는 각각 -2, $-2\sqrt{2}$, $-2\sqrt{3}$이므로 $y=-\sqrt{-ax}\,(a\neq0)$의 그래프는 a의 절댓값이 커질수록 x축에서 멀어지는 것을 확인할 수 있다.

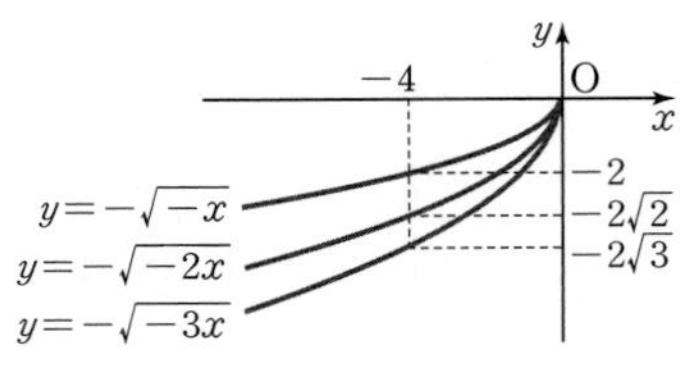

앞의 설명과 같이 무리함수의 그래프는 대칭이동을 이용하면 쉽게 그릴 수 있다.

무리함수 $y=\sqrt{ax}$ $(a>0)$의 그래프를 기준으로

(1) 무리함수 $y=\sqrt{-ax}$의 그래프는 무리함수 $y=\sqrt{ax}$의 그래프와 y축에 대하여 대칭이다.

(2) 무리함수 $y=-\sqrt{ax}$의 그래프는 무리함수 $y=\sqrt{ax}$의 그래프와 x축에 대하여 대칭이다.

(3) 무리함수 $y=-\sqrt{-ax}$의 그래프는 무리함수 $y=\sqrt{ax}$의 그래프와 원점에 대하여 대칭이다.

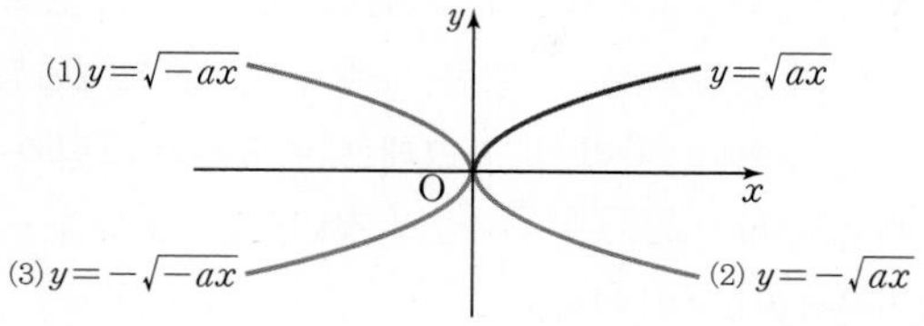

example

함수 $f(x)=\sqrt{2x}$에 대하여 무리함수 $y=\sqrt{-2x}$의 그래프는 함수 $y=f(x)$의 그래프를 y축에 대하여 대칭이동시켜 그릴 수 있다.

마찬가지로 두 함수 $y=-\sqrt{2x}$, $y=-\sqrt{-2x}$의 그래프는 각각 함수 $y=f(x)$의 그래프를 x축, 원점에 대하여 대칭이동시켜 그릴 수 있다.

3 무리함수 $y=\sqrt{a(x-p)}+q$ $(a\neq0)$의 그래프

무리함수 $y=\sqrt{a(x-p)}+q$ $(a\neq0)$의 그래프는 다음과 같은 특징을 갖는다.

(1) 무리함수 $y=\sqrt{ax}$의 그래프를 x축의 방향으로 p만큼, y축의 방향으로 q만큼 평행이동시킨 것이다.

(2) $a>0$이면 정의역: $\{x\,|\,x\geq p\}$, 치역: $\{y\,|\,y\geq q\}$

$a<0$이면 정의역: $\{x\,|\,x\leq p\}$, 치역: $\{y\,|\,y\geq q\}$

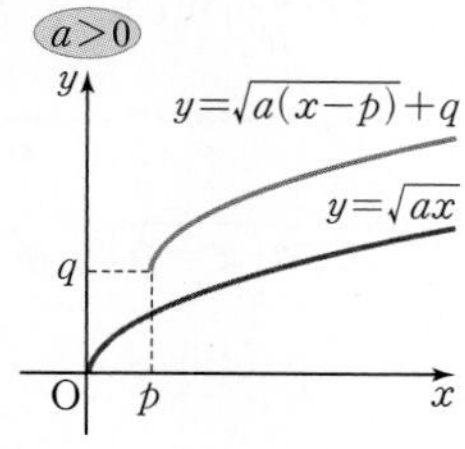

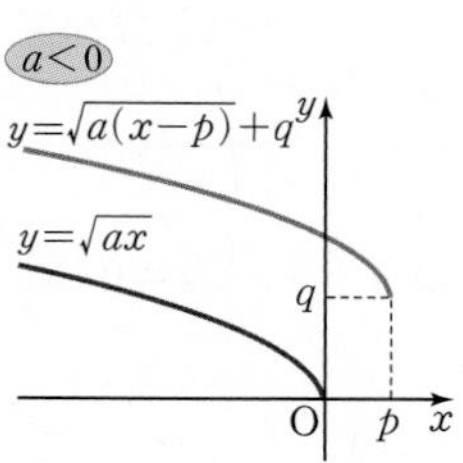

무리함수 $y=\sqrt{ax}$ $(a\neq0)$의 그래프를 x축의 방향으로 p만큼, y축의 방향으로 q만큼 평행이동시킨 그래프의 식은 다음과 같다.

$$y=\sqrt{ax} \xrightarrow[\text{y축의 방향으로 p만큼 평행이동}]{\text{x축의 방향으로 p만큼}} y-q=\sqrt{a(x-p)} \Longleftrightarrow y=\sqrt{a(x-p)}+q$$

이때 $a>0$이면 평행이동에 의하여 정의역과 치역은 다음과 같이 바뀐다.

$\{x\,|\,x\geq0\}$ ➜ $\{x\,|\,x\geq p\}$

$\{y\,|\,y\geq0\}$ ➜ $\{y\,|\,y\geq q\}$

무리함수 $y=\sqrt{ax}\,(a\neq0)$의 그래프는 원점을 기준으로 a의 값의 부호에 따라 방향을 정하여 그릴 수 있다. 마찬가지로 무리함수 $y=\sqrt{ax}$의 그래프를 x축의 방향으로 p만큼, y축의 방향으로 q만큼 평행이동시킨 무리함수 $y=\sqrt{a(x-p)}+q\ (a\neq0)$의 그래프는 점 $(p,\ q)$를 기준으로 a의 값의 부호에 따라 방향을 정하여 그릴 수 있다. ← x축, y축과의 교점과 같이 특정한 점에 주의하여 정확하게 그리도록 한다.

example

함수 $y=\sqrt{2(x+3)}+2$의 그래프는 함수 $y=\sqrt{2x}$의 그래프를 x축의 방향으로 -3만큼, y축의 방향으로 2만큼 평행이동시킨 것이다. 따라서 그 그래프는 오른쪽 그림과 같다.
이때 함수 $y=\sqrt{2(x+3)}+2$의 정의역은 $\{x\,|\,x\geq-3\}$, 치역은 $\{y\,|\,y\geq2\}$이다.

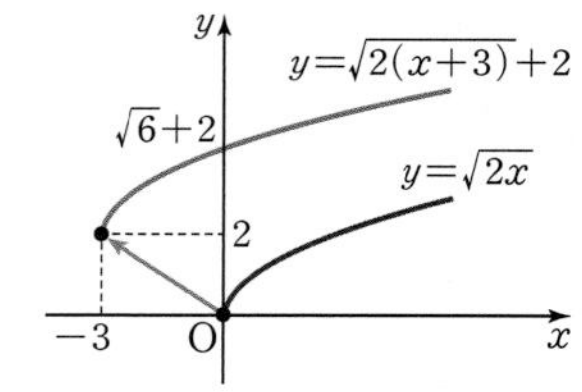

무리함수 $y=\sqrt{a(x-p)}+q\ (a\neq0)$의 그래프는 a, p, q의 값에 의하여 결정된다. 다시 말하면 무리함수 $y=\sqrt{a(x-p)}+q$의 그래프는 점 $(p,\ q)$를 기준으로 하고 a의 값에 의하여 그래프의 모양이 결정된다. 또한 무리함수 $y=\sqrt{ax}$의 그래프를 기준으로 대칭이동을 이용하여 세 무리함수 $y=\sqrt{-ax}$, $y=-\sqrt{ax}$, $y=-\sqrt{-ax}$의 그래프를 그릴 수 있으므로 a의 절댓값, 즉 $|a|$의 값이 서로 같은 무리함수의 그래프들은 p, q의 값에 관계없이 평행이동이나 대칭이동에 의하여 서로 겹쳐질 수 있다.

4 무리함수 $y=\pm\sqrt{ax+b}+c\ (a\neq0)$의 그래프

무리함수 $y=\pm\sqrt{ax+b}+c\ (a\neq0)$의 그래프는 $y=\pm\sqrt{a\left(x+\dfrac{b}{a}\right)}+c$로 변형하여 그린다.

무리함수 $y=\pm\sqrt{ax+b}+c\ (a\neq0)$의 그래프는 $y=\pm\sqrt{a(x-p)}+q$ 꼴로 변형하여 그린다.
즉,

$$y=\pm\sqrt{ax+b}+c \Rightarrow y=\pm\sqrt{a\left(x+\frac{b}{a}\right)}+c$$

이므로 무리함수 $y=\pm\sqrt{ax+b}+c$의 그래프는 무리함수 $y=\pm\sqrt{ax}$의 그래프를 x축의 방향으로 $-\dfrac{b}{a}$만큼, y축의 방향으로 c만큼 평행이동시킨 것이다.

example

$\sqrt{3x-6}-1=\sqrt{3(x-2)}-1$이므로 함수 $y=\sqrt{3x-6}-1$의 그래프는 함수 $y=\sqrt{3x}$의 그래프를 x축의 방향으로 2만큼, y축의 방향으로 -1만큼 평행이동시킨 것이다.

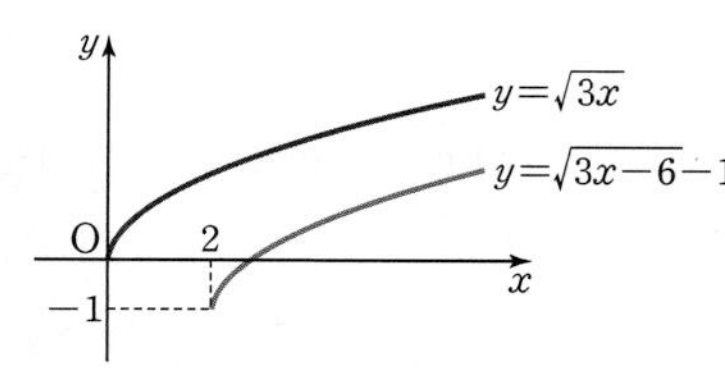

5 무리함수의 역함수

무리함수 $y=f(x)$의 역함수는 다음과 같은 순서로 구한다.

❶ $y=f(x)$를 x에 대하여 풀어 $x=f^{-1}(y)$ 꼴로 고친다.

❷ $x=f^{-1}(y)$에서 x와 y를 서로 바꾸어 $y=f^{-1}(x)$ 꼴로 고친다.

❸ f의 치역을 f^{-1}의 정의역으로 바꾼다.

무리함수 $y=\sqrt{ax+b}+c\ (a\neq0)$는 일대일대응이므로 역함수가 항상 존재한다. 따라서 **08. 함수**에서 학습한 역함수를 구하는 방법을 이용하여 무리함수의 역함수를 다음의 순서로 구한다.

❶ $y=f(x)$를 x에 대하여 풀어 $x=f^{-1}(y)$ 꼴로 고친다.

$y=\sqrt{ax+b}+c$에서 $y-c=\sqrt{ax+b}$

$(y-c)^2=ax+b,\ ax=(y-c)^2-b$

$\therefore\ x=\dfrac{1}{a}(y-c)^2-\dfrac{b}{a}$

❷ $x=f^{-1}(y)$에서 x와 y를 서로 바꾸어 $y=f^{-1}(x)$ 꼴로 고친다.

$x=\dfrac{1}{a}(y-c)^2-\dfrac{b}{a}$에서 x와 y를 서로 바꾸면 $y=\dfrac{1}{a}(x-c)^2-\dfrac{b}{a}$

❸ f의 치역을 f^{-1}의 정의역으로 바꾼다.

무리함수 $y=\sqrt{ax+b}+c$의 치역은 $\{y|y\geq c\}$이므로 이 함수의 역함수 $y=\dfrac{1}{a}(x-c)^2-\dfrac{b}{a}$의 정의역은 $\{x|x\geq c\}$이다.

example 무리함수 $y=\sqrt{-x-1}+2$의 역함수를 구해보자.

$y=\sqrt{-x-1}+2$에서 $y-2=\sqrt{-x-1}$

$(y-2)^2=-x-1,\ -x=(y-2)^2+1$

$\therefore\ x=-(y-2)^2-1$

x와 y를 서로 바꾸면 $y=-(x-2)^2-1$

이때 무리함수 $y=\sqrt{-x-1}+2$의 치역은 $\{y|y\geq2\}$이므로 이 함수의 역함수 $y=-(x-2)^2-1$의 정의역은 $\{x|x\geq2\}$이다.

$\therefore\ y=-(x-2)^2-1\ (x\geq2)$

함수 $y=\dfrac{1}{a}(x-c)^2-\dfrac{b}{a}\ (x\geq c)$의 그래프는 이차함수의 그래프의 일부이다. 이때 역함수 관계에 있는 두 함수의 그래프는 직선 $y=x$에 대하여 대칭이므로 무리함수 $y=\sqrt{ax+b}+c$의 역함수의 그래프는 항상 이차함수의 그래프의 일부분이다.

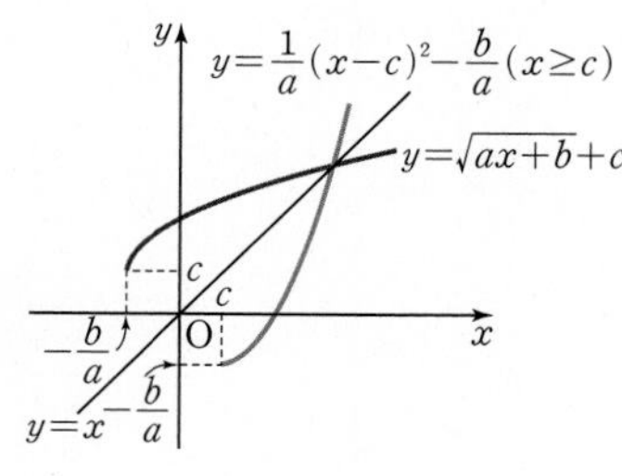

바이블 PLUS 무리함수 $y=\sqrt{r^2-x^2}\ (r>0)$의 그래프

함수 $y=f(x)$에서 $f(x)$가 x에 대한 무리식일 때, 이 함수를 무리함수라 한다. 무리함수를 학습하면서 근호 안에 일차식이 있는 형태를 주로 다루었지만 $y=\sqrt{r^2-x^2}\ (r>0)$과 같이 이차식이 있는 형태 또한 무리함수이다. 이번에는 조금은 특별한 무리함수 $y=\sqrt{r^2-x^2}$을 살펴보고자 한다.

$y=\sqrt{r^2-x^2}$의 양변을 제곱하면 $y^2=r^2-x^2$

$\therefore x^2+y^2=r^2$

이때 「**도형의 방정식**」 단원에서 학습한 것과 같이 $x^2+y^2=r^2$은 원점을 중심으로 하고 반지름의 길이가 r인 원의 방정식을 의미한다.

한편, 무리함수 $y=\sqrt{r^2-x^2}$의 정의역은 $r^2-x^2\ge0$에서 $\{x\,|\,-r\le x\le r\}$이고 $\sqrt{r^2-x^2}$은 r^2-x^2의 양의 제곱근 꼴이므로 치역은 $\{y\,|\,0\le y\le r\}$이다. 따라서 무리함수 $y=\sqrt{r^2-x^2}$의 그래프는 원 $x^2+y^2=r^2$이 아니라 원 $x^2+y^2=r^2$에서 x축의 위쪽에 나타나는 반원을 의미한다.

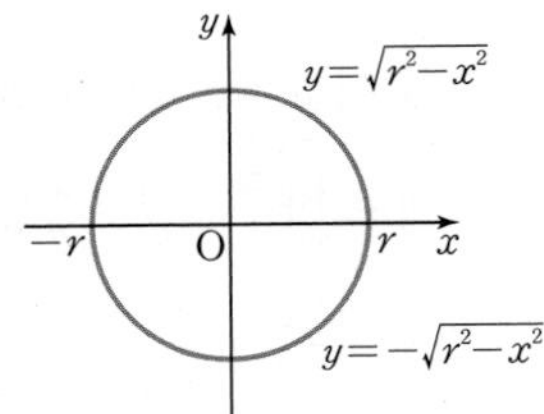

마찬가지로 생각하면 무리함수 $y=-\sqrt{r^2-x^2}$의 그래프는 원 $x^2+y^2=r^2$에서 x축의 아래쪽에 나타나는 반원을 의미한다.

원의 방정식 $x^2+y^2=r^2\ (r>0)$은 $-r<x<r$인 실수 x의 값에 대하여 두 개의 y의 값이 대응하는 형태이다. **08. 함수** 단원에서 함수의 그래프인 것을 찾는 연습을 하면서 원은 함수의 그래프가 아니라 학습했지만 적절히 도형을 잘 나누어 하나의 x의 값에 대하여 하나의 y의 값이 대응하도록 하면 각각은 함수로 나타낼 수 있다.

빠른 정답 • 517쪽 / 정답과 풀이 • 176쪽

01 **보기**에서 무리함수인 것만을 있는 대로 고르시오.

보기

ㄱ. $y=\sqrt{x-1}$　ㄴ. $y=\sqrt{2-x^2}$　ㄷ. $y=-\sqrt{3}-x$

ㄹ. $y=\sqrt{(x-4)^4}$　ㅁ. $y=\sqrt{\dfrac{1}{x+5}}$

02 다음 함수의 정의역을 구하시오.

(1) $y=\sqrt{2x+1}$　(2) $y=\sqrt{3x-2}-1$

(3) $y=\sqrt{3-x}+1$　(4) $y=\sqrt{25-x^2}$

03 다음 함수의 그래프를 그리고, 정의역과 치역을 구하시오.

(1) $y=\sqrt{x-1}-1$　(2) $y=-\sqrt{2-x}+3$

04 **보기**의 함수의 그래프를 평행이동 또는 대칭이동시켰을 때, 함수 $y=\sqrt{4x}$의 그래프와 겹쳐질 수 있는 것을 모두 고르시오.

보기

ㄱ. $y=\sqrt{3x-1}$　ㄴ. $y=\sqrt{4x-3}+2$　ㄷ. $y=-\sqrt{1-4x}$

ㄹ. $y=2\sqrt{x+1}-3$　ㅁ. $y=-2\sqrt{3-\dfrac{x}{2}}$

05 무리함수 $y=\sqrt{4-2x}+1$의 그래프를 그리고, 정의역과 치역을 구하시오.

06 무리함수 $y=\sqrt{2x+4}-1$의 역함수의 그래프를 그리고, 정의역과 치역을 구하시오.

대표 예제 | 03

무리함수 $y=\sqrt{ax}\ (a\neq0)$에 대하여 **보기**에서 옳은 것만을 있는 대로 고르시오.

보기

ㄱ. 정의역은 $\{x|x\geq0\}$이다.
ㄴ. 치역은 $\{y|y\geq0\}$이다.
ㄷ. $a<0$일 때, 그래프는 제2사분면을 지난다.
ㄹ. $|a|$의 값이 커질수록 그래프는 x축에 가까워진다.

바로 접근

무리함수 $y=\pm\sqrt{ax}$의 정의역이 주어지지 않은 경우에는 근호 안의 식의 값이 0 이상이 되도록 하는 실수 전체의 집합을 정의역으로 한다. 또한 치역은 근호 전체의 값이 0 이상임을 이용하여 구한다.

바른 풀이

ㄱ. $a>0$이면 정의역은 $\{x|x\geq0\}$이고
　$a<0$이면 정의역은 $\{x|x\leq0\}$이다. (거짓)
ㄴ. a의 부호에 관계없이 치역은 $\{y|y\geq0\}$이다. (참)
ㄷ. $a<0$일 때, 그래프는 제2사분면을 지난다. (참)
ㄹ. $y=\sqrt{ax}$에서 $|a|$의 값이 커질수록 같은 x의 값에 대하여 y의 값이 커진다.
　즉, $|a|$의 값이 커질수록 함수 $y=\sqrt{ax}$의 그래프는 x축에서 멀어진다. (거짓)

따라서 옳은 것은 ㄴ, ㄷ이다.

정답 ㄴ, ㄷ

Bible Says

함수 $y=\pm\sqrt{ax}\ (a\neq0)$의 정의역과 치역은 다음과 같다.

① $y=\sqrt{ax}$
　$a>0$일 때 ➡ 정의역: $\{x|x\geq0\}$, 치역: $\{y|y\geq0\}$
　$a<0$일 때 ➡ 정의역: $\{x|x\leq0\}$, 치역: $\{y|y\geq0\}$

② $y=-\sqrt{ax}$
　$a>0$일 때 ➡ 정의역: $\{x|x\geq0\}$, 치역: $\{y|y\leq0\}$
　$a<0$일 때 ➡ 정의역: $\{x|x\leq0\}$, 치역: $\{y|y\leq0\}$

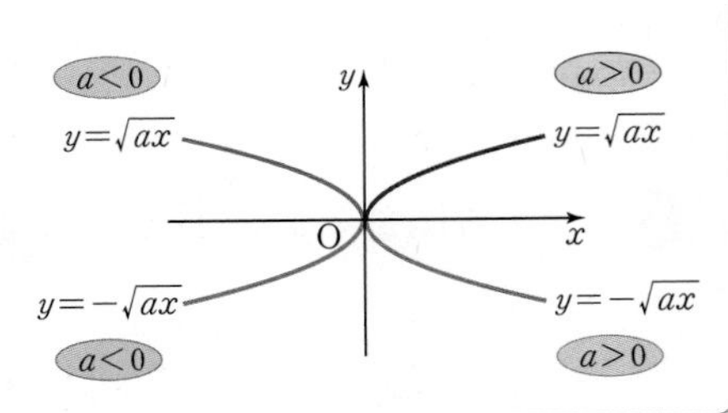

한 번 더하기

03-1

무리함수 $y=\sqrt{ax}$에 대하여 $a<0$일 때, **보기**에서 옳은 것만을 있는 대로 고르시오.

보기

ㄱ. 정의역은 $\{x|x\le 0\}$이다.
ㄴ. 치역은 $\{y|y\le 0\}$이다.
ㄷ. 그래프는 제3사분면을 지난다.
ㄹ. a의 값이 작아질수록 그래프는 y축에 가까워진다.

한 번 더하기

03-2

무리함수 $y=\sqrt{ax}\ (a\neq 0)$에 대하여 **보기**에서 옳은 것만을 있는 대로 고르시오.

보기

ㄱ. 정의역은 $\{x|x\ge 0\}$이다.
ㄴ. 치역은 $\{y|y\le 0\}$이다.
ㄷ. 그래프는 제3사분면을 지나지 않는다.
ㄹ. $|a|$의 값이 작아질수록 그래프는 x축에 가까워진다.

표현 더하기

03-3

다음 중 옳은 것은? (단, $a\neq 0$)

① 함수 $y=\sqrt{ax}$의 정의역은 $\{x|x\ge 0\}$이다.
② 함수 $y=\sqrt{ax}$의 그래프는 제1사분면을 지난다.
③ 함수 $y=-\sqrt{ax}$의 치역은 $\{y|y\le 0\}$이다.
④ 함수 $y=-\sqrt{ax}$의 그래프는 제3사분면을 지나지 않는다.
⑤ 두 함수 $y=\sqrt{ax}$, $y=-\sqrt{ax}$의 그래프는 y축에 대하여 대칭이다.

실력 더하기

03-4

0이 아닌 두 실수 a, b에 대하여 두 함수 $y=a\sqrt{bx}$, $y=b\sqrt{ax}$의 그래프가 서로 같은 사분면을 지날 때, **보기**에서 정의역과 치역이 서로 같은 함수만을 있는 대로 고르시오. (단, $a\neq b$)

보기

ㄱ. $y=a\sqrt{bx}$
ㄴ. $y=-b\sqrt{ax}$
ㄷ. $y=\sqrt{abx}$
ㄹ. $y=\sqrt{(a-b)x}$

대표 예제 04

무리함수 $y=-\sqrt{9-3x}+2$의 그래프에 대하여 다음을 구하시오.

(1) x축의 방향으로 -3만큼, y축의 방향으로 -2만큼 평행이동시킨 그래프의 식

(2) x축에 대하여 대칭이동시킨 그래프의 식

(3) y축에 대하여 대칭이동시킨 그래프의 식

(4) 원점에 대하여 대칭이동시킨 그래프의 식

바로 접근

함수 $y=\pm\sqrt{a(x-p)}+q\ (a\neq0)$의 그래프는 함수 $y=\pm\sqrt{ax}$의 그래프를 x축의 방향으로 p만큼, y축의 방향으로 q만큼 평행이동시킨 것이다.

또한 함수 $y=\pm\sqrt{a(x-p)}+q\ (a\neq0)$의 그래프를 대칭이동시킨 그래프의 식은 다음과 같다.

x축에 대하여 대칭이동 ➔ $y=\mp\sqrt{a(x-p)}-q$

y축에 대하여 대칭이동 ➔ $y=\pm\sqrt{-a(x+p)}+q$

원점에 대하여 대칭이동 ➔ $y=\mp\sqrt{-a(x+p)}-q$

바른 풀이

(1) $y=-\sqrt{9-3x}+2$의 그래프를 x축의 방향으로 -3만큼, y축의 방향으로 -2만큼 평행이동시키면

$y=-\sqrt{9-3(x+3)}+2+(-2)\qquad \therefore y=-\sqrt{-3x}$

(2) $y=-\sqrt{9-3x}+2$의 그래프를 x축에 대하여 대칭이동시키면

$-y=-\sqrt{9-3x}+2\qquad \therefore y=\sqrt{9-3x}-2$

(3) $y=-\sqrt{9-3x}+2$의 그래프를 y축에 대하여 대칭이동시키면

$y=-\sqrt{9-3(-x)}+2\qquad \therefore y=-\sqrt{9+3x}+2$

(4) $y=-\sqrt{9-3x}+2$의 그래프를 원점에 대하여 대칭이동시키면

$-y=-\sqrt{9-3(-x)}+2\qquad \therefore y=\sqrt{9+3x}-2$

정답 (1) $y=-\sqrt{-3x}$ (2) $y=\sqrt{9-3x}-2$
(3) $y=-\sqrt{9+3x}+2$ (4) $y=\sqrt{9+3x}-2$

Bible Says

① 평행이동

$$y=\pm\sqrt{ax}\ \xrightarrow[y\text{축의 방향으로 } q\text{만큼 평행이동}]{x\text{축의 방향으로 } p\text{만큼}}\ y=\pm\sqrt{a(x-p)}+q$$

② x축에 대하여 대칭이동

$$y=\pm\sqrt{a(x-p)}+q\ \xrightarrow{y\text{ 대신 }-y\text{ 대입}}\ y=\mp\sqrt{a(x-p)}-q$$

③ y축에 대하여 대칭이동

$$y=\pm\sqrt{a(x-p)}+q\ \xrightarrow{x\text{ 대신 }-x\text{ 대입}}\ y=\pm\sqrt{-a(x+p)}+q$$

④ 원점에 대하여 대칭이동

$$y=\pm\sqrt{a(x-p)}+q\ \xrightarrow[y\text{ 대신 }-y\text{ 대입}]{x\text{ 대신 }-x\text{ 대입}}\ y=\mp\sqrt{-a(x+p)}-q$$

한 번 더하기

04-1

무리함수 $y=-\sqrt{2x+4}+3$의 그래프에 대하여 다음을 구하시오.

(1) x축의 방향으로 1만큼, y축의 방향으로 -2만큼 평행이동시킨 그래프의 식

(2) x축에 대하여 대칭이동시킨 그래프의 식

(3) y축에 대하여 대칭이동시킨 그래프의 식

(4) 원점에 대하여 대칭이동시킨 그래프의 식

표현 더하기

04-2

함수 $y=\sqrt{3x+3}$의 그래프를 x축의 방향으로 2만큼, y축의 방향으로 -1만큼 평행이동시킨 후 y축에 대하여 대칭이동시키면 함수 $y=\sqrt{ax+b}+c$의 그래프와 일치한다. 상수 a, b, c에 대하여 $a-3b+c$의 값을 구하시오.

표현 더하기

04-3

함수 $y=\sqrt{a(x-1)}+3$의 그래프를 원점에 대하여 대칭이동시킨 후, x축의 방향으로 b만큼, y축의 방향으로 c만큼 평행이동시키면 함수 $y=-\sqrt{5-x}$의 그래프와 일치할 때, 상수 a, b, c에 대하여 $a+b+c$의 값을 구하시오.

실력 더하기

04-4

보기의 함수 중 그 그래프가 평행이동 또는 대칭이동에 의하여 함수 $y=\sqrt{-x}$의 그래프와 겹쳐지는 것만을 있는 대로 고르시오.

보기

ㄱ. $y=-\sqrt{x}$　　ㄴ. $y=-\dfrac{\sqrt{-4x}}{2}$

ㄷ. $y=\sqrt{2-x}$　　ㄹ. $y=3\sqrt{x-1}+1$

대표 예제 | 05

다음 함수의 그래프를 그리고, 정의역과 치역을 구하시오.

(1) $y=-\sqrt{3x+6}+2$　　(2) $y=\sqrt{4-2x}-1$

바로 접근 함수 $y=\sqrt{ax+b}+c\ (a\neq0)$의 그래프는 $y=\sqrt{a(x-p)}+q$ 꼴로 변형하여 그린다.

$a>0$일 때 ➔ 정의역: $\{x|x\geq p\}$, 치역: $\{y|y\geq q\}$

$a<0$일 때 ➔ 정의역: $\{x|x\leq p\}$, 치역: $\{y|y\geq q\}$

바른 풀이 (1) $y=-\sqrt{3x+6}+2=-\sqrt{3(x+2)}+2$이므로 함수 $y=-\sqrt{3x+6}+2$의 그래프는 함수 $y=-\sqrt{3x}$의 그래프를 x축의 방향으로 -2만큼, y축의 방향으로 2만큼 평행이동시킨 것이다. 따라서 그 그래프는 오른쪽 그림과 같다.

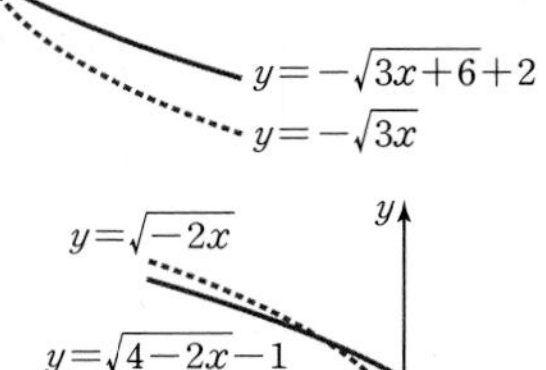

$\therefore$ 정의역: $\{x|x\geq-2\}$, 치역: $\{y|y\leq2\}$

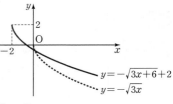

(2) $y=\sqrt{4-2x}-1=\sqrt{-2(x-2)}-1$이므로 함수 $y=\sqrt{4-2x}-1$의 그래프는 함수 $y=\sqrt{-2x}$의 그래프를 x축의 방향으로 2만큼, y축의 방향으로 -1만큼 평행이동시킨 것이다.

따라서 그 그래프는 오른쪽 그림과 같다.

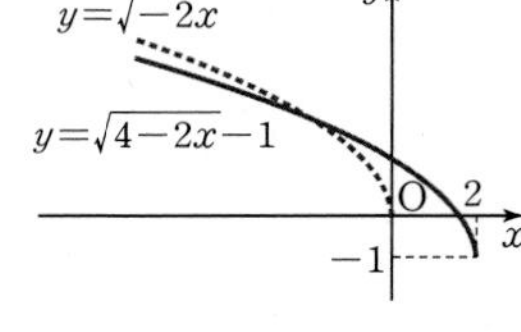

$\therefore$ 정의역: $\{x|x\leq2\}$, 치역: $\{y|y\geq-1\}$

정답 (1) 정의역: $\{x|x\geq-2\}$, 치역: $\{y|y\leq2\}$
(2) 정의역: $\{x|x\leq2\}$, 치역: $\{y|y\geq-1\}$

Bible Says

함수 $y=\sqrt{a(x-p)}+q\ (a\neq0)$의 그래프

① 함수 $y=\sqrt{ax}\ (a\neq0)$의 그래프를 x축의 방향으로 p만큼, y축의 방향으로 q만큼 평행이동시킨 것이다.

② $a<0$일 때 ➔ 정의역: $\{x|x\leq p\}$, 치역: $\{y|y\geq q\}$
　$a>0$일 때 ➔ 정의역: $\{x|x\geq p\}$, 치역: $\{y|y\geq q\}$

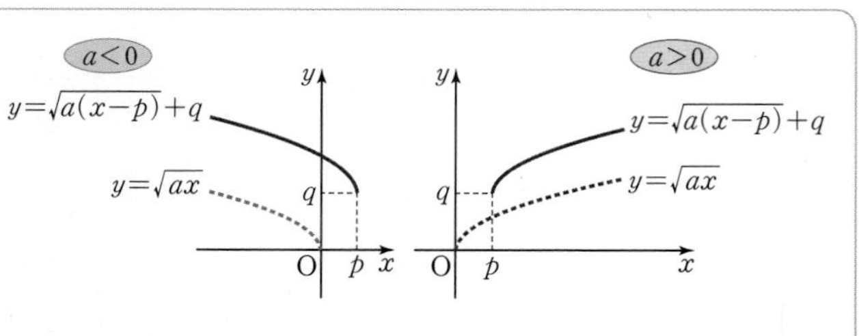

한 번 더하기

05-1

다음 함수의 그래프를 그리고, 정의역과 치역을 구하시오.

(1) $y=-\sqrt{2x-6}+1$ (2) $y=\sqrt{8-4x}-1$

표현 더하기

05-2

무리함수 $y=-\sqrt{2x+3}-1$의 정의역과 치역이 각각 $\{x|x\geq p\}$, $\{y|y\leq q\}$이고 무리함수 $y=\sqrt{3-3x}+3$의 정의역과 치역이 각각 $\{x|x\leq r\}$, $\{y|y\geq s\}$일 때, 상수 p, q, r, s에 대하여 $p+q+r+s$의 값을 구하시오.

표현 더하기

05-3

함수 $y=\sqrt{-2x-2}+a$의 정의역이 $\{x|x\leq b\}$, 치역이 $\{y|y\geq 3\}$이고, 그 그래프가 점 $(c, 5)$를 지날 때, $a+b-c$의 값을 구하시오. (단, a, b는 상수이다.)

실력 더하기

05-4

함수 $y=\dfrac{ax-2}{x-b}$의 그래프의 두 점근선의 방정식이 $x=-3$, $y=2$일 때, 함수 $y=\sqrt{bx+a}$의 정의역에 속하는 정수의 최댓값을 구하시오. (단, a, b는 상수이다.)

대표 예제 | 06

무리함수 $y=\sqrt{ax+b}+c$의 그래프가 그림과 같을 때, 상수 a, b, c에 대하여 $a+b+c$의 값을 구하시오.

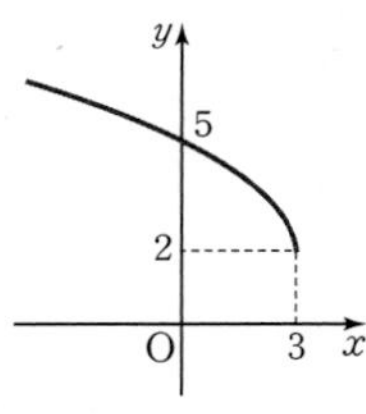

바로 접근 그래프의 끝의 점의 좌표가 (p, q)인 경우

➡ 함수식을 $y=\sqrt{a(x-p)}+q$로 놓고 그래프가 지나는 점 중 (p, q)가 아닌 점의 좌표를 대입하여 a의 값을 구한다.

바른 풀이 주어진 함수의 그래프는 $y=\sqrt{ax}$ $(a<0)$의 그래프를 x축의 방향으로 3만큼, y축의 방향으로 2만큼 평행이동시킨 것이므로 함수식을 $y=\sqrt{a(x-3)}+2$ $(a<0)$로 놓을 수 있다. ······ ㉠

이 함수의 그래프가 점 $(0, 5)$를 지나므로

$5=\sqrt{a(0-3)}+2$에서

$3=\sqrt{-3a}$, $-3a=9$ $\quad\therefore a=-3$

㉠에 $a=-3$을 대입하면

$y=\sqrt{-3(x-3)}+2=\sqrt{-3x+9}+2$

$\therefore b=9$, $c=2$

$\therefore a+b+c=(-3)+9+2=8$

정답 8

Bible Says

그래프가 주어졌을 때 무리함수의 식 $y=\sqrt{a(x-p)}+q$는 다음의 순서로 구한다.

❶ 기준이 되는 무리함수의 식 $y=\pm\sqrt{ax}$ $(a\neq0)$을 정한다.

➡ 그래프의 끝의 점을 기준으로

(좌 · 우) 그래프가 왼쪽으로 뻗어나가면 $a<0$, 그래프가 오른쪽으로 뻗어나가면 $a>0$

(상 · 하) 그래프가 위쪽으로 뻗어나가면 $y=\sqrt{ax}$, 그래프가 아래쪽으로 뻗어나가면 $y=-\sqrt{ax}$

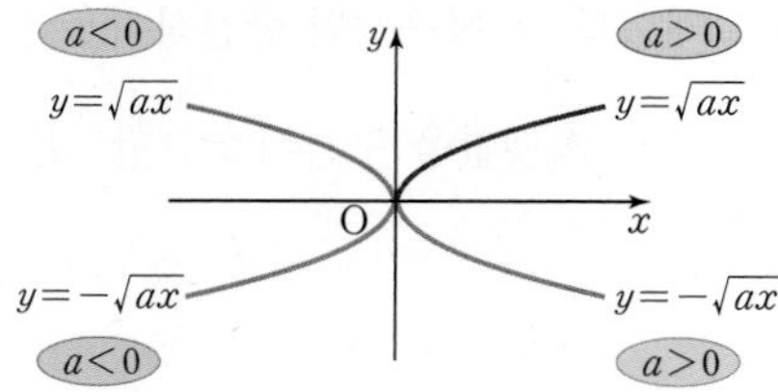

❷ 기준이 되는 무리함수를 어떻게 평행이동시키면 되는지 알아본다. ➡ 그래프의 끝의 점인 (p, q)를 어떻게 평행이동시켰는지에 대한 기준이다.

❸ 주어진 그래프가 지나는 점의 좌표를 대입하여 식을 결정한다. ➡ a의 값을 정확하게 구한다.

한 번 더하기

06-1

무리함수 $y=\sqrt{ax+b}+c$의 그래프가 그림과 같을 때, 상수 a, b, c에 대하여 $a+b+c$의 값을 구하시오.

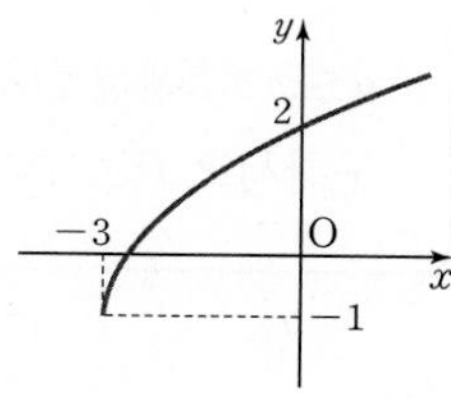

한 번 더하기

06-2

무리함수 $y=\sqrt{a(x+b)}+c$의 그래프가 그림과 같이 원점을 지날 때, 상수 a, b, c에 대하여 abc의 값을 구하시오.

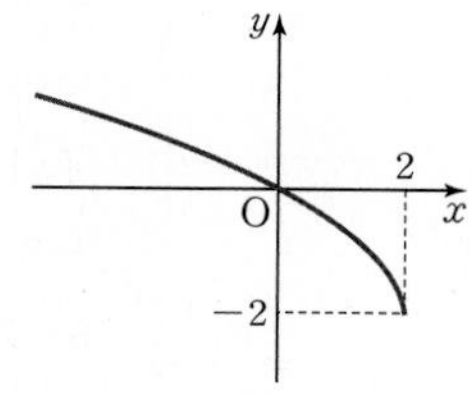

표현 더하기

06-3

무리함수 $y=\sqrt{ax+b}+c$의 그래프가 그림과 같을 때, 무리함수 $y=-\sqrt{cx+b}-a$의 그래프가 지나는 사분면을 모두 구하시오.

(단, a, b, c는 상수이다.)

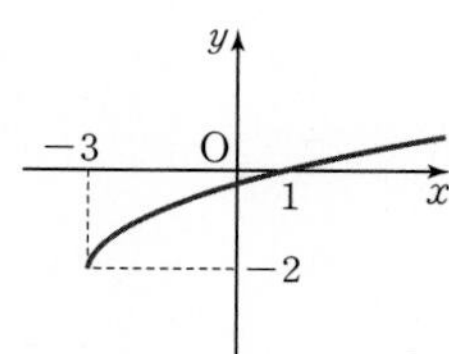

실력 더하기

06-4

무리함수 $y=a\sqrt{x+b}+c$의 그래프가 그림과 같을 때, 유리함수 $y=\dfrac{ax+b}{x+c}$의 두 그래프의 점근선의 방정식을 구하시오.

(단, a, b, c는 상수이다.)

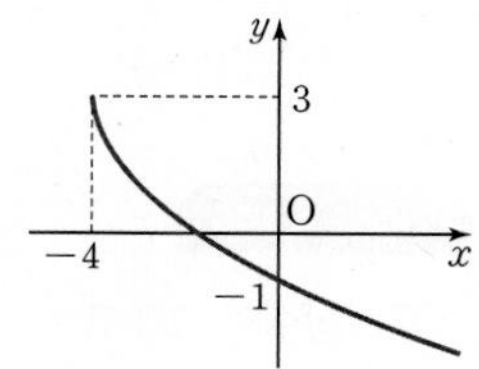

대표 예제 | 07

$a \leq x \leq b$에서 함수 $y=-\sqrt{8-2x}+1$의 최댓값이 -1, 최솟값이 -3일 때, 상수 a, b의 합 $a+b$의 값을 구하시오. (단, $a<b\leq 4$)

바로 접근 무리함수의 정의역이 주어졌을 때, 주어진 정의역에서 함수의 그래프를 그리고 함숫값의 범위를 확인하여 최댓값과 최솟값을 구한다.

바른 풀이 $y=-\sqrt{8-2x}+1=-\sqrt{-2(x-4)}+1$이므로

함수 $y=-\sqrt{8-2x}+1$의 그래프는 $y=-\sqrt{-2x}$의 그래프를 x축의 방향으로 4만큼, y축의 방향으로 1만큼 평행이동시킨 것이다.

따라서 $a\leq x\leq b$에서 주어진 함수의 그래프는 오른쪽 그림과 같다.

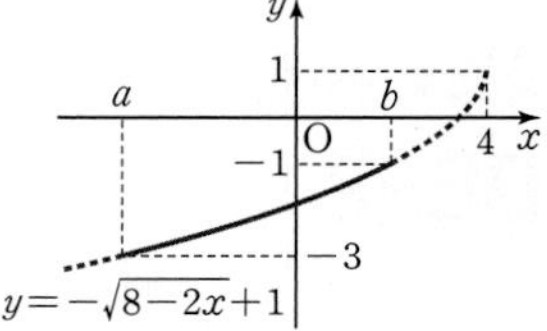

주어진 함수는 $x=a$일 때 최솟값 -3을 가지므로

$-3=-\sqrt{8-2a}+1$, $\sqrt{8-2a}=4$

$8-2a=4^2$, $2a=-8$　　$\therefore a=-4$

주어진 함수는 $x=b$일 때 최댓값 -1을 가지므로

$-1=-\sqrt{8-2b}+1$, $\sqrt{8-2b}=2$

$8-2b=2^2$, $2b=4$　　$\therefore b=2$

$\therefore a+b=(-4)+2=-2$

정답 -2

Bible Says

무리함수의 그래프는 x의 값이 커질 때 함숫값이 계속 커지거나 계속 작아지므로 정의역의 양 끝값에서의 함숫값이 최댓값 또는 최솟값이다.

즉, 정의역이 $\{x|p\leq x\leq q\}$인 무리함수 $f(x)=\sqrt{ax+b}+c$에 대하여

① $a>0$일 때 ➔ 최댓값: $f(q)$, 최솟값: $f(p)$

② $a<0$일 때 ➔ 최댓값: $f(p)$, 최솟값: $f(q)$

빠른 정답 • 518쪽 / 정답과 풀이 • 182쪽

한 번 더하기

07-1

$0 \le x \le 4$에서 무리함수 $y=\sqrt{2x+1}+3$의 최댓값이 M, 최솟값이 m일 때, $M-m$의 값을 구하시오.

한 번 더하기

07-2

$-7 \le x \le a$에서 무리함수 $y=\sqrt{4-3x}-2$의 최댓값이 b, 최솟값이 0일 때, $a+b$의 값을 구하시오. (단, a는 상수이다.)

10

표현 더하기

07-3

$-1 \le x \le 8$에서 무리함수 $y=-\sqrt{3x+a}+5$의 최솟값이 -1일 때, 최댓값을 구하시오.

(단, a는 상수이다.)

실력 더하기

07-4

무리함수 $y=-\sqrt{ax+10}+b$ $(a<0,\ b>0)$의 그래프는 x축과 점 $\left(\frac{1}{2},\ 0\right)$에서 만난다. $-3 \le x \le 3$에서 이 함수의 최댓값이 1이고 최솟값이 m일 때, $a+b+m$의 값을 구하시오.

대표 예제 08

무리함수 $y=\sqrt{2x+3}$의 그래프와 직선 $y=x+k$의 위치 관계가 다음과 같을 때, 실수 k의 값 또는 범위를 구하시오.

(1) 서로 다른 두 점에서 만난다.

(2) 한 점에서 만난다.

(3) 만나지 않는다.

바로 접근

직선 $y=x+k$는 직선 $y=x$를 y축의 방향으로 k만큼 평행이동한 것이므로
무리함수 $y=\sqrt{2x+3}$의 그래프를 그린 후 직선 $y=x$를 y축의 방향으로 평행이동시키면서 그래프와 직선의 위치 관계를 살펴보면 된다.

바른 풀이

$y=\sqrt{2x+3}=\sqrt{2\left(x+\frac{3}{2}\right)}$이므로

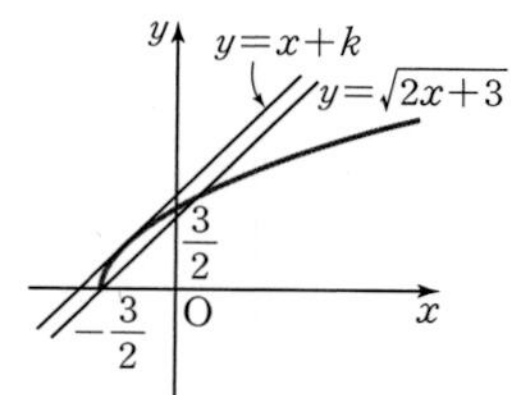

함수 $y=\sqrt{2x+3}$의 그래프는 $y=\sqrt{2x}$의 그래프를 x축의 방향으로 $-\frac{3}{2}$만큼 평행이동시킨 것이고, 직선 $y=x+k$는 기울기가 1이고 y절편이 k인 직선이다.

(i) 직선 $y=x+k$가 점 $\left(-\frac{3}{2}, 0\right)$을 지날 때 $0=\left(-\frac{3}{2}\right)+k$ $\quad\therefore k=\frac{3}{2}$

(ii) 함수 $y=\sqrt{2x+3}$의 그래프와 직선 $y=x+k$가 접할 때 $\sqrt{2x+3}=x+k$의 양변을 제곱하면

$2x+3=(x+k)^2$, $2x+3=x^2+2kx+k^2$ $\quad\therefore x^2+2(k-1)x+k^2-3=0$

이 이차방정식의 판별식을 D라 하면 $\frac{D}{4}=(k-1)^2-(k^2-3)=0$, $-2k+4=0$ $\quad\therefore k=2$

(1) 서로 다른 두 점에서 만나는 경우는 직선이 (i)이거나 (i)과 (ii) 사이에 있을 때이므로 $\frac{3}{2}\le k<2$

(2) 한 점에서 만나는 경우는 직선이 (i)보다 아래쪽에 있거나 (ii)일 때이므로 $k<\frac{3}{2}$ 또는 $k=2$

(3) 만나지 않는 경우는 직선이 (ii)보다 위쪽에 있을 때이므로 $k>2$

정답 (1) $\frac{3}{2}\le k<2$ (2) $k<\frac{3}{2}$ 또는 $k=2$ (3) $k>2$

Bible Says

무리함수의 그래프와 직선의 위치 관계

➔ 그래프를 직접 그린 후 직선을 평행이동시키면서 위치 관계를 파악한다.

일반적으로

① 직선이 무리함수의 그래프와 접할 때

② 직선이 무리함수의 그래프의 끝의 점을 지날 때

를 기준으로 무리함수의 그래프와 직선의 위치 관계가 바뀐다.

한 번 더하기

08-1

무리함수 $y=\sqrt{1-3x}$의 그래프와 직선 $y=-x+k$의 위치 관계가 다음과 같을 때, 실수 k의 값 또는 범위를 구하시오.

(1) 서로 다른 두 점에서 만난다.

(2) 한 점에서 만난다.

(3) 만나지 않는다.

표현 더하기

08-2

두 집합 $A=\{(x,\ y)\,|\,y=\sqrt{4x+3}\}$, $B=\{(x,\ y)\,|\,y=2x+k\}$에 대하여 $A\cap B=\varnothing$일 때, 실수 k의 값의 범위를 구하시오.

표현 더하기

08-3

그림과 같이 무리함수 $y=\sqrt{ax}$의 그래프와 직선 $y=x$가 만나는 한 점의 x좌표가 4이다. 무리함수 $y=\sqrt{ax+b}$의 그래프가 직선 $y=x$에 접할 때, 상수 a, b에 대하여 ab의 값을 구하시오.

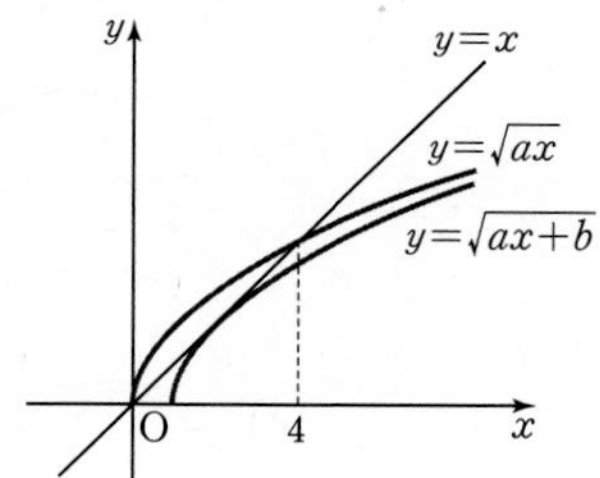

실력 더하기

08-4

함수 $y=-\sqrt{2x+4}+3$의 그래프와 직선 $y=mx+3m$이 만나도록 하는 실수 m의 최댓값을 구하시오.

대표 예제 | 09

다음 함수의 역함수를 구하고, 그 그래프를 그리시오.

(1) $y=\sqrt{x-1}$ (2) $y=\sqrt{6-3x}+1$

바로 접근

주어진 함수의 역함수를 구할 때는 x와 y를 서로 바꾸어 정리한다.
이때 주어진 함수의 치역이 역함수의 정의역이 됨을 잊지 말아야 한다.

바른 풀이

(1) $y=\sqrt{x-1}$에서 양변을 제곱하면 $y^2=x-1$

$\therefore x=y^2+1$

x와 y를 서로 바꾸어 나타내면 $y=x^2+1$

이때 함수 $y=\sqrt{x-1}$의 치역은 $\{y|y\geq0\}$이므로 역함수의 정의역은 $\{x|x\geq0\}$이다.

따라서 함수 $y=\sqrt{x-1}$의 역함수는

$y=x^2+1\ (x\geq0)$

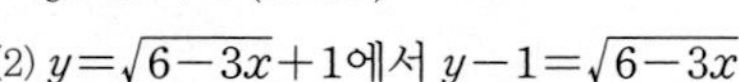

(2) $y=\sqrt{6-3x}+1$에서 $y-1=\sqrt{6-3x}$

양변을 제곱하면 $(y-1)^2=6-3x$

$3x=-(y-1)^2+6 \qquad \therefore x=-\frac{1}{3}(y-1)^2+2$

x와 y를 서로 바꾸어 나타내면 $y=-\frac{1}{3}(x-1)^2+2$

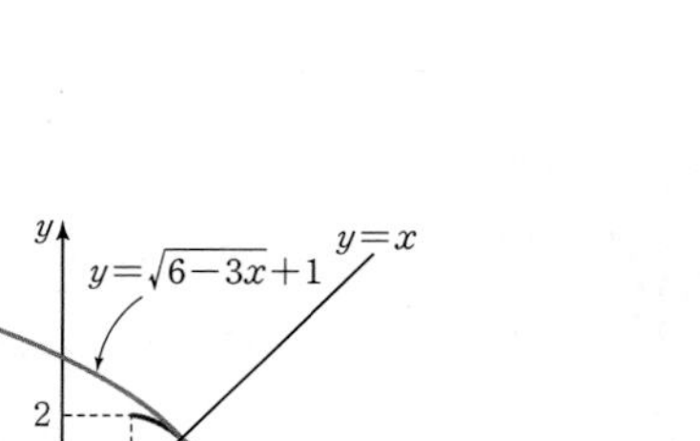

이때 함수 $y=\sqrt{6-3x}+1$의 치역은 $\{y|y\geq1\}$이므로

역함수의 정의역은 $\{x|x\geq1\}$이다.

따라서 함수 $y=\sqrt{6-3x}+1$의 역함수는

$y=-\frac{1}{3}(x-1)^2+2\ (x\geq1)$

정답 (1) 풀이 참조 (2) 풀이 참조

Bible Says

무리함수의 역함수를 구하는 순서는 다음과 같다.

❶ $y=f(x)$를 x에 대하여 풀어 $x=f^{-1}(y)$ 꼴로 고친다.

❷ $x=f^{-1}(y)$에서 x와 y를 서로 바꾸어 $y=f^{-1}(x)$ 꼴로 고친다.

❸ f의 치역을 f^{-1}의 정의역으로 바꾼다.

빠른 정답 • 518쪽 / 정답과 풀이 • 184쪽

한 번 더하기

09-1

다음 함수의 역함수를 구하고, 그 그래프를 그리시오.

(1) $y=\sqrt{x+3}$

(2) $y=\sqrt{2-x}-3$

표현 더하기

09-2

함수 $y=\frac{1}{2}x^2-3x+5$ $(x\geq3)$의 역함수가 $y=\sqrt{ax+b}+c$ $(x\geq d)$일 때, $ad-b+c$의 값을 구하시오. (단, a, b, c, d는 상수이다.)

표현 더하기

09-3

함수 $f(x)=\sqrt{4x-7}+1$의 그래프와 그 역함수 $y=f^{-1}(x)$의 그래프의 두 교점 사이의 거리를 구하시오.

실력 더하기

09-4

무리함수 $f(x)=\sqrt{2x+a}$의 역함수를 $g(x)$라 하자. 함수 $y=g(x)$의 그래프가 점 $(2,\ -2)$를 지날 때, 두 함수 $y=f(x)$, $y=g(x)$의 교점의 좌표를 구하시오. (단, a는 상수이다.)

중단원 연습문제

STEP 1 기본 다지기

01

$\sqrt{2x-2}+\dfrac{\sqrt{3-y}}{2-x}$의 값이 실수가 되도록 하는 실수 x, y에 대하여

$$\sqrt{(x-1)^2}-|x+3|-\sqrt{y^2-8y+16}$$

을 간단히 하시오.

02

$f(x)=\dfrac{1}{\sqrt{x}+\sqrt{x+1}}$일 때,

$$f(1)+f(2)+f(3)+\cdots+f(n)=10$$

을 만족시키는 자연수 n의 값을 구하시오.

03

$x=\dfrac{\sqrt{10}}{2}$일 때, $\dfrac{\sqrt{2x+1}}{\sqrt{2x-1}}-\dfrac{\sqrt{2x-1}}{\sqrt{2x+1}}$의 값을 구하시오.

04

함수 $y=\sqrt{x+2}$의 그래프와 함수 $y=\sqrt{2-x}+k$의 그래프가 만나도록 하는 실수 k의 최댓값을 구하시오.

05 함수 $y=\sqrt{2x+6}-2$의 그래프가 지나지 않는 사분면을 구하시오.

06 함수 $y=-\sqrt{x-a}+a+2$의 그래프가 점 $(a, -a)$를 지날 때, 이 함수의 치역은?

(단, a는 상수이다.)

① $\{y|y\le1\}$ ② $\{y|y\ge1\}$ ③ $\{y|y\le0\}$
④ $\{y|y\le-1\}$ ⑤ $\{y|y\ge-1\}$

07 다음 중 함수 $y=\sqrt{3-3x}+1$에 대한 설명으로 옳은 것은?

① 정의역은 $\{x|x\ge1\}$이다.
② 치역은 $\{y|y\le1\}$이다.
③ 그래프는 점 $(-2, 4)$를 지난다.
④ 그래프는 $y=-\sqrt{3x}$의 그래프를 평행이동시킨 것이다.
⑤ 그래프는 제3사분면을 지난다.

08 무리함수 $y=\sqrt{ax+b}+c$의 정의역은 $\{x|x\le2\}$이고 치역은 $\{y|y\ge1\}$이다.
이 함수의 그래프가 y축과 만나는 점의 y좌표가 3일 때, $a+b+c$의 값을 구하시오.

(단, a, b, c는 상수이다.)

09 $a \le x \le 3$에서 함수 $y=-\sqrt{6-2x}+b$의 최솟값이 -1, 최댓값이 3이고, 이 함수의 그래프가 점 $(c,\ 1)$을 지날 때, $a+b+c$의 값을 구하시오. (단, a, b는 상수이다.)

10 함수 $y=\sqrt{4-2x}$의 그래프와 직선 $y=-\frac{1}{2}x+k$가 서로 다른 두 점에서 만날 때, 실수 k의 값의 범위를 구하시오.

11 함수 $f(x)=\sqrt{x-a}+b$의 역함수를 $g(x)$라 할 때, 함수 $y=f(x)$의 정의역은 $\{x \mid x \ge 2\}$이고 함수 $y=g(x)$의 정의역은 $\{x \mid x \ge 3\}$이다. 상수 a, b에 대하여 $a+b$의 값을 구하시오.

교육청 기출

12 실수 전체의 집합 R에서 R로의 함수

$$f(x)=\begin{cases} \sqrt{4-x}+3 & (x<4) \\ -(x-a)^2+4 & (x \ge 4) \end{cases}$$

가 일대일대응이 되도록 하는 상수 a의 값을 구하시오.

S·T·E·P 2 실력 다지기

13 자연수 n에 대하여 $\dfrac{\sqrt{n-x}}{\sqrt{n+x}}$의 값이 실수가 되도록 하는 정수 x의 개수를 $f(n)$이라 할 때, $f(1)+f(2)+f(3)$의 값을 구하시오.

교육청 기출

14 두 함수 $f(x)$, $g(x)$가 $f(x)=\sqrt{x+1}$, $g(x)=\dfrac{p}{x-1}+q$ $(p>0,\ q>0)$이다. 두 집합 $A=\{f(x)\mid -1\le x\le 0\}$과 $B=\{g(x)\mid -1\le x\le 0\}$이 서로 같을 때, 두 상수 p, q에 대하여 $p+q$의 값은?

① 1　　② 2　　③ 3
④ 4　　⑤ 5

15 함수 $y=\dfrac{b}{x+a}+c$의 그래프가 그림과 같을 때, 함수 $y=\sqrt{ax+b}+c$의 그래프가 지나는 사분면을 모두 구하시오.

(단, a, b, c는 상수이다.)

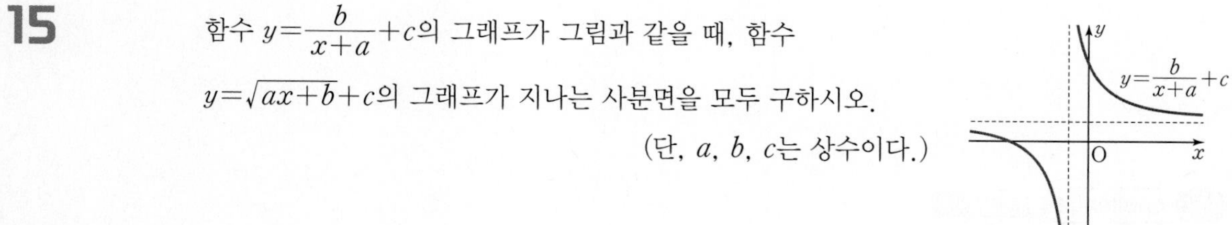

16 실수 k에 대하여 두 함수 $y=-\sqrt{1-x}$, $y=x+k$의 그래프의 교점의 개수를 $f(k)$라 하자. $f(-2)+f\left(-\dfrac{9}{8}\right)+f(-1)+f(0)$의 값을 구하시오.

빠른 정답 • 518쪽 / 정답과 풀이 • 189쪽

중단원 연습문제

17 무리함수 $f(x)=\sqrt{5x-a}$의 그래프와 그 역함수 $y=f^{-1}(x)$의 그래프는 서로 다른 두 점에서 만난다. 이 두 점 사이의 거리가 $3\sqrt{2}$일 때, 상수 a의 값을 구하시오.

18 무리함수 $f(x)=\sqrt{a-x}+b$의 역함수를 $g(x)$라 하자. 두 함수 $y=f(x)$, $y=g(x)$의 그래프가 좌표평면 위의 점 (1, 2)에서 만날 때, $g(x)$를 구하시오. (단, a, b는 상수이다.)

challenge 교육청 기출

19 두 함수

$$f(x)=\sqrt{x+4}-3,\ g(x)=\sqrt{-x+4}+3$$

의 그래프와 두 직선 $x=-4$, $x=4$로 둘러싸인 도형의 넓이를 구하시오.

challenge 교육청 기출

20 좌표평면에서 두 점 A(1, 4), B(3, 3)을 이은 선분 AB와 함수 $y=a\sqrt{x}+b$의 그래프가 만나도록 하는 두 자연수 a, b의 모든 순서쌍 (a, b)의 개수는?

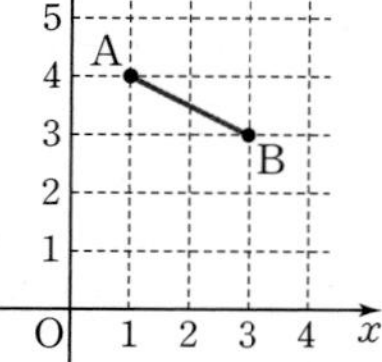

① 3 ② 5 ③ 7 ④ 9 ⑤ 11

빠른 정답

I. 도형의 방정식

01 평면좌표

01 두 점 사이의 거리

개념 CHECK 본문 13쪽

01 (1) 5 (2) 9 (3) 3 **02** $-1, 5$
03 (1) $2\sqrt{2}$ (2) $\sqrt{13}$ (3) $\sqrt{34}$ **04** $1, 9$

유제 본문 14~23쪽

01-1 2 **01-2** $-\frac{4}{3}, -\frac{2}{3}$ **01-3** -3
01-4 11 **02-1** $(2, 0)$ **02-2** $\left(\frac{1}{2}, \frac{1}{2}\right)$
02-3 -30 **02-4** $\left(\frac{4}{3}, -\frac{3}{4}\right)$ **03-1** 52
03-2 $\left(\frac{15}{4}, \frac{15}{4}\right)$ **03-3** 126 **03-4** 16
04-1 $\overline{BC}=\overline{CA}$인 이등변삼각형
04-2 정삼각형 **04-3** $1-\sqrt{6}$ **04-4** 13
05-1 풀이 참조 **05-2** 풀이 참조
05-3 풀이 참조

02 선분의 내분점

개념 CHECK 본문 31쪽

01 (1) $2, 1$ (2) $5, 1$ (3) -1 (4) 0
02 (1) $3, 2$ (2) $4, 1$ (3) $-2, \frac{3}{2}$
03 (1) $(1, -5)$ (2) $(-1, -1)$ (3) $(0, -3)$
04 (1) $\left(-\frac{2}{3}, -2\right)$ (2) $\left(-\frac{1}{3}, -\frac{5}{3}\right)$

유제 본문 32~41쪽

06-1 $P(1, -1), Q(9, -7)$ **06-2** 97 **06-3** -1
06-4 $\left(\frac{1}{2}, 3\right), \left(-\frac{9}{2}, 7\right)$ **07-1** $\frac{10}{13}$ **07-2** $\frac{5}{8}$
07-3 $\frac{2}{3}$ **07-4** $\frac{1}{2}$ **08-1** 11 **08-2** $(4, 0)$
08-3 11 **08-4** $(6, 5)$ **09-1** 16
09-2 $C(-11, -1), D(-9, -3)$ **09-3** $2\sqrt{5}$
09-4 ㄴ, ㄹ, ㅂ **10-1** $\left(-\frac{3}{2}, \frac{1}{2}\right)$
10-2 $\left(\frac{19}{6}, \frac{9}{2}\right)$ **10-3** $\left(-\frac{1}{2}, -\frac{1}{2}\right)$
10-4 3

중단원 연습문제 본문 42~46쪽

01 4 **02** 69 **03** 5 **04** 67
05 ③ **06** 풀이 참조 **07** 9 **08** 3
09 $(1, -1)$ **10** $(5, 9)$ **11** $A\left(2, \frac{11}{2}\right), D(5, 2)$
12 4 **13** $2\sqrt{5}$ **14** 32
15 (가): 2, (나): 20, (다): 26, (라): 7, (마): 3
16 풀이 참조 **17** $75\sqrt{3}$ **18** $-5, 3$ **19** -23
20 $-\frac{10}{3}$

02 직선의 방정식

01 직선의 방정식

개념 CHECK 본문 55쪽

01 (1) $y=-2x+1$ (2) $y=x+8$
02 (1) $y=3x+10$ (2) $y=-6x+3$
(3) $x=5$ (4) $y=-3$
03 풀이 참조 **04** $(1, -3)$ **05** ㄱ, ㄴ

빠른 정답

유제
본문 56~71쪽

01-1 $y=-2x+5$ **01-2** $y=x+2$
01-3 $\left(0, \frac{39}{5}\right)$ **01-4** 52
02-1 $y=\frac{1}{2}x+4$ **02-2** 10 **02-3** 25
02-4 $\frac{5}{2}$ **03-1** 2 **03-2** 3, 5
03-3 $-\frac{3}{4}$ **03-4** $y=-\frac{9}{4}x+\frac{37}{2}$ **04-1** $\frac{1}{7}$
04-2 $y=-x+5$ **04-3** $y=\frac{5}{3}x-\frac{1}{3}$
04-4 $\frac{7}{4}$ **05-1** 제2사분면
05-2 제1, 2, 4사분면
05-3 $ab>0$, $bc>0$, $ca>0$ **05-4** 제1, 3, 4사분면
06-1 -1 **06-2** $\frac{5}{3}$ **06-3** -5 **06-4** $\frac{1}{2}$
07-1 $-\frac{7}{2} \le m \le -\frac{1}{3}$ **07-2** $1<m<2$
07-3 5 **07-4** -25 **08-1** 3
08-2 $x-9y-4=0$ **08-3** 3 **08-4** 5

02 두 직선의 위치 관계

개념 CHECK
본문 75쪽

01 (1) -4 (2) $\frac{1}{4}$
02 (1) $a=-\frac{1}{2}$, $b=\frac{3}{2}$ (2) $a=6$, $b=2$
03 (1) 3 (2) 52

유제
본문 76~81쪽

09-1 $y=-3x+19$ **09-2** $y=\frac{4}{3}x-8$
09-3 $y=\frac{2}{5}x-2$ **09-4** $y=\frac{3}{2}x-10$
10-1 (1) -5 (2) $\frac{10}{13}$ **10-2** $-\frac{1}{3}$
10-3 -11 **10-4** 16 **11-1** 48 **11-2** 1
11-3 -2, 12 **11-4** 3

03 점과 직선 사이의 거리

개념 CHECK
본문 87쪽

01 (1) 8 (2) $\frac{3\sqrt{5}}{5}$ **02** (1) 5 (2) $2\sqrt{5}$
03 (1) $\sqrt{2}$ (2) $\frac{10\sqrt{13}}{13}$ (3) 2 (4) $\frac{3\sqrt{5}}{2}$

유제
본문 88~95쪽

12-1 -6, 14
12-2 $4x-3y-39=0$, $4x-3y+21=0$ **12-3** -1
12-4 $\frac{4}{3}$ **13-1** $\sqrt{5}$ **13-2** -12
13-3 $\frac{3\sqrt{5}}{2}$ **13-4** $\frac{6\sqrt{10}}{5}$ **14-1** 7 **14-2** 6
14-3 7 **14-4** $\frac{21}{2}$
15-1 $3x-3y+7=0$, $x+y+1=0$
15-2 $x+y-5=0$, $3x-3y-1=0$
15-3 8 **15-4** $x+2y+4=0$

중단원 연습문제
본문 96~100쪽

01 1 **02** 5 **03** $y=\frac{7}{6}x-\frac{2}{3}$
04 $\frac{3}{4}$ **05** ㄱ, ㄹ, ㅁ **06** $12x-16y+5=0$
07 $\frac{1}{4}$ **08** -6 **09** ㄱ, ㄷ **10** $2\sqrt{5}$
11 -75 **12** (가): -3, (나): 3, (다): 9, (라): 90
13 제2사분면 **14** 9 **15** 2 **16** 2
17 9 **18** $a=7$, $b=7$ **19** $\frac{49}{10}$
20 ①

03 원의 방정식

01 원의 방정식

개념 CHECK

본문 107쪽

01 (1) $(x-1)^2+(y-3)^2=18$ (2) $x^2+y^2=16$

02 (1) 중심의 좌표: $(0, -1)$, 반지름의 길이: $2\sqrt{2}$

(2) 중심의 좌표: $(-3, 2)$, 반지름의 길이: $\sqrt{3}$

(3) 중심의 좌표: $(1, 2)$, 반지름의 길이: 5

(4) 중심의 좌표: $(-6, -2)$, 반지름의 길이: $2\sqrt{10}$

03 (1) $k<\frac{5}{4}$ (2) $k<-3$ 또는 $k>\frac{3}{2}$

04 (1) $(x-5)^2+(y-6)^2=36$

(2) $(x-7)^2+(y+4)^2=49$, $(x+7)^2+(y+4)^2=49$

(3) $(x-3)^2+(y-3)^2=9$, $(x+3)^2+(y-3)^2=9$, $(x+3)^2+(y+3)^2=9$, $(x-3)^2+(y+3)^2=9$

05 (1) 4 (2) 1

유제

본문 108~119쪽

01-1 $(x-2)^2+(y-4)^2=25$

01-2 $(x+4)^2+(y-1)^2=40$

01-3 4 **01-4** $3\sqrt{2}$

02-1 $(x-2)^2+(y-1)^2=41$ **02-2** 16

02-3 3 **02-4** $y=5x$ **03-1** $\left(0, \frac{2}{3}\right)$

03-2 $\sqrt{10}$

03-3 $(x-7)^2+(y+10)^2=25$, $(x-7)^2+(y+2)^2=25$

03-4 27 **04-1** $6\sqrt{3}$

04-2 $k<-2$ 또는 $k>3$ **04-3** $\frac{1}{2}$ **04-4** 9

05-1 -6 **05-2** $x^2+y^2-6x+12y=0$

05-3 -6, 8 **05-4** 25π

06-1 $(x-1)^2+(y+4)^2=16$

06-2 3, 75 **06-3** 12 **06-4** 6

02 두 원의 교점을 지나는 도형의 방정식

개념 CHECK

본문 121쪽

01 (1) $6x+8y-17=0$ (2) $x-2y+4=0$

02 (1) $(3, 2)$, $(3, -2)$ (2) $(-1, 2)$, $(0, 2)$

03 (1) $x^2+y^2+x-2y=0$ (2) $x^2+y^2-\frac{1}{7}x-\frac{5}{7}y=0$

유제

본문 122~125쪽

07-1 6 **07-2** -4 **07-3** 11 **07-4** -1

08-1 $-\frac{4}{3}$ **08-2** $x^2+y^2+7x+6y-9=0$

08-3 5π **08-4** 12

03 원과 직선의 위치 관계

개념 CHECK

본문 129쪽

01 (1) 한 점에서 만난다.(접한다.)

(2) 서로 다른 두 점에서 만난다.

02 (1) $-4<k<4$ (2) $k=-4$ 또는 $k=4$

(3) $k<-4$ 또는 $k>4$

03 $4\sqrt{2}$

유제

본문 130~139쪽

09-1 (1) $-3\sqrt{2}<k<3\sqrt{2}$ (2) $k=-3\sqrt{2}$ 또는 $k=3\sqrt{2}$

(3) $k<-3\sqrt{2}$ 또는 $k>3\sqrt{2}$

09-2 (1) $m<-\sqrt{3}$ 또는 $m>\sqrt{3}$

(2) $m=-\sqrt{3}$ 또는 $m=\sqrt{3}$ (3) $-\sqrt{3}<m<\sqrt{3}$

09-3 31 **09-4** $-\frac{4}{3}$ **10-1** $2\sqrt{5}$ **10-2** $2\sqrt{2}$

10-3 6 **10-4** 11π **11-1** $2\sqrt{7}$ **11-2** 2, 6

11-3 $2\sqrt{5}$ **11-4** $\frac{3}{2}\pi$ **12-1** $2\sqrt{3}$ **12-2** $\sqrt{30}$

12-3 2, 6 **12-4** $\frac{24}{5}$ **13-1** 최댓값: 7, 최솟값: 1

13-2 -11, 5 **13-3** $2\sqrt{3}$ **13-4** 30

04 원의 접선의 방정식

개념 CHECK
본문 147쪽

01 (1) $y=2x\pm5$ (2) $y=2x\pm10$
02 (1) $x+2y-15=0$ (2) $y=-4$
03 (1) $y=-x+4$, $y=x-4$ (2) $x=4$, $y=-\frac{3}{4}x+5$

유제
본문 148~153쪽

14-1 $y=-2x\pm5$ **14-2** $y=\sqrt{3}x\pm6$
14-3 -24 **14-4** $(-11, 0)$
15-1 3 **15-2** $y=4x-26$ **15-3** 7
15-4 9 **16-1** $y=7x+10$, $y=-x+2$
16-2 $x=-3$, $y=-\frac{3}{4}x+\frac{15}{4}$
16-3 $-\frac{8}{15}$ **16-4** 20π

중단원 연습문제
본문 154~158쪽

01 $(x+8)^2+y^2=80$
02 $(x+1)^2+(y-4)^2=18$ **03** 3 **04** $16\sqrt{5}$
05 104π **06** 2 **07** $\frac{18}{7}$ **08** $2\sqrt{10}$
09 6 **10** -51 **11** $\frac{13}{3}$
12 $x-y-1=0$, $7x-y+5=0$ **13** 8
14 32π **15** $a=\frac{8}{5}$, $b=2$ **16** 6
17 $3\sqrt{10}$ **18** $\frac{3}{4}$ **19** ①
20 $y=-\frac{1}{3}x$, $y=3x$

04 도형의 이동

01 평행이동

개념 CHECK
본문 163쪽

01 (1) $(0, 6)$ (2) $(-1, 0)$
02 (1) $(5, 4)$ (2) $(-8, -5)$ (3) $(6, -1)$
03 (1) $x-3y-12=0$ (2) $y=2x^2-4x-7$
(3) $(x-1)^2+(y+4)^2=5$

유제
본문 164~169쪽

01-1 6 **01-2** $(0, -2)$ **01-3** 2
01-4 -4 **02-1** $y=-2x-4$ **02-2** -2
02-3 -3 **02-4** 16 **03-1** 4 **03-2** 6
03-3 $(6, -10)$ **03-4** -4

02 대칭이동 (1)

개념 CHECK
본문 177쪽

01 (1) $(-2, -1)$ (2) $(2, 1)$ (3) $(2, -1)$ (4) $(1, -2)$
02 (1) $x+3y+1=0$ (2) $x+3y-3=0$
(3) $x-3y-2=0$ (4) $3x-y-4=0$
03 (1) $y=-(x+2)^2+6$ (2) $y=-(x+2)^2+4$
(3) $y=-x^2+5$
04 (1) $(x+2)^2+(y+1)^2=12$
(2) $(x-2)^2+(y-1)^2=12$
(3) $(x-2)^2+(y+1)^2=12$
(4) $(x-1)^2+(y+2)^2=12$

유제 본문 178~183쪽

04-1 12 **04-2** 3 **04-3** 10
04-4 $-5, \frac{7}{2}$
05-1 (1) $\frac{5}{2}$ (2) $(x-4)^2+(y+3)^2=4$ **05-2** 3
05-3 $y=-3x+10$ **05-4** -2 **06-1** 6
06-2 -12 **06-3** -6 **06-4** $-\frac{3}{4}$

03 대칭이동 (2)

개념 CHECK 본문 191쪽

01 (1) $(-5, -2)$ (2) $(3, 0)$ (3) $(-5, 0)$ (4) $(2, -3)$
02 (1) $y=-4x+3$ (2) $y=-4x+9$
(3) $y=4x-13$ (4) $y=\frac{1}{4}x-\frac{5}{4}$
03 (1) $(x-2)^2+(y-3)^2=6$
(2) $(x+4)^2+(y+7)^2=6$
(3) $(x-2)^2+(y+1)^2=6$
(4) $(x+3)^2+(y-4)^2=6$
04 (1) $y=(x+1)^2+4$ (2) $y=-(x-3)^2$
(3) $y=-(x+3)^2-6$

유제 본문 192~197쪽

07-1 (1) $(6, 3)$ (2) $(x+6)^2+(y+5)^2=4$
07-2 -2 **07-3** -5 **07-4** $(-1, -1)$
08-1 (1) $(4, 1)$ (2) $y=-6x+9$ **08-2** 30
08-3 $-\frac{11}{2}$ **08-4** $-\frac{1}{2}$ **09-1** $3\sqrt{5}$
09-2 $5\sqrt{2}$ **09-3** 4 **09-4** $6\sqrt{2}$

중단원 연습문제 본문 198~202쪽

01 $2\sqrt{10}$ **02** 12 **03** -10 **04** ㄱ, ㄷ
05 5 **06** 7 **07** 9 **08** 1
09 -8 **10** 9
11 $\left(x-\frac{3}{2}\right)^2+\left(y+\frac{7}{2}\right)^2=\frac{9}{4}$ **12** $\left(-\frac{1}{3}, 0\right)$ **13** $-\frac{1}{2}$
14 $-2<k<8$ **15** $\sqrt{13}$ **16** 9π
17 $\frac{15}{2}$ **18** 6 **19** ④ **20** 140

Ⅱ. 집합과 명제

05 집합의 뜻

01 집합의 뜻과 표현

개념 CHECK 본문 207쪽

01 ㄴ, ㄹ **02** (1) $\in$ (2) $\in$ (3) $\notin$ (4) $\notin$
03 ㄴ, ㄷ / ㄴ. 30, ㄷ. 8

유제 본문 208~213쪽

01-1 ㄴ, ㄷ **01-2** (1) $\in$ (2) $\notin$ (3) $\in$ (4) $\notin$
01-3 (1) 풀이 참조 (2) 풀이 참조
01-4 원소나열법: $A=\{2, 3, 5, 7\}$
조건제시법: $A=\{x \mid x$는 10 이하의 소수$\}$
02-1 8 **02-2** $B=\{5, 11, 17\}$ **02-3** 8
02-4 7 **03-1** ④ **03-2** 4 **03-3** 2
03-4 7

02 집합 사이의 포함 관계

개념 CHECK

본문 219쪽

01 (1) $B \subset A$ (2) $A \subset B$

02 (1) $\varnothing$, $\{0\}$, $\{1\}$, $\{0, 1\}$

(2) $\varnothing$, $\{2\}$, $\{4\}$, $\{6\}$, $\{2, 4\}$, $\{2, 6\}$, $\{4, 6\}$, $\{2, 4, 6\}$

(3) $\varnothing$, $\{\varnothing\}$, $\{\{\varnothing\}\}$, $\{\varnothing, \{\varnothing\}\}$

03 (1) $A=B$ (2) $A \neq B$

04 (1) 부분집합의 개수: 8, 진부분집합의 개수: 7

(2) 부분집합의 개수: 32, 진부분집합의 개수: 31

05 (1) 8 (2) 16 (3) 4

유제

본문 220~231쪽

04-1 ①, ④ **04-2** ㄱ, ㄴ **04-3** ⑤ **04-4** ④

05-1 3 **05-2** -4 **05-3** $-1 \leq a < 0$

05-4 9 **06-1** 1 **06-2** 7 **06-3** -8

06-4 6

07-1 (1) $\{a, b, c\}$, $\{a, b, d\}$, $\{a, b, e\}$, $\{a, c, d\}$, $\{a, c, e\}$, $\{a, d, e\}$, $\{b, c, d\}$, $\{b, c, e\}$, $\{b, d, e\}$, $\{c, d, e\}$

(2) $\varnothing$, $\{c\}$, $\{d\}$, $\{e\}$, $\{c, d\}$, $\{c, e\}$, $\{d, e\}$, $\{c, d, e\}$

(3) $\{a, c, e\}$, $\{a, b, c, e\}$, $\{a, c, d, e\}$

07-2 ㄱ, ㄴ, ㄹ

07-3 $\{2, 4, 6\}$, $\{2, 4, 8\}$, $\{2, 4, 10\}$, $\{2, 6, 8\}$, $\{2, 6, 10\}$, $\{2, 8, 10\}$, $\{4, 6, 8\}$, $\{4, 6, 10\}$, $\{4, 8, 10\}$, $\{6, 8, 10\}$

07-4 $\varnothing$, $\{2\}$, $\{3\}$, $\{4\}$, $\{2, 3\}$, $\{2, 4\}$, $\{3, 4\}$

08-1 96 **08-2** 8

08-3 13 **08-4** 7 **09-1** 8 **09-2** 6

09-3 5 **09-4** 10

중단원 연습문제

본문 232~236쪽

01 ㄴ, ㄹ **02** 7 **03** 6 **04** 8

05 ㄷ **06** 3 **07** 5 **08** 14

09 64 **10** 120 **11** 14 **12** 8

13 6 **14** 7 **15** 48 **16** 11

17 11 **18** 11 **19** 7 **20** 56

06 집합의 연산

01 집합의 연산

개념 CHECK

본문 245쪽

01 $A \cup B=\{a, b, c, d, e\}$, $A \cap B=\{b, d\}$

02 ㄱ

03 (1) $\{2, 10\}$ (2) $\{1, 2, 5\}$ (3) $\{1, 5\}$

(4) $\{10\}$ (5) $\{2\}$ (6) $\{1, 2, 5, 10\}$

04 3

유제

본문 246~257쪽

01-1 (1) $\{1, 2, 3, 4, 5, 6, 7, 8, 10\}$ (2) $\{2\}$ (3) $\{2, 6\}$

01-2 (1) $\{2, 3, 4, 6, 7, 8\}$ (2) $\{3, 7\}$ (3) $\{3, 5, 7\}$

01-3 21 **01-4** $\{3, 4, 5, 7, 9, 12\}$

02-1 $\{3, 4, 5\}$ **02-2** 7 **02-3** 2

02-4 $\left\{-2, \frac{1}{2}\right\}$ **03-1** ④ **03-2** A와 C

03-3 8 **03-4** 16 **04-1** $\{2, 3, 7, 8\}$

04-2 $\{b, c, d, e\}$ **04-3** 20

04-4 $\{3, 5, 7\}$ **05-1** ㄴ, ㄷ, ㄹ

05-2 ④ **05-3** ④ **05-4** ㄱ, ㄴ, ㄷ, ㅂ

06-1 4 **06-2** 16 **06-3** 8 **06-4** 4

02 집합의 연산 법칙

개념 CHECK

본문 261쪽

01 $\{5\}$

02 (가): 교환법칙, (나): 결합법칙, (다): 분배법칙
(라): 분배법칙, (마): 교환법칙

03 $\{6\}$

유제

본문 262~267쪽

07-1 (1) A (2) $A\cap B$ **07-2** B **07-3** 18
07-4 풀이 참조 **08-1** ㄱ, ㄹ **08-2** ④
08-3 ③ **09-1** ㄴ, ㄷ, ㄹ
09-2 ㄷ, ㅁ, ㅂ **09-3** ⑤ **09-4** 36

03 유한집합의 원소의 개수

개념 CHECK

본문 271쪽

01 21 **02** 24 **03** 3 **04** 60
05 $n(A\cup B)=60$, $n(A\cap B)=14$

유제

본문 272~275쪽

10-1 35 **10-2** 17 **10-3** 82 **10-4** 22
11-1 최댓값: 9, 최솟값: 6 **11-2** 39 **11-3** 17
11-4 24

중단원 연습문제

본문 276~280쪽

01 27 **02** 5 **03** 4 **04** ⑤
05 ㄴ, ㄷ **06** 4 **07** 12 **08** ㄱ, ㄹ
09 ② **10** ⑤ **11** 3 **12** 4
13 4 **14** 24 **15** 2 **16** 16
17 $\{1, 4, 5, 6, 8\}$ **18** 12 **19** ④
20 9

07 명제

01 명제와 조건

개념 CHECK

본문 290쪽

01 (1) 참인 명제 (2) 참인 명제
(3) 명제가 아니다. (4) 거짓인 명제

02 (1) $\{1, 3, 5\}$ (2) $\{1, 2, 3, 5\}$ (3) $\{4, 6\}$

03 (1) 거짓 (2) 거짓 (3) 참 (4) 거짓

04 (1) 풀이 참조 (2) 풀이 참조 (3) 풀이 참조
(4) 풀이 참조 (5) 풀이 참조

유제

본문 292~303쪽

01-1 (1) 거짓인 명제 (2) 참인 명제 (3) 명제가 아니다.
(4) 명제가 아니다. (5) 거짓인 명제
01-2 ㄱ, ㄴ, ㄷ **01-3** ④ **01-4** ⑤
02-1 (1) 풀이 참조 (2) 풀이 참조
(3) 풀이 참조 (4) 풀이 참조 **02-2** ⑤
02-3 ㄷ, ㄹ **02-4** ④
03-1 (1) $\{1, 2, 3, 4, 6, 8, 9, 10\}$ (2) $\{5, 7\}$
(3) $\{2, 8, 9, 10\}$
03-2 3 **03-3** ③ **03-4** 4
04-1 (1) 참 (2) 거짓 (3) 거짓 (4) 참
04-2 17 **04-3** ㄹ, ㅁ **04-4** ㄱ, ㄴ, ㄹ, ㅁ
05-1 $-4<a<-2$ **05-2** -4 **05-3** 9
05-4 45 **06-1** ㄱ, ㄷ
06-2 (1) 풀이 참조 (2) 풀이 참조
(3) 풀이 참조 (4) 풀이 참조
06-3 6 **06-4** 3

02 명제 사이의 관계

개념 CHECK
본문 307쪽

01 (1) 풀이 참조 (2) 풀이 참조 (3) 풀이 참조
02 (1) 충분 (2) 필요 (3) 필요충분

유제
본문 308~317쪽

07-1 (1) 풀이 참조 (2) 풀이 참조 (3) 풀이 참조 (4) 풀이 참조
07-2 ㄷ, ㄹ **07-3** 2 **07-4** 3 **08-1** ㄱ, ㄷ
08-2 ③ **08-3** ㄱ, ㄷ **08-4** ③
09-1 (1) 필요조건 (2) 충분조건 (3) 필요충분조건
09-2 ㄱ, ㄹ **09-3** ㄹ **09-4** ④ **10-1** ⑤
10-2 ② **10-3** ㄱ, ㄹ **10-4** ㄴ **11-1** 4
11-2 -1 **11-3** $a=1$, $b=-6$ **11-4** 1

03 명제의 증명

개념 CHECK
본문 323쪽

01 풀이 참조 **02** (가): 짝수, (나): 서로소
03 ㄱ, ㄷ **04** 풀이 참조

유제
본문 244~253쪽

12-1 (1) 풀이 참조 (2) 풀이 참조
12-2 (가): n이 3의 배수가 아니면 n^2도 3의 배수가 아니다., (나): $3k-1$, (다): $3k^2-4k+1$, (라): 1
12-3 풀이 참조
12-4 (1) 풀이 참조 (2) 풀이 참조
13-1 (1) 풀이 참조 (2) 풀이 참조
13-2 풀이 참조
13-3 (가): 홀수, (나): 홀수, (다): 짝수, (라): 홀수
13-4 풀이 참조
14-1 (1) 풀이 참조 (2) 풀이 참조
14-2 (가): $|ab|-ab$, (나): $>$, (다): $\geq$
14-3 풀이 참조 **14-4** 풀이 참조
15-1 (1) 28 (2) 10 **15-2** 14 **15-3** 5
15-4 4 **16-1** 25 **16-2** 5 **16-3** 4
16-4 18 **17-1** (1) 최댓값: 10, 최솟값: -10 (2) 4
17-2 $\sqrt{10}$, $-\sqrt{10}$ **17-3** 29 **17-4** 17
18-1 27 **18-2** 36 **18-3** $12\sqrt{2}$ **18-4** 32

중단원 연습문제
본문 338~342쪽

01 3	**02** ③	**03** 1	**04** 16
05 ③	**06** ㄱ, ㄷ	**07** ⑤	**08** ⑤
09 (가): 홀수, (나): $a^2+b^2\neq c^2$, (다): 홀수, (라): 짝수			
10 ①	**11** $2+2\sqrt{5}$	**12** 24	**13** 5
14 ④	**15** ㄱ, ㄷ	**16** 7	**17** $5\sqrt{2}$
18 29	**19** 19	**20** ①	

Ⅲ. 함수와 그래프

08 함수

01 함수

개념 CHECK

본문 353쪽

01 함수: (3) / (3) 정의역: $\{1, 2, 3, 4\}$, 공역: $\{1, 3, 5, 7\}$, 치역: $\{1, 5\}$ **02** (1) $f=g$ (2) $f \neq g$
03 (1) 풀이 참조 (2) 풀이 참조
04 (1) ㄴ, ㄷ (2) ㄴ, ㄷ (3) ㄴ (4) ㄱ

유제

본문 354~369쪽

01-1 ㄱ, ㄷ, ㄹ **01-2** ⑤ **01-3** 16
01-4 ① **02-1** $\{2, 4, 6, 8, 10\}$ **02-2** $\{0, 1\}$
02-3 -40, -8 **02-4** 1
03-1 $a=1$, $b=1$ **03-2** ㄴ, ㄷ **03-3** 4
03-4 3 **04-1** ㄱ, ㄹ **04-2** (1) **04-3** (2), (4)
05-1 (1) ㄴ, ㄷ (2) ㄴ, ㄷ **05-2** (1) ㄱ, ㄷ (2) ㄱ, ㄷ
05-3 일대일함수: ㄱ, ㄷ, 일대일대응: ㄱ
06-1 $a=-2$, $b=12$ **06-2** 3 **06-3** 4
06-4 10 **07-1** (1) 4 (2) 10 **07-2** 3
07-3 9 **07-4** 3
08-1 (1) 64 (2) 24 (3) 6 (4) 4
08-2 (1) 60 (2) 6 (3) 1 **08-3** 125 **08-4** 120

02 합성함수

개념 CHECK

본문 375쪽

01 (1) 1 (2) 5 (3) 6 (4) 4
02 정의역: $X=\{-1, 0, 1\}$, 치역: $\{0, 1, 2\}$
03 (1) $(f \circ f)(x)=4x-1$ (2) $(g \circ g)(x)=x-4$
(3) $(g \circ f)(x)=-2x-1$
(4) $(f \circ g)(x)=-2x+5$
04 풀이 참조

유제

본문 376~387쪽

09-1 (1) 6 (2) $\{3, 4, 5, 6\}$ **09-2** ③ **09-3** 19
09-4 (1) 2 (2) 10 (3) $((g \circ f) \circ g)(x)=x^4+2x^2$
10-1 6 **10-2** 1 **10-3** 3 **10-4** 2
11-1 (1) $h(x)=\frac{1}{2}x+\frac{3}{2}$ (2) $h(x)=2x-5$
11-2 ① **11-3** $f(x)=6x+14$
11-4 $h(x)=-\frac{1}{2}x+\frac{3}{2}$ **12-1** 255 **12-2** 4
12-3 3 **12-4** 2 **13-1** (1) d (2) c
13-2 a **13-3** 2 **13-4** $\frac{11}{2}$
14-1 풀이 참조 **14-2** 풀이 참조
14-3 풀이 참조 **14-4** 풀이 참조

03 역함수

개념 CHECK

본문 393쪽

01 (1) $\frac{7}{2}$ (2) 9 **02** 1
03 (1) 1 (2) 6 (3) 5 (4) 3
04 (1) -6 (2) $g^{-1}(x)=\frac{1}{2}(x+1)$ (3) -3
(4) $(f^{-1} \circ g^{-1})(x)=\frac{3}{2}(x-5)$ **05** 풀이 참조

유제

본문 394~405쪽

15-1 (1) 9 (2) 4 **15-2** 6 **15-3** 5
15-4 -2 **16-1** 2 **16-2** 9 **16-3** -2
16-4 $a>1$ **17-1** 7 **17-2** 5
17-3 $f^{-1}(x)=\frac{1}{2}x+2\ (x\ge -2)$
17-4 $f^{-1}(x)=\frac{1}{2}x+1\ (-2\le x\le 2)$
18-1 (1) 1 (2) 4 (3) $((g\circ f)^{-1}\circ g)(x)=x-3$
18-2 2 **18-3** 4 **18-4** 1
19-1 (1) c (2) e **19-2** 5 **19-3** -2
19-4 (1) b (2) b **20-1** 4 **20-2** -9
20-3 $2\sqrt{2}$ **20-4** 3

04 절댓값 기호를 포함한 함수와 그래프

개념 CHECK

본문 411쪽

01 (1) 풀이 참조 (2) 풀이 참조
(3) 풀이 참조 (4) 풀이 참조
02 풀이 참조 **03** 풀이 참조 **04** 풀이 참조

유제

본문 412~415쪽

21-1 (1) 풀이 참조 (2) 풀이 참조 (3) 풀이 참조
21-2 풀이 참조 **21-3** 풀이 참조
21-4 4
22-1 (1) 풀이 참조 (2) 풀이 참조
(3) 풀이 참조 (4) 풀이 참조
22-2 풀이 참조 **22-3** 풀이 참조
22-4 24

중단원 연습문제

본문 416~420쪽

01 ㄱ, ㄴ, ㄹ **02** 2 **03** -3 **04** $\frac{8}{3}$
05 50 **06** ① **07** $(1, 1)$ **08** 4
09 풀이 참조 **10** 3 **11** -1 **12** ③
13 15 **14** 25 **15** -2 **16** 22
17 ③ **18** -2 **19** ④ **20** 6

09 유리식과 유리함수

01 유리식

개념 CHECK

본문 429쪽

01 (1) $\frac{3x+5}{(x+1)(x+3)}$ (2) $\frac{x-3}{(x+1)(x^2-x+1)}$
(3) $\frac{1}{(x+1)(x-1)}$ (4) 1
02 (1) $\frac{1}{(x+2)(x+3)}$ (2) $\frac{3}{x(x-3)}$ **03** $\frac{1}{x+1}$
04 (1) $\frac{15}{16}$ (2) $\frac{1}{2}$

유제

본문 430~441쪽

01-1 (1) $\frac{1}{x^2+x+1}$ (2) $\frac{2x-1}{x(x-1)}$
(3) $\frac{1}{x-1}$ (4) $\frac{x-1}{(x+1)^2}$
01-2 (1) $\frac{1}{x^2+x+1}$ (2) $\frac{8}{x^8-1}$
01-3 $\frac{(a-1)(a+4)}{(a+1)(a+3)}$ **01-4** $\frac{3}{2}$
02-1 $a=3,\ b=-3$ **02-2** $a=2,\ b=2$
02-3 11 **02-4** 6
03-1 (1) $\frac{-x-5}{(x+1)(x-3)}$
(2) $\frac{4(2x+3)}{x(x+1)(x+2)(x+3)}$
03-2 $\frac{3}{(2x-1)(x+1)(x+2)}$
03-3 5 **03-4** 36
04-1 (1) $\frac{4}{(x-2)(x+2)}$ (2) $\frac{9}{40}$
04-2 19 **04-3** 6 **04-4** $\frac{99}{199}$
05-1 (1) $\frac{1+x^2}{2x}$ (2) $\frac{3x+2}{2x+1}$
05-2 3 **05-3** $2(\sqrt{3}+1)$ **05-4** 10
06-1 (1) $2:3:1$ (2) $\frac{23}{6}$ (3) 1

06-2 2　**06-3** $\frac{1}{2}$　**06-4** 39

02 유리함수

개념 CHECK
본문 449쪽

01 (1) ㄱ, ㄹ　(2) ㄴ, ㄷ, ㅁ
02 (1) 풀이 참조　(2) 풀이 참조
03 (1) 풀이 참조　(2) 풀이 참조
04 (1) $p=2$, $q=2$　(2) $p=0$　(3) $q=4$
05 풀이 참조

유제
본문 450~463쪽

07-1 (1) 풀이 참조　(2) 풀이 참조
07-2 6　**07-3** 13　**07-4** ㄱ, ㄷ, ㄹ
08-1 $\{y|y\le-5$ 또는 $y\ge11\}$
08-2 (1) $\{y|y>2\}$　(2) $\{y|1\le y<2\}$
08-3 4　**08-4** 6
09-1 (1) $x=-1$, $y=2$　(2) 3　(3) 1　(4) 1
09-2 14　**09-3** 20　**09-4** 2
10-1 $a=2$, $b=4$, $c=1$　**10-2** 14　**10-3** 4
10-4 ④　**11-1** 3　**11-2** 27　**11-3** 8
11-4 13　**12-1** $m\ge0$　**12-2** 12　**12-3** 4
12-4 $\frac{20}{9}$　**13-1** 2　**13-2** 1　**13-3** 3
13-4 9

중단원 연습문제
본문 464~468쪽

01 $\frac{8(x^2+2x-2)}{x(x-2)(x+2)(x+4)}$　**02** 4
03 6　**04** 4　**05** $\frac{49}{24}$　**06** 5
07 ④　**08** ①　**09** 4　**10** 7
11 $0\le a<\frac{7}{4}$　**12** ⑤　**13** 6　**14** $\frac{112}{99}$
15 13　**16** ④　**17** 3　**18** ㄱ, ㄷ
19 ①　**20** ①

10 무리식과 무리함수

01 무리식

개념 CHECK
본문 475쪽

01 (1) $\frac{1}{3}\le x\le1$　(2) $2\le x<3$
02 (1) 3　(2) $\frac{1}{x+2}$
03 (1) $\sqrt{x+1}+\sqrt{x-2}$　(2) $\frac{2}{1-x}$

유제
본문 476~479쪽

01-1 (1) x　(2) $\sqrt{x}+\sqrt{x-3}$　(3) $2\sqrt{(x+1)(x-1)}$
(4) $2\sqrt{x+1}$
01-2 $\frac{\sqrt{x+6}-\sqrt{x}}{2}$　**01-3** $3x$　**01-4** 1
02-1 $\frac{1+\sqrt{5}}{2}$　**02-2** $2\sqrt{3}$　**02-3** $\frac{3\sqrt{2}}{2}$　**02-4** 82

02 무리함수

개념 CHECK
본문 487쪽

01 ㄱ, ㄴ, ㅁ　**02** (1) $\left\{x\middle|x\ge-\frac{1}{2}\right\}$　(2) $\left\{x\middle|x\ge\frac{2}{3}\right\}$
(3) $\{x|x\le3\}$　(4) $\{x|-5\le x\le5\}$
03 (1) 풀이 참조　(2) 풀이 참조
04 ㄴ, ㄷ, ㄹ　**05** 풀이 참조　**06** 풀이 참조

유제

본문 488~501쪽

03-1 ㄱ, ㄹ **03-2** ㄷ, ㄹ **03-3** ③
03-4 ㄱ, ㄷ
04-1 (1) $y=-\sqrt{2x+2}+1$ (2) $y=\sqrt{2x+4}-3$
(3) $y=-\sqrt{-2x+4}+3$ (4) $y=\sqrt{-2x+4}-3$
04-2 5 **04-3** 10 **04-4** ㄱ, ㄴ, ㄷ
05-1 (1) 풀이 참조 (2) 풀이 참조 **05-2** $\frac{3}{2}$
05-3 5 **05-4** 0 **06-1** 11 **06-2** -8
06-3 제3, 4사분면 **06-4** $x=-3$, $y=-2$
07-1 2 **07-2** 3 **07-3** 2 **07-4** 0
08-1 (1) $\frac{1}{3}\le k<\frac{13}{12}$ (2) $k<\frac{1}{3}$ 또는 $k=\frac{13}{12}$
(3) $k>\frac{13}{12}$
08-2 $k>2$ **08-3** -16 **08-4** 3
09-1 (1) 풀이 참조 (2) 풀이 참조 **09-2** 5
09-3 $2\sqrt{2}$ **09-4** $(4, 4)$

중단원 연습문제

본문 502~506쪽

01 $y-8$ **02** 120 **03** $\frac{2}{3}$ **04** 2
05 제4사분면 **06** ① **07** ③ **08** 3
09 -1 **10** $1\le k<2$ **11** 5 **12** 3
13 12 **14** ④ **15** 제1, 2사분면
16 5 **17** 4
18 $g(x)=-(x-1)^2+2\ (x\ge1)$ **19** 48
20 ②

Memo

Memo

수학의 바이블

개념 ON

정답과 풀이

공통수학2

I. 도형의 방정식

01 평면좌표

01 두 점 사이의 거리

개념 CHECK 본문 13쪽

01 (1) 5 (2) 9 (3) 3 **02** -1, 5
03 (1) $2\sqrt{2}$ (2) $\sqrt{13}$ (3) $\sqrt{34}$ **04** 1, 9

01

(1) $\overline{AB}=|6-1|=5$
(2) $\overline{AB}=|(-5)-4|=9$
(3) $\overline{OA}=|-3|=3$

답 (1) 5 (2) 9 (3) 3

02

$\overline{AB}=|2-a|=3$
(i) $a<2$일 때, $2-a=3$에서 $a=-1$
(ii) $a\geq 2$일 때, $2-a=-3$에서 $a=5$

답 -1, 5

03

(1) $\overline{AB}=\sqrt{(4-2)^2+(3-1)^2}=\sqrt{4+4}=\sqrt{8}=2\sqrt{2}$
(2) $\overline{AB}=\sqrt{\{(-5)-(-7)\}^2+\{(-1)-2\}^2}$
$=\sqrt{4+9}=\sqrt{13}$
(3) $\overline{OA}=\sqrt{(-3)^2+5^2}=\sqrt{9+25}=\sqrt{34}$

답 (1) $2\sqrt{2}$ (2) $\sqrt{13}$ (3) $\sqrt{34}$

04

$\overline{AB}=\sqrt{(2-5)^2+(a-5)^2}$이므로
$\overline{AB}=5$에서 $\sqrt{a^2-10a+34}=5$
양변을 제곱하면
$a^2-10a+34=25$
$a^2-10a+9=0$
$(a-1)(a-9)=0$ $\therefore a=1$ 또는 $a=9$

답 1, 9

유제 본문 14~23쪽

01-1 2 **01-2** $-\frac{4}{3}$, $-\frac{2}{3}$ **01-3** -3
01-4 11 **02-1** $(2, 0)$ **02-2** $\left(\frac{1}{2}, \frac{1}{2}\right)$
02-3 -30 **02-4** $\left(\frac{4}{3}, -\frac{3}{4}\right)$ **03-1** 52
03-2 $\left(\frac{15}{4}, \frac{15}{4}\right)$ **03-3** 126 **03-4** 16
04-1 $\overline{BC}=\overline{CA}$인 이등변삼각형
04-2 정삼각형 **04-3** $1-\sqrt{6}$ **04-4** 13
05-1 풀이 참조 **05-2** 풀이 참조
05-3 풀이 참조

01-1

$\overline{OA}=\sqrt{a^2+(a+2)^2}=\sqrt{2a^2+4a+4}$
$\overline{OA}=2\sqrt{5}$에서 $\sqrt{2a^2+4a+4}=2\sqrt{5}$
양변을 제곱하면
$2a^2+4a+4=20$, $2a^2+4a-16=0$, $a^2+2a-8=0$
$(a+4)(a-2)=0$
$\therefore a=2$ ($\because a>0$)

답 2

01-2

$\overline{AB}=\sqrt{\{(a+4)-a)\}^2+\{3a-(-3)\}^2}$
$=\sqrt{9a^2+18a+25}$
$\overline{AB}=\sqrt{17}$에서 $\sqrt{9a^2+18a+25}=\sqrt{17}$
양변을 제곱하면
$9a^2+18a+25=17$, $9a^2+18a+8=0$
$(3a+4)(3a+2)=0$
$\therefore a=-\frac{4}{3}$ 또는 $a=-\frac{2}{3}$

답 $-\frac{4}{3}$, $-\frac{2}{3}$

01-3

$\overline{AB}=\sqrt{(7-6)^2+(a-0)^2}=\sqrt{a^2+1}$
$\overline{BC}=\sqrt{\{(a+3)-7\}^2+\{(-1)-a\}^2}$
$=\sqrt{a^2-8a+16+a^2+2a+1}$
$=\sqrt{2a^2-6a+17}$
$2\overline{AB}=\overline{BC}$에서 $2\sqrt{a^2+1}=\sqrt{2a^2-6a+17}$
양변을 제곱하면
$4(a^2+1)=2a^2-6a+17$
$2a^2+6a-13=0$
이차방정식의 근과 계수의 관계에 의하여
구하는 모든 a의 값의 합은 $-\frac{6}{2}=-3$

참고

이차방정식 $2a^2+6a-13=0$의 판별식을 D라 할 때
$\frac{D}{4}=3^2-2\times(-13)=35>0$이므로
이 이차방정식은 서로 다른 두 실근을 갖는다.
이와 같이 이차방정식의 이차항의 계수와 상수항의 부호가 반대이면 이차방정식은 서로 다른 두 실근을 갖는다.

답 -3

01-4

$\overline{AB}=\sqrt{(a-2)^2+\{(-8)-a\}^2}$
$=\sqrt{a^2-4a+4+a^2+16a+64}$
$=\sqrt{2a^2+12a+68}$
$\sqrt{2a^2+12a+68}\le 10$
양변을 제곱하면
$2a^2+12a+68\le 100$
$a^2+6a-16\le 0$, $(a+8)(a-2)\le 0$
$\therefore -8\le a\le 2$
따라서 구하는 정수 a의 개수는 11이다.

답 11

02-1

두 점 A$(5, -1)$, B$(3, 3)$에서 같은 거리에 있는 점을 P라 하면 점 P는 x축 위의 점이므로 P$(a, 0)$으로 놓을 수 있다.
$\overline{AP}=\sqrt{(a-5)^2+\{0-(-1)\}^2}$
$=\sqrt{a^2-10a+26}$
$\overline{BP}=\sqrt{(a-3)^2+(0-3)^2}$
$=\sqrt{a^2-6a+18}$
$\overline{AP}=\overline{BP}$에서 $\overline{AP}^2=\overline{BP}^2$이므로
$a^2-10a+26=a^2-6a+18$
$4a=8$, 즉 $a=2$
따라서 점 P의 좌표는 $(2, 0)$

답 $(2, 0)$

02-2

두 점 A$(2, 6)$, B$(6, 2)$에서 같은 거리에 있는 점을 P라 하면 점 P는 직선 $y=-x+1$ 위의 점이므로 P$(a, -a+1)$로 놓을 수 있다.
$\overline{AP}=\sqrt{(a-2)^2+\{(-a+1)-6\}^2}$
$=\sqrt{a^2-4a+4+a^2+10a+25}$
$=\sqrt{2a^2+6a+29}$
$\overline{BP}=\sqrt{(a-6)^2+\{(-a+1)-2)\}^2}$
$=\sqrt{a^2-12a+36+a^2+2a+1}$
$=\sqrt{2a^2-10a+37}$
$\overline{AP}=\overline{BP}$에서 $\overline{AP}^2=\overline{BP}^2$이므로
$2a^2+6a+29=2a^2-10a+37$
$16a=8$, 즉 $a=\frac{1}{2}$
따라서 점 P의 좌표는 $\left(\frac{1}{2}, \frac{1}{2}\right)$

답 $\left(\frac{1}{2}, \frac{1}{2}\right)$

02-3

두 점 A$(4, -2)$, B$(-7, 1)$에서 같은 거리에 있는 점을 P(a, b)라 하자.
점 P는 직선 $y=3x$ 위의 점이므로 $b=3a$이다.
$\overline{AP}=\sqrt{(a-4)^2+\{3a-(-2)\}^2}$
$=\sqrt{a^2-8a+16+9a^2+12a+4}$
$=\sqrt{10a^2+4a+20}$
$\overline{BP}=\sqrt{\{a-(-7)\}^2+(3a-1)^2}$
$=\sqrt{a^2+14a+49+9a^2-6a+1}$
$=\sqrt{10a^2+8a+50}$
$\overline{AP}=\overline{BP}$에서 $\overline{AP}^2=\overline{BP}^2$이므로
$10a^2+4a+20=10a^2+8a+50$
$4a=-30$, 즉 $a=-\frac{15}{2}$
$\therefore a+b=a+3a=4a=4\times\left(-\frac{15}{2}\right)=-30$

답 -30

02-4

삼각형 ABC의 외심을 P(a, b)라 하면
외심 P에서 삼각형의 세 꼭짓점에 이르는 거리가 같으므로
$\overline{PA}=\overline{PB}=\overline{PC}$이다.
$\overline{PA}=\sqrt{(a-6)^2+(b-2)^2}$
$=\sqrt{a^2+b^2-12a-4b+40}$
$\overline{PB}=\sqrt{\{a-(-3)\}^2+\{b-(-4)\}^2}$
$=\sqrt{a^2+b^2+6a+8b+25}$
$\overline{PC}=\sqrt{(a-0)^2+\{b-(-6)\}^2}$
$=\sqrt{a^2+b^2+12b+36}$
$\overline{PA}^2=\overline{PB}^2$에서 $18a+12b=15$, $6a+4b=5$ …… ㉠
$\overline{PB}^2=\overline{PC}^2$에서 $6a-4b=11$ …… ㉡
㉠, ㉡을 연립하여 풀면 $a=\frac{4}{3}$, $b=-\frac{3}{4}$
따라서 삼각형 ABC의 외심의 좌표는 $\left(\frac{4}{3}, -\frac{3}{4}\right)$

참고

삼각형의 외심

삼각형의 세 변의 수직이등분선은 한 점(외심)에서 만나고, 외심에서 세 꼭짓점에 이르는 거리는 같다.

즉, 삼각형 ABC의 외심을 $P(a, b)$라 할 때

$\overline{PA}=\overline{PB}=\overline{PC}$를 만족시키는 연립방정식의 해를 구하면 된다.

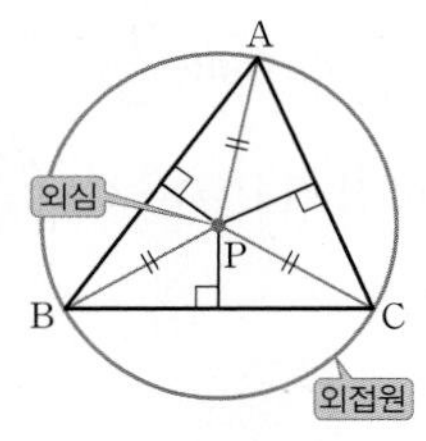

답 $\left(\frac{4}{3}, -\frac{3}{4}\right)$

03-1

y축 위의 점 P의 좌표를 $(0, a)$라 하자.

$\overline{AP}^2=(0-3)^2+\{a-(-1)\}^2=a^2+2a+10$

$\overline{BP}^2=\{0-(-5)\}^2+(a-5)^2=a^2-10a+50$

$$\begin{aligned}\overline{AP}^2+\overline{BP}^2&=2a^2-8a+60\\&=2(a^2-4a)+60\\&=2(a^2-4a+4-4)+60\\&=2(a^2-4a+4)-8+60\\&=2(a-2)^2+52\end{aligned}$$

즉, $\overline{AP}^2+\overline{BP}^2$은 $a=2$일 때 최솟값 52를 갖는다.

답 52

03-2

직선 $y=x$ 위의 점 P의 좌표를 (a, a)라 하자.

$$\begin{aligned}\overline{AP}^2&=(a-2)^2+(a-3)^2\\&=a^2-4a+4+a^2-6a+9\\&=2a^2-10a+13\end{aligned}$$

$$\begin{aligned}\overline{BP}^2&=(a-4)^2+(a-6)^2\\&=a^2-8a+16+a^2-12a+36\\&=2a^2-20a+52\end{aligned}$$

$$\begin{aligned}\overline{AP}^2+\overline{BP}^2&=4a^2-30a+65\\&=4\left(a^2-\frac{15}{2}a\right)+65\\&=4\left(a^2-\frac{15}{2}a+\frac{225}{16}-\frac{225}{16}\right)+65\\&=4\left(a-\frac{15}{4}\right)^2+\frac{35}{4}\end{aligned}$$

$\overline{AP}^2+\overline{BP}^2$은 $a=\frac{15}{4}$일 때 최소이므로

이때의 점 P의 좌표는 $\left(\frac{15}{4}, \frac{15}{4}\right)$

참고

최솟값을 묻는 것이 아니라, 최소가 되기 위한 점 P의 좌표를 묻는 문제에서는 '완전제곱식+상수' 꼴로 정리하지 않아도 된다.

즉, $\overline{AP}^2+\overline{BP}^2=4a^2-30a+65$까지 구한 후

이 값이 최소가 되도록 하는 a의 값은

$-\frac{(\text{일차항의 계수})}{2\times(\text{이차항의 계수})}=\frac{15}{4}$

와 같이 빠르게 구할 수 있음을 참고해 두도록 하자.

답 $\left(\frac{15}{4}, \frac{15}{4}\right)$

03-3

직선 $y=x-1$ 위의 점 P의 좌표를 $(a, a-1)$이라 하자.

$$\begin{aligned}\overline{AP}^2&=(a-7)^2+\{(a-1)-(-3)\}^2\\&=a^2-14a+49+a^2+4a+4\\&=2a^2-10a+53\end{aligned}$$

$$\begin{aligned}\overline{BP}^2&=\{a-(-5)\}^2+\{(a-1)-(-9)\}^2\\&=a^2+10a+25+a^2+16a+64\\&=2a^2+26a+89\end{aligned}$$

$$\begin{aligned}\overline{AP}^2+\overline{BP}^2&=4a^2+16a+142\\&=4(a^2+4a)+142\\&=4(a^2+4a+4-4)+142\\&=4(a^2+4a+4)-16+142\\&=4(a+2)^2+126\end{aligned}$$

즉, $\overline{AP}^2+\overline{BP}^2$은 $a=-2$일 때 최솟값 126을 갖는다.

답 126

03-4

점 P의 좌표를 (a, b)라 하자.

$$\begin{aligned}\overline{AP}^2&=(a-0)^2+(b-4)^2\\&=a^2+b^2-8b+16\end{aligned}$$

$$\begin{aligned}\overline{BP}^2&=(a-2)^2+(b-3)^2\\&=a^2-4a+4+b^2-6b+9\\&=a^2-4a+b^2-6b+13\end{aligned}$$

$$\begin{aligned}\overline{CP}^2&=(a-1)^2+\{b-(-1)\}^2\\&=a^2-2a+1+b^2+2b+1\\&=a^2-2a+b^2+2b+2\end{aligned}$$

$\overline{AP}^2+\overline{BP}^2+\overline{CP}^2$

$=3a^2-6a+3b^2-12b+31$

$=3(a^2-2a)+3(b^2-4b)+31$

$=3(a^2-2a+1-1)+3(b^2-4b+4-4)+31$

$=3(a-1)^2+3(b-2)^2+16$

이때 a, b가 실수이므로

$(a-1)^2\geq 0$, $(b-2)^2\geq 0$

즉, $\overline{AP}^2+\overline{BP}^2+\overline{CP}^2$은 $a=1$, $b=2$일 때 최솟값 16을 갖는다.

참고

> $\overline{AP}^2+\overline{BP}^2+\overline{CP}^2$이 최솟값을 갖도록 하는 점 P의 x좌표는 $\frac{\text{세 점 A, B, C의 } x\text{좌표의 합}}{3}$,
>
> y좌표는 $\frac{\text{세 점 A, B, C의 } y\text{좌표의 합}}{3}$이다.
>
> 이를 다음과 같이 간단히 보일 수 있다.
>
> $A(x_1, y_1)$, $B(x_2, y_2)$, $C(x_3, y_3)$, $P(a, b)$라 하면
>
> $\overline{AP}^2+\overline{BP}^2+\overline{CP}^2$
>
> $=3a^2-2(x_1+x_2+x_3)a+{x_1}^2+{x_2}^2+{x_3}^2$
>
> $\quad+3b^2-2(y_1+y_2+y_3)b+{y_1}^2+{y_2}^2+{y_3}^2$
>
> 이므로 $\overline{AP}^2+\overline{BP}^2+\overline{CP}^2$이 최솟값을 갖도록 하는 점 P의 좌표는 $\left(\frac{x_1+x_2+x_3}{3}, \frac{y_1+y_2+y_3}{3}\right)$이다.

답 16

04-1

$\overline{AB}=\sqrt{(1-3)^2+\{(-2)-(-6)\}^2}$

$=\sqrt{20}=2\sqrt{5}$

$\overline{BC}=\sqrt{(8-1)^2+\{(-1)-(-2)\}^2}$

$=\sqrt{50}=5\sqrt{2}$

$\overline{CA}=\sqrt{(3-8)^2+\{(-6)-(-1)\}^2}$

$=\sqrt{50}=5\sqrt{2}$

이므로 삼각형 ABC는 $\overline{BC}=\overline{CA}$인 이등변삼각형이다.

답 $\overline{BC}=\overline{CA}$인 이등변삼각형

04-2

$\overline{AB}^2=\{1-(-1)\}^2+\{(-1)-1\}^2=8$

$\overline{BC}^2=(\sqrt{3}-1)^2+\{\sqrt{3}-(-1)\}^2$

$=4-2\sqrt{3}+4+2\sqrt{3}=8$

$\overline{CA}^2=\{(-1)-\sqrt{3}\}^2+(1-\sqrt{3})^2$

$=4+2\sqrt{3}+4-2\sqrt{3}=8$

$\overline{AB}^2=\overline{BC}^2=\overline{CA}^2$, 즉 $\overline{AB}=\overline{BC}=\overline{CA}$이므로

삼각형 ABC는 정삼각형이다.

답 정삼각형

04-3

x축 위의 점 A의 좌표가 음수이면 항상

$\overline{AB}<\overline{CA}$, $\overline{BC}<\overline{CA}$이므로

삼각형 ABC가 이등변삼각형이 되려면 $\overline{AB}=\overline{BC}$이어야 한다.

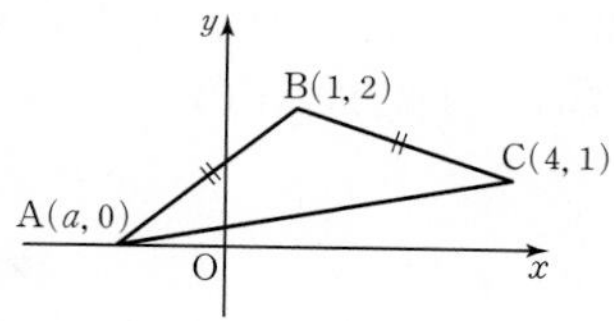

$\overline{AB}=\sqrt{(1-a)^2+(2-0)^2}=\sqrt{a^2-2a+5}$

$\overline{BC}=\sqrt{(4-1)^2+(1-2)^2}=\sqrt{10}$

$\overline{AB}=\overline{BC}$에서 $\sqrt{a^2-2a+5}=\sqrt{10}$

양변을 제곱하면

$a^2-2a+5=10$, $a^2-2a-5=0$

$\therefore a=1-\sqrt{6}$ ($\because a<0$)

답 $1-\sqrt{6}$

04-4

$\overline{AB}=\sqrt{(3-1)^2+(4-0)^2}=\sqrt{20}$

$\overline{BC}=\sqrt{(c-3)^2+(0-4)^2}=\sqrt{c^2-6c+25}$

$\overline{CA}=|c-1|$

(i) $\overline{AB}=\overline{BC}$를 만족시키는 c의 값 구하기

$\sqrt{20}=\sqrt{c^2-6c+25}$에서 양변을 제곱하면

$20=c^2-6c+25$, $c^2-6c+5=0$

$(c-1)(c-5)=0 \qquad \therefore c=5$ ($\because c\neq 1$)

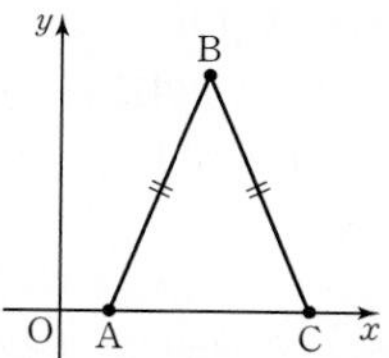

(ii) $\overline{BC}=\overline{CA}$를 만족시키는 c의 값 구하기

$\sqrt{c^2-6c+25}=|c-1|$에서 양변을 제곱하면

$c^2-6c+25=c^2-2c+1$

$4c=24 \qquad \therefore c=6$

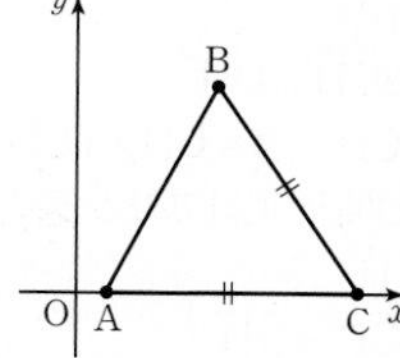

(iii) $\overline{CA}=\overline{AB}$를 만족시키는 c의 값 구하기

$|c-1|=\sqrt{20}$

$\therefore c=1-\sqrt{20}$ 또는 $c=1+\sqrt{20}$

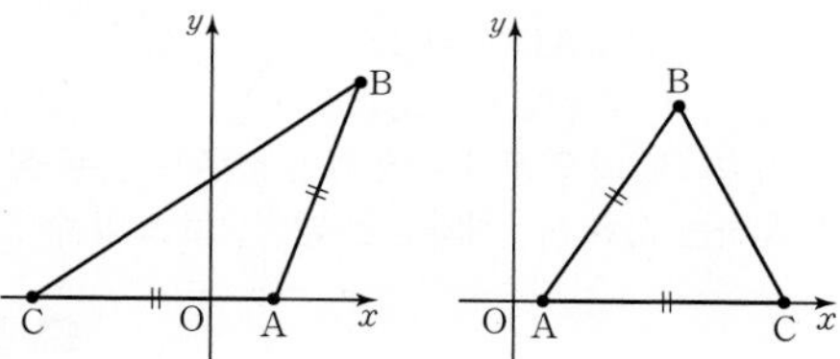

(ⅰ)~(ⅲ)에 의하여 구하는 모든 c의 값의 합은

$5+6+(1-\sqrt{20})+(1+\sqrt{20})=13$

답 13

05-1

그림과 같이 선분 BC가 x축, 점 D를 원점 O에 오도록 삼각형 ABC를 좌표평면 위에 두자.

$\mathrm{A}(a,\ b)$, $\mathrm{C}(c,\ 0)$이라 하면 $\mathrm{B}(-2c,\ 0)$이다.

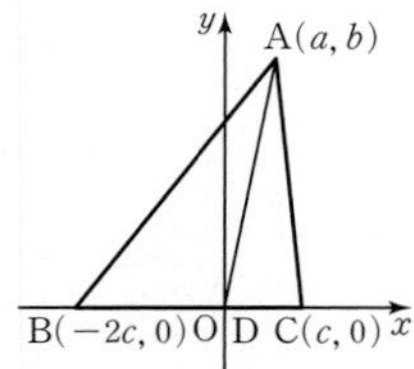

$\overline{\mathrm{AB}}^2=\{(-2c)-a\}^2+(0-b)^2=a^2+4ac+4c^2+b^2$

$\overline{\mathrm{AC}}^2=(c-a)^2+(0-b)^2=a^2-2ac+c^2+b^2$

$\overline{\mathrm{AD}}^2=a^2+b^2$

$\overline{\mathrm{CD}}^2=c^2$

$\overline{\mathrm{AB}}^2+2\overline{\mathrm{AC}}^2=3a^2+3b^2+6c^2=3(a^2+b^2+2c^2)$이고

$\overline{\mathrm{AD}}^2+2\overline{\mathrm{CD}}^2=a^2+b^2+2c^2$이므로

$\overline{\mathrm{AB}}^2+2\overline{\mathrm{AC}}^2=3(\overline{\mathrm{AD}}^2+2\overline{\mathrm{CD}}^2)$

참고

피타고라스 정리를 이용하여 다음과 같이 설명할 수도 있다.

그림과 같이 점 A에서 변 BC에 내린 수선의 발을 H라 하자.

직각삼각형 AHB에서 피타고라스 정리에 의하여

$\overline{\mathrm{AB}}^2=\overline{\mathrm{AH}}^2+\overline{\mathrm{BH}}^2$

$=\overline{\mathrm{AH}}^2+(\overline{\mathrm{BD}}+\overline{\mathrm{DH}})^2$

$=\overline{\mathrm{AH}}^2+(2\overline{\mathrm{CD}}+\overline{\mathrm{DH}})^2$

$=\overline{\mathrm{AH}}^2+4\overline{\mathrm{CD}}^2+4\times\overline{\mathrm{CD}}\times\overline{\mathrm{DH}}+\overline{\mathrm{DH}}^2$

직각삼각형 AHC에서 피타고라스 정리에 의하여

$\overline{\mathrm{AC}}^2=\overline{\mathrm{AH}}^2+\overline{\mathrm{CH}}^2$

$=\overline{\mathrm{AH}}^2+(\overline{\mathrm{CD}}-\overline{\mathrm{DH}})^2$

$=\overline{\mathrm{AH}}^2+\overline{\mathrm{CD}}^2-2\times\overline{\mathrm{CD}}\times\overline{\mathrm{DH}}+\overline{\mathrm{DH}}^2$

따라서

$\overline{\mathrm{AB}}^2+2\overline{\mathrm{AC}}^2=3\overline{\mathrm{AH}}^2+6\overline{\mathrm{CD}}^2+3\overline{\mathrm{DH}}^2$

$=3(\overline{\mathrm{AH}}^2+\overline{\mathrm{DH}}^2)+6\overline{\mathrm{CD}}^2$

$=3\overline{\mathrm{AD}}^2+6\overline{\mathrm{CD}}^2$

$=3(\overline{\mathrm{AD}}^2+2\overline{\mathrm{CD}}^2)$

점 H가 변 BC의 연장선 위에 있는 경우 또는 두 점 D, H가 일치하는 경우에도 위와 같은 방법으로 보일 수 있다.

답 풀이 참조

05-2

그림과 같이 선분 BC가 x축, 점 B가 원점 O에 오도록 평행사변형 ABCD를 좌표평면 위에 두자.

$\mathrm{A}(a,\ b)$, $\mathrm{C}(c,\ 0)$이라 하면 $\mathrm{D}(a+c,\ b)$이다.

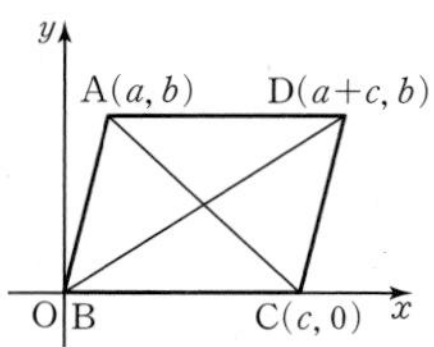

$\overline{\mathrm{AC}}^2=(c-a)^2+(0-b)^2=a^2-2ac+c^2+b^2$

$\overline{\mathrm{BD}}^2=(a+c)^2+b^2=a^2+2ac+c^2+b^2$

$\overline{\mathrm{AB}}^2=a^2+b^2$

$\overline{\mathrm{BC}}^2=c^2$

$\overline{\mathrm{AC}}^2+\overline{\mathrm{BD}}^2=2(a^2+b^2+c^2)$이고

$\overline{\mathrm{AB}}^2+\overline{\mathrm{BC}}^2=a^2+b^2+c^2$이므로

$\overline{\mathrm{AC}}^2+\overline{\mathrm{BD}}^2=2(\overline{\mathrm{AB}}^2+\overline{\mathrm{BC}}^2)$

답 풀이 참조

05-3

그림과 같이 선분 BC가 x축, 점 B가 원점 O에 오도록 직사각형 ABCD를 좌표평면 위에 두자.

$\mathrm{A}(0,\ a)$, $\mathrm{C}(c,\ 0)$이라 하면 $\mathrm{D}(c,\ a)$이고, 임의의 점 P의 좌표를 $(p,\ q)$라 하자.

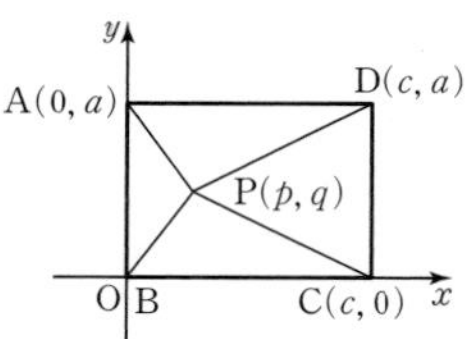

$\overline{\mathrm{AP}}^2=(p-0)^2+(q-a)^2=p^2+q^2-2qa+a^2$

$\overline{\mathrm{CP}}^2=(p-c)^2+(q-0)^2=p^2-2pc+c^2+q^2$

$\overline{\mathrm{BP}}^2=p^2+q^2$

$\overline{\mathrm{DP}}^2=(p-c)^2+(q-a)^2=p^2-2pc+c^2+q^2-2qa+a^2$

$\overline{\mathrm{AP}}^2+\overline{\mathrm{CP}}^2=2p^2+2q^2+a^2+c^2-2qa-2pc$이고

$\overline{\mathrm{BP}}^2+\overline{\mathrm{DP}}^2=2p^2+2q^2+a^2+c^2-2qa-2pc$이므로

$\overline{\mathrm{AP}}^2+\overline{\mathrm{CP}}^2=\overline{\mathrm{BP}}^2+\overline{\mathrm{DP}}^2$

다른 풀이

그림과 같이 점 P가 원점 O에 오고, 두 변 AB, CD가 모두 x축에 수직이 되도록 직사각형 ABCD를 좌표평면 위에 두자.

$\mathrm{A}(a,\ b)$, $\mathrm{B}(a,\ c)$, $\mathrm{C}(d,\ c)$라 하면 $\mathrm{D}(d,\ b)$이다.

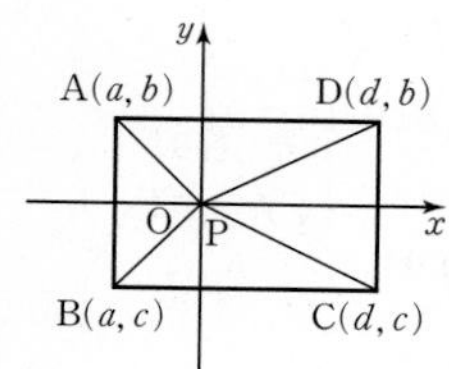

$\overline{AP}^2=a^2+b^2$
$\overline{BP}^2=a^2+c^2$
$\overline{CP}^2=d^2+c^2$
$\overline{DP}^2=d^2+b^2$
$\overline{AP}^2+\overline{CP}^2=a^2+b^2+c^2+d^2$이고
$\overline{BP}^2+\overline{DP}^2=a^2+b^2+c^2+d^2$이므로
$\overline{AP}^2+\overline{CP}^2=\overline{BP}^2+\overline{DP}^2$

답 풀이 참조

02 선분의 내분점

개념 CHECK

본문 31쪽

01 (1) 2, 1 (2) 5, 1 (3) −1 (4) 0
02 (1) 3, 2 (2) 4, 1 (3) $-2, \frac{3}{2}$
03 (1) (1, −5) (2) (−1, −1) (3) (0, −3)
04 (1) $\left(-\frac{2}{3}, -2\right)$ (2) $\left(-\frac{1}{3}, -\frac{5}{3}\right)$

01

(1) $\overline{AP}:\overline{BP}=4:2=2:1$이므로
점 P(2)는 선분 AB를 $\boxed{2}:\boxed{1}$로 내분하는 점이다.
(2) $\overline{BQ}:\overline{AQ}=5:1$이므로
점 Q(−1)은 선분 BA를 $\boxed{5}:\boxed{1}$로 내분하는 점이다.
(3) 선분 AB를 1 : 5로 내분하는 점의 좌표는 $\boxed{-1}$이다.
(4) 선분 BA를 2 : 1로 내분하는 점의 좌표는 $\boxed{0}$이다.

답 (1) 2, 1 (2) 5, 1 (3) −1 (4) 0

02

(1) P(−3, 2)라 하자.
세 점 A, P, B에서 x축에 내린 수선의 발을 각각 A′, P′, B′이라 하면 $\overline{AP}:\overline{BP}=\overline{A'P'}:\overline{B'P'}=6:4=3:2$
따라서 점 P(−3, 2)는 선분 AB를 $\boxed{3}:\boxed{2}$로 내분하는 점이다.
(2) Q(1, 0)이라 하자.
두 점 A, B에서 x축에 내린 수선의 발을 각각 A′, B′이라 할 때 $\overline{BQ}:\overline{AQ}=\overline{B'Q}:\overline{A'Q}=8:2=4:1$
따라서 Q(1, 0)은 선분 BA를 $\boxed{4}:\boxed{1}$로 내분하는 점이다.
(3) 선분 BA의 중점의 좌표는 $\left(\frac{(-7)+3}{2}, \frac{4+(-1)}{2}\right)$,
즉 $\left(\boxed{-2}, \boxed{\frac{3}{2}}\right)$이다.

답 (1) 3, 2 (2) 4, 1 (3) $-2, \frac{3}{2}$

03

(1) 선분 AB를 1 : 3으로 내분하는 점 P의 좌표는
$\left(\frac{1\times(-2)+3\times2}{1+3}, \frac{1\times1+3\times(-7)}{1+3}\right)$, 즉 (1, −5)
(2) 선분 AB를 3 : 1로 내분하는 점 Q의 좌표는
$\left(\frac{3\times(-2)+1\times2}{3+1}, \frac{3\times1+1\times(-7)}{3+1}\right)$,
즉 (−1, −1)
(3) 선분 AB의 중점 M의 좌표는
$\left(\frac{2+(-2)}{2}, \frac{(-7)+1}{2}\right)$, 즉 (0, −3)

답 (1) (1, −5) (2) (−1, −1) (3) (0, −3)

04

(1) 세 점 O(0, 0), A(−4, 1), B(2, −7)을 꼭짓점으로 하는 삼각형 OAB의 무게중심 G의 좌표는
$\left(\frac{0+(-4)+2}{3}, \frac{0+1+(-7)}{3}\right)$, 즉 $\left(-\frac{2}{3}, -2\right)$
(2) 세 점 A(3, −8), B(1, 1), C(−5, 2)를 꼭짓점으로 하는 삼각형 ABC의 무게중심 G의 좌표는
$\left(\frac{3+1+(-5)}{3}, \frac{(-8)+1+2}{3}\right)$, 즉 $\left(-\frac{1}{3}, -\frac{5}{3}\right)$

답 (1) $\left(-\frac{2}{3}, -2\right)$ (2) $\left(-\frac{1}{3}, -\frac{5}{3}\right)$

유제

본문 32~41쪽

06-1 P(1, −1), Q(9, −7) **06-2** 97 **06-3** −1
06-4 $\left(\frac{1}{2}, 3\right)$, $\left(-\frac{9}{2}, 7\right)$ **07-1** $\frac{10}{13}$ **07-2** $\frac{5}{8}$
07-3 $\frac{2}{3}$ **07-4** $\frac{1}{2}$ **08-1** 11 **08-2** (4, 0)
08-3 11 **08-4** (6, 5) **09-1** 16
09-2 C(−11, −1), D(−9, −3) **09-3** $2\sqrt{5}$
09-4 ㄴ, ㄹ, ㅂ **10-1** $\left(-\frac{3}{2}, \frac{1}{2}\right)$
10-2 $\left(\frac{19}{6}, \frac{9}{2}\right)$ **10-3** $\left(-\frac{1}{2}, -\frac{1}{2}\right)$
10-4 3

06-1

선분 AB를 4등분하는 점 중 점 A에 가장 가까운 점이 P, 점 B에 가장 가까운 점이 Q이므로

선분 AB를 $1:3$, $3:1$로 각각 내분하는 점이 P, Q이다.

점 P의 x좌표는

$\frac{1\times13+3\times(-3)}{1+3}=\frac{4}{4}=1$

점 P의 y좌표는

$\frac{1\times(-10)+3\times2}{1+3}=\frac{-4}{4}=-1$

점 Q의 x좌표는

$\frac{3\times13+1\times(-3)}{3+1}=\frac{36}{4}=9$

점 Q의 y좌표는

$\frac{3\times(-10)+1\times2}{3+1}=\frac{-28}{4}=-7$

$\therefore$ P$(1, -1)$, Q$(9, -7)$

다른 풀이

선분 AB의 중점을 M이라 하면

점 M의 좌표는 $\left(\frac{(-3)+13}{2}, \frac{2+(-10)}{2}\right)$, 즉 $(5, -4)$

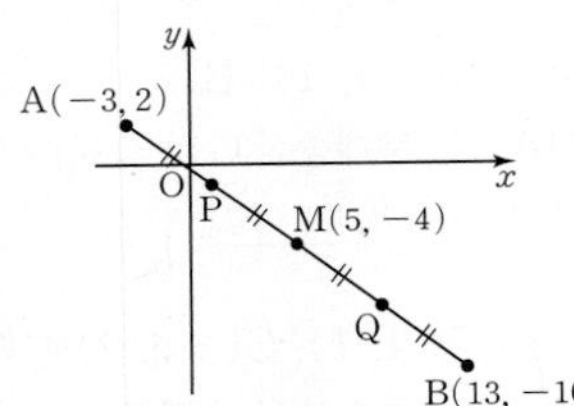

점 P는 선분 AM의 중점이므로

점 P의 좌표는 $\left(\frac{(-3)+5}{2}, \frac{2+(-4)}{2}\right)$, 즉 $(1, -1)$

점 Q는 선분 BM의 중점이므로

점 Q의 좌표는 $\left(\frac{13+5}{2}, \frac{(-10)+(-4)}{2}\right)$, 즉 $(9, -7)$

답 P$(1, -1)$, Q$(9, -7)$

06-2

점 P가 $2\overline{AP}=5\overline{BP}$를 만족시키므로

$\overline{AP}:\overline{BP}=5:2$, 즉 점 P는 선분 AB를 $5:2$로 내분하는 점이다.

점 P의 x좌표는

$\frac{5\times11+2\times4}{5+2}=\frac{63}{7}=9$

점 P의 y좌표는

$\frac{5\times8+2\times(-6)}{5+2}=\frac{28}{7}=4$

즉, 점 P의 좌표는 $(9, 4)$

$\therefore \overline{OP}^2=9^2+4^2=81+16=97$

답 97

06-3

선분 AB를 $b:1$로 내분하는 점을 $P\left(-\frac{1}{5}, \frac{4}{5}\right)$라 하자.

점 P의 x좌표는

$\frac{b\times(-1)+1\times7}{b+1}=-\frac{1}{5}$

즉, $5b-35=b+1$에서 $b=9$

점 P의 y좌표는

$\frac{9\times2+1\times a}{9+1}=\frac{4}{5}$

즉, $a+18=8$에서 $a=-10$

$\therefore a+b=(-10)+9=-1$

답 -1

06-4

$\overline{AB}:\overline{BC}=2:1$에 의하여

점 C가 선분 AB의 중점이거나

점 B가 선분 AC를 $2:1$로 내분하는 점이어야 한다.

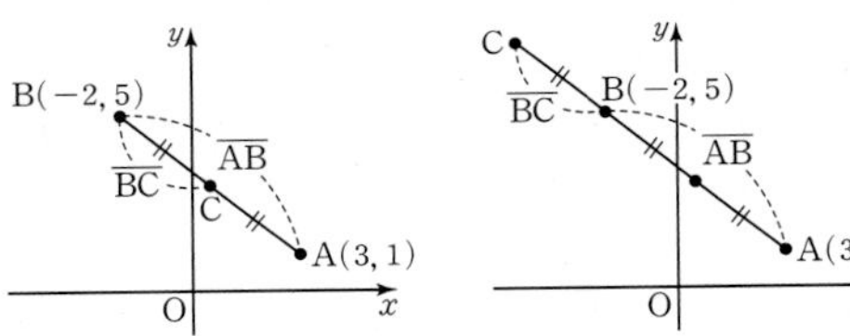

(i) 점 C가 선분 AB의 중점일 때

선분 AB의 중점 C의 좌표는

$\left(\frac{3+(-2)}{2}, \frac{1+5}{2}\right)$, 즉 $\left(\frac{1}{2}, 3\right)$

(ii) 점 B가 선분 AC를 $2:1$로 내분하는 점일 때

점 C의 좌표를 (a, b)라 하자.

점 B의 x좌표는

$\frac{2\times a+1\times3}{2+1}=-2$에서 $2a+3=-6$, 즉 $a=-\frac{9}{2}$

점 B의 y좌표는

$\frac{2\times b+1\times1}{2+1}=5$에서 $2b+1=15$, 즉 $b=7$

따라서 점 C의 좌표는 $\left(-\frac{9}{2}, 7\right)$

(i), (ii)에 의하여 조건을 만족시키는 모든 점 C의 좌표는

$\left(\frac{1}{2}, 3\right)$, $\left(-\frac{9}{2}, 7\right)$

답 $\left(\frac{1}{2}, 3\right)$, $\left(-\frac{9}{2}, 7\right)$

07-1

선분 AB를 $(1-t):t$로 내분하는 점을 P라 하면

점 P의 x좌표는

$$\frac{(1-t)\times6+t\times7}{(1-t)+t}=t+6$$

점 P의 y좌표는

$$\frac{(1-t)\times10+t\times(-3)}{(1-t)+t}=10-13t$$

점 P가 제1사분면 위의 점이려면

점 P의 x좌표, y좌표가 모두 양수이어야 한다.

즉, $\begin{cases} t+6>0 \\ 10-13t>0 \end{cases}$ 에서 $-6<t<\frac{10}{13}$ ...... ㉠

또한 $0<t<1$이어야 한다. ...... ㉡

㉠, ㉡에 의하여 구하는 실수 t의 값의 범위는 $0<t<\frac{10}{13}$

$\therefore \alpha+\beta=0+\frac{10}{13}=\frac{10}{13}$

답 $\frac{10}{13}$

07-2

선분 AB가 x축에 의하여 내분되는 점의 y좌표는 0이어야 한다.

즉, $\frac{t\times(-3)+(1-t)\times5}{t+(1-t)}=0$

$5-8t=0$에서 $t=\frac{5}{8}$

답 $\frac{5}{8}$

07-3

선분 AB를 $1:k$로 내분하는 점을 P라 하자.

점 P의 x좌표는

$$\frac{1\times(-4)+k\times1}{1+k}=\frac{k-4}{k+1}$$

점 P의 y좌표는

$$\frac{1\times(-1)+k\times9}{1+k}=\frac{9k-1}{k+1}$$

이때 점 $\mathrm{P}\left(\frac{k-4}{k+1}, \frac{9k-1}{k+1}\right)$이

직선 $y=x+5$ 위에 있으므로

$$\frac{9k-1}{k+1}=\frac{k-4}{k+1}+5$$

$9k-1=k-4+5(k+1)$, $3k=2$

$\therefore k=\frac{2}{3}$

답 $\frac{2}{3}$

07-4

선분 AB를 $a:1$로 내분하는 점을 P라 하자.

점 P의 x좌표는

$$\frac{a\times2a+1\times(-4)}{a+1}=\frac{2a^2-4}{a+1}$$

점 P의 y좌표는

$$\frac{a\times(-15)+1\times a}{a+1}=-\frac{14a}{a+1}$$

이때 점 $\mathrm{P}\left(\frac{2a^2-4}{a+1}, -\frac{14a}{a+1}\right)$가 직선 $y=2x$ 위에 있으므로

$$-\frac{14a}{a+1}=2\times\frac{2a^2-4}{a+1}$$

$2a^2+7a-4=0$

$(a+4)(2a-1)=0$ $\quad\therefore a=\frac{1}{2}$ $(\because a>0)$

답 $\frac{1}{2}$

08-1

삼각형 ABC의 무게중심의

x좌표는 $\frac{a+9+4}{3}=0$이므로 $a=-13$

y좌표는 $\frac{5+2a+b}{3}=\frac{5-26+b}{3}=1$이므로 $b=24$

$\therefore a+b=(-13)+24=11$

답 11

08-2

세 변 AB, BC, CA의 각각의 중점 D, E, F를 꼭짓점으로 하는 삼각형 DEF의 무게중심은 삼각형 ABC의 무게중심과 같다.

따라서 삼각형 DEF의 무게중심의

x좌표는 $\frac{8+5+(-1)}{3}=4$

y좌표는 $\frac{(-8)+1+7}{3}=0$

즉, 구하는 삼각형 DEF의 무게중심의 좌표는 $(4, 0)$

다른 풀이

변 AB의 중점 D의 좌표는

$\left(\frac{8+5}{2}, \frac{(-8)+1}{2}\right)$, 즉 $\left(\frac{13}{2}, -\frac{7}{2}\right)$

변 BC의 중점 E의 좌표는

$\left(\frac{5+(-1)}{2}, \frac{1+7}{2}\right)$, 즉 $(2, 4)$

변 CA의 중점 F의 좌표는

$\left(\frac{(-1)+8}{2}, \frac{7+(-8)}{2}\right)$, 즉 $\left(\frac{7}{2}, -\frac{1}{2}\right)$

따라서 삼각형 DEF의 무게중심의

x좌표는 $\dfrac{\frac{13}{2}+2+\frac{7}{2}}{3}=4$

y좌표는 $\dfrac{\left(-\frac{7}{2}\right)+4+\left(-\frac{1}{2}\right)}{3}=0$

즉, 구하는 삼각형 DEF의 무게중심의 좌표는 $(4,\ 0)$

답 $(4,\ 0)$

08-3

삼각형 ABC의 무게중심은

세 변 AB, BC, CA를 각각 $2:3$으로 내분하는 점 P, Q, R를 꼭짓점으로 하는 삼각형 PQR의 무게중심과 같다.

따라서 삼각형 ABC의 무게중심의

x좌표는 $\dfrac{2+b+(-6)}{3}=1$, 즉 $b-4=3$에서 $b=7$

y좌표는 $\dfrac{a+(-4)+3}{3}=1$, 즉 $a-1=3$에서 $a=4$

$\therefore a+b=4+7=11$

다른 풀이

변 AB를 $2:3$으로 내분하는 점 P의

x좌표는 $\dfrac{2\times b+3\times 2}{2+3}=\dfrac{2b+6}{5}$

y좌표는 $\dfrac{2\times(-4)+3\times a}{2+3}=\dfrac{3a-8}{5}$

변 BC를 $2:3$으로 내분하는 점 Q의

x좌표는 $\dfrac{2\times(-6)+3\times b}{2+3}=\dfrac{3b-12}{5}$

y좌표는 $\dfrac{2\times 3+3\times(-4)}{2+3}=-\dfrac{6}{5}$

변 CA를 $2:3$으로 내분하는 점 R의

x좌표는 $\dfrac{2\times 2+3\times(-6)}{2+3}=-\dfrac{14}{5}$

y좌표는 $\dfrac{2\times a+3\times 3}{2+3}=\dfrac{2a+9}{5}$

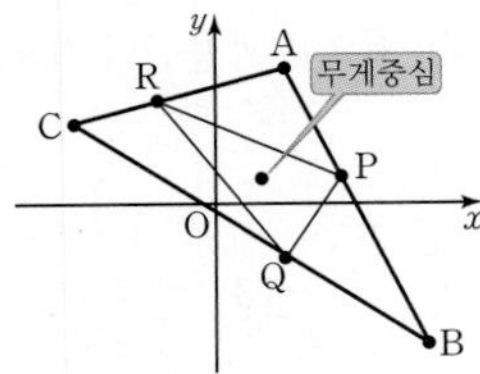

삼각형 PQR의 무게중심의

x좌표는 $\dfrac{\frac{2b+6}{5}+\frac{3b-12}{5}+\left(-\frac{14}{5}\right)}{3}=1$, 즉

$\dfrac{b-4}{3}=1$에서 $b=7$

y좌표는 $\dfrac{\frac{3a-8}{5}+\left(-\frac{6}{5}\right)+\frac{2a+9}{5}}{3}=1$, 즉

$\dfrac{a-1}{3}=1$에서 $a=4$

$\therefore a+b=4+7=11$

답 11

08-4

선분 BC의 중점을 $\mathrm{M}(a,\ b)$, 삼각형 ABC의 무게중심을 $\mathrm{G}(2,\ 3)$이라 하자. 무게중심 G는 선분 AM을 $2:1$로 내분하는 점이므로

$\dfrac{2\times a+1\times(-6)}{2+1}=2$에서 $2a=12$, 즉 $a=6$

$\dfrac{2\times b+1\times(-1)}{2+1}=3$에서 $2b=10$, 즉 $b=5$

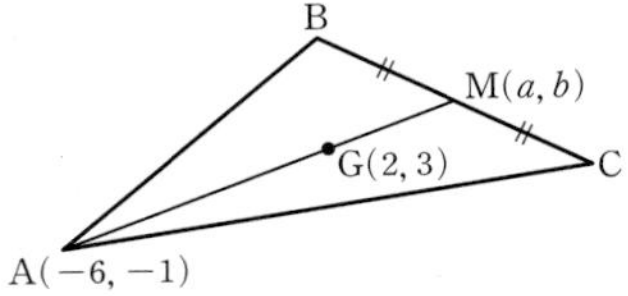

즉, 선분 BC의 중점 M의 좌표는 $(6,\ 5)$

다른 풀이

두 점 B, C의 좌표를 각각 $(x_1,\ y_1)$, $(x_2,\ y_2)$라 하자.

삼각형 ABC의 무게중심의 좌표가 $(2,\ 3)$이므로

$\dfrac{(-6)+x_1+x_2}{3}=2$에서 $x_1+x_2=12$

$\dfrac{(-1)+y_1+y_2}{3}=3$에서 $y_1+y_2=10$

따라서 선분 BC의 중점의 좌표는

$\left(\dfrac{x_1+x_2}{2},\ \dfrac{y_1+y_2}{2}\right)=\left(\dfrac{12}{2},\ \dfrac{10}{2}\right)=(6,\ 5)$

참고

중선

삼각형에서 한 꼭짓점과 그 대변의 중점을 이은 선분

무게중심

① 삼각형의 세 중선은 한 점(무게중심)에서 만난다.

② 무게중심은 세 중선의 길이를 각 꼭짓점으로부터 각각 $2:1$로 나눈다.

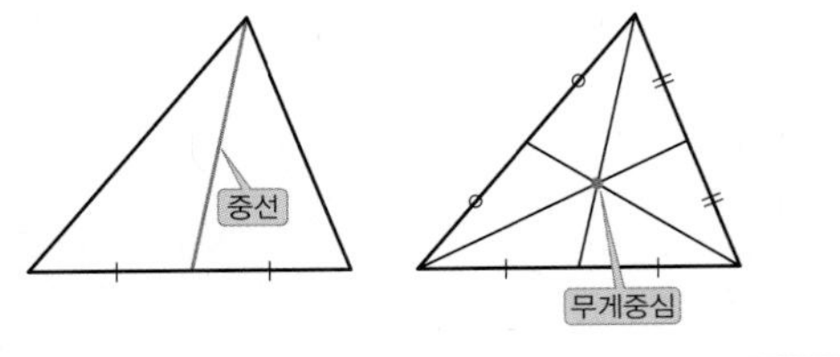

답 $(6,\ 5)$

09-1

평행사변형 ABCD의 두 대각선이 서로를 이등분하므로
두 대각선 AC, BD의 중점이 일치한다.
대각선 AC의 중점의 좌표는

$\left(\frac{(-4)+6}{2}, \frac{a+1}{2}\right)$, 즉 $\left(1, \frac{a+1}{2}\right)$

대각선 BD의 중점의 좌표는

$\left(\frac{b+(-8)}{2}, \frac{9+(-2)}{2}\right)$, 즉 $\left(\frac{b-8}{2}, \frac{7}{2}\right)$

즉, $1=\frac{b-8}{2}$에서 $b=10$이고 $\frac{a+1}{2}=\frac{7}{2}$에서 $a=6$

$\therefore a+b=6+10=16$

참고

사각형 사이의 관계

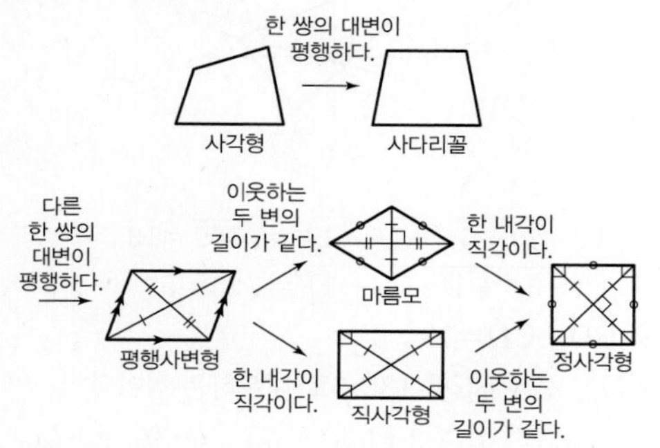

여러 가지 사각형의 대각선의 성질

① 등변사다리꼴 : 두 대각선은 길이가 같다.
② 평행사변형 : 두 대각선은 서로 다른 것을 이등분한다.
③ 마름모 : 두 대각선은 서로 다른 것을 수직이등분한다.
④ 직사각형 : 두 대각선은 길이가 같고, 서로 다른 것을 이등분한다.
⑤ 정사각형 : 두 대각선은 길이가 같고, 서로 다른 것을 수직이등분한다.

답 16

09-2

C(a, b), D(c, d)라 하자.
평행사변형 ABCD의 두 대각선은 서로를 이등분하므로
두 대각선 AC, BD의 중점이 $(-4, 2)$로 일치한다.
대각선 AC의 중점의 좌표는

$\left(\frac{3+a}{2}, \frac{5+b}{2}\right)=(-4, 2)$이어야 하므로

$a=-11$, $b=-1$

대각선 BD의 중점의 좌표는

$\left(\frac{1+c}{2}, \frac{7+d}{2}\right)=(-4, 2)$이어야 하므로

$c=-9$, $d=-3$

$\therefore$ C$(-11, -1)$, D$(-9, -3)$

답 C$(-11, -1)$, D$(-9, -3)$

09-3

마름모 ABCD의 두 대각선은 서로를 이등분하므로
두 대각선의 교점은 선분 AC의 중점과 같다.
선분 AC의 중점을 M이라 하면 삼각형 ABD의 무게중심 G는 선분 AM을 2 : 1로 내분하는 점이므로
$\overline{AG}:\overline{CG}=1:2$이다.

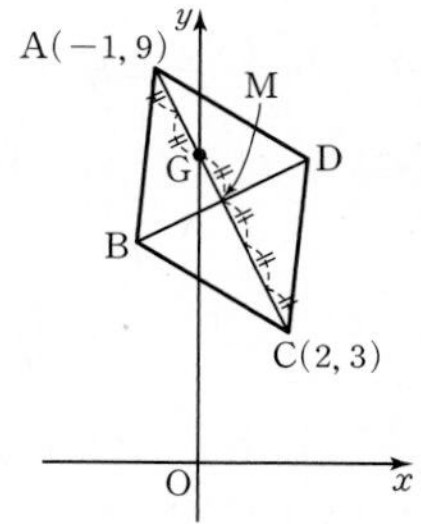

$\overline{AC}=\sqrt{\{2-(-1)\}^2+(3-9)^2}=\sqrt{45}=3\sqrt{5}$

$\therefore \overline{CG}=\overline{AC}\times\frac{2}{3}=3\sqrt{5}\times\frac{2}{3}=2\sqrt{5}$

다른 풀이

마름모 ABCD의 두 대각선은 서로를 이등분하므로
두 대각선의 교점은 선분 AC의 중점과 같다.
선분 AC의 중점을 M이라 하면
점 M의 좌표는

$\left(\frac{(-1)+2}{2}, \frac{9+3}{2}\right)$, 즉 $\left(\frac{1}{2}, 6\right)$

삼각형 ABD의 무게중심 G는
선분 AM을 2 : 1로 내분하는 점이므로

점 G의 x좌표는 $\frac{2\times\frac{1}{2}+1\times(-1)}{2+1}=0$

점 G의 y좌표는 $\frac{2\times6+1\times9}{2+1}=7$

$\therefore \overline{CG}=\sqrt{(2-0)^2+(3-7)^2}=\sqrt{20}=2\sqrt{5}$

답 $2\sqrt{5}$

09-4

A$(1, 2)$, B$(-1, -1)$, C$(2, 0)$, D(a, b)라 하자.

선분 AB의 중점은 $\left(0, \frac{1}{2}\right)$

선분 BC의 중점은 $\left(\frac{1}{2}, -\frac{1}{2}\right)$

선분 AC의 중점은 $\left(\frac{3}{2}, 1\right)$

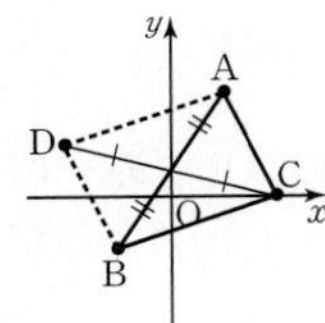

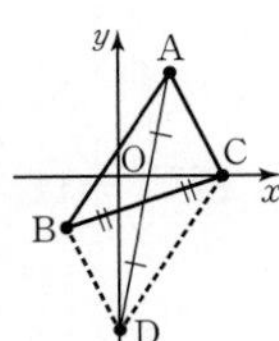

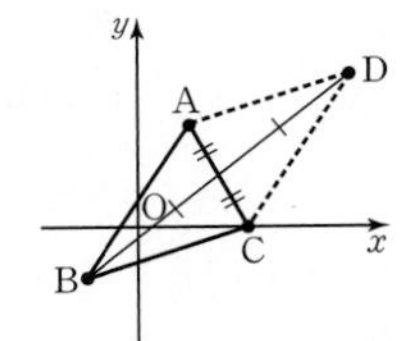

평행사변형 ADBC의 두 대각선 AB, CD의 중점이 일치할 때

$\left(0, \frac{1}{2}\right)=\left(\frac{2+a}{2}, \frac{0+b}{2}\right)$이므로 $a=-2$, $b=1$

평행사변형 ABDC의 두 대각선 BC, AD의 중점이 일치할 때

$\left(\frac{1}{2}, -\frac{1}{2}\right)=\left(\frac{1+a}{2}, \frac{2+b}{2}\right)$이므로 $a=0$, $b=-3$

평행사변형 ABCD의 두 대각선 AC, BD의 중점이 일치할 때

$\left(\frac{3}{2}, 1\right)=\left(\frac{(-1)+a}{2}, \frac{(-1)+b}{2}\right)$에서 $a=4$, $b=3$

즉, 점 (a, b)가 될 수 있는 점은

$(-2, 1)$, $(0, -3)$, $(4, 3)$이므로 ㄴ, ㄹ, ㅂ이다.

답 ㄴ, ㄹ, ㅂ

10-1

직선 AD가 ∠A의 이등분선이므로

$\overline{AB} : \overline{AC}=\overline{BD} : \overline{CD}$

이때

$\overline{AB}=\sqrt{\{(-8)-(-3)\}^2+\{(-6)-6\}^2}=\sqrt{169}=13$

$\overline{AC}=\sqrt{\{1-(-3)\}^2+(3-6)^2}=\sqrt{25}=5$

이므로 $\overline{BD} : \overline{CD}=13 : 5$

즉, 점 D는 선분 BC를 13 : 5로 내분하는 점이다.

점 D의 x좌표는 $\frac{13\times1+5\times(-8)}{13+5}=\frac{-27}{18}=-\frac{3}{2}$

점 D의 y좌표는 $\frac{13\times3+5\times(-6)}{13+5}=\frac{9}{18}=\frac{1}{2}$

따라서 점 D의 좌표는 $\left(-\frac{3}{2}, \frac{1}{2}\right)$

답 $\left(-\frac{3}{2}, \frac{1}{2}\right)$

10-2

직선 AD가 ∠A의 이등분선이므로

$\overline{AB} : \overline{AC}=\overline{BD} : \overline{CD}$

이때

$\overline{AB}=\sqrt{\{(-5)-2\}^2+(1-8)^2}=\sqrt{98}=7\sqrt{2}$

$\overline{AC}=\sqrt{(9-2)^2+(7-8)^2}=\sqrt{50}=5\sqrt{2}$

이므로 $\overline{BD} : \overline{CD}=7\sqrt{2} : 5\sqrt{2}=7 : 5$

즉, 점 D는 선분 BC를 7 : 5로 내분하는 점이다.

점 D의 x좌표는 $\frac{7\times9+5\times(-5)}{7+5}=\frac{38}{12}=\frac{19}{6}$

점 D의 y좌표는 $\frac{7\times7+5\times1}{7+5}=\frac{54}{12}=\frac{9}{2}$

따라서 점 D의 좌표는 $\left(\frac{19}{6}, \frac{9}{2}\right)$

답 $\left(\frac{19}{6}, \frac{9}{2}\right)$

10-3

삼각형 ABC의 내심 I에 대하여

직선 AI는 ∠A의 이등분선이므로

$\overline{AB} : \overline{AC}=\overline{BD} : \overline{CD}$

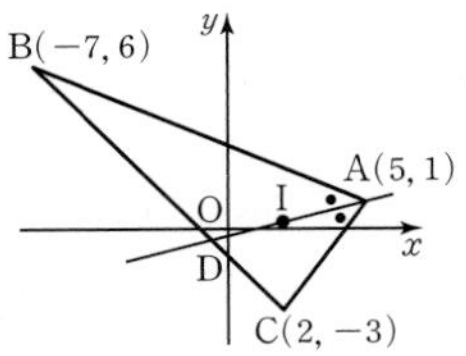

이때

$\overline{AB}=\sqrt{\{(-7)-5\}^2+(6-1)^2}=\sqrt{169}=13$

$\overline{AC}=\sqrt{(2-5)^2+\{(-3)-1\}^2}=\sqrt{25}=5$

이므로 $\overline{BD} : \overline{CD}=13 : 5$

즉, 점 D는 선분 BC를 13 : 5로 내분하는 점이다.

점 D의 x좌표는 $\frac{13\times2+5\times(-7)}{13+5}=\frac{-9}{18}=-\frac{1}{2}$

점 D의 y좌표는 $\frac{13\times(-3)+5\times6}{13+5}=\frac{-9}{18}=-\frac{1}{2}$

따라서 점 D의 좌표는 $\left(-\frac{1}{2}, -\frac{1}{2}\right)$

참고

삼각형의 내심

삼각형의 세 내각의 이등분선은 한 점(내심)에서 만나고, 내심에서 세 변에 이르는 거리는 모두 같다.

답 $\left(-\frac{1}{2}, -\frac{1}{2}\right)$

10-4

직선 AD가 ∠A의 이등분선이므로

$\overline{AB} : \overline{AC}=\overline{BD} : \overline{CD}$

이때

$\overline{AB}=\sqrt{\{(-2)-4\}^2+(3-1)^2}=\sqrt{40}$
$\overline{AC}=\sqrt{(6-4)^2+\{(-3)-1\}^2}=\sqrt{20}$
$\overline{BD}:\overline{CD}=\sqrt{40}:\sqrt{20}=\sqrt{2}:1$
즉, 점 D는 선분 BC를 $\sqrt{2}:1$로 내분하는 점이다.
선분 BD를 지름으로 하는 원과
선분 CD를 지름으로 하는 원의
닮음비가 $\sqrt{2}:1$이므로 넓이의 비는 $\sqrt{2}^2:1^2=2:1$
$\therefore m+n=2+1=3$

참고

닮은 도형의 넓이의 비
닮은 두 평면도형의 닮음비가 $a:b$이면, 넓이의 비는 $a^2:b^2$이다.
예를 들어 다음 그림과 같이
두 직사각형 ABCD, A′B′C′D′의 닮음비가 2 : 3일 때
넓이의 비는 $8:18=4:9=2^2:3^2$임을 확인할 수 있다.

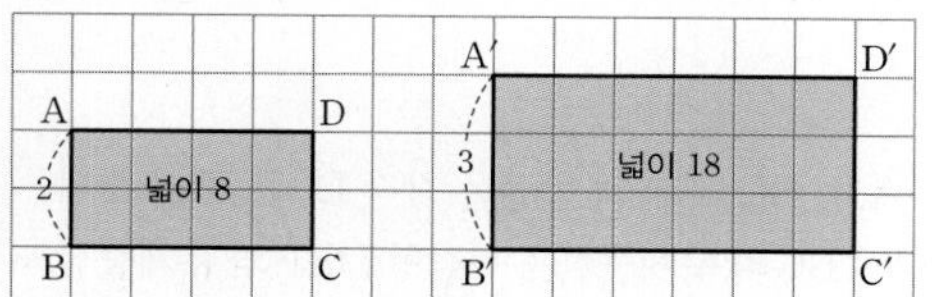

답 3

중단원 연습문제

본문 42~46쪽

01 4 **02** 69 **03** 5 **04** 67
05 ③ **06** 풀이 참조 **07** 9 **08** 3
09 $(1, -1)$ **10** $(5, 9)$ **11** $A\left(2, \frac{11}{2}\right)$, $D(5, 2)$
12 4 **13** $2\sqrt{5}$ **14** 32
15 (가): 2, (나): 20, (다): 26, (라): 7, (마): 3
16 풀이 참조 **17** $75\sqrt{3}$ **18** $-5, 3$ **19** -23
20 $-\frac{10}{3}$

01

$\overline{AB}=\sqrt{\{(-2)-a\}^2+\{(a-2)-(-1)\}^2}$
$=\sqrt{a^2+4a+4+a^2-2a+1}$
$=\sqrt{2a^2+2a+5}$
$\overline{AB}=3\sqrt{5}$라 주어졌으므로
$\sqrt{2a^2+2a+5}=3\sqrt{5}$
양변을 제곱하면 $2a^2+2a+5=45$
$2a^2+2a-40=0$, $a^2+a-20=0$
$(a+5)(a-4)=0$ $\therefore a=4$ ($\because a>0$)

답 4

02

두 점 A(5, −3), B(−8, 4)에서 같은 거리에 있는 점을 P(a, b)라 하면 점 P는 직선 $y=2x$ 위의 점이므로 $b=2a$이다.
$\overline{AP}=\sqrt{(a-5)^2+\{2a-(-3)\}^2}$
$=\sqrt{a^2-10a+25+4a^2+12a+9}$
$=\sqrt{5a^2+2a+34}$
$\overline{BP}=\sqrt{\{a-(-8)\}^2+(2a-4)^2}$
$=\sqrt{a^2+16a+64+4a^2-16a+16}$
$=\sqrt{5a^2+80}$
$\overline{AP}=\overline{BP}$에서 $\overline{AP}^2=\overline{BP}^2$이므로
$5a^2+2a+34=5a^2+80$
$2a=46$, 즉 $a=23$
$\therefore a+b=a+2a=3a=3\times23=69$

답 69

03

삼각형 ABC의 외심을 P(−2, 0)이라 할 때
$\overline{PA}=\overline{PB}=\overline{PC}$이다.

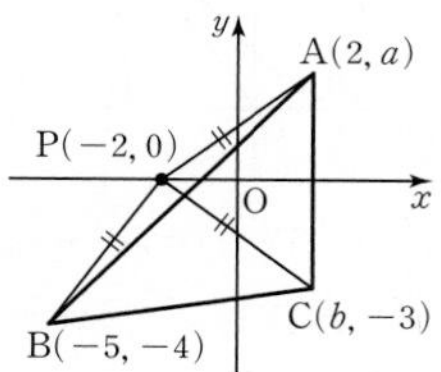

$\overline{PA}=\sqrt{\{(-2)-2\}^2+(0-a)^2}=\sqrt{a^2+16}$
$\overline{PB}=\sqrt{\{(-2)-(-5)\}^2+\{0-(-4)\}^2}=\sqrt{25}$
$\overline{PC}=\sqrt{\{(-2)-b\}^2+\{0-(-3)\}^2}=\sqrt{b^2+4b+13}$
$\overline{PA}^2=\overline{PB}^2$, 즉 $a^2+16=25$
$a^2=9$에서 $a=3$ ($\because a>0$)
$\overline{PB}^2=\overline{PC}^2$, 즉 $25=b^2+4b+13$, $b^2+4b-12=0$
$(b+6)(b-2)=0$에서 $b=2$ ($\because b>0$)
$\therefore a+b=3+2=5$

답 5

04

x축 위의 점 P의 좌표를 $(a, 0)$이라 하자.
$\overline{AP}^2=(a-3)^2+\{0-(-1)\}^2=a^2-6a+10$
$\overline{BP}^2=\{a-(-7)\}^2+(0-4)^2=a^2+14a+65$
$\therefore \overline{AP}^2+\overline{BP}^2=2a^2+8a+75$
$=2(a^2+4a)+75$
$=2(a^2+4a+4-4)+75$
$=2(a^2+4a+4)-8+75$
$=2(a+2)^2+67$

따라서 $\overline{AP}^2+\overline{BP}^2$은 $a=-2$일 때 최솟값 67을 갖는다.

답 67

05

$\overline{AB}^2=\{(-1)-(-4)\}^2+(6-0)^2=9+36=45$

$\overline{BC}^2=\{3-(-1)\}^2+(4-6)^2=16+4=20$

$\overline{CA}^2=\{(-4)-3\}^2+(0-4)^2=49+16=65$

$\overline{AB}^2+\overline{BC}^2=\overline{CA}^2$이므로

삼각형 ABC는 $\angle B=90°$인 직각삼각형이다.

답 ③

06

그림과 같이 직선 BC가 x축, 점 P가 원점 O에 오도록 삼각형 ABC를 좌표평면 위에 두자.

$A(a, b)$, $B(-c, 0)$이라 하면 $C(2c, 0)$

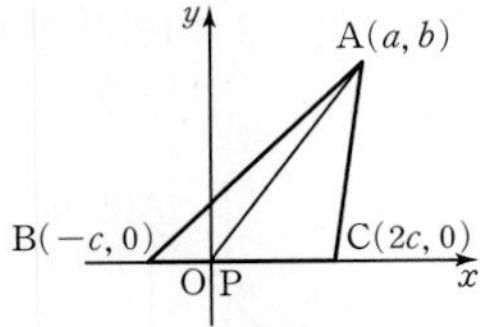

$\overline{AB}^2=\{(-c)-a\}^2+(0-b)^2=a^2+2ac+c^2+b^2$

$\overline{AC}^2=(2c-a)^2+(0-b)^2=a^2-4ac+4c^2+b^2$

$\overline{AP}^2=a^2+b^2$

$\overline{CP}^2=(2c)^2=4c^2$

$2\overline{AB}^2+\overline{AC}^2=3a^2+3b^2+6c^2=3(a^2+b^2+2c^2)$이고

$2\overline{AP}^2+\overline{CP}^2=2a^2+2b^2+4c^2=2(a^2+b^2+2c^2)$이므로

$2\overline{AB}^2+\overline{AC}^2=\frac{3}{2}(2\overline{AP}^2+\overline{CP}^2)$

답 풀이 참조

07

선분 AB를 $1:b$로 내분하는 점의 좌표가 $(4, 5)$이므로

$\frac{1\times(-2)+b\times a}{1+b}=4$에서

$-2+ab=4(1+b)$, 즉 $ab=4b+6$ …… ㉠

$\frac{1\times(-4)+b\times 8}{1+b}=5$에서

$8b-4=5(1+b)$

$3b=9$, 즉 $b=3$ …… ㉡

㉡을 ㉠에 대입하면 $a=6$

$\therefore a+b=9$

답 9

08

선분 AB를 $k:1$로 내분하는 점을 P라 하자.

점 P의 x좌표는

$\frac{k\times 2k+1\times(-3)}{k+1}=\frac{2k^2-3}{k+1}$

점 P의 y좌표는

$\frac{k\times 14+1\times k}{k+1}=\frac{15k}{k+1}$

점 P가 직선 $y=3x$ 위의 점이므로

$\frac{15k}{k+1}=3\times\frac{2k^2-3}{k+1}$

$2k^2-5k-3=0$

$(2k+1)(k-3)=0$

$\therefore k=3\ (\because k>0)$

답 3

09

세 변 AB, BC, CA의 중점을 각각 D, E, F라 하자.

삼각형 ABC의 무게중심은 삼각형 DEF의 무게중심과 같다.

따라서 삼각형 ABC의 무게중심의 좌표는

$\left(\frac{4+(-3)+2}{3}, \frac{4+(-2)+(-5)}{3}\right)$, 즉 $(1, -1)$

답 $(1, -1)$

10

점 B의 좌표를 (a, b)라 하자.

선분 AB를 $1:2$로 내분하는 점의 좌표가 $(-2, 3)$이므로

$\left(\frac{1\times a+2\times(-1)}{1+2}, \frac{1\times b+2\times 6}{1+2}\right)=(-2, 3)$에서

$\frac{a-2}{3}=-2$, 즉 $a=-4$

$\frac{b+12}{3}=3$, 즉 $b=-3$

$\therefore B(-4, -3)$

점 C의 좌표를 (c, d)라 하자.

선분 BC를 $1:2$로 내분하는 점의 좌표가 $(-2, -2)$이므로

$\left(\frac{1\times c+2\times(-4)}{1+2}, \frac{1\times d+2\times(-3)}{1+2}\right)=(-2, -2)$

에서

$\frac{c-8}{3}=-2$, 즉 $c=2$

$\frac{d-6}{3}=-2$, 즉 $d=0$

$\therefore C(2, 0)$

점 D의 좌표를 (e, f)라 하자.

평행사변형의 두 대각선 AC, BD의 중점이 일치하므로

$\left(\frac{(-1)+2}{2}, \frac{6+0}{2}\right)=\left(\frac{(-4)+e}{2}, \frac{(-3)+f}{2}\right)$에서

$\frac{1}{2}=\frac{-4+e}{2}$, 즉 $e=5$

$3=\frac{-3+f}{2}$, 즉 $f=9$

$\therefore$ D$(5, 9)$

답 $(5, 9)$

11

점 A의 좌표를 (a, b), 점 D의 좌표를 (c, d)라 하자.

삼각형 ABC의 무게중심의 좌표가 $\left(\frac{7}{3}, \frac{4}{3}\right)$이므로

$\frac{a+1+4}{3}=\frac{7}{3}$에서 $a=2$

$\frac{b+1+\left(-\frac{5}{2}\right)}{3}=\frac{4}{3}$에서 $b=\frac{11}{2}$

즉, 점 A의 좌표는 $\left(2, \frac{11}{2}\right)$

마름모 ABCD의 두 대각선은 서로를 이등분하므로 두 대각선 AC, BD의 중점이 일치한다.

대각선 AC의 중점의 좌표는

$\left(\frac{2+4}{2}, \frac{\frac{11}{2}+\left(-\frac{5}{2}\right)}{2}\right)$, 즉 $\left(3, \frac{3}{2}\right)$ …… ㉠

대각선 BD의 중점의 좌표는

$\left(\frac{1+c}{2}, \frac{1+d}{2}\right)$ …… ㉡

㉠, ㉡이 서로 일치하므로

$3=\frac{1+c}{2}$에서 $c=5$

$\frac{3}{2}=\frac{1+d}{2}$에서 $d=2$

즉, 점 D의 좌표는 $(5, 2)$

다른 풀이

삼각형 ABC의 무게중심을 $G\left(\frac{7}{3}, \frac{4}{3}\right)$,

선분 AC의 중점을 M이라 하면

$\overline{BG}=2\overline{MG}$

마름모 ABCD의 두 대각선은 서로를 이등분하므로

$\overline{DG}=\overline{DM}+\overline{MG}=\overline{BM}+\overline{MG}=4\overline{MG}$

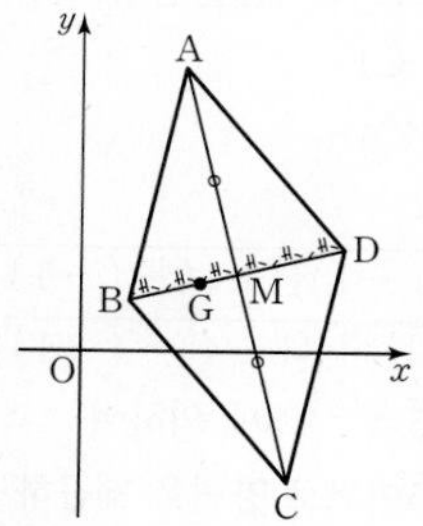

따라서 $\overline{BG}:\overline{DG}=2\overline{MG}:4\overline{MG}=1:2$

즉, 점 G는 선분 BD를 1 : 2로 내분하는 점이다.

점 A의 좌표를 (a, b), 점 D의 좌표를 (c, d)라 하자.

$\left(\frac{1\times c+2\times 1}{1+2}, \frac{1\times d+2\times 1}{1+2}\right)=\left(\frac{7}{3}, \frac{4}{3}\right)$

$c=5$, $d=2$

즉, 점 D의 좌표는 $(5, 2)$

따라서 대각선 BD의 중점의 좌표는

$\left(\frac{1+5}{2}, \frac{1+2}{2}\right)$, 즉 $\left(3, \frac{3}{2}\right)$ …… ㉠

대각선 AC의 중점의 좌표는

$\left(\frac{a+4}{2}, \frac{b+\left(-\frac{5}{2}\right)}{2}\right)$, 즉 $\left(\frac{a+4}{2}, \frac{2b-5}{4}\right)$ …… ㉡

㉠, ㉡이 서로 일치하므로

$\frac{a+4}{2}=3$에서 $a=2$

$\frac{2b-5}{4}=\frac{3}{2}$에서 $b=\frac{11}{2}$

즉, 점 A의 좌표는 $\left(2, \frac{11}{2}\right)$

답 A$\left(2, \frac{11}{2}\right)$, D$(5, 2)$

12

직선 AD가 ∠A의 이등분선이므로

$\overline{AB}:\overline{AC}=\overline{BD}:\overline{CD}$

이때

$\overline{AB}=3-1=2$

$\overline{AC}=\sqrt{\{5-(-3)\}^2+(9-3)^2}=\sqrt{100}=10$이므로

$\overline{BD}:\overline{CD}=2:10=1:5$

즉, 점 D는 선분 BC를 1 : 5로 내분하는 점이다.

점 D의 x좌표는 $\alpha=\frac{1\times 5+5\times(-3)}{1+5}=-\frac{5}{3}$

점 D의 y좌표는 $\beta=\frac{1\times 9+5\times 1}{1+5}=\frac{7}{3}$

$\therefore \beta-\alpha=\frac{7}{3}-\left(-\frac{5}{3}\right)=\frac{12}{3}=4$

답 4

13

O$(0, 0)$, A(a, b), B$(2, -4)$라 하면

$\sqrt{a^2+b^2}+\sqrt{(a-2)^2+(b+4)^2}$

$=\overline{OA}+\overline{AB}$

그림과 같이 $\overline{OA}+\overline{AB}$의 최솟값은

점 A가 선분 OB 위에 있을 때이다.

따라서 구하는 최솟값은

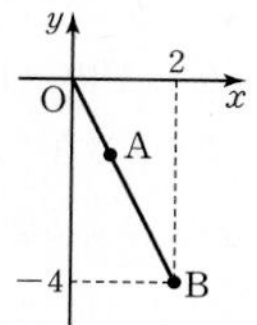

$\overline{OB}=\sqrt{2^2+(-4)^2}=\sqrt{20}=2\sqrt{5}$

답 $2\sqrt{5}$

14

임의의 점 P의 좌표를 (a, b)라 하자.

$\overline{AP}^2=(a-1)^2+(b-2)^2$
$=a^2-2a+1+b^2-4b+4$
$=a^2-2a+b^2-4b+5$

$\overline{BP}^2=(a-6)^2+(b-5)^2$
$=a^2-12a+36+b^2-10b+25$
$=a^2-12a+b^2-10b+61$

$\overline{CP}^2=(a-2)^2+\{b-(-1)\}^2$
$=a^2-4a+4+b^2+2b+1$
$=a^2-4a+b^2+2b+5$

$\therefore \overline{AP}^2+\overline{BP}^2+\overline{CP}^2$
$=3a^2-18a+3b^2-12b+71$
$=3(a^2-6a)+3(b^2-4b)+71$
$=3(a^2-6a+9-9)+3(b^2-4b+4-4)+71$
$=3(a-3)^2+3(b-2)^2+32$

즉, $\overline{AP}^2+\overline{BP}^2+\overline{CP}^2$은 $a=3$, $b=2$일 때 최솟값 32를 갖는다.

답 32

15

삼각형 ABC가 $\angle B=90°$인 직각이등변삼각형이므로

$\overline{AB}^2 : \overline{BC}^2 : \overline{CA}^2=1:1:\boxed{2}$이다.

이때 $\overline{AB}^2$, $\overline{BC}^2$, $\overline{CA}^2$의 값을 각각 구하면

$\overline{AB}^2=(3-1)^2+(1-5)^2$
$=\boxed{20}$

$\overline{BC}^2=(a-3)^2+(b-1)^2$
$=a^2-6a+b^2-2b+10$

$\overline{CA}^2=(a-1)^2+(b-5)^2$
$=a^2-2a+b^2-10b+\boxed{26}$

이므로

$a^2-6a+b^2-2b+10=\boxed{20}$ …… ㉠

$a^2-2a+b^2-10b+\boxed{26}=\boxed{2}\times\boxed{20}$ …… ㉡

㉠−㉡에 의하여 $a=2b+1$이고, 이를 ㉠에 대입하면

$5b^2-10b-15=0$, $b^2-2b-3=0$

$(b+1)(b-3)=0$

$a=\boxed{7}$, $b=\boxed{3}$이다. ($\because$ 점 C는 제1사분면 위의 점이다.)

(가): 2, (나): 20, (다): 26, (라): 7, (마): 3

답 (가): 2, (나): 20, (다): 26, (라): 7, (마): 3

16

그림과 같이 선분 BC가 x축, 점 B가 원점 O에 오도록 삼각형 ABC를 좌표평면 위에 두자.

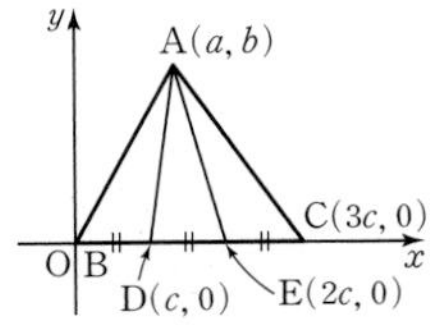

A(a, b), D$(c, 0)$이라 하면 E$(2c, 0)$, C$(3c, 0)$

$\overline{AB}^2=a^2+b^2$

$\overline{AC}^2=(3c-a)^2+(0-b)^2=a^2-6ac+9c^2+b^2$

$\overline{AD}^2=(c-a)^2+(0-b)^2=a^2-2ac+c^2+b^2$

$\overline{AE}^2=(2c-a)^2+(0-b)^2=a^2-4ac+4c^2+b^2$

$\overline{DE}^2=c^2$

$\overline{AB}^2+\overline{AC}^2=2a^2-6ac+9c^2+2b^2$이고

$\overline{AD}^2+\overline{AE}^2+4\overline{DE}^2=2a^2-6ac+9c^2+2b^2$이므로

$\overline{AB}^2+\overline{AC}^2=\overline{AD}^2+\overline{AE}^2+4\overline{DE}^2$

답 풀이 참조

17

정삼각형 ABC에서 선분 BC의 중점을 M이라 하면

선분 AM을 2 : 1로 내분하는 점의 좌표가 $(0, 0)$이다.

$\overline{AO}=\sqrt{6^2+8^2}=\sqrt{100}=10$이므로

$\overline{AM}=\overline{AO}\times\frac{3}{2}=15$

정삼각형 ABC의 한 변의 길이를 a라 하면

$\frac{\sqrt{3}}{2}\times a=15$에서 $a=10\sqrt{3}$

따라서 삼각형 ABC의 넓이는

$\frac{\sqrt{3}}{4}a^2=\frac{\sqrt{3}}{4}\times300=75\sqrt{3}$

답 $75\sqrt{3}$

18

두 삼각형 ABD, ACD의 밑변을 각각 BD, CD라 하면 높이가 같으므로 넓이의 비가 2 : 3이려면 밑변의 길이의 비가 $\overline{BD}:\overline{CD}=2:3$이어야 한다.

또한 직선 AD가 $\angle A$의 이등분선이므로

$\overline{AB}:\overline{AC}=\overline{BD}:\overline{CD}$

즉, $\overline{AB}:\overline{AC}=2:3$

이때

$\overline{AB}=\sqrt{\{(-3)-(-1)\}^2+\{k-(-1)\}^2}=\sqrt{k^2+2k+5}$

$\overline{AC}=\sqrt{\{5-(-1)\}^2+\{(-4)-(-1)\}^2}=\sqrt{45}=3\sqrt{5}$

$\sqrt{k^2+2k+5}:3\sqrt{5}=2:3$에 의하여

$\sqrt{k^2+2k+5}=2\sqrt{5}$이므로 양변을 제곱하면

$k^2+2k+5=20$
$k^2+2k-15=0$
$(k+5)(k-3)=0$
$\therefore k=-5$ 또는 $k=3$

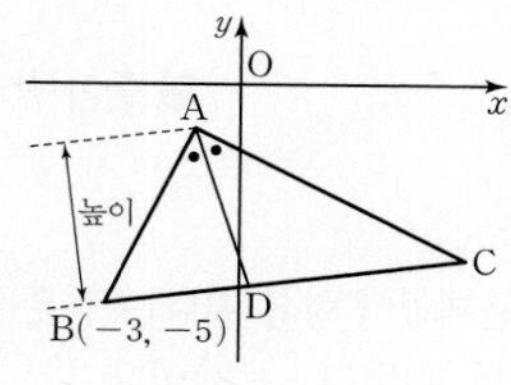

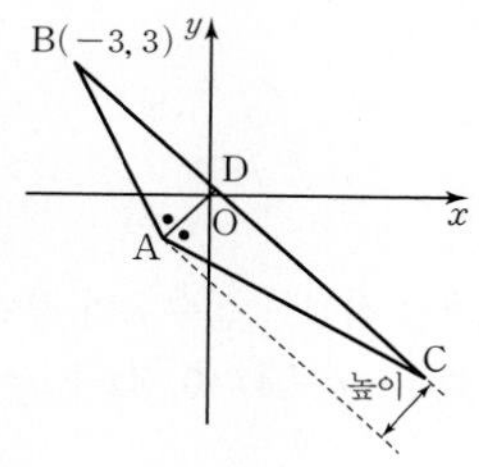

답 -5, 3

19

마름모 ABCD의 두 대각선이 서로를 이등분하므로
두 대각선 AC, BD의 중점이 일치한다.
즉, 두 대각선 AC, BD의 중점의 y좌표가 같으므로
$\frac{a+(-10)}{2}=\frac{b+1}{2}$에서 $b=a-11$ …… ㉠
또한 마름모의 네 변의 길이는 모두 같으므로
$\overline{CD}=\overline{DA}$에서
$\sqrt{(4-7)^2+\{1-(-10)\}^2}=\sqrt{\{(-5)-4\}^2+(a-1)^2}$
$\sqrt{130}=\sqrt{a^2-2a+82}$
양변을 제곱하면
$130=a^2-2a+82$
$a^2-2a-48=0$
$(a+6)(a-8)=0$
$\therefore a=-6$ 또는 $a=8$
$a=-6$일 때 ㉠에서 $b=-17$
$a=8$일 때 ㉠에서 $b=-3$

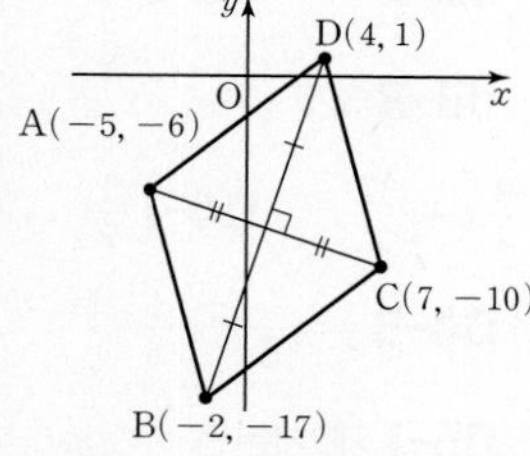

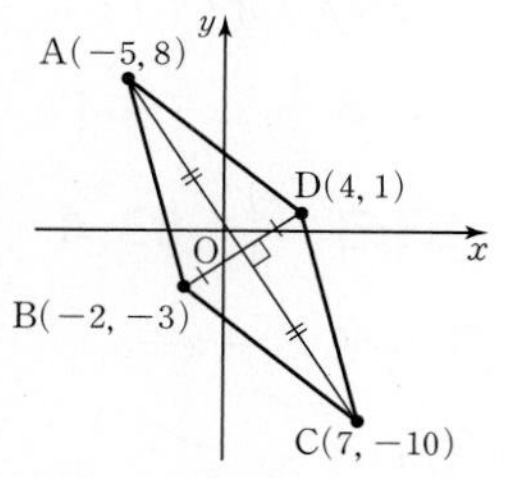

따라서 구하는 $a+b$의 최솟값은 $(-6)+(-17)=-23$

답 -23

20

사다리꼴 ABCD에서 두 대각선 AC, BD의 교점을 P라 하자.
사각형 ABCD는 $\angle ABC=\angle DCB$인 등변사다리꼴이므로
점 P가 선분 AC를 $m:n$으로 내분하는 점이라 하면
선분 DB를 $m:n$으로 내분하는 점도 P이다. (단, $m>0$, $n>0$)

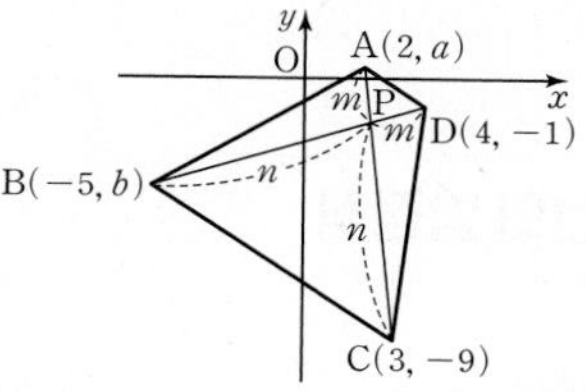

따라서 점 P의 x좌표는
$\frac{m\times3+n\times2}{m+n}=\frac{m\times(-5)+n\times4}{m+n}$ …… ㉠
점 P의 y좌표는
$\frac{m\times(-9)+n\times a}{m+n}=\frac{m\times b+n\times(-1)}{m+n}$ …… ㉡
㉠에서 $3m+2n=-5m+4n$, 즉 $n=4m$이므로
이를 ㉡에 대입하면
$-9m+4ma=bm-4m$에서 $b=4a-5$ …… ㉢
또한 $\overline{AB}=\overline{CD}$이어야 하므로
$\sqrt{\{(-5)-2\}^2+(b-a)^2}=\sqrt{(3-4)^2+\{(-9)-(-1)\}^2}$
$\sqrt{49+(3a-5)^2}=\sqrt{65}$ ($\because$ ㉢)
양변을 제곱하면
$9a^2-30a+74=65$
$9a^2-30a+9=0$, $3a^2-10a+3=0$
$(3a-1)(a-3)=0$
$\therefore a=\frac{1}{3}$ 또는 $a=3$
이를 ㉢에 대입하면 $b=-\frac{11}{3}$ 또는 $b=7$
점 B가 제3사분면 위의 점이어야 하므로
$a=\frac{1}{3}$, $b=-\frac{11}{3}$
$\therefore a+b=\frac{1}{3}+\left(-\frac{11}{3}\right)=-\frac{10}{3}$

답 $-\frac{10}{3}$

02 직선의 방정식

01 직선의 방정식

개념 CHECK

본문 55쪽

01 (1) $y=-2x+1$ (2) $y=x+8$
02 (1) $y=3x+10$ (2) $y=-6x+3$
(3) $x=5$ (4) $y=-3$
03 풀이 참조 **04** $(1,\ -3)$ **05** ㄱ, ㄴ

01

(1) $y-(-5)=-2(x-3)$, 즉 $y=-2x+1$
(2) $y-6=x-(-2)$, 즉 $y=x+8$

답 (1) $y=-2x+1$ (2) $y=x+8$

02

(1) $y-4=\dfrac{7-4}{(-1)-(-2)}\{x-(-2)\}$, 즉 $y=3x+10$
(2) $\dfrac{x}{\frac{1}{2}}+\dfrac{y}{3}=1$, 즉 $y=-6x+3$
(3) $x=5$
(4) $y=-3$

답 (1) $y=3x+10$ (2) $y=-6x+3$ (3) $x=5$ (4) $y=-3$

03

(1) $y=3x-5$이므로 이 직선의 기울기는 3, y절편은 -5

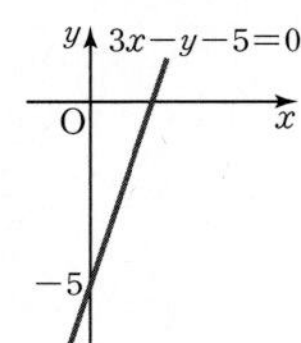

(2) $y=-\frac{1}{2}x+\frac{1}{4}$이므로 이 직선의 기울기는 $-\frac{1}{2}$, y절편은 $\frac{1}{4}$

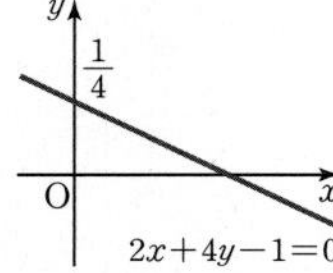

(3) $y=2$이므로 이 직선의 기울기는 0, y절편은 2

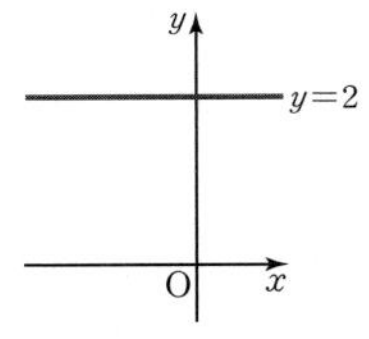

답 풀이 참조

04

주어진 직선이 실수 k의 값에 관계없이 항상 지나는 점은 두 직선 $x-y-4=0$, $3x+y=0$의 교점 $(1,\ -3)$이다.

답 $(1,\ -3)$

05

주어진 방정식을 k에 대하여 정리하면
$2x+y+1+k(x-y+5)=0$이므로 이 방정식은 두 직선 $2x+y+1=0$, $x-y+5=0$의 교점 $(-2,\ 3)$을 지나는 직선 중 직선 $x-y+5=0$을 제외한 직선의 방정식이다.
ㄱ. 주어진 방정식은 k의 값에 관계없이 항상 점 $(-2,\ 3)$을 지나는 직선의 방정식을 의미한다. (참)
ㄴ. $k=0$일 때 직선 $y=-2x-1$의 방정식을 나타낼 수 있다. (참)
ㄷ. 직선 $y=x+5$의 방정식은 나타낼 수 없다. (거짓)
따라서 옳은 것은 ㄱ, ㄴ이다.

답 ㄱ, ㄴ

유제

본문 56~71쪽

01-1 $y=-2x+5$ **01-2** $y=x+2$
01-3 $\left(0,\ \frac{39}{5}\right)$ **01-4** 52
02-1 $y=\frac{1}{2}x+4$ **02-2** 10 **02-3** 25
02-4 $\frac{5}{2}$ **03-1** 2 **03-2** 3, 5
03-3 $-\frac{3}{4}$ **03-4** $y=-\frac{9}{4}x+\frac{37}{2}$ **04-1** $\frac{1}{7}$
04-2 $y=-x+5$ **04-3** $y=\frac{5}{3}x-\frac{1}{3}$
04-4 $\frac{7}{4}$ **05-1** 제2사분면
05-2 제1, 2, 4사분면
05-3 $ab>0$, $bc>0$, $ca>0$ **05-4** 제1, 3, 4사분면
06-1 -1 **06-2** $\frac{5}{3}$ **06-3** -5 **06-4** $\frac{1}{2}$
07-1 $-\frac{7}{2}\le m\le -\frac{1}{3}$ **07-2** $1<m<2$
07-3 5 **07-4** -25 **08-1** 3
08-2 $x-9y-4=0$ **08-3** 3 **08-4** 5

01-1

선분 AB를 2 : 1로 내분하는 점의 좌표는

$\left(\frac{2\times(-1)+1\times8}{2+1}, \frac{2\times(-2)+1\times7}{2+1}\right)$, 즉 $(2, 1)$

따라서 점 $(2, 1)$을 지나고 기울기가 -2인 직선의 방정식은

$y-1=-2(x-2)$, 즉 $y=-2x+5$

답 $y=-2x+5$

01-2

직선 $y=3x+6$의 x절편은 -2,

x축의 양의 방향과 이루는 각의 크기가 45°인 직선의 기울기는

$\tan 45^\circ=1$

따라서 기울기가 1이고 점 $(-2, 0)$을 지나는 직선의 방정식은

$y=x+2$

답 $y=x+2$

01-3

직선 $2x+5y+1=0$, 즉 $y=-\frac{2}{5}x-\frac{1}{5}$의 기울기는 $-\frac{2}{5}$

따라서 점 $(-3, 9)$를 지나고 기울기가 $-\frac{2}{5}$인 직선의 방정식은

$y-9=-\frac{2}{5}\{x-(-3)\}$, 즉 $y=-\frac{2}{5}x+\frac{39}{5}$이고,

이 직선과 y축이 만나는 점의 좌표는 $\left(0, \frac{39}{5}\right)$

답 $\left(0, \frac{39}{5}\right)$

01-4

x축의 양의 방향과 이루는 각의 크기가 60°인 직선의 기울기는

$\tan 60^\circ=\sqrt{3}$

따라서 점 $(-\sqrt{3}, 4)$를 지나고 기울기가 $\sqrt{3}$인 직선의 방정식은

$y-4=\sqrt{3}\{x-(-\sqrt{3})\}$, 즉 $\sqrt{3}x-y+7=0$

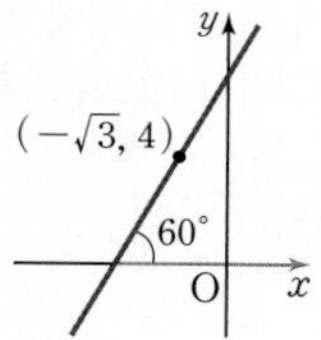

$\therefore a^2+b^2=(\sqrt{3})^2+7^2=52$

답 52

02-1

삼각형 ABC의 무게중심 G의

x좌표는 $\frac{(-4)+7+3}{3}=2$, y좌표는 $\frac{2+9+4}{3}=5$

따라서 두 점 G(2, 5), A(−4, 2)를 지나는 직선의 방정식은

$y-5=\frac{2-5}{(-4)-2}(x-2)$, 즉 $y=\frac{1}{2}x+4$

다른 풀이

무게중심 G는 삼각형 ABC의 세 중선의 교점이므로 선분 BC의 중점을 M이라 할 때, 세 점 A, G, M은 한 직선 위에 있다.

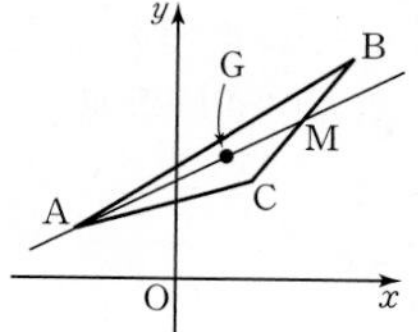

따라서 두 점 G, A를 지나는 직선의 방정식은 두 점 M, A를 지나는 직선의 방정식과 같다.

이때 점 M의 좌표는 $\left(\frac{7+3}{2}, \frac{9+4}{2}\right)$, 즉 $\left(5, \frac{13}{2}\right)$이므로

두 점 $M\left(5, \frac{13}{2}\right)$, A(−4, 2)를 지나는 직선의 방정식은

$y-2=\frac{\frac{13}{2}-2}{5-(-4)}\{x-(-4)\}$, 즉 $y=\frac{1}{2}x+4$

답 $y=\frac{1}{2}x+4$

02-2

x절편이 a, y절편이 5인 직선의 방정식은 $\frac{x}{a}+\frac{y}{5}=1$

이 직선이 점 $(8, 1)$을 지나므로

$\frac{8}{a}+\frac{1}{5}=1$, $\frac{8}{a}=\frac{4}{5}$

$\therefore a=10$

답 10

02-3

두 점 $(6, -3)$, $(a, 3)$을 지나는 직선 위에

두 점 $(2, 9)$, $(-2, b)$가 있다는 것은

두 점 $(6, -3)$, $(2, 9)$를 지나는 직선 위에

두 점 $(a, 3)$, $(-2, b)$가 있다는 것과 마찬가지이다.

이때 두 점 $(6, -3)$, $(2, 9)$를 지나는 직선의 방정식은

$y-(-3)=\frac{9-(-3)}{2-6}(x-6)$, 즉 $y=-3x+15$

이 직선 위에

점 $(a, 3)$이 있으므로 $3=-3a+15$에서 $a=4$
점 $(-2, b)$가 있으므로 $b=6+15=21$
$\therefore a+b=4+21=25$

다른 풀이
두 점 $(6, -3)$, $(a, 3)$을 지나는 직선의 방정식은

$y-(-3)=\frac{3-(-3)}{a-6}(x-6)$, 즉

$y=\frac{6}{a-6}(x-6)-3$ ...... ㉠

이 직선 위에 점 $(2, 9)$가 있으므로

$9=-\frac{24}{a-6}-3$, $a-6=-2$ $\therefore a=4$

이를 ㉠에 대입하면 $y=-3x+15$
이 직선 위에 점 $(-2, b)$가 있으므로
$b=6+15=21$
$\therefore a+b=4+21=25$

답 25

02-4

x절편이 a, y절편이 b인 직선 l의 방정식은 $\frac{x}{a}+\frac{y}{b}=1$

직선 l이 점 $(12, 3)$을 지나므로 $\frac{12}{a}+\frac{3}{b}=1$ ...... ㉠

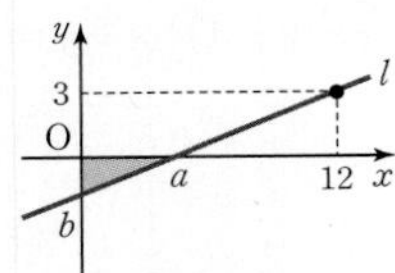

직선 l과 x축 및 y축으로 둘러싸인 삼각형의 넓이는

$a\times(-b)\times\frac{1}{2}=3$에서 $b=-\frac{6}{a}$ $(\because a>0, b<0)$ ...... ㉡

㉡을 ㉠에 대입하면

$\frac{12}{a}+\frac{3}{-\frac{6}{a}}=1$, $\frac{12}{a}-\frac{a}{2}=1$

$24-a^2=2a$, $a^2+2a-24=0$, $(a+6)(a-4)=0$
$a=4$ $(\because a>0)$

이를 ㉠에 대입하면 $b=-\frac{3}{2}$

$\therefore a+b=4+\left(-\frac{3}{2}\right)=\frac{5}{2}$

답 $\frac{5}{2}$

03-1

세 점 A, B, C가 한 직선 위에 있으므로
(직선 AB의 기울기)=(직선 BC의 기울기)

$\frac{2-5}{4-a}=\frac{(-1)-2}{6-4}$

$\frac{-3}{4-a}=\frac{-3}{2}$ $\therefore a=2$

다른 풀이
직선 BC의 방정식은

$y-2=\frac{(-1)-2}{6-4}(x-4)$, 즉 $y=-\frac{3}{2}x+8$

직선 BC 위에 점 $A(a, 5)$가 있으므로

$5=-\frac{3}{2}a+8$ $\therefore a=2$

답 2

03-2

세 점 A, B, C가 한 직선 위에 있으므로
(직선 AB의 기울기)=(직선 BC의 기울기)

$\frac{7-a}{5-3}=\frac{11-7}{(a+4)-5}$

$\frac{7-a}{2}=\frac{4}{a-1}$

$-a^2+8a-7=8$, $a^2-8a+15=0$
$(a-3)(a-5)=0$
$\therefore a=3$ 또는 $a=5$

다른 풀이
직선 AB의 방정식은

$y-7=\frac{7-a}{5-3}(x-5)$, 즉 $y=\frac{7-a}{2}(x-5)+7$

직선 AB 위에 점 $C(a+4, 11)$이 있어야 하므로

$11=\frac{(7-a)(a-1)}{2}+7$

$a^2-8a+7=-8$, $a^2-8a+15=0$
$(a-3)(a-5)=0$
$\therefore a=3$ 또는 $a=5$

답 3, 5

03-3

세 점 A, B, C를 꼭짓점으로 하는 삼각형이 존재하지 않으려면, 세 점 A, B, C가 한 직선 위에 있어야 한다.
(직선 AB의 기울기)=(직선 BC의 기울기)이므로

$\frac{2k-3}{(-3)-k}=\frac{8-2k}{(1-k)-(-3)}$

$\frac{2k-3}{-3-k}=2$

$2k-3=-2k-6$ $\therefore k=-\frac{3}{4}$

다른 풀이

세 점 A, B, C를 꼭짓점으로 하는 삼각형이 존재하지 않으려면, 세 점 A, B, C가 한 직선 위에 있어야 한다.

직선 BC의 방정식은

$y-2k=\frac{8-2k}{(1-k)-(-3)}(x+3)$, 즉 $y=2(x+3)+2k$

이 직선 위에 점 $A(k, 3)$이 있어야 하므로

$3=2(k+3)+2k \qquad \therefore k=-\frac{3}{4}$

참고

세 점 A, B, C는 서로 다른 점이므로 $k\neq4$이다.

답 $-\frac{3}{4}$

03-4

세 점 A, B, C가 한 직선 위에 있으므로

(직선 AB의 기울기)=(직선 BC의 기울기)

$\frac{5-a}{6-2}=\frac{(-13)-5}{a-6}$

$\frac{5-a}{4}=\frac{-18}{a-6}$ ...... ㉠

$a^2-11a+30=72$, $a^2-11a-42=0$

$(a+3)(a-14)=0$

$\therefore a=14$ ($\because a>0$)

$a=14$일 때 ㉠에 의하여 구하는 직선의 기울기는 $-\frac{9}{4}$이고, 점 (6, 5)를 지나므로 구하는 직선의 방정식은

$y-5=-\frac{9}{4}(x-6)$, 즉 $y=-\frac{9}{4}x+\frac{37}{2}$

다른 풀이

직선 AB의 방정식은

$y-5=\frac{5-a}{6-2}(x-6)$, 즉 $y=\frac{5-a}{4}(x-6)+5$ ...... ㉠

직선 AB 위에 점 $C(a, -13)$이 있으므로

$-13=\frac{(5-a)(a-6)}{4}+5$

$(a-5)(a-6)-72=0$

$a^2-11a-42=0$

$(a+3)(a-14)=0$

$\therefore a=14$ ($\because a>0$)

㉠에 이를 대입하면

$y=-\frac{9}{4}(x-6)+5$, 즉 $y=-\frac{9}{4}x+\frac{37}{2}$

답 $y=-\frac{9}{4}x+\frac{37}{2}$

04-1

원점 O를 지나는 직선 $y=mx$가 삼각형 OAB의 넓이를 이등분하려면 변 AB의 중점을 지나야 한다.

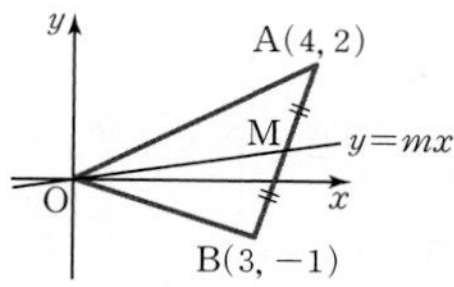

변 AB의 중점을 M이라 하면

$M\left(\frac{4+3}{2}, \frac{2+(-1)}{2}\right)$, 즉 $M\left(\frac{7}{2}, \frac{1}{2}\right)$

직선 $y=mx$가 점 $M\left(\frac{7}{2}, \frac{1}{2}\right)$을 지나야 하므로

$\frac{1}{2}=\frac{7}{2}m \qquad \therefore m=\frac{1}{7}$

답 $\frac{1}{7}$

04-2

변 AB의 중점을 지나는 직선 l이 삼각형 ABC의 넓이를 이등분하려면 점 C를 지나야 한다.

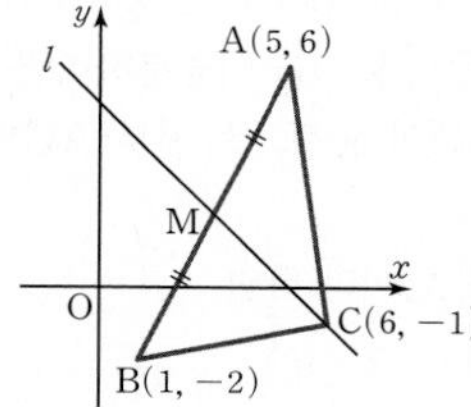

변 AB의 중점을 M이라 하면

$M\left(\frac{5+1}{2}, \frac{6+(-2)}{2}\right)$, 즉 $M(3, 2)$

따라서 두 점 $M(3, 2)$, $C(6, -1)$을 지나는 직선 l의 방정식은

$y-2=\frac{(-1)-2}{6-3}(x-3)$, 즉 $y=-x+5$

답 $y=-x+5$

04-3

사각형 ABCD는 직사각형이므로 직선 l이 직사각형 ABCD의 넓이를 이등분하려면 두 대각선 AC, BD의 교점, 즉 선분 AC의 중점을 지나야 한다.

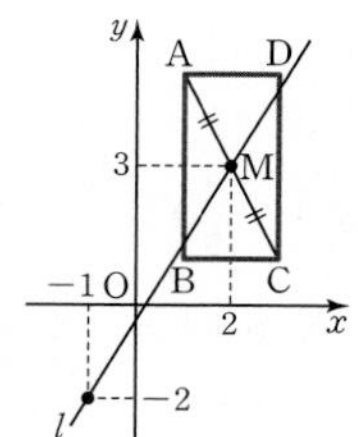

선분 AC의 중점을 M이라 하면

$M\left(\frac{1+3}{2}, \frac{5+1}{2}\right)$, 즉 $M(2, 3)$

따라서 두 점 $M(2, 3)$, $(-1, -2)$를 지나는 직선 l의 방정식은

$y-3=\frac{3-(-2)}{2-(-1)}(x-2)$, 즉 $y=\frac{5}{3}x-\frac{1}{3}$

답 $y=\frac{5}{3}x-\frac{1}{3}$

04-4

(직선 AB의 기울기)$=\frac{(-1)-2}{(-5)-(-4)}=3$

(직선 BC의 기울기)$=\frac{0-(-1)}{(-2)-(-5)}=\frac{1}{3}$

(직선 CD의 기울기)$=\frac{3-0}{(-1)-(-2)}=3$

(직선 DA의 기울기)$=\frac{2-3}{(-4)-(-1)}=\frac{1}{3}$

즉, 두 직선 AB, CD가 서로 평행하고 두 직선 BC, DA가 서로 평행하므로 사각형 ABCD는 평행사변형이다.

평행사변형 ABCD의 넓이를 이등분하려면

두 대각선 AC, BD의 교점, 즉 선분 AC의 중점을 지나야 한다.

선분 AC의 중점을 M이라 하면

$M\left(\frac{(-4)+(-2)}{2}, \frac{2+0}{2}\right)$, 즉 $M(-3, 1)$

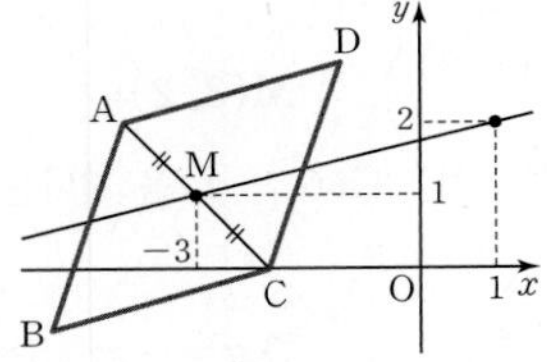

따라서 두 점 $M(-3, 1)$, $(1, 2)$를 지나는 직선의 방정식은

$y-2=\frac{2-1}{1-(-3)}(x-1)$, 즉 $y=\frac{1}{4}x+\frac{7}{4}$이므로

이 직선의 y절편은 $\frac{7}{4}$

답 $\frac{7}{4}$

05-1

$ax+by+c=0$에서 $y=-\frac{a}{b}x-\frac{c}{b}$

$ab<0$에서 $-\frac{a}{b}>0$, $bc>0$에서 $-\frac{c}{b}<0$이므로

(기울기)>0, (y절편)<0

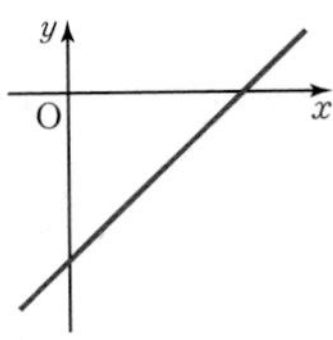

따라서 직선은 그림과 같이 제2사분면을 지나지 않는다.

답 제2사분면

05-2

$ax+by+c=0$에서 $y=-\frac{a}{b}x-\frac{c}{b}$

$ab>0$, $ac<0$이면

$a>0$, $b>0$, $c<0$ 또는 $a<0$, $b<0$, $c>0$이므로

$-\frac{a}{b}<0$, $-\frac{c}{b}>0$, 즉 (기울기)<0, (y절편)>0

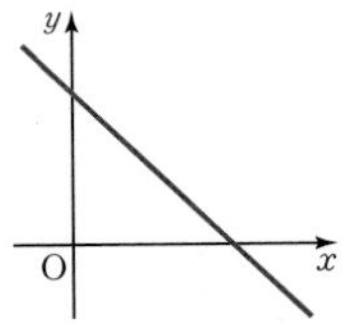

따라서 직선은 그림과 같이 제1, 2, 4사분면을 지난다.

답 제1, 2, 4사분면

05-3

직선 $ax+by+c=0$, 즉 $y=-\frac{a}{b}x-\frac{c}{b}$가 제2, 3, 4분면을 모두 지나려면 다음 그림과 같아야 한다.

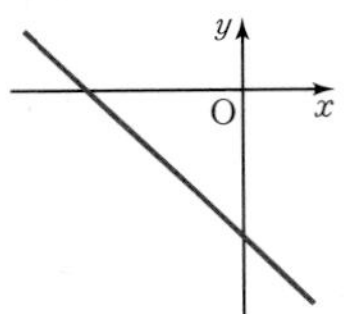

즉, (기울기)$=-\frac{a}{b}<0$, (y절편)$=-\frac{c}{b}<0$

$\therefore ab>0$, $bc>0$, $ca>0$

답 $ab>0$, $bc>0$, $ca>0$

05-4

$ax+by+c=0$, 즉 $y=-\frac{a}{b}x-\frac{c}{b}$에서

(기울기)$=-\frac{a}{b}<0$, (y절편)$=-\frac{c}{b}>0$

$\therefore a>0$, $b>0$, $c<0$ 또는 $a<0$, $b<0$, $c>0$ …… ㉠

한편 $cx+ay+b=0$에서 $y=-\frac{c}{a}x-\frac{b}{a}$이고

㉠에 의하여 (기울기)$=-\frac{c}{a}>0$, (y절편)$=-\frac{b}{a}<0$이므로

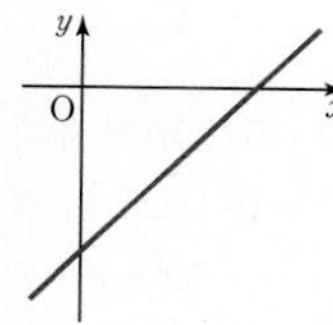

직선 $cx+ay+b=0$은 그림과 같이 제1, 3, 4분면을 지난다.

답 제1, 3, 4분면

06-1

주어진 직선의 방정식을 k에 대하여 정리하면
$2x+3y+4+k(-x+5y+11)=0$
주어진 직선이 실수 k의 값에 관계없이 항상 지나는 점 (a, b)는 두 직선 $2x+3y+4=0$, $-x+5y+11=0$의 교점이다.
연립방정식
$\begin{cases} 2x+3y+4=0 \\ -x+5y+11=0 \end{cases}$의 해는 $x=1$, $y=-2$
$\therefore a+b=1+(-2)=-1$

답 -1

06-2

주어진 직선의 방정식을 k에 대하여 정리하면
$6x-y-7+k(2y-2)=0$
주어진 직선이 실수 k의 값에 관계없이 항상 지나는 점 P는 두 직선 $6x-y-7=0$, $2y-2=0$의 교점이다.

연립방정식 $\begin{cases} 6x-y-7=0 \\ 2y-2=0 \end{cases}$의 해는 $y=1$, $x=\frac{4}{3}$

즉, $\mathrm{P}\left(\frac{4}{3}, 1\right)$

$\therefore \overline{\mathrm{OP}}=\sqrt{\left(\frac{4}{3}\right)^2+1^2}=\sqrt{\frac{25}{9}}=\frac{5}{3}$

답 $\frac{5}{3}$

06-3

주어진 직선의 방정식을 k에 대하여 정리하면
$-x+2y-5+k(4x-y+13)=0$
주어진 직선이 실수 k의 값에 관계없이 항상 지나는 점 P는 두 직선 $-x+2y-5=0$, $4x-y+13=0$의 교점이다.
연립방정식 $\begin{cases} -x+2y-5=0 \\ 4x-y+13=0 \end{cases}$의 해는 $x=-3$, $y=1$
따라서 점 $\mathrm{P}(-3, 1)$을 지나고 기울기가 -2인 직선의 방정식은
$y-1=-2\{x-(-3)\}$, 즉 $y=-2x-5$
이 직선의 y절편은 -5

답 -5

06-4

주어진 직선의 방정식을 k에 대하여 정리하면
$ax+3y-10+k(x+by-8)=0$
주어진 직선이 k의 값에 관계없이 항상 지나는 점 $(2, -1)$은 두 직선 $ax+3y-10=0$, $x+by-8=0$의 교점이다.
즉, 연립방정식 $\begin{cases} ax+3y-10=0 & \cdots\cdots ㉠ \\ x+by-8=0 & \cdots\cdots ㉡ \end{cases}$
의 해가 $x=2$, $y=-1$이어야 한다.
㉠에서 $2a-3-10=0$, 즉 $a=\frac{13}{2}$
㉡에서 $2-b-8=0$, 즉 $b=-6$
$\therefore a+b=\frac{13}{2}+(-6)=\frac{1}{2}$

답 $\frac{1}{2}$

07-1

$mx-y-m-3=0$을 m에 대하여 정리하면
$m(x-1)-(y+3)=0$이므로
이 직선은 점 $(1, -3)$을 지나고 기울기가 m인 직선이다.
(i) 이 직선이 점 $\mathrm{A}(-5, -1)$을 지날 때
$-6m-2=0$, 즉 $m=-\frac{1}{3}$
(ii) 이 직선이 점 $\mathrm{B}(-1, 4)$를 지날 때
$-2m-7=0$, 즉 $m=-\frac{7}{2}$

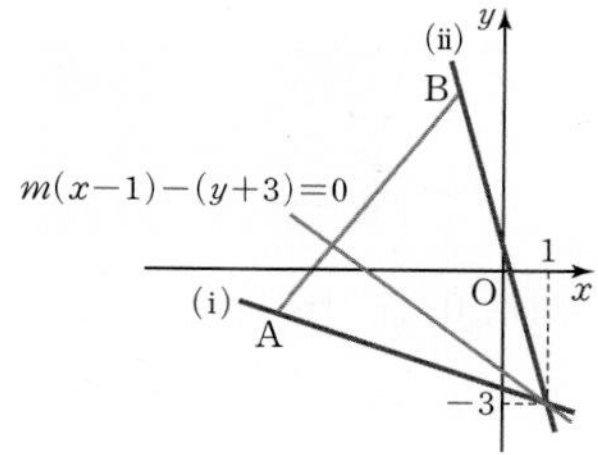

(i), (ii)에 의하여
선분 AB와 직선 $m(x-1)-(y+3)=0$이 만나도록 하는 실수 m의 값의 범위는 $-\frac{7}{2}\le m\le -\frac{1}{3}$

답 $-\frac{7}{2}\le m\le -\frac{1}{3}$

07-2

l : $mx-y-4m+6=0$,
l' : $2x+y-2=0$이라 하자.
직선 l을 m에 대하여 정리하면

$m(x-4)-(y-6)=0$이므로
직선 l은 점 $(4, 6)$을 지나고 기울기가 m인 직선이다.
한편 직선 l'의 x절편은 1, y절편은 2이므로
직선 l'은 점 $(1, 0)$, $(0, 2)$를 지난다.
(i) 직선 l이 점 $(1, 0)$을 지날 때
$-3m+6=0$, 즉 $m=2$
(ii) 직선 l이 점 $(0, 2)$를 지날 때
$-4m+4=0$, 즉 $m=1$

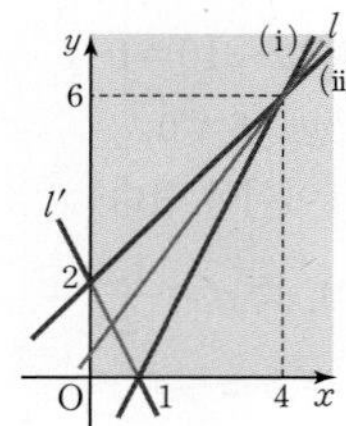

(i), (ii)에 의하여
두 직선 l, l'이 제1사분면에서 만나도록 하는
실수 m의 값의 범위는 $1<m<2$

답 $1<m<2$

07-3

$l : mx-y+m+2=0$, $l' : \frac{x}{a}+\frac{y}{b}=1$이라 하자.
직선 l을 m에 대하여 정리하면 $m(x+1)-(y-2)=0$이므로 직선 l은 점 $(-1, 2)$를 지나고 기울기가 m인 직선이다.
한편 직선 l'은 점 $(a, 0)$, $(0, b)$를 지난다.

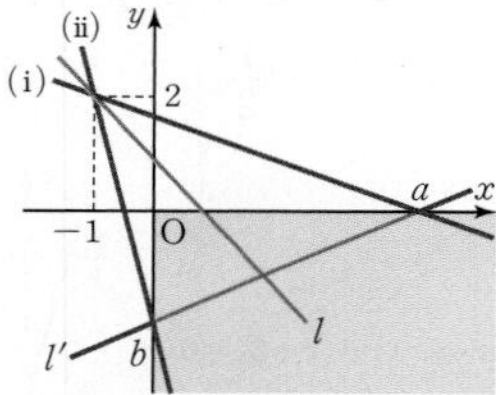

(i) 직선 l이 점 $(a, 0)$을 지날 때
$m(a+1)+2=0$, 즉 $m=-\frac{2}{a+1}$
(ii) 직선 l이 점 $(0, b)$를 지날 때
$m-b+2=0$, 즉 $m=b-2$
(i), (ii)에 의하여 두 직선 l, l'이 제4사분면에서 만나도록 하는 실수 m의 값의 범위는 $b-2<m<-\frac{2}{a+1}$
문제에서 이 범위가 $-4<m<-\frac{1}{4}$이라 주어졌으므로
$b-2=-4$에서 $b=-2$
$-\frac{2}{a+1}=-\frac{1}{4}$에서 $a=7$
$\therefore a+b=7+(-2)=5$

답 5

07-4

$(m+3)x-y+m+7=0$을 m에 대하여 정리하면
$m(x+1)+3x-y+7=0$이므로 이 직선은 m의 값에 관계없이 항상 두 직선 $x+1=0$, $3x-y+7=0$의 교점 $(-1, 4)$를 지난다.
즉, 이 직선은 점 $(-1, 4)$를 지나고 기울기가 $m+3$인 직선이다.
(i) 이 직선이 원점을 지날 때
$m+7=0$, 즉 $m=-7$
(ii) 이 직선의 기울기가 0일 때
$m+3=0$, 즉 $m=-3$

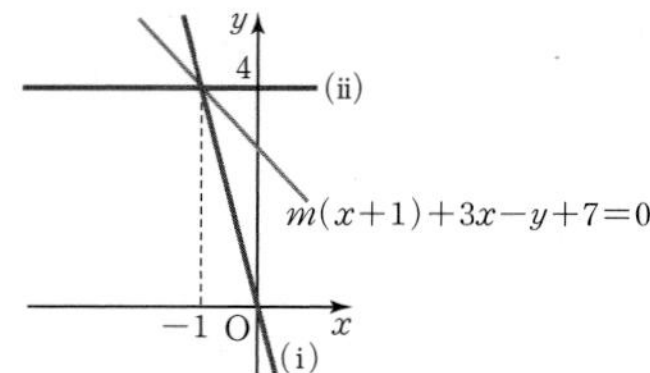

(i), (ii)에 의하여 직선이 제3사분면을 지나지 않으려면
$-7\le m\le -3$
따라서 구하는 모든 정수 m의 값의 합은
$(-7)+(-6)+(-5)+(-4)+(-3)=-25$

답 -25

08-1

두 직선의 교점을 지나는 직선의 방정식은
$x-5y+1+k(x+6y-4)=0$ (단, k는 실수)
이 직선이 점 $(2, -1)$을 지나므로
$2+5+1+k(2-6-4)=0$
$8-8k=0$, 즉 $k=1$
구하는 직선의 방정식은
$x-5y+1+x+6y-4=0$, 즉 $2x+y-3=0$
$\therefore m+n=2+1=3$

답 3

08-2

두 직선의 교점을 지나는 직선의 방정식은
$2x+2y+1+k(3x-7y-3)=0$ (단, k는 실수)
이를 x, y에 대하여 정리하면
$(3k+2)x-(7k-2)y-3k+1=0$
이 직선의 기울기가 $\frac{1}{9}$이므로
$\frac{3k+2}{7k-2}=\frac{1}{9}$에서
$9(3k+2)=7k-2$, $27k+18=7k-2$
$\therefore k=-1$

따라서 구하는 직선의 방정식은

$-x+9y+4=0$, 즉 $x-9y-4=0$

참고

다음과 같이 두 직선의 교점의 좌표를 구한 후 직선의 방정식을 세워도 되나, 계산과정이 복잡한 편이므로 본풀이와 같이 접근하는 것이 편리하다.

$2x+2y+1=0$ …… ㉠

$3x-7y-3=0$ …… ㉡

㉠×3−㉡×2에 의하여 $y=-\frac{9}{20}$

이를 ㉠에 대입하면 $x=-\frac{1}{20}$

따라서 구하는 방정식은

$y-\left(-\frac{9}{20}\right)=\frac{1}{9}\left\{x-\left(-\frac{1}{20}\right)\right\}$,

$y=\frac{1}{9}x-\frac{4}{9}$, 즉 $x-9y-4=0$

답 $x-9y-4=0$

08-3

두 직선의 교점을 지나는 직선의 방정식은

$x-2y+1+k(ax-4y+6)=0$ (단, k는 실수)

이 직선이 점 $(-1, 1)$을 지나므로

$-2+k(-a+2)=0$, 즉 $k=\frac{2}{2-a}$ …… ㉠

또한 이 직선이 점 $(5, 6)$을 지나므로

$-6+k(5a-18)=0$, 즉 $k=\frac{6}{5a-18}$ …… ㉡

㉠=㉡에 의하여

$\frac{2}{2-a}=\frac{6}{5a-18}$, $5a-18=3(2-a)$

$\therefore a=3$

답 3

08-4

두 직선 $2x+y-4=0$, $3x-5y+12=0$과 x축으로 둘러싸인 삼각형은 두 직선의 교점, …… ㉠

직선 $2x+y-4=0$과 x축의 교점 $(2, 0)$, …… ㉡

직선 $3x-5y+12=0$과 x축의 교점 $(-4, 0)$ …… ㉢

을 꼭짓점으로 한다.

따라서 ㉠을 지나면서 삼각형의 넓이를 이등분하는 직선은 ㉡, ㉢을 이은 선분의 중점 $(-1, 0)$을 지난다.

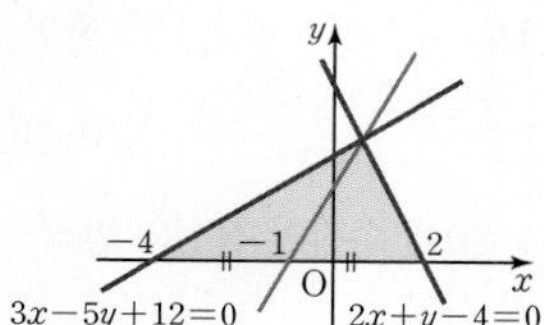

두 직선의 교점을 지나는 직선의 방정식은

$2x+y-4+k(3x-5y+12)=0$ (단, k는 실수)

이 직선이 점 $(-1, 0)$을 지나므로

$-2-4+k(-3+12)=0$, 즉 $k=\frac{2}{3}$

따라서 구하는 직선의 방정식은

$2x+y-4+\frac{2}{3}(3x-5y+12)=0$, 즉 $12x-7y+12=0$

$\therefore m+n=12+(-7)=5$

답 5

02 두 직선의 위치 관계

개념 CHECK

본문 75쪽

01 (1) -4 (2) $\frac{1}{4}$

02 (1) $a=-\frac{1}{2}$, $b=\frac{3}{2}$ (2) $a=6$, $b=2$

03 (1) 3 (2) 52

01

(1) 두 직선이 서로 평행하므로 기울기가 같고, y절편이 다르다.

$\therefore m=-4$

(2) 두 직선이 서로 수직이므로 두 직선의 기울기의 곱이 -1이다.

$m\times(-4)=-1$ $\therefore m=\frac{1}{4}$

답 (1) -4 (2) $\frac{1}{4}$

02

(1) 두 직선이 서로 일치하므로

$\frac{a}{1}=\frac{b}{-3}=\frac{-1}{2}$

$\therefore a=-\frac{1}{2}$, $b=\frac{3}{2}$

(2) 두 직선이 서로 수직이므로

$a\times1+b\times(-3)=0$, 즉 $a=3b$

$a+b=8$에 이를 대입하면 $4b=8$, 즉 $b=2$이고 $a=6$이다.

답 (1) $a=-\frac{1}{2}$, $b=\frac{3}{2}$ (2) $a=6$, $b=2$

03

(1) 두 직선의 교점의 개수가 0이려면

두 직선 $ax+6y+1=0$, $x+2y-8=0$이 서로 평행해야 하므로

$\frac{a}{1}=\frac{6}{2}\neq\frac{1}{-8}$ $\quad\therefore a=3$

(2) 두 직선의 교점의 개수가 1이려면
두 직선 $ax+6y+1=0$, $x+2y-8=0$의 기울기가 달라야 하므로

$\frac{a}{1}\neq\frac{6}{2}$, 즉 $a\neq3$

이를 만족시키는 10 이하의 모든 자연수 a의 값의 합은
$1+2+4+5+6+7+8+9+10=52$

참고

두 직선의 위치관계를 파악할 때는 두 직선의 방정식을 모두 $y=mx+n$ 꼴로 통일시키거나 모두 $ax+by+c=0$ 꼴로 통일시킨다.

답 (1) 3 (2) 52

유제

본문 76~81쪽

09-1 $y=-3x+19$ **09-2** $y=\frac{4}{3}x-8$
09-3 $y=\frac{2}{5}x-2$ **09-4** $y=\frac{3}{2}x-10$
10-1 (1) -5 (2) $\frac{10}{13}$ **10-2** $-\frac{1}{3}$
10-3 -11 **10-4** 16 **11-1** 48 **11-2** 1
11-3 -2, 12 **11-4** 3

09-1

직선 $3x+y-4=0$, 즉 $y=-3x+4$의 기울기는 -3이므로 이 직선과 평행한 직선의 기울기는 -3이다.
따라서 점 $(6, 1)$을 지나고 기울기가 -3인 직선의 방정식은
$y-1=-3(x-6)$, 즉 $y=-3x+19$

다른 풀이

직선 $3x+y-4=0$에 평행한 직선의 방정식을
$3x+y+k=0$이라 하자. (단, $k\neq-4$)
이 직선이 점 $(6, 1)$을 지나므로
$3\times6+1+k=0$ $\quad\therefore k=-19$
따라서 구하는 직선의 방정식은
$3x+y-19=0$, 즉 $y=-3x+19$

답 $y=-3x+19$

09-2

두 점 $(1, -2)$, $(5, -5)$를 지나는 직선의 기울기는

$\frac{(-5)-(-2)}{5-1}=-\frac{3}{4}$이므로

이 직선에 수직인 직선의 기울기는 $\frac{4}{3}$이다.

따라서 기울기가 $\frac{4}{3}$이고 점 $(3, -4)$를 지나는 직선의 방정식은

$y-(-4)=\frac{4}{3}(x-3)$, 즉 $y=\frac{4}{3}x-8$

답 $y=\frac{4}{3}x-8$

09-3

두 직선의 교점을 지나는 직선의 방정식은
$3x+y-4+k(4x+7y+2)=0$ (단, k는 실수)
이를 x, y에 대하여 정리하면
$(4k+3)x+(7k+1)y+2k-4=0$ $\quad\cdots\cdots$ ㉠

직선 $y=\frac{2}{5}x+\frac{1}{5}$에 평행한 이 직선의 기울기는 $\frac{2}{5}$이므로

$-\frac{4k+3}{7k+1}=\frac{2}{5}$에서

$5(4k+3)=-2(7k+1)$, $34k=-17$

$\therefore k=-\frac{1}{2}$

이를 ㉠에 대입하면 구하는 직선의 방정식은

$x-\frac{5}{2}y-5=0$, 즉 $y=\frac{2}{5}x-2$

답 $y=\frac{2}{5}x-2$

09-4

두 점 $A(2, -3)$, $B(8, 0)$에 대하여
선분 AB를 $2:1$로 내분하는 점을 P라 하면 점 P의 좌표는

$\left(\frac{2\times8+1\times2}{2+1}, \frac{2\times0+1\times(-3)}{2+1}\right)$, 즉 $(6, -1)$

직선 $2x+3y-4=0$, 즉 $y=-\frac{2}{3}x+\frac{4}{3}$의 기울기는 $-\frac{2}{3}$이므로 이 직선에 수직인 직선의 기울기는 $\frac{3}{2}$이다.

따라서 점 $(6, -1)$을 지나고 기울기가 $\frac{3}{2}$인 직선의 방정식은

$y-(-1)=\frac{3}{2}(x-6)$, 즉 $y=\frac{3}{2}x-10$

다른 풀이

두 점 $A(2, -3)$, $B(8, 0)$에 대하여
선분 AB를 $2:1$로 내분하는 점을 P라 하면 점 P의 좌표는

$\left(\frac{2\times8+1\times2}{2+1}, \frac{2\times0+1\times(-3)}{2+1}\right)$, 즉 $(6, -1)$

직선 $2x+3y-4=0$에 수직인 직선의 방정식을
$3x-2y+k=0$이라 하자.

이 직선이 점 $(6, -1)$을 지나므로

$3\times6-2\times(-1)+k=0$, 즉 $k=-20$

따라서 구하는 직선의 방정식은

$3x-2y-20=0$, 즉 $y=\frac{3}{2}x-10$

답 $y=\frac{3}{2}x-10$

10-1

(1) 두 직선 $(a-1)x-3y-1=0$, $-10x+ay+2=0$이 서로 평행하므로

$\frac{a-1}{-10}=\frac{-3}{a}\neq\frac{-1}{2}$

$\frac{a-1}{-10}=\frac{-3}{a}$에서

$a^2-a-30=0$, $(a+5)(a-6)=0$

$\therefore a=-5$ 또는 $a=6$ …… ㉠

$\frac{-3}{a}\neq\frac{-1}{2}$에서 $a\neq6$ …… ㉡

㉠, ㉡에 의하여 $a=-5$

(2) 두 직선 $(a-1)x-3y-1=0$, $-10x+ay+2=0$이 서로 수직이므로

$(a-1)\times(-10)+(-3)\times a=0$

$10-13a=0$

$\therefore a=\frac{10}{13}$

답 (1) -5 (2) $\frac{10}{13}$

10-2

두 직선이 서로 평행하면

$k-1=3k+1$에서 $k=-1$

$\therefore a=-1$

두 직선이 서로 수직이면

$(k-1)(3k+1)=-1$에서

$3k^2-2k=0$, $k(3k-2)=0$

$\therefore b=\frac{2}{3}$ $(\because b>0)$

$\therefore a+b=(-1)+\frac{2}{3}=-\frac{1}{3}$

답 $-\frac{1}{3}$

10-3

직선 AB의 기울기는

$\frac{4-(-2)}{2-(-6)}=\frac{6}{8}=\frac{3}{4}$

선분 AB의 중점의 좌표는

$\left(\frac{(-6)+2}{2}, \frac{(-2)+4}{2}\right)$, 즉 $(-2, 1)$

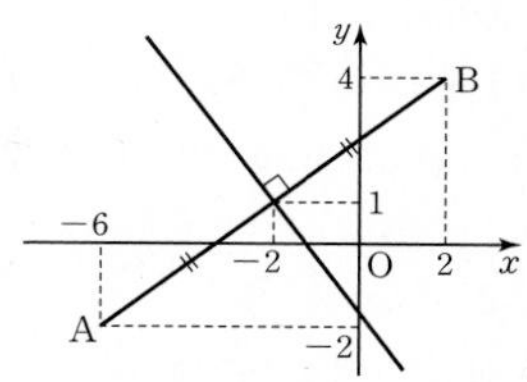

따라서 선분 AB의 수직이등분선은

기울기가 $-\frac{4}{3}$이고 점 $(-2, 1)$을 지나는 직선이므로 이 직선의 방정식은

$y-1=-\frac{4}{3}\{x-(-2)\}$, 즉 $y=-\frac{4}{3}x-\frac{5}{3}$

이 직선이 점 $(7, a)$를 지나므로

$a=-\frac{4}{3}\times7-\frac{5}{3}=-\frac{33}{3}=-11$

답 -11

10-4

두 직선 $2x+ay+4=0$, $ax+(a+3)y+b=0$이 서로 수직이므로

$2\times a+a\times(a+3)=0$에서 $a(a+5)=0$

$\therefore a=0$ 또는 $a=-5$

(i) $a=0$일 때

두 직선 $2x+4=0$, $3y+b=0$은 교점으로 $(3, c)$를 가질 수 없다.

(ii) $a=-5$일 때

두 직선 $2x-5y+4=0$, $-5x-2y+b=0$의 교점의 좌표가 $(3, c)$이므로

$6-5c+4=0$에서 $c=2$

$(3, 2)$를 $-5x-2y+b=0$에 대입하면

$-15-4+b=0$에서 $b=19$

(i), (ii)에 의하여

$a+b+c=(-5)+19+2=16$

참고

(i)에서 직선 $2x+4=0$, 즉 $x=-2$ 위의 모든 점의 x좌표는 -2이다.

따라서 두 직선 $2x+4=0$, $3y+b=0$의 교점의 x좌표도 -2이므로 두 직선은 교점으로 점 $(3, c)$를 가질 수 없다.

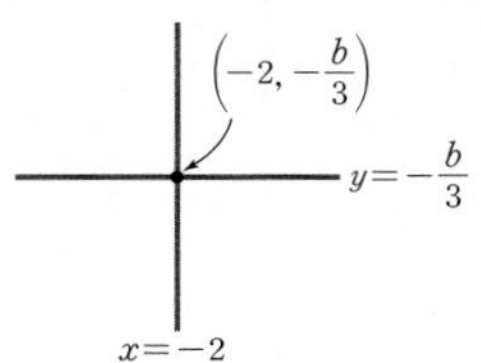

답 16

11-1

(i) 세 직선이 한 점에서 만날 때

두 직선 $2x-y+1=0$, $x+y-7=0$의 교점의 좌표가 $(2,\ 5)$이므로 직선 $ax+2y+2=0$이 점 $(2,\ 5)$를 지나야 한다.

$2a+10+2=0$, 즉 $a=-6$

(ii) 세 직선 중 두 직선이 서로 평행할 때

두 직선 $2x-y+1=0$, $ax+2y+2=0$이 서로 평행하면

$\frac{2}{a}=\frac{-1}{2}\neq\frac{1}{2}$, 즉 $a=-4$

두 직선 $x+y-7=0$, $ax+2y+2=0$이 서로 평행하면

$\frac{1}{a}=\frac{1}{2}\neq\frac{-7}{2}$, 즉 $a=2$

(iii) 세 직선이 모두 평행할 때

두 직선 $2x-y+1=0$, $x+y-7=0$이 서로 평행하지 않으므로 이러한 경우는 존재하지 않는다.

(i)~(iii)에 의하여 구하는 모든 상수 a의 값의 곱은

$(-6)\times(-4)\times2=48$

답 48

11-2

두 직선 $x+4y=-1$, $3x+2y=7$의 교점의 좌표가 $(3,\ -1)$이므로 세 직선이 한 점에서 만나려면 직선 $x+ay=2$가 점 $(3,\ -1)$을 지나야 한다.

$3-a=2$

$\therefore a=1$

다른 풀이

세 직선이 한 점에서 만나려면 직선 $x+ay-2=0$이 두 직선 $x+4y+1=0$, $3x+2y-7=0$의 교점을 지나는 직선이어야 한다. ······ ㉠

두 직선의 교점을 지나는 직선의 방정식은

$x+4y+1+k(3x+2y-7)=0$, 즉

$(3k+1)x+(2k+4)y-7k+1=0$ (단, k는 실수)

㉠에 의하여

$$\frac{3k+1}{1}=\frac{2k+4}{a}=\frac{-7k+1}{-2}$$

$3k+1=\frac{7k-1}{2}$에서 $k=3$이므로

$3k+1=\frac{2k+4}{a}$에서 $10=\frac{10}{a}$

$\therefore a=1$

답 1

11-3

세 직선에 의하여 교점이 2개가 되려면 세 직선 중 두 직선만 서로 평행해야 한다.

두 직선 $x-3y+2=0$, $2x+y-6=0$은 한 점에서 만난다.

두 직선 $x-3y+2=0$, $ax+6y+1=0$이 서로 평행하면

$\frac{1}{a}=\frac{-3}{6}\neq\frac{2}{1}$, 즉 $a=-2$

두 직선 $2x+y-6=0$, $ax+6y+1=0$이 서로 평행하면

$\frac{2}{a}=\frac{1}{6}\neq\frac{-6}{1}$, 즉 $a=12$

따라서 구하는 상수 a의 값은 -2, 12

답 -2, 12

11-4

좌표평면이 4개의 영역으로 나누어지려면 세 직선이 모두 평행해야 한다.

두 직선 $x-2ay+1=0$, $x+6y-7=0$이 서로 평행하면

$\frac{1}{1}=\frac{-2a}{6}\neq\frac{1}{-7}$, 즉 $a=-3$

두 직선 $x+6y-7=0$, $x+by=0$이 서로 평행하면

$\frac{1}{1}=\frac{b}{6}\neq\frac{0}{-7}$, 즉 $b=6$

$\therefore a+b=(-3)+6=3$

참고

서로 다른 세 직선에 대하여

(i) 세 직선이 한 점에서 만날 때 좌표평면을 여섯 부분으로 나눈다.

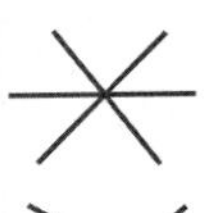

(ii) 세 직선 중 두 직선이 서로 평행할 때 좌표평면을 여섯 부분으로 나눈다.

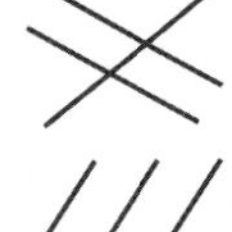

(iii) 세 직선이 모두 평행할 때 좌표평면을 네 부분으로 나눈다.

답 3

03 점과 직선 사이의 거리

본문 87쪽

개념 CHECK

01 (1) 8 (2) $\frac{3\sqrt{5}}{5}$ **02** (1) 5 (2) $2\sqrt{5}$

03 (1) $\sqrt{2}$ (2) $\frac{10\sqrt{13}}{13}$ (3) 2 (4) $\frac{3\sqrt{5}}{2}$

01

(1) $\frac{|3\times(-5)-4\times6-1|}{\sqrt{3^2+(-4)^2}}=\frac{40}{5}=8$

(2) $\dfrac{|-3|}{\sqrt{2^2+(-1)^2}}=\dfrac{3}{\sqrt{5}}=\dfrac{3\sqrt{5}}{5}$

답 (1) 8 (2) $\dfrac{3\sqrt{5}}{5}$

02

(1) 점 $(-3, 3)$과 직선 $y=-\dfrac{3}{4}x+7$, 즉 $3x+4y-28=0$ 사이의 거리는

$\dfrac{|3\times(-3)+4\times3-28|}{\sqrt{3^2+4^2}}=\dfrac{25}{5}=5$

(2) 원점 $(0, 0)$과 직선 $y=\dfrac{1}{2}x+5$, 즉 $x-2y+10=0$ 사이의 거리는

$\dfrac{|10|}{\sqrt{1^2+(-2)^2}}=\dfrac{10}{\sqrt{5}}=2\sqrt{5}$

답 (1) 5 (2) $2\sqrt{5}$

03

(1) 평행한 두 직선 사이의 거리는
직선 $x+7y-2=0$ 위의 점 $(2, 0)$과
직선 $x+7y+8=0$ 사이의 거리와 같으므로

$\dfrac{|2+7\times0+8|}{\sqrt{1^2+7^2}}=\dfrac{10}{\sqrt{50}}=\dfrac{10}{5\sqrt{2}}=\sqrt{2}$

(2) 평행한 두 직선 사이의 거리는
직선 $y=\dfrac{3}{2}x+4$ 위의 점 $(0, 4)$와
직선 $y=\dfrac{3}{2}x-1$, 즉 $3x-2y-2=0$ 사이의 거리와 같으므로

$\dfrac{|3\times0-2\times4-2|}{\sqrt{3^2+(-2)^2}}=\dfrac{10}{\sqrt{13}}=\dfrac{10\sqrt{13}}{13}$

(3) 평행한 두 직선 사이의 거리는
직선 $y=-\dfrac{3}{4}x+3$ 위의 점 $(4, 0)$과 직선 $3x+4y-2=0$ 사이의 거리와 같으므로

$\dfrac{|3\times4+4\times0-2|}{\sqrt{3^2+4^2}}=\dfrac{10}{5}=2$

(4) 평행한 두 직선 사이의 거리는
직선 $2x+y-3=0$ 위의 점 $(0, 3)$과
직선 $4x+2y+9=0$ 사이의 거리와 같으므로

$\dfrac{|4\times0+2\times3+9|}{\sqrt{4^2+2^2}}=\dfrac{15}{\sqrt{20}}=\dfrac{15}{2\sqrt{5}}=\dfrac{3\sqrt{5}}{2}$

다른 풀이

(1) $\dfrac{|8-(-2)|}{\sqrt{1^2+7^2}}=\dfrac{10}{\sqrt{50}}=\dfrac{10}{5\sqrt{2}}=\sqrt{2}$

(2) 평행한 두 직선
$3x-2y+8=0$, $3x-2y-2=0$ 사이의 거리는

$\dfrac{|(-2)-8|}{\sqrt{3^2+(-2)^2}}=\dfrac{10}{\sqrt{13}}=\dfrac{10\sqrt{13}}{13}$

(3) 평행한 두 직선 $3x+4y-2=0$, $3x+4y-12=0$ 사이의 거리는

$\dfrac{|(-12)-(-2)|}{\sqrt{3^2+4^2}}=\dfrac{10}{5}=2$

(4) 평행한 두 직선 $2x+y-3=0$, 즉 $4x+2y-6=0$과 $4x+2y+9=0$ 사이의 거리는

$\dfrac{|9-(-6)|}{\sqrt{4^2+2^2}}=\dfrac{15}{\sqrt{20}}=\dfrac{15}{2\sqrt{5}}=\dfrac{3\sqrt{5}}{2}$

답 (1) $\sqrt{2}$ (2) $\dfrac{10\sqrt{13}}{13}$ (3) 2 (4) $\dfrac{3\sqrt{5}}{2}$

유제

본문 88~95쪽

12-1 -6, 14
12-2 $4x-3y-39=0$, $4x-3y+21=0$ **12-3** -1
12-4 $\dfrac{4}{3}$ **13-1** $\sqrt{5}$ **13-2** -12
13-3 $\dfrac{3\sqrt{5}}{2}$ **13-4** $\dfrac{6\sqrt{10}}{5}$ **14-1** 7 **14-2** 6
14-3 7 **14-4** $\dfrac{21}{2}$
15-1 $3x-3y+7=0$, $x+y+1=0$
15-2 $x+y-5=0$, $3x-3y-1=0$
15-3 8 **15-4** $x+2y+4=0$

12-1

점 $(12, 5)$와 직선 $2x-4y=k$, 즉 $2x-4y-k=0$ 사이의 거리가 $\sqrt{5}$이므로

$\dfrac{|2\times12-4\times5-k|}{\sqrt{2^2+(-4)^2}}=\sqrt{5}$에서 $|4-k|=10$

(i) $k\le4$일 때, $4-k=10$에서 $k=-6$
(ii) $k>4$일 때, $4-k=-10$에서 $k=14$
(i), (ii)에서 구하는 모든 실수 k의 값은 -6, 14

답 -6, 14

12-2

구하는 직선의 방정식을 $4x-3y+k=0$ (단, $k\neq-1$)이라 하면
점 $(3, 1)$과의 거리가 6이므로

$\dfrac{|4\times3-3\times1+k|}{\sqrt{4^2+(-3)^2}}=6$에서 $|9+k|=30$

(i) $k<-9$일 때, $9+k=-30$에서 $k=-39$

(ii) $k \geq -9$일 때, $9+k=30$에서 $k=21$

(i), (ii)에 의하여 구하는 직선의 방정식은

$4x-3y-39=0$, $4x-3y+21=0$

답 $4x-3y-39=0$, $4x-3y+21=0$

12-3

직선 l의 기울기를 a라 하면 점 $(-2, -1)$을 지나는 직선 l의 방정식은 $y-(-1)=a\{x-(-2)\}$, 즉

$ax-y+2a-1=0$

직선 l과 점 $(0, 1)$ 사이의 거리가 $2\sqrt{2}$이므로

$\frac{|a \times 0-1+2a-1|}{\sqrt{a^2+(-1)^2}}=2\sqrt{2}$

$|2a-2|=\sqrt{8(a^2+1)}$

양변을 제곱하면

$4a^2-8a+4=8a^2+8$

$4a^2+8a+4=0$, $4(a+1)^2=0$

$\therefore a=-1$

따라서 직선 l의 기울기는 -1이다.

다른 풀이

두 점 $(-2, -1)$, $(0, 1)$ 사이의 거리가 $2\sqrt{2}$이므로 직선 l은 두 점 $(-2, -1)$, $(0, 1)$을 지나는 직선에 수직이다.

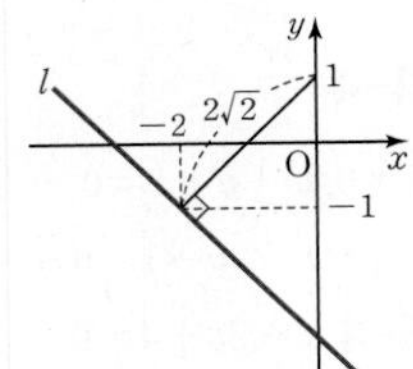

두 점을 지나는 직선의 기울기가

$\frac{1-(-1)}{0-(-2)}=1$이므로

직선 l의 기울기는 -1이다.

답 -1

12-4

두 직선의 교점을 지나는 직선의 방정식은

$2x-2y+3+k(6x-2y+5)=0$ (단, k는 실수)

이를 x, y에 대하여 정리하면

$(6k+2)x+(-2k-2)y+5k+3=0$ ⋯⋯ ㉠

원점으로부터의 거리가 1이므로

$\frac{|5k+3|}{\sqrt{(6k+2)^2+(-2k-2)^2}}=1$에서

$40k^2+32k+8=25k^2+30k+9$, $15k^2+2k-1=0$

$(3k+1)(5k-1)=0$

$\therefore k=-\frac{1}{3}$ 또는 $k=\frac{1}{5}$

㉠에서 직선의 기울기 a는 $\frac{6k+2}{2k+2}$이므로

k의 값을 각각 대입하면

$a=0$ 또는 $a=\frac{4}{3}$

따라서 구하는 모든 a의 값의 합은 $\frac{4}{3}$이다.

다른 풀이

두 직선 $2x-2y+3=0$, $6x-2y+5=0$의 교점 $\left(-\frac{1}{2}, 1\right)$을 지나고 기울기가 a인 직선의 방정식은

$y-1=a\left\{x-\left(-\frac{1}{2}\right)\right\}$, 즉 $2ax-2y+a+2=0$

원점과 이 직선 사이의 거리가 1이므로

$\frac{|a+2|}{\sqrt{(2a)^2+(-2)^2}}=1$에서

$|a+2|=\sqrt{4a^2+4}$

양변을 제곱하면

$a^2+4a+4=4a^2+4$

$3a^2-4a=0$, $a(3a-4)=0$

$\therefore a=0$ 또는 $a=\frac{4}{3}$

따라서 구하는 모든 a의 값의 합은 $\frac{4}{3}$이다.

답 $\frac{4}{3}$

13-1

두 직선 사이의 거리는 직선 $x-2y+6=0$ 위의 한 점 $(0, 3)$과 직선 $x-2y+1=0$ 사이의 거리와 같다.

따라서 두 직선 사이의 거리는

$\frac{|1 \times 0-2 \times 3+1|}{\sqrt{1^2+(-2)^2}}=\frac{5}{\sqrt{5}}=\sqrt{5}$

답 $\sqrt{5}$

13-2

두 직선 사이의 거리는 직선 $3x+y-6=0$ 위의 한 점 $(2, 0)$과 직선 $3x+y+k=0$ 사이의 거리와 같다.

두 직선 사이의 거리가 $\sqrt{10}$이므로

$\frac{|3 \times 2+0+k|}{\sqrt{3^2+1^2}}=\frac{|k+6|}{\sqrt{10}}=\sqrt{10}$

$|k+6|=10$

(i) $k<-6$일 때, $k+6=-10$에서 $k=-16$

(ii) $k \geq -6$일 때, $k+6=10$에서 $k=4$

따라서 구하는 모든 상수 k의 값의 합은

$(-16)+4=-12$

답 -12

13-3

두 직선 $x+2y+4=0$, $ax+4y-7=0$이 서로 평행하므로

$\frac{1}{a}=\frac{2}{4}\neq\frac{4}{-7}$에서 $a=2$

두 직선 사이의 거리는 직선 $x+2y+4=0$ 위의 한 점 $(0, -2)$와 직선 $2x+4y-7=0$ 사이의 거리와 같다.

$\therefore \frac{|2\times0+4\times(-2)-7|}{\sqrt{2^2+4^2}}=\frac{15}{2\sqrt{5}}=\frac{3\sqrt{5}}{2}$

답 $\frac{3\sqrt{5}}{2}$

13-4

두 직선 AB, CD는 서로 평행하므로 두 직선 사이의 거리는 직선 AB 위의 한 점 $(-1, 0)$과 직선 CD 사이의 거리와 일치한다.

두 점 $C(3, 0)$, $D(5, 6)$을 지나는 직선 CD의 방정식은

$y=\frac{6-0}{5-3}(x-3)$, 즉 $3x-y-9=0$

따라서 구하는 거리는

$\frac{|3\times(-1)-0-9|}{\sqrt{3^2+(-1)^2}}=\frac{12}{\sqrt{10}}=\frac{6\sqrt{10}}{5}$

답 $\frac{6\sqrt{10}}{5}$

14-1

삼각형 OAB에서 밑변을 OB라 하면 높이는 점 A와 직선 OB 사이의 거리와 같다.

$\overline{OB}=\sqrt{3^2+4^2}=\sqrt{25}=5$

직선 OB의 방정식은

$y=\frac{4}{3}x$, 즉 $4x-3y=0$

점 $A(-2, 2)$와 직선 OB 사이의 거리를 h라 하면

$h=\frac{|4\times(-2)-3\times2|}{\sqrt{4^2+(-3)^2}}=\frac{14}{5}$

$\therefore$ (삼각형 OAB의 넓이)$=\frac{1}{2}\times\overline{OB}\times h=\frac{1}{2}\times5\times\frac{14}{5}=7$

참고

풀이에서 밑변을 OB로 잡았으나, 밑변을 AB 또는 OA로 잡아도 같은 결과를 얻는다.

예를 들어 삼각형 OAB에서 밑변을 AB라 하면 높이는 점 O와 직선 AB 사이의 거리와 같다.

$\overline{AB}=\sqrt{\{3-(-2)\}^2+(4-2)^2}=\sqrt{29}$

직선 AB의 방정식은

$y-4=\frac{4-2}{3-(-2)}(x-3)$, 즉 $2x-5y+14=0$

점 O와 직선 AB 사이의 거리를 h라 하면

$h=\frac{|14|}{\sqrt{2^2+(-5)^2}}=\frac{14}{\sqrt{29}}$

$\therefore$ (삼각형 OAB의 넓이)

$=\frac{1}{2}\times\overline{AB}\times h=\frac{1}{2}\times\sqrt{29}\times\frac{14}{\sqrt{29}}=7$

답 7

14-2

두 직선 OA와 $3x+y-12=0$은 서로 평행하므로 삼각형 OAP에서 밑변을 OA라 하면 높이는 점 O와 직선 $3x+y-12=0$ 사이의 거리와 같다.

$\overline{OA}=\sqrt{(-1)^2+3^2}=\sqrt{10}$

점 O와 직선 $3x+y-12=0$ 사이의 거리를 h라 하면

$h=\frac{|-12|}{\sqrt{3^2+1^2}}=\frac{12}{\sqrt{10}}$

$\therefore$ (삼각형 OAP의 넓이)

$=\frac{1}{2}\times\overline{OA}\times h=\frac{1}{2}\times\sqrt{10}\times\frac{12}{\sqrt{10}}=6$

답 6

14-3

삼각형 ABC에서 밑변을 AB라 하면 높이는 점 C와 직선 AB 사이의 거리와 같다.

$\overline{AB}=\sqrt{(5-3)^2+(7-3)^2}=2\sqrt{5}$

직선 AB의 방정식은

$y-3=\frac{7-3}{5-3}(x-3)$, 즉 $2x-y-3=0$

점 $C(a, 4)$와 직선 AB 사이의 거리를 h라 하면

$h=\frac{|2\times a-4-3|}{\sqrt{2^2+(-1)^2}}=\frac{|2a-7|}{\sqrt{5}}$

이때 삼각형 ABC의 넓이가 8이므로

$\frac{1}{2}\times\overline{AB}\times h=8$, 즉 $\frac{1}{2}\times2\sqrt{5}\times\frac{|2a-7|}{\sqrt{5}}=8$에서

$|2a-7|=8$

(i) $a<\frac{7}{2}$일 때, $2a-7=-8$에서 $a=-\frac{1}{2}$

(ii) $a\geq\frac{7}{2}$일 때, $2a-7=8$에서 $a=\frac{15}{2}$

따라서 구하는 모든 a의 값의 합은

$\left(-\frac{1}{2}\right)+\frac{15}{2}=7$

답 7

14-4

두 직선 $5x-y-1=0$, $x+4y+4=0$이 만나는 점을 $A(0, -1)$,

두 직선 $x+4y+4=0$, $2x+y-6=0$이 만나는 점을 $B(4, -2)$,

두 직선 $2x+y-6=0$, $5x-y-1=0$이 만나는 점을 $C(1, 4)$라 하자.

삼각형 ABC에서 밑변을 BC라 하면 높이는 점 A와 직선 $2x+y-6=0$ 사이의 거리와 같다.

$\overline{BC}=\sqrt{(1-4)^2+\{4-(-2)\}^2}=\sqrt{45}=3\sqrt{5}$이고

점 $A(0, -1)$과 직선 $2x+y-6=0$ 사이의 거리를 h라 하면

$$h=\frac{|2\times0+(-1)-6|}{\sqrt{2^2+1^2}}=\frac{7}{\sqrt{5}}$$

$\therefore$ (삼각형 ABC의 넓이)

$$=\frac{1}{2}\times\overline{BC}\times h=\frac{1}{2}\times3\sqrt{5}\times\frac{7}{\sqrt{5}}=\frac{21}{2}$$

답 $\frac{21}{2}$

15-1

두 직선 $x+4y-1=0$, $4x+y+6=0$이 이루는 각의 이등분선 위의 임의의 점을 $P(x, y)$라 하자.
점 P에서 두 직선에 이르는 거리가 같아야 하므로

$$\frac{|x+4y-1|}{\sqrt{1^2+4^2}}=\frac{|4x+y+6|}{\sqrt{4^2+1^2}}$$

$|x+4y-1|=|4x+y+6|$

(i) $x+4y-1=4x+y+6$일 때
$3x-3y+7=0$

(ii) $x+4y-1=-(4x+y+6)$일 때
$5x+5y+5=0$, 즉 $x+y+1=0$

(i), (ii)에서 구하는 각의 이등분선의 방정식은
$3x-3y+7=0$, $x+y+1=0$

답 $3x-3y+7=0$, $x+y+1=0$

15-2

두 직선 $y=2x-3$, 즉 $2x-y-3=0$과
$y=\frac{1}{2}x+1$, 즉 $x-2y+2=0$이 이루는 각의 이등분선 위의 임의의 점을 $P(x, y)$라 하자.
점 P에서 두 직선에 이르는 거리가 서로 같아야 하므로

$$\frac{|2x-y-3|}{\sqrt{2^2+(-1)^2}}=\frac{|x-2y+2|}{\sqrt{1^2+(-2)^2}}$$

$|2x-y-3|=|x-2y+2|$

(i) $2x-y-3=x-2y+2$일 때
$x+y-5=0$

(ii) $2x-y-3=-(x-2y+2)$일 때
$3x-3y-1=0$

(i), (ii)에서 구하는 각의 이등분선의 방정식은
$x+y-5=0$, $3x-3y-1=0$

답 $x+y-5=0$, $3x-3y-1=0$

15-3

두 직선 $x-y+3=0$, $7x+y+a=0$이 이루는 각의 이등분선 위의 임의의 점을 $P(x, y)$라 하자.
점 P에서 두 직선에 이르는 거리가 서로 같아야 하므로

$$\frac{|x-y+3|}{\sqrt{1^2+(-1)^2}}=\frac{|7x+y+a|}{\sqrt{7^2+1^2}}$$

$$\frac{|x-y+3|}{\sqrt{2}}=\frac{|7x+y+a|}{5\sqrt{2}}$$

$|5x-5y+15|=|7x+y+a|$

(i) $5x-5y+15=7x+y+a$일 때
$2x+6y+a-15=0$

(ii) $5x-5y+15=-(7x+y+a)$일 때
$12x-4y+a+15=0$

(i), (ii) 중 기울기가 양수인 직선은
$12x-4y+a+15=0$이고,
이 직선이 $bx-y+5=0$과 일치해야 하므로

$\frac{12}{b}=\frac{-4}{-1}=\frac{a+15}{5}$에서 $b=3$, $a=5$

$\therefore a+b=8$

답 8

15-4

두 직선 l, l'의 기울기가 음수인 각의 이등분선은
직선 l : $x-3y-1=0$과 기울기가 양수인 각의 이등분선
$2x-y+3=0$의 교점을 지나므로 각의 이등분선의 방정식은
$x-3y-1+k(2x-y+3)=0$, 즉
$(2k+1)x+(-k-3)y+3k-1=0$ (단, k는 실수) …… ㉠

또한 각의 이등분선 ㉠과 직선 $2x-y+3=0$은 서로 수직이므로
$(2k+1)\times2+(-k-3)\times(-1)=0$
$5k+5=0$ $\therefore k=-1$
따라서 구하는 각의 이등분선 ㉠의 방정식은
$-x-2y-4=0$, 즉 $x+2y+4=0$

다른 풀이

두 직선 l, l'의 기울기가 음수인 각의 이등분선은
직선 l : $x-3y-1=0$과 기울기가 양수인 각의 이등분선
$2x-y+3=0$의 교점 $(-2, -1)$을 지난다.

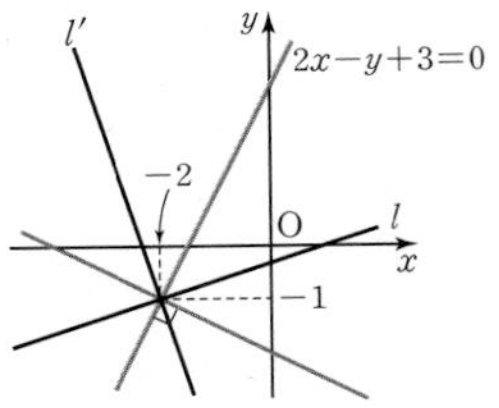

또한 각의 이등분선은 서로 수직이고, 기울기가 양수인 각의 이등분선 $2x-y+3=0$의 기울기가 2이므로 기울기가 음수인 각의 이등분선의 기울기는 $-\frac{1}{2}$이다.

따라서 점 $(-2, -1)$을 지나고 기울기가 $-\frac{1}{2}$인 각의 이등

분선의 방정식은

$y-(-1)=-\frac{1}{2}\{x-(-2)\}$, 즉 $x+2y+4=0$

답 $x+2y+4=0$

중단원 연습문제

본문 96~100쪽

01 1	02 5	03 $y=\frac{7}{6}x-\frac{2}{3}$	
04 $\frac{3}{4}$	05 ㄱ, ㄹ, ㅁ	06 $12x-16y+5=0$	
07 $\frac{1}{4}$	08 -6	09 ㄱ, ㄷ	10 $2\sqrt{5}$
11 -75	12 (가): -3, (나): 3, (다): 9, (라): 90		
13 제2사분면	14 9	15 2	16 2
17 9	18 $a=7$, $b=7$		19 $\frac{49}{10}$
20 ①			

01

두 점 $(-3, 4)$, $(1, -8)$을 이은 선분의 중점의 좌표는

$\left(\frac{(-3)+1}{2}, \frac{4+(-8)}{2}\right)$, 즉 $(-1, -2)$

점 $(-1, -2)$를 지나고 기울기가 3인 직선의 방정식은

$y-(-2)=3\{x-(-1)\}$, 즉 $y=3x+1$

따라서 직선의 y절편은 1이다.

답 1

02

세 점 A, B, C가 한 직선 위에 있으려면

(직선 AB의 기울기)=(직선 BC의 기울기)이어야 하므로

$\frac{(a+6)-(-2)}{1-a}=\frac{8-(a+6)}{3-1}$

$\frac{a+8}{1-a}=\frac{2-a}{2}$에서

$2(a+8)=(2-a)(1-a)$

$a^2-5a-14=0$, $(a+2)(a-7)=0$

$\therefore a=-2$ 또는 $a=7$

따라서 모든 a의 값의 합은 5이다.

답 5

03

두 삼각형 ABD, ACD의 넓이의 비가 2 : 1이므로

밑변의 길이의 비가 2 : 1이다.

즉, $\overline{BD}:\overline{CD}=2:1$이므로 선분 BC를 2 : 1로 내분하는 점 D의 좌표는

$\left(\frac{2\times1+1\times(-8)}{2+1}, \frac{2\times(-7)+1\times5}{2+1}\right)$, 즉 $(-2, -3)$

따라서 직선 AD의 방정식은

$y-4=\frac{4-(-3)}{4-(-2)}(x-4)$, 즉 $y=\frac{7}{6}x-\frac{2}{3}$

답 $y=\frac{7}{6}x-\frac{2}{3}$

04

제1사분면 위에 놓인 정사각형의 두 대각선의 교점의 좌표는

$\left(\frac{1+5}{2}, \frac{3+7}{2}\right)$, 즉 $(3, 5)$

제3사분면 위에 놓인 직사각형의 두 대각선의 교점의 좌표는

$\left(\frac{(-4)+(-2)}{2}, \frac{(-6)+(-2)}{2}\right)$, 즉 $(-3, -4)$

따라서 두 사각형의 넓이를 동시에 이등분하는 직선은 두 점 $(3, 5)$, $(-3, -4)$를 지나는 직선이다.

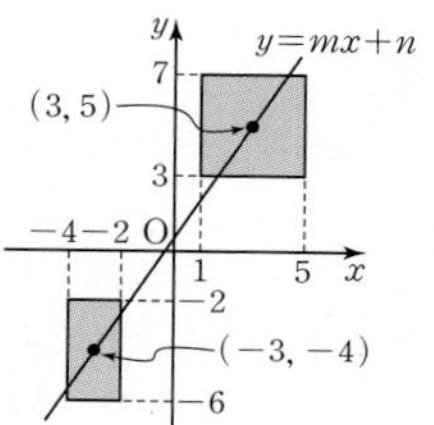

$y-5=\frac{5-(-4)}{3-(-3)}(x-3)$, 즉 $y=\frac{3}{2}x+\frac{1}{2}$

$\therefore mn=\frac{3}{2}\times\frac{1}{2}=\frac{3}{4}$

답 $\frac{3}{4}$

05

직선 $y=m(2-x)+3$은 m의 값에 관계없이 점 $(2, 3)$을 지나고 기울기가 음수 또는 0인 직선이다.

이 직선은 아래의 그림에서 색칠된 부분을 지날 수 있다.

(단, 직선 $x=2$는 포함하지 않고, 직선 $y=3$은 포함한다.)

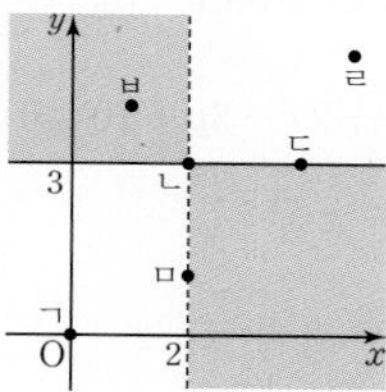

따라서 **보기**에서 직선 $y=m(2-x)+3$이 지날 수 없는 점은 ㄱ, ㄹ, ㅁ이다.

답 ㄱ, ㄹ, ㅁ

06

두 직선의 교점을 지나는 직선의 방정식은

$8x-4y+3+k(2x-6y+1)=0$ (단, k는 실수)

이를 x, y에 대하여 정리하면

$(2k+8)x+(-6k-4)y+k+3=0$

이 직선이 직선 $3x-4y+1=0$에 평행하려면

$\frac{2k+8}{3}=\frac{-6k-4}{-4}\neq\frac{k+3}{1}$이어야 한다.

즉, $8k+32=18k+12$에서

$10k=20$

$\therefore k=2$

따라서 구하는 직선의 방정식은

$12x-16y+5=0$

답 $12x-16y+5=0$

07

두 직선 $y=(2k-1)x-1$, $y=(1-4k)x+3$이

서로 평행하려면

$2k-1=1-4k$에서

$a=\frac{1}{3}$

서로 수직이 되려면

$(2k-1)(1-4k)=-1$에서

$-8k^2+6k-1=-1$, $8k^2-6k=0$, $2k(4k-3)=0$

$b=\frac{3}{4}$ ($\because b>0$)

$\therefore ab=\frac{1}{3}\times\frac{3}{4}=\frac{1}{4}$

답 $\frac{1}{4}$

08

마름모의 두 대각선은 서로를 수직이등분한다.

선분 AC의 중점의 좌표는 $\left(\frac{(-1)+3}{2}, \frac{7+1}{2}\right)$, 즉 $(1, 4)$

이고 직선 AC의 기울기가 $\frac{1-7}{3-(-1)}=-\frac{3}{2}$이므로

직선 BD는 점 $(1, 4)$를 지나고 기울기 $\frac{2}{3}$인 직선이다.

$y-4=\frac{2}{3}(x-1)$, 즉 $2x-3y+10=0$

$\therefore ab=2\times(-3)=-6$

답 -6

09

세 직선이 삼각형을 이루려면 직선 $ax+by+c=0$은

두 직선 $4x-4y-7=0$, $4x+6y+13=0$의

교점 $\left(-\frac{1}{4}, -2\right)$를 지나지 않으면서 …… ㉠

두 직선 중 어느 것과도 평행하지 않아야 한다.

$\frac{a}{4}\neq\frac{b}{-4}$, 즉 $a+b\neq0$이고 …… ㉡

$\frac{a}{4}\neq\frac{b}{6}$, 즉 $3a-2b\neq0$이어야 한다. …… ㉢

ㄱ. ㉠, ㉡, ㉢을 모두 만족시키므로 삼각형을 이룬다.

ㄴ. ㉡을 만족시키지 않으므로 삼각형을 이루지 않는다.

ㄷ. ㉠, ㉡, ㉢을 모두 만족시키므로 삼각형을 이룬다.

ㄹ. ㉢을 만족시키지 않으므로 삼각형을 이루지 않는다.

ㅁ. ㉢을 만족시키지 않으므로 삼각형을 이루지 않는다.

ㅂ. ㉠을 만족시키지 않으므로 삼각형을 이루지 않는다.

따라서 직선 $ax+by+c=0$이 될 수 있는 것은 ㄱ, ㄷ이다.

답 ㄱ, ㄷ

10

직선 $\frac{x}{4}+\frac{y}{6}=1$이 x축과 만나는 점은 A$(4, 0)$, y축과 만나는 점은 B$(0, 6)$이므로 선분 AB의 중점의 좌표는 $(2, 3)$이다.

따라서 점 $(2, 3)$과 직선 $2x-y+9=0$ 사이의 거리는

$\frac{|2\times2-3+9|}{\sqrt{2^2+(-1)^2}}=\frac{10}{\sqrt{5}}=2\sqrt{5}$

답 $2\sqrt{5}$

11

정삼각형의 한 변의 길이가 $\frac{4\sqrt{15}}{3}$이므로

높이는 $\frac{\sqrt{3}}{2}\times\frac{4\sqrt{15}}{3}=2\sqrt{5}$이다.

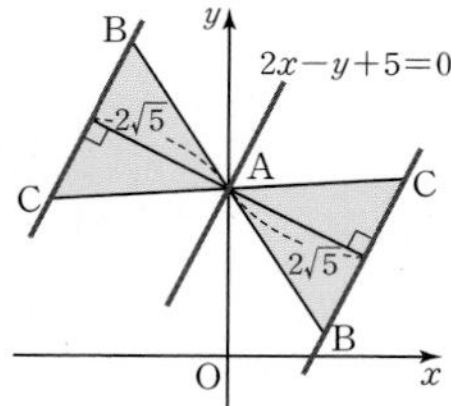

따라서 평행한 두 직선 $2x-y+5=0$, $2x-y+k=0$ 사이의 거리가 $2\sqrt{5}$이어야 한다.

두 직선 사이의 거리는

직선 $2x-y+5=0$ 위의 점 $(0, 5)$와 직선 $2x-y+k=0$ 사이의 거리와 같으므로

$\frac{|2\times0-5+k|}{\sqrt{2^2+(-1)^2}}=2\sqrt{5}$

$|k-5|=10$

(i) $k<5$일 때, $k-5=-10$에서 $k=-5$
(ii) $k\geq 5$일 때, $k-5=10$에서 $k=15$
따라서 구하는 모든 상수 k의 값의 곱은 $(-5)\times 15=-75$

답 -75

12

사각형 ABCD의 넓이는 두 삼각형 ABC, ADC의 넓이의 합이다. 직선 AC의 방정식은

$y-(-3)=\frac{(-3)-9}{3-(-6)}(x-3)$, 즉 $4x+3y+(\boxed{-3})=0$

이므로 두 삼각형 ABC, ADC의 밑변을 모두 선분 AC라 할 때, 두 점 B, D에서 직선 AC에 내린 수선의 발을 각각 H, I라 하면 높이는 각각

$\overline{BH}=\frac{|4\times(-3)+3\times 0-3|}{\sqrt{4^2+3^2}}=\frac{15}{5}=\boxed{3}$

$\overline{DI}=\frac{|4\times 6+3\times 8-3|}{\sqrt{4^2+3^2}}=\frac{45}{5}=\boxed{9}$

이다.
또한 $\overline{AC}=\sqrt{\{3-(-6)\}^2+\{(-3)-9\}^2}=\sqrt{225}=15$이므로
사각형 ABCD의 넓이는

$\frac{1}{2}\times\overline{AC}\times(\overline{BH}+\overline{DI})$

$=\frac{1}{2}\times 15\times(\boxed{3}+\boxed{9})=\boxed{90}$

이다.
(가): -3, (나): 3, (다): 9, (라): 90

답 (가): -3, (나): 3, (다): 9, (라): 90

13

이차함수 $y=ax^2+bx+c$의 그래프가 위로 볼록하므로 $a<0$
축이 y축의 왼쪽에 있으므로 $-\frac{b}{2a}<0$에서 $b<0$
y축과 만나는 점의 y좌표가 양수이므로 $c>0$
한편 직선의 방정식 $abx+bcy+ac=0$, 즉 $y=-\frac{a}{c}x-\frac{a}{b}$에서

$-\frac{a}{c}>0$, $-\frac{a}{b}<0$이므로
(직선의 기울기)>0, (y절편)<0

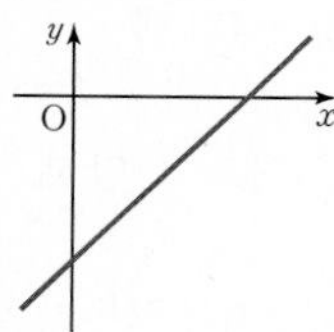

따라서 직선 $abx+bcy+ac=0$은 그림과 같이 제2사분면을 지나지 않는다.

답 제2사분면

14

$y=mx+m+4$를 m에 대하여 정리하면 $y=m(x+1)+4$
따라서 주어진 직선은 항상 점 $(-1, 4)$를 지난다.
(i) 이 직선이 점 A$(1, a)$를 지날 때

$a=2m+4$에서 $m=\frac{a-4}{2}$

(ii) 이 직선이 점 B$(-2, -1)$을 지날 때
$-1=-m+4$에서 $m=5$
(iii) 이 직선이 점 C$(2, 1)$을 지날 때
$1=3m+4$에서 $m=-1$

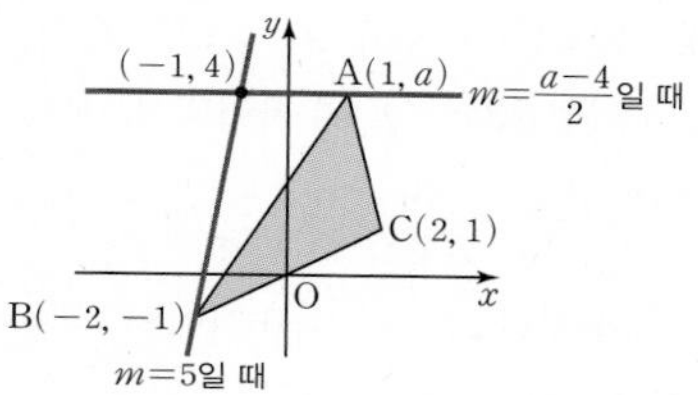

삼각형 ABC와 직선 $y=m(x+1)+4$가 만나지 않도록 하는 실수 m의 범위가 $0<m<b$이려면
그림과 같이
(i)에서 $\frac{a-4}{2}=0$, 즉 $a=4$이고
(ii)에서 $b=5$이어야 한다.
$\therefore a+b=4+5=9$

답 9

15

좌표평면이 4개의 영역으로 나누어지려면 서로 다른 세 직선이 모두 평행해야 한다.
두 직선 $ax-4y-2=0$, $2x+by-3=0$이 서로 평행하면
$\frac{a}{2}=\frac{-4}{b}\neq\frac{-2}{-3}$, 즉 $ab=-8$ $\left(단, a\neq\frac{4}{3}, b\neq -6\right)$ …… ㉠
두 직선 $2x+by-3=0$, $x-ay-1=0$이 서로 평행하면
$\frac{2}{1}=\frac{b}{-a}\neq\frac{-3}{-1}$, 즉 $b=-2a$ (단, $a\neq 0$) …… ㉡
㉠, ㉡을 연립하여 풀면 $a=2$, $b=-4$ 또는 $a=-2$, $b=4$
두 직선 $ax-4y-2=0$, $x-ay-1=0$은
$a=2$, $b=-4$일 때 서로 일치하고
$a=-2$, $b=4$일 때 서로 평행하다.
따라서 주어진 세 직선이 모두 평행하려면 $a=-2$, $b=4$이어야 한다.

$\therefore a+b=(-2)+4=2$

답 2

16

그림과 같이 선분 BC가 x축, 점 B가 원점에 오도록 직사각형 ABCD를 좌표평면 위에 두자.

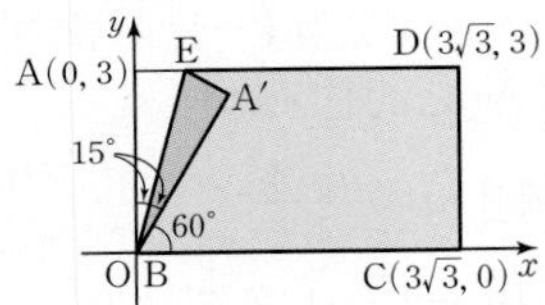

직선 BA′이 x축 양의 방향과 이루는 각의 크기가 60°이므로 기울기는 $\tan 60°=\sqrt{3}$이고, 원점을 지나므로 직선 BA′의 방정식은 $y=\sqrt{3}x$, 즉 $\sqrt{3}x-y=0$이다.
두 점 A, D의 좌표는 각각 $(0, 3)$, $(3\sqrt{3}, 3)$이므로
점 A$(0, 3)$과 직선 $\sqrt{3}x-y=0$ 사이의 거리는

$s=\dfrac{|\sqrt{3}\times 0-3|}{\sqrt{(\sqrt{3})^2+(-1)^2}}=\dfrac{3}{2}$

점 D$(3\sqrt{3}, 3)$과 직선 $\sqrt{3}x-y=0$ 사이의 거리는

$t=\dfrac{|\sqrt{3}\times 3\sqrt{3}-3|}{\sqrt{(\sqrt{3})^2+(-1)^2}}=\dfrac{6}{2}=3$

$\therefore \dfrac{t}{s}=2$

답 2

17

두 직선 $2x-y=0$, $x+y-3=0$이 만나는 점을
A$(1, 2)$,
두 직선 $x+y-3=0$, $8x-y+12=0$이 만나는 점을
B$(-1, 4)$,
두 직선 $8x-y+12=0$, $2x-y=0$이 만나는 점을
C$(-2, -4)$라 하자.

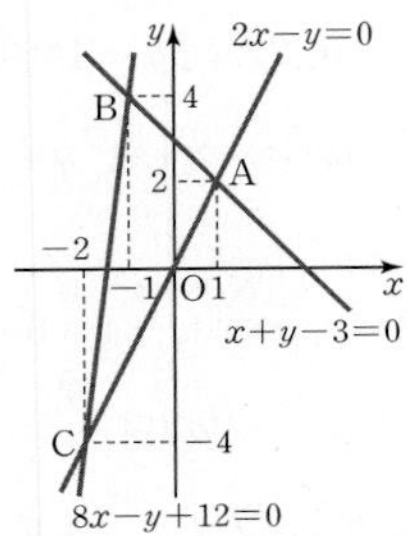

삼각형 ABC에서 밑변을 AB라 하면 높이는
점 C$(-2, -4)$와 직선 $x+y-3=0$ 사이의 거리와 같다.
$\overline{\text{AB}}=\sqrt{\{1-(-1)\}^2+(2-4)^2}=\sqrt{8}=2\sqrt{2}$이고,
점 C$(-2, -4)$와 직선 $x+y-3=0$ 사이의 거리를 h라 하면

$h=\dfrac{|(-2)+(-4)-3|}{\sqrt{1^2+1^2}}=\dfrac{9}{\sqrt{2}}$

$\therefore$ (삼각형 ABC의 넓이)

$=\dfrac{1}{2}\times\overline{\text{AB}}\times h=\dfrac{1}{2}\times 2\sqrt{2}\times\dfrac{9}{\sqrt{2}}=9$

답 9

18

직선 l_3 위의 점 중 A가 아닌 점을 P(x, y)라 할 때
$\overline{\text{AH}_1}=\overline{\text{AH}_2}$에 의하여 삼각형 AH_1P, AH_2P가 서로 합동이므로 $\overline{\text{PH}_1}=\overline{\text{PH}_2}$이다.
즉, 점 P에서 두 직선 l_1, l_2에 이르는 거리가 같아야 하므로

$\dfrac{|3x+4y-2|}{\sqrt{3^2+4^2}}=\dfrac{|4x+3y+1|}{\sqrt{4^2+3^2}}$

$|3x+4y-2|=|4x+3y+1|$

(i) $3x+4y-2=4x+3y+1$일 때
$x-y+3=0$

(ii) $3x+4y-2=-(4x+3y+1)$일 때
$7x+7y-1=0$

$\therefore a=7, b=7$ ($\because a>0, b>0$)

답 $a=7$, $b=7$

19

$\overline{\text{AB}}=\overline{\text{AC}}$에 의하여 삼각형 ABC는 이등변삼각형이므로 각 BAC의 이등분선 중 기울기가 음수인 것과 직선 $y=m(x-6)$은 서로 수직이다. …… ㉠

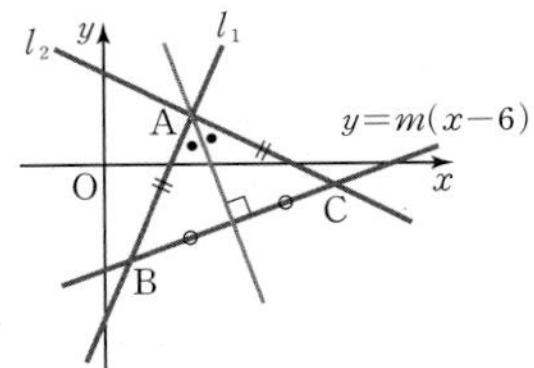

두 직선 $y=2x-3$, 즉 $2x-y-3=0$과 $y=-\dfrac{1}{2}x+2$, 즉 $x+2y-4=0$이 이루는 각의 이등분선 위의 임의의 점을 P(x, y)라 할 때, 점 P에서 두 직선에 이르는 거리가 같아야 하므로

$\dfrac{|2x-y-3|}{\sqrt{2^2+(-1)^2}}=\dfrac{|x+2y-4|}{\sqrt{1^2+2^2}}$

$|2x-y-3|=|x+2y-4|$

(i) $2x-y-3=x+2y-4$일 때
$x-3y+1=0$

(ii) $2x-y-3=-(x+2y-4)$일 때
$3x+y-7=0$

㉠에 의하여 (ii)에서 기울기가 음수인 각의 이등분선의 기울

기는 -3이고, $m=\frac{1}{3}$이다.

한편 두 직선 l_1, l_2의 기울기의 곱은 -1이므로 삼각형 ABC는 $\angle BAC=90°$인 직각이등변삼각형이다.

또한 두 직선 l_1, l_2의 교점 $(2, 1)$과 직선 $y=\frac{1}{3}(x-6)$, 즉 $x-3y-6=0$ 사이의 거리는 $\frac{|2-3\times1-6|}{\sqrt{1^2+(-3)^2}}=\frac{7}{\sqrt{10}}$이므로

$\overline{BC}=2\times\frac{7}{\sqrt{10}}=\frac{14}{\sqrt{10}}$이다.

따라서 삼각형 ABC의 넓이는

$\frac{1}{2}\times\frac{7}{\sqrt{10}}\times\frac{14}{\sqrt{10}}=\frac{49}{10}$

답 $\frac{49}{10}$

20

조건 ㈎에 의하여 직선 l이 삼각형 OAB의 꼭짓점인 점 O를 지나므로 조건 ㈏, ㈐에 의하여 점 P는 선분 AB를 $1:2$ 또는 $2:1$로 내분하는 점이어야 한다.

선분 AB를 $1:2$로 내분하는 점의 좌표는

$\left(\frac{1\times0+2\times2}{1+2}, \frac{1\times6+2\times0}{1+2}\right)$, 즉 $\left(\frac{4}{3}, 2\right)$

선분 AB를 $2:1$로 내분하는 점의 좌표는

$\left(\frac{2\times0+1\times2}{2+1}, \frac{2\times6+1\times0}{2+1}\right)$, 즉 $\left(\frac{2}{3}, 4\right)$

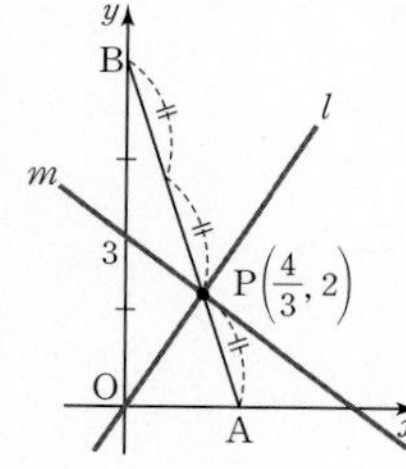

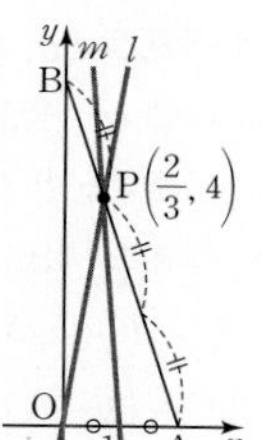

(i) 점 P의 좌표가 $\left(\frac{4}{3}, 2\right)$일 때

두 점 $O(0, 0)$, $P\left(\frac{4}{3}, 2\right)$를 지나는 직선 l의 기울기는

$\frac{2-0}{\frac{4}{3}-0}=\frac{3}{2}$

조건 ㈐에 의하여 직선 m은 삼각형 OBP의 넓이를 이등분하므로 선분 OB의 중점 $(0, 3)$을 지난다.

두 점 $P\left(\frac{4}{3}, 2\right)$, $(0, 3)$을 지나는 직선 m의 기울기는

$\frac{2-3}{\frac{4}{3}-0}=-\frac{3}{4}$

따라서 두 직선 l, m의 기울기의 합은

$\frac{3}{2}+\left(-\frac{3}{4}\right)=\frac{3}{4}$

(ii) 점 P의 좌표가 $\left(\frac{2}{3}, 4\right)$일 때

두 점 $O(0, 0)$, $P\left(\frac{2}{3}, 4\right)$를 지나는 직선 l의 기울기는

$\frac{4-0}{\frac{2}{3}-0}=6$

조건 ㈐에 의하여 직선 m은 삼각형 OAP의 넓이를 이등분하므로 선분 OA의 중점 $(1, 0)$을 지난다.

두 점 $P\left(\frac{2}{3}, 4\right)$, $(1, 0)$을 지나는 직선 m의 기울기는

$\frac{4-0}{\frac{2}{3}-1}=-12$

따라서 두 직선 l, m의 기울기의 합은 $6+(-12)=-6$

(i), (ii)에서 두 직선 l, m의 기울기의 합의 최댓값은 $\frac{3}{4}$

답 ①

03 원의 방정식

01 원의 방정식

개념 CHECK

본문 107쪽

01 (1) $(x-1)^2+(y-3)^2=18$ (2) $x^2+y^2=16$

02 (1) 중심의 좌표: $(0, -1)$, 반지름의 길이: $2\sqrt{2}$
(2) 중심의 좌표: $(-3, 2)$, 반지름의 길이: $\sqrt{3}$
(3) 중심의 좌표: $(1, 2)$, 반지름의 길이: 5
(4) 중심의 좌표: $(-6, -2)$, 반지름의 길이: $2\sqrt{10}$

03 (1) $k<\frac{5}{4}$ (2) $k<-3$ 또는 $k>\frac{3}{2}$

04 (1) $(x-5)^2+(y-6)^2=36$
(2) $(x-7)^2+(y+4)^2=49$, $(x+7)^2+(y+4)^2=49$
(3) $(x-3)^2+(y-3)^2=9$, $(x+3)^2+(y-3)^2=9$, $(x+3)^2+(y+3)^2=9$, $(x-3)^2+(y+3)^2=9$

05 (1) 4 (2) 1

01

(1) $(x-1)^2+(y-3)^2=(3\sqrt{2})^2$
$\therefore (x-1)^2+(y-3)^2=18$

(2) $x^2+y^2=4^2$
$\therefore x^2+y^2=16$

답 (1) $(x-1)^2+(y-3)^2=18$ (2) $x^2+y^2=16$

02

(1) 방정식 $x^2+(y+1)^2=8$이 나타내는 원의 중심의 좌표는 $(0, -1)$, 반지름의 길이는 $\sqrt{8}=2\sqrt{2}$

(2) 방정식 $(x+3)^2+(y-2)^2=3$이 나타내는 원의 중심의 좌표는 $(-3, 2)$, 반지름의 길이는 $\sqrt{3}$

(3) 방정식 $x^2+y^2-2x-4y-20=0$, 즉 $(x-1)^2+(y-2)^2=25$가 나타내는 원의 중심의 좌표는 $(1, 2)$, 반지름의 길이는 $\sqrt{25}=5$

(4) 방정식 $x^2+y^2+12x+4y=0$, 즉 $(x+6)^2+(y+2)^2=40$이 나타내는 원의 중심의 좌표는 $(-6, -2)$, 반지름의 길이는 $\sqrt{40}=2\sqrt{10}$

답 (1) 중심의 좌표: $(0, -1)$, 반지름의 길이: $2\sqrt{2}$
(2) 중심의 좌표: $(-3, 2)$, 반지름의 길이: $\sqrt{3}$
(3) 중심의 좌표: $(1, 2)$, 반지름의 길이: 5
(4) 중심의 좌표: $(-6, -2)$, 반지름의 길이: $2\sqrt{10}$

03

(1) 방정식 $x^2+y^2+x-2y+k=0$, 즉 $\left(x+\frac{1}{2}\right)^2+(y-1)^2=\frac{5}{4}-k$가 나타내는 도형이 원이 되려면 $\frac{5}{4}-k>0$, 즉 $k<\frac{5}{4}$이어야 한다.

(2) 방정식 $x^2+y^2+4kx-2ky+3k^2-3k+9=0$, 즉 $(x+2k)^2+(y-k)^2=2k^2+3k-9$가 나타내는 도형이 원이 되려면 $2k^2+3k-9>0$, $(k+3)(2k-3)>0$, 즉 $k<-3$ 또는 $k>\frac{3}{2}$이어야 한다.

답 (1) $k<\frac{5}{4}$ (2) $k<-3$ 또는 $k>\frac{3}{2}$

04

(1) 점 $(5, 6)$을 중심으로 하고 x축에 접하는 원의 반지름의 길이는 $|6|$이므로 구하는 원의 방정식은
$(x-5)^2+(y-6)^2=36$

(2) y축에 접하면서 중심의 y좌표가 -4이고 반지름의 길이가 7인 원의 중심의 x좌표를 a라 하면
$|a|=7$, 즉 $a=7$ 또는 $a=-7$
따라서 구하는 원의 방정식은
$(x-7)^2+(y+4)^2=49$, $(x+7)^2+(y+4)^2=49$

(3) 반지름의 길이가 3이고 x축과 y축에 동시에 접하는 원의 중심의 좌표를 (a, b)라 하면
$|a|=3$, 즉 $a=3$ 또는 $a=-3$
$|b|=3$, 즉 $b=3$ 또는 $b=-3$
따라서 구하는 원의 방정식은
$(x-3)^2+(y-3)^2=9$
$(x+3)^2+(y-3)^2=9$
$(x+3)^2+(y+3)^2=9$
$(x-3)^2+(y+3)^2=9$

답 (1) $(x-5)^2+(y-6)^2=36$
(2) $(x-7)^2+(y+4)^2=49$, $(x+7)^2+(y+4)^2=49$
(3) $(x-3)^2+(y-3)^2=9$, $(x+3)^2+(y-3)^2=9$, $(x+3)^2+(y+3)^2=9$, $(x-3)^2+(y+3)^2=9$

05

(1) 원 $(x+2)^2+(y-1)^2=k$가 y축에 접하므로
$k=2^2=4$

(2) 원 $x^2+y^2+2x-8y+k=0$, 즉 $(x+1)^2+(y-4)^2=17-k$가 x축에 접하므로
$17-k=4^2$ $\therefore k=1$

답 (1) 4 (2) 1

유제

본문 108~119쪽

01-1 $(x-2)^2+(y-4)^2=25$
01-2 $(x+4)^2+(y-1)^2=40$
01-3 4 **01-4** $3\sqrt{2}$
02-1 $(x-2)^2+(y-1)^2=41$ **02-2** 16
02-3 3 **02-4** $y=5x$ **03-1** $\left(0, \frac{2}{3}\right)$
03-2 $\sqrt{10}$
03-3 $(x-7)^2+(y+10)^2=25$, $(x-7)^2+(y+2)^2=25$
03-4 27 **04-1** $6\sqrt{3}$
04-2 $k<-2$ 또는 $k>3$ **04-3** $\frac{1}{2}$ **04-4** 9
05-1 -6 **05-2** $x^2+y^2-6x+12y=0$
05-3 -6, 8 **05-4** 25π
06-1 $(x-1)^2+(y+4)^2=16$
06-2 3, 75 **06-3** 12 **06-4** 6

01-1

풀이 1

점 $(2, 4)$를 중심으로 하는 원의 반지름의 길이를 r라 하면
원의 방정식은 $(x-2)^2+(y-4)^2=r^2$
이 원이 점 $(-1, 0)$을 지나므로
$(-1-2)^2+(0-4)^2=r^2$, 즉 $r^2=25$
따라서 구하는 원의 방정식은
$(x-2)^2+(y-4)^2=25$

풀이 2

원의 반지름의 길이를 r라 하면 r는 두 점 $(2, 4)$, $(-1, 0)$ 사이의 거리와 일치하므로
$r^2=\{2-(-1)\}^2+(4-0)^2=25$
따라서 구하는 원의 방정식은
$(x-2)^2+(y-4)^2=25$

답 $(x-2)^2+(y-4)^2=25$

01-2

풀이 1

원 $(x+4)^2+(y-1)^2=16$의 중심은 $(-4, 1)$이므로 이 원과 중심이 같은 원의 반지름의 길이를 r라 하면 원의 방정식은
$(x+4)^2+(y-1)^2=r^2$
이 원이 점 $(2, -1)$을 지나므로
$(2+4)^2+(-1-1)^2=r^2$, 즉 $r^2=40$
따라서 구하는 원의 방정식은
$(x+4)^2+(y-1)^2=40$

풀이 2

원 $(x+4)^2+(y-1)^2=16$의 중심은 $(-4, 1)$이므로
이 원과 중심이 같은 원의 반지름의 길이를 r라 하면
r는 두 점 $(-4, 1)$, $(2, -1)$ 사이의 거리와 일치한다.
따라서 $r^2=\{2-(-4)\}^2+\{(-1)-1\}^2=40$이므로
구하는 원의 방정식은
$(x+4)^2+(y-1)^2=40$

답 $(x+4)^2+(y-1)^2=40$

01-3

풀이 1

선분 AB를 2 : 1로 내분하는 점의 좌표는
$\left(\frac{2\times5+1\times(-1)}{2+1}, \frac{2\times2+1\times(-1)}{2+1}\right)$, 즉 $(3, 1)$
이 점을 중심으로 하는 원의 반지름의 길이를 r라 하면 원의 방정식은
$(x-3)^2+(y-1)^2=r^2$
이 원이 점 $(6, 4)$를 지나므로
$(6-3)^2+(4-1)^2=r^2$, 즉 $r^2=18$
따라서 이 원의 방정식은
$(x-3)^2+(y-1)^2=18$
이 원이 점 $(0, a)$를 지나므로
$(0-3)^2+(a-1)^2=18$, 즉 $(a-1)^2=9$
$a-1=-3$ 또는 $a-1=3$
$\therefore a=4$ ($\because a>0$)

풀이 2

선분 AB를 2 : 1로 내분하는 점의 좌표는
$\left(\frac{2\times5+1\times(-1)}{2+1}, \frac{2\times2+1\times(-1)}{2+1}\right)$, 즉 $(3, 1)$
두 점 $(3, 1)$, $(6, 4)$ 사이의 거리와
두 점 $(3, 1)$, $(0, a)$ 사이의 거리가 일치하므로
$(6-3)^2+(4-1)^2=(0-3)^2+(a-1)^2$
$18=a^2-2a+10$, $a^2-2a-8=0$
$(a+2)(a-4)=0$
$\therefore a=4$ ($\because a>0$)

답 4

01-4

풀이 1

점 $(2, 4)$를 중심으로 하는 원 C의 반지름의 길이를 r라 하면 원 C의 방정식은
$(x-2)^2+(y-4)^2=r^2$
원 C가 점 $(a, 1)$을 지나므로
$(a-2)^2+(1-4)^2=r^2$, 즉 $a^2-4a+13=r^2$ …… ㉠
원 C가 점 $(-1, a+8)$을 지나므로

$(-1-2)^2+(a+8-4)^2=r^2$, 즉 $a^2+8a+25=r^2$ …… ㉡

㉠－㉡에 의하여 $-12a-12=0$, 즉 $a=-1$

이를 ㉠에 대입하면 $r^2=18$

$\therefore r=3\sqrt{2}$ ($\because r>0$)

풀이 2

두 점 (2, 4), $(a, 1)$ 사이의 거리와

두 점 (2, 4), $(-1, a+8)$ 사이의 거리가 일치하므로

$\sqrt{(a-2)^2+(1-4)^2}=\sqrt{\{(-1)-2\}^2+\{(a+8)-4\}^2}$

$\sqrt{a^2-4a+13}=\sqrt{a^2+8a+25}$ …… ㉠

㉠의 양변을 제곱하면

$a^2-4a+13=a^2+8a+25$

$12a=-12$ $\quad\therefore a=-1$

이를 ㉠에 대입하면 원 C의 반지름의 길이는

$\sqrt{18}=3\sqrt{2}$

답 $3\sqrt{2}$

02-1

두 점 A(6, −4), B(−2, 6)을 지름의 양 끝점으로 하는 원의 중심을 C라 하자.

원의 중심 C는 선분 AB의 중점이므로

$C\left(\frac{6+(-2)}{2}, \frac{(-4)+6}{2}\right)$, 즉 C(2, 1)

원의 반지름의 길이는

$\overline{AC}=\sqrt{(2-6)^2+\{1-(-4)\}^2}=\sqrt{41}$

따라서 구하는 원의 방정식은

$(x-2)^2+(y-1)^2=41$

답 $(x-2)^2+(y-1)^2=41$

02-2

두 점 A(4, −2), B(10, 0)을 지름의 양 끝점으로 하는 원의 중심을 C라 하면

$C\left(\frac{4+10}{2}, \frac{(-2)+0}{2}\right)$, 즉 C(7, −1)

원의 반지름의 길이는

$\overline{AC}=\sqrt{(7-4)^2+\{(-1)-(-2)\}^2}=\sqrt{10}$

따라서 구하는 원의 방정식은

$(x-7)^2+(y+1)^2=10$

$\therefore a+b+c=7+(-1)+10=16$

답 16

02-3

두 점 A(1, −1), B(−7, 3)을 지름의 양 끝점으로 하는 원의 중심을 C라 하면

$C\left(\frac{1+(-7)}{2}, \frac{(-1)+3}{2}\right)$, 즉 C(−3, 1)

원의 반지름의 길이는

$\overline{AC}=\sqrt{\{(-3)-1\}^2+\{1-(-1)\}^2}=\sqrt{20}=2\sqrt{5}$

따라서 구하는 원의 방정식은

$(x+3)^2+(y-1)^2=(2\sqrt{5})^2$, 즉 $(x+3)^2+(y-1)^2=20$

이 원이 점 $(1, k)$를 지나므로

$(1+3)^2+(k-1)^2=20$에서 $(k-1)^2=4$

$k-1=-2$ 또는 $k-1=2$

$\therefore k=3$ ($\because k>0$)

다른 풀이

선분 AB가 원의 지름이므로 $P(1, k)$라 할 때

$\angle APB=90°$이다.

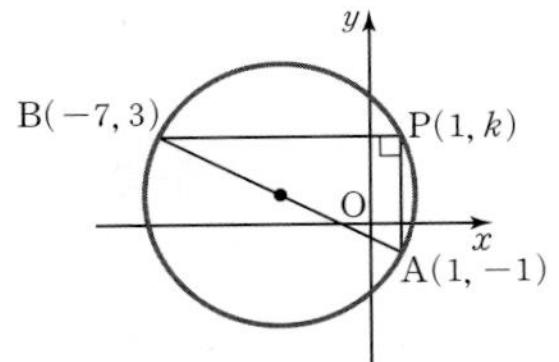

이때 점 A와 점 P의 x좌표가 같으므로 점 B와 점 P의 y좌표가 같아야 한다.

즉, $k=3$이다.

참고

원주각과 중심각의 크기

원에서 한 호에 대한 원주각의 크기는 모두 같고,

그 호에 대한 중심각의 크기의 $\frac{1}{2}$이다.

즉, 다음 그림에서 $\angle APB=\frac{1}{2}\angle AOB$이다.

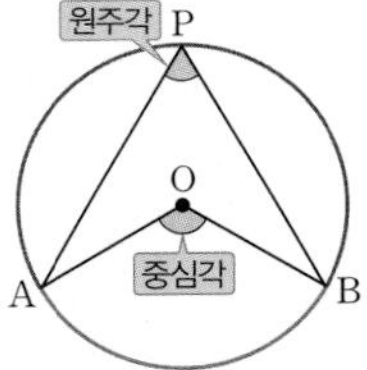

특히 반원에 대한 원주각의 크기는 90°이다.

즉, 다음 그림과 같이 선분 AB가 원의 지름이면

$\angle APB=90°$이다.

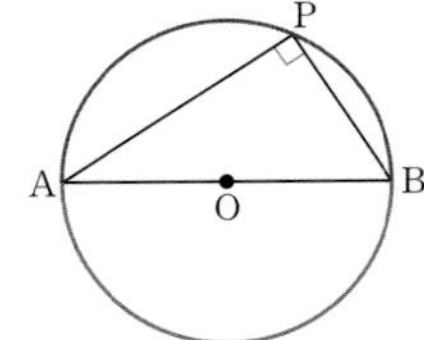

답 3

02-4

두 점 A(−3, 2), B(5, 8)을 지름의 양 끝점으로 하는 원 C

의 중심을 C라 하자.
점 C는 선분 AB의 중점이므로

$C\left(\frac{(-3)+5}{2}, \frac{2+8}{2}\right)$, 즉 $C(1, 5)$

원 C의 반지름의 길이는
$r=\overline{AC}=\sqrt{\{1-(-3)\}^2+(5-2)^2}=\sqrt{25}=5$

원 C의 넓이를 이등분하는 직선 l은 원의 중심을 지나야 하고, 기울기가 r라 주어졌으므로 직선 l의 방정식은
$y-5=5(x-1)$, 즉 $y=5x$

답 $y=5x$

03-1

풀이 1

원의 중심이 y축 위에 있으므로 원의 중심의 좌표를 $(0, a)$라 하고, 반지름의 길이를 r라 하면 원의 방정식은
$x^2+(y-a)^2=r^2$ ...... ㉠

원 ㉠이 점 $(1, 6)$을 지나므로
$1^2+(6-a)^2=r^2$, 즉 $a^2-12a+37=r^2$ ...... ㉡

원 ㉠이 점 $(4, -3)$을 지나므로
$4^2+(-3-a)^2=r^2$, 즉 $a^2+6a+25=r^2$ ...... ㉢

㉡－㉢에 의하여 $12-18a=0$ $\therefore a=\frac{2}{3}$

따라서 구하는 원의 중심의 좌표는 $\left(0, \frac{2}{3}\right)$

풀이 2

원의 중심이 y축 위에 있으므로 원의 중심의 좌표를 $(0, a)$라 하자.
이 점에서 두 점 $(1, 6)$, $(4, -3)$에 이르는 거리가 일치하므로
$\sqrt{(0-1)^2+(a-6)^2}=\sqrt{(0-4)^2+\{a-(-3)\}^2}$
$\sqrt{a^2-12a+37}=\sqrt{a^2+6a+25}$ ...... ㉠

㉠의 양변을 제곱하면
$a^2-12a+37=a^2+6a+25$
$18a=12$ $\therefore a=\frac{2}{3}$

따라서 구하는 원의 중심의 좌표는 $\left(0, \frac{2}{3}\right)$

답 $\left(0, \frac{2}{3}\right)$

03-2

풀이 1

원의 중심이 직선 $y=x-2$ 위에 있으므로 원의 중심의 좌표를 $(a, a-2)$라 하고, 반지름의 길이를 r라 하면 원의 방정식은 $(x-a)^2+(y-a+2)^2=r^2$ ...... ㉠

원 ㉠이 점 $(0, 0)$을 지나므로
$(0-a)^2+(0-a+2)^2=r^2$, 즉 $2a^2-4a+4=r^2$ ...... ㉡

원 ㉠이 점 $(-4, -2)$를 지나므로
$(-4-a)^2+(-2-a+2)^2=r^2$, 즉 $2a^2+8a+16=r^2$ ...... ㉢

㉡－㉢에 의하여 $-12a-12=0$, 즉 $a=-1$
이를 ㉡에 대입하면 $r^2=10$
$\therefore r=\sqrt{10}$ ($\because r>0$)

풀이 2

원의 중심이 직선 $y=x-2$ 위에 있으므로 원의 중심의 좌표를 $(a, a-2)$라 하자.
이 점에서 두 점 $(0, 0)$, $(-4, -2)$에 이르는 거리가 일치하므로
$\sqrt{a^2+(a-2)^2}=\sqrt{\{a-(-4)\}^2+\{(a-2)-(-2)\}^2}$
$\sqrt{2a^2-4a+4}=\sqrt{2a^2+8a+16}$ ...... ㉠

㉠의 양변을 제곱하면
$2a^2-4a+4=2a^2+8a+16$
$12a=-12$ $\therefore a=-1$

구하는 원의 반지름의 길이는
㉠에 $a=-1$을 대입한 값이므로 $\sqrt{10}$

답 $\sqrt{10}$

03-3

중심이 직선 $x=7$ 위에 있고, 반지름의 길이가 5인 원의 방정식을 $(x-7)^2+(y-a)^2=5^2$이라 하자.
이 원이 점 $(10, -6)$을 지나므로
$(10-7)^2+(-6-a)^2=25$, 즉 $(a+6)^2=16$
$a+6=-4$ 또는 $a+6=4$
$\therefore a=-10$ 또는 $a=-2$

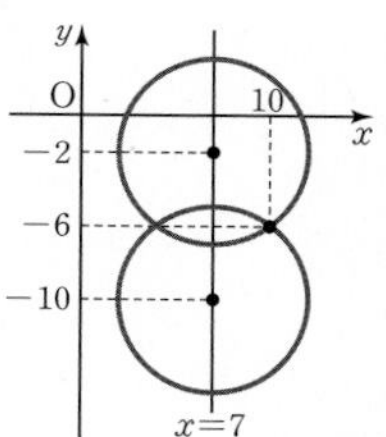

따라서 구하는 모든 원의 방정식은
$(x-7)^2+(y+10)^2=25$, $(x-7)^2+(y+2)^2=25$

답 $(x-7)^2+(y+10)^2=25$, $(x-7)^2+(y+2)^2=25$

03-4

두 점 $(-1, 2)$, $(2, 5)$를 지나는 직선의 방정식은

$y-5=\frac{5-2}{2-(-1)}(x-2)$, 즉 $y=x+3$

이 직선 위에 원 C의 중심 (a, b)가 있으므로

$b=a+3$ …… ㉠

이를 원 C의 방정식에 대입하면

$(x-a)^2+(y-a-3)^2=c$

원 C가 점 $(0, 1)$을 지나므로

$(0-a)^2+(-a-2)^2=c$, 즉 $2a^2+4a+4=c$ …… ㉡

원 C가 점 $(6, 3)$을 지나므로

$(6-a)^2+(-a)^2=c$, 즉 $2a^2-12a+36=c$ …… ㉢

㉡$-$㉢에 의하여 $16a-32=0$에서 $a=2$

이를 ㉠, ㉡에 각각 대입하면 $b=5$, $c=20$

$\therefore a+b+c=2+5+20=27$

답 27

04-1

$x^2+y^2+2ax+2y-2=0$을 변형하면

$(x+a)^2+(y+1)^2=a^2+3$

이 원의 중심의 좌표는 $(-a, -1)$,

반지름의 길이는 $\sqrt{a^2+3}$이다.

문제에서 원의 중심의 좌표가 $(3, b)$, 반지름의 길이가 r라 주어졌으므로

$a=-3$, $b=-1$, $r=\sqrt{(-3)^2+3}=\sqrt{12}=2\sqrt{3}$

$\therefore abr=6\sqrt{3}$

답 $6\sqrt{3}$

04-2

$x^2+y^2-6x+2ky+k+15=0$을 변형하면

$(x-3)^2+(y+k)^2=k^2-k-6$

이 방정식이 원을 나타내려면

$k^2-k-6>0$

$(k+2)(k-3)>0$

$\therefore k<-2$ 또는 $k>3$

참고

x, y에 대한 이차방정식

$x^2+y^2+Ax+By+C=0$이 원이 되기 위한 조건

$A^2+B^2-4C>0$을 기억하고 있다면 완전제곱식을 이용하여 나타낼 필요 없이 바로 다음과 같이 구할 수도 있다.

$(-6)^2+(2k)^2-4(k+15)>0$

$4k^2-4k-24>0$, $k^2-k-6>0$

$(k+2)(k-3)>0$

$\therefore k<-2$ 또는 $k>3$

답 $k<-2$ 또는 $k>3$

04-3

$x^2+y^2+2ax-8ay+a^2-8a-2=0$을 변형하면

$(x+a)^2+(y-4a)^2=16a^2+8a+2$

이 원의 넓이가 10π이므로

$16a^2+8a+2=10$, $16a^2+8a-8=0$, $2a^2+a-1=0$

$(2a-1)(a+1)=0$

$\therefore a=\frac{1}{2}$ $(\because a>0)$

답 $\frac{1}{2}$

04-4

$x^2+y^2-2kx-2y+3k^2-11k-5=0$을 변형하면

$(x-k)^2+(y-1)^2=-2k^2+11k+6$

이 방정식이 나타내는 도형이 반지름의 길이가 $3\sqrt{2}$ 이상인 원이 되려면

$-2k^2+11k+6\ge(3\sqrt{2})^2$, $2k^2-11k+12\le0$

$(2k-3)(k-4)\le0$

$\therefore \frac{3}{2}\le k\le4$

따라서 구하는 정수 k의 값의 합은 $2+3+4=9$

답 9

05-1

원 $x^2+y^2+Ax+By+C=0$이

점 $(0, 0)$을 지나므로 $C=0$

또한 이 원이 두 점 $(3, 4)$, $(-3, 6)$을 지나므로

$$\begin{cases} 25+3A+4B=0 & \cdots\cdots ㉠ \\ 45-3A+6B=0 & \cdots\cdots ㉡ \end{cases}$$

㉠, ㉡을 연립하여 풀면 $A=1$, $B=-7$

$\therefore A+B+C=1+(-7)+0=-6$

답 -6

05-2

풀이 1

점 $(0, 0)$을 지나는 원의 방정식을

$x^2+y^2+Ax+By=0$이라 하자.

이 원이 두 점 $(0, -12)$, $(6, -12)$를 지나므로

$$\begin{cases} 144-12B=0 \\ 180+6A-12B=0 \end{cases}$$, 즉

$$\begin{cases} B=12 & \cdots\cdots ㉠ \\ 30+A-2B=0 & \cdots\cdots ㉡ \end{cases}$$

㉠을 ㉡에 대입하면 $A=-6$
따라서 구하는 원의 방정식은
$x^2+y^2-6x+12y=0$

풀이 2

주어진 세 점을 O(0, 0), A(0, −12), B(6, −12)라 하고, 이 세 점을 지나는 원의 중심을 P(a, b)라 하자.
원의 반지름의 길이가 $\overline{PO}=\sqrt{a^2+b^2}$이므로
$\overline{PA}^2=\overline{PO}^2$에서
$(a-0)^2+(b+12)^2=a^2+b^2$, 즉 $24b+144=0$ …… ㉠
$\overline{PB}^2=\overline{PO}^2$에서
$(a-6)^2+(b+12)^2=a^2+b^2$, 즉 $a-2b-15=0$ …… ㉡
㉠에서 $b=-6$
이를 ㉡에 대입하면 $a=3$
즉, 원의 중심은 P(3, −6)이고
반지름의 길이는 $\overline{PO}=\sqrt{3^2+(-6)^2}=\sqrt{45}$이므로 구하는 원의 방정식은
$(x-3)^2+(y+6)^2=45$, 즉 $x^2+y^2-6x+12y=0$

다른 풀이

원이 지나는 세 점을 O(0, 0), A(0, −12), B(6, −12)라 할 때 ∠OAB=90°이므로 선분 OB는 원의 지름이다.

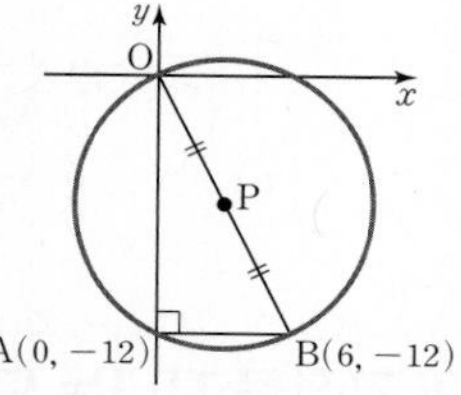

따라서 세 점을 지나는 원의 중심을 P라 하면 점 P는 선분 OB의 중점이므로 좌표는 (3, −6)이고, 원의 반지름의 길이는 $\overline{OP}=\sqrt{3^2+(-6)^2}=\sqrt{45}$이다.
따라서 구하는 원의 방정식은
$(x-3)^2+(y+6)^2=45$, 즉 $x^2+y^2-6x+12y=0$

답 $x^2+y^2-6x+12y=0$

05-3

A(0, 8), B(−6, 0), C(6, −4)라 하고, 이 세 점을 지나는 원의 중심을 P(a, b)라 하자.
원의 중심 P에서 세 점 A, B, C에 이르는 거리가 반지름의 길이와 모두 일치하므로 $\overline{PA}=\overline{PB}=\overline{PC}$이다.
$\overline{PA}^2=\overline{PB}^2$에서
$(a-0)^2+(b-8)^2=\{a-(-6)\}^2+(b-0)^2$
$-16b+64=12a+36$, 즉 $3a+4b=7$ …… ㉠
$\overline{PA}^2=\overline{PC}^2$에서
$(a-0)^2+(b-8)^2=(a-6)^2+\{b-(-4)\}^2$
$-16b+64=-12a+8b+52$, 즉 $a-2b=-1$ …… ㉡
㉠, ㉡을 연립하여 풀면 $a=1$, $b=1$
즉, 원의 중심은 P(1, 1)이고
반지름의 길이는 $\overline{PA}=\sqrt{(1-0)^2+(1-8)^2}=\sqrt{50}$
따라서 세 점 A, B, C를 지나는 원의 방정식은
$(x-1)^2+(y-1)^2=50$
또한 점 (k, 2)가 이 원 위에 있으므로
$(k-1)^2+(2-1)^2=50$, $(k-1)^2=7^2$
$k-1=-7$ 또는 $k-1=7$
$\therefore k=-6$ 또는 $k=8$

답 −6, 8

05-4

두 직선 $3x-y+6=0$, $7x+y+4=0$의 교점의 좌표는 (−1, 3)
두 직선 $7x+y+4=0$, $2x+y+4=0$의 교점의 좌표는 (0, −4)
두 직선 $2x+y+4=0$, $3x-y+6=0$의 교점의 좌표는 (−2, 0)

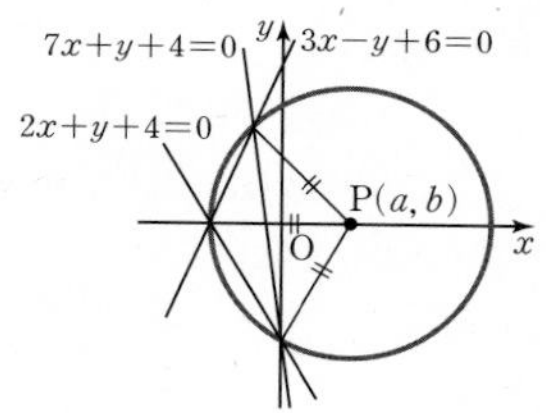

삼각형의 세 꼭짓점을 A(−1, 3), B(0, −4), C(−2, 0)이라 할 때, 삼각형 ABC의 외접원의 중심을 P(a, b)라 하면 $\overline{PA}=\overline{PB}=\overline{PC}$이다.
$\overline{PA}^2=\overline{PB}^2$에서
$\{a-(-1)\}^2+(b-3)^2=(a-0)^2+\{b-(-4)\}^2$
$2a-6b+10=8b+16$, 즉 $a-7b=3$ …… ㉠
$\overline{PB}^2=\overline{PC}^2$에서
$(a-0)^2+\{b-(-4)\}^2=\{a-(-2)\}^2+(b-0)^2$
$8b+16=4a+4$, 즉 $a-2b=3$ …… ㉡
㉠, ㉡을 연립하여 풀면 $a=3$, $b=0$이므로
반지름의 길이는 $\sqrt{a^2+(b+4)^2}=\sqrt{3^2+4^2}=\sqrt{25}$
따라서 구하는 외접원의 넓이는 25π이다.

답 25π

06-1

구하는 원의 중심의 좌표는 (1, −4)이고, 원이 x축에 접하므로 원의 반지름의 길이는 $|-4|=4$이다.
따라서 구하는 원의 방정식은 $(x-1)^2+(y+4)^2=16$

답 $(x-1)^2+(y+4)^2=16$

06-2

구하는 원의 중심이 직선 $x+3y=0$ 위에 있으므로 중심의 좌표를 $(-3a,\ a)$라 하자.
원이 y축에 접하므로 원의 반지름의 길이는 $|-3a|$ …… ㉠
따라서 원의 방정식은 $(x+3a)^2+(y-a)^2=9a^2$
이 원이 점 $(3,\ -4)$를 지나므로
$(3+3a)^2+(-4-a)^2=9a^2$, $a^2+26a+25=0$
$(a+1)(a+25)=0$, 즉 $a=-1$ 또는 $a=-25$
이를 ㉠에 각각 대입하면 구하는 원의 반지름의 길이는 3, 75

답 3, 75

06-3

주어진 원의 방정식을 정리하면
$(x+a)^2+(y+1)^2=a^2-b+1$ …… ㉠
이므로 중심의 좌표는 $(-a,\ -1)$이다.
원 ㉠이 x축에 접하므로 반지름의 길이는
$\sqrt{a^2-b+1}=|-1|$
양변을 제곱하면
$a^2-b+1=1$, 즉 $a^2=b$ …… ㉡
또한 원 ㉠이 점 $(-3,\ -2)$를 지나므로
$(-3+a)^2+(-2+1)^2=1$, $(a-3)^2=0$, 즉 $a=3$
이를 ㉡에 대입하면 $b=9$
$\therefore\ a+b=3+9=12$

답 12

06-4

구하는 원의 반지름의 길이를 r라 하자.
이 원이 x축과 y축에 동시에 접하고
제4사분면에 있는 점 $(2,\ -1)$을 지나므로
원의 중심의 좌표는 $(r,\ -r)$이다.
따라서 원의 방정식은
$(x-r)^2+(y+r)^2=r^2$
이 원이 점 $(2,\ -1)$을 지나므로
$(2-r)^2+(-1+r)^2=r^2$
$r^2-4r+4+r^2-2r+1=r^2$
$r^2-6r+5=0$, $(r-1)(r-5)=0$
$\therefore\ r=1$ 또는 $r=5$

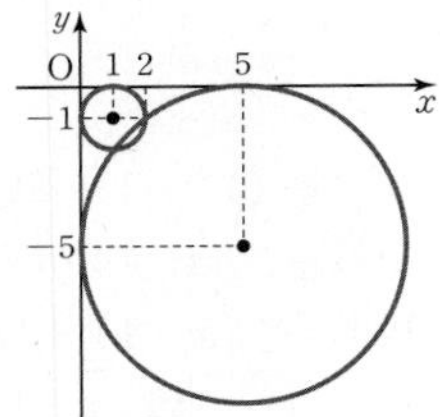

따라서 두 원의 반지름의 길이의 합은 6이다.

참고

원이 x축과 y축에 동시에 접한다는 조건이 주어진 경우 원의 중심의 좌표 $(a,\ b)$와 반지름의 길이 r의 관계 $r=|a|=|b|$를 이용하여 x축, y축에 동시에 접하는 원의 방정식을 구하면 다음과 같다.

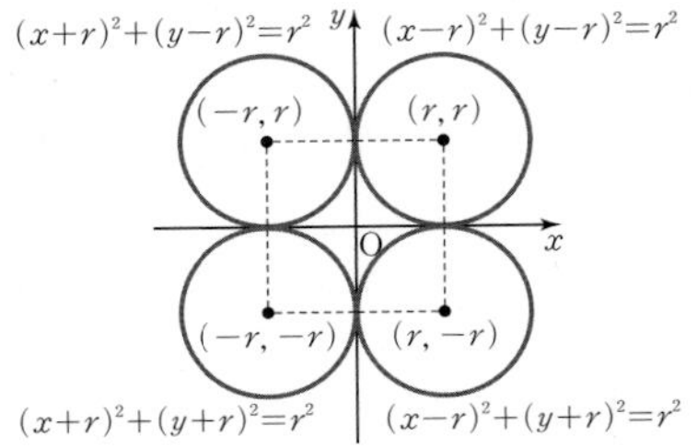

이때 원 위의 점 $(x_1,\ y_1)$이 주어진 경우 이 점이 위치한 사분면과 원의 중심이 위치한 사분면은 같다. (단, $x_1y_1\neq0$)

답 6

02 두 원의 교점을 지나는 도형의 방정식

본문 121쪽

개념 CHECK

01 (1) $6x+8y-17=0$ (2) $x-2y+4=0$
02 (1) $(3,\ 2)$, $(3,\ -2)$ (2) $(-1,\ 2)$, $(0,\ 2)$
03 (1) $x^2+y^2+x-2y=0$ (2) $x^2+y^2-\frac{1}{7}x-\frac{5}{7}y=0$

01

(1) 두 원 $x^2+y^2-7=0$, $x^2+y^2-6x-8y+10=0$의 교점을 지나는 직선의 방정식은
$x^2+y^2-7-(x^2+y^2-6x-8y+10)=0$, 즉
$6x+8y-17=0$

(2) 두 원 $(x-1)^2+y^2=9$, $x^2+(y-2)^2=4$의 교점을 지나는 지나는 직선의 방정식은
$x^2-2x+y^2-8-(x^2+y^2-4y)=0$, 즉
$x-2y+4=0$

답 (1) $6x+8y-17=0$ (2) $x-2y+4=0$

02

(1) 방정식 $x^2+y^2-12x+23+k(x^2+y^2-2x-7)=0$이 나타내는 도형이 k의 값에 관계없이 항상 지나는 점은 두 원

$x^2+y^2-12x+23=0$, ... ㉠

$x^2+y^2-2x-7=0$ ...... ㉡

의 교점이다.

㉠−㉡에서 $-10x+30=0$ $\therefore x=3$

이를 ㉡에 대입하면 $y^2-4=0$ $\therefore y=\pm 2$

따라서 구하는 점의 좌표는 $(3, 2)$, $(3, -2)$

(2) 방정식 $x^2+y^2+x-4y+4+k(x^2+y^2+x-2y)=0$ 이 나타내는 도형이 k의 값에 관계없이 항상 지나는 점은 두 원

$x^2+y^2+x-4y+4=0$, ... ㉠

$x^2+y^2+x-2y=0$ ...... ㉡

의 교점이다.

㉠−㉡에서 $-2y+4=0$ $\therefore y=2$

이를 ㉡에 대입하면 $x^2+x=0$, $x(x+1)=0$

$\therefore x=-1$ 또는 $x=0$

따라서 구하는 점의 좌표는 $(-1, 2)$, $(0, 2)$

답 (1) $(3, 2)$, $(3, -2)$ (2) $(-1, 2)$, $(0, 2)$

03

(1) 두 원 $x^2+y^2=4$, $(x+1)^2+(y-2)^2=1$의 교점을 지나는 원의 방정식은

$x^2+y^2-4+k(x^2+y^2+2x-4y+4)=0$ (단, $k\neq -1$) ...... ㉠

이 원이 원점을 지나므로

$-4+4k=0$, 즉 $k=1$

이를 ㉠에 대입하면

$2x^2+2y^2+2x-4y=0$, 즉 $x^2+y^2+x-2y=0$

(2) 두 원 $x^2+y^2+5x+y-2=0$, $x^2+y^2-x-y+\frac{1}{3}=0$ 의 교점을 지나는 원의 방정식은

$x^2+y^2+5x+y-2$

$+k\left(x^2+y^2-x-y+\frac{1}{3}\right)=0$ (단, $k\neq -1$) ...... ㉠

이 원이 원점을 지나므로

$-2+\frac{k}{3}=0$, 즉 $k=6$

이를 ㉠에 대입하면

$x^2+y^2+5x+y-2+6\left(x^2+y^2-x-y+\frac{1}{3}\right)=0$

$7x^2+7y^2-x-5y=0$, 즉 $x^2+y^2-\frac{1}{7}x-\frac{5}{7}y=0$

답 (1) $x^2+y^2+x-2y=0$ (2) $x^2+y^2-\frac{1}{7}x-\frac{5}{7}y=0$

유제 본문 122~125쪽

07-1 6 **07-2** −4 **07-3** 11 **07-4** −1

08-1 $-\frac{4}{3}$ **08-2** $x^2+y^2+7x+6y-9=0$

08-3 5π **08-4** 12

07-1

두 원의 교점을 지나는 직선의 방정식은

$x^2+y^2+3x+ay-1-(x^2+y^2-x+2y-5)=0$

$4x+(a-2)y+4=0$

이 직선이 점 $(3, -4)$를 지나므로

$24-4a=0$

$\therefore a=6$

답 6

07-2

$(x-1)^2+(y-3)^2=16$을 변형하면

$x^2+y^2-2x-6y-6=0$

따라서 두 원의 교점을 지나는 직선의 방정식은

$x^2+y^2+ax+2y-4-(x^2+y^2-2x-6y-6)=0$

$(a+2)x+8y+2=0$

이 직선이 점 $(-7, -2)$를 지나므로

$-7a-28=0$

$\therefore a=-4$

답 −4

07-3

두 원의 교점을 지나는 직선의 방정식은

$x^2+y^2+4x+2y-1-(x^2+y^2-6x+ay+b)=0$

$10x+(2-a)y-1-b=0$

이 직선이 직선 $2x-3y+1=0$과 일치해야 하므로

$\frac{10}{2}=\frac{2-a}{-3}=\frac{-1-b}{1}$에서 $a=17$, $b=-6$

$\therefore a+b=17+(-6)=11$

답 11

07-4

두 원의 교점을 지나는 직선의 방정식은

$x^2+y^2-6x+2y-3-\{x^2+y^2+ax+(1-2a)y-3\}=0$

$(-a-6)x+(2a+1)y=0$

이 직선은 직선 $y=-5x+1$과 평행하므로 기울기가 −5이다.

$\frac{a+6}{2a+1}=-5$, 즉 $11a=-11$

$\therefore a=-1$

답 -1

08-1

두 원의 교점을 지나는 원의 방정식은

$x^2+y^2-5x+3y+4+k(x^2+y^2-2x+y-2)=0$

(단, $k\neq-1$) …… ㉠

이 원이 점 $(3, 0)$을 지나므로

$-2+k=0$, 즉 $k=2$

이를 ㉠에 대입하면

$3x^2+3y^2-9x+5y=0$, 즉

$x^2+y^2-3x+\frac{5}{3}y=0$

$\therefore a+b+c=(-3)+\frac{5}{3}+0=-\frac{4}{3}$

답 $-\frac{4}{3}$

08-2

$(x+2)^2+y^2=8$을 변형하면 $x^2+y^2+4x-4=0$

따라서 두 원의 교점을 지나는 원의 방정식은

$x^2+y^2+x-6y+1+k(x^2+y^2+4x-4)=0$

(단, $k\neq-1$) …… ㉠

이 원이 점 $(2, -3)$을 지나므로

$34+17k=0$, 즉 $k=-2$

이를 ㉠에 대입하면

$-x^2-y^2-7x-6y+9=0$, 즉

$x^2+y^2+7x+6y-9=0$

답 $x^2+y^2+7x+6y-9=0$

08-3

두 원의 교점을 지나는 원의 방정식은

$x^2+y^2+ax-6ay+2+k(x^2+y^2+4x-4)=0$ (단, $k\neq-1$) …… ㉠

이 원이 점 $(-2, 0)$을 지나므로

$6-2a-8k=0$, 즉 $3-a-4k=0$ …… ㉡

이 원이 점 $(1, 1)$을 지나므로

$4-5a+2k=0$ …… ㉢

㉡, ㉢을 연립하여 풀면 $a=1$, $k=\frac{1}{2}$

이를 ㉠에 대입하면

$x^2+y^2+x-6y+2+\frac{1}{2}(x^2+y^2+4x-4)=0$

$2(x^2+y^2+x-6y+2)+x^2+y^2+4x-4=0$

$3x^2+3y^2+6x-12y=0$

$x^2+y^2+2x-4y=0$

$(x+1)^2+(y-2)^2=5$

따라서 구하는 원의 넓이는 5π이다.

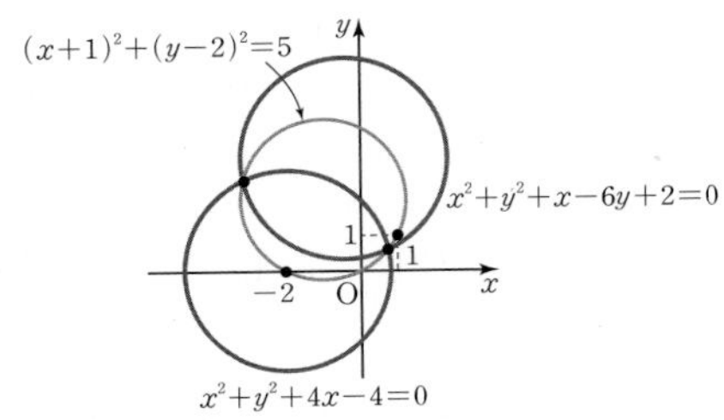

답 5π

08-4

두 원 $(x+1)^2+(y-3)^2=6$, $(x+4)^2+y^2=a(0<a<16)$의 교점은 제2사분면 위에 있으므로 두 원의 교점을 지나면서 x축과 y축에 모두 접하는 원의 중심도 제2사분면 위에 있다.

이때 두 원의 교점을 지나는 원의 방정식은

$x^2+y^2+2x-6y+4$

$+k(x^2+y^2+8x+16-a)=0$ (단, $k\neq-1$), 즉

$(k+1)x^2+(k+1)y^2$

$+(8k+2)x-6y+(16-a)k+4=0$ …… ㉠

이므로 (x의 계수)$=-$(y의 계수)를 만족시키는 k의 값이 존재해야 한다.

즉, $\frac{8k+2}{k+1}=\frac{6}{k+1}$에서 $k=\frac{1}{2}$이므로

이를 ㉠에 대입하면

$\frac{3}{2}x^2+\frac{3}{2}y^2+6x-6y+12-\frac{1}{2}a=0$

$x^2+y^2+4x-4y+8-\frac{1}{3}a=0$

$(x+2)^2+(y-2)^2=\frac{1}{3}a$

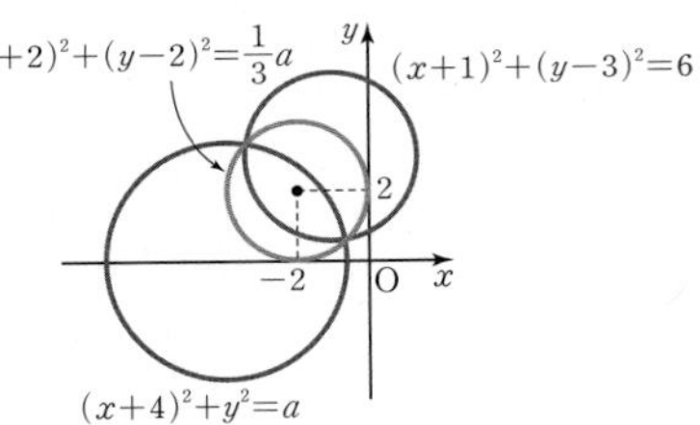

또한 이 원의 반지름의 길이가 2이어야 하므로

$\frac{1}{3}a=2^2$ $\quad\therefore a=12$

답 12

03 원과 직선의 위치 관계

개념 CHECK

본문 129쪽

01 (1) 한 점에서 만난다.(접한다.)
(2) 서로 다른 두 점에서 만난다.

02 (1) $-4<k<4$ (2) $k=-4$ 또는 $k=4$
(3) $k<-4$ 또는 $k>4$

03 $4\sqrt{2}$

01

(1) 원 $x^2+y^2-4y+2=0$, 즉 $x^2+(y-2)^2=2$의 중심 $(0, 2)$와 직선 $x+y-4=0$ 사이의 거리를 d라 하면

$d=\frac{|0+2-4|}{\sqrt{1^2+1^2}}=\sqrt{2}$

원의 반지름의 길이를 r라 하면 $r=\sqrt{2}$

$d=r$이므로 주어진 원과 직선은 한 점에서 만난다.(접한다.)

(2) 원 $x^2+y^2+4x=13$, 즉 $(x+2)^2+y^2=17$의 중심 $(-2, 0)$과 직선 $x-y+3=0$ 사이의 거리를 d라 하면

$d=\frac{|-2-0+3|}{\sqrt{1^2+(-1)^2}}=\frac{1}{\sqrt{2}}=\frac{\sqrt{2}}{2}$

원의 반지름의 길이를 r라 하면 $r=\sqrt{17}$

$d<r$이므로 주어진 원과 직선은 서로 다른 두 점에서 만난다.

다른 풀이

(1) $y=-x+4$를 $x^2+y^2-4y+2=0$에 대입하면

$x^2+(-x+4)^2-4(-x+4)+2=0$, $2x^2-4x+2=0$, $x^2-2x+1=0$

이차방정식의 판별식을 D라 하면

$\frac{D}{4}=(-1)^2-1=0$

이므로 주어진 원과 직선은 한 점에서 만난다.(접한다.)

(2) $y=x+3$을 $x^2+y^2+4x=13$에 대입하면

$x^2+(x+3)^2+4x=13$, $2x^2+10x-4=0$, $x^2+5x-2=0$

이차방정식의 판별식을 D라 하면

$D=5^2-4\times1\times(-2)=33>0$

이므로 주어진 원과 직선은 서로 다른 두 점에서 만난다.

답 (1) 한 점에서 만난다.(접한다.)
(2) 서로 다른 두 점에서 만난다.

02

원 $x^2+y^2=8$의 반지름의 길이를 r, 원의 중심 $(0, 0)$과 직선 $x-y+k=0$ 사이의 거리를 d라 하면

$r=\sqrt{8}=2\sqrt{2}$, $d=\frac{|k|}{\sqrt{1^2+(-1)^2}}=\frac{|k|}{\sqrt{2}}$

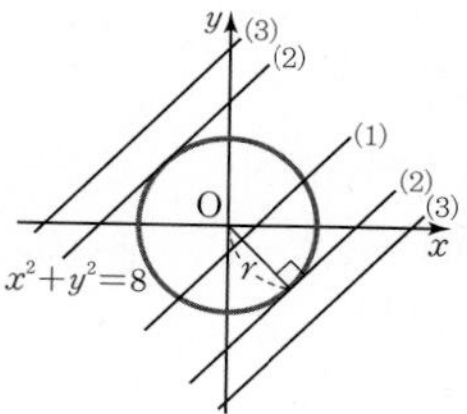

(1) 서로 다른 두 점에서 만나려면 $d<r$이어야 하므로

$\frac{|k|}{\sqrt{2}}<2\sqrt{2}$, 즉 $|k|<4$

$\therefore -4<k<4$

(2) 한 점에서 만나려면 $d=r$이어야 하므로

$\frac{|k|}{\sqrt{2}}=2\sqrt{2}$, 즉 $|k|=4$

$\therefore k=-4$ 또는 $k=4$

(3) 만나지 않으려면 $d>r$이어야 하므로

$\frac{|k|}{\sqrt{2}}>2\sqrt{2}$, 즉 $|k|>4$

$\therefore k<-4$ 또는 $k>4$

다른 풀이

$y=x+k$를 $x^2+y^2=8$에 대입하여 얻은 x에 대한 이차방정식 $2x^2+2kx+k^2-8=0$의 판별식을 D라 하면

$\frac{D}{4}=k^2-2(k^2-8)=16-k^2$

(1) 서로 다른 두 점에서 만나려면 $\frac{D}{4}>0$이어야 하므로

$16-k^2>0$, 즉 $-4<k<4$

(2) 한 점에서 만나려면 $\frac{D}{4}=0$이어야 하므로

$16-k^2=0$, 즉 $k=-4$ 또는 $k=4$

(3) 만나지 않으려면 $\frac{D}{4}<0$이어야 하므로

$16-k^2<0$, 즉 $k<-4$ 또는 $k>4$

답 (1) $-4<k<4$ (2) $k=-4$ 또는 $k=4$
(3) $k<-4$ 또는 $k>4$

03

원 $x^2+y^2=9$의 중심 $(0, 0)$에서 직선 $3x-4y+5=0$에 내린 수선의 발을 H라 하자.

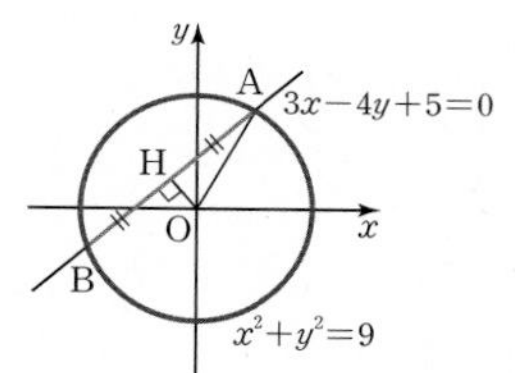

$\overline{\mathrm{OA}}=$(원의 반지름의 길이)$=\sqrt{9}=3$

$\overline{\mathrm{OH}}=$(점 O와 직선 $3x-4y+5=0$ 사이의 거리)

$=\frac{|5|}{\sqrt{3^2+(-4)^2}}=1$

따라서 직각삼각형 OHA에서

$\overline{\mathrm{AH}}=\sqrt{\overline{\mathrm{OA}}^2-\overline{\mathrm{OH}}^2}=\sqrt{3^2-1^2}=\sqrt{8}=2\sqrt{2}$

$\therefore \overline{\mathrm{AB}}=2\overline{\mathrm{AH}}=4\sqrt{2}$

답 $4\sqrt{2}$

유제

본문 130~139쪽

09-1 (1) $-3\sqrt{2}<k<3\sqrt{2}$ (2) $k=-3\sqrt{2}$ 또는 $k=3\sqrt{2}$ (3) $k<-3\sqrt{2}$ 또는 $k>3\sqrt{2}$

09-2 (1) $m<-\sqrt{3}$ 또는 $m>\sqrt{3}$ (2) $m=-\sqrt{3}$ 또는 $m=\sqrt{3}$ (3) $-\sqrt{3}<m<\sqrt{3}$

09-3 31	**09-4** $-\frac{4}{3}$	**10-1** $2\sqrt{5}$	**10-2** $2\sqrt{2}$
10-3 6	**10-4** 11π	**11-1** $2\sqrt{7}$	**11-2** 2, 6
11-3 $2\sqrt{5}$	**11-4** $\frac{3}{2}\pi$	**12-1** $2\sqrt{3}$	**12-2** $\sqrt{30}$
12-3 2, 6	**12-4** $\frac{24}{5}$	**13-1** 최댓값: 7, 최솟값: 1	
13-2 -11, 5	**13-3** $2\sqrt{3}$	**13-4** 30	

09-1

원 $x^2+y^2=9$의 반지름의 길이를 r, 원의 중심 $(0, 0)$과 직선 $x+y-k=0$ 사이의 거리를 d라 하면

$r=\sqrt{9}=3$, $d=\frac{|-k|}{\sqrt{1^2+1^2}}=\frac{|k|}{\sqrt{2}}$

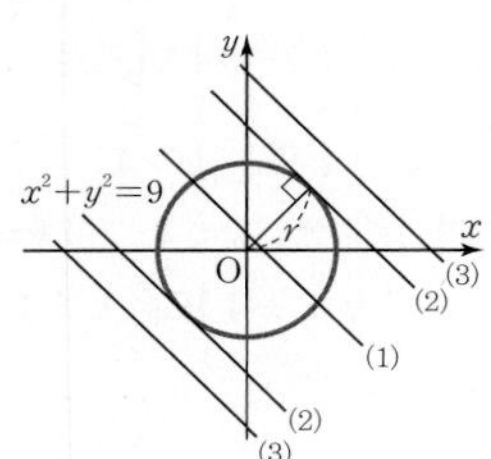

(1) 서로 다른 두 점에서 만나려면 $d<r$이어야 하므로

$\frac{|k|}{\sqrt{2}}<3$, 즉 $|k|<3\sqrt{2}$

$\therefore -3\sqrt{2}<k<3\sqrt{2}$

(2) 한 점에서 만나려면 $d=r$이어야 하므로

$\frac{|k|}{\sqrt{2}}=3$, 즉 $|k|=3\sqrt{2}$

$\therefore k=-3\sqrt{2}$ 또는 $k=3\sqrt{2}$

(3) 만나지 않으려면 $d>r$이어야 하므로

$\frac{|k|}{\sqrt{2}}>3$, 즉 $|k|>3\sqrt{2}$

$\therefore k<-3\sqrt{2}$ 또는 $k>3\sqrt{2}$

다른 풀이

$y=-x+k$를 $x^2+y^2=9$에 대입하여 얻은 x에 대한 이차방정식 $2x^2-2kx+k^2-9=0$의 판별식을 D라 하면

$\frac{D}{4}=k^2-2(k^2-9)=18-k^2$

(1) 서로 다른 두 점에서 만나려면 $\frac{D}{4}>0$이어야 하므로

$18-k^2>0$, 즉 $-3\sqrt{2}<k<3\sqrt{2}$

(2) 한 점에서 만나려면 $\frac{D}{4}=0$이어야 하므로

$18-k^2=0$, 즉 $k=-3\sqrt{2}$ 또는 $k=3\sqrt{2}$

(3) 만나지 않으려면 $\frac{D}{4}<0$이어야 하므로

$18-k^2<0$, 즉 $k<-3\sqrt{2}$ 또는 $k>3\sqrt{2}$

답 (1) $-3\sqrt{2}<k<3\sqrt{2}$ (2) $k=-3\sqrt{2}$ 또는 $k=3\sqrt{2}$ (3) $k<-3\sqrt{2}$ 또는 $k>3\sqrt{2}$

09-2

원 $x^2+y^2=4$의 반지름의 길이를 r, 원의 중심 $(0, 0)$과 직선 $mx-y-4=0$ 사이의 거리를 d라 하면

$r=\sqrt{4}=2$, $d=\frac{|-4|}{\sqrt{m^2+(-1)^2}}=\frac{4}{\sqrt{m^2+1}}$

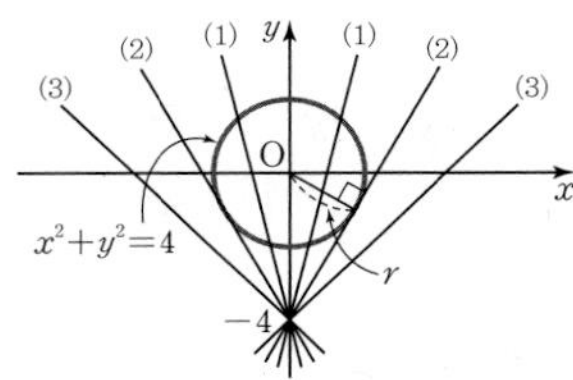

(1) 서로 다른 두 점에서 만나려면 $d<r$이어야 하므로

$\frac{4}{\sqrt{m^2+1}}<2$, 즉 $\sqrt{m^2+1}>2$

양변을 제곱하여 정리하면 $m^2>3$이므로

$m<-\sqrt{3}$ 또는 $m>\sqrt{3}$

(2) 한 점에서 만나려면 $d=r$이어야 하므로

$\frac{4}{\sqrt{m^2+1}}=2$, 즉 $\sqrt{m^2+1}=2$

양변을 제곱하여 정리하면 $m^2=3$이므로

$m=-\sqrt{3}$ 또는 $m=\sqrt{3}$

(3) 만나지 않으려면 $d>r$이어야 하므로

$\frac{4}{\sqrt{m^2+1}}>2$, 즉 $\sqrt{m^2+1}<2$

양변을 제곱하여 정리하면 $m^2<3$이므로

$-\sqrt{3}<m<\sqrt{3}$

(다른 풀이)

$y=mx-4$를 $x^2+y^2=4$에 대입하여 얻은 x에 대한 이차방정식 $(1+m^2)x^2-8mx+12=0$의 판별식을 D라 하면

$$\frac{D}{4}=(4m)^2-12(1+m^2)=4m^2-12$$
$$=4(m+\sqrt{3})(m-\sqrt{3})$$

(1) 서로 다른 두 점에서 만나려면 $\frac{D}{4}>0$이어야 하므로

$4(m+\sqrt{3})(m-\sqrt{3})>0$

$\therefore m<-\sqrt{3}$ 또는 $m>\sqrt{3}$

(2) 한 점에서 만나려면 $\frac{D}{4}=0$이어야 하므로

$4(m+\sqrt{3})(m-\sqrt{3})=0$

$\therefore m=-\sqrt{3}$ 또는 $m=\sqrt{3}$

(3) 만나지 않으려면 $\frac{D}{4}<0$이어야 하므로

$4(m+\sqrt{3})(m-\sqrt{3})<0$

$\therefore -\sqrt{3}<m<\sqrt{3}$

참고

직선 $y=mx-4$는 기울기 m의 값에 관계없이 항상 점 $(0, -4)$를 지나는 직선이다.

답 (1) $m<-\sqrt{3}$ 또는 $m>\sqrt{3}$
(2) $m=-\sqrt{3}$ 또는 $m=\sqrt{3}$ (3) $-\sqrt{3}<m<\sqrt{3}$

09-3

원 $(x-3)^2+(y+4)^2=k$의 반지름의 길이는 $\sqrt{k}$이고, 원의 중심 $(3, -4)$와 직선 $x-y+1=0$ 사이의 거리는

$\frac{|3-(-4)+1|}{\sqrt{1^2+(-1)^2}}=\frac{8}{\sqrt{2}}$이므로

직선과 원이 만나지 않으려면

$\frac{8}{\sqrt{2}}>\sqrt{k}$, 즉 $\sqrt{2k}<8$이어야 한다.

양변을 제곱하여 정리하면 $k<32$이므로 구하는 자연수 k의 최댓값은 31

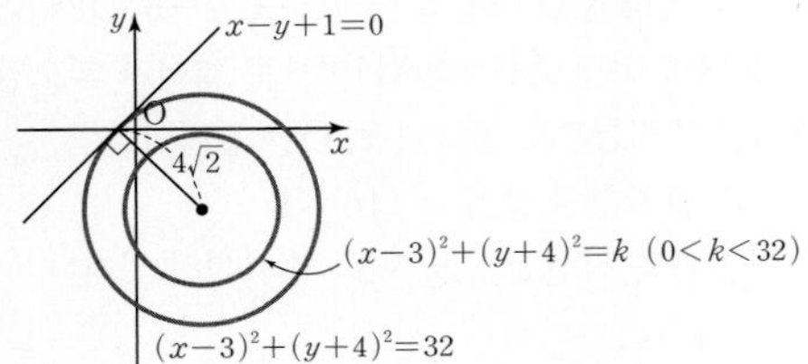

(다른 풀이)

$y=x+1$을 $(x-3)^2+(y+4)^2=k$에 대입하여 얻은 x에 대한 이차방정식 $2x^2+4x+34-k=0$의 판별식을 D라 하자.

직선과 원이 만나지 않으려면

$\frac{D}{4}=2^2-2(34-k)=2k-64<0$, 즉 $k<32$이어야 한다.

따라서 구하는 자연수 k의 최댓값은 31

답 31

09-4

넓이가 4π인 원의 반지름의 길이는 $\sqrt{4}=2$이고, 원의 중심 $(0, 2)$와 직선 $mx-y+m=0$ 사이의 거리는

$\frac{|m\times0-2+m|}{\sqrt{m^2+(-1)^2}}=\frac{|m-2|}{\sqrt{m^2+1}}$이므로

직선과 원이 접하려면 $\frac{|m-2|}{\sqrt{m^2+1}}=2$이어야 한다.

즉, $|m-2|=2\sqrt{m^2+1}$에서 양변을 제곱하면

$m^2-4m+4=4(m^2+1)$

$3m^2+4m=0$

$3m\left(m+\frac{4}{3}\right)=0$

$\therefore m=-\frac{4}{3}$ $(\because m<0)$

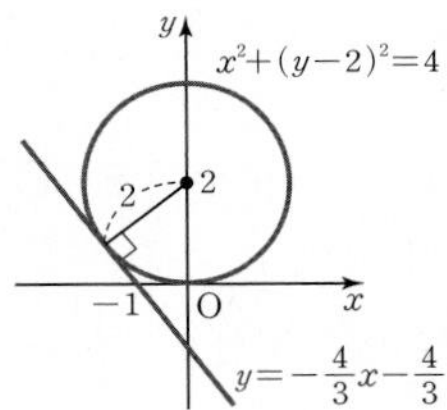

(다른 풀이)

중심의 좌표가 $(0, 2)$이고 넓이가 4π인 원의 방정식은

$x^2+(y-2)^2=4$

이 원의 방정식에 $y=mx+m$을 대입하여 얻은 x에 대한 이차방정식 $(m^2+1)x^2+2m(m-2)x+m^2-4m=0$의 판별식을 D라 하면

$$\frac{D}{4}=m^2(m-2)^2-(m^2+1)(m^2-4m)$$
$$=3m^2+4m$$

직선과 원이 접하려면 $\frac{D}{4}=0$이어야 하므로

$3m^2+4m=0$, $3m\left(m+\frac{4}{3}\right)=0$

$\therefore m=-\frac{4}{3}$ $(\because m<0)$

참고

직선 $y=mx+m$은 기울기 m의 값에 관계없이 항상 점 $(-1, 0)$을 지나는 직선이다.

답 $-\frac{4}{3}$

10-1

원 $(x-2)^2+(y-1)^2=10$의 중심을 C(2, 1)이라 할 때, 원의 중심 C(2, 1)에서 직선 $2x-y+2=0$에 내린 수선의 발을 H라 하자.

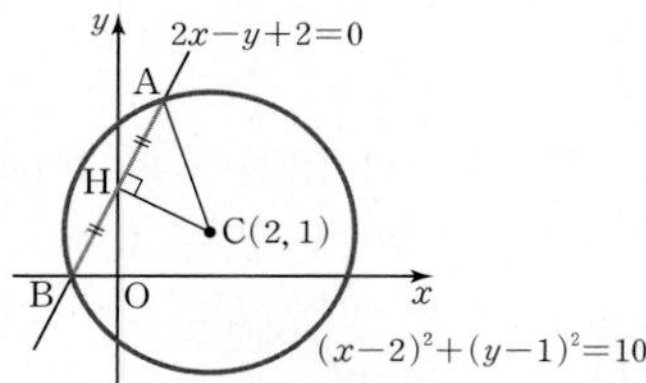

$\overline{CA}$=(원의 반지름의 길이)$=\sqrt{10}$

$\overline{CH}$=(점 C와 직선 $2x-y+2=0$ 사이의 거리)

$=\frac{|2\times2-1+2|}{\sqrt{2^2+(-1)^2}}=\frac{5}{\sqrt{5}}=\sqrt{5}$

따라서 직각삼각형 CHA에서

$\overline{AH}=\sqrt{\overline{CA}^2-\overline{CH}^2}=\sqrt{(\sqrt{10})^2-(\sqrt{5})^2}=\sqrt{5}$

$\therefore \overline{AB}=2\overline{AH}=2\sqrt{5}$

답 $2\sqrt{5}$

10-2

원 $x^2+y^2+2x-4y-1=0$, 즉 $(x+1)^2+(y-2)^2=6$의 중심을 C$(-1, 2)$라 하자.

원의 중심 C$(-1, 2)$에서 직선 $y=\frac{3}{4}x+\frac{1}{4}$, 즉 $3x-4y+1=0$에 내린 수선의 발을 H라 하자.

원과 직선이 만나는 서로 다른 두 점을 A, B라 할 때, 구하는 현의 길이는 $\overline{AB}$이다.

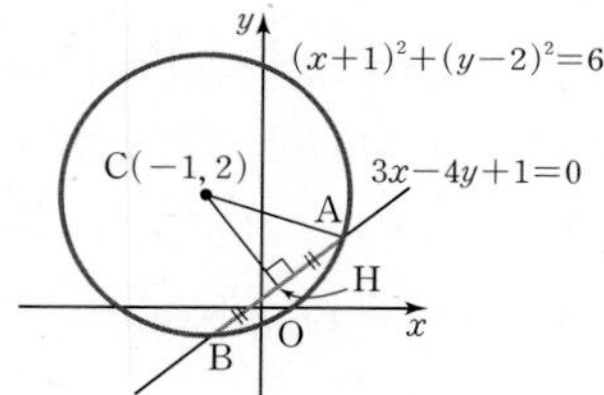

$\overline{CA}$=(원의 반지름의 길이)$=\sqrt{6}$

$\overline{CH}$=(점 C와 직선 $3x-4y+1=0$ 사이의 거리)

$=\frac{|3\times(-1)-4\times2+1|}{\sqrt{3^2+(-4)^2}}=\frac{10}{5}=2$

따라서 직각삼각형 CHA에서

$\overline{AH}=\sqrt{\overline{CA}^2-\overline{CH}^2}=\sqrt{(\sqrt{6})^2-2^2}=\sqrt{2}$

$\therefore \overline{AB}=2\overline{AH}=2\sqrt{2}$

답 $2\sqrt{2}$

10-3

원의 중심을 C$(1, a)$라 할 때, 원의 중심 C$(1, a)$에서 직선 $x+y-3=0$에 내린 수선의 발을 H라 하자.

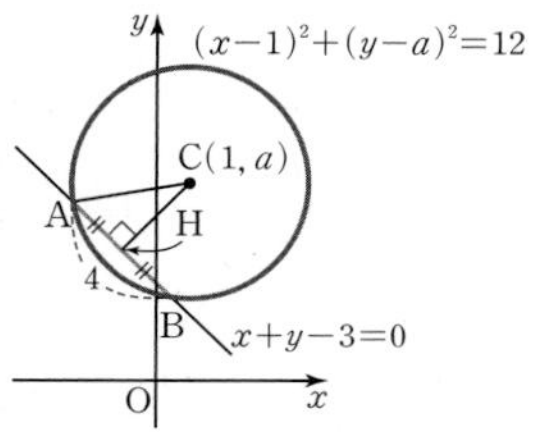

$\overline{CA}$=(원의 반지름의 길이)$=\sqrt{12}=2\sqrt{3}$

$\overline{AH}=\frac{\overline{AB}}{2}=\frac{4}{2}=2$

직각삼각형 CHA에서

$\overline{CH}=\sqrt{\overline{CA}^2-\overline{AH}^2}=\sqrt{(2\sqrt{3})^2-2^2}=2\sqrt{2}$ …… ㉠

또한 $\overline{CH}$는 점 C$(1, a)$와 직선 $x+y-3=0$ 사이의 거리이므로

$\overline{CH}=\frac{|1+a-3|}{\sqrt{1^2+1^2}}=\frac{|a-2|}{\sqrt{2}}$ …… ㉡

㉠=㉡에 의하여

$2\sqrt{2}=\frac{|a-2|}{\sqrt{2}}$에서 $|a-2|=4$

(i) $a<2$일 때

$a-2=-4$에서 $a=-2$

(ii) $a\geq2$일 때

$a-2=4$에서 $a=6$

$\therefore a=6$ ($\because a>0$)

답 6

10-4

원과 직선의 두 교점을 A, B라 할 때, 두 점 A, B를 모두 지나는 넓이가 최소인 원은 선분 AB를 지름으로 갖는 원이다.

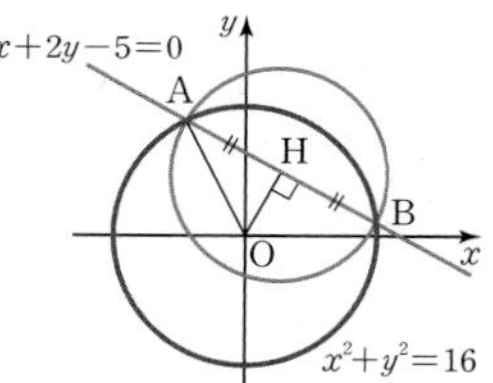

원 $x^2+y^2=16$의 중심 O에서 직선 $x+2y-5=0$에 내린 수선의 발을 H라 하면 $\overline{AB}=2\overline{AH}$이므로 넓이가 최소인 원은 선분 AH를 반지름으로 한다. (단, O는 원점이다.)

$\overline{OA}$=(원의 반지름의 길이)$=\sqrt{16}=4$

$\overline{OH}$=(원점 O와 직선 $x+2y-5=0$ 사이의 거리)

$=\frac{|-5|}{\sqrt{1^2+2^2}}=\sqrt{5}$

직각삼각형 OHA에서

$\overline{AH}=\sqrt{\overline{OA}^2-\overline{OH}^2}=\sqrt{4^2-(\sqrt{5})^2}=\sqrt{11}$

따라서 구하는 원의 넓이는 11π이다.

답 11π

11-1

두 원 $x^2+y^2+10x=0$, $x^2+y^2+6x-4y+4=0$의 중심을 각각 O_1, O_2, 두 원의 교점을 각각 A, B라 하자.

직선 O_1O_2는 선분 AB를 수직이등분하므로 선분 AB의 중점을 M이라 하면 $\overline{AB}=2\overline{AM}$이고 삼각형 O_1MA는 $\angle O_1MA=90°$인 직각삼각형이다.

따라서

(공통현의 길이)$=\overline{AB}=2\overline{AM}$

$=2\sqrt{\overline{O_1A}^2-\overline{O_1M}^2}$ …… ㉠

원의 방정식 $x^2+y^2+10x=0$을 변형하면

$(x+5)^2+y^2=25$이므로

$O_1(-5, 0)$, $\overline{O_1A}=\sqrt{25}=5$ …… ㉡

이때 직선 AB의 방정식은

$x^2+y^2+10x-(x^2+y^2+6x-4y+4)=0$

$4x+4y-4=0$, 즉 $x+y-1=0$이므로

$\overline{O_1M}=$(점 O_1과 직선 AB 사이의 거리)

$=\dfrac{|(-5)+0-1|}{\sqrt{1^2+1^2}}=3\sqrt{2}$ …… ㉢

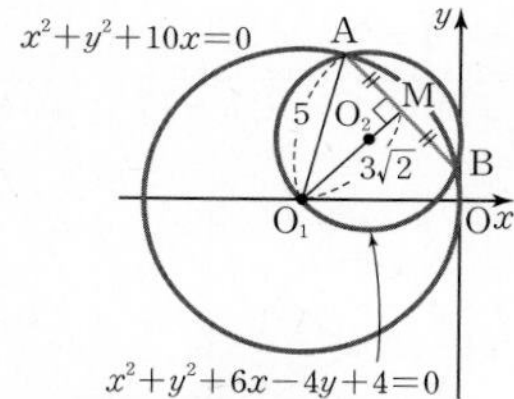

㉠에 ㉡, ㉢을 대입하면

$\overline{AB}=2\sqrt{5^2-(3\sqrt{2})^2}=2\sqrt{7}$

참고

직각삼각형 O_2MA에서 마찬가지 방법으로 공통현 AB의 길이를 구할 수 있다. 문제에서 주어진 식에 따라 좀 더 계산이 간단한 직각삼각형을 선택하여 풀이하면 된다.

답 $2\sqrt{7}$

11-2

두 원 $x^2+y^2-k=0$, $x^2+y^2-2x+2y=0$의 중심을 각각 O, O′, 두 원의 교점을 각각 A, B라 하자.

직선 OO′은 선분 AB를 수직이등분하므로 선분 AB의 중점을 M이라 하면

$\overline{AM}=\dfrac{\overline{AB}}{2}=\dfrac{\sqrt{6}}{2}$이고

삼각형 O′MA는 $\angle O'MA=90°$인 직각삼각형이다.

또한 원의 방정식 $x^2+y^2-2x+2y=0$을 변형하면

$(x-1)^2+(y+1)^2=2$이므로 $\overline{O'A}=\sqrt{2}$이다.

따라서

$\overline{O'M}=\sqrt{\overline{O'A}^2-\overline{AM}^2}$

$=\sqrt{(\sqrt{2})^2-\left(\dfrac{\sqrt{6}}{2}\right)^2}=\sqrt{\dfrac{1}{2}}=\dfrac{1}{\sqrt{2}}$ …… ㉠

$\overline{O'M}$은 점 $O'(1, -1)$과 직선 AB 사이의 거리이기도 하다.

이때 직선 AB의 방정식은

$x^2+y^2-k-(x^2+y^2-2x+2y)=0$, 즉

$2x-2y-k=0$이므로

$\overline{O'M}=\dfrac{|2\times1-2\times(-1)-k|}{\sqrt{2^2+(-2)^2}}=\dfrac{|4-k|}{2\sqrt{2}}$ …… ㉡

㉠=㉡에 의하여

$\dfrac{1}{\sqrt{2}}=\dfrac{|4-k|}{2\sqrt{2}}$, $|4-k|=2$

(i) $k\le4$일 때

$4-k=2$에서 $k=2$

(ii) $k>4$일 때

$4-k=-2$이므로 $k=6$

$\therefore k=2$ 또는 $k=6$

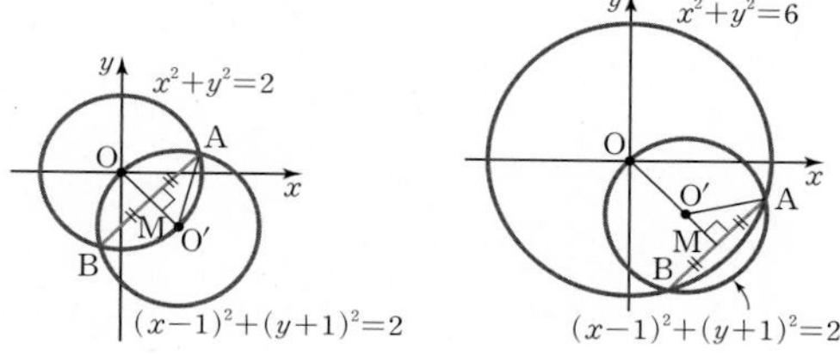

답 2, 6

11-3

두 원 C_1, C_2의 중심을 지나는 직선은 선분 AB를 수직이등분하므로 선분 AB의 중점을 M이라 하면 삼각형 ABC의 넓이는

$\dfrac{1}{2}\times\overline{CM}\times\overline{AB}=\dfrac{1}{2}\times\overline{CM}\times2\overline{AM}$

$=\overline{CM}\times\overline{AM}$ …… ㉠

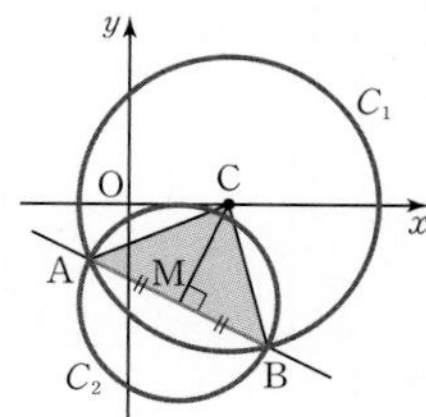

원 C_1의 방정식 $x^2+y^2-4x-5=0$을 변형하면

$(x-2)^2+y^2=9$이므로

$C(2, 0)$, $\overline{CA}=\sqrt{9}=3$

이때 직선 AB의 방정식은

$x^2+y^2-4x-5-(x^2+y^2-2x+4y+1)=0$

$-2x-4y-6=0$, 즉 $x+2y+3=0$이므로

$\overline{CM}$=(점 C와 직선 AB 사이의 거리)

$=\frac{|2+0+3|}{\sqrt{1^2+2^2}}=\sqrt{5}$ ...... ㉡

또한 직각삼각형 CMA에서

$\overline{AM}=\sqrt{\overline{CA}^2-\overline{CM}^2}=\sqrt{3^2-(\sqrt{5})^2}=2$ ...... ㉢

㉠에 ㉡, ㉢을 대입하면

(삼각형 ABC의 넓이)$=\sqrt{5}\times 2=2\sqrt{5}$

답 $2\sqrt{5}$

11-4

두 원 $x^2+y^2-2y-5=0$, $x^2+y^2+4x+2y+3=0$의 두 교점을 각각 A, B라 할 때, 두 점 A, B를 모두 지나는 넓이가 최소인 원은 선분 AB를 지름으로 갖는 원이다.

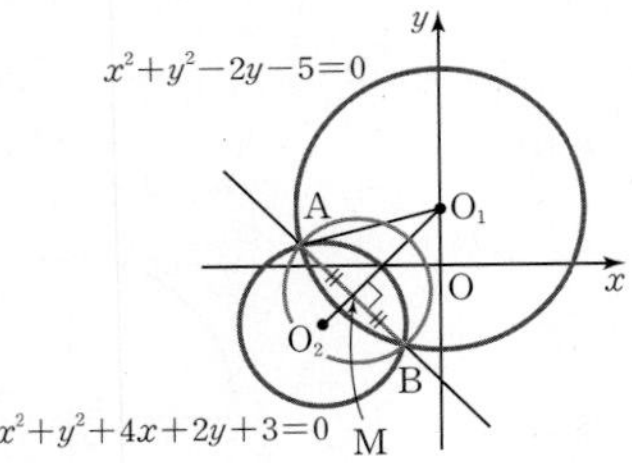

두 원의 중심을 각각 O_1, O_2라 하자.

직선 O_1O_2는 선분 AB를 수직이등분하므로 선분 AB의 중점을 M이라 하면 $\overline{AB}=2\overline{AM}$이고 삼각형 O_1MA는 $\angle O_1MA=90°$인 직각삼각형이다.

따라서

$\overline{AM}=\sqrt{\overline{O_1A}^2-\overline{O_1M}^2}$ ...... ㉠

원의 방정식 $x^2+y^2-2y-5=0$을 변형하면

$x^2+(y-1)^2=6$이므로

$O_1(0, 1)$, $\overline{O_1A}=\sqrt{6}$ ...... ㉡

이때 직선 AB의 방정식은

$x^2+y^2-2y-5-(x^2+y^2+4x+2y+3)=0$

$-4x-4y-8=0$, 즉 $x+y+2=0$이므로

$\overline{O_1M}$=(점 O_1과 직선 AB 사이의 거리)

$=\frac{|0+1+2|}{\sqrt{1^2+1^2}}=\frac{3}{\sqrt{2}}$ ...... ㉢

㉠에 ㉡, ㉢을 대입하면

$\overline{AM}=\sqrt{(\sqrt{6})^2-\left(\frac{3}{\sqrt{2}}\right)^2}=\sqrt{\frac{3}{2}}$이므로

구하는 원의 넓이는 $\frac{3}{2}\pi$

답 $\frac{3}{2}\pi$

12-1

원 $(x+2)^2+(y-1)^2=25$의 중심을 C$(-2, 1)$이라 하면

$\overline{CA}=\sqrt{\{4-(-2)\}^2+(0-1)^2}=\sqrt{37}$

$\overline{CP}=\sqrt{25}=5$

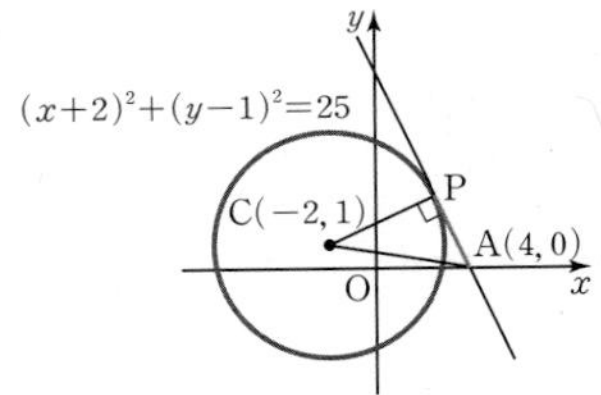

이때 두 직선 AP, CP는 서로 수직이므로 $\angle CPA=90°$인 직각삼각형 CPA에서

$\overline{AP}=\sqrt{\overline{CA}^2-\overline{CP}^2}$

$=\sqrt{(\sqrt{37})^2-5^2}=\sqrt{12}=2\sqrt{3}$

답 $2\sqrt{3}$

12-2

원의 방정식 $x^2+y^2+6x-2y+6=0$을 변형하면

$(x+3)^2+(y-1)^2=4$이므로

C$(-3, 1)$, $\overline{CP}=\sqrt{4}=2$,

$\overline{CA}=\sqrt{\{2-(-3)\}^2+\{(-2)-1\}^2}=\sqrt{34}$

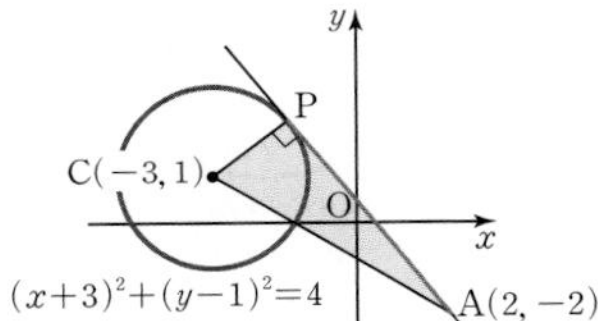

이때 두 직선 AP, CP는 서로 수직이므로

$\angle CPA=90°$인 직각삼각형 CPA에서

$\overline{AP}=\sqrt{\overline{CA}^2-\overline{CP}^2}$

$=\sqrt{(\sqrt{34})^2-2^2}=\sqrt{30}$

삼각형 CPA의 넓이는

$\frac{1}{2}\times\overline{AP}\times\overline{CP}=\frac{1}{2}\times\sqrt{30}\times 2=\sqrt{30}$

답 $\sqrt{30}$

12-3

원 $(x-4)^2+(y+3)^2=4$의 중심을 C$(4, -3)$이라 하면

$\overline{CA}=\sqrt{(k-4)^2+\{1-(-3)\}^2}=\sqrt{k^2-8k+32}$

$\overline{CP}=\sqrt{4}=2$

이때 두 직선 AP, CP는 서로 수직이므로 $\angle CPA=90°$인 직각삼각형 CPA에서

$\overline{CA}^2=\overline{CP}^2+\overline{AP}^2$

$k^2-8k+32=2^2+4^2$, $k^2-8k+12=0$,

$(k-2)(k-6)=0$ $\therefore k=2$ 또는 $k=6$

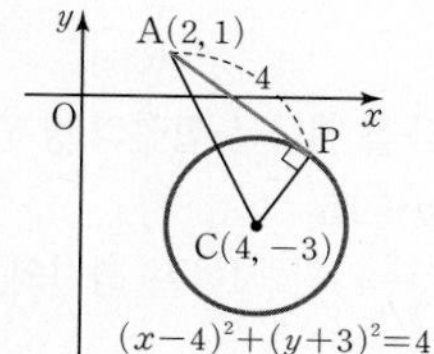

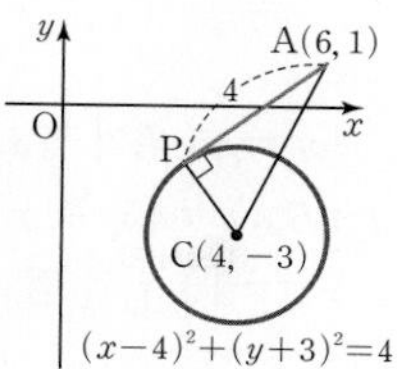

답 2, 6

12-4

원 $(x-1)^2+y^2=9$의 중심을 $C(1, 0)$이라 하면
$\overline{CA}=5$, $\overline{CP}=3$
이때 두 직선 AP, CP는 서로 수직이므로 $\angle CPA=90°$인 직각삼각형 CPA에서
$\overline{AP}=\sqrt{\overline{CA}^2-\overline{CP}^2}=\sqrt{5^2-3^2}=4$

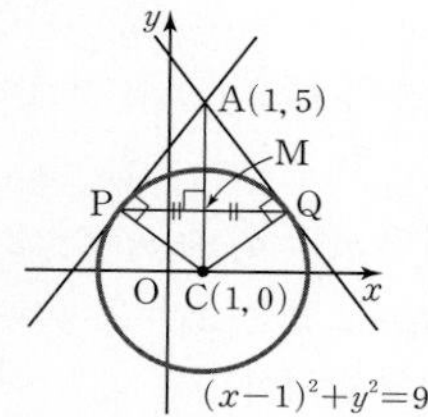

또한 직선 AC는 선분 PQ의 수직이등분선이므로 선분 PQ의 중점을 M이라 하면 직각삼각형 APC에서
$\overline{CP}\times\overline{AP}=\overline{CA}\times\overline{PM}$
$3\times4=5\times\overline{PM}$, 즉 $\overline{PM}=\frac{12}{5}$
$\therefore \overline{PQ}=2\overline{PM}=\frac{24}{5}$

답 $\frac{24}{5}$

13-1

$x^2+y^2+8x-2y+8=0$을 변형하면
$(x+4)^2+(y-1)^2=9$이므로
원의 반지름의 길이를 r, 원의 중심 $(-4, 1)$과 직선 $4x-3y-1=0$ 사이의 거리를 d라 하면
$r=\sqrt{9}=3$,
$d=\frac{|4\times(-4)-3\times1-1|}{\sqrt{4^2+(-3)^2}}=\frac{20}{5}=4$

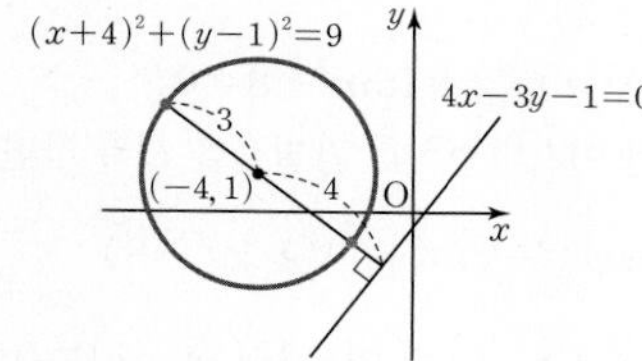

원 위의 점 P와 직선 사이의 거리의
최댓값은 $d+r=4+3=7$
최솟값은 $d-r=4-3=1$

답 최댓값: 7, 최솟값: 1

13-2

원 $x^2+(y-3)^2=18$의 반지름의 길이를 r, 원의 중심 $(0, 3)$과 직선 $x+y+k=0$ 사이의 거리를 d라 하면
$r=\sqrt{18}=3\sqrt{2}$,
$d=\frac{|0+3+k|}{\sqrt{1^2+1^2}}=\frac{|3+k|}{\sqrt{2}}$
원 위의 점 P와 직선 사이의 거리의 최솟값이 $\sqrt{2}$이므로
$d-r=\frac{|3+k|}{\sqrt{2}}-3\sqrt{2}=\sqrt{2}$에서
$\frac{|3+k|}{\sqrt{2}}=4\sqrt{2}$, $|3+k|=8$
(i) $k<-3$일 때
$3+k=-8$에서 $k=-11$
(ii) $k\geq-3$일 때
$3+k=8$에서 $k=5$

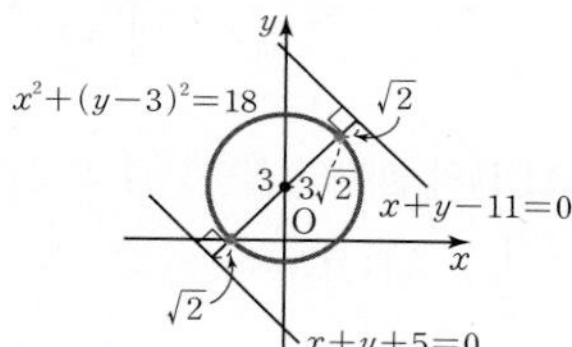

답 −11, 5

13-3

원 $x^2+y^2=r^2$의 중심 $(0, 0)$과 직선 $x-2y+10=0$ 사이의 거리를 d라 하면
$d=\frac{|10|}{\sqrt{1^2+(-2)^2}}=2\sqrt{5}$

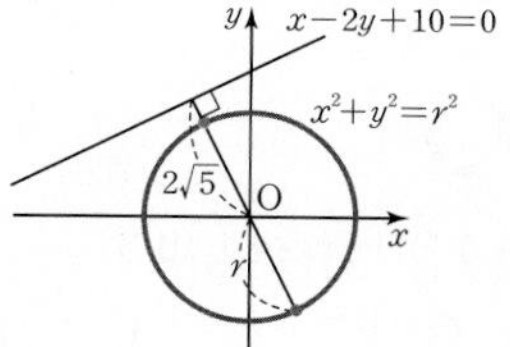

원 위의 점 P와 직선 사이의 거리의 최댓값을 M, 최솟값을 m이라 하면
$M=d+$(반지름의 길이)$=2\sqrt{5}+r$
$m=d-$(반지름의 길이)$=2\sqrt{5}-r$
따라서
$M\times m=(2\sqrt{5}+r)(2\sqrt{5}-r)=20-r^2=8$
$r^2=12$
$\therefore r=2\sqrt{3}$ ($\because r>0$)

답 $2\sqrt{3}$

13-4

두 점 A(3, 0), B(−2, 5)를 지나는 직선의 방정식은

$y=\frac{5-0}{(-2)-3}(x-3)$, 즉 $x+y-3=0$

원 $(x+4)^2+(y-1)^2=2$의 반지름의 길이를 r, 원의 중심 $(-4, 1)$과 직선 $x+y-3=0$ 사이의 거리를 d라 하면

$r=\sqrt{2}$, $d=\frac{|-4+1-3|}{\sqrt{1^2+1^2}}=\frac{6}{\sqrt{2}}=3\sqrt{2}$

원 위의 점 P와 직선 AB 사이의 거리의 최댓값을 M, 최솟값을 m이라 하면

$M=d+r=3\sqrt{2}+\sqrt{2}=4\sqrt{2}$

$m=d-r=3\sqrt{2}-\sqrt{2}=2\sqrt{2}$

또한

$\overline{AB}=\sqrt{\{3-(-2)\}^2+(0-5)^2}=\sqrt{50}=5\sqrt{2}$

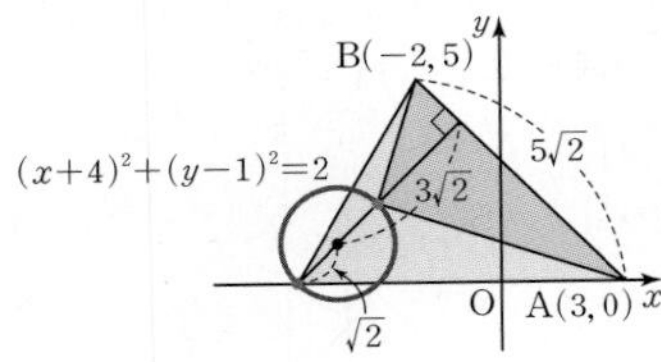

따라서 삼각형 APB의 넓이의 최댓값과 최솟값의 합은

$\frac{1}{2}\times\overline{AB}\times M+\frac{1}{2}\times\overline{AB}\times m$

$=\frac{1}{2}\times 5\sqrt{2}\times(4\sqrt{2}+2\sqrt{2})=30$

답 30

04 원의 접선의 방정식

본문 147쪽

개념 CHECK

01 (1) $y=2x\pm5$ (2) $y=2x\pm10$

02 (1) $x+2y-15=0$ (2) $y=-4$

03 (1) $y=-x+4$, $y=x-4$ (2) $x=4$, $y=-\frac{3}{4}x+5$

01

(1) 원 $x^2+y^2=5$에 접하고 기울기가 2인 접선의 방정식은

$y=2x\pm\sqrt{5}\times\sqrt{2^2+1}$, 즉 $y=2x\pm5$

(2) 원 $x^2+y^2=20$에 접하고 기울기가 2인 접선의 방정식은

$y=2x\pm\sqrt{20}\times\sqrt{2^2+1}$, 즉 $y=2x\pm10$

답 (1) $y=2x\pm5$ (2) $y=2x\pm10$

02

(1) 원 $x^2+y^2=45$ 위의 점 (3, 6)을 지나는 접선의 방정식은

$3\times x+6\times y=45$, 즉 $x+2y-15=0$

(2) 원 $x^2+y^2=16$ 위의 점 (0, −4)를 지나는 접선의 방정식은

$y=-4$

답 (1) $x+2y-15=0$ (2) $y=-4$

03

(1) **풀이 1**

원 $x^2+y^2=8$ 위의 점 (x_1, y_1)에서의 접선의 방정식은

$x_1x+y_1y=8$ …… ㉠

이 접선이 점 (4, 0)을 지나므로

$4x_1=8$, 즉 $x_1=2$ …… ㉡

점 (x_1, y_1)은 원 $x^2+y^2=8$ 위의 점이므로

${x_1}^2+{y_1}^2=8$ …… ㉢

㉡을 ㉢에 대입하면 ${y_1}^2=4$, 즉 $y_1=\pm2$

따라서 $x_1=2$, $y_1=2$ 또는 $x_1=2$, $y_1=-2$를 ㉠에 대입하면 구하는 접선의 방정식은

$2x+2y=8$, 즉 $y=-x+4$

$2x-2y=8$, 즉 $y=x-4$

풀이 2

점 (4, 0)을 지나는 직선의 방정식을 $y=m(x-4)$, 즉 $mx-y-4m=0$이라 하자.

이 직선이 원에 접하므로 원의 중심 (0, 0)과 직선 사이의 거리는 원의 반지름의 길이와 같다.

즉, $\frac{|-4m|}{\sqrt{m^2+(-1)^2}}=\sqrt{8}$에서 $|4m|=\sqrt{8m^2+8}$

양변을 제곱하면

$16m^2=8m^2+8$

$m^2=1$ $\therefore m=-1$ 또는 $m=1$

따라서 구하는 접선의 방정식은

$y=-x+4$, $y=x-4$

풀이 3

점 (4, 0)을 지나는 직선의 방정식을 $y=m(x-4)$라 하자.

이 직선의 방정식을 원의 방정식에 대입하면

$x^2+m^2(x-4)^2=8$,

$(m^2+1)x^2-8m^2x+16m^2-8=0$

이 x에 대한 이차방정식의 판별식을 D라 하면

$\frac{D}{4}=(-4m^2)^2-(m^2+1)(16m^2-8)$

$=-8m^2+8=-8(m+1)(m-1)=0$

이어야 하므로 $m=-1$ 또는 $m=1$

따라서 구하는 접선의 방정식은

$y=-x+4$, $y=x-4$

(2) 풀이 1

원 $x^2+y^2=16$ 위의 점 (x_1, y_1)에서의 접선의 방정식은

$x_1x+y_1y=16$ …… ㉠

이 접선이 점 (4, 2)를 지나므로

$4x_1+2y_1=16$, 즉 $y_1=8-2x_1$ …… ㉡

점 (x_1, y_1)은 원 $x^2+y^2=16$ 위의 점이므로

${x_1}^2+{y_1}^2=16$ …… ㉢

㉡을 ㉢에 대입하면

${x_1}^2+(8-2x_1)^2=16$, $5{x_1}^2-32x_1+48=0$

$(x_1-4)(5x_1-12)=0$ $\therefore x_1=4$ 또는 $x_1=\frac{12}{5}$

㉡에서 $x_1=4$일 때 $y_1=0$, $x_1=\frac{12}{5}$일 때 $y_1=\frac{16}{5}$

이를 ㉠에 대입하면 구하는 접선의 방정식은

$x=4$, $y=-\frac{3}{4}x+5$

풀이 2

원 $x^2+y^2=16$ 밖의 한 점 (4, 2)를 지나는 접선 중 x축에 수직인 접선은 $x=4$이다.

점 (4, 2)를 지나는 또 다른 접선의 방정식을

$y-2=m(x-4)$, 즉 $mx-y-4m+2=0$이라 하자.

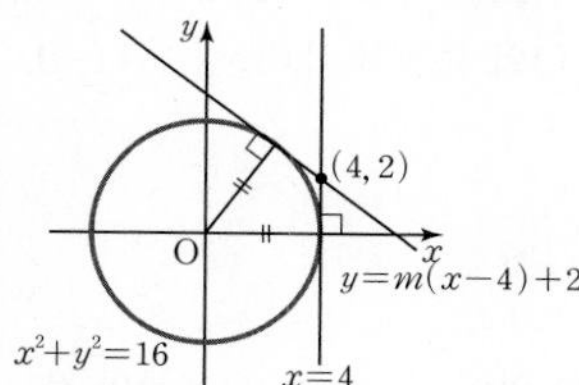

이 직선이 원에 접하므로 원의 중심 (0, 0)와 직선 사이의 거리는 원의 반지름의 길이와 같다.

즉, $\frac{|-4m+2|}{\sqrt{m^2+(-1)^2}}=\sqrt{16}$에서 $|2m-1|=2\sqrt{m^2+1}$

양변을 제곱하면

$4m^2-4m+1=4m^2+4$

$4m=-3$ $\therefore m=-\frac{3}{4}$

따라서 구하는 접선의 방정식은

$x=4$, $y=-\frac{3}{4}x+5$

풀이 3

원 $x^2+y^2=16$ 밖의 한 점 (4, 2)를 지나는 접선 중 x축에 수직인 접선은 $x=4$이다.

점 (4, 2)를 지나는 또 다른 접선의 방정식을

$y=m(x-4)+2$라 하자.

이 직선의 방정식을 원의 방정식에 대입하면

$x^2+m^2x^2+2m(2-4m)x+16m^2-16m+4=16$,

$(m^2+1)x^2+2m(2-4m)x+16m^2-16m-12=0$

이 x에 대한 이차방정식의 판별식을 D라 하면

$\frac{D}{4}=m^2(2-4m)^2-(m^2+1)(16m^2-16m-12)$

$=16m+12=0$

이어야 하므로 $m=-\frac{3}{4}$

따라서 구하는 접선의 방정식은

$x=4$, $y=-\frac{3}{4}x+5$

참고

원 밖의 한 점에서 원에 그은 접선의 방정식을 구하는 다양한 풀이 방법 중 풀이 2 와 같이 '원의 중심과 직선 사이의 거리'가 '원의 반지름의 길이'와 같음을 이용하는 것이 계산이 간단한 편이다.

답 (1) $y=-x+4$, $y=x-4$ (2) $x=4$, $y=-\frac{3}{4}x+5$

유제 본문 148~153쪽

14-1 $y=-2x\pm5$ **14-2** $y=\sqrt{3}x\pm6$
14-3 -24 **14-4** $(-11, 0)$
15-1 3 **15-2** $y=4x-26$ **15-3** 7
15-4 9 **16-1** $y=7x+10$, $y=-x+2$
16-2 $x=-3$, $y=-\frac{3}{4}x+\frac{15}{4}$
16-3 $-\frac{8}{15}$ **16-4** 20π

14-1

원 $x^2+y^2=5$의 반지름의 길이는 $\sqrt{5}$이고

직선 $2x+y-1=0$, 즉 $y=-2x+1$에 평행한 직선의 기울기는 -2이므로

구하는 직선의 방정식은

$y=-2x\pm\sqrt{5}\times\sqrt{(-2)^2+1}$, 즉 $y=-2x\pm5$

답 $y=-2x\pm5$

14-2

원 $x^2+y^2=9$의 반지름의 길이는 3이고 x축의 양의 방향과 이루는 각의 크기가 60°인 직선의 기울기는

$\tan 60°=\sqrt{3}$이므로

구하는 직선의 방정식은

$y=\sqrt{3}x\pm3\times\sqrt{(\sqrt{3})^2+1}$, 즉 $y=\sqrt{3}x\pm6$

답 $y=\sqrt{3}x\pm6$

14-3

원 $(x-1)^2+(y-3)^2=5$에 접하고 기울기가 2인 접선의 방정식을 $y=2x+n$, 즉 $2x-y+n=0$이라 하자.
이 직선이 원에 접하므로 원의 중심 $(1, 3)$과 직선 사이의 거리는 반지름의 길이와 같다.
즉, $\frac{|2\times1-3+n|}{\sqrt{2^2+(-1)^2}}=\sqrt{5}$에서 $|n-1|=5$
(i) $n<1$일 때
$n-1=-5$에서 $n=-4$
(ii) $n\geq1$일 때
$n-1=5$에서 $n=6$
따라서 구하는 y절편의 곱은 $(-4)\times6=-24$

다른 풀이

원 $(x-1)^2+(y-3)^2=5$에 접하고 기울기가 2인 접선의 방정식을 $y=2x+n$이라 하자.
이 직선의 방정식을 원의 방정식에 대입하면
$(x-1)^2+(2x+n-3)^2=5$
$5x^2+2(2n-7)x+n^2-6n+5=0$
이 x에 대한 이차방정식의 판별식을 D라 하면
$\frac{D}{4}=(2n-7)^2-5(n^2-6n+5)=-n^2+2n+24$
$=-(n+4)(n-6)=0$
이어야 하므로 $n=-4$ 또는 $n=6$
따라서 구하는 y절편의 곱은 $(-4)\times6=-24$

답 -24

14-4

$x^2+y^2+4x-6y+3=0$을 변형하면
$(x+2)^2+(y-3)^2=10$
기울기가 -3인 직선에 수직인 직선의 기울기는 $\frac{1}{3}$이므로 접선의 방정식을 $y=\frac{1}{3}x+n$, 즉 $x-3y+3n=0$이라 하자.
…… ㉠
이 직선이 원에 접하므로 원의 중심 $(-2, 3)$과 직선 사이의 거리는 원의 반지름의 길이와 같다.
즉, $\frac{|-2-3\times3+3n|}{\sqrt{1^2+(-3)^2}}=\sqrt{10}$에서 $|3n-11|=10$
(i) $n<\frac{11}{3}$일 때
$3n-11=-10$에서 $n=\frac{1}{3}$
(ii) $n\geq\frac{11}{3}$일 때
$3n-11=10$에서 $n=7$
이를 ㉠에 대입하면 두 접선의 방정식은
$y=\frac{1}{3}x+\frac{1}{3}$, $y=\frac{1}{3}x+7$이고, 이 두 직선이 x축과 만나는 두 점 P, Q의 좌표는 각각 $(-1, 0)$, $(-21, 0)$이다.
따라서 선분 PQ의 중점의 좌표는 $(-11, 0)$

다른 풀이

$x^2+y^2+4x-6y+3=0$을 변형하면
$(x+2)^2+(y-3)^2=10$
기울기가 -3인 직선에 수직인 직선의 기울기는 $\frac{1}{3}$이므로 접선의 방정식을 $y=\frac{1}{3}x+n$, 즉 $x=3y-3n$이라 하자.
…… ㉠
이 직선의 방정식을 원의 방정식에 대입하면
$(3y-3n+2)^2+(y-3)^2=10$
$10y^2+2(3-9n)y+9n^2-12n+3=0$
이 y에 대한 이차방정식의 판별식을 D라 하면
$\frac{D}{4}=(3-9n)^2-10(9n^2-12n+3)=-9n^2+66n-21$
$=-3(3n^2-22n+7)=-3(3n-1)(n-7)=0$
이어야 하므로 $n=\frac{1}{3}$ 또는 $n=7$
이를 ㉠에 대입하면 두 접선의 방정식은
$y=\frac{1}{3}x+\frac{1}{3}$, $y=\frac{1}{3}x+7$이고, 이 두 직선이 x축과 만나는 두 점 P, Q의 좌표는 각각 $(-1, 0)$, $(-21, 0)$이다.
따라서 선분 PQ의 중점의 좌표는 $(-11, 0)$

답 $(-11, 0)$

15-1

원 $x^2+y^2=20$ 위의 점 $(-4, 2)$에서의 접선의 방정식은
$-4x+2y=20$, 즉 $2x-y+10=0$
$\therefore a-b=2-(-1)=3$

답 3

15-2

원 $(x-2)^2+(y+1)^2=17$의 중심을 $C(2, -1)$, 원 위의 점을 $P(6, -2)$라 하자.
직선 CP의 기울기는 $\frac{(-2)-(-1)}{6-2}=-\frac{1}{4}$이고, 원 위의 점 P에서의 접선과 직선 CP는 서로 수직이므로 원 위의 점 P에서의 접선의 기울기는 4이다.
따라서 원 위의 점 $P(6, -2)$에서의 접선의 방정식은
$y-(-2)=4(x-6)$, 즉 $y=4x-26$

답 $y=4x-26$

15-3

점 $(a, 2)$가 원 $x^2+y^2=8$ 위에 있으므로

$a^2+2^2=8$, $a^2=4$에서

$a=2$ ($\because a>0$)

원 $x^2+y^2=8$ 위의 점 $(2, 2)$에서의 접선의 방정식은

$2x+2y=8$, 즉 $x+y=4$

이 접선이 점 $(-1, b)$를 지나므로

$-1+b=4$에서 $b=5$

$\therefore a+b=2+5=7$

답 7

15-4

원 $x^2+y^2=2$ 위의 점 $(-1, 1)$에서의 접선의 방정식은

$-x+y=2$, 즉 $y=x+2$이므로 기울기가 1인 직선이다.

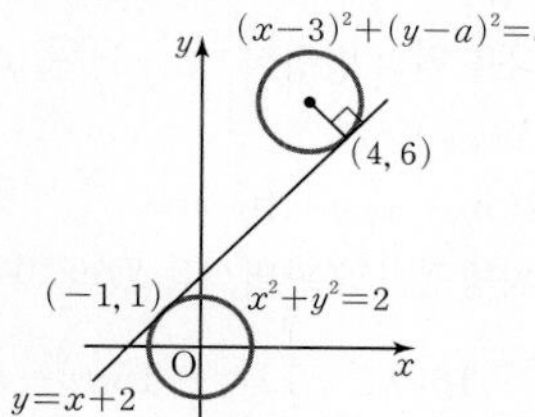

이 직선과 원 $(x-3)^2+(y-a)^2=b$가 점 $(4, 6)$에서만 만나므로 두 점 $(3, a)$, $(4, 6)$을 지나는 직선의 기울기는 -1이다.

즉, $\frac{6-a}{4-3}=-1$에서 $a=7$

원 $(x-3)^2+(y-7)^2=b$가 점 $(4, 6)$을 지나므로

$(4-3)^2+(6-7)^2=b$에서 $b=2$

$\therefore a+b=7+2=9$

답 9

16-1

풀이 1

원 $x^2+y^2=2$ 위의 점 (x_1, y_1)에서의 접선의 방정식은

$x_1x+y_1y=2$ ...... ㉠

이 직선이 점 $(-1, 3)$을 지나므로

$-x_1+3y_1=2$, 즉 $x_1=3y_1-2$ ...... ㉡

또한 점 (x_1, y_1)은 원 $x^2+y^2=2$ 위의 점이므로

${x_1}^2+{y_1}^2=2$ ...... ㉢

㉡을 ㉢에 대입하면

$(3y_1-2)^2+{y_1}^2=2$

$10{y_1}^2-12y_1+2=0$

$5{y_1}^2-6y_1+1=0$

$(5y_1-1)(y_1-1)=0$

$\therefore y_1=\frac{1}{5}$, $x_1=-\frac{7}{5}$ 또는 $y_1=1$, $x_1=1$

이를 ㉠에 대입하면 구하는 모든 접선의 방정식은

$-\frac{7}{5}x+\frac{1}{5}y=2$, 즉 $y=7x+10$

$x+y=2$, 즉 $y=-x+2$

풀이 2

점 $(-1, 3)$을 지나는 직선의 방정식을 $y-3=m(x+1)$, 즉 $mx-y+m+3=0$이라 하자.

이 직선이 원에 접하므로 원의 중심 $(0, 0)$과 직선 사이의 거리는 반지름의 길이와 같다.

즉, $\frac{|m+3|}{\sqrt{m^2+(-1)^2}}=\sqrt{2}$에서 $|m+3|=\sqrt{2m^2+2}$

양변을 제곱하면

$m^2+6m+9=2m^2+2$

$m^2-6m-7=0$

$(m-7)(m+1)=0$ $\quad\therefore m=7$ 또는 $m=-1$

따라서 구하는 모든 접선의 방정식은

$y=7x+10$, $y=-x+2$

풀이 3

점 $(-1, 3)$을 지나는 직선의 방정식을 $y-3=m(x+1)$, 즉 $y=mx+m+3$이라 하자.

이 직선의 방정식을 원의 방정식에 대입하면

$x^2+(mx+m+3)^2=2$

$(m^2+1)x^2+2(m^2+3m)x+m^2+6m+7=0$

이 x에 대한 이차방정식의 판별식을 D라 하면

$\frac{D}{4}=(m^2+3m)^2-(m^2+1)(m^2+6m+7)$

$=m^2-6m-7=(m-7)(m+1)=0$

이어야 하므로 $m=7$ 또는 $m=-1$

따라서 구하는 모든 접선의 방정식은

$y=7x+10$, $y=-x+2$

답 $y=7x+10$, $y=-x+2$

16-2

풀이 1

원 $x^2+y^2=9$ 위의 점 (x_1, y_1)에서의 접선의 방정식은

$x_1x+y_1y=9$ ...... ㉠

이 직선이 점 $(-3, 6)$을 지나므로

$-3x_1+6y_1=9$, 즉 $x_1=2y_1-3$ ...... ㉡

또한 점 (x_1, y_1)은 원 $x^2+y^2=9$ 위의 점이므로

${x_1}^2+{y_1}^2=9$ ...... ㉢

㉡을 ㉢에 대입하면

$(2y_1-3)^2+{y_1}^2=9$

$5{y_1}^2-12y_1=0$, $y_1(5y_1-12)=0$

$\therefore y_1=0$, $x_1=-3$ 또는 $y_1=\frac{12}{5}$, $x_1=\frac{9}{5}$

이를 ㉠에 대입하면 구하는 모든 접선의 방정식은

$-3x=9$, 즉 $x=-3$

$\frac{9}{5}x+\frac{12}{5}y=9$, 즉 $y=-\frac{3}{4}x+\frac{15}{4}$

풀이 2

원 $x^2+y^2=9$ 밖의 한 점 $(-3, 6)$을 지나는 접선 중 x축에 수직인 접선은 $x=-3$이다.

점 $(-3, 6)$을 지나는 또 다른 접선의 방정식을 $y-6=m(x+3)$, 즉 $mx-y+3m+6=0$이라 하자.

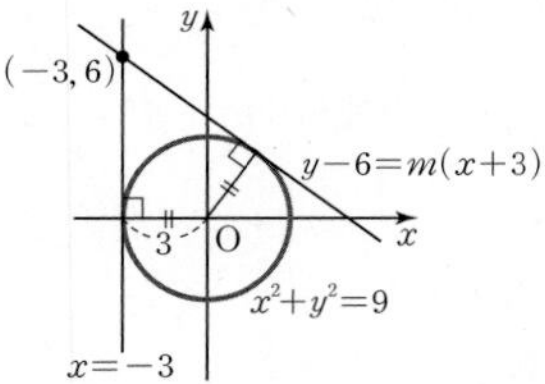

이 직선이 원에 접하므로 원의 중심 $(0, 0)$과 직선 사이의 거리는 반지름의 길이와 같다.

즉, $\frac{|3m+6|}{\sqrt{m^2+(-1)^2}}=\sqrt{9}$에서 $|m+2|=\sqrt{m^2+1}$

양변을 제곱하면

$m^2+4m+4=m^2+1$

$4m=-3 \quad \therefore m=-\frac{3}{4}$

따라서 구하는 모든 접선의 방정식은

$x=-3$, $y=-\frac{3}{4}x+\frac{15}{4}$

풀이 3

원 $x^2+y^2=9$ 밖의 한 점 $(-3, 6)$을 지나는 접선 중 x축에 수직인 접선은 $x=-3$이다.

점 $(-3, 6)$을 지나는 또 다른 접선의 방정식을 $y-6=m(x+3)$, 즉 $y=mx+3m+6$이라 하자.

이 직선의 방정식을 원의 방정식에 대입하면

$x^2+(mx+3m+6)^2=9$

$(m^2+1)x^2+2(3m^2+6m)x+9m^2+36m+27=0$

이 x에 대한 이차방정식의 판별식을 D라 하면

$\frac{D}{4}=(3m^2+6m)^2-(m^2+1)(9m^2+36m+27)$

$=-36m-27=-9(4m+3)=0$

이어야 하므로 $m=-\frac{3}{4}$

따라서 구하는 모든 접선의 방정식은

$x=-3$, $y=-\frac{3}{4}x+\frac{15}{4}$

답 $x=-3$, $y=-\frac{3}{4}x+\frac{15}{4}$

16-3

풀이 1

점 $(0, 1)$을 지나는 직선의 방정식을 $y-1=m(x-0)$, 즉 $mx-y+1=0$이라 하자.

이 직선이 원 $(x-4)^2+y^2=1$에 접하므로 원의 중심 $(4, 0)$과 직선 사이의 거리는 반지름의 길이와 같다.

즉, $\frac{|4m+1|}{\sqrt{m^2+(-1)^2}}=1$에서 $|4m+1|=\sqrt{m^2+1}$

양변을 제곱하면

$16m^2+8m+1=m^2+1$

$m(15m+8)=0 \quad \therefore m=0$ 또는 $m=-\frac{8}{15}$

따라서 구하는 접선의 기울기의 합은 $0+\left(-\frac{8}{15}\right)=-\frac{8}{15}$

풀이 2

점 $(0, 1)$을 지나는 직선의 방정식을 $y-1=m(x-0)$, 즉 $y=mx+1$이라 하자.

이 직선의 방정식을 원의 방정식 $(x-4)^2+y^2=1$에 대입하면

$(x-4)^2+(mx+1)^2=1$

$(m^2+1)x^2+2(m-4)x+16=0$

이 x에 대한 이차방정식의 판별식을 D라 하면

$\frac{D}{4}=(m-4)^2-16(m^2+1)=-15m^2-8m$

$=-m(15m+8)=0$

이어야 하므로 $m=0$ 또는 $m=-\frac{8}{15}$

따라서 구하는 두 접선의 기울기의 합은 $0+\left(-\frac{8}{15}\right)=-\frac{8}{15}$

답 $-\frac{8}{15}$

16-4

원 $(x+3)^2+(y-2)^2=r^2$의 중심을 $C(-3, 2)$라 하고, 두 접선과 원의 접점을 각각 P, Q라 하자.

두 접선이 서로 수직이므로 사각형 APCQ는 정사각형이다.

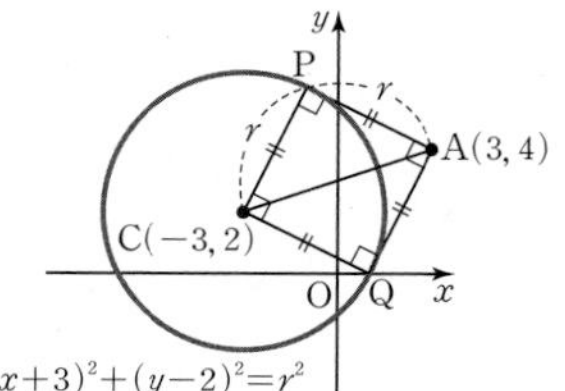

직각삼각형 APC에서

$\overline{CP}^2+\overline{AP}^2=\overline{AC}^2$이므로

$r^2+r^2=\{3-(-3)\}^2+(4-2)^2$

$2r^2=40$, 즉 $r^2=20$

따라서 구하는 원의 넓이는 20π

다른 풀이

점 $A(3, 4)$를 지나는 직선의 방정식을 $y-4=m(x-3)$, 즉 $mx-y-3m+4=0$이라 하자.

이 직선이 원에 접하므로 원의 중심 $(-3, 2)$와 직선 사이의 거리가 반지름의 길이와 같다.

즉, $\dfrac{|-3m-2-3m+4|}{\sqrt{m^2+(-1)^2}}=r$에서

$|-6m+2|=r\sqrt{m^2+1}$

양변을 제곱하면

$36m^2-24m+4=r^2m^2+r^2$

$(36-r^2)m^2-24m+4-r^2=0$

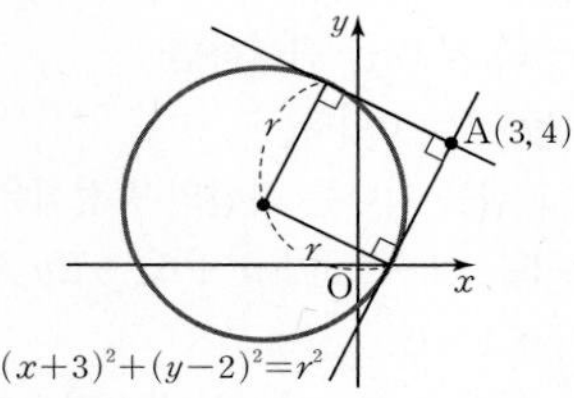

두 접선이 서로 수직이므로 m에 대한 이차방정식의 서로 다른 두 실근의 곱이 -1이어야 한다.

$\dfrac{4-r^2}{36-r^2}=-1$, $4-r^2=r^2-36$, 즉 $r^2=20$

따라서 구하는 원의 넓이는 20π

답 20π

중단원 연습문제

본문 154~158쪽

01 $(x+8)^2+y^2=80$
02 $(x+1)^2+(y-4)^2=18$ **03** 3 **04** $16\sqrt{5}$
05 104π **06** 2 **07** $\dfrac{18}{7}$ **08** $2\sqrt{10}$
09 6 **10** -51 **11** $\dfrac{13}{3}$
12 $x-y-1=0$, $7x-y+5=0$ **13** 8
14 32π **15** $a=\dfrac{8}{5}$, $b=2$ **16** 6
17 $3\sqrt{10}$ **18** $\dfrac{3}{4}$ **19** ①
20 $y=-\dfrac{1}{3}x$, $y=3x$

01

풀이 1

직선 $x-2y+8=0$이 x축, y축과 만나는 점은 각각 $A(-8, 0)$, $B(0, 4)$이다.

점 $A(-8, 0)$을 중심으로 하는 원의 반지름의 길이를 r라 하면 원의 방정식은

$(x+8)^2+y^2=r^2$

이 원이 점 $B(0, 4)$를 지나므로

$(0+8)^2+4^2=r^2$, 즉 $r^2=80$

따라서 구하는 원의 방정식은

$(x+8)^2+y^2=80$

풀이 2

직선 $x-2y+8=0$이 x축, y축과 만나는 점은 각각 $A(-8, 0)$, $B(0, 4)$이다.

점 A를 중심으로 하고 점 B를 지나는 원의 반지름의 길이는

$\overline{AB}=\sqrt{\{0-(-8)\}^2+(4-0)^2}=\sqrt{80}$

따라서 구하는 원의 방정식은

$(x+8)^2+y^2=80$

답 $(x+8)^2+y^2=80$

02

선분 AB를 지름으로 하는 원의 반지름의 길이가 $3\sqrt{2}$이므로 $\overline{AB}=6\sqrt{2}$, 즉 $\sqrt{\{(-4)-2\}^2+(a-1)^2}=6\sqrt{2}$

양변을 제곱하면 $36+(a-1)^2=72$

$(a-1)^2=6^2 \qquad \therefore a=7\ (\because a>0)$

따라서 두 점 $A(2, 1)$, $B(-4, 7)$에 대하여 선분 AB의 중점은

$\left(\dfrac{2+(-4)}{2}, \dfrac{1+7}{2}\right)$, 즉 $(-1, 4)$이므로

구하는 원의 방정식은

$(x+1)^2+(y-4)^2=(3\sqrt{2})^2$, 즉 $(x+1)^2+(y-4)^2=18$

답 $(x+1)^2+(y-4)^2=18$

03

$x^2+y^2-2x-4ky+2k+13=0$을 변형하면

$(x-1)^2+(y-2k)^2=4k^2-2k-12$

이 방정식이 원을 나타내려면

$4k^2-2k-12>0$

$(2k+3)(2k-4)>0$

$\therefore k<-\dfrac{3}{2}$ 또는 $k>2$

따라서 자연수 k의 최솟값은 3이다.

답 3

04

풀이 1

점 $(0, 0)$을 지나는 원의 방정식을

$x^2+y^2+Ax+By=0$이라 하자.

이 원이 두 점 $(-2, 2)$, $(6, 2)$를 지나므로

$\begin{cases} 8-2A+2B=0 \\ 40+6A+2B=0, \end{cases}$ 즉

$\begin{cases} 4-A+B=0 & \cdots\cdots ㉠ \\ 20+3A+B=0 & \cdots\cdots ㉡ \end{cases}$

㉠, ㉡을 연립하여 풀면 $A=-4$, $B=-8$
구하는 원의 방정식은
$x^2+y^2-4x-8y=0$, 즉 $(x-2)^2+(y-4)^2=20$
$\therefore abr=2\times4\times2\sqrt{5}=16\sqrt{5}$

풀이 2

주어진 세 점을 O(0, 0), A(−2, 2), B(6, 2)라 하고, 이 세 점을 지나는 원의 중심을 P(a, b)라 하자.
원의 반지름의 길이가 $\overline{PO}=\sqrt{a^2+b^2}$이므로
$\overline{PA}^2=\overline{PO}^2$에서
$(a+2)^2+(b-2)^2=a^2+b^2$
$4a-4b+8=0$, 즉 $a-b+2=0$ …… ㉠
$\overline{PB}^2=\overline{PO}^2$
$(a-6)^2+(b-2)^2=a^2+b^2$
$-12a-4b+40=0$, 즉 $3a+b-10=0$ …… ㉡
㉠, ㉡을 연립하여 풀면 $a=2$, $b=4$이므로
$r=\overline{PO}=\sqrt{a^2+b^2}=\sqrt{2^2+4^2}=\sqrt{20}=2\sqrt{5}$
$\therefore abr=16\sqrt{5}$

다른 풀이

A(−2, 2), B(6, 2), C(a, b)라 하자.
현 AB의 수직이등분선 $x=2$ 위에 원의 중심 C(a, b)가 있으므로 $a=2$이다.

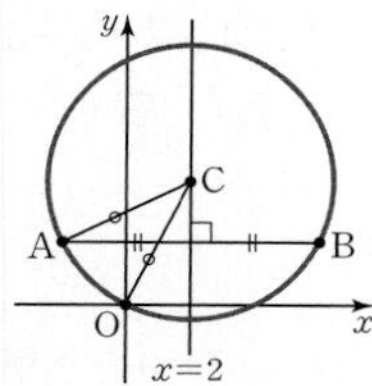

즉, C$(2, b)$이므로 $\overline{CO}=\overline{CA}$에 의하여
$\sqrt{2^2+b^2}=\sqrt{\{2-(-2)\}^2+(b-2)^2}$
$\sqrt{b^2+4}=\sqrt{b^2-4b+20}$
$b^2+4=b^2-4b+20$
$b=4$이고
$r=\overline{CO}=\sqrt{2^2+4^2}=\sqrt{20}=2\sqrt{5}$
$\therefore abr=2\times4\times2\sqrt{5}=16\sqrt{5}$

답 $16\sqrt{5}$

05

구하는 원의 반지름의 길이를 r라 하자.
이 원이 x축과 y축에 동시에 접하고 제2사분면 위의 점 $(-4, 2)$를 지나므로 원의 중심의 좌표는 $(-r, r)$이다.
따라서 원의 방정식은
$(x+r)^2+(y-r)^2=r^2$
이 원이 점 $(-4, 2)$를 지나므로
$(-4+r)^2+(2-r)^2=r^2$
$r^2-12r+20=0$
$(r-2)(r-10)=0$
$\therefore r=2$ 또는 $r=10$
따라서 구하는 두 원의 넓이의 합은
$2^2\pi+10^2\pi=104\pi$

답 104π

06

$(x+3)^2+(y-1)^2=12$를 변형하면
$x^2+y^2+6x-2y-2=0$이다.
따라서 두 원의 교점을 지나는 직선의 방정식은
$x^2+y^2+2ax+6y-1-(x^2+y^2+6x-2y-2)=0$
$(2a-6)x+8y+1=0$
이 직선과 직선 $4x+y-3=0$이 서로 수직이므로
$(2a-6)\times4+8\times1=0$
$\therefore a=2$

답 2

07

직선 $y=k(x-4)$, 즉 $kx-y-4k=0$과 원 $x^2+y^2=9$가 만나지 않으려면
원의 중심 (0, 0)과 직선 사이의 거리가 원의 반지름의 길이보다 커야 한다.
즉, $\dfrac{|-4k|}{\sqrt{k^2+(-1)^2}}>\sqrt{9}$에서 $|4k|>\sqrt{9k^2+9}$
양변을 제곱하면
$16k^2>9k^2+9$, $k^2>\dfrac{9}{7}$
$k<-\dfrac{3}{\sqrt{7}}$ 또는 $k>\dfrac{3}{\sqrt{7}}$
$\therefore \alpha^2+\beta^2=\left(-\dfrac{3}{\sqrt{7}}\right)^2+\left(\dfrac{3}{\sqrt{7}}\right)^2=\dfrac{18}{7}$

다른 풀이

$y=k(x-4)$를 $x^2+y^2=9$에 대입하여 얻은 x에 대한 이차방정식 $(k^2+1)x^2-8k^2x+16k^2-9=0$의 판별식을 D라 하면
$\dfrac{D}{4}=(-4k^2)^2-(k^2+1)(16k^2-9)=9-7k^2$
직선과 원이 만나지 않으려면 $\dfrac{D}{4}<0$이어야 하므로
$9-7k^2<0$, 즉 $k^2>\dfrac{9}{7}$에서
$k<-\dfrac{3}{\sqrt{7}}$ 또는 $k>\dfrac{3}{\sqrt{7}}$
$\therefore \alpha^2+\beta^2=\left(-\dfrac{3}{\sqrt{7}}\right)^2+\left(\dfrac{3}{\sqrt{7}}\right)^2=\dfrac{18}{7}$

답 $\dfrac{18}{7}$

08

원의 중심을 $C(a, a)$라 할 때, 점 $C(a, a)$에서 직선 $y=-2x$에 내린 수선의 발을 H라 하자.
원점 O에 대하여
$\overline{CO}=(\text{원의 반지름의 길이})=\sqrt{a^2+a^2}=\sqrt{2a^2}$
$\overline{OH}=\frac{(\text{현의 길이})}{2}=\frac{4\sqrt{2}}{2}=2\sqrt{2}$
$\overline{CH}=(\text{점 C와 직선 } 2x+y=0 \text{ 사이의 거리})$
$=\frac{|2a+a|}{\sqrt{2^2+1^2}}=\frac{|3a|}{\sqrt{5}}$

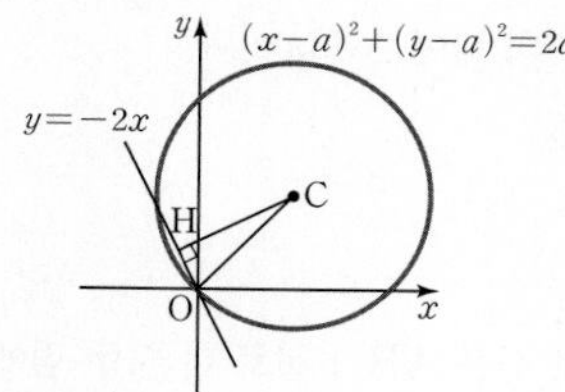

직각삼각형 CHO에서
$\overline{CO}^2=\overline{OH}^2+\overline{CH}^2$, 즉
$2a^2=8+\frac{9a^2}{5}$이므로
$a^2=40$
$\therefore a=2\sqrt{10}$ ($\because a>0$)

답 $2\sqrt{10}$

09

원 $x^2+(y-1)^2=10$의 반지름의 길이를 r, 원의 중심 $(0, 1)$과 점 $P(a, -3a+11)$ 사이의 거리를 d라 하면
$r=\sqrt{10}$,
$d=\sqrt{(a-0)^2+\{(-3a+11)-1\}^2}=\sqrt{10a^2-60a+100}$

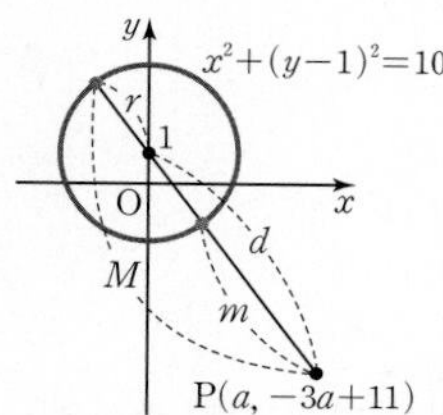

$M=d+r$, $m=d-r$이므로
$Mm=(d+r)(d-r)$
$=d^2-r^2$
$=(10a^2-60a+100)-10$
$=10a^2-60a+90=90$
$10a^2-60a=0$, $10a(a-6)=0$
$\therefore a=6$ ($\because a>0$)

답 6

10

직선 $y=2x-1$과 평행한 직선의 방정식을 $y=2x+n$, 즉 $2x-y+n=0$이라 하자. (단, $n\neq-1$)
이 직선이 원에 접하므로 원의 중심 $(-1, 1)$과 직선 사이의 거리는 반지름의 길이와 같다.
즉, $\frac{|2\times(-1)-1+n|}{\sqrt{2^2+(-1)^2}}=\sqrt{12}$에서
$|n-3|=\sqrt{60}$
(i) $n<3$일 때
$n-3=-\sqrt{60}$에서 $n=3-\sqrt{60}$
(ii) $n\geq3$일 때
$n-3=\sqrt{60}$에서 $n=3+\sqrt{60}$
따라서 두 직선 l_1, l_2의 y절편의 곱은
$(3-\sqrt{60})(3+\sqrt{60})=9-60=-51$

다른 풀이

직선 $y=2x-1$과 평행한 직선의 방정식을 $y=2x+n$이라 하자. (단, $n\neq-1$)
이 직선의 방정식을 원의 방정식에 대입하면
$(x+1)^2+(2x+n-1)^2=12$
$5x^2+2(2n-1)x+n^2-2n-10=0$
이 x에 대한 이차방정식의 판별식을 D라 하면
$\frac{D}{4}=(2n-1)^2-5(n^2-2n-10)$
$=-n^2+6n+51=0$
이어야 한다. 두 직선 l_1, l_2의 y절편의 곱은 이차방정식 $n^2-6n-51=0$의 서로 다른 두 실근의 곱과 같으므로 -51이다.

답 -51

11

원 $x^2+y^2=25$ 위의 점 $(-3, 4)$에서의 접선의 방정식은
$-3x+4y=25$, 즉 $3x-4y+25=0$
이 직선이 원 $(x-a)^2+(y-7)^2=4$에 접하므로
원의 중심 $(a, 7)$과 직선 $3x-4y+25=0$ 사이의 거리는 원의 반지름의 길이와 같다.

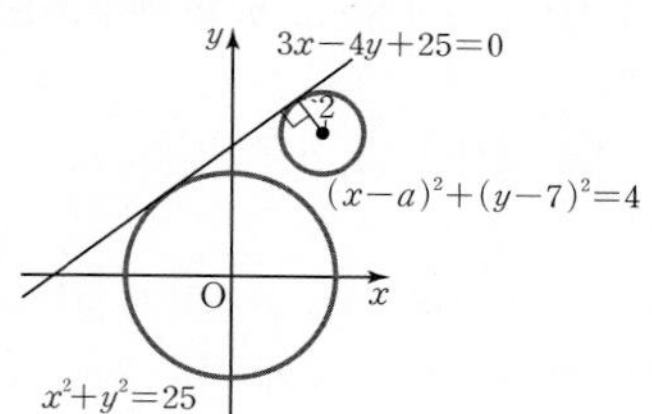

즉, $\frac{|3\times a-4\times7+25|}{\sqrt{3^2+(-4)^2}}=2$에서 $|3a-3|=10$
(i) $a<1$일 때
$3a-3=-10$에서 $a=-\frac{7}{3}$
(ii) $a\geq1$일 때
$3a-3=10$에서 $a=\frac{13}{3}$

(i), (ii)에 의하여 $a=\frac{13}{3}$ ($\because a>0$)

답 $\frac{13}{3}$

12

점 $(-1, -2)$를 지나는 직선의 방정식을
$y-(-2)=m\{x-(-1)\}$, 즉 $mx-y+m-2=0$이라 하자.
이 직선이 원 $x^2+y^2-2x-4y+3=0$, 즉
$(x-1)^2+(y-2)^2=2$에 접하므로 원의 중심 $(1, 2)$와 직선 사이의 거리는 원의 반지름의 길이와 같다.
즉, $\frac{|m-2+m-2|}{\sqrt{m^2+(-1)^2}}=\sqrt{2}$에서 $|2m-4|=\sqrt{2m^2+2}$
양변을 제곱하면
$4m^2-16m+16=2m^2+2$
$m^2-8m+7=0$
$(m-1)(m-7)=0$ $\quad\therefore m=1$ 또는 $m=7$
따라서 구하는 접선의 방정식은
$x-y-1=0$, $7x-y+5=0$

답 $x-y-1=0$, $7x-y+5=0$

13

원 $x^2+y^2+ax+by=0$을 변형하면
$\left(x+\frac{a}{2}\right)^2+\left(y+\frac{b}{2}\right)^2=\frac{a^2+b^2}{4}$
따라서 원의 넓이는 $\frac{a^2+b^2}{4}\pi$
이때 원의 넓이가 4π 이하이려면
$\frac{a^2+b^2}{4}\le 4$이어야 하므로 $a^2+b^2\le 16$
(i) $a=1$일 때
$b=1, 2, 3$이므로 순서쌍 (a, b)의 개수는 3
(ii) $a=2$일 때
$b=1, 2, 3$이므로 순서쌍 (a, b)의 개수는 3
(iii) $a=3$일 때
$b=1, 2$이므로 순서쌍 (a, b)의 개수는 2
(iv) $a\ge 4$일 때
만족시키는 순서쌍 (a, b)는 존재하지 않는다.
따라서 구하는 순서쌍 (a, b)의 개수는
$3+3+2=8$

답 8

14

원 $x^2+y^2-4x+4y-2=0$과
원 $x^2+(y+1)^2=16$, 즉 $x^2+y^2+2y-15=0$의 교점을 지나는 원의 방정식은
$x^2+y^2-4x+4y-2+k(x^2+y^2+2y-15)=0$
(단, $k\ne -1$) $\quad\cdots\cdots$ ㉠
이 원의 중심이 x축 위에 있으므로 중심의 y좌표는 0이어야 한다.
즉, ㉠에서 y의 계수가 0이어야 하므로
$4+2k=0$에서 $k=-2$
이를 ㉠에 대입하면
$x^2+y^2-4x+4y-2-2(x^2+y^2+2y-15)=0$
$x^2+y^2+4x-28=0$
$(x+2)^2+y^2=32$
따라서 구하는 원의 넓이는 32π이다.

답 32π

15

원 $x^2+y^2=r^2$과 선분 AB가 서로 다른 두 점에서 만나려면
(원점 O와 직선 AB 사이의 거리)$<r\le\overline{OB}$이어야 한다.

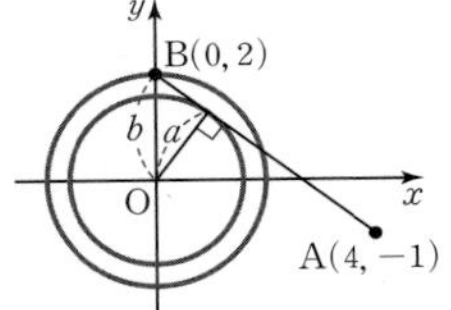

이때 두 점 A$(4, -1)$, B$(0, 2)$를 지나는 직선의 방정식은
$y-2=\frac{2-(-1)}{0-4}x$, 즉 $3x+4y-8=0$이므로
$a=$(원점 O와 직선 AB 사이의 거리)
$=\frac{|-8|}{\sqrt{3^2+4^2}}=\frac{8}{5}$
$b=\overline{OB}=2$
$\therefore a=\frac{8}{5}$, $b=2$

답 $a=\frac{8}{5}$, $b=2$

16

직선 $x+y=10$ 위에 있는 원의 중심을 C$(a, 10-a)$라 하고, 원의 중심 C에서 선분 AB에 내린 수선의 발을 H라 하자.
원이 y축에 접하므로
$\overline{CA}=$(반지름의 길이)$=a$
$\overline{CH}=|10-a|$
$\overline{AH}=\frac{\overline{AB}}{2}=\frac{4\sqrt{5}}{2}=2\sqrt{5}$

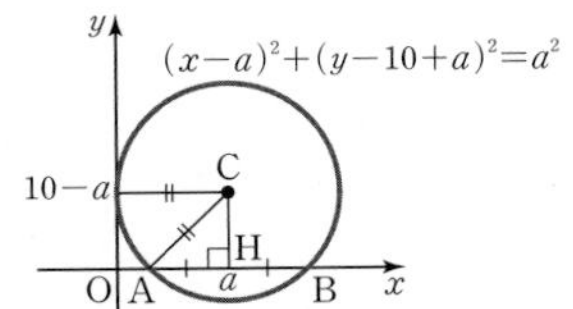

직각삼각형 CHA에서

$\overline{CA}^2=\overline{CH}^2+\overline{AH}^2$

$a^2=(10-a)^2+(2\sqrt{5})^2$

$a^2=a^2-20a+120$

$20a=120$

$\therefore a=6$

답 6

17

점 (3, 1)을 지나는 직선 중에서 원점과의 거리가 최대인 직선 l은 원점과 점 (3, 1)을 지나는 직선에 수직이다.

원점과 점 (3, 1)을 지나는 직선의 기울기는 $\frac{1}{3}$이므로

직선 l의 기울기는 -3이다.

따라서 직선 l의 방정식은

$y-1=-3(x-3)$, 즉 $3x+y-10=0$

원 $(x-8)^2+(y-6)^2=10$의 반지름의 길이를 r, 원의 중심 (8, 6)과 직선 l 사이의 거리를 d라 하면

$r=\sqrt{10}$,

$d=\frac{|3\times8+6-10|}{\sqrt{3^2+1^2}}=\frac{20}{\sqrt{10}}=2\sqrt{10}$

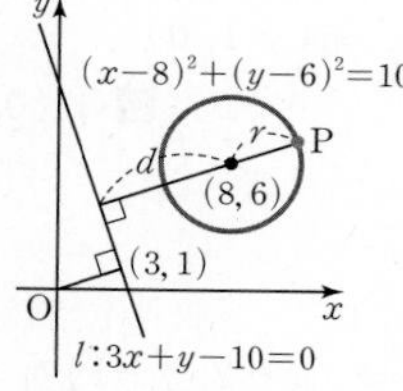

따라서 점 P와 직선 l 사이의 거리의 최댓값은

$d+r=3\sqrt{10}$

참고

A(3, 1)이라 할 때, 그림과 같이 점 A를 지나는 직선은 무수히 많다.

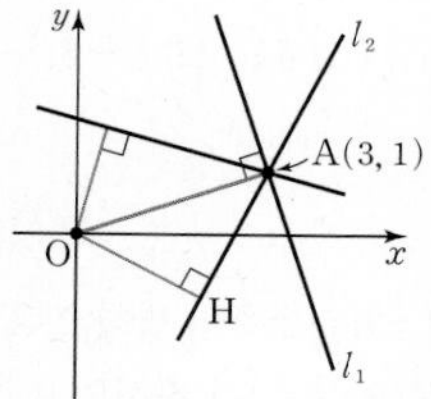

이 중 직선 OA에 수직인 직선을 l_1, 수직이 아닌 임의의 직선을 l_2라 하자. 원점 O에서 직선 l_2에 내린 수선의 발을 H라 하면 직각삼각형 OHA에서 빗변의 길이가 나머지 두 변의 길이보다 항상 크므로 $\overline{OH}<\overline{OA}$이다.

따라서 점 A를 지나는 직선 중 원점과의 거리가 최대인 직선은 l_1이다.

답 $3\sqrt{10}$

18

원의 넓이를 이등분하는 직선은 원의 중심을 지나므로 원 $(x-1)^2+(y-2)^2=1$의 넓이를 이등분하는 직선의 방정식을 $y-2=m(x-1)$, 즉 $mx-y-m+2=0$이라 하자.

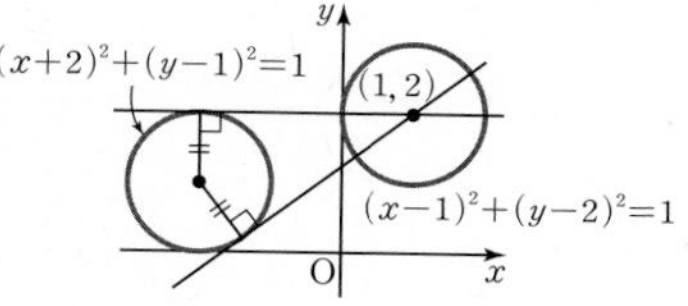

이 직선이 원 $(x+2)^2+(y-1)^2=1$에 접하므로 원의 중심 $(-2, 1)$과 직선 사이의 거리는 원의 반지름의 길이와 같다.

즉, $\frac{|-2m-1-m+2|}{\sqrt{m^2+(-1)^2}}=1$에서 $|-3m+1|=\sqrt{m^2+1}$

양변을 제곱하면

$9m^2-6m+1=m^2+1$

$8m^2-6m=0$

$2m(4m-3)=0 \qquad \therefore m=0$ 또는 $m=\frac{3}{4}$

구하는 두 직선의 방정식은

$y=2$, $y=\frac{3}{4}x+\frac{5}{4}$

따라서 두 직선이 y축과 만나는 점 A, B는 각각

$(0, 2)$, $\left(0, \frac{5}{4}\right)$

$\therefore \overline{AB}=2-\frac{5}{4}=\frac{3}{4}$

답 $\frac{3}{4}$

19

양수 a, b에 대하여 원의 중심을 C(a, b)라 하면 P$(a, 0)$이다. 점 P를 지나고 기울기가 2인 직선을 l이라 하면 직선 l의 방정식은

$y-0=2(x-a)$, 즉 $2x-y-2a=0$

한편 $\overline{QR}=\overline{PS}=4$에 의하여

두 이등변삼각형 CQR, CPS는 서로 합동이므로

점 C에서 y축과 직선 l에 내린 수선의 발을 각각 H, I라 하면 $\overline{CH}=\overline{CI}$이다.

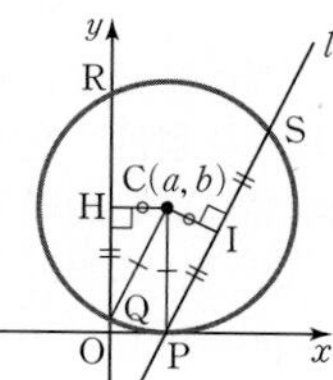

즉, $a=\frac{|2a-b-2a|}{\sqrt{2^2+(-1)^2}}$에서

$b=\sqrt{5}a \qquad \cdots\cdots$ ㉠

또한 직각삼각형 CIP에서

$\overline{CP}^2=\overline{CI}^2+\overline{PI}^2$

$b^2=a^2+2^2$ ...... ㉡

㉠, ㉡을 연립하여 풀면 $a=1$, $b=\sqrt{5}$

따라서 원점 O와 원의 중심 $C(1, \sqrt{5})$ 사이의 거리는

$\sqrt{1^2+(\sqrt{5})^2}=\sqrt{6}$

답 ①

20

원점을 지나는 직선의 방정식을 $y=mx$, 즉 $mx-y=0$이라 하자.

이 직선이 원 $(x-4)^2+(y-a)^2=10$에 접하므로 원의 중심 $(4, a)$와 직선 $mx-y=0$ 사이의 거리는 원의 반지름의 길이와 같다.

즉, $\dfrac{|m\times4-a|}{\sqrt{m^2+(-1)^2}}=\sqrt{10}$에서 $|4m-a|=\sqrt{10m^2+10}$

양변을 제곱하면

$16m^2-8am+a^2=10m^2+10$

$6m^2-8am+a^2-10=0$ ...... ㉠

이때 두 접선이 서로 수직이므로 m에 대한 이차방정식 ㉠의 두 실근의 곱이 -1이어야 한다.

$\dfrac{a^2-10}{6}=-1$ $\therefore a=2$ ($\because a>0$)

㉠에 $a=2$를 대입하면

$6m^2-16m-6=0$, $3m^2-8m-3=0$

$(3m+1)(m-3)=0$ $\therefore m=-\dfrac{1}{3}$ 또는 $m=3$

따라서 원점에서 원 $(x-4)^2+(y-2)^2=10$에 그은 두 접선의 방정식은 각각 $y=-\dfrac{1}{3}x$, $y=3x$이다.

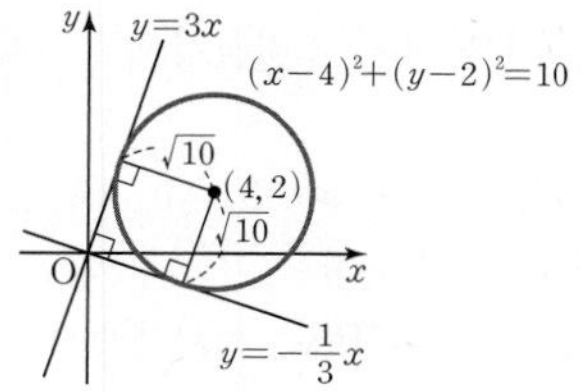

참고

다음과 같이 a의 값을 빠르게 구할 수도 있다.

원점 O에서 원에 그은 두 접선이 원과 만나는 점을 각각 P, Q라 하고, 원의 중심을 $A(4, a)$라 하면 사각형 OPAQ는 한 변의 길이가 $\sqrt{10}$인 정사각형이므로

$\overline{OA}=\sqrt{20}$에서 $\sqrt{4^2+a^2}=\sqrt{20}$ $\therefore a=2$ ($\because a>0$)

답 $y=-\dfrac{1}{3}x$, $y=3x$

04 도형의 이동

01 평행이동

개념 CHECK

본문 163쪽

01 (1) $(0, 6)$ (2) $(-1, 0)$

02 (1) $(5, 4)$ (2) $(-8, -5)$ (3) $(6, -1)$

03 (1) $x-3y-12=0$ (2) $y=2x^2-4x-7$
(3) $(x-1)^2+(y+4)^2=5$

01

(1) 점 $(3, 2)$를 x축의 방향으로 -3만큼, y축의 방향으로 4만큼 평행이동시킨 점의 좌표는
$(3-3, 2+4)$, 즉 $(0, 6)$

(2) 점 $(2, -4)$를 x축의 방향으로 -3만큼, y축의 방향으로 4만큼 평행이동시킨 점의 좌표는
$(2-3, -4+4)$, 즉 $(-1, 0)$

답 (1) $(0, 6)$ (2) $(-1, 0)$

02

평행이동 $(x, y) \longrightarrow (x-2, y+1)$에 의하여

(1) 점 $(7, 3)$이 옮겨지는 점의 좌표는
$(7-2, 3+1)$, 즉 $(5, 4)$

(2) 점 $(-6, -6)$이 옮겨지는 점의 좌표는
$(-6-2, -6+1)$, 즉 $(-8, -5)$

(3) 점 $(8, -2)$가 옮겨지는 점의 좌표는
$(8-2, -2+1)$, 즉 $(6, -1)$

답 (1) $(5, 4)$ (2) $(-8, -5)$ (3) $(6, -1)$

03

(1) 직선 $x-3y+4=0$을 x축의 방향으로 1만큼, y축의 방향으로 -5만큼 평행이동시킨 직선의 방정식은
$(x-1)-3(y+5)+4=0$, 즉 $x-3y-12=0$

(2) 포물선 $y=2x^2-4$를 x축의 방향으로 1만큼, y축의 방향으로 -5만큼 평행이동시킨 포물선의 방정식은
$y+5=2(x-1)^2-4$, 즉 $y=2x^2-4x-7$

(3) 원 $x^2+y^2-2y-4=0$, 즉 $x^2+(y-1)^2=5$를 x축의 방향으로 1만큼, y축의 방향으로 -5만큼 평행이동시킨 원의 방정식은

$(x-1)^2+(y+5-1)^2=5$, 즉 $(x-1)^2+(y+4)^2=5$

답 (1) $x-3y-12=0$ (2) $y=2x^2-4x-7$
(3) $(x-1)^2+(y+4)^2=5$

유제

본문 164~169쪽

01-1 6 **01-2** $(0, -2)$ **01-3** 2
01-4 -4 **02-1** $y=-2x-4$ **02-2** -2
02-3 -3 **02-4** 16 **03-1** 4 **03-2** 6
03-3 $(6, -10)$ **03-4** -4

01-1

점 $(2, -1)$이 평행이동 $(x, y) \longrightarrow (x-4, y+a)$에 의하여 옮겨지는 점의 좌표는
$(2-4, -1+a)$, 즉 $(-2, a-1)$
이 점의 좌표가 $(b, 7)$이라 주어졌으므로
$b=-2$이고 $a-1=7$에서 $a=8$이다.
$\therefore a+b=8+(-2)=6$

답 6

01-2

점 $(-4, 3)$을 x축의 방향으로 a만큼, y축의 방향으로 b만큼 평행이동시킨 점의 좌표를 $(1, -1)$이라 하면
$-4+a=1$에서 $a=5$
$3+b=-1$에서 $b=-4$
즉, 주어진 평행이동은 x축의 방향으로 5만큼, y축의 방향으로 -4만큼 평행이동시키는 것이다.
따라서 이 평행이동에 의하여 점 $(-5, 2)$가 옮겨지는 점의 좌표는
$(-5+5, 2-4)$, 즉 $(0, -2)$

답 $(0, -2)$

01-3

점 $(1, 3)$이 평행이동 $(x, y) \longrightarrow (x-a, y+2)$에 의하여 옮겨지는 점의 좌표는
$(1-a, 3+2)$, 즉 $(1-a, 5)$
이 점이 직선 $y=x+6$ 위의 점이어야 하므로
$5=(1-a)+6$
$\therefore a=2$

답 2

01-4

점 P를 x축의 방향으로 -2만큼, y축의 방향으로 8만큼 평행이동시킨 점이 P′이므로 직선 PP′의 기울기는
$\frac{8}{-2}=-4$

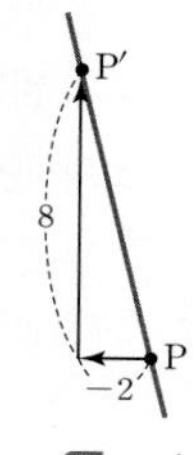

답 -4

02-1

평행이동 $(x, y) \longrightarrow (x-4, y+1)$은 x축의 방향으로 -4만큼, y축의 방향으로 1만큼 평행이동하는 것을 나타내므로 직선 $y=-2x+3$이 이 평행이동에 의하여 옮겨지는 직선의 방정식은
$y-1=-2(x+4)+3$, 즉 $y=-2x-4$

답 $y=-2x-4$

02-2

직선 $y=4x-2$를 x축의 방향으로 a만큼, y축의 방향으로 -4만큼 평행이동시킨 직선의 방정식은
$y+4=4(x-a)-2$, 즉 $y=4x-4a-6$
이 직선의 방정식이 $y=4x+2$라 주어졌으므로
$-4a-6=2$
$\therefore a=-2$

답 -2

02-3

점 $(2, 1)$을 x축의 방향으로 a만큼, y축의 방향으로 b만큼 평행이동시킨 점의 좌표를 $(1, 4)$라 하면
$2+a=1$에서 $a=-1$
$1+b=4$에서 $b=3$
즉, 주어진 평행이동은 x축의 방향으로 -1만큼, y축의 방향으로 3만큼 평행이동시킨 것이다.
이 평행이동에 의하여 직선 $y=mx-5$를 이동시킨 직선의 방정식은
$y-3=m(x+1)-5$, 즉 $y=mx+m-2$
이 직선이 원래의 직선과 일치해야 하므로
$m-2=-5$에서 $m=-3$

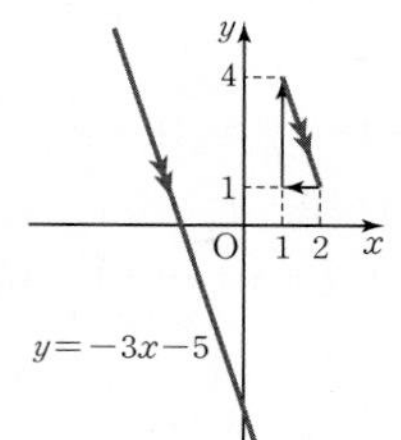

참고

기울기가 m $(m\neq0)$인 직선을 x축의 방향으로 a만큼, y축의 방향으로 b만큼 평행이동시킨 직선이 원래의 직선과 일치하면 $m=\frac{b}{a}$이다.
거꾸로 기울기가 m $(m\neq0)$인 직선을 x축의 방향으로 a만큼, y축의 방향으로 ma만큼 평행이동시킨 직선은 원래의 직선과 일치한다.

답 -3

02-4

직선 l : $3x-y+1=0$을 x축의 방향으로 2만큼, y축의 방향으로 a만큼 평행이동시킨 직선 l'의 방정식은
$3(x-2)-(y-a)+1=0$, 즉 $3x-y+a-5=0$
두 직선 l, l' 사이의 거리는
직선 l : $3x-y+1=0$ 위의 한 점 $(0, 1)$과
직선 l' : $3x-y+a-5=0$ 사이의 거리와 같다.
즉, $\frac{|-1+a-5|}{\sqrt{3^2+(-1)^2}}=\sqrt{10}$에서 $|a-6|=10$
$\therefore a=16$ ($\because a>0$)

다른 풀이

직선 $3x-y+1=0$ 위의 임의의 한 점의 좌표를 $(0, 1)$로 잡고, 이 점을 x축의 방향으로 2만큼, y축의 방향으로 a만큼 평행이동시킨 점의 좌표는 $(0+2, 1+a)$, 즉 $(2, 1+a)$이다.
이 점은 직선 l' 위의 점이므로 두 직선 l, l' 사이의 거리는 점 $(2, 1+a)$와 직선 $3x-y+1=0$ 사이의 거리와 같다.
즉, $\frac{|3\times2-(1+a)+1|}{\sqrt{3^2+(-1)^2}}=\sqrt{10}$에서 $|6-a|=10$
$a=16$ ($\because a>0$)

답 16

03-1

평행이동 $(x, y) \longrightarrow (x+6, y-4)$는 x축의 방향으로 6만큼, y축의 방향으로 -4만큼 평행이동시키는 것을 나타내므로
원 $x^2+y^2+6x-2y+a=0$, 즉
$(x+3)^2+(y-1)^2=10-a$가 이 평행이동에 의하여 옮겨지는 원의 방정식은
$(x-6+3)^2+(y+4-1)^2=10-a$, 즉
$(x-3)^2+(y+3)^2=10-a$
이 원의 방정식이 $(x+b)^2+(y+c)^2=6$과 일치해야 하므로
$a=4$, $b=-3$, $c=3$
$\therefore a+b+c=4+(-3)+3=4$

다른 풀이

원 $x^2+y^2+6x-2y+a=0$, 즉
$(x+3)^2+(y-1)^2=10-a$를 C라 하고, 원 C가 평행이동 $(x, y) \longrightarrow (x+6, y-4)$에 의하여 옮겨지는 원을 C'이라 하자.
원 C'의 중심은 원 C의 중심을 x축의 방향으로 6만큼, y축의 방향으로 -4만큼 평행이동시킨 것이므로
$(-3+6, 1-4)$, 즉 $(3, -3)$
이 원의 중심의 좌표가 $(-b, -c)$이어야 하므로
$b=-3$, $c=3$
원 C'의 반지름의 길이는 원 C의 반지름의 길이와 일치하므로 $\sqrt{6}=\sqrt{10-a}$에서 $a=4$
$\therefore a+b+c=4+(-3)+3=4$

답 4

03-2

포물선 $y=2x^2+8x-1$, 즉 $y=2(x+2)^2-9$를 x축의 방향으로 p만큼, y축의 방향으로 $p+3$만큼 평행이동시킨 포물선의 방정식은
$y-(p+3)=2(x-p+2)^2-9$, 즉
$y=2(x-p+2)^2+p-6$
이 포물선의 꼭짓점 $(p-2, p-6)$이 x축 위의 점이므로 y좌표는 0이다.
즉, $p-6=0$에서 $p=6$

다른 풀이

포물선 $y=2x^2+8x-1$, 즉 $y=2(x+2)^2-9$의 꼭짓점 $(-2, -9)$를 x축의 방향으로 p만큼, y축의 방향으로 $p+3$만큼 평행이동시키면
$(-2+p, -9+p+3)$, 즉 $(p-2, p-6)$
이 점이 x축 위의 점이므로 y좌표는 0이다.
즉, $p-6=0$에서 $p=6$

답 6

03-3

포물선 $y=x^2+6x+8$을 x축의 방향으로 a만큼, y축의 방향으로 b만큼 평행이동시키면
$y-b=(x-a)^2+6(x-a)+8$, 즉
$y=x^2+(6-2a)x+a^2-6a+8+b$
이 포물선이 포물선 $y=x^2-4x-3$과 일치한다고 하면
$\begin{cases} 6-2a=-4 \\ a^2-6a+8+b=-3 \end{cases}$에서 $a=5$, $b=-6$
따라서 원 $x^2+y^2-2x+8y+14=0$, 즉

$(x-1)^2+(y+4)^2=3$을 x축의 방향으로 5만큼, y축의 방향으로 -6만큼 평행이동시킨 원의 방정식은
$(x-5-1)^2+(y+6+4)^2=3$, 즉
$(x-6)^2+(y+10)^2=3$이고 이 원의 중심의 좌표는
$(6, -10)$

다른 풀이

포물선 $y=x^2+6x+8$, 즉 $y=(x+3)^2-1$을
포물선 $y=x^2-4x-3$, 즉 $y=(x-2)^2-7$로
옮기는 평행이동은 두 포물선의 꼭짓점 $(-3, -1)$, $(2, -7)$에 대하여 점 $(-3, -1)$을 점 $(2, -7)$로 옮기는 평행이동과 같다.
즉, x축의 방향으로 5만큼, y축의 방향으로 -6만큼 평행이동시킨 것이다.
이 평행이동에 의하여
원 $x^2+y^2-2x+8y+14=0$, 즉 $(x-1)^2+(y+4)^2=3$의 중심을 평행이동시킨 점의 좌표는
$(1+5, -4-6)$, 즉 $(6, -10)$

답 $(6, -10)$

03-4

점 $(1, k)$를 점 $(4, 2k)$로 옮기는 평행이동은 x축의 방향으로 3만큼, y축의 방향으로 k만큼 평행이동시키는 것이다.
포물선 $y=-x^2-x+4$를 x축의 방향으로 3만큼, y축의 방향으로 k만큼 평행이동시킨 포물선의 방정식은
$y-k=-(x-3)^2-(x-3)+4$, 즉 $y=-x^2+5x+k-2$
이 포물선이 직선 $y=3x-5$에 접하므로
이차방정식 $-x^2+5x+k-2=3x-5$, 즉
$x^2-2x-k-3=0$의 판별식을 D라 할 때
$\frac{D}{4}=(-1)^2-1\times(-k-3)=k+4=0$이어야 한다.
$\therefore k=-4$

다른 풀이

점 $(1, k)$를 점 $(4, 2k)$로 옮기는 평행이동은 x축의 방향으로 3만큼, y축의 방향으로 k만큼 평행이동시키는 것이다.
직선 $y=3x-5$를 x축의 방향으로 -3만큼, y축의 방향으로 $-k$만큼 평행이동시킨 직선의 방정식은
$y+k=3(x+3)-5$, 즉 $y=3x-k+4$
이 직선이 포물선 $y=-x^2-x+4$에 접하므로
이차방정식 $3x-k+4=-x^2-x+4$, 즉 $x^2+4x-k=0$의 판별식을 D라 할 때
$\frac{D}{4}=2^2-1\times(-k)=k+4=0$이어야 한다.
$\therefore k=-4$

답 -4

02 대칭이동 (1)

개념 CHECK

본문 177쪽

01 (1) $(-2, -1)$ (2) $(2, 1)$ (3) $(2, -1)$ (4) $(1, -2)$
02 (1) $x+3y+1=0$ (2) $x+3y-3=0$ (3) $x-3y-2=0$ (4) $3x-y-4=0$
03 (1) $y=-(x+2)^2+6$ (2) $y=-(x+2)^2+4$ (3) $y=-x^2+5$
04 (1) $(x+2)^2+(y+1)^2=12$
(2) $(x-2)^2+(y-1)^2=12$
(3) $(x-2)^2+(y+1)^2=12$
(4) $(x-1)^2+(y+2)^2=12$

01

점 $(-2, 1)$을
(1) x축에 대하여 대칭이동시킨 점의 좌표는 $(-2, -1)$
(2) y축에 대하여 대칭이동시킨 점의 좌표는 $(2, 1)$
(3) 원점에 대하여 대칭이동시킨 점의 좌표는 $(2, -1)$
(4) 직선 $y=x$에 대하여 대칭이동시킨 점의 좌표는 $(1, -2)$

답 (1) $(-2, -1)$ (2) $(2, 1)$ (3) $(2, -1)$ (4) $(1, -2)$

02

(1) 직선 $x-3y+4=0$을 x축에 대하여 대칭이동시킨 직선의 방정식은 $x+3y+4=0$
이 직선을 y축의 방향으로 1만큼 평행이동시킨 직선의 방정식은 $x+3(y-1)+4=0$, 즉 $x+3y+1=0$
(2) 직선 $x-3y+4=0$을 x축의 방향으로 1만큼 평행이동시킨 직선의 방정식은 $(x-1)-3y+4=0$, 즉
$x-3y+3=0$
이 직선을 y축에 대하여 대칭이동시킨 직선의 방정식은
$-x-3y+3=0$, 즉 $x+3y-3=0$
(3) 직선 $x-3y+4=0$을 원점에 대하여 대칭이동시킨 직선의 방정식은 $-x+3y+4=0$
이 직선을 x축의 방향으로 -2만큼 평행이동시킨 직선의 방정식은 $-(x+2)+3y+4=0$, 즉 $x-3y-2=0$
(4) 직선 $x-3y+4=0$을 직선 $y=x$에 대하여 대칭이동시킨 직선의 방정식은 $y-3x+4=0$, 즉 $3x-y-4=0$

답 (1) $x+3y+1=0$ (2) $x+3y-3=0$ (3) $x-3y-2=0$ (4) $3x-y-4=0$

03

포물선 $y=x^2+4x-1$, 즉 $y=(x+2)^2-5$를

(1) x축에 대하여 대칭이동시킨 포물선의 방정식은
$-y=(x+2)^2-5$, 즉 $y=-(x+2)^2+5$
이 포물선을 y축의 방향으로 1만큼 평행이동시킨 포물선의 방정식은
$y-1=-(x+2)^2+5$, 즉 $y=-(x+2)^2+6$

(2) y축의 방향으로 1만큼 평행이동시킨 포물선의 방정식은
$y-1=(x+2)^2-5$, 즉 $y=(x+2)^2-4$
이 포물선을 x축에 대하여 대칭이동시킨 포물선의 방정식은 $-y=(x+2)^2-4$, 즉 $y=-(x+2)^2+4$

(3) 원점에 대하여 대칭이동시킨 포물선의 방정식은
$-y=(-x+2)^2-5$, 즉 $y=-(x-2)^2+5$
이 포물선을 x축의 방향으로 -2만큼 평행이동시킨 포물선의 방정식은 $y=-(x+2-2)^2+5$, 즉 $y=-x^2+5$

참고

(1), (2)에서 평행이동, 대칭이동의 순서가 다를 때, 결과로 얻어지는 포물선의 방정식이 다른 것을 확인할 수 있다. 평행이동, 대칭이동을 연달아 할 때 문제에서 제시한 순서대로 이동해야 함에 주의하자.

답 (1) $y=-(x+2)^2+6$ (2) $y=-(x+2)^2+4$
(3) $y=-x^2+5$

04

원 $x^2+y^2+4x-2y-7=0$, 즉 $(x+2)^2+(y-1)^2=12$를

(1) x축에 대하여 대칭이동시킨 원의 방정식은
$(x+2)^2+(-y-1)^2=12$, 즉 $(x+2)^2+(y+1)^2=12$

(2) y축에 대하여 대칭이동시킨 원의 방정식은
$(-x+2)^2+(y-1)^2=12$, 즉 $(x-2)^2+(y-1)^2=12$

(3) 원점에 대하여 대칭이동시킨 원의 방정식은
$(-x+2)^2+(-y-1)^2=12$, 즉
$(x-2)^2+(y+1)^2=12$

(4) 직선 $y=x$에 대하여 대칭이동시킨 원의 방정식은
$(y+2)^2+(x-1)^2=12$, 즉 $(x-1)^2+(y+2)^2=12$

답 (1) $(x+2)^2+(y+1)^2=12$ (2) $(x-2)^2+(y-1)^2=12$
(3) $(x-2)^2+(y+1)^2=12$ (4) $(x-1)^2+(y+2)^2=12$

유제 본문 178~183쪽

04-1 12 **04-2** 3 **04-3** 10
04-4 -5, $\frac{7}{2}$
05-1 (1) $\frac{5}{2}$ (2) $(x-4)^2+(y+3)^2=4$ **05-2** 3
05-3 $y=-3x+10$ **05-4** -2 **06-1** 6
06-2 -12 **06-3** -6 **06-4** $-\frac{3}{4}$

04-1

점 $P(-3, 2)$를 y축에 대하여 대칭이동시킨
점 Q의 좌표는 $(3, 2)$
점 $P(-3, 2)$를 원점에 대하여 대칭이동시킨
점 R의 좌표는 $(3, -2)$

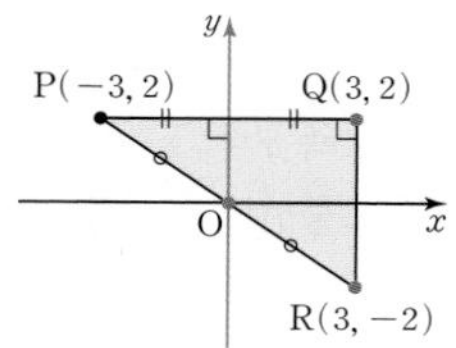

따라서 $\angle PQR=90°$인 직각삼각형 PQR의 넓이는
$\frac{1}{2}\times6\times4=12$

답 12

04-2

점 $(a, 1)$을 x축에 대하여 대칭이동시킨 점의 좌표는
$(a, -1)$
이 점을 직선 $y=x$에 대하여 대칭이동시킨 점의 좌표는
$(-1, a)$
점 $(-1, a)$가 점 $(b, 4)$와 일치하므로 $a=4$, $b=-1$
$\therefore a+b=4+(-1)=3$

답 3

04-3

점 $(k, -4)$를 원점에 대하여 대칭이동시킨
점 P의 좌표는 $(-k, 4)$
점 $(k, -4)$를 직선 $y=x$에 대하여 대칭이동시킨
점 Q의 좌표는 $(-4, k)$
$\overline{PQ}=6\sqrt{2}$이므로
$\sqrt{\{(-4)-(-k)\}^2+(k-4)^2}=6\sqrt{2}$
$\sqrt{2k^2-16k+32}=6\sqrt{2}$
$2k^2-16k-40=0$
$k^2-8k-20=0$
$(k+2)(k-10)=0$
$\therefore k=10$ ($\because k>0$)

답 10

04-4

점 $(-3, -7)$을 y축에 대하여 대칭이동시킨
점의 좌표는 $(3, -7)$
이 점이 직선 $ax+5y+2a^2=0$ 위의 점이므로
$3a+5\times(-7)+2a^2=0$

$2a^2+3a-35=0$, $(a+5)(2a-7)=0$

$\therefore a=-5$ 또는 $a=\frac{7}{2}$

답 -5, $\frac{7}{2}$

05-1

(1) 직선 $y=mx+5$를 x축에 대하여 대칭이동시킨 직선의 방정식은 $-y=mx+5$, 즉 $y=-mx-5$

이 직선이 점 $(-4, 5)$를 지나므로

$5=4m-5$ $\quad\therefore m=\frac{5}{2}$

다른 풀이

점 $(-4, 5)$를 x축에 대하여 대칭이동시킨 점 $(-4, -5)$는 직선 $y=mx+5$ 위에 있다.

$-5=-4m+5$ $\quad\therefore m=\frac{5}{2}$

(2) 원 $x^2+6x+y^2-2ay+21=0$, 즉 $(x+3)^2+(y-a)^2=a^2-12$를 직선 $y=x$에 대하여 대칭이동시킨 원 C의 방정식은

$(y+3)^2+(x-a)^2=a^2-12$, 즉

$(x-a)^2+(y+3)^2=a^2-12$

이 원의 중심 $(a, -3)$이 직선 $3x+y-9=0$ 위의 점이므로

$3a+(-3)-9=0$에서 $a=4$

따라서 원 C의 방정식은 $(x-4)^2+(y+3)^2=4$

답 (1) $\frac{5}{2}$ (2) $(x-4)^2+(y+3)^2=4$

05-2

포물선 $y=x^2+2mx+8$을 y축에 대하여 대칭이동시킨 포물선의 방정식은 $y=(-x)^2+2m(-x)+8$, 즉

$y=(x-m)^2+8-m^2$

이 포물선의 꼭짓점의 좌표는 $(m, 8-m^2)$이다.

이 점의 좌표가 $(-3, n)$과 일치하므로

$m=-3$, $n=8-(-3)^2=-1$

$\therefore mn=(-3)\times(-1)=3$

다른 풀이

포물선 $y=x^2+2mx+8$, 즉 $y=(x+m)^2+8-m^2$의 꼭짓점의 좌표는 $(-m, 8-m^2)$

점 $(-3, n)$을 y축에 대하여 대칭이동시킨 점의 좌표는 $(3, n)$

두 점 $(-m, 8-m^2)$, $(3, n)$이 일치하므로

$m=-3$, $n=8-(-3)^2=-1$

$\therefore mn=(-3)\times(-1)=3$

답 3

05-3

직선 $3x-y+1=0$을 직선 $y=x$에 대하여 대칭이동시킨 직선의 방정식은 $3y-x+1=0$, 즉 $y=\frac{1}{3}x-\frac{1}{3}$

이 직선과 수직인 직선의 기울기는 -3이고 점 $(6, -8)$을 지나므로 구하는 직선의 방정식은

$y-(-8)=-3(x-6)$, 즉 $y=-3x+10$

답 $y=-3x+10$

05-4

직선 $y=kx+7$을 원점에 대하여 대칭이동시킨 직선의 방정식은 $-y=k(-x)+7$, 즉 $y=kx-7$ $\quad\cdots\cdots$ ㉠

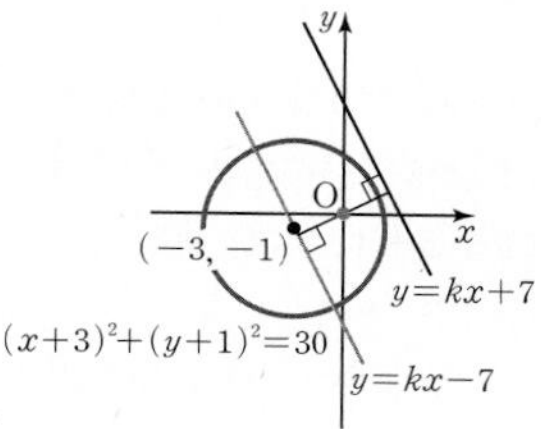

원 $x^2+y^2+6x+2y-20=0$, 즉 $(x+3)^2+(y+1)^2=30$의 넓이를 이등분하는 직선은 원의 중심 $(-3, -1)$을 지나므로 ㉠에서 $-1=-3k-7$

$\therefore k=-2$

참고

직선 $y=mx+n$을 원점에 대하여 대칭이동한 직선의 방정식은 $-y=m(-x)+n$, 즉 $y=mx-n$으로 기울기는 변하지 않고, y절편의 부호만 반대이다.

답 -2

06-1

직선 $4x+y-3=0$을 직선 $y=x$에 대하여 대칭이동시킨 직선의 방정식은

$4y+x-3=0$, 즉 $x+4y-3=0$

이 직선을 x축의 방향으로 a만큼, y축의 방향으로 3만큼 평행이동시킨 직선의 방정식은

$x-a+4(y-3)-3=0$, 즉 $x+4y-a-15=0$

이 직선이 점 $(1, 5)$를 지나므로

$1+4\times5-a-15=0$

$\therefore a=6$

답 6

06-2

$y=x^2+2x+a$를 변형하면

$y=(x+1)^2+a-1$
이 포물선을 x축의 방향으로 4만큼, y축의 방향으로 -1만큼 평행이동시킨 포물선의 방정식은
$y+1=(x-4+1)^2+a-1$, 즉
$y=(x-3)^2+a-2$
이 포물선을 y축에 대하여 대칭이동시킨 포물선의 방정식은
$y=(-x-3)^2+a-2$, 즉 $y=x^2+6x+a+7$
이 포물선이 $y=x^2+6x-5$이므로
$a+7=-5$
$\therefore a=-12$

답 -12

06-3

원 $(x-a)^2+(y+1)^2=4$를 x축의 방향으로 3만큼, y축의 방향으로 -2만큼 평행이동시킨 원의 방정식은
$(x-3-a)^2+(y+2+1)^2=4$, 즉
$(x-3-a)^2+(y+3)^2=4$
이 원을 직선 $y=x$에 대하여 대칭이동시킨 원의 방정식은
$(y-3-a)^2+(x+3)^2=4$, 즉 $(x+3)^2+(y-3-a)^2=4$
이 원이 x축에 접하려면
|원의 중심의 y좌표|=(원의 반지름의 길이), 즉
$|3+a|=2$이어야 한다.
(i) $a<-3$일 때
$3+a=-2$에서 $a=-5$
(ii) $a\geq-3$일 때
$3+a=2$에서 $a=-1$
따라서 모든 상수 a의 값의 합은 -6이다.

답 -6

06-4

원 $x^2+y^2+2y=0$, 즉 $x^2+(y+1)^2=1$을 x축에 대하여 대칭이동시킨 원의 방정식은
$x^2+(-y+1)^2=1$, 즉 $x^2+(y-1)^2=1$
이 원을 x축의 방향으로 1만큼 평행이동시킨 원의 방정식은
$(x-1)^2+(y-1)^2=1$
이 원과 직선 $y=mx+3$이 접하므로
원의 중심 $(1, 1)$과 직선 $mx-y+3=0$ 사이의 거리는 원의 반지름의 길이와 같다.
즉, $\dfrac{|m-1+3|}{\sqrt{m^2+(-1)^2}}=1$에서
$|m+2|=\sqrt{m^2+1}$
양변을 제곱하면
$m^2+4m+4=m^2+1$
$4m=-3$
$\therefore m=-\dfrac{3}{4}$

답 $-\dfrac{3}{4}$

03 대칭이동 (2)

개념 CHECK

본문 191쪽

01 (1) $(-5, -2)$ (2) $(3, 0)$ (3) $(-5, 0)$ (4) $(2, -3)$
02 (1) $y=-4x+3$ (2) $y=-4x+9$
(3) $y=4x-13$ (4) $y=\frac{1}{4}x-\frac{5}{4}$
03 (1) $(x-2)^2+(y-3)^2=6$
(2) $(x+4)^2+(y+7)^2=6$
(3) $(x-2)^2+(y+1)^2=6$
(4) $(x+3)^2+(y-4)^2=6$
04 (1) $y=(x+1)^2+4$ (2) $y=-(x-3)^2$
(3) $y=-(x+3)^2-6$

01

(1) 점 $(3, -2)$를 직선 $x=-1$에 대하여 대칭이동시킨 점의 좌표를 $(a, -2)$라 하자.
두 점 $(3, -2)$, $(a, -2)$를 이은 선분의 중점
$\left(\dfrac{3+a}{2}, -2\right)$가 직선 $x=-1$ 위의 점이므로
$\dfrac{3+a}{2}=-1$에서 $a=-5$
따라서 구하는 점의 좌표는 $(-5, -2)$
(2) 점 $(3, -2)$를 직선 $y=-1$에 대하여 대칭이동시킨 점의 좌표를 $(3, a)$라 하자.
두 점 $(3, -2)$, $(3, a)$를 이은 선분의 중점 $\left(3, \dfrac{-2+a}{2}\right)$가 직선 $y=-1$ 위의 점이므로
$\dfrac{-2+a}{2}=-1$에서 $a=0$
따라서 구하는 점의 좌표는 $(3, 0)$
(3) 점 $(3, -2)$를 점 $(-1, -1)$에 대하여 대칭이동시킨 점의 좌표를 (a, b)라 하자.
점 $(-1, -1)$이 두 점 $(3, -2)$, (a, b)를 이은 선분의 중점이므로
$\dfrac{3+a}{2}=-1$, $\dfrac{-2+b}{2}=-1$
$\therefore a=-5, b=0$

따라서 구하는 점의 좌표는 $(-5, 0)$

(4) 점 $(3, -2)$를 직선 $y=-x$에 대하여 대칭이동시킨 점의 좌표를 (a, b)라 하자.
두 점 $(3, -2)$, (a, b)를 이은 선분의 중점 $\left(\frac{3+a}{2}, \frac{-2+b}{2}\right)$가 직선 $y=-x$ 위의 점이므로
$\frac{-2+b}{2}=-\frac{3+a}{2}$에서 $a+b=-1$ …… ㉠
두 점 $(3, -2)$, (a, b)를 지나는 직선과 직선 $y=-x$가 서로 수직이므로
$\frac{b-(-2)}{a-3}\times(-1)=-1$에서 $a-b=5$ …… ㉡
㉠, ㉡을 연립하여 풀면 $a=2$, $b=-3$
따라서 구하는 점의 좌표는 $(2, -3)$

참고

대칭이동시킨 점의 좌표를 다음과 같이 빠르게 구할 수 있다.
점 $(3, -2)$를
(1) 직선 $x=-1$에 대하여 대칭이동시킨 점의
x좌표는 $2\times(-1)-3=-5$
y좌표는 -2
(2) 직선 $y=-1$에 대하여 대칭이동시킨 점의
x좌표는 3
y좌표는 $2\times(-1)-(-2)=0$
(3) 점 $(-1, -1)$에 대하여 대칭이동시킨 점의
x좌표는 $2\times(-1)-3=-5$
y좌표는 $2\times(-1)-(-2)=0$
(4) 직선 $y=-x$에 대하여 대칭이동시킨 점의
x좌표는 $-(-2)=2$
y좌표는 -3
이때 (3)은 (1), (2)를 연달아 대칭이동시킨 점의 좌표와 일치한다.

답 (1) $(-5, -2)$ (2) $(3, 0)$ (3) $(-5, 0)$ (4) $(2, -3)$

02

(1) 직선 $y=4x-5$ 위의 임의의 점 $P(x, y)$를 직선 $x=1$에 대하여 대칭이동시킨 점을 $P'(x', y')$이라 하자.
선분 PP'의 중점이 직선 $x=1$ 위에 있으므로
$\frac{x+x'}{2}=1$에서 $x=2-x'$이고, $y=y'$이다.
점 $P(2-x', y')$은 직선 $y=4x-5$ 위의 점이므로
$y'=4(2-x')-5$
따라서 구하는 직선의 방정식은 $y=-4x+3$

(2) 직선 $y=4x-5$ 위의 임의의 점 $P(x, y)$를 직선 $y=2$에 대하여 대칭이동시킨 점을 $P'(x', y')$이라 하자.
선분 PP'의 중점이 직선 $y=2$ 위에 있으므로
$\frac{y+y'}{2}=2$에서 $y=4-y'$이고, $x=x'$이다.
점 $P(x', 4-y')$은 직선 $y=4x-5$ 위의 점이므로
$4-y'=4x'-5$
따라서 구하는 직선의 방정식은 $y=-4x+9$

(3) 직선 $y=4x-5$ 위의 임의의 점 $P(x, y)$를 점 $(3, 3)$에 대하여 대칭이동시킨 점을 $P'(x', y')$이라 하자.
점 $(3, 3)$은 선분 PP'의 중점이므로
$\frac{x+x'}{2}=3$, $\frac{y+y'}{2}=3$에서 $x=6-x'$, $y=6-y'$이다.
점 $P(6-x', 6-y')$은 직선 $y=4x-5$ 위의 점이므로
$6-y'=4(6-x')-5$
따라서 구하는 직선의 방정식은 $y=4x-13$

(4) 직선 $y=4x-5$ 위의 임의의 점 $P(x, y)$를 직선 $y=-x$에 대하여 대칭이동시킨 점을 $P'(x', y')$이라 하자.
선분 PP'의 중점 $\left(\frac{x+x'}{2}, \frac{y+y'}{2}\right)$이 직선 $y=-x$ 위의 점이므로
$\frac{y+y'}{2}=-\frac{x+x'}{2}$, 즉 $x+y=-x'-y'$ …… ㉠
직선 PP'과 직선 $y=-x$가 서로 수직이므로
$\frac{y'-y}{x'-x}\times(-1)=-1$, 즉 $x-y=x'-y'$ …… ㉡
㉠, ㉡을 연립하여 풀면 $x=-y'$, $y=-x'$
점 $P(-y', -x')$은 직선 $y=4x-5$ 위의 점이므로
$-x'=4(-y')-5$
따라서 구하는 직선의 방정식은 $y=\frac{1}{4}x-\frac{5}{4}$

다른 풀이

(1) 직선 $y=4x-5$를 x축과 수직인 직선 $x=1$에 대칭이동시킨 직선은 기울기가 -4이고,
두 직선 $y=4x-5$, $x=1$의 교점 $(1, -1)$을 지난다.
따라서 구하는 직선의 방정식은
$y-(-1)=-4(x-1)$, 즉 $y=-4x+3$

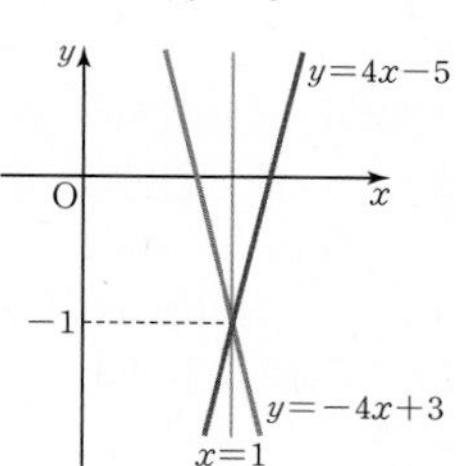

(2) 직선 $y=4x-5$를 y축과 수직인 직선 $y=2$에 대칭이동시킨 직선은 기울기가 -4이고,
두 직선 $y=4x-5$, $y=2$의 교점 $\left(\frac{7}{4}, 2\right)$를 지난다.
따라서 구하는 직선의 방정식은
$y-2=-4\left(x-\frac{7}{4}\right)$, 즉 $y=-4x+9$

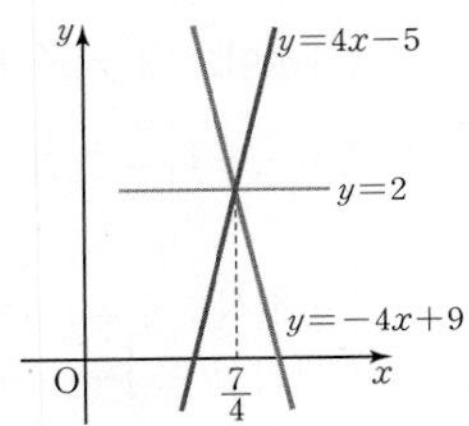

(3) 직선 $y=4x-5$를 점 $(3, 3)$에 대하여 대칭이동시킨 직선은 기울기가 4이고,
직선 $y=4x-5$ 위의 점 $(2, 3)$을 점 $(3, 3)$에 대하여 대칭이동시킨 점 $(4, 3)$을 지난다.
따라서 구하는 직선의 방정식은
$y-3=4(x-4)$, 즉 $y=4x-13$

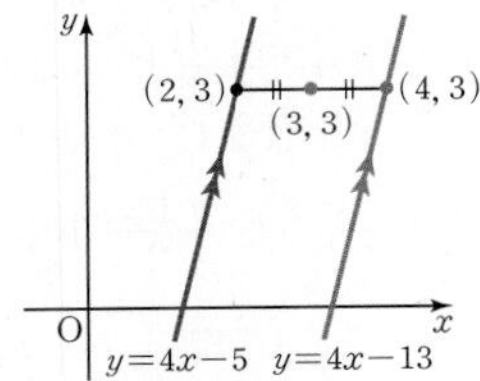

(4) 직선 $y=4x-5$를 직선 $y=-x$에 대하여 대칭이동시킨 직선은 기울기가 $\frac{1}{4}$이고,
두 직선 $y=4x-5$, $y=-x$의 교점 $(1, -1)$을 지난다.
따라서 구하는 직선의 방정식은
$y-(-1)=\frac{1}{4}(x-1)$, 즉 $y=\frac{1}{4}x-\frac{5}{4}$

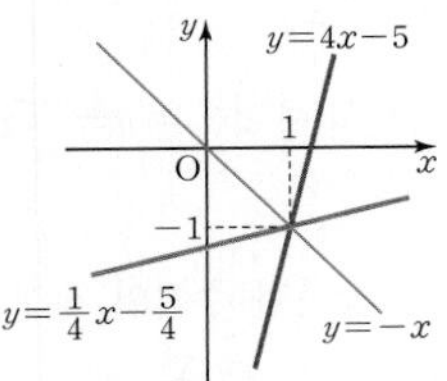

참고

대칭이동시킨 직선의 방정식을 다음과 같이 빠르게 구할 수 있다.
직선 $y=4x-5$를 ...... ㉠
(1) 직선 $x=1$에 대하여 대칭이동시킨 직선의 방정식은 ㉠에 x 대신 $2\times1-x$를 대입한다.
$y=4(2-x)-5$, 즉 $y=-4x+3$
(2) 직선 $y=2$에 대하여 대칭이동시킨 직선의 방정식은 ㉠에 y 대신 $2\times2-y$를 대입한다.
$4-y=4x-5$, 즉 $y=-4x+9$
(3) 점 $(3, 3)$에 대하여 대칭이동시킨 직선의 방정식은 ㉠에 x 대신 $2\times3-x$, y 대신 $2\times3-y$를 대입한다.
$6-y=4(6-x)-5$, 즉 $y=4x-13$
(4) 직선 $y=-x$에 대하여 대칭이동시킨 직선의 방정식은 ㉠에 x 대신 $-y$, y대신 $-x$를 대입한다.
$-x=4(-y)-5$, 즉 $y=\frac{1}{4}x-\frac{5}{4}$

답 (1) $y=-4x+3$ (2) $y=-4x+9$ (3) $y=4x-13$ (4) $y=\frac{1}{4}x-\frac{5}{4}$

03

원 $(x+4)^2+(y-3)^2=6$을 직선 또는 점에 대하여 대칭이동시키면 반지름의 길이는 변하지 않는다.

(1) 원의 중심 $(-4, 3)$을 직선 $x=-1$에 대하여 대칭이동시킨 점의 좌표를 $(a, 3)$이라 하자.
두 점 $(-4, 3)$, $(a, 3)$을 이은 선분의 중점 $\left(\frac{-4+a}{2}, 3\right)$이 직선 $x=-1$ 위의 점이므로
$\frac{-4+a}{2}=-1$에서 $a=2$
따라서 주어진 원을 대칭이동시킨 원의 중심의 좌표는 $(2, 3)$이고 반지름의 길이는 $\sqrt{6}$이므로 구하는 원의 방정식은
$(x-2)^2+(y-3)^2=6$

(2) 원의 중심 $(-4, 3)$을 직선 $y=-2$에 대하여 대칭이동시킨 점의 좌표를 $(-4, a)$라 하자.
두 점 $(-4, 3)$, $(-4, a)$를 이은 선분의 중점 $\left(-4, \frac{3+a}{2}\right)$가 직선 $y=-2$ 위의 점이므로
$\frac{3+a}{2}=-2$에서 $a=-7$
따라서 주어진 원을 대칭이동시킨 원의 중심의 좌표는 $(-4, -7)$이고 반지름의 길이는 $\sqrt{6}$이므로 구하는 원의 방정식은
$(x+4)^2+(y+7)^2=6$

(3) 원의 중심 $(-4, 3)$을 점 $(-1, 1)$에 대하여 대칭이동시킨 점의 좌표를 (a, b)라 하자.
점 $(-1, 1)$이 두 점 $(-4, 3)$, (a, b)를 이은 선분의 중점이므로
$\frac{-4+a}{2}=-1$, $\frac{3+b}{2}=1$에서
$a=2$, $b=-1$
따라서 주어진 원을 대칭이동시킨 원의 중심의 좌표는 $(2, -1)$이고 반지름의 길이는 $\sqrt{6}$이므로 구하는 원의 방정식은
$(x-2)^2+(y+1)^2=6$

(4) 원의 중심 $(-4, 3)$을 직선 $y=-x$에 대하여 대칭이동시킨 점의 좌표를 (a, b)라 하자.
두 점 $(-4, 3)$, (a, b)를 이은 선분의 중점 $\left(\frac{-4+a}{2}, \frac{3+b}{2}\right)$가 직선 $y=-x$ 위의 점이므로
$\frac{3+b}{2}=-\frac{-4+a}{2}$, 즉 $a+b=1$ ...... ㉠

두 점 $(-4, 3)$, (a, b)를 지나는 직선과 직선 $y=-x$가 서로 수직이므로

$\frac{b-3}{a-(-4)}\times(-1)=-1$, 즉 $a-b=-7$ …… ㉡

㉠, ㉡을 연립하여 풀면 $a=-3$, $b=4$

따라서 주어진 원을 대칭이동시킨 원의 중심의 좌표는 $(-3, 4)$이고 반지름의 길이는 $\sqrt{6}$이므로 구하는 원의 방정식은

$(x+3)^2+(y-4)^2=6$

참고

대칭이동시킨 원의 방정식을 다음과 같이 빠르게 구할 수 있다.

원 $(x+4)^2+(y-3)^2=6$을 …… ㉠

(1) 직선 $x=-1$에 대하여 대칭이동한 원의 방정식은 ㉠에 x 대신 $2\times(-1)-x$를 대입한다.
$(-2-x+4)^2+(y-3)^2=6$, 즉
$(x-2)^2+(y-3)^2=6$

(2) 직선 $y=-2$에 대하여 대칭이동시킨 원의 방정식은 ㉠에 y 대신 $2\times(-2)-y$를 대입한다.
$(x+4)^2+(-4-y-3)^2=6$, 즉
$(x+4)^2+(y+7)^2=6$

(3) 점 $(-1, 1)$에 대하여 대칭이동시킨 원의 방정식은 ㉠에 x 대신 $2\times(-1)-x$, y 대신 $2\times1-y$를 대입한다.
$(-2-x+4)^2+(2-y-3)^2=6$, 즉
$(x-2)^2+(y+1)^2=6$

(4) 직선 $y=-x$에 대하여 대칭이동시킨 원의 방정식은 ㉠에 x 대신 $-y$, y 대신 $-x$를 대입한다.
$(-y+4)^2+(-x-3)^2=6$, 즉 $(x+3)^2+(y-4)^2=6$

답 (1) $(x-2)^2+(y-3)^2=6$ (2) $(x+4)^2+(y+7)^2=6$
(3) $(x-2)^2+(y+1)^2=6$ (4) $(x+3)^2+(y-4)^2=6$

04

(1) 포물선 $y=(x-3)^2+4$ 위의 임의의 점 $\mathrm{P}(x, y)$를 직선 $x=1$에 대하여 대칭이동시킨 점을 $\mathrm{P}'(x', y')$이라 하자.
선분 PP'의 중점이 직선 $x=1$ 위의 점이므로
$\frac{x+x'}{2}=1$에서 $x=2-x'$이고, $y=y'$이다.
점 $\mathrm{P}(2-x', y')$은 포물선 $y=(x-3)^2+4$ 위의 점이므로
$y'=(2-x'-3)^2+4$
따라서 구하는 포물선의 방정식은 $y=(x+1)^2+4$

(2) 포물선 $y=(x-3)^2+4$ 위의 임의의 점 $\mathrm{P}(x, y)$를 직선 $y=2$에 대하여 대칭이동시킨 점을 $\mathrm{P}'(x', y')$이라 하자.
선분 PP'의 중점이 직선 $y=2$ 위의 점이므로
$\frac{y+y'}{2}=2$에서 $y=4-y'$이고, $x=x'$이다.
점 $\mathrm{P}(x', 4-y')$은 포물선 $y=(x-3)^2+4$ 위의 점이므로
$4-y'=(x'-3)^2+4$
따라서 구하는 포물선의 방정식은
$y=-(x-3)^2$

(3) 포물선 $y=(x-3)^2+4$ 위의 임의의 점 $\mathrm{P}(x, y)$를 점 $(0, -1)$에 대하여 대칭이동시킨 점을 $\mathrm{P}'(x', y')$이라 하자.
점 $(0, -1)$이 선분 PP'의 중점이므로
$\frac{x+x'}{2}=0$, $\frac{y+y'}{2}=-1$에서 $x=-x'$, $y=-2-y'$
점 $\mathrm{P}(-x', -2-y')$은 포물선 $y=(x-3)^2+4$ 위의 점이므로 $-2-y'=(-x'-3)^2+4$
따라서 구하는 포물선의 방정식은
$y=-(x+3)^2-6$

다른 풀이

이차함수 $y=(x-3)^2+4$의 그래프를 x축에 수직인 직선에 대하여 대칭이동시키면 이차항의 계수는 변하지 않고, y축에 수직인 직선 또는 점에 대하여 대칭이동시키면 이차항의 계수의 부호는 반대가 된다.

(1) 포물선의 꼭짓점 $(3, 4)$를 직선 $x=1$에 대하여 대칭이동시킨 점의 좌표를 $(a, 4)$라 하자.
두 점 $(3, 4)$, $(a, 4)$를 이은 선분의 중점 $\left(\frac{3+a}{2}, 4\right)$가 직선 $x=1$ 위의 점이므로
$\frac{3+a}{2}=1$에서 $a=-1$
따라서 구하는 포물선의 방정식은 이차항의 계수가 1이고, 꼭짓점이 $(-1, 4)$인 이차함수의 그래프의 식과 같으므로
$y=(x+1)^2+4$

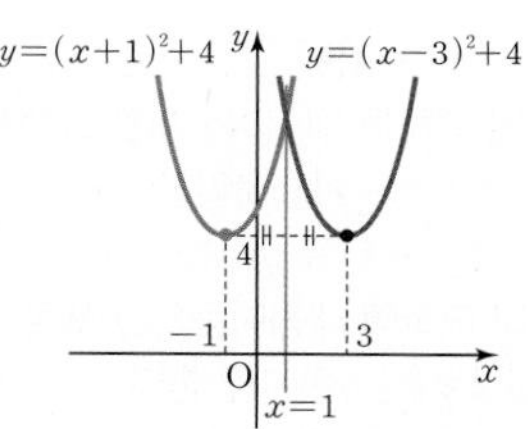

(2) 포물선의 꼭짓점 $(3, 4)$를 직선 $y=2$에 대하여 대칭이동시킨 점의 좌표를 $(3, a)$라 하자.
두 점 $(3, 4)$, $(3, a)$를 이은 선분의 중점 $\left(3, \frac{4+a}{2}\right)$가 직선 $y=2$ 위의 점이므로
$\frac{4+a}{2}=2$에서 $a=0$이다.
따라서 구하는 포물선의 방정식은 이차항의 계수가 -1이고, 꼭짓점이 $(3, 0)$인 이차함수의 그래프의 식과 같으므로
$y=-(x-3)^2$

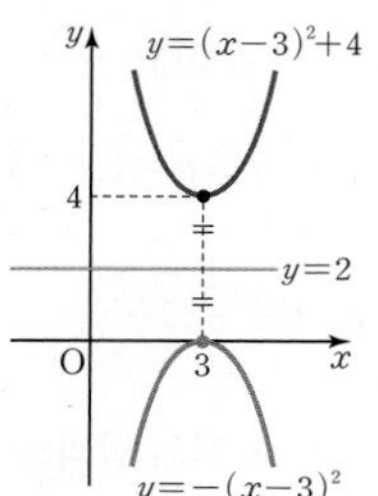

(3) 포물선의 꼭짓점 $(3,\ 4)$를 점 $(0,\ -1)$에 대하여 대칭이동시킨 점의 좌표를 $(a,\ b)$라 하자.
점 $(0,\ -1)$은 두 점 $(3,\ 4)$, $(a,\ b)$를 이은 선분의 중점이므로

$\frac{3+a}{2}=0$, $\frac{4+b}{2}=-1$

$\therefore a=-3,\ b=-6$

따라서 구하는 포물선의 방정식은 이차항의 계수가 -1이고, 꼭짓점이 $(-3,\ -6)$인 이차함수의 그래프의 식과 같으므로

$y=-(x+3)^2-6$

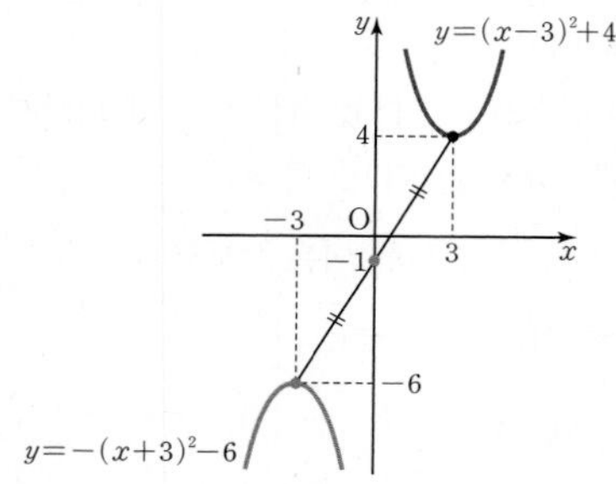

참고

대칭이동시킨 포물선의 방정식을 다음과 같이 빠르게 구할 수 있다.
포물선 $y=(x-3)^2+4$를 …… ㉠
(1) 직선 $x=1$에 대하여 대칭이동시킨 포물선의 방정식은 ㉠에 x 대신 $2\times1-x$를 대입한다.
$y=(2-x-3)^2+4$, 즉 $y=(x+1)^2+4$
(2) 직선 $y=2$에 대하여 대칭이동시킨 포물선의 방정식은 ㉠에 y 대신 $2\times2-y$를 대입한다.
$4-y=(x-3)^2+4$, 즉 $y=-(x-3)^2$
(3) 점 $(0,\ -1)$에 대하여 대칭이동시킨 포물선의 방정식은 ㉠에 x 대신 $-x$, y 대신 $2\times(-1)-y$를 대입한다.
$-2-y=(-x-3)^2+4$, 즉 $y=-(x+3)^2-6$

답 (1) $y=(x+1)^2+4$ (2) $y=-(x-3)^2$ (3) $y=-(x+3)^2-6$

유제 본문 192~197쪽

07-1 (1) $(6,\ 3)$ (2) $(x+6)^2+(y+5)^2=4$
07-2 -2 **07-3** -5 **07-4** $(-1,\ -1)$
08-1 (1) $(4,\ 1)$ (2) $y=-6x+9$ **08-2** 30
08-3 $-\frac{11}{2}$ **08-4** $-\frac{1}{2}$ **09-1** $3\sqrt{5}$
09-2 $5\sqrt{2}$ **09-3** 4 **09-4** $6\sqrt{2}$

07-1

(1) 점 $(-6,\ 1)$을 점 $(0,\ 2)$에 대하여 대칭이동시킨 점의 좌표를 $(a,\ b)$라 하자.
점 $(0,\ 2)$가 두 점 $(-6,\ 1)$, $(a,\ b)$를 이은 선분의 중점이므로

$\frac{-6+a}{2}=0$, $\frac{1+b}{2}=2$

$\therefore a=6,\ b=3$

따라서 구하는 점의 좌표는 $(6,\ 3)$

(2) 원 $x^2+y^2+8x-2y+13=0$, 즉 $(x+4)^2+(y-1)^2=4$의 중심 $(-4,\ 1)$을 점 $(-5,\ -2)$에 대하여 대칭이동시킨 점의 좌표를 $(a,\ b)$라 하자.
점 $(-5,\ -2)$는 두 점 $(-4,\ 1)$, $(a,\ b)$를 이은 선분의 중점이므로

$\frac{-4+a}{2}=-5$, $\frac{1+b}{2}=-2$

$\therefore a=-6,\ b=-5$

따라서 주어진 원을 대칭이동시킨 원의 중심의 좌표는 $(-6,\ -5)$이고, 반지름의 길이는 2이므로 구하는 원의 방정식은

$(x+6)^2+(y+5)^2=4$

참고

(1) 점 $(-6,\ 1)$을 점 $(0,\ 2)$에 대하여 대칭이동시킨 점의 x좌표는 $2\times0-(-6)=6$, y좌표는 $2\times2-1=3$으로 빠르게 구할 수 있다.
(2) 원 $(x+4)^2+(y-1)^2=4$를 점 $(-5,\ -2)$에 대하여 대칭이동시킨 원의 방정식은
x 대신 $2\times(-5)-x$,
y 대신 $2\times(-2)-y$를 대입하여
$(-10-x+4)^2+(-4-y-1)^2=4$, 즉
$(x+6)^2+(y+5)^2=4$로 빠르게 구할 수 있다.

답 (1) $(6,\ 3)$ (2) $(x+6)^2+(y+5)^2=4$

07-2

점 $(-3,\ 3)$은 두 점 $(4,\ a)$, $(b,\ -2)$를 이은 선분의 중점

이므로

$\frac{4+b}{2}=-3$, $\frac{a-2}{2}=3$에서 $a=8$, $b=-10$

$\therefore a+b=8+(-10)=-2$

답 -2

07-3

직선 $2x-y+4=0$ 위의 임의의 점 $\mathrm{P}(x, y)$를 점 $(a, 0)$에 대하여 대칭이동시킨 점을 $\mathrm{P}'(x', y')$이라 하자.
점 $(a, 0)$은 선분 PP'의 중점이므로

$\frac{x+x'}{2}=a$, $\frac{y+y'}{2}=0$에서 $x=2a-x'$, $y=-y'$이다.

점 $\mathrm{P}(2a-x', -y')$은 직선 $2x-y+4=0$ 위의 점이므로
$2(2a-x')-(-y')+4=0$
따라서 주어진 직선을 대칭이동시킨 직선의 방정식은
$2x-y-4a-4=0$
이 직선과 직선 $2x+by+12=0$이 서로 일치하므로

$\frac{2}{2}=\frac{-1}{b}=\frac{-4a-4}{12}$에서 $a=-4$, $b=-1$

$\therefore a+b=(-4)+(-1)=-5$

다른 풀이

직선 $2x-y+4=0$을 점 $(a, 0)$에 대하여 대칭이동시킨 직선의 기울기는 2이다.
또한 직선 $2x-y+4=0$ 위의 점 $(-2, 0)$을 점 $(a, 0)$에 대하여 대칭이동시킨 점의 좌표는 $(2a+2, 0)$이다.
기울기가 2이고 점 $(2a+2, 0)$을 지나는 직선의 방정식은
$y=2(x-2a-2)$, 즉 $2x-y-4a-4=0$
이 직선과 직선 $2x+by+12=0$이 서로 일치하므로

$\frac{2}{2}=\frac{-1}{b}=\frac{-4a-4}{12}$에서 $a=-4$, $b=-1$

$\therefore a+b=(-4)+(-1)=-5$

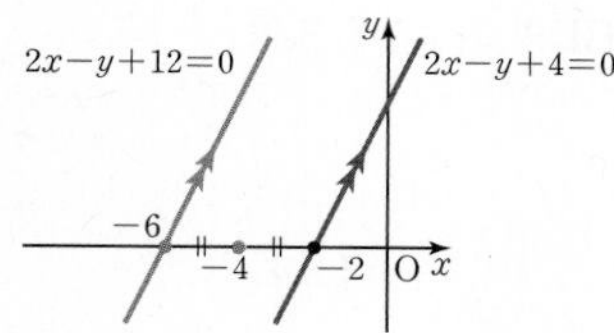

참고

직선 $2x-y+4=0$을 점 $(a, 0)$에 대하여 대칭이동시킨 직선의 방정식은 $2x-y+4=0$에 x 대신 $2\times a-x$를 대입하고, y 대신 $-y$를 대입하여 $2(2a-x)-(-y)+4=0$, 즉 $2x-y-4a-4=0$으로 빠르게 구할 수 있다.

답 -5

07-4

포물선 $y=x^2-6x+1$, 즉 $y=(x-3)^2-8$의 꼭짓점의 좌표는 $(3, -8)$
포물선 $y=-x^2-10x-19$, 즉 $y=-(x+5)^2+6$의 꼭짓점의 좌표는 $(-5, 6)$
두 포물선이 점 P에 대하여 대칭이므로
점 P는 두 꼭짓점 $(3, -8)$, $(-5, 6)$을 이은 선분의 중점이다.
따라서 점 P의 좌표는

$\left(\frac{3+(-5)}{2}, \frac{(-8)+6}{2}\right)$, 즉 $(-1, -1)$

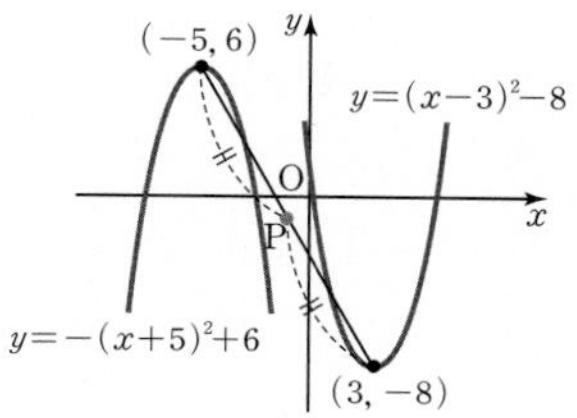

참고

포물선 $y=(x-3)^2-8$을 점 $\mathrm{P}(a, b)$에 대하여 대칭이동시킨 포물선의 방정식은
$y=(x-3)^2-8$에 x 대신 $2a-x$를 대입하고, y 대신 $2b-y$를 대입하면 빠르게 구할 수 있다.
$2b-y=(2a-x-3)^2-8$, 즉
$y=-(x-2a+3)^2+2b+8$

답 $(-1, -1)$

08-1

(1) 점 $(-4, -3)$을 직선 $y=-2x-1$에 대하여 대칭이동시킨 점의 좌표를 (a, b)라 하자.
두 점 $(-4, -3)$, (a, b)를 이은 선분의 중점

$\left(\frac{-4+a}{2}, \frac{-3+b}{2}\right)$가 직선 $y=-2x-1$ 위의 점이므로

$\frac{-3+b}{2}=(-2)\times\frac{-4+a}{2}-1$, 즉 $2a+b=9$ …… ㉠

두 점 $(-4, -3)$, (a, b)를 지나는 직선과 $y=-2x-1$이 서로 수직이므로

$\frac{b-(-3)}{a-(-4)}\times(-2)=-1$, 즉 $a-2b=2$ …… ㉡

㉠, ㉡을 연립하여 풀면 $a=4$, $b=1$
따라서 구하는 점의 좌표는 $(4, 1)$

(2) 직선 $y=6x-1$ 위의 임의의 점 $\mathrm{P}(x, y)$를 직선 $y=4$에 대하여 대칭이동시킨 점을 $\mathrm{P}'(x', y')$이라 하자.
선분 PP'의 중점이 직선 $y=4$ 위의 점이므로

$\frac{y+y'}{2}=4$에서 $y=8-y'$이고, $x=x'$이다.
점 $P(x', 8-y')$은 직선 $y=6x-1$ 위의 점이므로
$8-y'=6x'-1$
따라서 구하는 직선의 방정식은 $y=-6x+9$

답 (1) $(4, 1)$ (2) $y=-6x+9$

08-2

두 점 $(5, -2)$, $(11, -4)$를 이은 선분의 중점
$\left(\frac{5+11}{2}, \frac{-2-4}{2}\right)$, 즉 $(8, -3)$이 직선 $y=ax+b$ 위의 점이므로
$-3=8a+b$ ······ ㉠
두 점 $(5, -2)$, $(11, -4)$를 지나는 직선과 직선 $y=ax+b$가 서로 수직이므로
$\frac{(-4)-(-2)}{11-5}\times a=-1$, 즉 $a=3$
이를 ㉠에 대입하면 $b=-27$
$\therefore a-b=3-(-27)=30$

답 30

08-3

직선 $y=2x+a$ 위의 임의의 점 $P(x, y)$를 직선 $y=-x$에 대하여 대칭이동시킨 점을 $P'(x', y')$이라 하면
$x=-y'$, $y=-x'$이다.
점 $P(-y', -x')$은 직선 $y=2x+a$ 위의 점이므로
$-x'=2(-y')+a$
즉, 직선 $y=\frac{1}{2}x+\frac{a}{2}$는 직선 $y=bx-3$과 일치하므로
$\frac{1}{2}=b$, $\frac{a}{2}=-3$에서 $b=\frac{1}{2}$, $a=-6$
$\therefore a+b=(-6)+\frac{1}{2}=-\frac{11}{2}$

다른 풀이

직선 $y=2x+a$를 직선 $y=-x$에 대하여 대칭이동시킨 직선 $y=bx-3$의 기울기는 $\frac{1}{2}$이므로 $b=\frac{1}{2}$

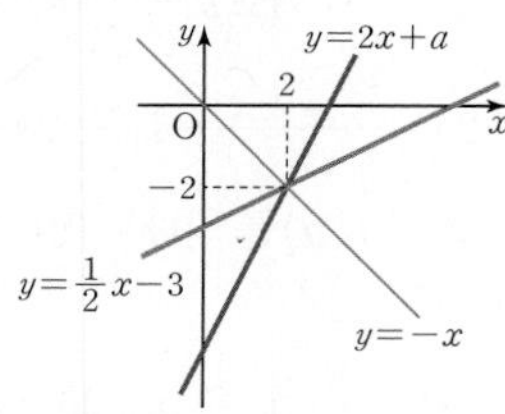

또한 두 직선 $y=\frac{1}{2}x-3$, $y=-x$의 교점 $(2, -2)$는 직선 $y=2x+a$ 위의 점이므로 $-2=2\times2+a$에서 $a=-6$
$\therefore a+b=(-6)+\frac{1}{2}=-\frac{11}{2}$

답 $-\frac{11}{2}$

08-4

직선 $ax-2y+5=0$, 즉 $y=\frac{a}{2}x+\frac{5}{2}$를 직선 $y=4x-1$에 대하여 대칭이동시킨 도형이 자기 자신이 되려면
직선 $y=\frac{a}{2}x+\frac{5}{2}$가
직선 $y=4x-1$과 일치하거나, 직선 $y=4x-1$에 수직이다.
이때 직선 $y=\frac{a}{2}x+\frac{5}{2}$는 직선 $y=4x-1$과 일치할 수 없으므로 직선 $y=4x-1$에 수직이어야 한다.
즉, $\frac{a}{2}\times4=-1$에서 $a=-\frac{1}{2}$

답 $-\frac{1}{2}$

09-1

점 $B(2, 1)$을 y축에 대하여 대칭이동시킨 점을 B'이라 하면 $B'(-2, 1)$이고 $\overline{BP}=\overline{B'P}$이므로
$\overline{AP}+\overline{BP}=\overline{AP}+\overline{B'P}\geq\overline{AB'}$
$=\sqrt{\{1-(-2)\}^2+\{(-5)-1\}^2}$
$=\sqrt{45}=3\sqrt{5}$
따라서 $\overline{AP}+\overline{BP}$의 최솟값은 $3\sqrt{5}$

참고

점 A를 y축에 대하여 대칭이동시킨 점을 A'이라 할 때 $\overline{A'P}+\overline{BP}$의 최솟값 $\overline{A'B}$를 구해도 결과는 같다.

답 $3\sqrt{5}$

09-2

점 $B(1, -4)$를 직선 $y=x$에 대하여 대칭이동시킨 점을 B'이라 하면 $B'(-4, 1)$이고 $\overline{BP}=\overline{B'P}$이므로
$\overline{AP}+\overline{BP}=\overline{AP}+\overline{B'P}\geq\overline{AB'}$
$=\sqrt{\{3-(-4)\}^2+(2-1)^2}$
$=\sqrt{50}=5\sqrt{2}$
따라서 $\overline{AP}+\overline{BP}$의 최솟값은 $5\sqrt{2}$

답 $5\sqrt{2}$

09-3

점 $B(-2, 1)$을 x축에 대하여 대칭이동시킨 점을 B'이라 하면 $B'(-2, -1)$이고 $\overline{BP}=\overline{B'P}$이므로
$\overline{AP}+\overline{BP}=\overline{AP}+\overline{B'P}\geq\overline{AB'}$
$=\sqrt{\{a-(-2)\}^2+\{7-(-1)\}^2}$
$=\sqrt{a^2+4a+68}$
$\overline{AP}+\overline{BP}$의 최솟값이 10이므로
$\sqrt{a^2+4a+68}=10$

$a^2+4a+68=100$, $a^2+4a-32=0$, $(a+8)(a-4)=0$
$\therefore a=4$ ($\because a>0$)

답 4

09-4

점 A$(1, 4)$를 y축에 대하여 대칭이동시킨 점을 A′이라 하면
A′$(-1, 4)$
점 B$(5, 2)$를 x축에 대하여 대칭이동시킨 점을 B′이라 하면
B′$(5, -2)$

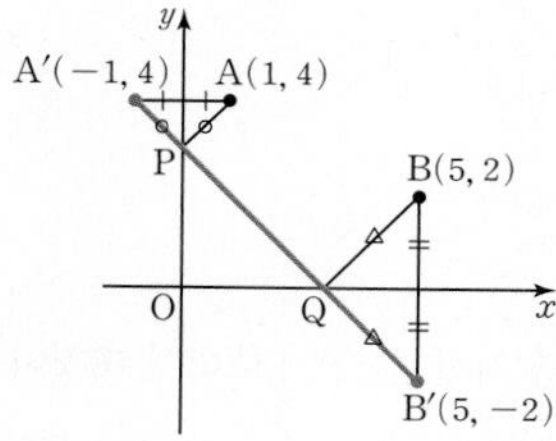

$\overline{AP}=\overline{A'P}$, $\overline{QB}=\overline{QB'}$이므로

$$\begin{aligned}\overline{AP}+\overline{PQ}+\overline{QB}&=\overline{A'P}+\overline{PQ}+\overline{QB'}\\&\ge\overline{A'B'}\\&=\sqrt{\{5-(-1)\}^2+\{(-2)-4\}^2}\\&=\sqrt{72}=6\sqrt{2}\end{aligned}$$

따라서 구하는 최솟값은 $6\sqrt{2}$이다.

답 $6\sqrt{2}$

중단원 연습문제

본문 198~202쪽

01 $2\sqrt{10}$	**02** 12	**03** -10	**04** ㄱ, ㄷ
05 5	**06** 7	**07** 9	**08** 1
09 -8	**10** 9		
11 $\left(x-\frac{3}{2}\right)^2+\left(y+\frac{7}{2}\right)^2=\frac{9}{4}$	**12** $\left(-\frac{1}{3}, 0\right)$		**13** $-\frac{1}{2}$
14 $-2<k<8$		**15** $\sqrt{13}$	**16** 9π
17 $\frac{15}{2}$	**18** 6	**19** ④	**20** 140

01

점 P를 x축의 방향으로 2만큼, y축의 방향으로 -6만큼 평행이동시킨 점이 P′이므로 선분 PP′의 길이는
$\sqrt{2^2+(-6)^2}=2\sqrt{10}$

답 $2\sqrt{10}$

02

직선 $x-2y-4=0$을 x축의 방향으로 m만큼, y축의 방향으로 4만큼 평행이동시킨 직선의 방정식은
$(x-m)-2(y-4)-4=0$, 즉 $x-2y-m+4=0$
이 직선의 x절편은 $m-4$, y절편은 $\frac{4-m}{2}$이므로
직선과 x축 및 y축으로 둘러싸인 삼각형의 넓이는
$\frac{1}{2}\times|m-4|\times\left|\frac{4-m}{2}\right|=16$
$\frac{1}{2}\times(m-4)\times\frac{m-4}{2}=16$ ($\because m>4$)
$m^2-8m-48=0$
$(m+4)(m-12)=0$ $\therefore m=12$

답 12

03

주어진 평행이동은 도형을 x축의 방향으로 -3만큼, y축의 방향으로 1만큼 평행이동시키는 것이므로
포물선 $y=x^2+2ax+8$, 즉 $y=(x+a)^2-a^2+8$의 꼭짓점 $(-a, -a^2+8)$을 이와 같이 평행이동시킨 점의 좌표는
$(-a-3, -a^2+8+1)$, 즉 $(-a-3, -a^2+9)$
이 점이 $(-1, b)$이어야 하므로 $a=-2$, $b=5$
$\therefore ab=(-2)\times5=-10$

답 -10

04

원 $x^2+y^2-4x+6y+4=0$, 즉 $(x-2)^2+(y+3)^2=9$의 반지름의 길이가 3이고, 원을 평행이동시키면 반지름의 길이는 변하지 않으므로 **보기**에서 반지름의 길이가 3인 원을 찾으면 된다.

ㄱ. 반지름의 길이가 3이므로 이 원을 x축의 방향으로 2만큼, y축의 방향으로 -3만큼 평행이동시키면 원 $(x-2)^2+(y+3)^2=9$와 일치한다.
ㄴ. 반지름의 길이가 2이므로 주어진 원 $(x-2)^2+(y+3)^2=9$와 일치할 수 없다.
ㄷ. 원 $x^2+y^2+6x-2y+1=0$, 즉 $(x+3)^2+(y-1)^2=9$의 반지름의 길이가 3이므로 이 원을 x축의 방향으로 5만큼, y축의 방향으로 -4만큼 평행이동시키면 원 $(x-2)^2+(y+3)^2=9$와 일치한다.

따라서 평행이동시켰을 때 원 $(x-2)^2+(y+3)^2=9$와 일치하는 도형은 ㄱ, ㄷ이다.

답 ㄱ, ㄷ

05

점 A$(1, a)$를 원점에 대하여 대칭이동시킨 점은 B$(-1, -a)$이고, 직선 $y=x$에 대하여 대칭이동시킨 점은 C$(a, 1)$이다.

직선 BC의 방정식은

$y-1=\frac{1-(-a)}{a-(-1)}(x-a)$, 즉 $y=x-a+1$

직선 BC가 점 $(6, 2)$를 지나므로

$2=6-a+1$

$\therefore a=5$

답 5

06

직선 $y=ax+b$가 점 $(1, -3)$을 지나므로

$-3=a+b$, 즉 $b=-a-3$ …… ㉠

직선 $y=ax-a-3$을 y축에 대하여 대칭이동시킨 직선의 방정식은 $y=a(-x)-a-3$, 즉 $ax+y+a+3=0$

이 직선이 직선 $2x+y-7=0$과 만나지 않으려면 두 직선은 서로 평행해야 하므로

$\frac{a}{2}=\frac{1}{1}\neq\frac{a+3}{-7}$에서 $a=2$

이를 ㉠에 대입하면 $b=-5$

$\therefore a-b=2-(-5)=7$

답 7

07

원 $x^2+y^2-2x-4y-4=0$, 즉 $(x-1)^2+(y-2)^2=9$를 원점에 대하여 대칭이동시킨 원의 방정식은

$(-x-1)^2+(-y-2)^2=9$, 즉 $(x+1)^2+(y+2)^2=9$

이 원을 x축의 방향으로 a만큼, y축의 방향으로 b만큼 평행이동시킨 원의 방정식은

$(x-a+1)^2+(y-b+2)^2=3^2$

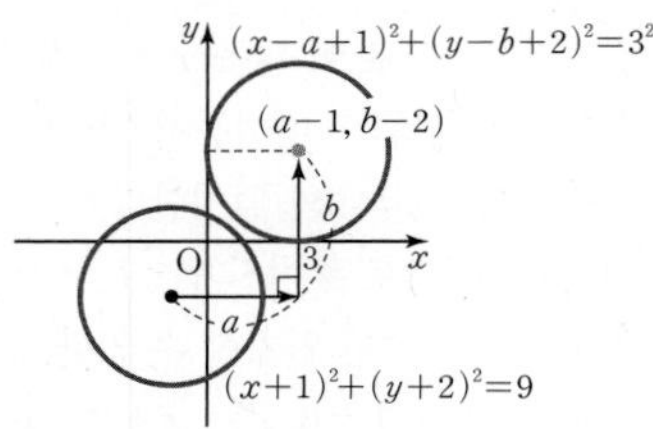

이 원이 x축과 y축에 모두 접하려면

|원의 중심의 x좌표|=|원의 중심의 y좌표|

=(원의 반지름의 길이)

이어야 하므로

$|a-1|=3$, $|b-2|=3$에서

$a=4$, $b=5$ ($\because a>0, b>0$)

$\therefore a+b=9$

답 9

08

포물선 $y=x^2-6x+a$, 즉 $y=(x-3)^2+a-9$를 x축의 방향으로 b만큼, y축의 방향으로 5만큼 평행이동시킨 포물선의 방정식은

$y-5=(x-b-3)^2+a-9$, 즉 $y=(x-b-3)^2+a-4$

이 포물선을 원점에 대하여 대칭이동시킨 포물선의 방정식은

$-y=(-x-b-3)^2+a-4$, 즉 $y=-(x+b+3)^2-a+4$

이 포물선이 점 $(0, 0)$을 지나므로

$0=-(b+3)^2-a+4$, 즉 $a+b^2+6b+5=0$ …… ㉠

이 포물선이 점 $(-3, -9)$를 지나므로

$-9=-b^2-a+4$, 즉 $a+b^2-13=0$ …… ㉡

㉠, ㉡을 연립하여 풀면 $a=4$, $b=-3$

$\therefore a+b=4+(-3)=1$

답 1

09

점 $A(-3, 2)$를 직선 $y=x$에 대하여 대칭이동시킨 점 B의 좌표는 $(2, -3)$

점 $B(2, -3)$을 x축의 방향으로 8만큼, y축의 방향으로 k만큼 평행이동시킨 점 C의 좌표는

$(2+8, -3+k)$, 즉 $(10, -3+k)$

두 점 A, B를 지나는 직선의 방정식은

$y-(-3)=\frac{(-3)-2}{2-(-3)}(x-2)$, 즉 $y=-x-1$

세 점 A, B, C가 한 직선 위의 점이려면

점 $C(10, -3+k)$가 직선 $y=-x-1$ 위의 점이어야 한다.

$-3+k=-10-1$

$\therefore k=-8$

다른 풀이

두 점 A, B는 직선 $y=x$에 대하여 서로 대칭이므로

직선 AB는 직선 $y=x$와 서로 수직이다.

즉, 직선 AB의 기울기는 -1이다.

세 점 A, B, C가 한 직선 위에 있으려면 그림과 같이 점 C가 기울기가 -1인 직선 AB 위의 점이어야 한다.

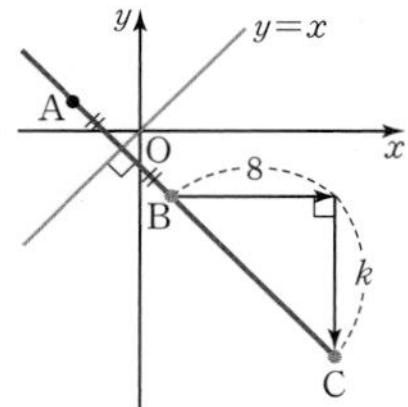

즉, $\frac{k}{8}=-1$이어야 하므로 $k=-8$

답 -8

10

포물선 $y=2x^2+12x+3$, 즉 $y=2(x+3)^2-15$의 꼭짓점 $(-3, -15)$를 점 $(a, -a)$에 대하여 대칭이동시킨 점의

좌표를 (p, q)라 하자.
점 $(a, -a)$는 두 점 $(-3, -15)$, (p, q)를 이은 선분의 중점이므로

$\frac{-3+p}{2}=a$, $\frac{-15+q}{2}=-a$

$\therefore p=2a+3$, $q=-2a+15$

대칭이동시킨 포물선의 꼭짓점 $(2a+3, -2a+15)$가 제1사분면 위의 점이려면

$2a+3>0$, $-2a+15>0$이어야 하므로

$-\frac{3}{2}<a<\frac{15}{2}$

따라서 구하는 모든 정수 a는 $-1, 0, 1, \cdots, 7$의 9개이다.

답 9

11

y축에 접하는 원 C의 방정식을
$(x-a)^2+(y-b)^2=a^2$이라 하자.
원 C의 중심 (a, b)를 직선 $y=-x$에 대하여 대칭이동시킨 점의 좌표는 $(-b, -a)$
이 점을 x축의 방향으로 5만큼, y축의 방향으로 -2만큼 평행이동시킨 점의 좌표는 $(-b+5, -a-2)$
즉, 점 C'의 좌표는 $(-b+5, -a-2)$이다.
x축이 선분 CC'의 수직이등분선이므로
두 점 C, C'의 x좌표는 서로 같고, y좌표는 절댓값이 서로 같고 부호는 서로 반대이다.

즉, $a=-b+5$, $b=-(-a-2)$에서 $a=\frac{3}{2}$, $b=\frac{7}{2}$

따라서 중심의 좌표가 $\left(\frac{3}{2}, -\frac{7}{2}\right)$이고 반지름의 길이가 $\frac{3}{2}$인 원 C'의 방정식은

$\left(x-\frac{3}{2}\right)^2+\left(y+\frac{7}{2}\right)^2=\frac{9}{4}$

답 $\left(x-\frac{3}{2}\right)^2+\left(y+\frac{7}{2}\right)^2=\frac{9}{4}$

12

점 B$(1, -2)$를 x축에 대하여 대칭이동시킨 점을 B'이라 하면 B'$(1, 2)$이고 $\overline{BP}=\overline{B'P}$이므로
$\overline{AP}+\overline{BP}$의 최솟값은 $\overline{AP}+\overline{B'P}$의 최솟값과 같다.
$\overline{AP}+\overline{B'P}$는 세 점 A, P, B'이 한 직선 위에 있을 때 최솟값을 가지므로 이때의 점 P는 직선 AB'과 x축의 교점이다.
직선 AB'의 방정식이

$y-2=\frac{2-(-4)}{1-(-3)}(x-1)$, 즉 $y=\frac{3}{2}x+\frac{1}{2}$이므로

직선 AB'의 x절편은 $-\frac{1}{3}$이다.

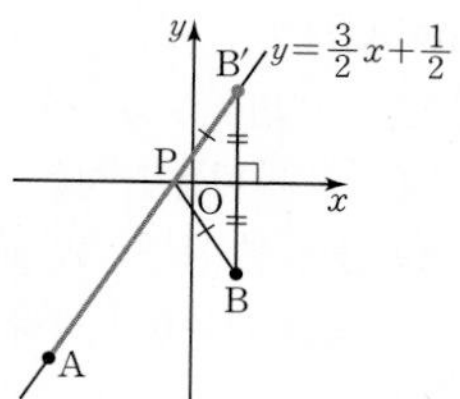

따라서 $\overline{AP}+\overline{BP}$의 값이 최소가 되게 하는 점 P의 좌표는 $\left(-\frac{1}{3}, 0\right)$

답 $\left(-\frac{1}{3}, 0\right)$

13

세 점 A$(1, -1)$, B$(5, -3)$, C(a, b)를 x축의 방향으로 $2a$만큼, y축의 방향으로 $2b$만큼 평행이동시킨 점은 각각
A'$(1+2a, -1+2b)$, B'$(5+2a, -3+2b)$, C'$(3a, 3b)$
삼각형 A'B'C'의 무게중심을 G라 하면

G$\left(\frac{1+2a+5+2a+3a}{3}, \frac{-1+2b-3+2b+3b}{3}\right)$,

즉 G$\left(\frac{7a+6}{3}, \frac{7b-4}{3}\right)$

이 점이 점 C와 일치하므로

$a=\frac{7a+6}{3}$, $b=\frac{7b-4}{3}$에서 $a=-\frac{3}{2}$, $b=1$

$\therefore a+b=\left(-\frac{3}{2}\right)+1=-\frac{1}{2}$

답 $-\frac{1}{2}$

14

평행이동 $(x, y) \longrightarrow (x-4, y+1)$은 x축의 방향으로 -4만큼, y축의 방향으로 1만큼 평행이동시키는 것이므로 원 $(x-3)^2+y^2=5$를 이와 같이 평행이동시키면
$(x+4-3)^2+(y-1)^2=5$, 즉 $(x+1)^2+(y-1)^2=5$
이 원이 직선 $x-2y+k=0$과 서로 다른 두 점에서 만나려면 원의 중심 $(-1, 1)$과 직선 사이의 거리가 원의 반지름의 길이 $\sqrt{5}$보다 작아야 하므로

$\frac{|-1-2+k|}{\sqrt{1^2+(-2)^2}}<\sqrt{5}$

$|k-3|<5$

$-5<k-3<5$

$\therefore -2<k<8$

답 $-2<k<8$

15

방정식 $f(x, y)=0$이 나타내는 도형을
직선 $y=x$에 대하여 대칭이동시키면 $f(y, x)=0$

방정식 $f(y, x)=0$이 나타내는 도형을
x축에 대하여 대칭이동시키면 $f(-y, x)=0$
방정식 $f(-y, x)=0$이 나타내는 도형을
x축의 방향으로 -3만큼 평행이동시키면 $f(-y, x+3)=0$
따라서 방정식 $f(-y, x+3)=0$이 나타내는 도형은 다음 그림과 같이 구할 수 있다.

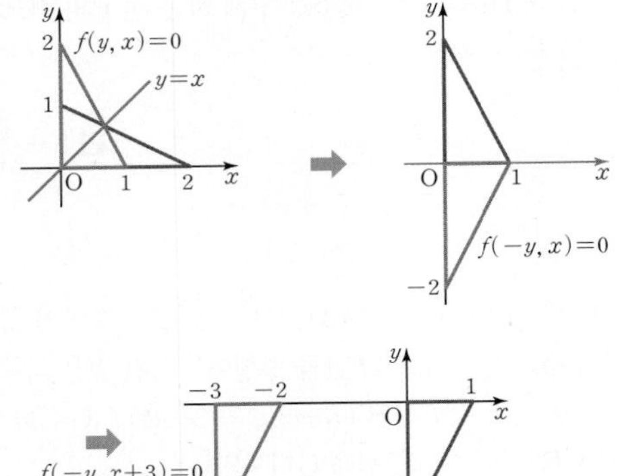

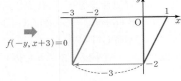

따라서 이 도형 위의 점 P와 원점 사이의 거리가 최대일 때는 점 P가 $(-3, -2)$일 때이므로
$\sqrt{(-3)^2+(-2)^2}=\sqrt{13}$

답 $\sqrt{13}$

16

직선 $4x-3y-15=0$ 위의 임의의 점 $P(x, y)$를 점 $(2, -1)$에 대하여 대칭이동시킨 점을 $P'(x', y')$이라 하자.
점 $(2, -1)$은 선분 PP'의 중점이므로
$\dfrac{x+x'}{2}=2,\ \dfrac{y+y'}{2}=-1$에서 $x=4-x',\ y=-2-y'$이다.
점 $P(4-x', -2-y')$은 직선 $4x-3y-15=0$ 위의 점이므로
$4(4-x')-3(-2-y')-15=0$
따라서 주어진 직선을 대칭이동시킨 직선 l의 방정식은
$4x-3y-7=0$
한편 원 $x^2+y^2-8x+4y+4=0$, 즉
$(x-4)^2+(y+2)^2=16$의 중심은 점 $(4, -2)$이므로
중심이 $(4, -2)$인 원이 직선 $4x-3y-7=0$에 접하려면 원의 중심과 직선 사이의 거리가 원의 반지름의 길이와 같아야 한다.
원의 반지름의 길이를 r라 하면
$r=\dfrac{|4\times4-3\times(-2)-7|}{\sqrt{4^2+(-3)^2}}=\dfrac{15}{5}=3$
따라서 구하는 원의 넓이는 $r^2\pi=9\pi$

참고
직선 $4x-3y-15=0$을 점 $(2, -1)$에 대하여 대칭이동시킨 직선의 방정식은 $4x-3y-15=0$에
x 대신 $2\times2-x$, y 대신 $2\times(-1)-y$를 대입하여 빠르게 구할 수 있다.
$4(4-x)-3(-2-y)-15=0$, 즉 $4x-3y-7=0$

답 9π

17

$C(a, b)$, $D(c, d)$라 하자.
선분 AC의 중점 $\left(\dfrac{1+a}{2}, \dfrac{3+b}{2}\right)$가 직선 $y=3x+5$ 위의 점이므로
$\dfrac{3+b}{2}=3\times\dfrac{1+a}{2}+5$, 즉 $3a-b=-10$ …… ㉠
두 직선 AC, $y=3x+5$가 서로 수직이므로
$\dfrac{b-3}{a-1}\times3=-1$, 즉 $a+3b=10$ …… ㉡
㉠, ㉡을 연립하여 풀면 $a=-2$, $b=4$
$\therefore C(-2, 4)$
선분 BD의 중점 $\left(\dfrac{4+c}{2}, \dfrac{7+d}{2}\right)$가 직선 $y=3x+5$ 위의 점이므로
$\dfrac{7+d}{2}=3\times\dfrac{4+c}{2}+5$, 즉 $3c-d=-15$ …… ㉢
두 직선 BD, $y=3x+5$가 서로 수직이므로
$\dfrac{d-7}{c-4}\times3=-1$, 즉 $c+3d=25$ …… ㉣
㉢, ㉣을 연립하여 풀면 $c=-2$, $d=9$
$\therefore D(-2, 9)$

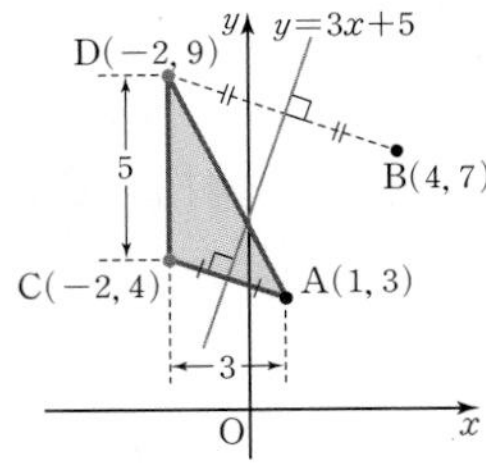

따라서 삼각형 ACD의 넓이는
$\dfrac{1}{2}\times(9-4)\times\{1-(-2)\}=\dfrac{15}{2}$

다른 풀이
삼각형 ACD의 넓이는
$\dfrac{1}{2}\times\overline{AC}\times$(점 D과 직선 AC 사이의 거리) …… ㉠
$\overline{AC}=$(점 A와 직선 $3x-y+5=0$ 사이의 거리)$\times2$
$=\dfrac{|3\times1-3+5|}{\sqrt{3^2+(-1)^2}}\times2$

$=\frac{5}{\sqrt{10}}\times 2=\sqrt{10}$ …… ㉡

한편 두 직선 AC, $3x-y+5=0$은 서로 수직이므로

직선 AC의 기울기는 $-\frac{1}{3}$이다.

따라서 점 A(1, 3)을 지나고 기울기가 $-\frac{1}{3}$인 직선 AC의

방정식은 $y-3=-\frac{1}{3}(x-1)$, 즉 $x+3y-10=0$

또한 두 직선 AC, BD는 서로 평행하므로

점 D과 직선 AC 사이의 거리는

점 B(4, 7)과 직선 $x+3y-10=0$ 사이의 거리

$\frac{|4+3\times 7-10|}{\sqrt{1^2+3^2}}=\frac{15}{\sqrt{10}}$와 같다. …… ㉢

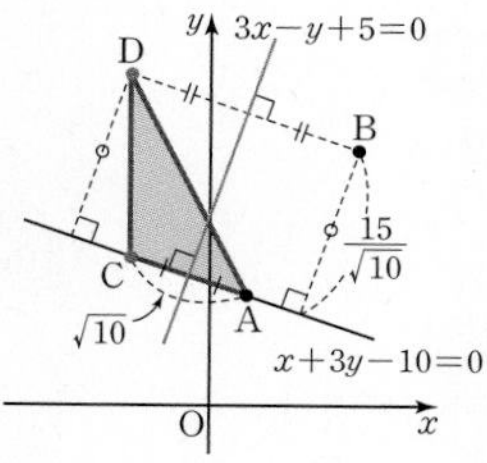

따라서 ㉠에, ㉡, ㉢을 대입하면 삼각형 ACD의 넓이는

$\frac{1}{2}\times\sqrt{10}\times\frac{15}{\sqrt{10}}=\frac{15}{2}$

답 $\frac{15}{2}$

18

점 A를 x축에 대하여 대칭이동시킨 점을 A′이라 하면

A′(−3, −1)이고 $\overline{AQ}=\overline{A'Q}$이므로

$\overline{AQ}+\overline{QP}=\overline{A'Q}+\overline{QP}$

$\geq\overline{A'P}$

따라서 구하는 최솟값은 점 A′(−3, −1)과 원 위의 점 P 사이의 거리의 최솟값이다.

점 A′(−3, −1)과 원의 중심 B(5, 5) 사이의 거리는

$\overline{A'B}=\sqrt{\{5-(-3)\}^2+\{5-(-1)\}^2}=\sqrt{100}=10$이고,

원의 반지름의 길이는 4이므로

$\overline{A'P}$의 최솟값은 $10-4=6$

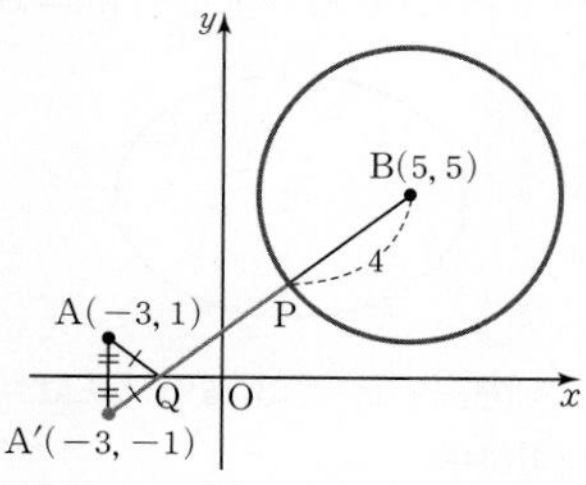

따라서 $\overline{AQ}+\overline{QP}$의 최솟값은 6이다.

답 6

19

점 A를 직선 $y=x$에 대하여 대칭이동시킨 점을 A′, 점 B를 x축에 대하여 대칭이동시킨 점을 B′이라 하면

A′(3, 2), B′(−3, −1)이다.

$\overline{AD}=\overline{A'D}$, $\overline{BC}=\overline{B'C}$이므로

$\overline{AD}+\overline{CD}+\overline{BC}=\overline{A'D}+\overline{DC}+\overline{CB'}$

$\geq\overline{A'B'}$

$=\sqrt{\{3-(-3)\}^2+\{2-(-1)\}^2}$

$=\sqrt{45}$

$=3\sqrt{5}$

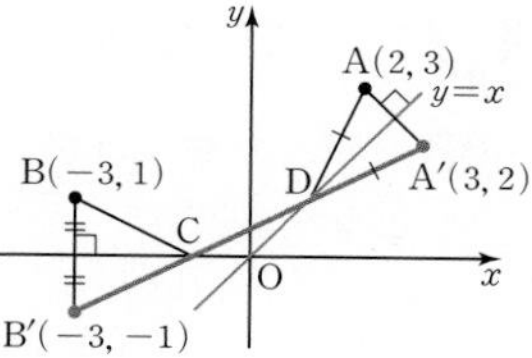

따라서 $\overline{AD}+\overline{CD}+\overline{BC}$의 최솟값은 $3\sqrt{5}$

답 ④

20

$\angle A_1BC_1=90°$, $\angle A_2BC_2=90°$에 의하여

두 선분 A_1C_1, A_2C_2는 원 $x^2+y^2=100$의 지름이므로

두 선분 A_1C_1, A_2C_2의 중점은 모두 원점이다.

따라서 두 점 A_1, A_2를 원점에 대하여 대칭이동시킨 점은 각각 C_1, C_2이다.

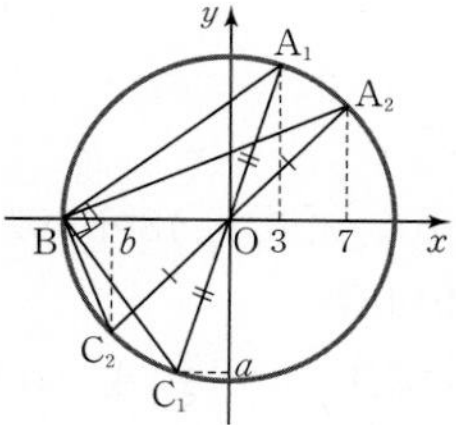

$A_1(3, \sqrt{91})$, $A_2(7, \sqrt{51})$에 의하여

$C_1(-3, -\sqrt{91})$, $C_2(-7, -\sqrt{51})$이므로

$a=-\sqrt{91}$, $b=-7$

$\therefore a^2+b^2=91+49=140$

답 140

Ⅱ. 집합과 명제

05 집합의 뜻

01 집합의 뜻과 표현

개념 CHECK

본문 207쪽

01 ㄴ, ㄹ **02** (1) $\in$ (2) $\in$ (3) $\notin$ (4) $\notin$

03 ㄴ, ㄷ / ㄴ. 30, ㄷ. 8

01

ㄱ. '$\sqrt{2}$에 가까운 정수의 모임'에서 '가깝다.'의 기준이 명확하지 않아 그 대상을 분명히 정할 수 없으므로 집합이 아니다.

ㄷ. '아름다운 꽃들의 모임'에서 '아름답다.'의 기준이 명확하지 않아 그 대상을 분명히 정할 수 없으므로 집합이 아니다.

따라서 집합인 것은 ㄴ, ㄹ이다.

답 ㄴ, ㄹ

02

18의 양의 약수는 1, 2, 3, 6, 9, 18이므로

$A=\{1, 2, 3, 6, 9, 18\}$

(1) $2 \boxed{\in} A$ (2) $6 \boxed{\in} A$ (3) $8 \boxed{\notin} A$ (4) $12 \boxed{\notin} A$

답 (1) $\in$ (2) $\in$ (3) $\notin$ (4) $\notin$

03

ㄱ. $A=\{1, 2, 3, \cdots\}$이므로 집합 A는 무한집합이다.

ㄴ. 집합 $A=\{1, 2, 3, \cdots, 29, 30\}$은 유한집합이고, $n(A)=30$이다.

ㄷ. $x^2-x-20<0$에서 $(x+4)(x-5)<0$

$\therefore -4<x<5$

이때 x는 정수이므로 $A=\{-3, -2, -1, \cdots, 4\}$이다.

따라서 집합 A는 유한집합이고, $n(A)=8$이다.

ㄹ. $A=\{3, 6, 9, \cdots\}$이므로 집합 A는 무한집합이다.

답 ㄴ, ㄷ / ㄴ. 30, ㄷ. 8

유제

본문 208~213쪽

01-1 ㄴ, ㄷ **01-2** (1) $\in$ (2) $\notin$ (3) $\in$ (4) $\notin$

01-3 (1) 풀이 참조 (2) 풀이 참조

01-4 원소나열법: $A=\{2, 3, 5, 7\}$

조건제시법: $A=\{x \mid x$는 10 이하의 소수$\}$

02-1 8 **02-2** $B=\{5, 11, 17\}$ **02-3** 8

02-4 7 **03-1** ④ **03-2** 4 **03-3** 2

03-4 7

01-1

집합 A의 원소는 4, 8, 12, $\cdots$, 48이고 집합 B의 원소는 1, 2, 3, 4, 6, 12이므로

ㄱ. $1 \notin A$ (거짓)

ㄴ. $36 \in A$ (참)

ㄷ. $3 \in B$ (참)

ㄹ. $24 \notin B$ (거짓)

따라서 옳은 것은 ㄴ, ㄷ이다.

답 ㄴ, ㄷ

01-2

$x^2-5x+4=0$에서 $(x-1)(x-4)=0$

$\therefore x=1$ 또는 $x=4$

따라서 집합 A의 원소는 1, 4이다.

또한 $x^2-9<0$에서 $(x+3)(x-3)<0$

$\therefore -3<x<3$

이때 x는 정수이므로 집합 B의 원소는

$-2, -1, 0, 1, 2$이다.

(1) $1 \boxed{\in} A$ (2) $-4 \boxed{\notin} A$ (3) $-2 \boxed{\in} B$ (4) $3 \boxed{\notin} B$

답 (1) $\in$ (2) $\notin$ (3) $\in$ (4) $\notin$

01-3

(1) 3, 6, 9, 12, 15는 15 이하의 3의 양의 배수이다.

따라서 집합 A를 조건제시법으로 나타내면

$A=\{x \mid x$는 15 이하의 3의 양의 배수$\}$

이고, 벤다이어그램으로 나타내면 다음 그림과 같다.

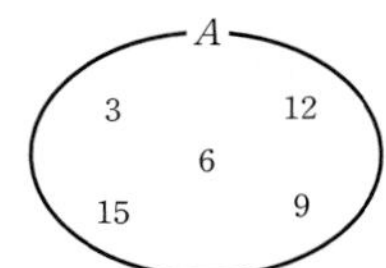

(2) 5보다 작은 자연수는 1, 2, 3, 4이므로 $x=2a+1$에 a의 값을 각각 대입하면

$a=1$일 때, $x=2\times1+1=3$

$a=2$일 때, $x=2\times2+1=5$

$a=3$일 때, $x=2\times3+1=7$
$a=4$일 때, $x=2\times4+1=9$
따라서 집합 B를 원소나열법으로 나타내면
$B=\{3, 5, 7, 9\}$이고, 벤다이어그램으로 나타내면 다음 그림과 같다.

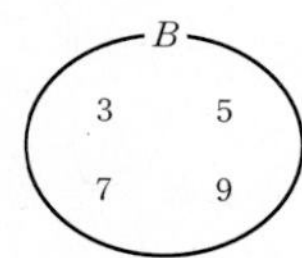

답 (1) 풀이 참조 (2) 풀이 참조

01-4

집합 A의 원소는 2, 3, 5, 7이고, 이는 10 이하의 모든 소수이다.
원소나열법: $A=\{2, 3, 5, 7\}$
조건제시법: $A=\{x|x$는 10 이하의 소수$\}$

참고
> 집합 A를 조건제시법으로 나타낼 때, 그 표현 방법은 유일하지 않다.

답 원소나열법: $A=\{2, 3, 5, 7\}$
조건제시법: $A=\{x|x$는 10 이하의 소수$\}$

02-1

$B=\{1, 3, 9\}$이고, 집합 C는 집합 A의 원소 x와 집합 B의 원소 y의 합 $x+y$를 원소로 갖는 집합이다. 이때 $x+y$의 값은 다음 표와 같다.

x \ y	1	3	9
2	3	5	11
4	5	7	13
6	7	9	15
8	9	11	17

$\therefore C=\{3, 5, 7, 9, 11, 13, 15, 17\}$
따라서 집합 C의 원소는 8개이다.

답 8

02-2

$0<a<10$인 3의 양의 배수는 3, 6, 9이므로
$b=2a-1$에 a의 값을 각각 대입하면
$a=3$일 때, $b=2\times3-1=5$
$a=6$일 때, $b=2\times6-1=11$
$a=9$일 때, $b=2\times9-1=17$
따라서 집합 B를 원소나열법으로 나타내면
$B=\{5, 11, 17\}$

답 $B=\{5, 11, 17\}$

02-3

(i) $p=1$일 때
$q\in S$이고, 1은 모든 수의 양의 약수이므로 $q=1, 2, 3, 4$
(ii) $p=2$일 때
$q\in S$이고, 2는 2, 4의 양의 약수이므로 $q=2, 4$
(iii) $p=3$일 때
$q\in S$이고, 3은 3의 양의 약수이므로 $q=3$
(iv) $p=4$일 때
$q\in S$이고, 4는 4의 양의 약수이므로 $q=4$
(i)~(iv)에서 조건에 알맞은 집합 X의 원소는
$(1, 1)$, $(1, 2)$, $(1, 3)$, $(1, 4)$, $(2, 2)$, $(2, 4)$, $(3, 3)$, $(4, 4)$의 8개이다.

참고
> q의 값에 따라 경우를 나누어 구할 수도 있다.

답 8

02-4

집합 A의 원소 a와 집합 B의 원소 b의 곱 ab의 값은 다음 표와 같다.

a \ b	1	2
0	0	0
1	1	2

$\therefore A\otimes B=\{0, 1, 2\}$
집합 B의 원소 a'과 집합 $A\otimes B$의 원소 b'의 곱 $a'b'$의 값은 다음 표와 같다.

a' \ b'	0	1	2
1	0	1	2
2	0	2	4

$\therefore B\otimes(A\otimes B)=\{0, 1, 2, 4\}$
따라서 집합 $B\otimes(A\otimes B)$의 모든 원소의 합은
$0+1+2+4=7$

답 7

03-1

① $n(\{\varnothing\})=1$, $n(\varnothing)=0$이므로 $n(\{\varnothing\})\neq n(\varnothing)$ (거짓)
② $n(\{-3, -2, -1\})=3$, $n(\{1, 2, 3\})=3$이므로
$n(\{-3, -2, -1\})=n(\{1, 2, 3\})$ (거짓)
③ $A=\{0\}$이면 $n(A)=1$ (거짓)
④ $x^2=-2$인 실수 x는 존재하지 않으므로 $n(A)=0$ (참)
⑤ $A=\{1, 2, 4, 8\}$, $B=\{1, 2, 7, 14\}$이므로
$n(A)=4$, $n(B)=4$

$\therefore n(A)=n(B)$ (거짓)
따라서 옳은 것은 ④이다.

참고
①에서 집합 $\{\varnothing\}$는 $\varnothing$을 원소로 갖는 집합이다. 이를 공집합으로 착각하지 않도록 주의하자.

답 ④

03-2

$A=\{4, 8, 12, 16, 20, 24\}$
$\therefore n(A)=6$
$x^2=4$에서 $x^2-4=0$, $(x+2)(x-2)=0$
$\therefore x=-2$ 또는 $x=2$
이때 집합 B의 원소는 음수이므로 $B=\{-2\}$
$\therefore n(B)=1$
$|x|<2$에서 $-2<x<2$
이때 집합 C의 원소는 정수이므로 $C=\{-1, 0, 1\}$
$\therefore n(C)=3$
$\therefore n(A)+n(B)-n(C)=6+1-3=4$

답 4

03-3

$n(A)=1$일 때, 방정식 $kx^2+8x-4=0$의 실근의 개수는 1이다.
(i) $k=0$일 때
$8x-4=0$에서 $x=\frac{1}{2}$이므로 $n(A)=1$이다.
(ii) $k\neq0$일 때
x에 대한 이차방정식 $kx^2+8x-4=0$이 중근을 가져야 하므로 이 이차방정식의 판별식을 D라 하면 $D=0$이어야 한다.
$\frac{D}{4}=4^2+4k=0$, $4k=-16$ $\quad\therefore k=-4$
(i), (ii)에서 $k=0$ 또는 $k=-4$
따라서 실수 k는 2개이다.

참고
방정식 $kx^2+8x-4=0$이 이차방정식이라는 조건이 없으므로 $k=0$일 때와 $k\neq0$일 때에 대하여 모두 생각해야 한다. $k=0$인 경우를 빠뜨리지 않도록 주의하자.

답 2

03-4

$A=\{(-1, 0), (0, -1), (1, 0), (0, 1)\}$이므로
$n(A)=4$
이때 $n(A)=n(B)$를 만족시키면 $n(B)=4$이다.
즉, x에 대한 부등식 $x^2-(k+2)x+2k<0$을 만족시키는 자연수 x의 개수는 4이어야 한다.
$x^2-(k+2)x+2k<0$에서
$(x-2)(x-k)<0$ ⋯⋯ ㉠
(i) $k\leq2$일 때
자연수 k에 대하여 부등식 ㉠을 만족시키는 자연수 x의 개수는 0이므로
$n(B)\neq4$
(ii) $k>2$일 때
부등식 ㉠의 해는 $2<x<k$
이때 부등식을 만족시키는 자연수 x의 개수가 4가 되려면 자연수 k는 7이어야 한다.
(i), (ii)에서 $k=7$

답 7

02 집합 사이의 포함 관계

개념 CHECK

본문 219쪽

01 (1) $B\subset A$ (2) $A\subset B$
02 (1) $\varnothing$, $\{0\}$, $\{1\}$, $\{0, 1\}$
(2) $\varnothing$, $\{2\}$, $\{4\}$, $\{6\}$, $\{2, 4\}$, $\{2, 6\}$, $\{4, 6\}$, $\{2, 4, 6\}$
(3) $\varnothing$, $\{\varnothing\}$, $\{\{\varnothing\}\}$, $\{\varnothing, \{\varnothing\}\}$
03 (1) $A=B$ (2) $A\neq B$
04 (1) 부분집합의 개수: 8, 진부분집합의 개수: 7
(2) 부분집합의 개수: 32, 진부분집합의 개수: 31
05 (1) 8 (2) 16 (3) 4

01

(1) $A=\{3, 6, 9, \cdots\}$, $B=\{9, 18, 27, \cdots\}$이므로 $B\subset A$
(2) 모든 정수는 유리수이므로 $A\subset B$

답 (1) $B\subset A$ (2) $A\subset B$

02

(1) $\varnothing$, $\{0\}$, $\{1\}$, $\{0, 1\}$
(2) 7 이하의 짝수인 자연수는 2, 4, 6이므로 집합 $\{2, 4, 6\}$의 부분집합을 구하면 된다.
$\varnothing$, $\{2\}$, $\{4\}$, $\{6\}$, $\{2, 4\}$, $\{2, 6\}$, $\{4, 6\}$, $\{2, 4, 6\}$

(3) $\varnothing$, $\{\varnothing\}$, $\{\{\varnothing\}\}$, $\{\varnothing, \{\varnothing\}\}$

답 (1) $\varnothing$, $\{0\}$, $\{1\}$, $\{0, 1\}$

(2) $\varnothing$, $\{2\}$, $\{4\}$, $\{6\}$, $\{2, 4\}$, $\{2, 6\}$, $\{4, 6\}$, $\{2, 4, 6\}$

(3) $\varnothing$, $\{\varnothing\}$, $\{\{\varnothing\}\}$, $\{\varnothing, \{\varnothing\}\}$

03

(1) 3으로 나눈 나머지가 0인 자연수는 3의 양의 배수이므로

$B=\{3, 6, 9, \cdots\}$

$\therefore A=B$

(2) $A=\{(1, 2), (2, 4), (3, 6), \cdots\}$

$B=\{(2, 4), (4, 8), (6, 12), \cdots\}$

따라서 $B\subset A$이지만 $A\not\subset B$이다.

$\therefore A\neq B$

답 (1) $A=B$ (2) $A\neq B$

04

(1) 집합 $A=\{a, c, e\}$의 원소의 개수는 3이므로

집합 A의 부분집합의 개수는 $2^3=8$

집합 A의 진부분집합의 개수는 $2^3-1=7$

(2) $|x|<3$에서 $-3<x<3$

이때 x는 정수이므로 $A=\{-2, -1, 0, 1, 2\}$

따라서 집합 A의 원소의 개수는 5이므로

집합 A의 부분집합의 개수는 $2^5=32$

집합 A의 진부분집합의 개수는 $2^5-1=31$

답 (1) 부분집합의 개수: 8, 진부분집합의 개수: 7

(2) 부분집합의 개수: 32, 진부분집합의 개수: 31

05

집합 $A=\{1, 2, 3, 4, 5\}$의 원소의 개수는 5이다.

(1) 집합 A의 부분집합 중 3과 4를 반드시 원소로 갖는 부분집합의 개수는

$2^{5-2}=2^3=8$

(2) 집합 A의 부분집합 중 1을 원소로 갖지 않는 부분집합의 개수는

$2^{5-1}=2^4=16$

(3) 집합 A의 부분집합 중 2를 반드시 원소로 갖고, 3, 5를 원소로 갖지 않는 부분집합의 개수는

$2^{5-1-2}=2^2=4$

답 (1) 8 (2) 16 (3) 4

유제

본문 220~231쪽

04-1 ①, ④ **04-2** ㄱ, ㄴ **04-3** ⑤ **04-4** ④

05-1 3 **05-2** -4 **05-3** $-1\leq a<0$

05-4 9 **06-1** 1 **06-2** 7 **06-3** -8

06-4 6

07-1 (1) $\{a, b, c\}$, $\{a, b, d\}$, $\{a, b, e\}$, $\{a, c, d\}$, $\{a, c, e\}$, $\{a, d, e\}$, $\{b, c, d\}$, $\{b, c, e\}$, $\{b, d, e\}$, $\{c, d, e\}$

(2) $\varnothing$, $\{c\}$, $\{d\}$, $\{e\}$, $\{c, d\}$, $\{c, e\}$, $\{d, e\}$, $\{c, d, e\}$

(3) $\{a, c, e\}$, $\{a, b, c, e\}$, $\{a, c, d, e\}$

07-2 ㄱ, ㄴ, ㄹ

07-3 $\{2, 4, 6\}$, $\{2, 4, 8\}$, $\{2, 4, 10\}$, $\{2, 6, 8\}$, $\{2, 6, 10\}$, $\{2, 8, 10\}$, $\{4, 6, 8\}$, $\{4, 6, 10\}$, $\{4, 8, 10\}$, $\{6, 8, 10\}$

07-4 $\varnothing$, $\{2\}$, $\{3\}$, $\{4\}$, $\{2, 3\}$, $\{2, 4\}$, $\{3, 4\}$

08-1 96 **08-2** 8

08-3 13 **08-4** 7 **09-1** 8 **09-2** 6

09-3 5 **09-4** 10

04-1

집합 S의 원소는 $\varnothing$, 0, $\{1\}$, $\{1, 2\}$이다.

① $\varnothing$은 집합 S의 원소이므로 $\varnothing\in S$ (참)

② $\{0\}$은 집합 S의 원소가 아니므로 $\{0\}\notin S$ (거짓)

③ $\{1\}$은 집합 S의 원소이므로 $\{1\}\in S$, $\{\{1\}\}\subset S$ (거짓)

④ $\{1, 2\}$는 집합 S의 원소이므로 $\{1, 2\}\in S$ (참)

⑤ 2는 집합 S의 원소가 아니므로 $\{0, 2\}\not\subset S$ (거짓)

따라서 옳은 것은 ①, ④이다.

답 ①, ④

04-2

$A=\{3, 6, 9, 12\}$

ㄱ. 9는 집합 A의 원소이므로 $9\in A$ (참)

ㄴ. 4는 집합 A의 원소가 아니므로 $4\notin A$ (참)

ㄷ. 10은 집합 A의 원소가 아니므로 $\{3, 10\}\not\subset A$ (거짓)

ㄹ. 집합 A의 원소 12에 대하여 $12\notin\{3, 6, 9\}$이므로 $A\not\subset\{3, 6, 9\}$ (거짓)

따라서 옳은 것은 ㄱ, ㄴ이다.

답 ㄱ, ㄴ

04-3

$A=\{2, 3, 7\}$, $B=\{2, 3, 5, 7, 11\}$

① 공집합은 모든 집합의 부분집합이므로 $\varnothing \subset A$ (참)
② 3은 집합 B의 원소이므로 $3 \in B$ (참)
③ 5는 집합 A의 원소가 아니므로 $5 \notin A$ (참)
④ 7은 집합 A의 원소이므로 $\{7\} \subset A$ (참)
⑤ 2, 3, 11은 집합 B의 원소이므로 $\{2, 3, 11\} \subset B$ (거짓)
따라서 옳지 않은 것은 ⑤이다.

답 ⑤

04-4

집합 A의 두 원소 a, b의 곱 ab의 값은 다음 표와 같다.

a \ b	1	2	3
1	1	2	3
2	2	4	6
3	3	6	9

$\therefore B=\{1, 2, 3, 4, 6, 9\}$
① 5는 집합 B의 원소가 아니므로 $5 \notin B$ (거짓)
② 9는 집합 B의 원소이므로 $9 \in B$ (거짓)
③ 8은 집합 B의 원소가 아니므로 $\{4, 6, 8\} \not\subset B$ (거짓)
④ 집합 A는 집합 B의 부분집합이므로 $A \subset B$ (참)
⑤ 집합 B는 집합 A의 부분집합이 아니므로 $B \not\subset A$ (거짓)
따라서 옳은 것은 ④이다.

답 ④

05-1

$A \subset B$이므로 $7 \in A$에서 $7 \in B$
$a+3=7$ 또는 $a^2-2=7$
$\therefore a=4$ 또는 $a=\pm 3$
(i) $a=4$일 때
$A=\{5, 7\}$, $B=\{4, 7, 14\}$이므로 $A \not\subset B$
(ii) $a=-3$일 때
$A=\{-2, 7\}$, $B=\{0, 4, 7\}$이므로 $A \not\subset B$
(iii) $a=3$일 때
$A=\{4, 7\}$, $B=\{4, 6, 7\}$이므로 $A \subset B$
(i)~(iii)에서 $A \subset B$일 때의 상수 a의 값은 3이다.

답 3

05-2

$A \subset B$를 만족시키려면 $-4 \in A$에서 $-4 \in B$이어야 한다.
$\therefore a=-4$ 또는 $a+2=-4$ 또는 $a^2=-4$
(i) $a=-4$일 때
$a+2=-2$, $a^2=(-4)^2=16$이므로
$B=\{-4, -2, 16\}$
이때 $-2 \in A$이고 $-2 \in B$이므로 $A \subset B$이다.
(ii) $a+2=-4$일 때
$a=-6$, $a^2=(-6)^2=36$이므로
$B=\{-6, -4, 36\}$
이때 $-2 \in A$이지만 $-2 \notin B$이므로 $A \not\subset B$이다.
(iii) $a^2=-4$일 때
이를 만족시키는 실수 a의 값은 존재하지 않는다.
(i)~(iii)에서 구하는 실수 a의 값은 -4이다.

답 -4

05-3

두 집합 A, B를 $B \subset A$가 성립하도록 수직선 위에 나타내면 다음 그림과 같다.

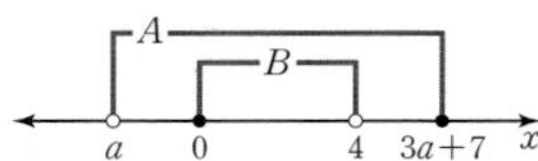

즉, $a<0$이고 $3a+7 \geq 4$이어야 한다.
$3a+7 \geq 4$에서 $3a \geq -3$ $\qquad \therefore a \geq -1$
$\therefore -1 \leq a < 0$

답 $-1 \leq a < 0$

05-4

$x^2-x-2<0$에서 $(x+1)(x-2)<0$
$\therefore -1<x<2$
$|x| \leq k$에서 $-k \leq x \leq k$
$x-1 \leq 3$에서 $x \leq 4$
따라서 $A=\{x \mid -1<x<2\}$, $B=\{x \mid -k \leq x \leq k\}$, $C=\{x \mid x \leq 4\}$이므로 세 집합 A, B, C를 $A \subset B \subset C$가 성립하도록 수직선 위에 나타내면 다음 그림과 같다.

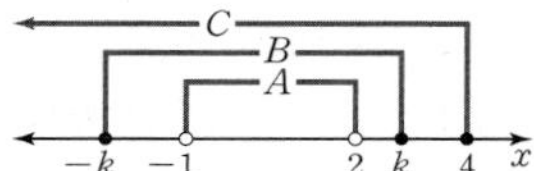

즉, $-k \leq -1$이고 $2 \leq k \leq 4$이어야 한다.
$\therefore 2 \leq k \leq 4$
따라서 구하는 모든 자연수 k의 값은 2, 3, 4이고 그 합은
$2+3+4=9$

답 9

06-1

$A=B$이므로 $A \subset B$이고 $B \subset A$
이때 $A \subset B$이므로 $2 \in A$에서 $2 \in B$
$a^2-a+2=2$, $a^2-a=0$
$a(a-1)=0$ $\qquad \therefore a=0$ 또는 $a=1$
(i) $a=0$일 때
$A=\{0, 2\}$, $B=\{2, 3\}$이므로 $A \neq B$
(ii) $a=1$일 때
$A=\{2, 3\}$, $B=\{2, 3\}$이므로 $A=B$

(i), (ii)에서 $A=B$일 때의 a의 값은 1이다.

다른 풀이

$A=B$이므로 $A\subset B$이고 $B\subset A$

이때 $2\in A$, $3\in B$이므로 $2\in B$, $3\in A$이어야 한다.

즉, $a^2-a+2=2$, $a^2+2a=3$을 동시에 만족시켜야 한다.

(i) $a^2-a+2=2$일 때

$a^2-a=0$, $a(a-1)=0$

$\therefore a=0$ 또는 $a=1$

(ii) $a^2+2a=3$일 때

$a^2+2a-3=0$, $(a+3)(a-1)=0$

$\therefore a=-3$ 또는 $a=1$

(i), (ii)를 동시에 만족시키는 a의 값은 1이다.

답 1

06-2

$A\subset B$이고 $B\subset A$이므로 $A=B$

(i) $a=b^2$, $4=b^2+1$일 때

$b^2=3$ $\quad\therefore b=\pm\sqrt{3}$

이는 b가 자연수라는 조건을 만족시키지 않는다.

(ii) $a=b^2+1$, $4=b^2$일 때

$b^2=4$이므로 $b=2$ ($\because$ b는 자연수)

$\therefore a=2^2+1=5$

(i), (ii)에서 $a=5$, $b=2$이므로

$a+b=5+2=7$

답 7

06-3

$A=B$이므로 $A\subset B$이고 $B\subset A$

이때 $B\subset A$이므로 $-3\in B$에서 $-3\in A$

즉, $x=-3$은 이차방정식 $x^2-x+a=0$의 근이므로

$(-3)^2-(-3)+a=0$, $a+12=0$ $\quad\therefore a=-12$

$x^2-x-12=0$에서 $(x+3)(x-4)=0$

$\therefore x=-3$ 또는 $x=4$

따라서 $A=\{-3, 4\}$이고 $A=B$에서 $B=\{-3, 4\}$이므로

$b=4$

$\therefore a+b=(-12)+4=-8$

답 -8

06-4

$A\subset B$이고 $B\subset A$이므로 $A=B$

따라서 이차부등식 $x^2+ax-10\le 0$의 해가

$-5\le x\le b$이다.

해가 $-5\le x\le b$이고 x^2의 계수가 1인 이차부등식은

$(x+5)(x-b)\le 0$ $\quad\therefore x^2+(5-b)x-5b\le 0$

이 부등식이 $x^2+ax-10\le 0$과 같으므로

$a=5-b$, $-10=-5b$

두 식을 연립하여 풀면 $a=3$, $b=2$

$\therefore ab=3\times 2=6$

답 6

07-1

(1) 집합 A의 부분집합 중 원소의 개수가 3인 부분집합은

$\{a, b, c\}$, $\{a, b, d\}$, $\{a, b, e\}$, $\{a, c, d\}$, $\{a, c, e\}$, $\{a, d, e\}$, $\{b, c, d\}$, $\{b, c, e\}$, $\{b, d, e\}$, $\{c, d, e\}$

(2) 집합 A의 부분집합 중 a, b를 원소로 갖지 않는 부분집합은

$\varnothing$, $\{c\}$, $\{d\}$, $\{e\}$, $\{c, d\}$, $\{c, e\}$, $\{d, e\}$, $\{c, d, e\}$

(3) 집합 A의 진부분집합 중 a, c, e를 원소로 갖는 부분집합은

$\{a, c, e\}$, $\{a, b, c, e\}$, $\{a, c, d, e\}$

참고

집합 A의 원소의 개수는 5이므로 집합 A의 5개의 원소 중 부분집합에 들어갈 3개의 원소를 택하는 조합의 수 ${}_5C_3=10$을 이용하여 집합 A의 부분집합 중 원소의 개수가 3인 부분집합의 개수를 구할 수 있다.
따라서 (1)과 같이 원소의 개수가 정해진 부분집합을 구할 때, 모두 구하고 난 후 조합의 수를 이용하여 맞게 찾았는지 그 개수를 확인해 본다면 실수를 줄일 수 있다.
추가적으로, 집합은 원소를 나열하는 순서를 생각하지 않으므로 순열의 수가 아닌 조합의 수를 이용함에 주의해야 한다.

답 (1) $\{a, b, c\}$, $\{a, b, d\}$, $\{a, b, e\}$, $\{a, c, d\}$, $\{a, c, e\}$, $\{a, d, e\}$, $\{b, c, d\}$, $\{b, c, e\}$, $\{b, d, e\}$, $\{c, d, e\}$

(2) $\varnothing$, $\{c\}$, $\{d\}$, $\{e\}$, $\{c, d\}$, $\{c, e\}$, $\{d, e\}$, $\{c, d, e\}$

(3) $\{a, c, e\}$, $\{a, b, c, e\}$, $\{a, c, d, e\}$

07-2

$A=\{-1, 0, 1\}$

ㄱ. $\varnothing$은 모든 집합의 부분집합이므로 $\varnothing\subset A$

ㄴ. 모든 집합은 자기 자신의 부분집합이므로

$\{-1, 0, 1\}\subset A$

ㄷ. $\{x|x$는 1 이하의 정수$\}=\{1, 0, -1, -2, \cdots\}$이므로

$\{x|x$는 1 이하의 정수$\}\not\subset A$

ㄹ. $\{x|x$는 2보다 작은 자연수$\}=\{1\}$이므로

$\{x|x$는 2보다 작은 자연수$\}\subset A$

따라서 집합 A의 부분집합인 것은 ㄱ, ㄴ, ㄹ이다.

답 ㄱ, ㄴ, ㄹ

07-3

$A=\{2, 4, 6, 8, 10\}$

$X \subset A$이고 $n(X)=3$을 만족시키는 집합 X는 집합 A의 부분집합 중 원소의 개수가 3인 집합이므로
$\{2, 4, 6\}$, $\{2, 4, 8\}$, $\{2, 4, 10\}$, $\{2, 6, 8\}$, $\{2, 6, 10\}$, $\{2, 8, 10\}$, $\{4, 6, 8\}$, $\{4, 6, 10\}$, $\{4, 8, 10\}$, $\{6, 8, 10\}$

답 $\{2, 4, 6\}$, $\{2, 4, 8\}$, $\{2, 4, 10\}$, $\{2, 6, 8\}$, $\{2, 6, 10\}$, $\{2, 8, 10\}$, $\{4, 6, 8\}$, $\{4, 6, 10\}$, $\{4, 8, 10\}$, $\{6, 8, 10\}$

07-4

$x^2-6x+8 \le 0$에서 $(x-2)(x-4) \le 0$
$\therefore 2 \le x \le 4$
이때 x는 정수이므로 $A=\{2, 3, 4\}$
한편, $X \subset A$이고 $X \ne A$인 집합 X는 집합 A의 진부분집합이다.
따라서 집합 X는
$\varnothing$, $\{2\}$, $\{3\}$, $\{4\}$, $\{2, 3\}$, $\{2, 4\}$, $\{3, 4\}$

답 $\varnothing$, $\{2\}$, $\{3\}$, $\{4\}$, $\{2, 3\}$, $\{2, 4\}$, $\{3, 4\}$

08-1

$A=\{1, 2, 3, 4, 5, 6, 7, 8, 9, 10\}$
집합 A의 부분집합 중 1, 2, 3, 4를 반드시 원소로 갖는 부분집합의 개수는 $a=2^{10-4}=2^6=64$
집합 A의 부분집합 중 1, 3은 반드시 원소로 갖고 5, 7, 9는 원소로 갖지 않는 부분집합의 개수는
$b=2^{10-2-3}=2^5=32$
$\therefore a+b=64+32=96$

답 96

08-2

집합 X는 집합 A의 부분집합 중 2, 4를 반드시 원소로 갖고 8은 원소로 갖지 않는 부분집합이다.
따라서 구하는 집합 X의 개수는 $2^{6-2-1}=2^3=8$

답 8

08-3

집합 A의 원소 중 짝수는 2, 4, 8이고, 진부분집합은 자기 자신이 아닌 부분집합이다.
집합 A의 진부분집합의 개수는 $2^4-1=15$
집합 A의 부분집합 중 짝수 2, 4, 8을 원소로 갖지 않는 부분집합의 개수는 $2^{4-3}=2$
따라서 구하는 부분집합의 개수는
$15-2=13$

답 13

08-4

집합 A의 부분집합 중 1, 2를 반드시 원소로 갖는 부분집합의 개수가 32이므로 $2^{n-2}=32$
$2^{n-2}=2^5$, $n-2=5$ $\therefore n=7$

답 7

09-1

$x^2-6x+5 \le 0$에서
$(x-1)(x-5) \le 0$ $\therefore 1 \le x \le 5$
이때 x는 정수이므로 $A=\{1, 2, 3, 4, 5\}$
또한 $x^2-6x+8=0$에서
$(x-2)(x-4)=0$ $\therefore x=2$ 또는 $x=4$
$\therefore B=\{2, 4\}$
이때 $B \subset X \subset A$이면 X는 집합 A의 부분집합 중 2, 4를 반드시 원소로 갖는 부분집합이다.
따라서 구하는 집합 X의 개수는 $2^{5-2}=2^3=8$

답 8

09-2

15보다 작은 소수는 2, 3, 5, 7, 11, 13이므로
$B=\{2, 3, 5, 7, 11, 13\}$
이때 $A \subset X \subset B$, $X \ne A$, $X \ne B$이면 X는 집합 B의 부분집합 중 5, 7, 11을 반드시 원소로 갖는 부분집합에서 두 집합 A, B를 제외한 것과 같다.
따라서 구하는 집합 X의 개수는 $2^{6-3}-2=2^3-2=6$

답 6

09-3

24의 양의 약수는 1, 2, 3, 4, 6, 8, 12, 24이므로
$B=\{1, 2, 3, 4, 6, 8, 12, 24\}$
따라서 집합 X는 집합 B에서 2, 6, 12를 제외한 집합 $\{1, 3, 4, 8, 24\}$의 부분집합 중 원소가 1개인 부분집합에 2, 6, 12를 원소로 추가한 것과 같으므로 집합 X는
$\{1, 2, 6, 12\}$, $\{2, 3, 6, 12\}$, $\{2, 4, 6, 12\}$,
$\{2, 6, 8, 12\}$, $\{2, 6, 12, 24\}$
의 5개이다.

답 5

09-4

$x^2-5x+4 \le 0$에서 $(x-1)(x-4) \le 0$
$\therefore 1 \le x \le 4$
이때 x는 정수이므로 $A=\{1, 2, 3, 4\}$
또한 $B=\{1, 2, 3, \cdots, k\}$이므로 $n(B)=k$
$A \subset X \subset B$인 집합 X의 개수, 즉 집합 B의 부분집합 중 1,

2, 3, 4를 반드시 원소로 갖는 부분집합의 개수가 64이므로

$2^{k-4}=64$, $2^{k-4}=2^6$

$k-4=6$ $\quad\therefore k=10$

답 10

중단원 연습문제

본문 232~236쪽

01 ㄴ, ㄹ	02 7	03 6	04 8
05 ㄷ	06 3	07 5	08 14
09 64	10 120	11 14	12 8
13 6	14 7	15 48	16 11
17 11	18 11	19 7	20 56

01

주어진 벤다이어그램에서 $A=\{3, 5, 7, 9, 11\}$

ㄱ. $A=\{3, 5, 7, 11\}$

ㄴ. 20보다 작은 두 자리의 짝수는 10, 12, 14, 16, 18이므로
$A=\{3, 5, 7, 9, 11\}$

ㄷ. $A=\{1, 3, 5, 7, 9\}$

ㄹ. $(x-1)(x-12)<0$이면 $1<x<12$이고
$1<x<12$인 홀수는 3, 5, 7, 9, 11
$\therefore A=\{3, 5, 7, 9, 11\}$

따라서 집합 A를 조건제시법으로 바르게 나타낸 것은 ㄴ, ㄹ이다.

답 ㄴ, ㄹ

02

집합 A의 원소 a, 집합 B의 원소 b에 대하여 $a\ge b$일 때 $a-b$의 값은 오른쪽 표와 같으므로

a \ b	3	6	9
2			
4	1		
6	3	0	
8	5	2	
10	7	4	1

$X=\{0, 1, 2, 3, 4, 5, 7\}$

따라서 집합 X의 원소의 개수는 7이다.

답 7

03

$-7\le 2x+3\le 9$에서 $-10\le 2x\le 6$

$\therefore -5\le x\le 3$

$A=\{-5, -4, -3, -2, -1, 0, 1, 2, 3\}$이므로

$n(A)=9$

이때 $n(A)+n(B)=13$이려면 $n(B)=4$

즉, 자연수 k의 양의 약수의 개수가 4이어야 한다.

1, 2, 3, 4, 5, 6, …의 양의 약수의 개수는 차례대로 1, 2, 2, 3, 2, 4…이므로 구하는 자연수 k의 최솟값은 6이다.

참고

자연수 k와 서로 다른 두 소수 p, q에 대하여
$k=p^{\alpha}q^{\beta}$ (α, β는 자연수)이면 k의 양의 약수의 개수는
$(\alpha+1)(\beta+1)$이다.

답 6

04

$(9, 4)\in A$이므로

$x=9$, $y=4$를 $ax-by=7$에 대입하면

$9a-4b=7$ …… ㉠

$(-1, -2)\in A$이므로

$x=-1$, $y=-2$를 $ax-by=7$에 대입하면

$-a+2b=7$ …… ㉡

㉠, ㉡을 연립하여 풀면 $a=3$, $b=5$

$\therefore a+b=8$

답 8

05

ㄱ. 공집합은 원소가 하나도 없는 집합이므로 $0\not\in\varnothing$ (거짓)

ㄴ. $A=\{1, 2, \{2, 3\}, \{1, 2, 3\}\}$일 때, $3\not\in A$이다. (거짓)

ㄷ. 집합 $\{a, b, \{a, b\}, c\}$의 원소는 a, b, $\{a, b\}$, c의 4개이므로 $n(\{a, b, \{a, b\}, c\})=4$ (참)

ㄹ. 7보다 작은 소수는 2, 3, 5이고
$\{2, 3, 5\}\not\subset\{1, 3, 5, 7, 9\}$ (거짓)

따라서 옳은 것은 ㄷ이다.

답 ㄷ

06

$x^4-10x^2+9=0$에서 $(x^2-1)(x^2-9)=0$

$(x+1)(x-1)(x+3)(x-3)=0$

$\therefore x=-3$ 또는 $x=-1$ 또는 $x=1$ 또는 $x=3$

$\therefore B=\{-3, -1, 1, 3\}$

한편, 집합 A의 원소는 차가 2인 두 정수이므로 $A\subset B$가 성립하도록 하는 정수 k는 -3, -1, 1의 3개이다.

참고

$k=-3$이면 $A=\{-3, -1\}$
$k=-1$이면 $A=\{-1, 1\}$
$k=1$이면 $A=\{1, 3\}$
$k=3$이면 $A=\{3, 5\}$

답 3

07

$A \subset B$이고 $B \subset A$이므로 $A=B$
이때 $6 \in A$, $4 \in B$이므로 $4 \in A$, $6 \in B$이어야 한다.
$\therefore x^2=4$, $y^2-y=6$
$x^2=4$에서 $x^2-4=0$, $(x+2)(x-2)=0$
$\therefore x=-2$ 또는 $x=2$
$y^2-y=6$에서 $y^2-y-6=0$, $(y+2)(y-3)=0$
$\therefore y=-2$ 또는 $y=3$
따라서 $x=2$, $y=3$일 때 $x+y$의 값은 최대이고 그 값은
$2+3=5$

답 5

08

$X \subset A$, $X \neq A$, $X \neq \varnothing$인 집합 X는 집합 A의 진부분집합에서 공집합을 제외한 것이다.
$2x^2-7x-4<0$에서 $(2x+1)(x-4)<0$
$\therefore -\frac{1}{2}<x<4$
이때 x는 정수이므로 $A=\{0, 1, 2, 3\}$
따라서 구하는 집합 X의 개수는 $2^4-1-1=14$

답 14

09

$A=\{1, 2, 3, \cdots, 9\}$
이때 집합 A의 부분집합 중 가장 큰 원소가 7인 집합은 7을 반드시 원소로 갖고 8, 9를 원소로 갖지 않아야 한다.
따라서 구하는 집합의 개수는 $2^{9-1-2}=2^6=64$

답 64

10

구하는 집합의 개수는 집합 $A=\{1, 2, 3, 4, 5, 6, 7\}$의 부분집합의 개수에서 홀수, 즉 1, 3, 5, 7을 원소로 갖지 않는 부분집합의 개수를 뺀 것과 같으므로
$2^7-2^{7-4}=2^7-2^3=128-8=120$

답 120

11

$A=\{2, 4, 6, 8, 10, 12\}$
$x^2-8x+12=0$에서 $(x-2)(x-6)=0$
$\therefore x=2$ 또는 $x=6$
$\therefore B=\{2, 6\}$
집합 X는 집합 A의 부분집합 중 2, 6을 반드시 원소로 갖는 집합에서 두 집합 A, B를 제외한 것과 같다.
따라서 구하는 집합 X의 개수는 $2^{6-2}-2=16-2=14$

답 14

12

집합 A의 두 원소 x, y의 곱 xy의 값은 오른쪽 표와 같다.

x \ y	1	2	3
1	1	2	3
2	2	4	6
3	3	6	9

$\therefore B=\{1, 2, 3, 4, 6, 9\}$
$\therefore C=\{4, 6, 9\}$
이때 $C \subset X \subset B$이려면 집합 X는 집합 B의 부분집합 중 4, 6, 9를 반드시 원소로 갖는 집합이어야 한다.
따라서 구하는 집합 X의 개수는 $2^{6-3}=2^3=8$

답 8

13

$A \subset B$를 만족시키려면 $(a+1) \in A$에서 $(a+1) \in B$이어야 한다.
$\therefore a+1=a+b$ 또는 $a+1=b^2-a$
(i) $a+1=a+b$일 때, $b=1$이므로 $b^2-a=1-a$
또한 $-5 \in A$에서 $-5 \in B$이어야 한다.
① $-5=a+2$이면 $a=-7$이므로 a가 자연수인 조건을 만족시키지 않는다.
② $-5=1-a$이면 $a=6$
(ii) $a+1=b^2-a$일 때, 정리하면 $B=\{a, a+1, a+b\}$
또한 $-5 \in A$에서 $-5 \in B$이어야 한다.
③ $-5=a$이면 a가 자연수인 조건을 만족시키지 않는다.
④ $-5=a+b$이면 $b=-a-5$
이를 $a+1=b^2-a$에 대입하여 정리하면
$(a+5)^2=2a+1$, $a^2+8a+24=0$ …… ㉠
이때 a에 대한 이차방정식 ㉠의 판별식을 D라 하면
$\frac{D}{4}=(-4)^2-24=-8<0$
따라서 ㉠을 만족시키는 자연수 a는 존재하지 않는다.
(i), (ii)에서 $a=6$, $b=1$
$\therefore ab=6 \times 1=6$

답 6

14

$2 \le x<5$에서 $-1 \le x-3<2$이므로
$A=\{x \mid -1 \le x<2\}$
$-2<x \le 9$에서 $-2+a<x+a \le 9+a$이므로
$B=\{x \mid -2+a<x \le 9+a\}$
$A \subset B \subset C$가 성립하도록 세 집합 A, B, C를 수직선 위에 나타내면 다음 그림과 같다.

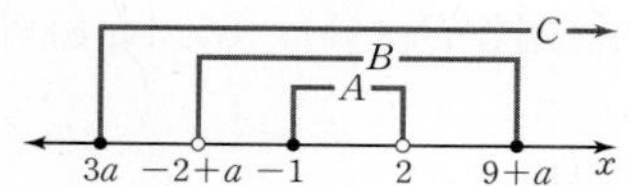

(ⅰ) $3a \le -2+a$이므로 $2a \le -2$ $\therefore a \le -1$

(ⅱ) $-2+a < -1$이므로 $a < 1$

(ⅲ) $2 \le 9+a$에서 $a \ge -7$

(ⅰ)~(ⅲ)에서 $-7 \le a \le -1$

따라서 구하는 정수 a는 $-7, -6, -5, \cdots, -1$의 7개이다.

답 7

15

$A_{25}=\{x \mid x$는 5 이하의 홀수$\}=\{1, 3, 5\}$

$A_n \subset A_{25}$이려면 $\sqrt{n}$ 이하의 홀수가 1, 3, 5 이외에는 존재하지 않아야 하므로 $\sqrt{n}<7$이어야 한다.

따라서 $n<49$이므로 구하는 자연수 n의 최댓값은 48이다.

답 48

16

어떤 자연수의 제곱인 수는

$1, 2^2=4, 3^2=9, 4^2=16, 5^2=25, \cdots$

집합 U의 원소 중 자연수의 제곱인 수인 1, 4, 9, 16 중 2개의 원소를 갖는 부분집합, 즉

$\{1, 4\}, \{1, 9\}, \{1, 16\}, \{4, 9\}, \{4, 16\}, \{9, 16\}$ …… ㉠

이 될 수 있다.

또한 $16=2\times8$, $36=2\times18=3\times12$, $100=5\times20$, $144=8\times18$이므로 집합

$\{2, 8\}, \{2, 18\}, \{3, 12\}, \{5, 20\}, \{8, 18\}$ …… ㉡

도 집합 A가 될 수 있다.

㉠, ㉡에서 구하는 집합 A의 개수는 $6+5=11$

답 11

17

구하는 부분집합에 원소 7이 포함되므로 $k \ge 7$

이때 집합 $A=\{1, 2, 3, \cdots, k-1, k\}$의 원소의 개수는 k이므로 집합 A의 부분집합 중 2, 4, 7을 반드시 원소로 갖고, 1, 3을 원소로 갖지 않는 부분집합의 개수는

$2^{k-3-2}=64$, $2^{k-5}=2^6$, $k-5=6$ $\therefore k=11$

답 11

18

$x^2-5x+4=0$에서 $(x-1)(x-4)=0$

$\therefore x=1$ 또는 $x=4$

$\therefore A=\{1, 4\}$

한편, $B=\{1, 2, 4, 5, 10, 20\}$이므로 주어진 조건 (가), (나)를 만족시키는 집합 X는 집합 B의 부분집합 중 1, 4를 반드시 원소로 갖고, 나머지 원소 2, 5, 10, 20 중 2개 이상의 원소를 포함하는 집합이다.

즉, 집합 X는 집합 $\{2, 5, 10, 20\}$의 부분집합 중 원소가 2개 이상인 부분집합에 각각 1, 4를 원소로 포함시킨 것과 같다.

따라서 구하는 집합 X의 개수는 집합 $\{2, 5, 10, 20\}$의 부분집합의 개수에서 원소의 개수가 1인 부분집합 4개와 공집합 1개를 뺀 것과 같으므로 $2^4-4-1=11$

참고

집합 $\{2, 5, 10, 20\}$의 부분집합 중
원소의 개수가 2인 부분집합의 개수는 ${}_4C_2=6$,
원소의 개수가 3인 부분집합의 개수는 ${}_4C_3=4$,
원소의 개수가 4인 부분집합의 개수는 ${}_4C_4=1$
이므로 집합 $\{2, 5, 10, 20\}$의 부분집합 중 원소가 2개 이상인 부분집합의 개수는 $6+4+1=11$로 구할 수도 있다.

답 11

19

자연수 x에 대하여 $\dfrac{18}{x}$이 자연수이려면 x는 18의 양의 약수이고, 18의 양의 약수는 1, 2, 3, 6, 9, 18이다.

이때 $x \in A$이면 $\dfrac{18}{x} \in A$이므로 1과 18, 2와 9, 3과 6은 어느 하나가 집합 A의 원소이면 나머지 하나는 반드시 집합 A의 원소이다.

즉, 1, 2, 3이 집합 A의 원소이면 각각 18, 9, 6이 집합 A의 원소이어야 한다.

따라서 공집합이 아닌 집합 A의 개수는 집합 $\{1, 2, 3\}$의 공집합이 아닌 부분집합의 개수와 같으므로 $2^3-1=7$

답 7

20

(ⅰ) 가장 작은 원소가 3인 집합은 3을 반드시 원소로 갖는 부분집합이므로 그 개수는 $2^{4-1}=2^3=8$

(ⅱ) 가장 작은 원소가 4인 집합은 4를 반드시 원소로 갖고 3을 원소로 갖지 않는 부분집합이므로 그 개수는 $2^{4-1-1}=2^2=4$

(ⅲ) 가장 작은 원소가 5인 집합은 5를 반드시 원소고 갖고 3, 4를 원소로 갖지 않는 부분집합이므로 그 개수는 $2^{4-1-2}=2^1=2$

(ⅳ) 가장 작은 원소가 6인 집합은 $\{6\}$의 1개이다.

(ⅰ)~(ⅳ)에서

$$\begin{aligned} a_1+a_2+a_3+ \cdots +a_{15} &= 3\times8+4\times4+5\times2+6\times1 \\ &= 24+16+10+6=56 \end{aligned}$$

답 56

06 집합의 연산

01 집합의 연산

본문 245쪽

개념 CHECK

01 $A\cup B=\{a, b, c, d, e\}$, $A\cap B=\{b, d\}$

02 ㄱ

03 (1) $\{2, 10\}$ (2) $\{1, 2, 5\}$ (3) $\{1, 5\}$ (4) $\{10\}$ (5) $\{2\}$ (6) $\{1, 2, 5, 10\}$

04 3

01

$A\cup B=\{a, b, c, d, e\}$, $A\cap B=\{b, d\}$

답 $A\cup B=\{a, b, c, d, e\}$, $A\cap B=\{b, d\}$

02

ㄱ. 공집합은 모든 집합과 공통인 원소가 없으므로 두 집합 A, B는 서로소이다.

ㄴ. 6보다 큰 한 자리의 자연수는 7, 8, 9이므로 $A=\{7, 8, 9\}$
이때 $9\in A$, $9\in B$이므로 두 집합 A, B는 서로소가 아니다.

ㄷ. $2x-6\geq 0$에서 $x\geq 3$이므로 $A=\{x\,|\,x\geq 3\}$
$(x-2)^2\geq 1$에서 $x^2-4x+4\geq 1$, $x^2-4x+3\geq 0$
$(x-1)(x-3)\geq 0$이므로 $B=\{x\,|\,x\leq 1$ 또는 $x\geq 3\}$
이때 $3\in A$, $3\in B$이므로 두 집합 A, B는 서로소가 아니다.

따라서 두 집합 A, B가 서로소인 것은 ㄱ이다.

답 ㄱ

03

(1) $A^C=\{2, 10\}$ (2) $B^C=\{1, 2, 5\}$
(3) $A-B=\{1, 5\}$ (4) $B-A=\{10\}$
(5) $(A\cup B)^C=\{2\}$ (6) $(A\cap B)^C=\{1, 2, 5, 10\}$

답 (1) $\{2, 10\}$ (2) $\{1, 2, 5\}$ (3) $\{1, 5\}$ (4) $\{10\}$ (5) $\{2\}$ (6) $\{1, 2, 5, 10\}$

04

$A=\{1, 2, 3, 5, 6, 7, 9, 10\}$이므로 $A^C=\{4, 8\}$
이때 $B\subset A^C$, 즉 집합 B는 집합 A^C의 부분집합이므로 가능한 공집합이 아닌 집합 B는 $\{4\}$, $\{8\}$, $\{4, 8\}$의 3개이다.

답 3

유제

본문 246~257쪽

01-1 (1) $\{1, 2, 3, 4, 5, 6, 7, 8, 10\}$ (2) $\{2\}$ (3) $\{2, 6\}$
01-2 (1) $\{2, 3, 4, 6, 7, 8\}$ (2) $\{3, 7\}$ (3) $\{3, 5, 7\}$
01-3 21 **01-4** $\{3, 4, 5, 7, 9, 12\}$
02-1 $\{3, 4, 5\}$ **02-2** 7 **02-3** 2
02-4 $\left\{-2, \frac{1}{2}\right\}$ **03-1** ④ **03-2** A와 C
03-3 8 **03-4** 16 **04-1** $\{2, 3, 7, 8\}$
04-2 $\{b, c, d, e\}$ **04-3** 20
04-4 $\{3, 5, 7\}$ **05-1** ㄴ, ㄷ, ㄹ
05-2 ④ **05-3** ④ **05-4** ㄱ, ㄴ, ㄷ, ㅂ
06-1 4 **06-2** 16 **06-3** 8 **06-4** 4

01-1

$A=\{1, 2, 3, 6\}$, $B=\{2, 5, 7\}$, $C=\{2, 4, 6, 8, 10\}$

(1) $(A\cup B)\cup C$
$=\{1, 2, 3, 5, 6, 7\}\cup\{2, 4, 6, 8, 10\}$
$=\{1, 2, 3, 4, 5, 6, 7, 8, 10\}$

(2) $A\cap(B\cap C)=\{1, 2, 3, 6\}\cap\{2\}$
$=\{2\}$

(3) $(A\cup B)\cap C=\{1, 2, 3, 5, 6, 7\}\cap\{2, 4, 6, 8, 10\}$
$=\{2, 6\}$

답 (1) $\{1, 2, 3, 4, 5, 6, 7, 8, 10\}$ (2) $\{2\}$ (3) $\{2, 6\}$

01-2

$U=\{1, 2, 3, 4, 5, 6, 7, 8\}$이므로
$A=\{1, 2, 5\}$, $B=\{2, 3, 5, 7\}$, $C=\{1, 5, 7\}$

(1) $A\cap C=\{1, 5\}$이므로
$(A\cap C)^C=\{2, 3, 4, 6, 7, 8\}$

(2) $(B\cup C)-A=\{1, 2, 3, 5, 7\}-\{1, 2, 5\}$
$=\{3, 7\}$

(3) $C^C=\{2, 3, 4, 6, 8\}$이므로
$A\cap C^C=\{1, 2, 5\}\cap\{2, 3, 4, 6, 8\}$
$=\{2\}$
$\therefore B-(A\cap C^C)=\{2, 3, 5, 7\}-\{2\}$
$=\{3, 5, 7\}$

답 (1) $\{2, 3, 4, 6, 7, 8\}$ (2) $\{3, 7\}$ (3) $\{3, 5, 7\}$

01-3

$U=\{1, 2, 3, \cdots, 10\}$이므로

$A=\{1, 2, 3, 4, 6\}$, $B=\{2, 4, 6, 8, 10\}$
이때 색칠한 부분이 나타내는 집합은 $(A\cup B)^C$이고
$A\cup B=\{1, 2, 3, 4, 6, 8, 10\}$이므로
$(A\cup B)^C=\{5, 7, 9\}$
따라서 구하는 모든 원소의 합은
$5+7+9=21$

답 21

01-4

12의 양의 약수는 1, 2, 3, 4, 6, 12이므로
$A=\{1, 2, 3, 4, 6, 12\}$
또한 $A\cap B=\{3, 4, 12\}$,
$A\cup B=\{1, 2, 3, 4, 5, 6, 7, 9, 12\}$
이므로 두 집합 A, B를 벤다이어그램으로 나타내면 오른쪽 그림과 같다.

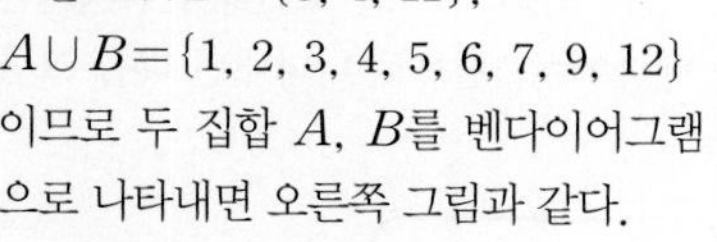

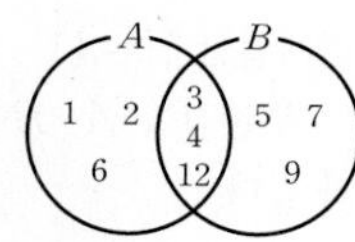

$\therefore B=\{3, 4, 5, 7, 9, 12\}$

답 $\{3, 4, 5, 7, 9, 12\}$

02-1

$A\cap B=\{3\}$에서 $3\in A$이므로
$a^2-a+1=3$, $a^2-a-2=0$
$(a+1)(a-2)=0$ $\quad\therefore a=-1$ 또는 $a=2$
(i) $a=-1$일 때
$A=\{1, 2, 3\}$, $B=\{-2, 2, 3\}$이므로
$A\cap B=\{2, 3\}$
(ii) $a=2$일 때
$A=\{1, 2, 3\}$, $B=\{3, 4, 5\}$이므로
$A\cap B=\{3\}$
(i), (ii)에서 $A\cap B=\{3\}$일 때, $a=2$이므로
$B=\{3, 4, 5\}$

답 $\{3, 4, 5\}$

02-2

$A\cup B=\{1, 3, 5, 6\}$에서 $6\in A$ 또는 $6\in B$이므로
$a-2=6$ 또는 $2a=6$
$\therefore a=8$ 또는 $a=3$
(i) $a=8$일 때
$A=\{3, 5, 6\}$, $B=\{1, 16\}$이므로
$A\cup B=\{1, 3, 5, 6, 16\}$
(ii) $a=3$일 때
$A=\{1, 3, 5\}$, $B=\{1, 6\}$이므로
$A\cup B=\{1, 3, 5, 6\}$
(i), (ii)에서 $A\cup B=\{1, 3, 5, 6\}$일 때, $a=3$이고
$B=\{1, 6\}$
따라서 집합 B의 모든 원소의 합은
$1+6=7$

답 7

02-3

$A-B=\{2\}$이므로
$3\in B$, $4\in B$, $(2a-b)\in B$
즉, $2a-b=1$, $3a+b=4$이다.
위의 두 식을 연립하여 풀면
$a=1$, $b=1$
$\therefore a+b=1+1=2$

답 2

02-4

$A\cap B=\{-2\}$에서 $-2\in A$이므로
$(-2)^2+a\times(-2)+4=0$, $-2a+8=0$
$-2a=-8$ $\quad\therefore a=4$
이때 방정식 $x^2+4x+4=0$, 즉 $(x+2)^2=0$의 해는
$x=-2$이므로 $A=\{-2\}$
또한 $-2\in B$이므로
$2\times(-2)^2+3\times(-2)+b=0$, $b+2=0$
$\therefore b=-2$
이때 방정식 $2x^2+3x-2=0$, 즉 $(x+2)(2x-1)=0$의 해는 $x=-2$ 또는 $x=\frac{1}{2}$이므로 $B=\left\{-2, \frac{1}{2}\right\}$
$\therefore A\cup B=\left\{-2, \frac{1}{2}\right\}$

답 $\left\{-2, \frac{1}{2}\right\}$

03-1

① $B=\{1, 2\}$이므로 $A\cap B=\{2\}$
② $A=\{0, 2\}$, $B=\{-2, 2\}$이므로 $A\cap B=\{2\}$
③ $A=\{2, 4, 6, \cdots\}$, $B=\{1, 2, 3, 4, 5, 6\}$이므로
$A\cap B=\{2, 4, 6\}$
④ $A=\{3, 6, 9, \cdots\}$, $B=\{4, 7, 10, \cdots\}$이므로
$A\cap B=\varnothing$
⑤ 5와 7의 최소공배수는 35이므로
$A\cap B=\{x|x$는 35의 양의 배수$\}$
따라서 두 집합 A, B가 서로소인 것은 ④이다.

답 ④

03-2

$A=\{1, 2, 5, 10\}$, $B=\{2, 3, 5, 7\}$,
$C=\{3, 6, 9, \cdots\}$이므로

$A\cap B=\{2, 5\}$, $B\cap C=\{3\}$, $A\cap C=\varnothing$
따라서 서로소인 두 집합은 A와 C이다.

답 A와 C

03-3

구하는 집합의 개수는 집합 A의 부분집합 중 a, e를 원소로 갖지 않는 집합의 개수, 즉 집합 $\{i, o, u\}$의 부분집합의 개수와 같으므로
$2^{5-2}=2^3=8$

답 8

03-4

$U=\{1, 2, 3, \cdots, 10\}$이므로
$A=\{1, 2, 3, 6\}$, $B=\{2, 3, 5, 7\}$
$\therefore A\cup B=\{1, 2, 3, 5, 6, 7\}$
전체집합 U의 부분집합 중 집합 $A\cup B$와 서로소인 집합은 집합 $(A\cup B)^C=\{4, 8, 9, 10\}$의 부분집합이므로 구하는 집합의 개수는
$2^4=16$

답 16

04-1

전체집합 $U=\{1, 2, 3, 4, 5, 6, 7, 8\}$과 주어진 조건을 만족시키는 두 부분집합 A, B를 벤다이어그램으로 나타내면 다음 그림과 같다.

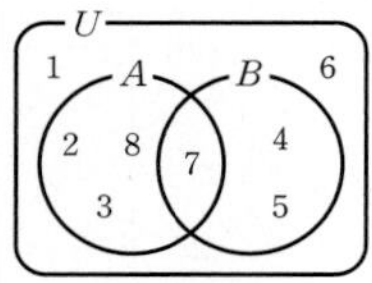

$\therefore A=\{2, 3, 7, 8\}$

답 $\{2, 3, 7, 8\}$

04-2

주어진 조건을 만족시키는 두 집합 A, B를 벤다이어그램으로 나타내면 다음 그림과 같다.

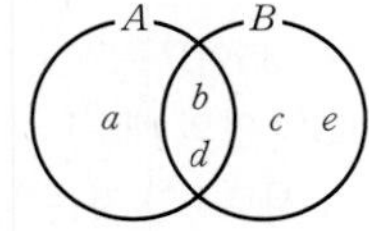

$\therefore B=\{b, c, d, e\}$

답 $\{b, c, d, e\}$

04-3

전체집합 $U=\{1, 2, 3, 4, 5, 6, 7\}$과 주어진 조건을 만족시키는 두 부분집합 A, B를 벤다이어그램으로 나타내면 다음 그림과 같다.

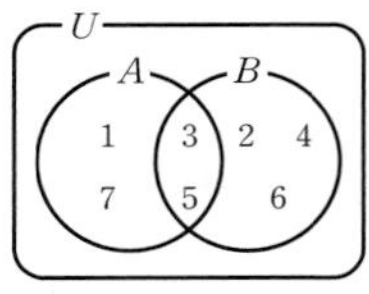

$\therefore B=\{2, 3, 4, 5, 6\}$
따라서 집합 B의 모든 원소의 합은 $2+3+4+5+6=20$

답 20

04-4

전체집합 $U=\{1, 3, 5, 7, 9\}$와 주어진 조건을 만족시키는 두 부분집합 A, B를 벤다이어그램으로 나타내면 다음 그림과 같다.

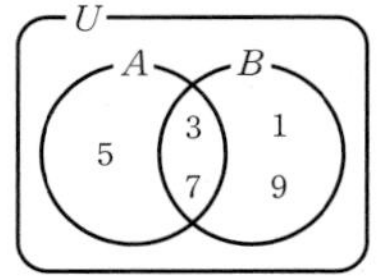

$\therefore A=\{3, 5, 7\}$

답 $\{3, 5, 7\}$

05-1

ㄱ. $U^C=\varnothing$이므로 $A\not\subset U^C$ (거짓)
ㄴ. $(U\cup A)\cap B=U\cap B=B$ (참)
ㄷ. $A\subset(A\cup B)$이므로 $A\cap(A\cup B)=A$ (참)
ㄹ. $A-A^C=A\cap(A^C)^C=A\cap A=A$ (참)
따라서 항상 옳은 것은 ㄴ, ㄷ, ㄹ이다.

답 ㄴ, ㄷ, ㄹ

05-2

$A^C\subset B^C$에서 $B\subset A$이므로 전체집합 U와 주어진 조건을 만족시키는 두 부분집합 A, B를 벤다이어그램으로 나타내면 다음 그림과 같다.

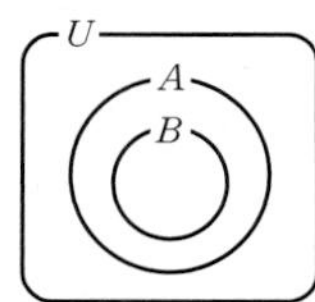

① $B\subset A$ (거짓)
② $A\cap B=B$ (거짓)
③ $A\cup B=A$ (거짓)
⑤ $B\cup A^C\neq U$, $A\cup B^C=U$ (거짓)
따라서 항상 옳은 것은 ④이다.

답 ④

05-3

② $A\cap B=A$ ➔ $A\subset B$
③ $A-B=\varnothing$ ➔ $A\subset B$
④ $A^C\cap B=\varnothing$ ➔ $B\subset A$
⑤ $A^C\cup B=U$ ➔ $A\subset B$
따라서 나머지 넷과 다른 하나는 ④이다.

참고

벤다이어그램으로 나타내면 다음과 같다.

①, ②, ③, ⑤

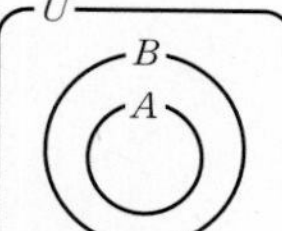

④

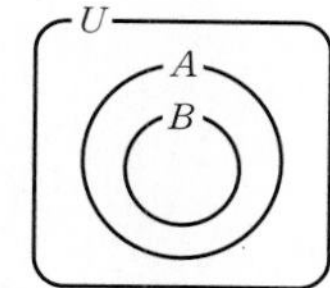

답 ④

05-4

전체집합 U의 두 부분집합 A, B가 서로소이므로
$A\cap B=\varnothing$
이를 벤다이어그램으로 나타내면 오른쪽 그림과 같다.

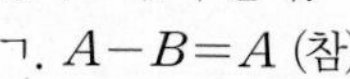
ㄱ. $A-B=A$ (참)
ㄴ. $A\subset B^C$ (참)

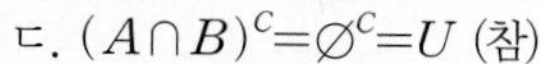
ㄷ. $(A\cap B)^C=\varnothing^C=U$ (참)
ㄹ. $A\cup B\neq U$ (거짓)
ㅁ. $A^C\cup B=A^C$ (거짓)
ㅂ. $A\cap(B-A)=A\cap B=\varnothing$ (참)
따라서 항상 옳은 것은 ㄱ, ㄴ, ㄷ, ㅂ이다.

답 ㄱ, ㄴ, ㄷ, ㅂ

06-1

$A=\{2, 3, 5, 7\}$, $B=\{1, 3, 5, 7, 9\}$이므로
$A\cap B=\{3, 5, 7\}$
이때 $(A\cap B)\subset X\subset B$이므로
$\{3, 5, 7\}\subset X\subset\{1, 3, 5, 7, 9\}$
따라서 집합 X는 집합 $A\cup B$의 부분집합 중 3, 5, 7을 반드시 원소로 갖는 부분집합이므로 구하는 집합 X의 개수는
$2^{5-3}=2^2=4$

답 4

06-2

$(A\cup B)\cap X=X$에서 $X\subset(A\cup B)$
$(A\cap B^C)\cup X=X$에서 $(A\cap B^C)\subset X$
$(A\cap B^C)\subset X\subset(A\cup B)$
이때 $A\cap B^C=A-B=\{c\}$, $A\cup B=\{a, c, d, e, g\}$이므로
$\{c\}\subset X\subset\{a, c, d, e, g\}$
따라서 집합 X는 집합 $\{a, c, d, e, g\}$의 부분집합 중 c를 반드시 원소로 갖는 부분집합이므로 구하는 집합 X의 개수는
$2^{5-1}=2^4=16$

답 16

06-3

$A-X=\varnothing$에서 $A\subset X$
$B-X=B$에서 $B\cap X=\varnothing$
즉, 집합 X는 전체집합 $U=\{1, 2, 3, \cdots, 10\}$의 부분집합 중 집합 A의 원소 1, 3, 5를 반드시 원소로 갖고 집합 B의 원소 7, 8, 9, 10을 원소로 갖지 않는 부분집합이다.
따라서 구하는 집합 X의 개수는
$2^{10-3-4}=2^3=8$

답 8

06-4

$U=\{1, 2, 3, 4, 6, 12\}$
$\{1, 2, 3\}\cup X=\{3, 6, 12\}\cup X$를 만족시키려면 집합 X는 전체집합 $U=\{1, 2, 3, 4, 6, 12\}$의 부분집합 중 두 집합 A, B에서 공통인 원소 3과 두 집합 A, B 중 어디에도 속하지 않는 원소 4를 제외한 나머지 원소 1, 2, 6, 12를 반드시 원소로 가져야 한다.
따라서 구하는 집합 X의 개수는
$2^{6-4}=2^2=4$

답 4

02 집합의 연산 법칙

개념 CHECK

본문 261쪽

01 $\{5\}$
02 (가): 교환법칙, (나): 결합법칙, (다): 분배법칙
(라): 분배법칙, (마): 교환법칙
03 $\{6\}$

01

$A\cup(B\cap C)=(A\cup B)\cap(A\cup C)$

$=(A\cup B)\cap(C\cup A)$
$=\{1, 3, 5\}\cap\{4, 5, 6\}=\{5\}$

답 $\{5\}$

02

$(A\cap B)\cup\{(B-A)\cup(A-B)\}$
$=(A\cap B)\cup\{(B\cap A^C)\cup(A\cap B^C)\}$ 교환법칙
$=(B\cap A)\cup\{(B\cap A^C)\cup(A\cap B^C)\}$ 결합법칙
$=\{(B\cap A)\cup(B\cap A^C)\}\cup(A\cap B^C)$ 분배법칙
$=\{B\cap(A\cup A^C)\}\cup(A\cap B^C)$
$=(B\cap U)\cup(A\cap B^C)$
$=B\cup(A\cap B^C)$ 분배법칙
$=(B\cup A)\cap(B\cup B^C)$
$=(B\cup A)\cap U$
$=B\cup A$ 교환법칙
$=A\cup B$

답 (가): 교환법칙, (나): 결합법칙, (다): 분배법칙
(라): 분배법칙, (마): 교환법칙

03

$A=\{3, 6, 9\}$, $B=\{1, 3, 5, 7, 9\}$이므로
$A\cap(A^C\cup B^C)=(A\cap A^C)\cup(A\cap B^C)$
$=\varnothing\cup(A-B)$
$=A-B=\{6\}$

답 $\{6\}$

유제 본문 262~267쪽

07-1 (1) A (2) $A\cap B$	**07-2** B	**07-3** 18
07-4 풀이 참조	**08-1** ㄱ, ㄹ	**08-2** ④
08-3 ③	**09-1** ㄴ, ㄷ, ㄹ	
09-2 ㄷ, ㅁ, ㅂ	**09-3** ⑤	**09-4** 36

07-1

(1) $(A-B)\cup(A^C\cup B^C)^C=(A\cap B^C)\cup(A\cap B)$
$=A\cap(B^C\cup B)$
$=A\cap U$
$=A$

(2) $A-(A-B)=A-(A\cap B^C)$
$=A\cap(A\cap B^C)^C$
$=A\cap(A^C\cup B)$
$=(A\cap A^C)\cup(A\cap B)$
$=\varnothing\cup(A\cap B)=A\cap B$

답 (1) A (2) $A\cap B$

07-2

$\{A\cap(A^C\cup B)\}\cup\{B\cap(B^C\cap C^C)^C\}$
$=\{(A\cap A^C)\cup(A\cap B)\}\cup\{B\cap(B\cup C)\}$
$=\{\varnothing\cup(A\cap B)\}\cup B$
$=(A\cap B)\cup B$
$=B$

답 B

07-3

$(A-B^C)\cup A^C=(A\cap B)\cup A^C$
$=(A\cup A^C)\cap(B\cup A^C)$
$=U\cap(B\cup A^C)$
$=B\cup A^C$

이때 $A^C=\{5, 6\}$이므로
$B\cup A^C=\{3, 4, 5, 6\}$
따라서 집합 $(A-B^C)\cup A^C$의 모든 원소의 합은
$3+4+5+6=18$

참고
$B\cup A^C=(A\cap B^C)^C=(A-B)^C$로 계산할 수도 있다.

답 18

07-4

$(A-B)-C=(A\cap B^C)-C$
$=(A\cap B^C)\cap C^C$
$=A\cap(B^C\cap C^C)$
$=A\cap(B\cup C)^C$
$=A-(B\cup C)$

답 풀이 참조

08-1

주어진 등식의 좌변을 간단히 하면
$(A\cup B)\cap B^C=(A\cap B^C)\cup(B\cap B^C)$
$=(A\cap B^C)\cup\varnothing$
$=A\cap B^C=A-B$
이므로 $(A\cup B)\cap B^C=\varnothing$에서
$A-B=\varnothing$ $\therefore A\subset B$
ㄱ. $A\cap B=A$ (참)
ㄴ. $A\cup B=B$ (거짓)

ㄷ. 항상 $A-B=\varnothing$은 성립하지만 항상 $B-A=\varnothing$인 것은 아니다. (거짓)
ㄹ. $A^C \cup B=U$ (참)
따라서 항상 옳은 것은 ㄱ, ㄹ이다.

답 ㄱ, ㄹ

08-2

$(A\cap B)\cup(B-A)=(A\cap B)\cup(B\cap A^C)$
$=B\cap(A\cup A^C)$
$=B\cap U=B$
이므로 $\{(A\cap B)\cup(B-A)\}\cup A=A$에서
$B\cup A=A$ $\quad\therefore B\subset A$
따라서 항상 옳은 것은 ④이다.

참고
$B\subset A$이면
② $A\cap B=B$ ⑤ $A^C\subset B^C$

답 ④

08-3

주어진 등식의 좌변을 간단히 하면
$(A\cup B)-(A^C\cap B)=(A\cup B)\cap(A^C\cap B)^C$
$=(A\cup B)\cap(A\cup B^C)$
$=A\cup(B\cap B^C)$
$=A\cup\varnothing=A$
이므로 $(A\cup B)-(A^C\cap B)=A\cup B$에서
$A=A\cup B$ $\quad\therefore B\subset A$
따라서 A, B 사이의 관계를 바르게 나타낸 것은 ③이다.

답 ③

09-1

$A\triangle B=(A-B)\cup(B-A)=\varnothing$이므로
$A-B=\varnothing$이고 $B-A=\varnothing$이어야 한다.
즉, $A\subset B$이고 $B\subset A$이므로 $A=B$이다.
ㄱ. $A\cup B=A\cup A=A$ (거짓)
ㄴ. $A\cap B=A\cap A=A$ (참)
ㄷ. $A\cap B^C=A\cap A^C=\varnothing$ (참)
ㄹ. $A\cup B^C=A\cup A^C=U$ (참)
따라서 항상 옳은 것은 ㄴ, ㄷ, ㄹ이다.

답 ㄴ, ㄷ, ㄹ

09-2

주어진 연산을 정리하면
$A\circledcirc B=(A\cup B)\cap B^C$
$=(A\cap B^C)\cup(B\cap B^C)$
$=(A\cap B^C)\cup\varnothing$
$=A\cap B^C$
$=A-B$
ㄱ. $A\circledcirc A=A-A=\varnothing$ (거짓)
ㄴ. $A\circledcirc A^C=A-A^C=A\cap A=A$ (거짓)
ㄷ. $A\circledcirc\varnothing=A-\varnothing=A$ (참)
ㄹ. $A\circledcirc U=A-U=\varnothing$ (거짓)
ㅁ. $A\circledcirc B^C=A-B^C=A\cap(B^C)^C$
$=A\cap B$ (참)
ㅂ. $A^C\circledcirc B^C=A^C-B^C=A^C\cap(B^C)^C=A^C\cap B$
$=B-A=B\circledcirc A$ (참)
따라서 항상 옳은 것은 ㄷ, ㅁ, ㅂ이다.

답 ㄷ, ㅁ, ㅂ

09-3

$A*B=A\cup(A\cup B)^C$
$=A\cup(A^C\cap B^C)$
$=(A\cup A^C)\cap(A\cup B^C)$
$=U\cap(A\cup B^C)$
$=A\cup B^C$
$A*(A*B)=A*(A\cup B^C)$
$=A\cup(A\cup B^C)^C$
$=A\cup(A^C\cap B)$
$=(A\cup A^C)\cap(A\cup B)$
$=U\cap(A\cup B)$
$=A\cup B$

답 ⑤

09-4

$A_9=\{1, 3, 9\}$, $A_{12}=\{1, 2, 3, 4, 6, 12\}$이므로
$A_9\triangle A_{12}=\{9\}\cup\{2, 4, 6, 12\}$
$=\{2, 4, 6, 9, 12\}$
또한 $A_8=\{1, 2, 4, 8\}$이므로
$(A_9\triangle A_{12})\triangle A_8=\{6, 9, 12\}\cup\{1, 8\}$
$=\{1, 6, 8, 9, 12\}$
따라서 집합 $(A_9\triangle A_{12})\triangle A_8$의 모든 원소의 합은
$1+6+8+9+12=36$

답 36

03 유한집합의 원소의 개수

개념 CHECK

본문 271쪽

01 21 **02** 24 **03** 3 **04** 60
05 $n(A\cup B)=60$, $n(A\cap B)=14$

01

$n(A\cup B)=n(A)+n(B)-n(A\cap B)$에서
$70=54+37-n(A\cap B)$
$\therefore n(A\cap B)=21$

답 21

02

두 집합 A, B는 서로소이므로
$n(A\cup B)=n(A)+n(B)=16+8=24$

답 24

03

$$n(A\cup B\cup C)=n(A)+n(B)+n(C)-n(A\cap B)-n(B\cap C)-n(C\cap A)+n(A\cap B\cap C)$$
$74=30+30+30-19+n(A\cap B\cap C)$
$\therefore n(A\cap B\cap C)=3$

답 3

04

$n(A^C)=n(U)-n(A)$에서
$48=n(U)-12$ $\quad\therefore n(U)=60$

답 60

05

$n(A\cup B)=n(A-B)+n(B)=36+24=60$
$n(A\cap B)=n(A)-n(A-B)=50-36=14$

답 $n(A\cup B)=60$, $n(A\cap B)=14$

유제

본문 272~275쪽

10-1 35 **10-2** 17 **10-3** 82 **10-4** 22
11-1 최댓값: 9, 최솟값: 6 **11-2** 39 **11-3** 17
11-4 24

10-1

$A^C\cap B^C=(A\cup B)^C$이므로
$n(A^C\cap B^C)=n((A\cup B)^C)$
$=n(U)-n(A\cup B)$
$\therefore n(A\cup B)=n(U)-n(A^C\cap B^C)$
$=30-9=21$
$n(A\cup B)=n(A)+n(B)-n(A\cap B)$에서
$n(A)+n(B)=n(A\cup B)+n(A\cap B)$
$=21+14=35$

답 35

10-2

두 집합 A와 C가 서로소이므로
$A\cap C=\varnothing$, $A\cap B\cap C=\varnothing$
$\therefore n(A\cap C)=0$, $n(A\cap B\cap C)=0$
또한
$n(A\cap B)=n(A)+n(B)-n(A\cup B)$
$=10+9-15=4$
$n(B\cap C)=n(B)+n(C)-n(B\cup C)$
$=9+7-11=5$
이므로
$n(A\cup B\cup C)$
$=n(A)+n(B)+n(C)-n(A\cap B)-n(B\cap C)-n(C\cap A)+n(A\cap B\cap C)$
$=10+9+7-4-5-0+0$
$=17$

답 17

10-3

이 학교 학생 100명의 집합을 U, 이 중 음악과 미술을 좋아하는 학생의 집합을 각각 A, B라 하면
$n(U)=100$, $n(A\cap B)=8$, $n(A^C\cap B^C)=10$
$A^C\cap B^C=(A\cup B)^C$이므로
$n(A^C\cap B^C)=n((A\cup B)^C)$
$=n(U)-n(A\cup B)$
$\therefore n(A\cup B)=n(U)-n(A^C\cap B^C)$
$=100-10=90$
음악과 미술 중 하나만 좋아하는 학생의 집합은
$(A\cup B)-(A\cap B)$이므로 구하는 학생 수는
$n(A\cup B)-n(A\cap B)=90-8=82$

답 82

10-4

수강생 전체의 집합을 U, 자격증 A를 취득한 수강생의 집합

을 A, 자격증 B를 취득한 수강생의 집합을 B, 자격증 C를 취득한 수강생의 집합을 C라 하면
$n(U)=35$, $n(A)=21$, $n(B)=18$, $n(C)=15$
세 자격증 A, B, C를 모두 취득한 수강생의 집합은 $A\cap B\cap C$이므로
$n(A\cap B\cap C)=0$
또한 세 종류의 자격증 중 어느 자격증도 취득하지 못한 수강생의 집합은 $(A\cup B\cup C)^C$이므로
$n((A\cup B\cup C)^C)=3$
$\therefore n(A\cup B\cup C)=n(U)-n((A\cup B\cup C)^C)$
$=35-3=32$
한편, 자격증 A, B, C 중 두 종류의 자격증만 취득한 학생의 수를 a라 하면
$a=n(A\cap B)+n(B\cap C)+n(C\cap A)-3n(A\cap B\cap C)$
$=n(A\cap B)+n(B\cap C)+n(C\cap A)$
따라서
$n(A\cup B\cup C)$
$=n(A)+n(B)+n(C)-n(A\cap B)-n(B\cap C)$
$-n(C\cap A)+n(A\cap B\cap C)$
$=n(A)+n(B)+n(C)-a$
에서 $32=21+18+15-a$
$\therefore a=22$
따라서 세 자격증 A, B, C 중 두 종류의 자격증만 취득한 수강생 수는 22이다.

답 22

11-1

$n(A)=9$, $n(B)=12$이므로
$n(A\cup B)=n(A)+n(B)-n(A\cap B)$, 즉
$n(A\cap B)=n(A)+n(B)-n(A\cup B)$ …… ㉠
에서 $n(A)+n(B)$의 값은 $9+12=21$로 일정하다.
따라서 $n(A\cap B)$의 최댓값과 최솟값은 $n(A\cup B)$에 의해 결정된다.
(i) $n(A\cap B)$가 최댓값을 가질 때
㉠에 의하여 $n(A\cup B)$가 최소이어야 한다.
이때 주어진 조건에서 $n(A)\le n(B)$이므로
$n(A\cup B)$가 최소이려면 $A\subset B$이어야 한다.
따라서 $n(A\cap B)$의 최댓값은
$n(A)=9$
(ii) $n(A\cap B)$가 최솟값을 가질 때
㉠에 의하여 $n(A\cup B)$가 최대이어야 한다.
이때 $n(A\cup B)$가 최대이려면 $A\cup B=U$이어야 한다.
따라서 $n(A\cap B)$의 최솟값은
$n(A)+n(B)-n(U)=9+12-15=6$
(i), (ii)에 의하여 $n(A\cap B)$의 최댓값은 9, 최솟값은 6이다.

다른 풀이
$A\subset(A\cup B)$, $B\subset(A\cup B)$이므로
$n(A)\le n(A\cup B)$, $n(B)\le n(A\cup B)$
$\therefore n(A\cup B)\ge 12$ …… ㉠
$(A\cup B)\subset U$이므로 $n(A\cup B)\le n(U)$
$\therefore n(A\cup B)\le 15$ …… ㉡
㉠, ㉡에서
$12\le n(A\cup B)\le 15$
$12\le 9+12-n(A\cap B)\le 15$
$\therefore 6\le n(A\cap B)\le 9$
따라서 $n(A\cap B)$의 최댓값은 9, 최솟값은 6이다.

답 최댓값: 9, 최솟값: 6

11-2

$n(A)=15$, $n(B)=13$이므로
$n(A\cup B)=n(A)+n(B)-n(A\cap B)$ …… ㉠
에서 $n(A)+n(B)$의 값은 $15+13=28$로 일정하다.
따라서 $n(A\cup B)$의 최댓값과 최솟값은 $n(A\cap B)$에 의해 결정된다.
(i) $n(A\cup B)$가 최댓값을 가질 때
㉠에 의하여 $n(A\cap B)$가 최소이어야 한다.
이때 주어진 조건에서 $n(A\cap B)\ge 4$이므로
$n(A\cap B)=4$일 때 $n(A\cup B)$는 최댓값을 갖는다.
따라서 $n(A\cup B)$의 최댓값은
$28-4=24$
(ii) $n(A\cup B)$가 최솟값을 가질 때
㉠에 의하여 $n(A\cap B)$가 최대이어야 한다.
이때 주어진 조건에서 $n(A)\ge n(B)$이므로
$n(A\cap B)$가 최대이려면 $B\subset A$이어야 한다.
따라서 $n(A\cup B)$의 최솟값은
$28-n(B)=28-13=15$
(i), (ii)에 의하여 $n(A\cup B)$의 최댓값과 최솟값의 합은
$24+15=39$

답 39

11-3

$n(A-B)=n(A)-n(A\cap B)$
$=27-n(A\cap B)$ …… ㉠
이므로 $n(A-B)$가 최대인 경우는 $n(A\cap B)$가 최소일 때이다.
또한 $n(A\cup B)=n(A)+n(B)-n(A\cap B)$에서
$n(A\cap B)=n(A)+n(B)-n(A\cup B)$
$=27+23-n(A\cup B)$
$=50-n(A\cup B)$

이므로 $n(A\cap B)$가 최소인 경우는 $n(A\cup B)$가 최대일 때, 즉 $A\cup B=U$일 때이다.
따라서 $n(A\cup B)=n(U)=40$일 때 $n(A\cap B)$는 최솟값 $50-40=10$을 갖는다.
이를 ㉠에 대입하면 $n(A-B)$의 최댓값은
$27-10=17$

답 17

11-4

학급 전체 학생의 집합을 U, 수학을 신청한 학생의 집합을 A, 영어를 신청한 학생의 집합을 B라 하면
$n(U)=30$, $n(A)=24$, $n(B)=15$
또한 수학과 영어를 모두 신청한 학생의 집합은 $A\cap B$이다.
$n(A\cup B)=n(A)+n(B)-n(A\cap B)$, 즉
$n(A\cap B)=n(A)+n(B)-n(A\cup B)$ ...... ㉠
에서 $n(A)+n(B)$의 값은 $24+15=39$로 일정하다.
따라서 $n(A\cap B)$의 최댓값과 최솟값은 $n(A\cup B)$에 의해 결정된다.
(i) $n(A\cap B)$가 최댓값을 가질 때
㉠에 의하여 $n(A\cup B)$가 최소이어야 한다.
이때 주어진 조건에서 $n(A)\geq n(B)$이므로 $n(A\cup B)$가 최소이려면 $B\subset A$이어야 한다.
따라서 $n(A\cap B)$의 최댓값은
$n(B)=15$
(ii) $n(A\cap B)$가 최솟값을 가질 때
㉠에 의하여 $n(A\cup B)$가 최대이어야 한다.
이때 $n(A\cup B)$가 최대이려면 $A\cup B=U$이어야 한다.
따라서 $n(A\cap B)$의 최솟값은
$n(A)+n(B)-n(U)=39-30=9$
(i), (ii)에서 구하는 최댓값과 최솟값의 합은
$15+9=24$

답 24

중단원 연습문제

본문 276~280쪽

01 27	02 5	03 4	04 ⑤
05 ㄴ, ㄷ	06 4	07 12	08 ㄱ, ㄹ
09 ②	10 ⑤	11 3	12 4
13 4	14 24	15 2	16 16
17 {1, 4, 5, 6, 8}		18 12	19 ④
20 9			

01

$U=\{1, 2, 3, \cdots, 9\}$의 두 부분집합 A, B가
$A=\{2, 4, 6, 8\}$, $B=\{2, 3, 5, 7\}$이므로
$A-B=\{4, 6, 8\}$
$\therefore (A-B)^C=\{1, 2, 3, 5, 7, 9\}$
따라서 집합 $(A-B)^C$의 모든 원소의 합은
$1+2+3+5+7+9=27$

답 27

02

$A\cap B^C=\{5, 8\}$, 즉 $A-B=A-(A\cap B)=\{5, 8\}$이므로
$A\cap B=\{2\}$
따라서 $2\in B$이므로 $a-3=2$
$\therefore a=5$

답 5

03

$|x-a|<3$에서 $-3<x-a<3$
$\therefore a-3<x<a+3$
$\therefore B=\{x|a-3<x<a+3\}$
이때 두 집합 A, B가 서로소, 즉 $A\cap B=\varnothing$이 되도록 두 집합 A, B를 수직선 위에 나타내면 오른쪽 그림과 같으므로
$2a-7\leq a-3$
$\therefore a\leq 4$
따라서 a의 최댓값은 4이다.

답 4

04

$B-A=\{5, 6\}$에서 $B-A$의 모든 원소의 합은
$5+6=11$
집합 B의 모든 원소의 합이 12가 되려면
$A\cap B=\{1\}$이어야 한다.
이때 $A=\{1, 2, 3, 4\}$이므로 두 집합 A, B를 벤다이어그램으로 나타내면 오른쪽 그림과 같고

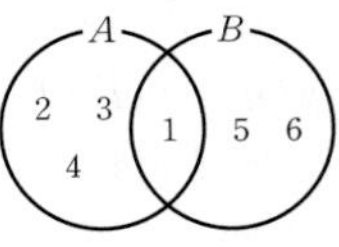

$A-B=\{2, 3, 4\}$
따라서 집합 $A-B$의 모든 원소의 합은
$2+3+4=9$

답 ⑤

05

$B-A=B$이면 $A\cap B=\varnothing$이므로 이를 벤다이어그램으로 나타내면 오른쪽 그림과 같다.

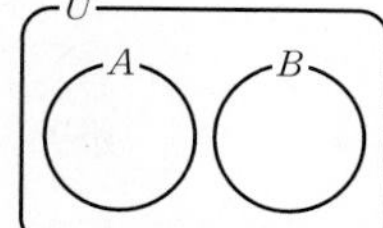

ㄱ. $A^C \not\subset B$ (거짓)

ㄴ. $A\cup B^C=B^C$ (참)

ㄷ. $B^C-A^C=B^C\cap(A^C)^C=B^C\cap A=A-B=A$ (참)

ㄹ. $A\cap B^C=A$, $A^C\cap B=B$이므로
$(A\cap B^C)\cup(A^C\cap B)=A\cup B$ (거짓)

따라서 항상 옳은 것은 ㄴ, ㄷ이다.

답 ㄴ, ㄷ

06

$U=\{2, 3, 5, 7, 11, 13\}$

$A-X=\varnothing$이므로 $A\subset X$ $\quad\therefore \{2, 5\}\subset X$

$(B-A)\subset X^C$에서 $\{3, 11\}\subset X^C$

즉, 집합 X는 집합 $U=\{2, 3, 5, 7, 11, 13\}$의 부분집합 중 2, 5를 반드시 원소로 갖고, 3, 11은 원소로 갖지 않는 부분집합이다.

따라서 구하는 집합 X의 개수는

$2^{6-2-2}=2^2=4$

답 4

07

$U=\{1, 2, 3, 4, 5, 6, 7, 8, 9\}$

드모르간의 법칙에 의하여

$A^C\cap B^C=(A\cup B)^C=\{1, 5, 7\}$

이므로 $A\cup B=\{2, 3, 4, 6, 8, 9\}$

이때 $A=\{2, 4, 6, 8\}$에서

$\{3, 9\}\subset B$

집합 B의 모든 원소의 합이 최소가 되려면 $A\cap B=\varnothing$이어야 하므로 이 경우 $B=\{3, 9\}$이다.

따라서 집합 B의 모든 원소의 합의 최솟값은

$3+9=12$

답 12

08

$\{(B-A)\cup(A\cup B)^C\}\cup B^C$

$=\{(B\cap A^C)\cup(A^C\cap B^C)\}\cup B^C$

$=\{A^C\cap(B\cup B^C)\}\cup B^C$

$=(A^C\cap U)\cup B^C$

$=A^C\cup B^C$

이므로 $\{(B-A)\cup(A\cup B)^C\}\cup B^C=A^C$에서

$A^C\cup B^C=A^C$

따라서 $B^C\subset A^C$이므로 $A\subset B$이고, 전체집합 U에 대하여 두 부분집합 A, B를 벤다이어그램으로 나타내면 오른쪽 그림과 같다.

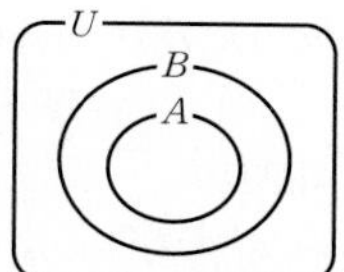

ㄱ. $A-B=\varnothing$ (참)

ㄴ. $A\cup B^C\neq U$ (거짓)

ㄷ. $A\neq B$ (거짓)

ㄹ. $A\cap B=A$ (참)

따라서 옳은 것은 ㄱ, ㄹ이다.

답 ㄱ, ㄹ

09

$A\triangledown B=(A\cup B^C)\cap(B\cup A^C)$

$=(A^C\cap B)^C\cap(B^C\cap A)^C$

$=(B-A)^C\cap(A-B)^C$

따라서 집합 $(A\triangledown B)\triangledown A$를 벤다이어그램으로 나타내면 다음 그림과 같다.

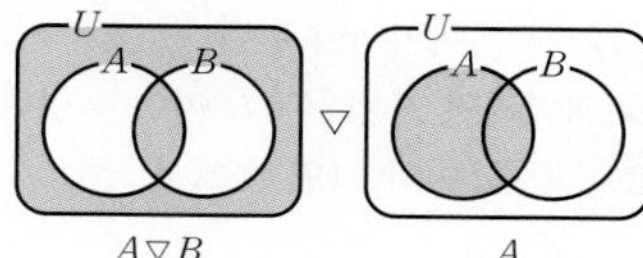

$\therefore (A\triangledown B)\triangledown A=B$

답 ②

10

$A=\{x\,|\,x$는 홀수$\}=\{1, 3, 5, \cdots, 99\}$에서

$n(A)=50$

$B=\{x\,|\,x$는 7의 배수$\}=\{7, 14, 21, \cdots, 98\}$에서

$n(B)=14$

이때 $A\cap B=\{7, 21, 35, 49, 63, 77, 91\}$에서

$n(A\cap B)=7$이므로

$n(A\cup B)=n(A)+n(B)-n(A\cap B)$

$=50+14-7=57$

답 ⑤

11

학생 전체의 집합을 U, 야구를 좋아하는 학생의 집합을 A, 축구를 좋아하는 학생의 집합을 B라 하면

$n(U)=23$, $n(A)=16$, $n(B)=9$

야구와 축구를 모두 좋아하는 학생의 집합은 $A\cap B$이므로

$n(A\cap B)=5$

이때 야구와 축구 중 어떤 것도 좋아하지 않는 학생의 집합은 $A^C\cap B^C$, 즉 $(A\cup B)^C$이고

$n(A\cup B)=n(A)+n(B)-n(A\cap B)$
$=16+9-5=20$
이므로
$n(A^C\cap B^C)=n((A\cup B)^C)$
$=n(U)-n(A\cup B)$
$=23-20=3$
따라서 야구와 축구 중 어떤 것도 좋아하지 않는 학생은 3명이다.

답 3

12

$n(A)=5$, $n(A\cap B)=2$이므로
$n(A\cup B)=n(A)+n(B)-n(A\cap B)$ ...... ㉠
에서 $n(A)-n(A\cap B)$의 값은 $5-2=3$으로 일정하다.
따라서 $n(B)$의 최댓값과 최솟값은 $n(A\cup B)$에 의해 결정된다.
(i) $n(B)$가 최댓값을 가질 때
㉠에 의하여 $n(A\cup B)$가 최대이어야 한다.
이때 $n(A\cup B)$가 최대이려면 $A\cup B=U$이어야 한다.
따라서 $n(B)$의 최댓값을 M이라 하면 ㉠에서
$9=5+M-2$ $\therefore M=6$
(ii) $n(B)$가 최솟값을 가질 때
㉠에 의하여 $n(A\cup B)$가 최소이어야 한다.
이때 $n(A\cup B)$가 최소이려면 $B\subset A$이어야 한다.
따라서 $n(B)$의 최솟값을 m이라 하면 ㉠에서
$5=5+m-2$ $\therefore m=2$
(i), (ii)에서 $M-m=6-2=4$

답 4

13

집합 $(A-B)\cup(B-A)$는 오른쪽 벤 다이어그램에서 색칠한 부분과 같고 $5\in B$, $5\notin\{(A-B)\cup(B-A)\}$이므로

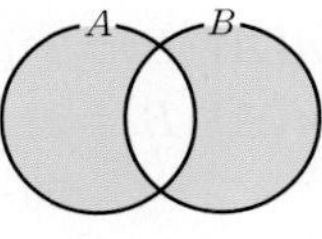

$5\in(A\cap B)$ $\therefore 5\in A$
즉, $a-1=5$ 또는 $a+1=5$이므로
$a=6$ 또는 $a=4$
(i) $a=6$일 때
$A=\{2, 5, 7\}$, $B=\{1, 2, 5\}$이므로
$(A-B)\cup(B-A)=\{1, 7\}$
즉, 주어진 조건을 만족시키지 않는다.
(ii) $a=4$일 때
$A=\{2, 3, 5\}$, $B=\{-1, 2, 5\}$이므로
$(A-B)\cup(B-A)=\{-1, 3\}$
(i), (ii)에서 $a=4$

답 4

14

$U=\{1, 2, 3, 4, 5\}$
$\{2, 5\}\cap A\neq\varnothing$을 만족시키려면 집합 A는 2, 5 중 적어도 하나를 원소로 가져야 한다.
따라서 구하는 집합 A의 개수는 전체 부분집합의 개수에서 2, 5를 원소로 갖지 않는 부분집합의 개수를 뺀 것과 같으므로
$2^5-2^{5-2}=32-8=24$

답 24

15

$A\cap X=X$에서 $X\subset A$
$(A\cap B)\cup X=X$에서 $(A\cap B)\subset X$
$\therefore (A\cap B)\subset X\subset A$
즉, 집합 X는 집합 A의 부분집합 중 집합 $A\cap B$의 원소를 모두 원소로 갖는 집합이다.
이때 조건을 만족시키는 집합 X의 개수가 4이므로
$n(A\cap B)=k$라 하면
$2^{4-k}=4=2^2$, $4-k=2$ $\therefore k=2$
이때 a는 자연수이므로 집합 B의 원소는 1보다 크고 연속하는 세 자연수이고, $n(A\cap B)=2$이므로 $A\cap B=\{3, 4\}$이어야 한다.
따라서 $B=\{3, 4, 5\}$이므로 $a+1=3$
$\therefore a=2$

답 2

16

$A\cup(A^C\cap B)=(A\cup A^C)\cap(A\cup B)$
$=U\cap(A\cup B)=A\cup B$
$B^C\cup(A^C\cap B^C)^C=B^C\cup(A\cup B)$
$=A\cup(B\cup B^C)$
$=A\cup U=U$
$\therefore \{A\cup(A^C\cap B)\}\cap\{B^C\cup(A^C\cap B^C)^C\}$
$=(A\cup B)\cap U=A\cup B$
즉, $A\cup B=A$이므로 $B\subset A$
따라서 집합 B는 집합 $A=\{2, 3, 5, 7\}$의 부분집합이므로 그 개수는 $2^4=16$

답 16

17

$A^C☆B^C=(A^C\cup B^C)\cap(A^C\cap B^C)^C$
$=(A\cap B)^C\cap(A\cup B)$

$=(A\cup B)\cap(A\cap B)^C$
$=(A\cup B)-(A\cap B)$
이때 $(A\cup B)-(A\cap B)=\{2, 4, 6, 8, 10\}$이고 $A=\{1, 2, 5, 10\}$이므로 이를 벤다이어그램으로 나타내면 오른쪽 그림과 같다.

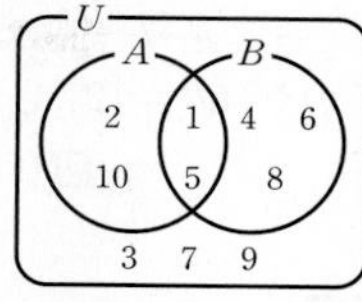

$\therefore B=\{1, 4, 5, 6, 8\}$

답 $\{1, 4, 5, 6, 8\}$

18

학생 전체의 집합을 U, 사과를 좋아하는 학생의 집합을 A, 바나나를 좋아하는 학생의 집합을 B라 하면
$n(U)=25$, $n(A)=13$, $n(B)=17$
바나나만 좋아하는 학생의 집합은 $B-A$이고
$n(B-A)=n(B)-n(A\cap B)$ ...... ㉠
이때 $n(B)$의 값은 일정하므로
$n(B-A)$가 최댓값을 가지려면 $n(A\cap B)$가 최소이어야 한다.
$n(A\cap B)$가 최소인 경우는 $A\cup B=U$일 때이므로
$n(A\cap B)$의 최솟값을 m이라 하면
$n(A\cap B)=n(A)+n(B)-n(A\cup B)$에서
$m=13+17-25=5$
따라서 $n(A\cap B)$의 최솟값은 5이므로 ㉠에서 구하는 최댓값은
$17-5=12$

답 12

19

학생 전체의 집합을 U라 하면
$n(A\cup B\cup C)=n(U)-n(A^C\cap B^C\cap C^C)$
$=100-7=93$
$n(A\cap B\cap C)=x$, $n((B\cap C)-A)=y$라 하자.

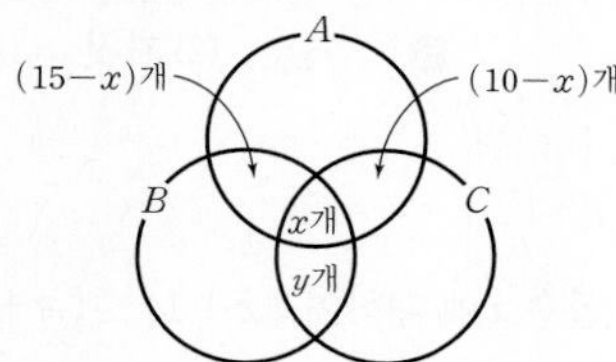

$n(B\cap C)=x+y$이므로
$n(A\cup B\cup C)=n(A)+n(B)+n(C)$
$-n(A\cap B)-n(B\cap C)-n(C\cap A)$
$+n(A\cap B\cap C)$
$=40+35+52-15-(x+y)-10+x$
$=102-y=93$
$\therefore y=9$

두 문제 이상 맞힌 학생의 수는
$(15-x)+(10-x)+x+y=34-x$ ...... ㉠
이때 $x\geq0$이고 $10-x\geq0$이어야 하므로
$0\leq x\leq10$
따라서 ㉠은 $x=10$일 때 최솟값 24를 갖는다.

답 ④

20

조건 (가)에서 $n(A)=3$이므로 세 자연수 a, b, c $(a<b<c)$에 대하여 $A=\{a, b, c\}$라 하자.
이때 조건 (가)에서 $n(B)=3$이므로 조건 (나)에 의하여
$B=\{a+k, b+k, c+k\}$
또한 집합 B는 자연수 전체의 집합의 부분집합이므로 k는 정수이고 $a+k\geq1$이다.
한편, 조건 (다)에 의하여 $B-A=\{1\}$이고, 1은 자연수 중 가장 작은 수이므로 $a>1$이고 k는 음수이다.
또한 $n(B-A)=1$에서 $n(A\cap B)=2$이므로 $a+k=1$이고 $a=b+k$, $b=c+k$

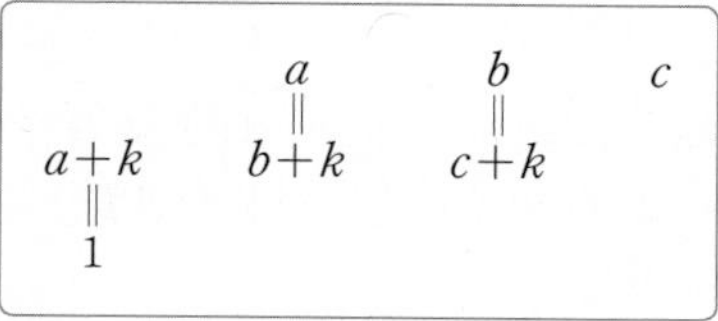

$a=1-k$, $b=1-2k$, $c=1-3k$ ...... ㉠
이때 집합 A의 모든 원소의 합이 15이므로
$a+b+c=15$
위의 식에 ㉠을 대입하면
$(1-k)+(1-2k)+(1-3k)=15$, $3-6k=15$
$6k=-12$ $\therefore k=-2$
이를 ㉠에 대입하면 $a=3$, $b=5$, $c=7$이므로
$A=\{3, 5, 7\}$이고 $B=\{1, 3, 5\}$이다.
따라서 집합 B의 모든 원소의 합은
$1+3+5=9$

답 9

07 명제

01 명제와 조건

개념 CHECK

본문 290쪽

01 (1) 참인 명제 (2) 참인 명제 (3) 명제가 아니다. (4) 거짓인 명제

02 (1) $\{1, 3, 5\}$ (2) $\{1, 2, 3, 5\}$ (3) $\{4, 6\}$

03 (1) 거짓 (2) 거짓 (3) 참 (4) 거짓

04 (1) 풀이 참조 (2) 풀이 참조 (3) 풀이 참조 (4) 풀이 참조 (5) 풀이 참조

01

(1) $\sqrt{9}=3$은 자연수이고 자연수는 유리수이므로 참인 명제이다.

(2) 직사각형의 두 대각선의 길이는 같으므로 참인 명제이다.

(3) x의 값이 정해지지 않아 참, 거짓을 판별할 수 없으므로 명제가 아니다.

(4) $\frac{1}{3}+\frac{1}{4}=\frac{7}{12}>\frac{5}{12}$이므로 거짓인 명제이다.

참고

실수의 분류

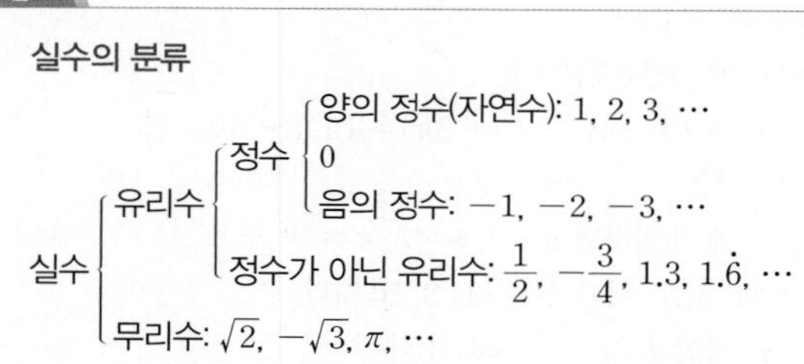

답 (1) 참인 명제 (2) 참인 명제 (3) 명제가 아니다. (4) 거짓인 명제

02

두 조건 p, q의 진리집합을 각각 P, Q라 하면
$P=\{2, 4, 6\}$, $Q=\{2, 3\}$

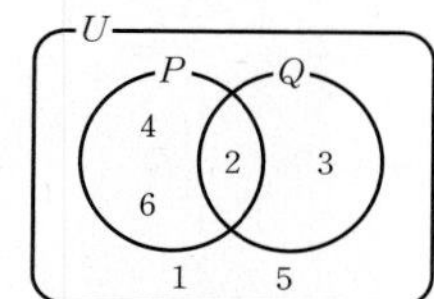

(1) 조건 $\sim p$의 진리집합은
$P^C=\{1, 3, 5\}$

(2) 조건 '$\sim p$ 또는 q'의 진리집합은
$P^C \cup Q=\{1, 3, 5\}\cup\{2, 3\}=\{1, 2, 3, 5\}$

(3) 조건 'p 그리고 $\sim q$'의 진리집합은 $P\cap Q^C$이므로
$P\cap Q^C=\{2, 4, 6\}\cap\{1, 4, 5, 6\}=\{4, 6\}$

답 (1) $\{1, 3, 5\}$ (2) $\{1, 2, 3, 5\}$ (3) $\{4, 6\}$

03

(1) 명제의 가정을 p, 결론을 q라 할 때 두 조건 p, q의 진리집합을 각각 P, Q라 하자.
$P=\{-3, -1\}$, $Q=\{-1\}$에서 $P\not\subset Q$이므로
명제 $p \longrightarrow q$는 거짓이다.

(2) 명제의 가정을 p, 결론을 q라 할 때 두 조건 p, q의 진리집합을 각각 P, Q라 하자.
두 집합 $P=\{x\mid -1\le x\le 4\}$, $Q=\{x\mid -2<x<4\}$를 수직선 위에 나타내면 그림과 같이 $P\not\subset Q$이므로 명제 $p \longrightarrow q$는 거짓이다.

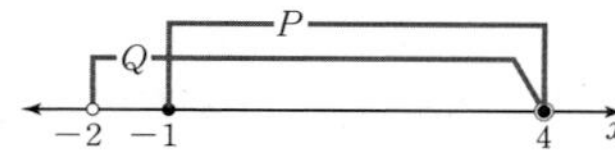

(3) 두 정삼각형은 항상 닮음이고 넓이가 같으면 한 변의 길이가 같으므로 두 정삼각형은 합동이다. 따라서 주어진 명제는 참이다.

(4) $xz<yz$에서 $z<0$이면 $x>y$이므로 주어진 명제는 거짓이다.

참고

(3)에서 정삼각형이 아닌 삼각형으로 주어진 명제 '두 삼각형의 넓이가 같으면 두 삼각형은 합동이다.'는 거짓이다.
[반례] 다음 두 삼각형은 넓이가 6으로 같지만, 합동이 아니다.

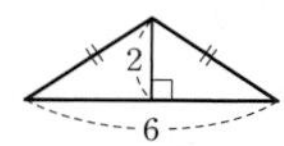

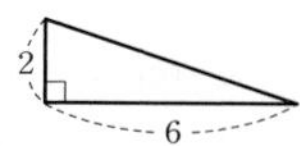

답 (1) 거짓 (2) 거짓 (3) 참 (4) 거짓

04

(1) 부정: 모든 실수 x에 대하여 $|x+1|\le(x+1)^2$이다. (거짓)
[반례] $x=-\frac{1}{2}$이면 $|x+1|=\frac{1}{2}$, $(x+1)^2=\frac{1}{4}$이므로 $|x+1|>(x+1)^2$이다.

(2) 부정: 어떤 12의 양의 약수는 4의 양의 배수가 아니다. (참)
[예] 6은 12의 양의 약수이지만 4의 양의 배수가 아니다.

(3) 부정: 모든 9의 양의 약수는 홀수이다. (참)
[증명] 9의 양의 약수는 1, 3, 9이고, 모두 홀수이다.

(4) 부정: 어떤 실수 x에 대하여 $x^2+2x-1<0$이다. (참)
[예] $x=0$이면 $x^2+2x-1=-1$이므로
$x^2+2x-1<0$이다.
(5) 부정: 어떤 자연수 n에 대하여 $2n+3$은 홀수이다. (참)
[예] $n=1$이면 $2n+3=5$이고, 5는 홀수이다.

답 (1) 풀이 참조 (2) 풀이 참조 (3) 풀이 참조 (4) 풀이 참조 (5) 풀이 참조

유제

본문 292~303쪽

01-1 (1) 거짓인 명제 (2) 참인 명제 (3) 명제가 아니다. (4) 명제가 아니다. (5) 거짓인 명제
01-2 ㄱ, ㄴ, ㄷ **01-3** ④ **01-4** ⑤
02-1 (1) 풀이 참조 (2) 풀이 참조 (3) 풀이 참조 (4) 풀이 참조 **02-2** ⑤
02-3 ㄷ, ㄹ **02-4** ④
03-1 (1) {1, 2, 3, 4, 6, 8, 9, 10} (2) {5, 7} (3) {2, 8, 9, 10}
03-2 3 **03-3** ③ **03-4** 4
04-1 (1) 참 (2) 거짓 (3) 거짓 (4) 참
04-2 17 **04-3** ㄹ, ㅁ **04-4** ㄱ, ㄴ, ㄹ, ㅁ
05-1 $-4<a<-2$ **05-2** -4 **05-3** 9
05-4 45 **06-1** ㄱ, ㄷ
06-2 (1) 풀이 참조 (2) 풀이 참조 (3) 풀이 참조 (4) 풀이 참조
06-3 6 **06-4** 3

01-1

(1) [반례] 홀수 중 9는 소수가 아니므로 거짓인 명제이다.
(2) 정삼각형은 이등변삼각형이므로 참인 명제이다.
(3) '가깝다.'의 기준이 명확하지 않아 참, 거짓을 판별할 수 없으므로 명제가 아니다.
(4) $3x-2>2x+1$에서 x의 값이 정해지지 않아 참, 거짓을 판별할 수 없으므로 명제가 아니다.
(5) [반례] 무리수 중 $\sqrt{2}+1$을 제곱한 값은
$(\sqrt{2}+1)^2=3+2\sqrt{2}$로 무리수이므로 거짓인 명제이다.

답 (1) 거짓인 명제 (2) 참인 명제 (3) 명제가 아니다. (4) 명제가 아니다. (5) 거짓인 명제

01-2

ㄱ. 거짓인 명제이다.
ㄴ. $x+2=x-2$에서 $2=-2$이므로 거짓인 명제이다.
ㄷ. $-3x=x-4x$에서 $-3x=-3x$이므로 참인 명제이다.
ㄹ. x의 값이 정해지지 않아 참, 거짓을 판별할 수 없으므로 명제가 아니다.
따라서 명제인 것은 ㄱ, ㄴ, ㄷ이다.

답 ㄱ, ㄴ, ㄷ

01-3

① 정오각형의 한 내각의 크기는 $\frac{180°\times(5-2)}{5}=108°$이므로 거짓인 명제이다.
② $x<y$이면 $x+3<y+3$이므로 거짓인 명제이다.
③ $\pi=3.14\cdots$는 4보다 작으므로 거짓인 명제이다.
④ 참인 명제이다.
⑤ 한 변의 길이가 서로 다른 정사각형끼리는 합동이 아니므로 거짓인 명제이다.
따라서 참인 명제는 ④이다.

답 ④

01-4

① 참인 명제이다.
② 4의 양의 약수는 1, 2, 4의 3개이므로 참인 명제이다.
③ '많다.'의 기준이 분명하지 않아 참, 거짓을 판별할 수 없으므로 명제가 아니다.
④ 참인 명제이다.
⑤ 두 실수 a, b에 대하여 $ab>0$이면 '$a>0$이고 $b>0$' 또는 '$a<0$이고 $b<0$'이므로 거짓인 명제이다.
따라서 거짓인 명제는 ⑤이다.

답 ⑤

02-1

(1) $\sqrt{5}$는 무리수가 아니다.
(2) $x\notin A$ 또는 $x\notin B$
(3) $x\neq-3$이고 $x\neq2$
(4) x, y는 모두 양수가 아니다.

답 (1) 풀이 참조 (2) 풀이 참조 (3) 풀이 참조 (4) 풀이 참조

02-2

실수 x, y에 대하여 '$x^2+y^2=0$'은 '$x=0$이고 $y=0$'이므로 주어진 조건의 부정은 '$x\neq0$ 또는 $y\neq0$'이다.

답 ⑤

02-3

각 명제의 부정과 그 참, 거짓은 다음과 같다.

ㄱ. 2는 소수가 아니다. (거짓)
ㄴ. 직사각형은 평행사변형이 아니다. (거짓)
ㄷ. $4^2 \le (-4)^2$ (참)
ㄹ. 16은 3의 배수도 아니고 6의 배수도 아니다. (참)
따라서 부정이 참인 명제는 ㄷ, ㄹ이다.

답 ㄷ, ㄹ

02-4

$(a-b)(b-c)(c-a)=0$에서
$a-b=0$ 또는 $b-c=0$ 또는 $c-a=0$
$\therefore a=b$ 또는 $b=c$ 또는 $c=a$
따라서 주어진 조건의 부정은
$a \ne b$이고 $b \ne c$이고 $c \ne a$

참고
주어진 조건의 부정은 '$a \ne b$이고 $b \ne c$이고 $c \ne a$'만으로 표현되는 것이 아니라 'a, b, c는 서로 다른 세 실수이다.'와 같이 다양한 방법으로 표현할 수 있다.

답 ④

03-1

두 조건 p, q의 진리집합을 각각 P, Q라 하자.
$(2x-5)(x-8) \ge 0$에서 $x \le \frac{5}{2}$ 또는 $x \ge 8$이므로
$P=\{1, 2, 8, 9, 10\}$, $Q=\{1, 5, 7\}$
(1) $Q^C=\{2, 3, 4, 6, 8, 9, 10\}$이므로
$P \cup Q^C=\{1, 2, 3, 4, 6, 8, 9, 10\}$
(2) $P^C=\{3, 4, 5, 6, 7\}$이므로
$P^C \cap Q=\{5, 7\}$
(3) $(P^C \cup Q)^C=P \cap Q^C$
$=\{2, 8, 9, 10\}$

참고
3, 8과 같이 최대공약수가 1인 두 자연수를 서로소라 한다.

답 (1) $\{1, 2, 3, 4, 6, 8, 9, 10\}$ (2) $\{5, 7\}$ (3) $\{2, 8, 9, 10\}$

03-2

p: $|x| \le 2$에서 $-2 \le x \le 2$
$\sim q$: $-1 < x < 5$
두 조건 p, q의 진리집합을 각각 P, Q라 하면
$P=\{-2, -1, 0, 1, 2\}$, $Q^C=\{0, 1, 2, 3, 4\}$
조건 'p 그리고 $\sim q$'의 진리집합은
$P \cap Q^C=\{0, 1, 2\}$
따라서 구하는 모든 원소의 합은 $0+1+2=3$

답 3

03-3

조건 '$-4 \le x < 7$'는 조건 '$x \ge -4$이고 $x < 7$'이다.
조건 'p: $x \ge 7$'에 대하여 '$\sim p$: $x < 7$'이고
조건 'q: $x < -4$'에 대하여 '$\sim q$: $x \ge -4$'이므로
조건 '$-4 \le x < 7$', 즉 '$\sim p$이고 $\sim q$'의 진리집합은
$P^C \cap Q^C=(P \cup Q)^C$

답 ③

03-4

두 조건 p, q의 진리집합을 각각 P, Q라 하자.
$\sim p$: $|x| \le 1$이므로
$P^C=\{x \mid -1 \le x \le 1\}=\{-1, 0, 1\}$
q: $x(x-a)=0$이므로
$a=0$ 또는 $|a|>3$이면 $Q=\{0\}$
$0<|a| \le 3$이면 $Q=\{0, a\}$
한편 조건 '$\sim p$ 또는 q'의 진리집합은 $P^C \cup Q$이다.
(i) $a=0$ 또는 $|a|>3$일 때
$P^C \cup Q=\{-1, 0, 1\}$이므로
$n(P^C \cup Q) \ne 4$이다.
(ii) $0<|a| \le 3$일 때
$n(P^C \cup Q)=4$를 만족시키려면
$a \in U$이고, $a \notin \{-1, 0, 1\}$이어야 한다.
(i), (ii)에 의하여
$n(P^C \cup Q)=4$를 만족시키는 정수 a의 값은 -3, -2, 2, 3의 4개이다.

답 4

04-1

(1) 두 조건 p, q의 진리집합을 각각 P, Q라 하면
$P=\{1, 2, 4\}$, $Q=\{1, 2, 4, 8\}$
따라서 $P \subset Q$이므로 명제 $p \longrightarrow q$는 참이다.
(2) [반례] $x=\sqrt{2}$이면 x^2은 유리수이지만 x는 유리수가 아니다.
따라서 명제 $p \longrightarrow q$는 거짓이다.
(3) 두 조건 p, q의 진리집합을 각각 P, Q라 하면
$P=\{-1, 1\}$, $Q=\{1\}$
따라서 $P \not\subset Q$이므로 명제 $p \longrightarrow q$는 거짓이다.
(4) 두 조건 p, q의 진리집합을 각각 P, Q라 하면
$P=\{x \mid -3<x<3\}$, $Q=\{x \mid x<3\}$
따라서 $P \subset Q$이므로 명제 $p \longrightarrow q$는 참이다.

답 (1) 참 (2) 거짓 (3) 거짓 (4) 참

04-2

명제 $\sim p \longrightarrow q$가 거짓임을 보이는 반례는 $x \in P^C$이지만 $x \notin Q$인 x의 값이다.

$P^C-Q=P^C\cap Q^C$

$\quad\quad=(P\cup Q)^C$

$\quad\quad=\{3, 5, 9\}$

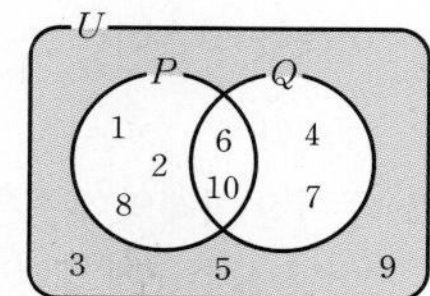

따라서 구하는 모든 반례의 합은

$3+5+9=17$

답 17

04-3

$P\cup Q=P$에 의하여

$Q\subset P$이므로 명제 $q \longrightarrow p$는 참이다.

$Q\cap R=R$에 의하여

$R\subset Q$이므로 명제 $r \longrightarrow q$는 참이다.

$Q\subset P$, $R\subset Q$에 의하여

$R\subset P$이므로 명제 $r \longrightarrow p$는 참이다.

따라서 항상 참이라 할 수 없는 명제는 ㄹ, ㅁ이다.

답 ㄹ, ㅁ

04-4

명제 $p \longrightarrow \sim q$가 참이므로 $P\subset Q^C$이다.

이것을 벤다이어그램으로 나타내면 오른쪽 그림과 같고, 두 집합 P, Q는 서로소이다.

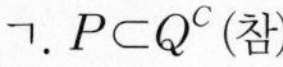

ㄱ. $P\subset Q^C$ (참)

ㄴ. $P\cap Q=\varnothing$ (참)

ㄷ. ㄴ에 의하여 $P\cap Q=\varnothing$이므로

$\quad P-Q=P-(P\cap Q)=P-\varnothing=P$ (거짓)

ㄹ. ㄱ에 의하여 $P\subset Q^C$이므로 $P\cup Q^C=Q^C$이다. (참)

ㅁ. ㄴ에 의하여 $P\cap Q=\varnothing$이므로

$\quad P^C\cup Q^C=(P\cap Q)^C=\varnothing^C=U$ (참)

따라서 옳은 것은 ㄱ, ㄴ, ㄹ, ㅁ이다.

참고

다음은 두 집합 P, Q가 서로소임을 나타내는 모두 같은 표현이다.

① $P\cap Q=\varnothing$

② $P\cap Q^C=P$, $Q\cap P^C=Q$

③ $P-Q=P$, $Q-P=Q$

④ $P\subset Q^C$, $Q\subset P^C$

⑤ $P-Q^C=\varnothing$, $Q-P^C=\varnothing$

⑥ $P\cup Q^C=Q^C$, $P^C\cup Q=P^C$

⑦ $P^C\cup Q^C=U$

답 ㄱ, ㄴ, ㄹ, ㅁ

05-1

두 조건 p, q의 진리집합을 각각 P, Q라 하면

$P=\{x\mid -3<x<-2a+1\}$, $Q=\{x\mid a+1\le x\le 5\}$

명제 $q \longrightarrow p$가 참이 되려면 $Q\subset P$이어야 하고, 이를 만족시키도록 두 집합 P, Q를 수직선 위에 나타내면 그림과 같다.

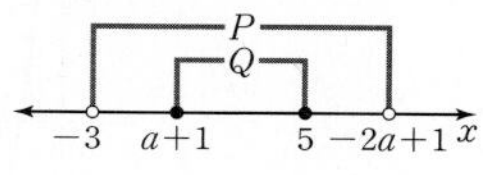

즉, $-3<a+1$에서 $a>-4$

$5<-2a+1$에서 $a<-2$

$\therefore -4<a<-2$

답 $-4<a<-2$

05-2

두 조건 p, q의 진리집합을 각각 P, Q라 하면

$P^C=\{x\mid -4<x<1\}$, $Q=\{x\mid x\le -k-3\}$

명제 $\sim p \longrightarrow q$가 참이 되려면 $P^C\subset Q$이어야 하고, 이를 만족시키도록 두 집합 P^C, Q를 수직선 위에 나타내면 그림과 같다.

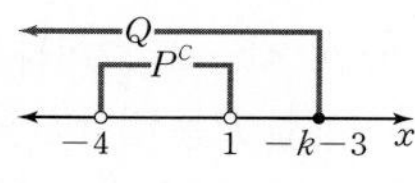

즉, $1\le -k-3$ $\quad\therefore k\le -4$

따라서 구하는 실수 k의 최댓값은

-4

답 -4

05-3

세 조건 p, q, r의 진리집합을 각각 P, Q, R라 하면

$P=\{x\mid -3\le x\le 2$ 또는 $x\ge 4\}$,

$Q=\{x\mid a\le x\le 1\}$, $R=\{x\mid x\ge b\}$

두 명제 $q \longrightarrow p$, $p \longrightarrow r$가 모두 참이 되려면

$Q\subset P$, $P\subset R$이어야 하고, 이를 만족시키도록 세 집합 P, Q, R를 수직선 위에 나타내면 그림과 같다.

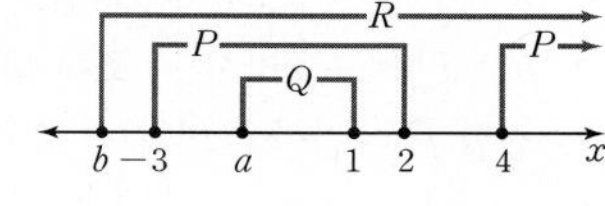

즉, $-3\le a\le 1$, $b\le -3$

따라서 a의 최솟값과 b의 최댓값의 곱은

$(-3)\times(-3)=9$

답 9

05-4

명제 $\sim p \longrightarrow q$가 참이 되도록 하는 집합 Q의 개수는

전체집합 U의 부분집합 중 집합 P^C의 원소를 반드시 원소로 갖는 부분집합의 개수이다.

$n(U)=10$이므로 $n(P^C)=k$라 할 때

$2^{10-k}=32$, $2^{10-k}=2^5$이므로

$10-k=5$에서 $k=5$

따라서 집합 $P^C=\{x\mid x^2-8x+a<0\}$의 원소의 개수가 5이어야 한다.

$f(x)=x^2-8x+a$라 할 때 함수 $y=f(x)$의 그래프는 직선 $x=4$에 대하여 대칭이므로

$f(1)=-7+a\geq 0$, 즉 $a\geq 7$이고

$f(2)=-12+a<0$, 즉 $a<12$이어야 한다.

$\therefore 7\leq a<12$

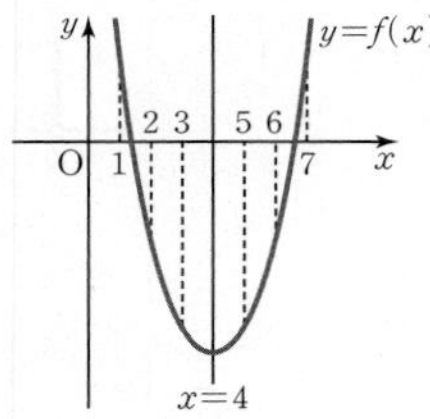

따라서 구하는 모든 자연수 a의 값의 합은

$7+8+9+10+11=45$

답 45

06-1

ㄱ. p: $3x-2<7$이라 하고 조건 p의 진리집합을 P라 하자.
집합 P는 집합 U의 원소 중
$3x<9$, 즉 $x<3$인 모든 값을 원소로 가지므로
$P=\{-2, -1, 0, 1, 2\}$　　$\therefore P=U$ (참)

ㄴ. p: $|x|>2$라 하고 조건 p의 진리집합을 P라 하자.
집합 P는 집합 U의 원소 중
$|x|>2$, 즉 $x<-2$ 또는 $x>2$인 모든 값을 원소로 가지므로 $P=\varnothing$ (거짓)

ㄷ. p: $x^2>3-2x$라 하고 조건 p의 진리집합을 P라 하자.
집합 P는 집합 U의 원소 중
$x^2+2x-3>0$, $(x+3)(x-1)>0$
즉, $x<-3$ 또는 $x>1$인 모든 값을 원소로 가지므로
$P=\{2\}$　　$\therefore P\neq\varnothing$ (참)

ㄹ. p: $|x|=-x$라 하고 조건 p의 진리집합을 P라 하자.
집합 P는 집합 U의 원소 중
$|x|=-x$, 즉 $x\leq 0$인 모든 값을 원소로 가지므로
$P=\{-2, -1, 0\}$　　$\therefore P\neq U$ (거짓)

따라서 참인 명제는 ㄱ, ㄷ이다.

다른 풀이

ㄷ. [예] $x=2$이면 $x^2>3-2x$이므로 주어진 명제는 참이다.

ㄹ. [반례] $x=2$이면
$|x|\neq -x$이므로 주어진 명제는 거짓이다.

답 ㄱ, ㄷ

06-2

(1) 주어진 명제의 부정은
'모든 유리수 x에 대하여 $3x\neq 4$이다.'
이때 $x=\frac{4}{3}$이면 $3x=4$이므로 주어진 명제의 부정은 거짓이다.

(2) 주어진 명제의 부정은
'어떤 실수 x에 대하여 $2x+1\leq 3$이다.'
이때 $x=0$이면 $2x+1\leq 3$이므로 주어진 명제의 부정은 참이다.

(3) 주어진 명제의 부정은
'모든 실수 x에 대하여 $(x+1)^2>0$이다.'
이때 $x=-1$이면 $(x+1)^2=0$이므로 주어진 명제의 부정은 거짓이다.

(4) 주어진 명제의 부정은
'어떤 실수 x에 대하여 $x^2-x+3\leq 0$이다.'
이때 모든 실수 x에 대하여
$x^2-x+3=\left(x-\frac{1}{2}\right)^2+\frac{11}{4}>0$이므로 주어진 명제의 부정은 거짓이다.

답 (1) 풀이 참조　(2) 풀이 참조　(3) 풀이 참조　(4) 풀이 참조

06-3

주어진 명제가 참이 되려면 모든 실수 x에 대하여 이차부등식 $3x^2+8x+k\geq 0$이 성립해야 하므로

이차방정식 $3x^2+8x+k=0$의 판별식을 D라 할 때,

$\frac{D}{4}=4^2-3k\leq 0$

$\therefore k\geq\frac{16}{3}$

따라서 정수 k의 최솟값은 6이다.

참고

x에 대한 이차방정식 $ax^2+bx+c=0$의 판별식을 D라 할 때, 모든 실수 x에 대하여

(1) 이차부등식 $ax^2+bx+c>0$이 성립한다.
➡ $a>0$, $D<0$

(2) 이차부등식 $ax^2+bx+c\geq 0$이 성립한다.
➡ $a>0$, $D\leq 0$

(3) 이차부등식 $ax^2+bx+c<0$이 성립한다.
➡ $a<0$, $D<0$

(4) 이차부등식 $ax^2+bx+c\leq 0$이 성립한다.
➡ $a<0$, $D\leq 0$

답 6

06-4

주어진 명제가 참이 되려면

$P=\{x\,|\,x>0\}$, $Q=\{x\,|\,x>a-3\}$이라 할 때, $P\subset Q$이어야 한다.

이를 만족시키도록 두 집합 P, Q를 수직선 위에 나타내면 그

림과 같다.

즉, $a-3\le 0$ $\quad\therefore a\le 3$

따라서 구하는 자연수 a는 1, 2, 3의 3개이다.

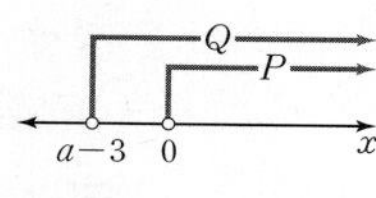

답 3

02 명제 사이의 관계

개념 CHECK

본문 307쪽

01 (1) 풀이 참조 (2) 풀이 참조 (3) 풀이 참조

02 (1) 충분 (2) 필요 (3) 필요충분

01

(1) 역: xy가 자연수이면 x와 y는 모두 자연수이다. (거짓)

[반례] $x=2,\ y=\frac{1}{2}$이면 xy는 자연수이지만 y는 자연수가 아니다.

대우: xy가 자연수가 아니면 x 또는 y는 자연수가 아니다. (참)

[증명] 주어진 명제가 참이므로 그 대우도 참이다.

(2) 역: $x,\ y$가 실수일 때 $x\ge 1$ 또는 $y\ge 1$이면 $x+y\ge 2$이다. (거짓)

[반례] $x=1,\ y=0$이면

$x\ge 1$ 또는 $y\ge 1$이지만 $x+y<2$이다.

대우: $x,\ y$가 실수일 때 $x<1$이고 $y<1$이면 $x+y<2$이다. (참)

(3) 역: 두 집합 $A,\ B$에 대하여 $A\ne B$이면 $A\cap B=A$이다. (거짓)

[반례] $A=\{1\},\ B=\varnothing$이면

$A\ne B$이지만 $A\cap B\ne A$이다.

대우: 두 집합 $A,\ B$에 대하여 $A=B$이면 $A\cap B\ne A$이다. (거짓)

[증명] 두 집합 $A,\ B$에 대하여 $A=B$이면 $A\cap B=A$이다.

답 (1) 풀이 참조 (2) 풀이 참조 (3) 풀이 참조

02

p: x와 y는 모두 홀수이다.

q: x와 y는 모두 짝수이거나 모두 홀수이다.

r: x 또는 y는 짝수이다.

$\sim p$: x 또는 y는 짝수이다.

$\sim q$: $x,\ y$ 둘 중 하나는 짝수, 하나는 홀수이다.

$\sim r$: x와 y는 모두 홀수이다.

(1) $p\Longrightarrow q$이므로 p는 q이기 위한 [충분] 조건이다.

(2) $\sim q\Longrightarrow \sim p$이므로 $\sim p$는 $\sim q$이기 위한 [필요] 조건이다.

(3) $p\Longleftrightarrow \sim r$이므로 $\sim r$는 p이기 위한 [필요충분] 조건이다.

답 (1) 충분 (2) 필요 (3) 필요충분

유제

본문 308~317쪽

07-1 (1) 풀이 참조 (2) 풀이 참조 (3) 풀이 참조 (4) 풀이 참조

07-2 ㄷ, ㄹ **07-3** 2 **07-4** 3 **08-1** ㄱ, ㄷ

08-2 ③ **08-3** ㄱ, ㄷ **08-4** ③

09-1 (1) 필요조건 (2) 충분조건 (3) 필요충분조건

09-2 ㄱ, ㄹ **09-3** ㄹ **09-4** ④ **10-1** ⑤

10-2 ② **10-3** ㄱ, ㄹ **10-4** ㄴ **11-1** 4

11-2 −1 **11-3** $a=1,\ b=-6$ **11-4** 1

07-1

(1) 역: $x+y>2$이면 $x>1$이고 $y>1$이다. (거짓)

[반례] $x=3,\ y=1$이면

$x+y>2$이지만 $x>1$이고 $y\le 1$이다.

대우: $x+y\le 2$이면 $x\le 1$ 또는 $y\le 1$이다. (참)

[증명] 주어진 명제가 참이므로 그 대우도 참이다.

(2) 역: 두 집합 $A,\ B$에 대하여 $A\subset B$이면 $A\cap B=A$이다. (참)

대우: 두 집합 $A,\ B$에 대하여 $A\not\subset B$이면 $A\cap B\ne A$이다. (참)

[증명] 주어진 명제가 참이므로 그 대우도 참이다.

(3) 역: $x>0$이고 $y>0$이면 $xy>0$이다. (참)

대우: $x\le 0$ 또는 $y\le 0$이면 $xy\le 0$이다. (거짓)

[반례] $x=-1,\ y=-2$이면

$x\le 0$이고 $y\le 0$이지만 $xy>0$이다.

(4) 역: 삼각형 ABC가 정삼각형이면 삼각형 ABC의 두 내각의 크기가 같다. (참)

대우: 삼각형 ABC가 정삼각형이 아니면 삼각형 ABC의 두 내각의 크기는 같지 않다. (거짓)

[반례] 삼각형 ABC가 이등변삼각형이면 삼각형 ABC의 두 내각의 크기가 같다.

답 (1) 풀이 참조 (2) 풀이 참조 (3) 풀이 참조 (4) 풀이 참조

07-2

ㄱ. 역: $x^2+y^2>0$이면 $xy<0$이다. (거짓)

[반례] $x=1,\ y=2$이면 $x^2+y^2>0$이지만 $xy>0$이다.

대우: $x^2+y^2\le 0$이면 $xy\ge 0$이다. (참)

[증명] $x^2+y^2\le 0$이면 $x=0$, $y=0$이므로 $xy\ge 0$이다.

ㄴ. 역: $xz=yz$이면 $x=y$이다. (거짓)

[반례] $x=1$, $y=-1$, $z=0$이면

$xz=yz=0$이지만 $x\ne y$이다.

대우: $xz\ne yz$이면 $x\ne y$이다. (참)

[증명] 주어진 명제가 참이므로 그 대우도 참이다.

ㄷ. 역: $x\ne 0$이고 $y\ne 0$이면 $xy\ne 0$이다. (참)

대우: $x=0$ 또는 $y=0$이면 $xy=0$이다. (참)

ㄹ. 역: $x=0$이고 $y=0$이면 $|x|+|y|=0$이다. (참)

대우: $x\ne 0$ 또는 $y\ne 0$이면 $|x|+|y|\ne 0$이다. (참)

따라서 역과 대우가 모두 참인 명제는 ㄷ, ㄹ이다.

답 ㄷ, ㄹ

07-3

명제와 그 대우의 참, 거짓은 일치하므로

주어진 명제가 참이 되도록 하는 상수 k의 값은 그 대우 '$x=3$이면 $x^2-2kx+3=0$이다.'가 참이 되도록 하는 상수 k의 값과 같다.

따라서 $x=3$을 $x^2-2kx+3=0$에 대입하면 등식이 성립해야 하므로 $9-6k+3=0$

$\therefore k=2$

답 2

07-4

두 조건 p, q의 진리집합을 각각 P, Q라 하면

$P=\{x|a-3\le x\le a+3\}$, $Q=\{x|-1<x\le 3\}$

명제 $p \longrightarrow q$의 역 $q \longrightarrow p$가 참이 되려면 $Q\subset P$이어야 하고, 이를 만족시키도록 두 집합 P, Q를 수직선 위에 나타내면 그림과 같다.

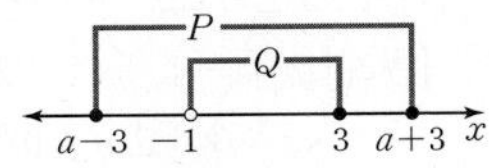

즉, $a-3\le -1$에서 $a\le 2$

$a+3\ge 3$에서 $a\ge 0$

$\therefore 0\le a\le 2$

따라서 구하는 정수 a는 0, 1, 2의 3개이다.

답 3

08-1

ㄱ. 명제 $\sim r \longrightarrow \sim q$가 참이면 그 대우 $q \longrightarrow r$도 참이다.

따라서 두 명제 $p \longrightarrow q$, $q \longrightarrow r$가 모두 참이므로

$p \longrightarrow r$도 참이다.

ㄴ. 두 명제 $p \longrightarrow r$, $q \longrightarrow r$가 모두 참이므로 각각의 대우 $\sim r \longrightarrow \sim p$, $\sim r \longrightarrow \sim q$도 참이다.

그러나 $p \longrightarrow \sim q$의 참, 거짓은 알 수 없다.

ㄷ. 명제 $\sim q \longrightarrow r$가 참이면 그 대우 $\sim r \longrightarrow q$도 참이다.

따라서 두 명제 $p \longrightarrow \sim r$, $\sim r \longrightarrow q$가 모두 참이므로 $p \longrightarrow q$도 참이다.

따라서 항상 옳은 것은 ㄱ, ㄷ이다.

답 ㄱ, ㄷ

08-2

두 명제 $p \longrightarrow \sim q$, $r \longrightarrow q$가 모두 참이므로 각각의 대우 $q \longrightarrow \sim p$, $\sim q \longrightarrow \sim r$도 모두 참이다.

두 명제 $p \longrightarrow \sim q$, $\sim q \longrightarrow \sim r$가 모두 참이므로

$p \longrightarrow \sim r$도 참이고, 그 대우 $r \longrightarrow \sim p$도 참이다.

따라서 항상 참이라고 할 수 없는 명제는 ③이다.

답 ③

08-3

ㄱ. 두 명제 $p \longrightarrow s$, $s \longrightarrow \sim r$가 모두 참이므로

$p \longrightarrow \sim r$도 참이다.

ㄴ. 명제 $\sim s \longrightarrow q$가 참이므로 그 대우 $\sim q \longrightarrow s$도 참이다.

따라서 두 명제 $\sim q \longrightarrow s$, $s \longrightarrow \sim r$가 모두 참이므로

$\sim q \longrightarrow \sim r$도 참이다.

그러나 $\sim q \longrightarrow r$의 참, 거짓은 알 수 없다.

ㄷ. ㄴ에서 $\sim q \longrightarrow \sim r$가 참이므로 그 대우 $r \longrightarrow q$도 참이다.

ㄹ. 명제 $s \longrightarrow \sim r$가 참이므로 그 대우 $r \longrightarrow \sim s$는 참이다.

그러나 $r \longrightarrow s$의 참, 거짓은 알 수 없다.

따라서 항상 참인 명제는 ㄱ, ㄷ이다.

답 ㄱ, ㄷ

08-4

세 조건 p, q, r를 각각

p: 국어를 좋아한다.,

q: 독서를 좋아한다.,

r: 수학을 좋아한다.

로 놓으면 명제 $p \longrightarrow q$, $r \longrightarrow \sim q$가 참이므로 각각의 대우 $\sim q \longrightarrow \sim p$, $q \longrightarrow \sim r$도 참이다.

또한 두 명제 $p \longrightarrow q$, $q \longrightarrow \sim r$가 참이므로

$p \longrightarrow \sim r$가 참이고, 그 대우 $r \longrightarrow \sim p$도 참이다.

이때 선지로 주어진 명제를 p, q, r를 이용하여 나타내면 다음과 같다.

① $q \longrightarrow p$ ② $q \longrightarrow r$ ③ $p \longrightarrow \sim r$

④ $\sim p \longrightarrow r$ ⑤ $r \longrightarrow p$

따라서 항상 참인 명제는 ③이다.

답 ③

09-1

(1) (i) 평행사변형의 네 내각이 항상 직각인 것은 아니므로 명제 $p \longrightarrow q$는 거짓이다.

(ii) 직사각형은 마주 보는 두 쌍의 대변이 각각 평행하므로 평행사변형이다. 따라서 명제 $q \longrightarrow p$는 참이다.

(i), (ii)에 의하여 p는 q이기 위한 필요조건이다.

(2) (i) $x=y=z$이면 $(x-y)(y-z)=0$이므로 명제 $p \longrightarrow q$는 참이다.

(ii) [반례] $x=1$, $y=1$, $z=2$이면 $(x-y)(y-z)=0$이지만 $y \neq z$이므로 명제 $q \longrightarrow p$는 거짓이다.

(i), (ii)에 의하여 p는 q이기 위한 충분조건이다.

(3) (i) $x^2=1$이면 $x=\pm 1$이므로 $|x|=1$이다.
따라서 명제 $p \longrightarrow q$는 참이다.

(ii) $|x|=1$이면 $x=\pm 1$이므로 $x^2=1$이다.
따라서 명제 $q \longrightarrow p$는 참이다.

(i), (ii)에 의하여 p는 q이기 위한 필요충분조건이다.

다른 풀이

(3) 두 조건 p, q의 진리집합을 각각 P, Q라 하면
$P=\{-1, 1\}$, $Q=\{-1, 1\}$이므로 $P=Q$
$\therefore p \Longleftrightarrow q$

답 (1) 필요조건 (2) 충분조건 (3) 필요충분조건

09-2

ㄱ. (i) [반례] $x=-y(\neq 0)$이면 $x^2=y^2$이지만 $x \neq y$이므로 명제 $p \longrightarrow q$는 거짓이다.

(ii) $x=y$이면 $x^2=y^2$이므로 명제 $q \longrightarrow p$는 참이다.

(i), (ii)에 의하여 p는 q이기 위한 필요조건이다.

ㄴ. (i) $x>y$의 양변에서 z를 빼면 $x-z>y-z$이므로 명제 $p \longrightarrow q$는 참이다.

(ii) $x-z>y-z$의 양변에 z를 더하면 $x>y$이므로 명제 $q \longrightarrow p$는 참이다.

(i), (ii)에 의하여 p는 q이기 위한 필요충분조건이다.

ㄷ. (i) $x=1$이면 $x^2=x$이므로 명제 $p \longrightarrow q$는 참이다.

(ii) [반례] $x=0$이면 $x^2=x$이지만 $x \neq 1$이므로 명제 $q \longrightarrow p$는 거짓이다.

(i), (ii)에 의하여 p는 q이기 위한 충분조건이다.

ㄹ. (i) [반례] $x=2$, $y=-3$이면 $x>0$ 또는 $y>0$이지만 $x+y \leq 0$이므로 명제 $p \longrightarrow q$는 거짓이다.

(ii) 명제 $q \longrightarrow p$의 대우 '$x \leq 0$이고 $y \leq 0$이면 $x+y \leq 0$이다.'가 참이므로 명제 $q \longrightarrow p$도 참이다.

(i), (ii)에 의하여 p는 q이기 위한 필요조건이다.

따라서 p가 q이기 위한 필요조건이지만 충분조건은 아닌 것은 ㄱ, ㄹ이다.

답 ㄱ, ㄹ

09-3

ㄱ. (i) $x>1$이고 $y>1$이면 $xy>1$이므로 명제 $p \longrightarrow q$는 참이다.

(ii) [반례] $x=4$, $y=\frac{1}{2}$이면 $xy>1$이지만 $y \leq 1$이므로 명제 $q \longrightarrow p$는 거짓이다.

(i), (ii)에 의하여 p는 q이기 위한 충분조건이다.

ㄴ. (i) [반례] $x=0$, $y=-1$이면 $x^2+y^2>0$이지만 $x+y<0$이므로 명제 $p \longrightarrow q$는 거짓이다.

(ii) $x+y>0$이면 x, y 중 적어도 하나는 양수이므로 $x^2+y^2>0$이다. 따라서 명제 $q \longrightarrow p$는 참이다.

(i), (ii)에 의하여 p는 q이기 위한 필요조건이다.

ㄷ. (i) $x<0$이면 $x+|x|=x+(-x)=0$이므로 명제 $p \longrightarrow q$는 참이다.

(ii) [반례] $x=0$이면 $x+|x|=0$이지만 $x<0$을 만족시키지 않으므로 명제 $q \longrightarrow p$는 거짓이다.

(i), (ii)에 의하여 p는 q이기 위한 충분조건이다.

ㄹ. (i) $x^2-2x-3 \leq 0$에서 $(x+1)(x-3) \leq 0$, 즉 $-1 \leq x \leq 3$이면 $|x-1| \leq 2$이므로 명제 $p \longrightarrow q$는 참이다.

(ii) $|x-1| \leq 2$에서 $-2 \leq x-1 \leq 2$, 즉 $-1 \leq x \leq 3$이면 $x^2-2x-3 \leq 0$이므로 명제 $q \longrightarrow p$는 참이다.

따라서 p는 q이기 위한 필요충분조건이다.

따라서 p가 q이기 위한 필요충분조건은 ㄹ이다.

다른 풀이

ㄷ. 두 조건 p, q의 진리집합을 각각 P, Q라 하면
$P=\{x|x<0\}$, $Q=\{x|x \leq 0\}$이므로 $P \subset Q$이다.
따라서 p는 q이기 위한 충분조건이다.

ㄹ. 두 조건 p, q의 진리집합을 각각 P, Q라 하면
$x^2-2x-3 \leq 0$에서 $(x+1)(x-3) \leq 0$, $-1 \leq x \leq 3$이므로 $P=\{x|-1 \leq x \leq 3\}$
$|x-1| \leq 2$에서 $-2 \leq x-1 \leq 2$, $-1 \leq x \leq 3$이므로 $Q=\{x|-1 \leq x \leq 3\}$
따라서 $P=Q$이므로 p는 q이기 위한 필요충분조건이다.

답 ㄹ

09-4

① (i) [반례] 4는 12의 양의 약수이지만 6의 양의 약수는 아니므로 명제 $p \longrightarrow q$는 거짓이다.

(ii) 6의 양의 약수이면 12의 양의 약수이므로 명제 $q \longrightarrow p$는 참이다.

(ⅰ), (ⅱ)에 의하여 p는 q이기 위한 필요조건이다.

② (ⅰ) [반례] $x=\frac{1}{2}$, $y=\frac{1}{2}$이면 $x+y=1$이므로 정수이지만 x, y는 모두 유리수이므로 명제 $p \longrightarrow q$는 거짓이다.

(ⅱ) x, y가 모두 정수이면 $x+y$도 정수이므로 명제 $q \longrightarrow p$는 참이다.

(ⅰ), (ⅱ)에 의하여 p는 q이기 위한 필요조건이다.

③ (ⅰ) $A\cap B=A$이면 $A\subset B$이므로 $A-B=\varnothing$
따라서 명제 $p \longrightarrow q$는 참이다.

(ⅱ) $A-B=\varnothing$이면 $A\subset B$이므로 $A\cap B=A$
따라서 명제 $q \longrightarrow p$는 참이다.

(ⅰ), (ⅱ)에 의하여 p는 q이기 위한 필요충분조건이다.

④ (ⅰ) $A\cup B=A$이면 $B\subset A$이므로 $n(B)\le n(A)$
따라서 명제 $p \longrightarrow q$는 참이다.

(ⅱ) [반례] $A=\{1, 2\}$, $B=\{3\}$이면 $n(B)\le n(A)$이지만 $A\cup B\neq A$이다.
따라서 명제 $q \longrightarrow p$는 거짓이다.

(ⅰ), (ⅱ)에 의하여 p는 q이기 위한 충분조건이다.

⑤ (ⅰ) $x=y=z$이면
$(x-y)^2+(y-z)^2+(z-x)^2=0$이므로 명제 $p \longrightarrow q$는 참이다.

(ⅱ) $(x-y)^2+(y-z)^2+(z-x)^2=0$이면
$x=y=z$이므로 명제 $q \longrightarrow p$는 참이다.

(ⅰ), (ⅱ)에 의하여 p는 q이기 위한 필요충분조건이다.

따라서 충분조건이지만 필요조건이 아닌 것은 ④이다.

답 ④

10-1

q는 $\sim p$이기 위한 충분조건이므로 $Q\subset P^C$, 즉 $P\cap Q=\varnothing$이다. 두 집합 P, Q 사이의 포함 관계를 벤다이어그램으로 나타내면 오른쪽 그림과 같다.

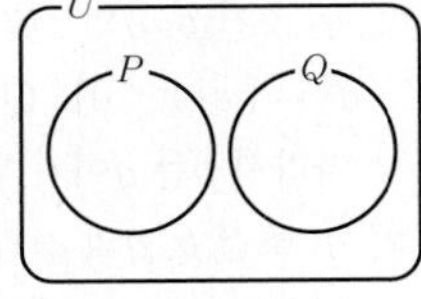

① $P\cap Q=\varnothing$ (거짓)
② $Q-P=Q$ (거짓)
③ $(P\cup Q)\subset U$ (거짓)
④ $Q\subset P^C$ (거짓)
⑤ $P\cap Q^C=P-Q=P$ (참)

따라서 항상 옳은 것은 ⑤이다.

답 ⑤

10-2

q는 p이기 위한 충분조건이므로 $Q\subset P$
q는 r이기 위한 필요조건이므로 $R\subset Q$
$R\subset Q\subset P$이므로 세 집합 P, Q, R 사이의 포함 관계를 벤다이어그램으로 나타내면 오른쪽 그림과 같다.

① $Q\cup R=Q$이므로
$(Q\cup R)\subset P$ (거짓)
② $Q\cap R=R$이므로 $(Q\cap R)\subset P$ (참)
③ $P\cap Q=Q$이므로 $R\subset (P\cap Q)$ (거짓)
④ $(P-Q)\cap R=\varnothing$ (거짓)
⑤ $R-Q=\varnothing$ (거짓)

따라서 항상 옳은 것은 ②이다.

답 ②

10-3

ㄱ. $Q\subset P$이므로 p는 q이기 위한 필요조건이다. (참)
ㄴ. $R\subset P$이므로 r는 p이기 위한 충분조건이다. (거짓)
ㄷ. $P^C\not\subset Q$이므로 $\sim p$는 q이기 위한 충분조건이 아니다. (거짓)
ㄹ. $R\subset P$에 의하여 $P^C\subset R^C$이므로 $\sim r$는 $\sim p$이기 위한 필요조건이다. (참)

따라서 항상 옳은 것은 ㄱ, ㄹ이다.

답 ㄱ, ㄹ

10-4

$P-R^C=\varnothing$에서 $P\cap (R^C)^C=P\cap R=\varnothing$이고
$Q\cap P^C=\varnothing$에서 $Q\subset P$이므로
세 집합 P, Q, R 사이의 포함 관계를 벤다이어그램으로 나타내면 오른쪽 그림과 같다.

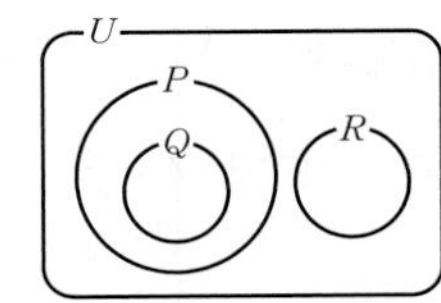

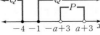

ㄱ. $Q\subset P$이므로 p는 q이기 위한 필요조건이다. (거짓)
ㄴ. $P\subset R^C$이므로 p는 $\sim r$이기 위한 충분조건이다. (참)
ㄷ. $R\subset Q^C$이므로 r는 $\sim q$이기 위한 충분조건이다. (거짓)

따라서 항상 옳은 것은 ㄴ이다.

답 ㄴ

11-1

$|x-3|<a$에서 $-a<x-3<a$ $\therefore -a+3<x<a+3$
$(x+4)(x+1)\ge 0$에서 $x\le -4$ 또는 $x\ge -1$
두 조건 p, q의 진리집합을 각각 P, Q라 하면
$P=\{x\,|\,-a+3<x<a+3\}$,
$Q=\{x\,|\,x\le -4$ 또는 $x\ge -1\}$
p는 q이기 위한 충분조건이면 $P\subset Q$이므로 자연수 a에 대하여 이를 만족시키도록 두 집합 P, Q를 수직선 위에 나타내면 오

른쪽 그림과 같다.
즉, $-1 \le -a+3$에서 $a \le 4$
따라서 구하는 자연수 a는 1, 2, 3, 4의 4개이다.

답 4

11-2

p가 q이기 위한 필요조건이 되려면 명제 '$x^2-2x-3 \ne 0$이면 $x+2a \ne 0$이다.'가 참이어야 한다.
따라서 이 명제의 대우 '$x+2a=0$이면 $x^2-2x-3=0$이다.'가 참이어야 한다.
$x+2a=0$에서 $x=-2a$이므로 이를 $x^2-2x-3=0$에 대입하면
$(-2a)^2-2\times(-2a)-3=0$
$4a^2+4a-3=0$
이차방정식의 근과 계수의 관계에 의하여 구하는 실수 a의 값의 합은 $-\frac{4}{4}=-1$이다.

참고

x에 대한 이차방정식 $ax^2+bx+c=0$에서 $ac<0$이면 서로 다른 두 실근을 갖고, 이를 α, β라 하면
$\alpha+\beta=-\frac{b}{a}$, $\alpha\beta=\frac{c}{a}$이다.

답 -1

11-3

두 조건 p, q의 진리집합을 각각 P, Q라 하자.
p는 q이기 위한 필요충분조건이므로 $P=Q$이어야 한다.
이때 $(x+2)(x-3)^2=0$에서 $x=-2$ 또는 $x=3$이므로
$Q=\{-2, 3\}$
따라서 $P=\{-2, 3\}$이어야 한다.
즉, 이차방정식 $x^2-ax+b=0$의 서로 다른 두 실근이 -2, 3이므로 이차방정식의 근과 계수의 관계에 의하여
$a=(-2)+3=1$, $b=(-2)\times3=-6$

답 $a=1$, $b=-6$

11-4

세 조건 p, q, r의 진리집합을 각각 P, Q, R라 하면
$P=\{x\,|\,-4<x<3$ 또는 $x>5\}$,
$Q=\{x\,|\,x>a\}$, $R=\{x\,|\,x\ge b\}$
이때 p는 q이기 위한 필요조건이므로 $Q\subset P$이고, p는 r이기 위한 충분조건이므로 $P\subset R$
즉, $Q\subset P\subset R$이므로 이를 만족시키도록 세 집합 P, Q, R를 수직선 위에 나타내면 오른쪽 그림과 같다.

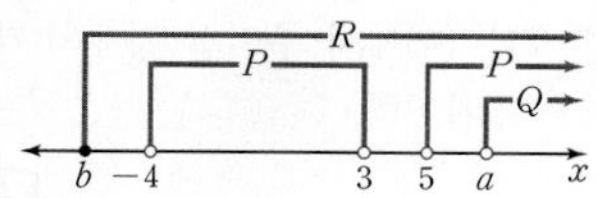

$\therefore a\ge5$, $b\le-4$
a의 최솟값과 b의 최댓값의 합은 $5+(-4)=1$

답 1

03 명제의 증명

개념 CHECK

본문 323쪽

01 풀이 참조　　02 (가): 짝수, (나): 서로소
03 ㄱ, ㄷ　　04 풀이 참조

01

주어진 명제의 대우는
'자연수 n에 대하여 $x=0$이면 $x^3+x^2\ne n$이다.'이다.
$x=0$이면 $x^3+x^2=0$이므로 $x^3+x^2\ne n$이다.
따라서 주어진 명제의 대우가 참이므로 주어진 명제는 참이다.

답 풀이 참조

02

두 자연수 a, b에 대하여 a, b가 모두 짝수라 가정하면
$a=2k$, $a=2l$ (k, l은 자연수)로 나타낼 수 있다.
a, b는 2를 공약수로 가지므로 이것은 a, b가 서로소라는 가정에 모순이다.
따라서 주어진 명제는 참이다.
$\therefore$ (가): 짝수, (나): 서로소

답 (가): 짝수, (나): 서로소

03

ㄱ. 주어진 부등식은 모든 실수 x에 대하여 성립한다.
ㄴ. $x=3$일 때 부등식이 성립하지 않는다.
ㄷ. 주어진 부등식을 정리하면 $(x-2)^2+1>0$이므로 모든 실수 x에 대하여 성립한다.
ㄹ. $x=-2$일 때 부등식이 성립하지 않는다.
따라서 **보기**에서 절대부등식인 것은 ㄱ, ㄷ이다.

답 ㄱ, ㄷ

04

$$\frac{a}{b}+\frac{b}{a}-2=\left(\frac{\sqrt{a}}{\sqrt{b}}\right)^2+\left(\frac{\sqrt{b}}{\sqrt{a}}\right)^2-2\times\frac{\sqrt{a}}{\sqrt{b}}\times\frac{\sqrt{b}}{\sqrt{a}}$$
$$=\left(\frac{\sqrt{a}}{\sqrt{b}}-\frac{\sqrt{b}}{\sqrt{a}}\right)^2\ge0$$

따라서 $\frac{a}{b}+\frac{b}{a}\geq 2$이다.

답 풀이 참조

유제 본문 324~337쪽

12-1 (1) 풀이 참조 (2) 풀이 참조
12-2 (가): n이 3의 배수가 아니면 n^2도 3의 배수가 아니다., (나): $3k-1$, (다): $3k^2-4k+1$, (라): 1
12-3 풀이 참조
12-4 (1) 풀이 참조 (2) 풀이 참조
13-1 (1) 풀이 참조 (2) 풀이 참조
13-2 풀이 참조
13-3 (가): 홀수, (나): 홀수, (다): 짝수, (라): 홀수
13-4 풀이 참조
14-1 (1) 풀이 참조 (2) 풀이 참조
14-2 (가): $|ab|-ab$, (나): $>$, (다): $\geq$
14-3 풀이 참조 **14-4** 풀이 참조
15-1 (1) 28 (2) 10 **15-2** 14 **15-3** 5
15-4 4 **16-1** 25 **16-2** 5 **16-3** 4
16-4 18 **17-1** (1) 최댓값: 10, 최솟값: -10 (2) 4
17-2 $\sqrt{10}$, $-\sqrt{10}$ **17-3** 29 **17-4** 17
18-1 27 **18-2** 36 **18-3** $12\sqrt{2}$ **18-4** 32

12-1

(1) 주어진 명제의 대우는 '실수 x, y에 대하여 $x<1$이고 $y<1$이면 $x+y<2$이다.'이다.
$x<1$이고 $y<1$이면 $x+y<1+1=2$이다.
따라서 주어진 명제의 대우가 참이므로 주어진 명제도 참이다.

(2) 주어진 명제의 대우는 '자연수 n에 대하여 n이 홀수이면 n^2도 홀수이다.'이다.
n이 홀수이면 $n=2k-1$ (k는 자연수)로 나타낼 수 있으므로
$n^2=(2k-1)^2=4k^2-4k+1=2(2k^2-2k)+1$
이때 $2(2k^2-2k)$는 0 또는 자연수이므로 n^2은 홀수이다.
따라서 주어진 명제의 대우가 참이므로 주어진 명제도 참이다.

답 (1) 풀이 참조 (2) 풀이 참조

12-2

주어진 명제의 대우는
'자연수 n에 대하여
$\boxed{n\text{이 3의 배수가 아니면 } n^2\text{도 3의 배수가 아니다.}}$'이다.
n이 3의 배수가 아니면 $n=3k-2$ 또는 $n=\boxed{3k-1}$ (k는 자연수)로 놓을 수 있다.
(i) $n=3k-2$이면
$n^2=(3k-2)^2=9k^2-12k+4$
$=3(\boxed{3k^2-4k+1})+1$
(ii) $n=\boxed{3k-1}$이면
$n^2=(3k-1)^2=9k^2-6k+1$
$=3(3k^2-2k)+\boxed{1}$
즉, n^2을 3으로 나누었을 때의 나머지가 0이 아니므로 n^2은 3의 배수가 아니다.
따라서 주어진 명제의 대우가 참이므로 주어진 명제도 참이다.

답 (가): n이 3의 배수가 아니면 n^2도 3의 배수가 아니다., (나): $3k-1$, (다): $3k^2-4k+1$, (라): 1

12-3

주어진 명제의 대우
'실수 a, b에 대하여 $a\neq 0$ 또는 $b\neq 0$이면 $a^2+b^2\neq 0$이다.'
가 참임을 보이면 된다.
(i) $a\neq 0$일 때, $a^2>0$, $b^2\geq 0$이므로
$a^2+b^2>0$에서 $a^2+b^2\neq 0$
(ii) $b\neq 0$일 때, $a^2\geq 0$, $b^2>0$이므로
$a^2+b^2>0$에서 $a^2+b^2\neq 0$
(i), (ii)에 의하여 주어진 명제의 대우가 참이므로 주어진 명제도 참이다.

답 풀이 참조

12-4

(1) 주어진 명제의 대우는 '자연수 a, b에 대하여 a, b가 모두 홀수이거나 모두 짝수이면 $a+b$는 짝수이다.'이다.
(2) (i) a, b가 모두 홀수이면
$a=2m-1$, $b=2n-1$ (m, n은 자연수)로 놓을 수 있으므로
$a+b=(2m-1)+(2n-1)=2(m+n-1)$
이때 $m+n-1$은 자연수이므로 $a+b$는 짝수이다.
(ii) a, b가 모두 짝수이면
$a=2m$, $b=2n$ (m, n은 자연수)으로 놓을 수 있으므로
$a+b=2m+2n=2(m+n)$
이때 $m+n$은 자연수이므로 $a+b$는 짝수이다.
(i), (ii)에서 주어진 명제의 대우가 참이므로 주어진 명제도 참이다.

답 (1) 풀이 참조 (2) 풀이 참조

13-1

(1) 결론을 부정하여 $\sqrt{3}$이 유리수라고 가정하면

$\sqrt{3}=\frac{n}{m}$ (m, n은 서로소인 자연수)으로 나타낼 수 있다.

즉, $n=\sqrt{3}m$이고 양변을 제곱하면 $n^2=3m^2$

이때 n^2이 3의 배수이므로 n도 3의 배수이다.

따라서 $n=3k$ (k는 자연수)로 나타낼 수 있으므로

$9k^2=3m^2$, 즉 $3k^2=m^2$

이때 m^2이 3의 배수이므로 m도 3의 배수이다.

그런데 m, n이 모두 3의 배수이므로 m과 n이 서로소인 자연수라는 가정에 모순이다.

따라서 $\sqrt{3}$은 유리수가 아니다.

(2) 결론을 부정하여

$2-\sqrt{3}$이 유리수라 가정하면

유리수 2에서 유리수 $2-\sqrt{3}$을 뺀 수 $2-(2-\sqrt{3})=\sqrt{3}$도 유리수이다.

하지만 이것은 $\sqrt{3}$이 유리수가 아니라는 사실에 모순이다.

따라서 $2-\sqrt{3}$은 유리수가 아니다.

참고

명제 '자연수 n에 대하여 n^2이 3의 배수이면 n도 3의 배수이다.'가 참임은 **12-2**에서 다루었다.

답 (1) 풀이 참조 (2) 풀이 참조

13-2

세 자연수 a, b, c에 대하여 $a+b+c=13$일 때, 결론을 부정하여 a, b, c가 모두 4 이하라 가정하면 $a\leq4$, $b\leq4$, $c\leq4$에서 $a+b+c\leq12$이므로 $a+b+c=13$이라는 가정에 모순이다.

따라서 $a+b+c=13$일 때, a, b, c 중 적어도 하나는 4보다 크다.

답 풀이 참조

13-3

자연수 m, n에 대하여 m^2+n^2이 홀수일 때, 결론을 부정하여 mn이 [홀수]라 가정하면 m, n은 모두 [홀수]이어야 하므로

$m=2k-1$, $n=2l-1$ (k, l은 자연수)로 나타낼 수 있다.

이때

$$m^2+n^2=(2k-1)^2+(2l-1)^2$$
$$=2(2k^2-2k+2l^2-2l+1)$$

이므로 m^2+n^2은 [짝수]이다.

그런데 이것은 m^2+n^2이 [홀수]라는 가정에 모순이다.

따라서 자연수 m, n에 대하여 m^2+n^2이 홀수이면 mn은 짝수이다.

참고

명제 '두 자연수 m, n에 대하여 mn이 홀수이면 m, n은 모두 홀수이다.'가 참인 것은 대우를 이용하여 증명할 수 있다.

답 (가): 홀수, (나): 홀수, (다): 짝수, (라): 홀수

13-4

결론을 부정하여 $a\neq0$ 또는 $b\neq0$이라 하자.

(i) $a\neq0$, $b=0$이면

$a+b\sqrt{2}=a$인데 $a\neq0$이므로 $a+b\sqrt{2}=0$이라는 가정에 모순이다.

(ii) $a=0$, $b\neq0$이면

$a+b\sqrt{2}=b\sqrt{2}$인데 $b\neq0$이므로 $a+b\sqrt{2}=0$이라는 가정에 모순이다.

(iii) $a\neq0$, $b\neq0$이면

$a+b\sqrt{2}=0$에서 $\sqrt{2}=-\frac{a}{b}$이다.

이때 a, b가 유리수이므로 $-\frac{a}{b}$도 유리수이다.

즉, $\sqrt{2}$는 유리수이다.

이는 $\sqrt{2}$가 무리수라는 사실에 모순이다.

(i)~(iii)에 의하여 $a+b\sqrt{2}=0$이면 $a=0$이고 $b=0$이다.

답 풀이 참조

14-1

(1) $a^2+7b^2-4ab=(a^2-4ab+4b^2)+3b^2$

$$=(a-2b)^2+3b^2$$

실수 a, b에 대하여 $(a-2b)^2\geq0$, $3b^2\geq0$이므로

$(a-2b)^2+3b^2\geq0$, 즉 $a^2+7b^2-4ab\geq0$

$\therefore a^2+7b^2\geq4ab$ (단, 등호는 $a=b=0$일 때 성립)

(2) $(|a|+|b|)^2-(|a+b|)^2$

$=a^2+2|ab|+b^2-(a^2+2ab+b^2)$

$=2(|ab|-ab)\geq0$

$\therefore (|a|+|b|)^2\geq(|a+b|)^2$

이때 $|a|+|b|\geq0$, $|a+b|\geq0$이므로

$|a|+|b|\geq|a+b|$ (단, 등호는 $ab\geq0$일 때 성립)

참고

절대부등식을 증명할 때, 등호가 성립하는 조건을 꼭 써야 한다.

답 (1) 풀이 참조 (2) 풀이 참조

14-2

$|a-b|^2-(|a|-|b|)^2$

$=(a^2-2ab+b^2)-(a^2-2|ab|+b^2)$

$=2(\boxed{|ab|-ab})\geq 0$

따라서 $|a-b|^2\geq(|a|-|b|)^2$이다. ······ ㉠

(i) $|a|\geq|b|$일 때

$|a-b|\geq 0$이고 $|a|-|b|\geq 0$이므로

㉠에 의하여 $|a-b|\geq|a|-|b|$이다.

(ii) $|a|<|b|$일 때

$|a-b|>0$이고 $|a|-|b|<0$이므로

㉠에 의하여 $|a-b|\boxed{>}|a|-|b|$이다.

(i), (ii)에 의하여 $|a-b|\geq|a|-|b|$이다.

여기서 등호는 $ab\boxed{\geq}0$이고 $|a|\geq|b|$일 때 성립한다.

답 (가): $|ab|-ab$, (나): $>$, (다): $\geq$

14-3

$(\sqrt{a-b})^2-(\sqrt{a}-\sqrt{b})^2=(a-b)-(a-2\sqrt{ab}+b)$

$=2\sqrt{ab}-2b$

$=2\sqrt{b}(\sqrt{a}-\sqrt{b})$

$a>b>0$에서 $\sqrt{b}>0$, $\sqrt{a}-\sqrt{b}>0$이므로

$(\sqrt{a-b})^2-(\sqrt{a}-\sqrt{b})^2>0$, 즉

$(\sqrt{a-b})^2>(\sqrt{a}-\sqrt{b})^2$

이때 $\sqrt{a-b}>0$, $\sqrt{a}-\sqrt{b}>0$이므로

$\sqrt{a-b}>\sqrt{a}-\sqrt{b}$

답 풀이 참조

14-4

$a^2+b^2+c^2+ab+bc+ca$

$=\frac{1}{2}(2a^2+2b^2+2c^2+2ab+2bc+2ca)$

$=\frac{1}{2}(a^2+2ab+b^2+b^2+2bc+c^2+c^2+2ca+a^2)$

$=\frac{1}{2}\{(a+b)^2+(b+c)^2+(c+a)^2\}$

이때 $(a+b)^2\geq 0$, $(b+c)^2\geq 0$, $(c+a)^2\geq 0$이므로

$\frac{1}{2}\{(a+b)^2+(b+c)^2+(c+a)^2\}\geq 0$

$\therefore a^2+b^2+c^2+ab+bc+ca\geq 0$

(단, 등호는 $a=b=c=0$일 때 성립)

답 풀이 참조

15-1

(1) $2a>0$, $7b>0$이므로 산술평균과 기하평균의 관계에 의하여

$2a+7b\geq 2\sqrt{2a\times 7b}=2\sqrt{14ab}$

(단, 등호는 $2a=7b$일 때 성립)

이때 $ab=14$이므로 $2a+7b\geq 2\sqrt{14\times 14}=28$

따라서 $2a+7b$의 최솟값은 28이다.

(2) $5a>0$, $2b>0$이므로 산술평균과 기하평균의 관계에 의하여

$5a+2b\geq 2\sqrt{5a\times 2b}=2\sqrt{10ab}$

(단, 등호는 $5a=2b$일 때 성립)

이때 $5a+2b=20$이므로

$20\geq 2\sqrt{10ab}$, $10\geq\sqrt{10ab}$

양변을 제곱하면 $100\geq 10ab$ $\therefore ab\leq 10$

따라서 ab의 최댓값은 10이다.

답 (1) 28 (2) 10

15-2

$3x>0$, $\frac{12}{x}>0$이므로 산술평균과 기하평균의 관계에 의하여

$3x+\frac{12}{x}\geq 2\sqrt{3x\times\frac{12}{x}}=2\times 6=12$

이때 등호는 $3x=\frac{12}{x}$일 때 성립하므로 $3x^2=12$, $x^2=4$

$\therefore x=2$ ($\because x>0$)

즉, $3x+\frac{12}{x}$는 $x=2$일 때 최솟값 12를 갖는다.

$\therefore m+n=12+2=14$

답 14

15-3

$4x^2>0$, $9y^2>0$이므로 산술평균과 기하평균의 관계에 의하여

$4x^2+9y^2\geq 2\sqrt{4x^2\times 9y^2}=2\sqrt{(6xy)^2}=12xy$

(단, 등호는 $4x^2=9y^2$, 즉 $2x=3y$일 때 성립)

이때 $4x^2+9y^2=60$이므로

$60\geq 12xy$ $\therefore xy\leq 5$

따라서 xy의 최댓값은 5이다.

답 5

15-4

$\frac{4}{a}+\frac{3}{b}=\frac{3a+4b}{ab}=\frac{12}{ab}$

$3a>0$, $4b>0$이므로 산술평균과 기하평균의 관계에 의하여

$3a+4b\geq 2\sqrt{3a\times 4b}=2\sqrt{12ab}$

(단, 등호는 $3a=4b$일 때 성립)

이때 $3a+4b=12$이므로

$12\geq 2\sqrt{12ab}$, $\sqrt{12ab}\leq 6$, $12ab\leq 36$

$\therefore \frac{12}{ab}\geq 4$

따라서 $\frac{4}{a}+\frac{3}{b}$의 최솟값은 4이다.

답 4

16-1

$$(2x+3y)\left(\frac{2}{x}+\frac{3}{y}\right)=4+\frac{6x}{y}+\frac{6y}{x}+9$$
$$=\frac{6x}{y}+\frac{6y}{x}+13$$

$\frac{6x}{y}>0$, $\frac{6y}{x}>0$이므로 산술평균과 기하평균의 관계에 의하여

$$\frac{6x}{y}+\frac{6y}{x}+13\geq 2\sqrt{\frac{6x}{y}\times\frac{6y}{x}}+13$$
$$=2\times 6+13=25$$
$$\left(\text{단, 등호는 } \frac{6x}{y}=\frac{6y}{x}\text{, 즉 } x=y\text{일 때 성립}\right)$$

따라서 $(2x+3y)\left(\frac{2}{x}+\frac{3}{y}\right)$의 최솟값은 25이다.

답 25

16-2

$$x+\frac{16}{x+3}=x+3+\frac{16}{x+3}-3$$

$x>-3$에서 $x+3>0$이므로 산술평균과 기하평균의 관계에 의하여

$$x+3+\frac{16}{x+3}-3\geq 2\sqrt{(x+3)\times\frac{16}{x+3}}-3$$
$$=2\times 4-3=5$$
$$\left(\text{단, 등호는 } x+3=\frac{16}{x+3}\text{, 즉 } x=1\text{일 때 성립}\right)$$

따라서 $x+\frac{16}{x+3}$의 최솟값은 5이다.

참고

산술평균과 기하평균의 관계를 이용할 수 있도록 식을 변형할 때에는 서로 곱했을 때 약분되어 상수가 되도록 한다.

답 5

16-3

$x>0$, $y>0$이므로 산술평균과 기하평균의 관계에 의하여

$$(x+y)\left(\frac{1}{x}+\frac{a}{y}\right)=1+\frac{ax}{y}+\frac{y}{x}+a$$
$$\geq 2\sqrt{\frac{ax}{y}\times\frac{y}{x}}+a+1$$
$$=2\sqrt{a}+a+1$$
$$\left(\text{단, 등호는 } \frac{ax}{y}=\frac{y}{x}\text{, 즉 } \sqrt{a}x=y\text{일 때 성립}\right)$$

이때 최솟값이 9이므로

$2\sqrt{a}+a+1=9$에서 $(\sqrt{a})^2+2\sqrt{a}-8=0$

$(\sqrt{a}+4)(\sqrt{a}-2)=0 \qquad \therefore \sqrt{a}=2\ (\because a>0)$

$\therefore a=2^2=4$

답 4

16-4

$$3x+\frac{12}{x-1}=3(x-1)+\frac{12}{x-1}+3$$

$x>1$에서 $x-1>0$이므로 산술평균과 기하평균의 관계에 의하여

$$3(x-1)+\frac{12}{x-1}+3\geq 2\sqrt{3(x-1)\times\frac{12}{x-1}}+3$$
$$=2\times 6+3=15$$

이때 등호는 $3(x-1)=\frac{12}{x-1}$일 때 성립하므로

$(x-1)^2=4 \qquad \therefore x=3\ (\because x-1>0)$

즉, $3x+\frac{12}{x-1}$는 $x=3$일 때 최솟값 15를 갖는다.

$\therefore m+n=15+3=18$

답 18

17-1

(1) x, y가 실수이므로 코시-슈바르츠 부등식에 의하여

$(2^2+4^2)(x^2+y^2)\geq(2x+4y)^2$

(단, 등호는 $y=2x$일 때 성립)

이때 $x^2+y^2=5$이므로 $20\times 5\geq(2x+4y)^2$

$\therefore -10\leq 2x+4y\leq 10$

따라서 $2x+4y$의 최댓값은 10, 최솟값은 -10이다.

(2) x, y가 실수이므로 코시-슈바르츠 부등식에 의하여

$(3^2+4^2)(x^2+y^2)\geq(3x+4y)^2$

(단, 등호는 $3y=4x$일 때 성립)

이때 $3x+4y=10$이므로 $25(x^2+y^2)\geq 10^2$

$\therefore x^2+y^2\geq 4$

따라서 x^2+y^2의 최솟값은 4이다.

답 (1) 최댓값: 10, 최솟값: -10 (2) 4

17-2

a, b가 실수이므로 코시-슈바르츠 부등식에 의하여

$(1^2+2^2)(a^2+b^2)\geq(a+2b)^2$

$5\times 50\geq(a+2b)^2 \qquad \therefore (a+2b)^2\leq 250$

이때 등호는 $b=2a$일 때 성립하고

$(a+2b)^2$은 $b=2a$일 때 최댓값 250을 갖는다.

$a^2+b^2=50$에 $b=2a$를 대입하면

$a^2+4a^2=50$, $a^2=10$

$\therefore a=\pm\sqrt{10}$

답 $\sqrt{10}$, $-\sqrt{10}$

17-3

$\sqrt{x}$, $\sqrt{y}$가 실수이므로 코시 – 슈바르츠 부등식에 의하여

$(2^2+5^2)\{(\sqrt{x})^2+(\sqrt{y})^2\} \ge (2\sqrt{x}+5\sqrt{y})^2$

(단, 등호는 $2\sqrt{y}=5\sqrt{x}$, 즉 $4y=25x$일 때 성립)

이때 $x+y=29$이므로 $(2\sqrt{x}+5\sqrt{y})^2 \le 29^2$

$\therefore 0<2\sqrt{x}+5\sqrt{y} \le 29$ ($\because x>0,\ y>0$)

따라서 $2\sqrt{x}+5\sqrt{y}$의 최댓값은 29이다.

답 29

17-4

x, y가 실수이므로 코시—슈바르츠 부등식에 의하여

$(4^2+1^2)(x^2+y^2) \ge (4x+y)^2$

이때 $x^2+y^2=a$이므로 $17a \ge (4x+y)^2$

$\therefore -\sqrt{17a} \le 4x+y \le \sqrt{17a}$

(단, 등호는 $4y=x$일 때 성립)

이때 최댓값과 최솟값의 차가 34이므로

$\sqrt{17a}-(-\sqrt{17a})=34$

$2\sqrt{17a}=34$, $\sqrt{17a}=17$

$\therefore a=17$

답 17

18-1

구역 전체의 가로, 세로의 길이를 각각 x m, y m라 하면

구역 전체의 넓이는 xy m^2이고,

사용한 끈의 길이가 36 m이므로 $4x+3y=36$이다.

$4x>0$, $3y>0$이므로 산술평균과 기하평균의 관계에 의하여

$4x+3y \ge 2\sqrt{4x\times 3y}$ (단, 등호는 $4x=3y$일 때 성립)

$36 \ge 2\sqrt{12xy}$, $\sqrt{12xy} \le 18$, $12xy \le 18^2$

$\therefore 0<xy \le 27$ ($\because x>0,\ y>0$)

따라서 구역 전체의 넓이의 최댓값은 27 m^2이다.

$\therefore k=27$

답 27

18-2

직각삼각형 모양의 텃밭의 빗변이 아닌 두 변의 길이를 각각 x m, y m라 하면

텃밭의 넓이는 $\frac{1}{2}xy$ m^2이고,

사용한 철망의 길이가 12 m이므로 $x^2+y^2=144$

$x>0$, $y>0$이므로 산술평균과 기하평균의 관계에 의하여

$x^2+y^2 \ge 2\sqrt{x^2y^2}$ (단, 등호는 $x=y$일 때 성립)

$144 \ge 2xy$ $\qquad \therefore 0<\frac{1}{2}xy \le 36$ ($\because x>0,\ y>0$)

따라서 텃밭의 넓이의 최댓값은 36 m^2이다.

$\therefore k=36$

답 36

18-3

직사각형의 가로, 세로의 길이를 각각 x, y라 하면

직사각형의 둘레의 길이는 $2x+2y$이고,

직사각형의 대각선의 길이가 6이므로 $x^2+y^2=36$

x, y가 실수이므로 코시 – 슈바르츠 부등식에 의하여

$(2^2+2^2)(x^2+y^2) \ge (2x+2y)^2$ (단, 등호는 $x=y$일 때 성립)

$8\times 36 \ge (2x+2y)^2$, $(2x+2y)^2 \le 288$

$\therefore 0<2x+2y \le 12\sqrt{2}$ ($\because x>0,\ y>0$)

따라서 직사각형의 둘레의 길이의 최댓값은 $12\sqrt{2}$이다.

참고

반지름의 길이가 r인 원에 내접하는 직사각형 ABCD의 넓이가 최대일 때는 직사각형 ABCD가 한 변의 길이가 $\sqrt{2}r$인 정사각형일 때이다.

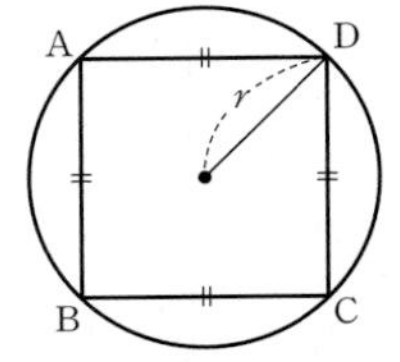

답 $12\sqrt{2}$

18-4

주어진 직육면체에 선분 EG를 그어서 생각하면 삼각형 AEG는 직각삼각형이다.

이때 직각삼각형 EFG에서

$\overline{EG}^2=\overline{EF}^2+\overline{FG}^2$ $\qquad$ …… ㉠

이고, 직각삼각형 AEG에서

$\overline{AG}^2=\overline{AE}^2+\overline{EG}^2$ $\qquad$ …… ㉡

㉠을 ㉡에 대입하면

$\overline{AG}^2=\overline{AE}^2+(\overline{EF}^2+\overline{FG}^2)$

주어진 조건에서 선분 AG의 길이가 $\sqrt{22}$이므로

$22=b^2+a^2+2^2$

$\therefore a^2+b^2=18$

한편, a, b는 실수이므로 코시 – 슈바르츠 부등식에 의하여

$(1^2+1^2)(a^2+b^2) \ge (a+b)^2$ (단, 등호는 $a=b$일 때 성립)

$2\times 18 \ge (a+b)^2$, $(a+b)^2 \le 36$

$\therefore 0<a+b \le 6$ ($\because a>0,\ b>0$)

이때 직육면체의 모든 모서리의 길이의 합은 $4(a+b+2)$이므로

$4(a+b+2) \le 4(6+2)=32$

따라서 직육면체의 모서리의 길이의 합의 최댓값은 32이다.

답 32

중단원 연습문제

본문 338~342쪽

01 3	**02** ③	**03** 1	**04** 16
05 ③	**06** ㄱ, ㄷ	**07** ⑤	**08** ⑤
09 (가): 홀수, (나): $a^2+b^2\neq c^2$, (다): 홀수, (라): 짝수			
10 ①	**11** $2+2\sqrt{5}$	**12** 24	**13** 5
14 ④	**15** ㄱ, ㄷ	**16** 7	**17** $5\sqrt{2}$
18 29	**19** 19	**20** ①	

01

ㄱ. [반례] $n=2$이면 n은 소수이지만 $n^2=4$는 홀수가 아니다.
즉, 주어진 명제는 거짓이다.

ㄴ. 삼각형 ABC가 정삼각형이면
$\angle A=\angle B=\angle C=60°$
즉, $\angle B=\angle C$이므로 주어진 명제는 참이다.

ㄷ. [반례] $x=\sqrt{2}$, $y=-\sqrt{2}$이면 $x+y=0$, $xy=-2$는 모두 정수이지만 x, y는 정수가 아니다.
즉, 주어진 명제는 거짓이다.

ㄹ. [반례] $x=4$, $y=\frac{1}{2}$이면 $x+y>2$, $xy>1$이지만 $y<1$이다.
즉, 주어진 명제는 거짓이다.

ㅁ. $|x|\le1$에서 $-1\le x\le1$
$x^2-3x-4\le0$에서 $(x+1)(x-4)\le0$
$\therefore -1\le x\le4$
이때 $\{x|-1\le x\le1\}\subset\{x|-1\le x\le4\}$이므로 주어진 명제는 참이다.

따라서 주어진 명제 중 거짓인 것은 ㄱ, ㄷ, ㄹ의 3개이다.

답 3

02

$(x-y)^2+(y-z)^2+(z-x)^2=0$의 부정은
$(x-y)^2+(y-z)^2+(z-x)^2\neq0$
즉, $(x-y)^2\neq0$ 또는 $(y-z)^2\neq0$ 또는 $(z-x)^2\neq0$이므로
$x-y\neq0$ 또는 $y-z\neq0$ 또는 $z-x\neq0$
$\therefore x\neq y$ 또는 $y\neq z$ 또는 $z\neq x$
따라서 주어진 조건의 부정과 서로 같은 것은
'③ x, y, z 중 적어도 두 수는 서로 다르다.'이다.

답 ③

03

두 조건 p, q의 진리집합을 각각 P, Q라 하자.
$x(x^2-1)=0$, 즉 $x(x+1)(x-1)=0$에서
$x=-1$ 또는 $x=0$ 또는 $x=1$이므로 $P=\{-1, 0, 1\}$
$x^2-4x+3\le0$, 즉 $(x-1)(x-3)\le0$에서
$1\le x\le3$이므로 $Q=\{1, 2, 3\}$
이때 조건 '$\sim p$ 또는 q'의 진리집합은 $P^C\cup Q$이고
$P^C=\{-3, -2, 2, 3\}$이므로
$P^C\cup Q=\{-3, -2, 1, 2, 3\}$
따라서 집합 $P^C\cup Q$의 모든 원소의 합은
$(-3)+(-2)+1+2+3=1$

답 1

04

명제 $\sim p \longrightarrow q$가 참이 되려면 $P^C\subset Q$이어야 한다.
이때 $P=\{2, 3, 5, 7\}$에서 $P^C=\{1, 4, 6, 8, 9\}$이므로
집합 Q는 1, 4, 6, 8, 9를 반드시 원소로 갖는다.
$n(U)=9$, $n(P^C)=5$이므로
구하는 집합 Q의 개수는 $2^{9-5}=2^4=16$

참고

원소의 개수가 n인 집합 A에 대하여 특정한 원소 k개를 반드시 갖는 집합 A의 부분집합의 개수는
2^{n-k}이다. (단, $k\le n$)

답 16

05

p: $|x-a|\le1$에서
$-1\le x-a\le1$ $\quad\therefore a-1\le x\le a+1$
q: $x^2-2x-8>0$에서
$(x+2)(x-4)>0$ $\quad\therefore x<-2$ 또는 $x>4$
두 조건 p, q의 진리집합을 각각 P, Q라 하면
$P=\{x|a-1\le x\le a+1\}$, $Q^C=\{x|-2\le x\le4\}$
이때 $p \longrightarrow \sim q$가 참이 되려면 $P\subset Q^C$이어야 하므로 이를 만족시키도록 두 집합 P, Q^C를 수직선 위에 나타내면 오른쪽 그림과 같다.

Q^C P -2 $a-1$ $a+1$ 4 x

즉, $-2\le a-1$, $a+1\le4$에서
$-1\le a\le3$
따라서 실수 a의 최댓값은 3이다.

답 ③

06

ㄱ. 대우: 0이 아닌 a, b에 대하여 $\frac{1}{a}\ge\frac{1}{b}$이면 $a\le b$이다.
(거짓)
[반례] $a=1$, $b=-2$이면 $\frac{1}{a}\ge\frac{1}{b}$이지만 $a>b$이다.

ㄴ. 대우: $a^2-3a-10<0$이면 $-2\le a<5$이다. (참)

[증명] $a^2-3a-10<0$이면 $(a+2)(a-5)<0$

$\therefore -2<a<5$

$\{a|-2<a<5\}\subset\{a|-2\le a<5\}$이므로 주어진 명제의 대우는 참이다.

ㄷ. 대우: $a+b$가 무리수가 아니면 a 또는 b가 무리수가 아니다. (거짓)

[반례] $a=\sqrt{2}$, $b=-\sqrt{2}$이면 $a+b$는 무리수가 아니지만 a와 b는 모두 무리수이다.

따라서 대우가 거짓인 명제인 것은 ㄱ, ㄷ이다.

답 ㄱ, ㄷ

07

명제 $r \longrightarrow \sim s$가 참이므로 그 대우 $s \longrightarrow \sim r$도 참이다.

두 명제 $p \longrightarrow \sim q$, $s \longrightarrow \sim r$가 참이므로 명제 $p \longrightarrow \sim r$가 참이려면

세 명제 $p \longrightarrow s$, $\sim q \longrightarrow s$, $\sim q \longrightarrow \sim r$ 중 적어도 하나는 참이어야 한다.

이때 세 명제 $p \longrightarrow s$, $\sim q \longrightarrow s$, $\sim q \longrightarrow \sim r$의 대우는 각각 $\sim s \longrightarrow \sim p$, $\sim s \longrightarrow q$, $r \longrightarrow q$이므로 명제 $p \longrightarrow \sim r$가 참임을 보이기 위해 필요한 참인 명제로 옳은 것은 ⑤ $\sim s \longrightarrow q$이다.

답 ⑤

08

p는 q 또는 r이기 위한 필요조건이므로 $(Q\cup R)\subset P$

세 집합 P, Q, R 사이의 포함 관계를 벤다이어그램으로 나타내면 오른쪽 그림과 같다.

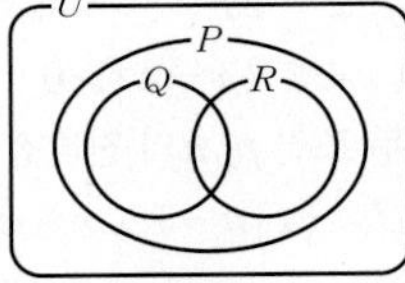

① $Q\subset P$이므로 $P\cap Q=Q$

② $R\subset P$이므로 $P\cup R=P$

③ $Q\subset P$이므로 $P^C\cap Q=Q-P=\varnothing$

④ $(Q\cap R)\subset P$

⑤ $Q\cap R^C=Q-R$가 항상 공집합 것은 아니다.

따라서 항상 옳은 것이 아닌 것은 ⑤이다.

답 ⑤

09

자연수 a, b, c에 대하여 주어진 명제의 대우

'a, b, c가 모두 [홀수]이면 [$a^2+b^2\ne c^2$]이다.'가 참임을 보이면 된다.

a, b, c가 모두 [홀수]이면

$a=2a'-1$, $b=2b'-1$, $c=2c'-1$ (단, a', b', c'는 자연수)로 놓을 수 있다. 따라서

$a^2=4(a'^2-a')+1$,

$b^2=4(b'^2-b')+1$,

$c^2=4(c'^2-c')+1$

이고, $4(a'^2-a')$, $4(b'^2-b')$, $4(c'^2-c')$은 모두 0 또는 짝수이므로 a^2, b^2, c^2은 모두 [홀수]이다.

이때 a^2+b^2은 [짝수], c^2은 [홀수]가 되어 [$a^2+b^2\ne c^2$]이다.

따라서 주어진 명제의 대우가 참이므로 주어진 명제도 참이다.

답 (가): 홀수, (나): $a^2+b^2\ne c^2$, (다): 홀수, (라): 짝수

10

$4x>0$, $\frac{a}{x}>0$이므로

산술평균과 기하평균의 관계에 의하여

$4x+\frac{a}{x}\ge 2\sqrt{4x\times\frac{a}{x}}=4\sqrt{a}$

$\left(\text{단, 등호는 } 4x=\frac{a}{x}\text{일 때 성립}\right)$

이때 최솟값이 2이므로 $4\sqrt{a}=2$

$\sqrt{a}=\frac{1}{2}$ $\qquad \therefore a=\frac{1}{4}$

답 ①

11

$x^2+y^2=2$이므로

$x^2+x+y^2+3y=x+3y+2$

x, y가 실수이므로 코시-슈바르츠 부등식에 의하여

$(1^2+3^2)(x^2+y^2)\ge(x+3y)^2$

(단, 등호는 $y=3x$일 때 성립)

이때 $x^2+y^2=2$이므로 $(x+3y)^2\le 20$

$\therefore -2\sqrt{5}\le x+3y\le 2\sqrt{5}$

따라서 $2-2\sqrt{5}\le x+3y+2\le 2+2\sqrt{5}$이므로 주어진 식의 최댓값은 $2+2\sqrt{5}$이다.

답 $2+2\sqrt{5}$

12

$y=mx+3m+4$에서

$A\left(-\frac{3m+4}{m}, 0\right)$, $B(0, 3m+4)$이므로

삼각형 OAB의 넓이는

$\frac{1}{2}\times\frac{3m+4}{m}\times(3m+4)$ ($\because m>0$)

$=\frac{1}{2}\left(3+\frac{4}{m}\right)(3m+4)$

$=\frac{1}{2}\left(9m+\frac{16}{m}+24\right)=\frac{1}{2}\left(9m+\frac{16}{m}\right)+12$

이때 $9m>0$, $\frac{16}{m}>0$이므로 산술평균과 기하평균의 관계에 의하여

$\frac{1}{2}\left(9m+\frac{16}{m}\right)+12\ge\frac{1}{2}\times2\sqrt{9m\times\frac{16}{m}}+12$

$=12+12=24$

$\left(\text{단, 등호는 } 9m=\frac{16}{m}\text{, 즉 } m=\frac{4}{3}\text{일 때 성립}\right)$

따라서 삼각형 OAB의 넓이의 최솟값은 24이다.

답 24

13

주어진 명제가 거짓이려면 명제의 부정

'모든 실수 x에 대하여 $x^2-6x+3k-5\ge0$이다.'

가 참이 되어야 한다.

이차방정식 $x^2-6x+3k-5=0$의 판별식을 D라 하면

$\frac{D}{4}=(-3)^2-(3k-5)\le0$

$14-3k\le0$ $\therefore k\ge\frac{14}{3}$

따라서 정수 k의 최솟값은 5이다.

답 5

14

네 조건 p, q, r, s를

p: 등산을 좋아한다.,

q: 달리기를 좋아한다.,

r: 활동적이다.,

s: 독서를 좋아한다.

로 놓으면 조건 (가), (나), (다)에서

$p\longrightarrow q$, $\sim p\longrightarrow\sim r$, $\sim q\longrightarrow s$가 참이므로 각각의 대우 $\sim q\longrightarrow\sim p$, $r\longrightarrow p$, $\sim s\longrightarrow q$도 참이다.

또한 두 명제 $r\longrightarrow p$, $p\longrightarrow q$가 모두 참이므로 $r\longrightarrow q$도 참이다.

이때 선지로 주어진 명제를 p, q, r, s를 이용하여 나타내면 다음과 같다.

① $p\longrightarrow r$ ② $s\longrightarrow q$ ③ $s\longrightarrow\sim r$

④ $r\longrightarrow q$ ⑤ $\sim r\longrightarrow\sim p$

따라서 항상 참인 명제는 ④이다.

답 ④

15

$R\cap(P\cap Q)^C=R$에서 $R\subset(P\cap Q)^C$이고

$R\cap Q^C=\varnothing$에서 $R\subset Q$이므로

$R\subset(P^C\cap Q)$

따라서 세 집합 P, Q, R 사이의 포함 관계를 벤다이어그램으로 나타내면 오른쪽 그림과 같다.

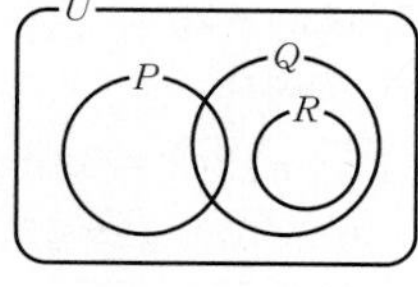

ㄱ. $P\subset R^C$이므로 p는 $\sim r$이기 위한 충분조건이다. (참)

ㄴ. $R\subset(P\cup Q)$이므로 r는 p 또는 q이기 위한 충분조건이다. (거짓)

ㄷ. $R\subset(P^C\cap Q)$이므로 $\sim p$ 그리고 q는 r이기 위한 필요조건이다. (참)

따라서 항상 옳은 것은 ㄱ, ㄷ이다.

답 ㄱ, ㄷ

16

p는 q이기 위한 충분조건이므로 $P\subset Q$ ...... ㉠

q는 r이기 위한 필요충분조건이므로 $Q=R$ ...... ㉡

㉠에서 $5\in Q$이므로 $a^2+1=5$ 또는 $a+2=5$

$\therefore a=-2$ 또는 $a=2$ 또는 $a=3$

(i) $a=-2$일 때, $Q=\{0, 5\}$이므로 ㉡을 만족시키지 못한다.

(ii) $a=2$일 때, $Q=\{4, 5\}$이므로 ㉡에서 $b=5$

(iii) $a=3$일 때, $Q=\{5, 10\}$이므로 ㉡을 만족시키지 못한다.

따라서 $a=2$, $b=5$이므로 $a+b=7$

다른 풀이

p가 q이기 위한 충분조건이므로 $P\subset Q$

q가 r이기 위한 필요충분조건이므로 $Q=R$

따라서 $P\subset R$이므로 $5\in R$이다. $\therefore b=5$

이때 $Q=R$이기 위해서는

$a^2+1=4$, $a+2=5$ 또는 $a^2+1=5$, $a+2=4$

(i) $a^2+1=4$, $a+2=5$인 경우

두 등식을 모두 만족시키는 상수 a의 값은 존재하지 않는다.

(ii) $a^2+1=5$, $a+2=4$인 경우

$a+2=4$에서 $a=2$

이때 $a^2+1=2^2+1=5$이므로 조건을 만족시킨다.

(i), (ii)에서 $a=2$이므로 $a+b=2+5=7$

답 7

17

$(\sqrt{5x}+\sqrt{2y})^2=5x+2y+2\sqrt{5x\times2y}$

$=5x+2y+2\sqrt{10xy}$ ...... ㉠

$5x>0$, $2y>0$이므로 산술평균과 기하평균의 관계에 의하여

$5x+2y\ge2\sqrt{5x\times2y}$ (단, 등호는 $5x=2y$일 때 성립)

이때 $5x+2y=25$이므로

$2\sqrt{10xy}\le 25$ ...... ㉡

㉠, ㉡에서

$(\sqrt{5x}+\sqrt{2y})^2=5x+2y+2\sqrt{10xy}\le 25+25=50$

$\therefore\ 0<\sqrt{5x}+\sqrt{2y}\le 5\sqrt{2}$ ($\because\ \sqrt{5x}>0,\ \sqrt{2y}>0$)

따라서 $\sqrt{5x}+\sqrt{2y}$의 최댓값은 $5\sqrt{2}$이다.

다른 풀이

$\sqrt{x}$, $\sqrt{y}$가 실수이므로 코시-슈바르츠 부등식의 의하여

$(5x+2y)(1^2+1^2)\ge(\sqrt{5x}+\sqrt{2y})^2$

(단, 등호는 $\sqrt{5x}=\sqrt{2y}$, 즉 $5x=2y$일 때 성립)

이때 $5x+2y=25$이므로 $50\ge(\sqrt{5x}+\sqrt{2y})^2$

$\therefore\ 0<\sqrt{5x}+\sqrt{2y}\le 5\sqrt{2}$ ($\because\ \sqrt{5x}>0,\ \sqrt{2y}>0$)

따라서 $2\sqrt{x}+5\sqrt{y}$의 최댓값은 $5\sqrt{2}$이다.

답 $5\sqrt{2}$

18

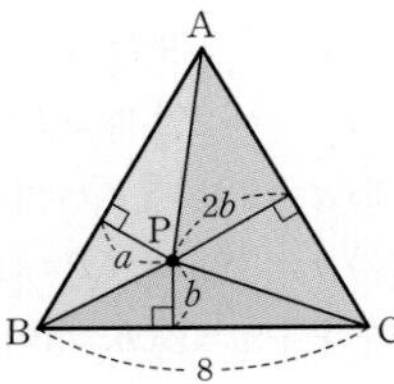

한 변의 길이가 8인 정삼각형의 넓이는 $\frac{\sqrt{3}}{4}\times 8^2=16\sqrt{3}$

삼각형 ABC의 넓이는 세 삼각형 ABP, BCP, CAP의 넓이의 합과 같으므로

$\frac{1}{2}\times 8\times a+\frac{1}{2}\times 8\times b+\frac{1}{2}\times 8\times 2b=16\sqrt{3}$

$4a+12b=16\sqrt{3}$ $\quad\therefore\ a+3b=4\sqrt{3}$

a, b가 실수이므로 코시-슈바르츠 부등식에 의하여

$(1^2+3^2)(a^2+b^2)\ge(a+3b)^2$

(단, 등호는 $b=3a$일 때 성립)

$10(a^2+b^2)\ge 48$ $\quad\therefore\ a^2+b^2\ge\frac{24}{5}$

따라서 a^2+b^2의 최솟값은 $\frac{24}{5}$

$\therefore\ p+q=5+24=29$

참고

한 변의 길이가 k인 정삼각형의 넓이는 $\frac{\sqrt{3}}{4}k^2$이다.

답 29

19

두 조건 p, q의 진리집합을 각각 P, Q라 하자.

명제 'p이면 q이다.'가 거짓임을 보이는 반례의 개수가 3이려면 집합 $P\cap Q^C$의 원소의 개수가 3이어야 한다.

(i) $-10\le -b\le -3$일 때

$P\cap Q^C=\{3,\ 4,\ 5\}$이어야 하므로 $a=5$

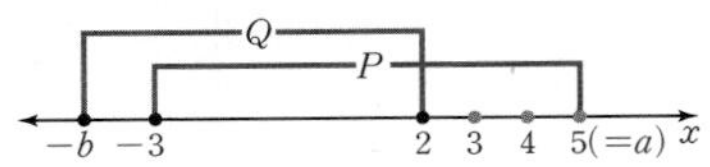

(ii) $-b=-2$일 때

$P\cap Q^C=\{-3,\ 3,\ 4\}$이어야 하므로 $a=4$

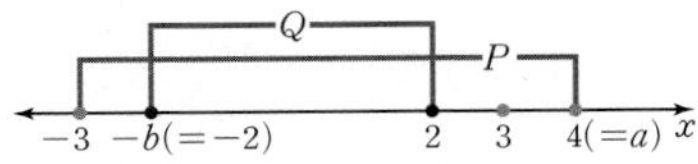

(iii) $-b=-1$일 때

$P\cap Q^C=\{-3,\ -2,\ 3\}$이어야 하므로 $a=3$

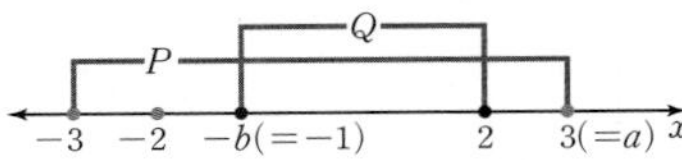

따라서 $a+b$는

$a=5$, $b=10$일 때 최댓값 15를 갖고,

$a=3$, $b=1$일 때 최솟값 4를 갖는다.

$\therefore\ M+m=15+4=19$

답 19

20

$f(x)=x^2-2ax$이고 $g(x)=\frac{1}{a}x$이므로 두 함수 $y=f(x)$, $y=g(x)$의 그래프의 교점의 x좌표는 $x^2-2ax=\frac{1}{a}x$에서

$x^2-\left(2a+\frac{1}{a}\right)x=0$, $x\left\{x-\left(2a+\frac{1}{a}\right)\right\}=0$

$\therefore\ x=0$ 또는 $x=2a+\frac{1}{a}$

이때 점 A의 x좌표는 0이 아니므로 $A\left(2a+\frac{1}{a},\ 2+\frac{1}{a^2}\right)$

한편, 이차함수 $f(x)=x^2-2ax=(x-a)^2-a^2$의 그래프의 꼭짓점은 $B(a,\ -a^2)$이므로

선분 AB의 중점은 $C\left(\frac{3}{2}a+\frac{1}{2a},\ 1+\frac{1}{2a^2}-\frac{a^2}{2}\right)$

이때 선분 CH의 길이는 점 C의 x좌표와 같으므로 ($\because\ a>0$)

$\overline{CH}=\frac{3}{2}a+\frac{1}{2a}$

$\frac{3}{2}a>0$, $\frac{1}{2a}>0$이므로 산술평균과 기하평균의 관계에 의하여

$\frac{3}{2}a+\frac{1}{2a}\ge 2\sqrt{\frac{3}{2}a\times\frac{1}{2a}}=\sqrt{3}$

$\left(\text{단, 등호는 }\frac{3}{2}a=\frac{1}{2a}\text{, 즉 }a=\frac{\sqrt{3}}{3}\text{일 때 성립}\right)$

따라서 선분 CH의 길이의 최솟값은 $\sqrt{3}$

답 ①

Ⅲ. 함수와 그래프

08 함수

01 함수

개념 CHECK 본문 353쪽

01 함수: (3) / (3) 정의역: $\{1, 2, 3, 4\}$, 공역: $\{1, 3, 5, 7\}$, 치역: $\{1, 5\}$ **02** (1) $f=g$ (2) $f \neq g$
03 (1) 풀이 참조 (2) 풀이 참조
04 (1) ㄴ, ㄷ (2) ㄴ, ㄷ (3) ㄴ (4) ㄱ

(1) 집합 X의 원소 2에 대응하는 집합 Y의 원소가 없으므로 함수가 아니다.
(2) 집합 X의 원소 1에 대응하는 집합 Y의 원소가 -1, -2의 2개이므로 함수가 아니다.
(3) 함수이다. 이때 정의역은 $X=\{1, 2, 3, 4\}$, 공역은 $Y=\{1, 3, 5, 7\}$이고 치역은 $\{1, 5\}$이다.

답 함수: (3) / (3) 정의역: $\{1, 2, 3, 4\}$, 공역: $\{1, 3, 5, 7\}$, 치역: $\{1, 5\}$

02

(1) $f(x)=x$, $g(x)=\frac{1}{x}$이므로

$f(-1)=-1$, $g(-1)=\frac{1}{-1}=-1$

$\therefore f(-1)=g(-1)$

$f(1)=1$, $g(1)=\frac{1}{1}=1$ $\quad \therefore f(1)=g(1)$

따라서 $f=g$이다.

(2) $f(x)=-x-1$, $g(x)=x^2-x$이므로

$f(-1)=-(-1)-1=0$,

$g(-1)=(-1)^2-(-1)=2$

$\therefore f(-1) \neq g(-1)$

따라서 $f \neq g$이다.

답 (1) $f=g$ (2) $f \neq g$

03

(1) $y=x+2$이므로

$x=0$일 때 $y=2$,

$x=2$일 때 $y=4$

따라서 정의역이 $\{0, 2\}$인 이 함수의 그래프는 $\{(0, 2), (2, 4)\}$이고, 이 그래프를 좌표평면 위에 나타내면 오른쪽 그림과 같다.

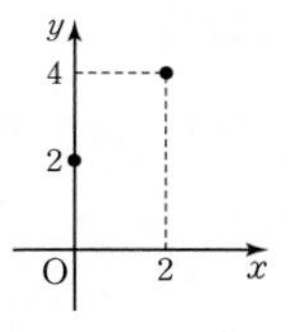

(2) $y=x+2$는 일차함수이므로 정의역이 $\{x \mid x$는 실수$\}$인 함수 $y=x+2$의 그래프를 좌표평면 위에 나타내면 직선이다.
이때 $x=-2$이면 $y=0$, $x=0$이면 $y=2$이므로 오른쪽 그림과 같이 두 점 $(-2, 0)$, $(0, 2)$를 이은 직선과 같다.

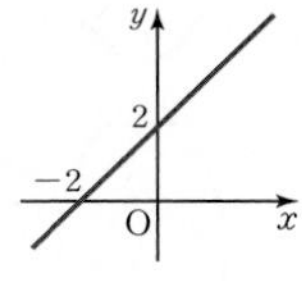

답 (1) 풀이 참조 (2) 풀이 참조

04

주어진 함수의 그래프를 좌표평면 위에 나타내면 다음과 같다.

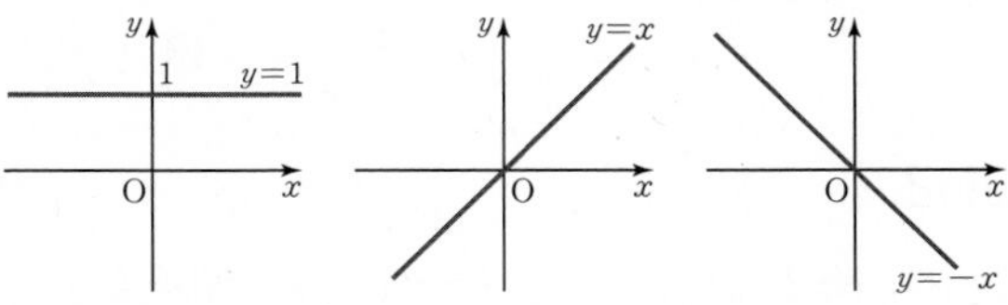

(1) 일대일함수는 정의역의 서로 다른 임의의 두 원소에 대응하는 공역의 원소가 서로 다르므로 ㄴ, ㄷ이다.
(2) 일대일대응은 일대일함수이면서 치역과 공역이 서로 같으므로 ㄴ, ㄷ이다.
(3) 항등함수는 정의역과 공역이 서로 같고, 정의역의 각 원소가 자기 자신으로 대응되므로 ㄴ이다.
(4) 상수함수는 정의역의 모든 원소가 공역의 단 하나의 원소로만 대응되므로 ㄱ이다.

답 (1) ㄴ, ㄷ (2) ㄴ, ㄷ (3) ㄴ (4) ㄱ

유제 본문 354~369쪽

01-1 ㄱ, ㄷ, ㄹ **01-2** ⑤ **01-3** 16
01-4 ① **02-1** $\{2, 4, 6, 8, 10\}$ **02-2** $\{0, 1\}$
02-3 -40, -8 **02-4** 1
03-1 $a=1$, $b=1$ **03-2** ㄴ, ㄷ **03-3** 4
03-4 3 **04-1** ㄱ, ㄹ **04-2** (1) **04-3** (2), (4)
05-1 (1) ㄴ, ㄷ (2) ㄴ, ㄷ **05-2** (1) ㄱ, ㄷ (2) ㄱ, ㄷ
05-3 일대일함수: ㄱ, ㄷ, 일대일대응: ㄱ
06-1 $a=-2$, $b=12$ **06-2** 3 **06-3** 4
06-4 10 **07-1** (1) 4 (2) 10 **07-2** 3
07-3 9 **07-4** 3
08-1 (1) 64 (2) 24 (3) 6 (4) 4
08-2 (1) 60 (2) 6 (3) 1 **08-3** 125 **08-4** 120

01-1

주어진 대응 관계를 그림으로 나타내면 다음과 같다.

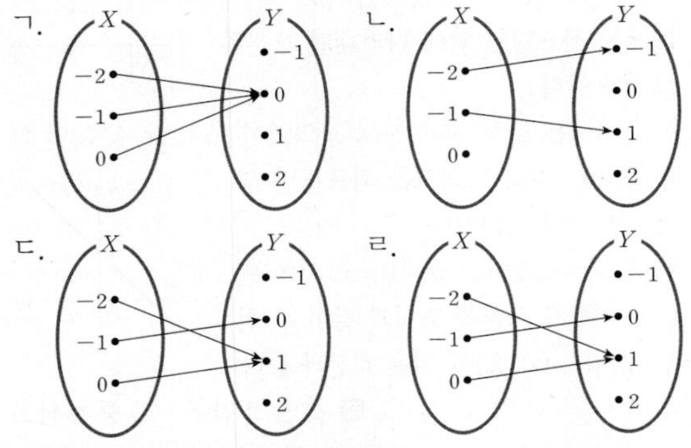

이때 ㄴ은 집합 X의 원소 0에 대응하는 집합 Y의 원소가 없으므로 함수가 아니다.
따라서 함수인 것은 ㄱ, ㄷ, ㄹ이다.

답 ㄱ, ㄷ, ㄹ

01-2

주어진 대응 관계를 그림으로 나타내면 다음 그림과 같다.

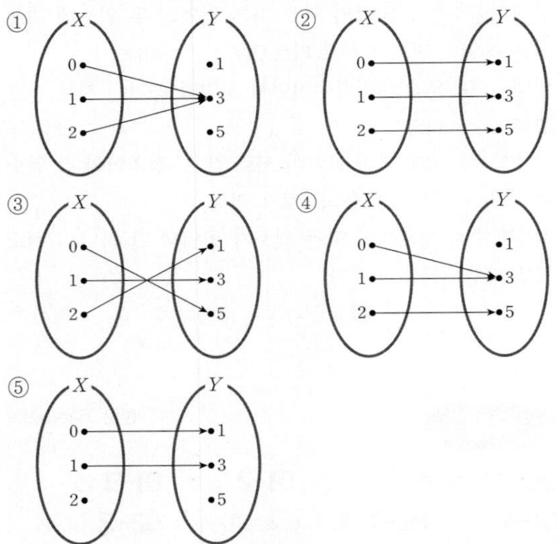

이때 ⑤는 집합 X의 원소 2에 대응하는 집합 Y의 원소가 없으므로 함수가 아니다.

참고

공집합이 아닌 두 집합 X, Y에 대하여 집합 X의 원소 x에 집합 Y의 원소 y가 대응하는 것을 기호로 $x \longrightarrow y$와 같이 나타낸다.

답 ⑤

01-3

$\{(-2)+2\}^2=0$이므로 집합 X의 원소 -2는 집합 Y의 원소 0에 대응한다.
또한 $(2+2)^2=16(\neq 0)$이므로 대응 $y=(x+2)^2$이 X에서 Y로의 함수이기 위해서는 집합 X의 원소 2가 집합 Y의 원소 중 0이 아닌 원소 a에 대응해야 한다.
$\therefore a=16$

답 16

01-4

ㄴ. [반례] $x=-\sqrt{2}$이면 $g(-\sqrt{2})=(-\sqrt{2})+\sqrt{2}=0$이므로 $g(-\sqrt{2})\notin X$이다.
ㄷ. [반례] $x=\sqrt{2}$이면 $h(\sqrt{2})=(\sqrt{2})^2=2$이므로 $h(\sqrt{2})\notin X$이다.
따라서 X에서 X로의 함수인 것은 ㄱ이다.

참고

'(유리수)±(유리수)=유리수'이지만
(무리수)±(무리수)의 값은 항상 무리수인 것은 아님에 주의해야 한다. 이 경우 0을 기준으로 반례를 생각할 수 있다.
마찬가지로 '(유리수)×(유리수)=유리수'이지만
(무리수)×(무리수)의 값은 항상 무리수인 것은 아님에 주의해야 한다. 이 경우 1을 기준으로 반례를 생각할 수 있다.

답 ①

02-1

(i) x가 홀수, 즉 $x=1, 3, 5, 7, 9$일 때
$f(x)=-x+11$이므로
$f(1)=-1+11=10$, $f(3)=-3+11=8$,
$f(5)=-5+11=6$, $f(7)=-7+11=4$,
$f(9)=-9+11=2$
(ii) x가 짝수, 즉 $x=2, 4, 6, 8, 10$일 때
$f(x)=x$이므로
$f(2)=2$, $f(4)=4$, $f(6)=6$, $f(8)=8$, $f(10)=10$
(i), (ii)에서 함수 f의 치역은
$\{2, 4, 6, 8, 10\}$

답 $\{2, 4, 6, 8, 10\}$

02-2

$0\le x\le 5$인 정수 x는 0, 1, 2, 3, 4, 5이므로
$X=\{0, 1, 2, 3, 4, 5\}$
$0^2=0$, $1^2=1$, $2^2=4$, $3^2=9$, $4^2=16$, $5^2=25$에서
$f(0)=0$, $f(1)=1$, $f(2)=0$,
$f(3)=1$, $f(4)=0$, $f(5)=1$

따라서 함수 f의 치역은
$\{0, 1\}$

답 $\{0, 1\}$

02-3

$g(1)=1^2+1=2$, $g(2)=2^2+2=6$에서
함수 g의 치역은 $\{2, 6\}$
이때 두 함수 f, g의 치역이 서로 같으므로
함수 f의 치역 또한 $\{2, 6\}$이다.
(i) $f(1)=2$, $f(2)=6$일 때
$f(1)=2$에서 $a+b=2$ ...... ㉠
$f(2)=6$에서 $2a+b=6$ ...... ㉡
㉠, ㉡을 연립하여 풀면
$a=4$, $b=-2$
(ii) $f(1)=6$, $f(2)=2$일 때
$f(1)=6$에서 $a+b=6$ ...... ㉢
$f(2)=2$에서 $2a+b=2$ ...... ㉣
㉢, ㉣을 연립하여 풀면
$a=-4$, $b=10$
(i), (ii)에서 $a=4$, $b=-2$ 또는 $a=-4$, $b=10$이므로
$ab=-8$ 또는 $ab=-40$

답 -40, -8

02-4

함수 f의 정의역과 공역이 모두 $X=\{1, 2, 3, 4\}$이므로
$f(1)=a\times1+a-1=2a-1$,
$f(2)=a\times2+a-1=3a-1$,
$f(3)=a\times3+a-1=4a-1$,
$f(4)=a\times4+a-1=5a-1$
에서 $(2a-1)\in X$, $(3a-1)\in X$, $(4a-1)\in X$,
$(5a-1)\in X$ ...... ㉠
(i) $a\le0$일 때
$2a-1<0$이므로 $(2a-1)\notin X$
(ii) $a>0$일 때
$(2a-1)<(3a-1)<(4a-1)<(5a-1)$이므로
㉠을 만족시키기 위해서는 $2a-1=1$, $5a-1=4$에서
$a=1$이어야 한다.
(i), (ii)에서 $a=1$이고 $f(x)=x$
$\therefore f(a)=f(1)=1$

참고

함수의 치역이 주어지고 미정계수를 구하는 문제에서는 치역의 원소 간의 간격이 중요한 역할을 하는 경우가 많다.

답 1

03-1

두 함수 f, g에 대하여 $f=g$이므로
정의역의 모든 원소 x에 대하여 $f(x)=g(x)$이다.
$f(-1)=g(-1)$에서 $1-a=(-1)+b$
$\therefore a+b=2$ ...... ㉠
$f(1)=g(1)$에서 $1+a=1+b$
$\therefore a-b=0$ ...... ㉡
㉠, ㉡을 연립하여 풀면
$a=1$, $b=1$

다른 풀이
두 함수 f, g에 대하여 $f=g$이므로
$f(-1)=g(-1)$, $f(1)=g(1)$
따라서 -1, 1은 모두 방정식 $f(x)=g(x)$, 즉
$f(x)-g(x)=0$의 근이다.
이때
$f(x)-g(x)=(x^2+ax)-(x+b)=x^2+(a-1)x-b$
에서 $f(x)-g(x)$는 최고차항의 계수가 1인 이차식이고, 최고차항의 계수가 1인 x에 대한 이차방정식의 두 근이
$x=\pm1$이면 이 이차방정식은 $(x+1)(x-1)=0$, 즉
$x^2-1=0$으로 나타낼 수 있다.
$x^2+(a-1)x-b=x^2-1$에서 $a=1$, $b=1$

참고

항등식에서 정해져 있지 않은 계수를 정하는 방법으로 계수비교법과 수치대입법을 학습하였다. 이 중 본풀이는 수치대입법, 다른 풀이는 계수비교법을 참고하여 살펴보면 된다. 두 가지의 풀이 방식 모두 중요하므로 모든 방법의 풀이에 익숙해지도록 한다.

답 $a=1$, $b=1$

03-2

ㄱ. $f(1)=1$, $g(1)=-1+4=3$이므로 $f(1)\ne g(1)$
$\therefore f\ne g$
ㄴ. $f(1)=|1-2|+1=2$, $g(1)=(1-2)^2+1=2$이므로
$f(1)=g(1)$
$f(2)=|2-2|+1=1$, $g(2)=(2-2)^2+1=1$이므로
$f(2)=g(2)$
$f(3)=|3-2|+1=2$, $g(3)=(3-2)^2+1=2$이므로
$f(3)=g(3)$
$\therefore f=g$
ㄷ. $f(1)=1-3=-2$, $g(1)=\dfrac{1-9}{1+3}=-2$이므로
$f(1)=g(1)$
$f(2)=2-3=-1$, $g(2)=\dfrac{4-9}{2+3}=-1$이므로

$f(2)=g(2)$

$f(3)=3-3=0$, $g(3)=\dfrac{9-9}{3+3}=0$이므로

$f(3)=g(3)$

$\therefore f=g$

따라서 $f=g$인 것은 ㄴ, ㄷ이다.

답 ㄴ, ㄷ

03-3

두 함수 f, g에 대하여 $f=g$이므로

$f(a)=g(a)$, $f(b)=g(b)$

따라서 a, b는 모두 방정식 $f(x)=g(x)$, 즉

$f(x)-g(x)=0$의 근이다.

$(x^2+3)-4x=0$, $x^2-4x+3=0$

$(x-1)(x-3)=0$

$\therefore x=1$ 또는 $x=3$

이때 $a\neq b$이므로 $a+b=1+3=4$

참고

① **03-1**의 (다른 풀이)가 주로 활용되는 방식의 문항이다.

② $X=\{a, b\}$와 같이 집합이 원소나열법으로 표현되었을 때, 각각의 원소는 서로 다른 값을 의미한다. 즉, $a\neq b$임을 명심하자.

답 4

03-4

두 함수 f, g에 대하여 $f=g$이려면

정의역의 모든 원소 x에 대하여 $f(x)=g(x)$이어야 한다.

$3x^2-4x+5=x^2+2x+1$에서 $2x^2-6x+4=0$

$2(x^2-3x+2)=0$, $2(x-1)(x-2)=0$

$\therefore x=1$ 또는 $x=2$

따라서 집합 X는 집합 $\{1, 2\}$의 공집합이 아닌 부분집합이므로 $\{1\}$, $\{2\}$, $\{1, 2\}$의 3개이다.

답 3

04-1

정의역의 각 원소 a에 대하여 x축과 수직인 직선 $x=a$를 그려서 교점의 개수가 항상 1인 것을 찾는다.

ㄱ.

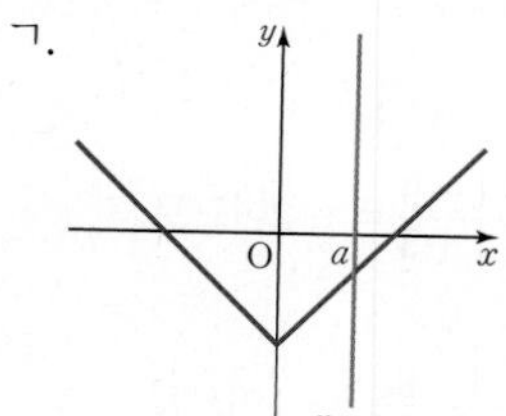

ㄴ.

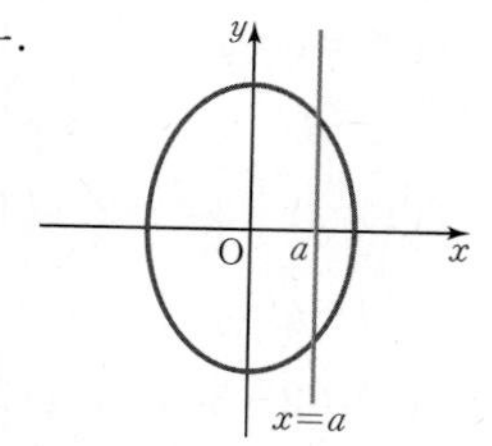

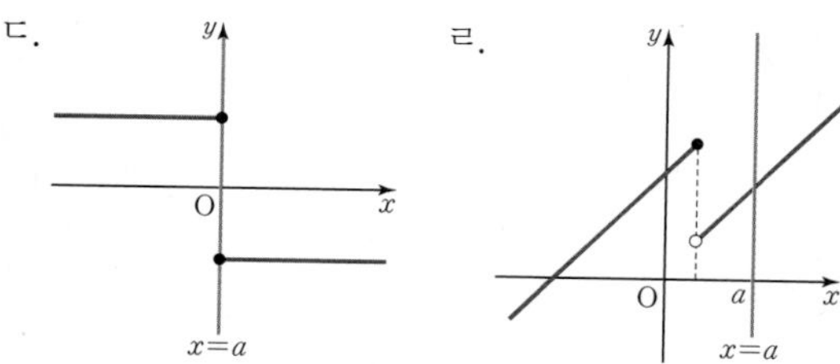

ㄱ, ㄹ은 직선 $x=a$와 항상 한 점에서만 만나므로 함수의 그래프이고,

ㄴ, ㄷ은 직선 $x=a$와 2개의 점에서 만나기도 하므로 함수의 그래프가 아니다.

따라서 함수의 그래프인 것은 ㄱ, ㄹ이다.

답 ㄱ, ㄹ

04-2

정의역의 각 원소 a에 대하여 x축과 수직인 직선 $x=a$를 그려서 교점의 개수가 항상 1인 것을 찾는다.

(1)

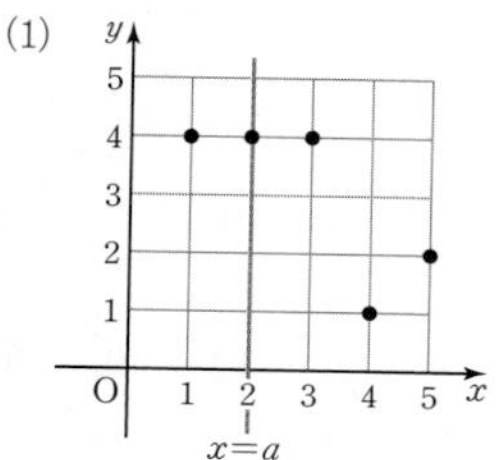

(2)

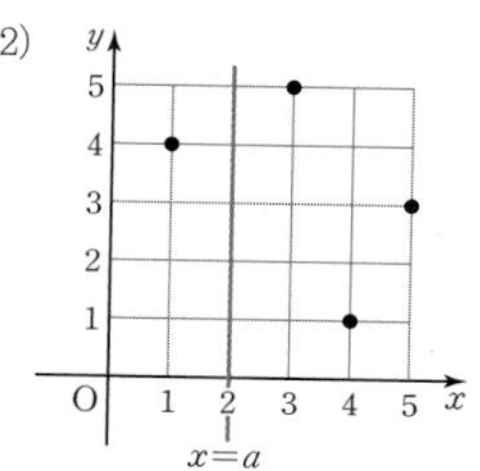

(3)

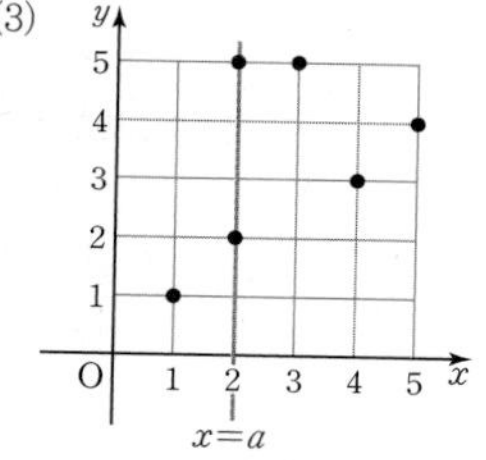

(1)은 직선 $x=a$와 항상 한 점에서만 만나므로 함수의 그래프이고,

(2)는 직선 $x=a$와 만나지 않기도 하므로 함수의 그래프가 아니다.

(3)은 직선 $x=a$와 2개의 점에서 만나기도 하므로 함수의 그래프가 아니다.

따라서 함수의 그래프인 것은 (1)이다.

참고

X에서 Y로의 함수가 되려면 다음 조건을 모두 만족시켜야 한다.

① 집합 X의 모든 원소에 Y의 원소가 대응해야 한다.

② 집합 X의 각 원소에 대응하는 집합 Y의 원소는 오직 하나이어야 한다.

답 (1)

04-3

정의역의 각 원소 a에 대하여 x축과 수직인 직선 $x=a$를 그려서 교점의 개수가 항상 1인 것을 찾는다.

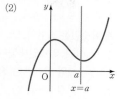

(1) (2)

(3)

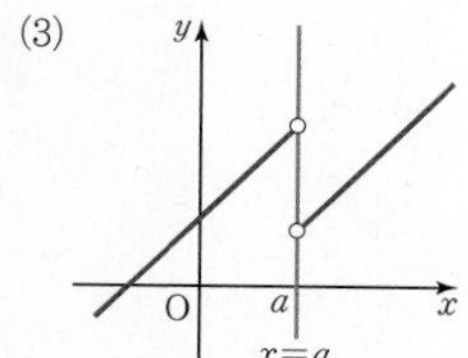

(4)

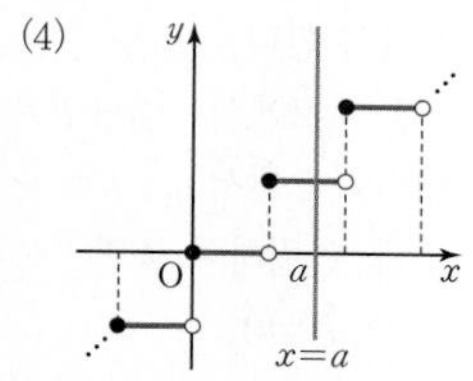

(2), (4)는 직선 $x=a$와 항상 한 점에서만 만나므로 함수의 그래프이고,
(1), (3)은 직선 $x=a$와 무수히 많은 점에서 만나거나 만나지 않기도 하므로 함수의 그래프가 아니다.
따라서 함수의 그래프인 것은 (2), (4)이다.

답 (2), (4)

05-1

주어진 함수의 그래프를 좌표평면에 나타내고 치역의 각 원소 a에 대하여 y축과 수직인 직선 $y=a$를 그려보면 다음과 같다.

ㄱ.

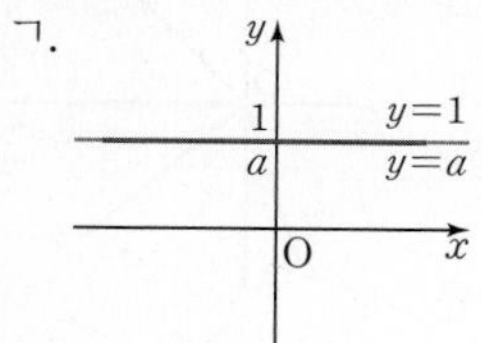

ㄴ.

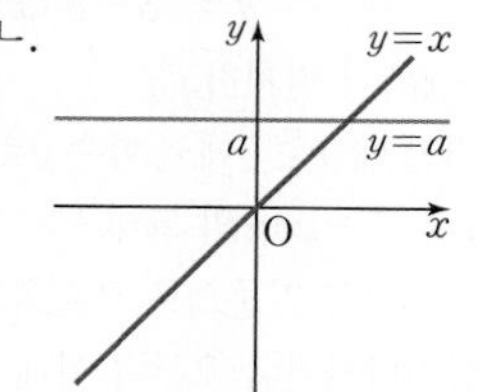

ㄷ.

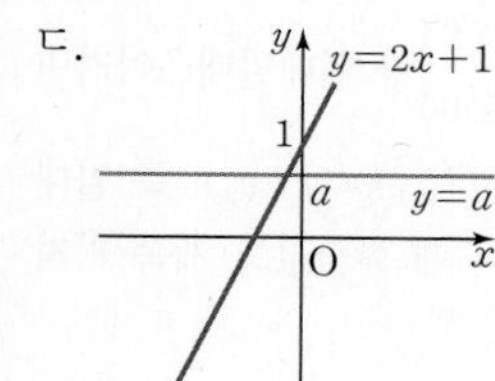

ㄹ.

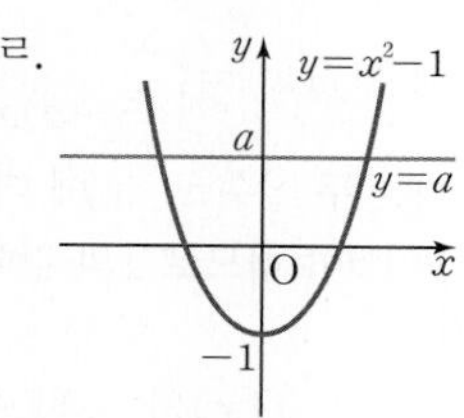

(1) ㄴ, ㄷ은 직선 $y=a$와 항상 한 점에서만 만나므로 일대일함수의 그래프이고,
ㄱ, ㄹ은 직선 $y=a$와 2개 이상의 점에서 만나기도 하므로 일대일함수의 그래프가 아니다.
따라서 일대일함수의 그래프인 것은 ㄴ, ㄷ이다.
(2) ㄴ, ㄷ은 치역과 공역이 실수 전체의 집합으로 서로 같으므로 일대일대응이다.

답 (1) ㄴ, ㄷ (2) ㄴ, ㄷ

05-2

치역의 각 원소 a에 대하여 y축과 수직인 직선 $y=a$를 그려서 교점의 개수가 항상 1인 것을 찾는다.

ㄱ.

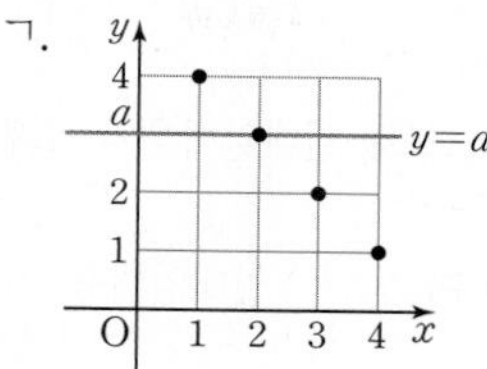

ㄴ.

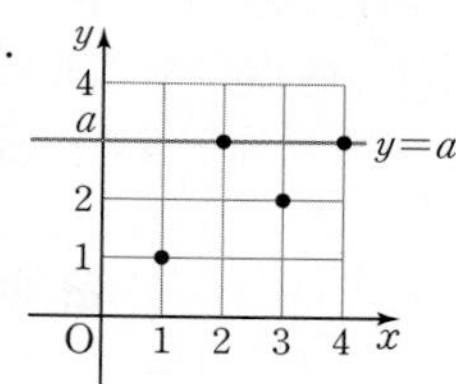

ㄷ.

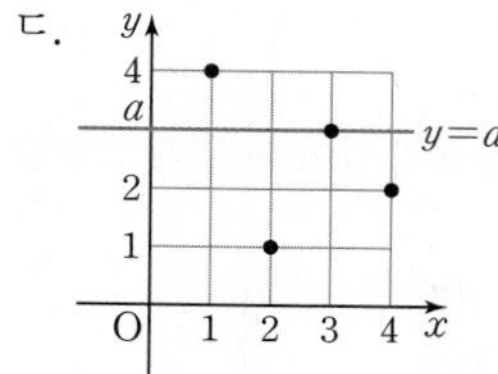

ㄹ.

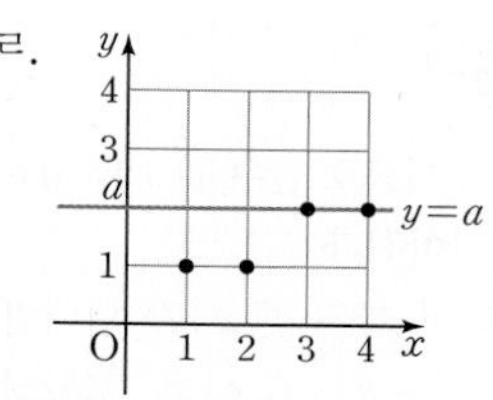

(1) ㄱ, ㄷ은 직선 $y=a$와 항상 한 점에서만 만나므로 일대일함수의 그래프이고,
ㄴ, ㄹ은 직선 $y=a$와 2개의 점에서 만나기도 하므로 일대일함수의 그래프가 아니다.
따라서 일대일함수의 그래프인 것은 ㄱ, ㄷ이다.
(2) ㄱ, ㄷ은 치역과 공역이 서로 같으므로 일대일대응의 그래프이다.

참고

일대일함수이면 정의역의 서로 다른 두 원소에 대응하는 공역의 원소가 서로 다르다. 즉, 치역의 원소는 항상 하나의 정의역과 짝 지어진다. 따라서 그래프가 주어졌을 때, 치역의 각 원소 a에 대하여 y축과 수직인 직선 $y=a$를 그려서 이 직선과 그래프의 교점의 개수가 항상 1인지 확인하면 일대일함수인지를 판단할 수 있다.

답 (1) ㄱ, ㄷ (2) ㄱ, ㄷ

05-3

치역의 각 원소 a에 대하여 y축과 수직인 직선 $y=a$를 그려서 교점의 개수가 항상 1인 것을 찾는다.

ㄱ.

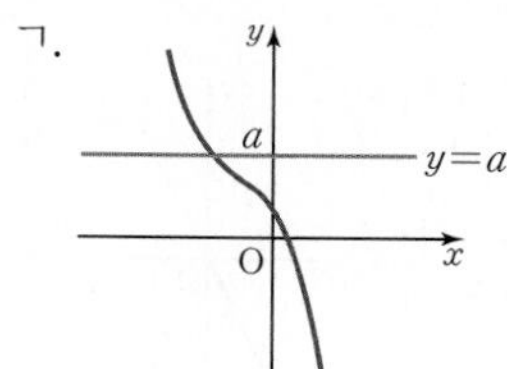

ㄴ.

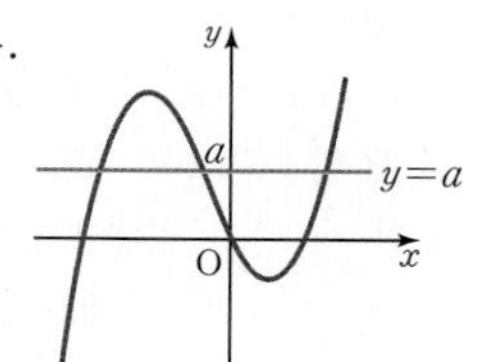

ㄷ.

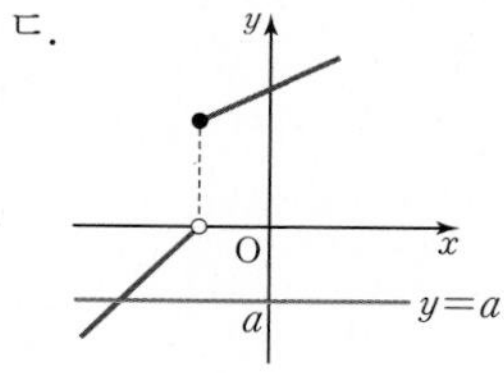

ㄱ, ㄷ은 직선 $y=a$와 항상 한 점에서만 만나므로 일대일함수의 그래프이고,
ㄴ은 직선 $y=a$와 2개 이상의 점에서 만나기도 하므로 일대일함수의 그래프가 아니다.
따라서 일대일함수의 그래프인 것은 ㄱ, ㄷ이다.
또한 ㄱ은 치역과 공역이 서로 같으므로 일대일대응의 그래프이다.

답 일대일함수: ㄱ, ㄷ, 일대일대응: ㄱ

06-1

$a<0$이므로 함수 $f(x)=ax+b$는 x의 값이 커질 때 함숫값은 작아진다.
따라서 함수 $f(x)$가 일대일대응이려면 함수 $y=f(x)$의 그래프는 오른쪽 그림과 같이 두 점 $(3, 6)$, $(5, 2)$를 지나야 한다.

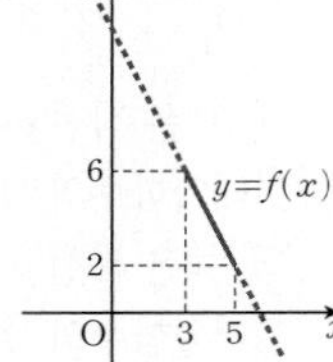

$f(3)=6$에서 $3a+b=6$ …… ㉠
$f(5)=2$에서 $5a+b=2$ …… ㉡
㉠, ㉡을 연립하여 풀면
$a=-2$, $b=12$

답 $a=-2$, $b=12$

06-2

X에서 Y로의 함수 $f(x)=x^2+k$가 일대일대응이려면 함수 $y=f(x)$의 그래프는 오른쪽 그림과 같이 점 $(1, 4)$를 지나야 한다.

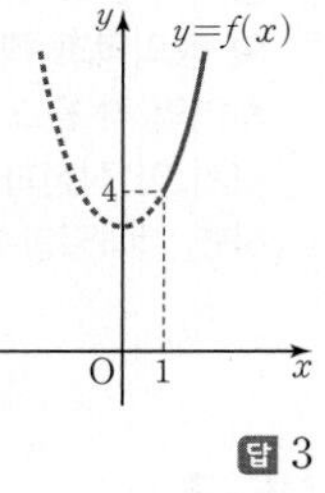

$f(1)=4$에서 $1^2+k=4$
$\therefore k=3$

답 3

06-3

(i) $a>0$일 때
함수 $f(x)=ax+b$는 x의 값이 커질 때 함숫값도 커지므로
함수 $f(x)$가 일대일대응이려면 함수 $y=f(x)$의 그래프는 오른쪽 그림과 같이 두 점 $(-1, -2)$, $(1, 2)$를 지나야 한다.

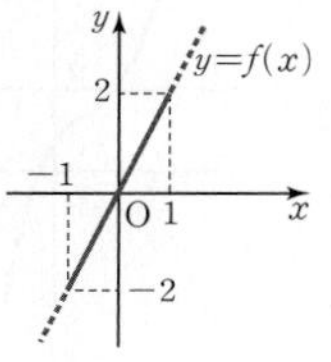

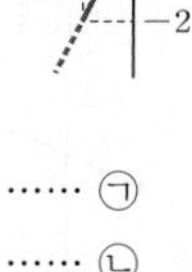

$f(-1)=-2$에서 $-a+b=-2$ …… ㉠
$f(1)=2$에서 $a+b=2$ …… ㉡
㉠, ㉡을 연립하여 풀면
$a=2$, $b=0$

(ii) $a=0$일 때
$-1\le x\le 1$일 때 $f(x)=b$이므로
함수 $f(x)$가 일대일대응인 조건에 모순이다.

(iii) $a<0$일 때
함수 $f(x)=ax+b$는 x의 값이 커질 때 함숫값은 작아지므로
함수 $f(x)$가 일대일대응이려면 함수 $y=f(x)$의 그래프는 오른쪽 그림과 같이 두 점 $(-1, 2)$, $(1, -2)$를 지나야 한다.

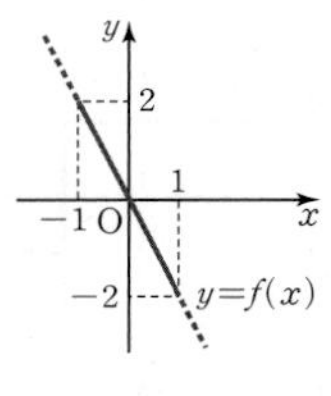

$f(-1)=2$에서 $-a+b=2$ …… ㉢
$f(1)=-2$에서 $a+b=-2$ …… ㉣
㉢, ㉣을 연립하여 풀면
$a=-2$, $b=0$

(i)~(iii)에서 함수 $f(x)$가 일대일대응이기 위해서는
$a=2$, $b=0$ 또는 $a=-2$, $b=0$
$\therefore a^2+b^2=4+0=4$

답 4

06-4

함수 $y=f(x)$의 그래프를 범위를 나누어 생각해 보자.
$x<0$에서 함수 $y=f(x)$, 즉 $y=3x$의 그래프는 점 $(0, 0)$을 기준으로 왼쪽 아래로 곧게 뻗어나간다. (단, 점 $(0, 0)$은 지나지 않는다.)
또한 $a=5$일 때 $x\ge 0$에서 함수 $y=f(x)$, 즉 $y=(5-a)x$의 그래프는 x축과 일치하고,
$a\ne 5$일 때 $x\ge 0$에서 함수 $y=f(x)$, 즉 $y=(5-a)x$의 그래프는 점 $(0, 0)$을 기준으로 오른쪽 위로 곧게 뻗어나가거나 오른쪽 아래로 곧게 뻗어나간다.

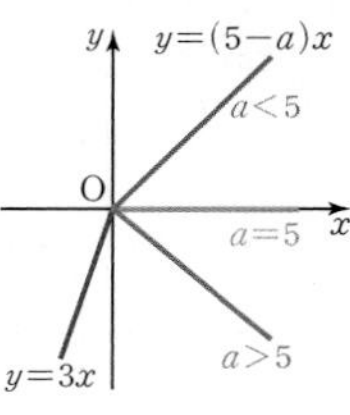

이때 함수 $f(x)=\begin{cases} 3x & (x<0) \\ (5-a)x & (x\ge 0) \end{cases}$가 일대일대응이려면 서로 다른 두 실수 x_1, x_2에 대하여 $f(x_1)\ne f(x_2)$, 즉 일대일함수이어야 하므로 x의 값이 커질 때 함숫값도 계속 커져야 한다.
즉, 함수 $y=f(x)$의 그래프는 오른쪽 그림과 같이 $x\ge 0$에서도 기울기가 양수인 직선이어야 한다.

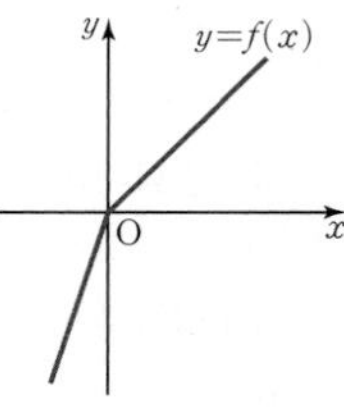

$5-a>0$에서 $a<5$
또한 $a<5$이면 함수 $f(x)$의 치역은 실수 전체의 집합이므로 치역과 정의역이 서로 일치한다.
따라서 함수 $f(x)$가 일대일대응이 되도록 하는 모든 자연수 a는 1, 2, 3, 4이므로 그 합은 $1+2+3+4=10$

참고

① 주어진 함수가 두 개의 범위로 나뉘어있고, 각 범위에 따른 함수식이 모두 일차식일 때, 이 함수가 일대일함수이려면 기울기의 곱이 양수이면 된다.
즉, 이 문제에서 $3(5-a)>0$이면 함수 $f(x)$는 일대일함수이다.
② 두 개의 범위로 나뉘었을 때, 일대일대응이 되려면 그래프가 '동일한 점'을 기준으로 범위에 따라 왼쪽과 오른쪽으로 뻗어나가야 한다.
이 문제에서는 점 $(0, 0)$을 기준으로 왼쪽과 오른쪽으로 각각 뻗어나가므로 ①, 즉 일대일함수이면서 일대일대응이다.

답 10

07-1

(1) 함수 f는 항등함수이므로 $f(x)=x$
$\therefore f(1)=1$
모든 정수 x에 대하여 $g(x)=3$이므로 g는 상수함수이다.
$\therefore g(-2)=3$
$\therefore f(1)+g(-2)=1+3=4$
(2) 함수 f는 항등함수이므로 $f(x)=x$
$\therefore f(-3)=-3$
따라서 $f(-3)+g(5)=7$에서 $(-3)+g(5)=7$
$\therefore g(5)=10$ ⋯⋯ ㉠
함수 g는 상수함수이므로 ㉠에 의하여 모든 정수 x에 대하여 $g(x)=10$
$\therefore g(2)=10$

답 (1) 4 (2) 10

07-2

함수 f는 항등함수이므로 $f(x)=x$
$\therefore f(-a)=-a,\ f(a)=a$
함수 g는 상수함수이므로 정의역의 모든 원소 x에 대하여 $g(x)=-a$ 또는 $g(x)=a$
(i) $g(x)=-a$일 때
$f(-a)+f(a)+g(-a)+g(a)$
$=(-a)+a+(-a)+(-a)$
$=-2a=-6$
$\therefore a=3$
(ii) $g(x)=a$일 때
$f(-a)+f(a)+g(-a)+g(a)$
$=(-a)+a+a+a$
$=2a=-6$
$\therefore a=-3$
(i), (ii)에서 $|a|=3$이다.
$\therefore f(|a|)=|a|=3$

답 3

07-3

함수 g는 항등함수이므로 $g(x)=x$
$\therefore g(1)=1,\ g(3)=3,\ g(5)=5$
따라서 $f(3)=g(1)=h(5)$에서 $f(3)=h(5)=1$
함수 h는 상수함수이므로 $h(5)=1$에서 $h(x)=1$
$\therefore h(1)=1,\ h(3)=1$
$\therefore f(1)=g(3)+2h(1)=3+2\times1=5$
함수 f는 일대일대응이므로
$f(1)=5,\ f(3)=1$에서 $f(5)=3$
$\therefore f(5)+g(5)+h(5)=3+5+1=9$

참고

함수 g는 항등함수이므로 $g(3)=3$이고 $h(1)\in X$이므로 $h(1)$의 값은 0보다 크다. 이때 $f(1)=g(3)+2h(1)$이므로 $f(1)\in X$이려면 $h(1)=1$이고 $f(1)=5$이어야 한다.
이처럼 하나의 조건과 정의만으로도 많은 값들을 찾을 수 있으므로 정의를 이용하여 각각의 조건을 분석하는 연습을 하자.

답 9

07-4

함수 f가 항등함수이면 $f(x)=x$
$x^2-x-3=x,\ x^2-2x-3=0$
$(x+1)(x-3)=0$ $\therefore x=-1$ 또는 $x=3$
따라서 집합 X는 집합 $\{-1, 3\}$의 공집합이 아닌 부분집합이므로 $\{-1\}$, $\{3\}$, $\{-1, 3\}$의 3개이다.

답 3

08-1

(1) 정의역의 각 원소의 함숫값이 될 수 있는 것은 2, 4, 6, 8의 4개이므로 X에서 Y로의 함수의 개수는
$4\times4\times4=4^3=64$
(2) 집합 X의 원소의 개수는 3,
집합 Y의 원소의 개수는 4이므로
X에서 Y로의 일대일함수의 개수는
${}_4P_3=4\times3\times2=24$
(3) 일대일대응이 되려면 정의역 X의 원소 각각에 대응하는 공역 X의 원소가 모두 달라야 한다.

집합 X의 원소의 개수는 3이므로
X에서 X로의 일대일대응의 개수는
${}_{3}P_{3}=3!=3\times2\times1=6$
(4) X에서 Y로의 함수를 f라 하자.
$f(-1)=f(0)=f(1)=k$로 놓으면
k의 값이 될 수 있는 것은 2, 4, 6, 8의 4개
따라서 X에서 Y로의 상수함수의 개수는 4

답 (1) 64 (2) 24 (3) 6 (4) 4

08-2

(1) 집합 X의 원소의 개수는 3,
집합 Y의 원소의 개수는 5이므로
X에서 Y로의 일대일함수의 개수는
${}_{5}P_{3}=5\times4\times3=60$
(2) 일대일대응이 되려면 정의역 X의 원소 각각에 대응하는 공역 X의 원소가 모두 달라야 한다.
집합 X의 원소의 개수는 3이므로
X에서 X로의 일대일대응의 개수는
${}_{3}P_{3}=3!=3\times2\times1=6$
(3) $f(x)=x$, 즉 $f(1)=1$, $f(2)=2$, $f(3)=3$이므로
X에서 X로의 항등함수의 개수는 1

참고

항등함수는 공역과 치역이 항상 일치하므로 일대일대응이다. 따라서 (2)에서 구한 6개의 일대일대응 중 하나는 (3)의 항등함수이다.

답 (1) 60 (2) 6 (3) 1

08-3

(i) 일대일함수
집합 X의 원소의 개수는 4,
집합 Y의 원소의 개수는 5이므로
X에서 Y로의 일대일함수의 개수는
$a={}_{5}P_{4}=5\times4\times3\times2=120$
(ii) 일대일대응
(i)에서 치역과 공역이 서로 일치해야하므로
X에서 Y로의 일대일대응의 개수는 $b=0$
(iii) 상수함수
X에서 Y로의 함수를 f라 하자.
$f(-2)=f(-1)=f(0)=f(1)=k$로 놓으면
k의 값이 될 수 있는 것은 -2, -1, 0, 1, 2의 5개
따라서 X에서 Y로의 상수함수의 개수는 $c=5$
(i)~(iii)에서 $a+b+c=120+0+5=125$

참고

(ii)에서 일대일대응의 개수는 정의역의 원소의 개수보다 공역의 원소의 개수가 많음을 이용하여 0임을 빠르게 파악할 수 있다.

답 125

08-4

X에서 Y로의 함수를 f라 하자.
$f(1)=f(2)=f(3)=\cdots=f(n)=k$로 놓으면
k의 값이 될 수 있는 것은 $1, 2, 3, \cdots, 2n$의 $2n$개
X에서 Y로의 상수함수의 개수가 6이므로
$2n=6$에서 $n=3$
$\therefore X=\{1, 2, 3\}$, $Y=\{1, 2, 3, \cdots, 6\}$
X에서 Y로의 일대일함수의 개수를 구하자.
집합 X의 원소의 개수는 3,
집합 Y의 원소의 개수는 6이므로
X에서 Y로의 일대일함수의 개수는
${}_{6}P_{3}=6\times5\times4=120$

답 120

02 합성함수

본문 375쪽

개념 CHECK

01 (1) 1 (2) 5 (3) 6 (4) 4
02 정의역: $X=\{-1, 0, 1\}$, 치역: $\{0, 1, 2\}$
03 (1) $(f\circ f)(x)=4x-1$ (2) $(g\circ g)(x)=x-4$
(3) $(g\circ f)(x)=-2x-1$
(4) $(f\circ g)(x)=-2x+5$
04 풀이 참조

01

(1) $(g\circ f)(3)=g(f(3))=g(4)=1$
(2) $(g\circ f)(5)=g(f(5))=g(8)=5$
(3) $(f\circ g)(4)=f(g(4))=f(1)=6$
(4) $(f\circ g)(6)=f(g(6))=f(3)=4$

답 (1) 1 (2) 5 (3) 6 (4) 4

02

함수 f의 정의역은 $X=\{-1, 0, 1\}$이므로

$f(x)=-\frac{1}{2}x+\frac{1}{2}$에서 치역은 $\left\{0, \frac{1}{2}, 1\right\}$

$Y=\left\{0, \frac{1}{2}, 1\right\}$이라 하면 $Y\subset R$이므로 합성함수 $g\circ f$를 정의할 수 있다.

이때 $(g\circ f)(x)=g(f(x))$이고

$g(f(-1))=g(1)=2$, $g(f(0))=g\left(\frac{1}{2}\right)=1$,

$g(f(1))=g(0)=0$이므로

함수 $g\circ f$의 치역은 $\{0, 1, 2\}$

즉, 합성함수 $g\circ f$의 정의역은 $X=\{-1, 0, 1\}$, 치역은 $\{0, 1, 2\}$이다.

답 정의역: $X=\{-1, 0, 1\}$, 치역: $\{0, 1, 2\}$

03

(1) $(f\circ f)(x)=f(f(x))$
$=f(-2x+1)$
$=-2(-2x+1)+1$
$=4x-1$

(2) $(g\circ g)(x)=g(g(x))$
$=g(x-2)$
$=(x-2)-2$
$=x-4$

(3) $(g\circ f)(x)=g(f(x))$
$=g(-2x+1)$
$=(-2x+1)-2$
$=-2x-1$

(4) $(f\circ g)(x)=f(g(x))$
$=f(x-2)$
$=-2(x-2)+1$
$=-2x+5$

답 (1) $(f\circ f)(x)=4x-1$ (2) $(g\circ g)(x)=x-4$
(3) $(g\circ f)(x)=-2x-1$ (4) $(f\circ g)(x)=-2x+5$

04

$(g\circ f)(x)=g(f(x))=g(3x-2)$
$=2(3x-2)-1=6x-5$

$(h\circ(g\circ f))(x)=h((g\circ f)(x))$
$=h(6x-5)=(6x-5)^2$ …… ㉠

$(h\circ g)(x)=h(g(x))=h(2x-1)=(2x-1)^2$이므로

$((h\circ g)\circ f)(x)=(h\circ g)(f(x))$
$=(h\circ g)(3x-2)$
$=\{2(3x-2)-1\}^2$
$=(6x-5)^2$ …… ㉡

㉠, ㉡에서 $h\circ(g\circ f)=(h\circ g)\circ f$이다.

답 풀이 참조

유제

본문 376~387쪽

09-1 (1) 6 (2) $\{3, 4, 5, 6\}$ **09-2** ③ **09-3** 19
09-4 (1) 2 (2) 10 (3) $((g\circ f)\circ g)(x)=x^4+2x^2$
10-1 6 **10-2** 1 **10-3** 3 **10-4** 2
11-1 (1) $h(x)=\frac{1}{2}x+\frac{3}{2}$ (2) $h(x)=2x-5$
11-2 ① **11-3** $f(x)=6x+14$
11-4 $h(x)=-\frac{1}{2}x+\frac{3}{2}$ **12-1** 255 **12-2** 4
12-3 3 **12-4** 2 **13-1** (1) d (2) c
13-2 a **13-3** 2 **13-4** $\frac{11}{2}$
14-1 풀이 참조 **14-2** 풀이 참조
14-3 풀이 참조 **14-4** 풀이 참조

09-1

(1) $f(2)=4$이므로
$(g\circ f)(2)=g(f(2))=g(4)=6$

(2) $(g\circ f)(1)=g(f(1))=g(2)=3$
$(g\circ f)(2)=g(f(2))=g(4)=6$
$(g\circ f)(3)=g(f(3))=g(1)=4$
$(g\circ f)(4)=g(f(4))=g(5)=5$
따라서 함수 $g\circ f$의 치역은 $\{3, 4, 5, 6\}$이다.

답 (1) 6 (2) $\{3, 4, 5, 6\}$

09-2

$f(3)=4$이므로
$(g\circ f)(3)=g(f(3))=g(4)=3$
$g(3)=1$이므로
$(f\circ g)(3)=f(g(3))=f(1)=5$
$\therefore (g\circ f)(3)-(f\circ g)(3)=3-5=-2$

답 ③

09-3

$f(1)=2\times1+3=5$이므로

$(g \circ f)(1)=g(f(1))=g(5)=5^2-1=24$
$g(1)=-1+2=1$이므로
$(f \circ g)(1)=f(g(1))=f(1)=5$
$\therefore (g \circ f)(1)-(f \circ g)(1)=24-5=19$

답 19

09-4

(1) $g(-1)=(-1)^2-1=0$이므로
$(f \circ g)(-1)=f(g(-1))=f(0)=0+2=2$
(2) $f(-5)=(-5)+2=-3$이므로
$(f \circ g \circ f)(-5)=(f \circ g)(f(-5))$
$=(f \circ g)(-3)$
$g(-3)=(-3)^2-1=8$이므로
$(f \circ g)(-3)=f(g(-3))=f(8)=8+2=10$
$\therefore (f \circ g \circ f)(-5)=10$
(3) $((g \circ f) \circ g)(x)=(g \circ f)(g(x))$
$=(g \circ f)(x^2-1)$
$=g(f(x^2-1))$
$=g((x^2-1)+2)=g(x^2+1)$
$=(x^2+1)^2-1=x^4+2x^2$

다른 풀이

(3) $(g \circ f)(x)=g(f(x))=g(x+2)$
$=(x+2)^2-1=x^2+4x+3$
이므로
$((g \circ f) \circ g)(x)=(g \circ f)(g(x))$
$=(g \circ f)(x^2-1)$
$=(x^2-1)^2+4(x^2-1)+3$
$=x^4+2x^2$

답 (1) 2 (2) 10
(3) $((g \circ f) \circ g)(x)=x^4+2x^2$

10-1

풀이 1

$f(x)=2x-3$, $g(x)=-x+a$에서
$(f \circ g)(x)=f(g(x))$
$=f(-x+a)$
$=2(-x+a)-3$
$=-2x+2a-3$ …… ㉠
$(g \circ f)(x)=g(f(x))$
$=g(2x-3)$
$=-(2x-3)+a$
$=-2x+a+3$ …… ㉡
$f \circ g=g \circ f$에서 ㉠과 ㉡이 서로 같아야 하므로
$-2x+2a-3=-2x+a+3$
이 등식은 x에 대한 항등식이므로
$2a-3=a+3 \qquad \therefore a=6$

풀이 2

$f \circ g=g \circ f$이므로 $(f \circ g)(0)=(g \circ f)(0)$
$g(0)=a$이므로
$(f \circ g)(0)=f(g(0))=f(a)=2a-3$
$f(0)=-3$이므로
$(g \circ f)(0)=g(f(0))=g(-3)=-(-3)+a=a+3$
$(f \circ g)(0)=(g \circ f)(0)$에서
$2a-3=a+3 \qquad \therefore a=6$

답 6

10-2

풀이 1

$f(x)=ax+b$, $g(x)=x^2+x+1$에서
$(f \circ g)(x)=f(g(x))=f(x^2+x+1)$
$=a(x^2+x+1)+b$
$=ax^2+ax+a+b$ …… ㉠
$(g \circ f)(x)=g(f(x))=g(ax+b)$
$=(ax+b)^2+(ax+b)+1$
$=a^2x^2+(2ab+a)x+b^2+b+1$ …… ㉡
$f \circ g=g \circ f$에서 ㉠과 ㉡이 서로 같아야 하므로
$ax^2+ax+a+b=a^2x^2+(2ab+a)x+b^2+b+1$
이 등식은 x에 대한 항등식이므로
$a=a^2$, $a=2ab+a$, $a+b=b^2+b+1$
이를 정리하여 풀면
$a=1$, $b=0$ ($\because a \neq 0$)
따라서 $f(x)=x$이므로
$f(a+b)=f(1+0)=f(1)=1$

풀이 2

$f \circ g=g \circ f$이므로 $(f \circ g)(-1)=(g \circ f)(-1)$
$g(-1)=1$이므로
$(f \circ g)(-1)=f(g(-1))=f(1)=a+b$
$f(-1)=-a+b$이므로
$(g \circ f)(-1)=g(f(-1))=g(-a+b)$
$=(-a+b)^2+(-a+b)+1$
$(f \circ g)(-1)=(g \circ f)(-1)$에서
$a+b=(-a+b)^2+(-a+b)+1$ …… ㉠
$f \circ g=g \circ f$이므로 $(f \circ g)(1)=(g \circ f)(1)$
$g(1)=3$이므로
$(f \circ g)(1)=f(g(1))=f(3)=3a+b$
$f(1)=a+b$이므로

$(g \circ f)(1)=g(f(1))=g(a+b)$
$=(a+b)^2+(a+b)+1$
$(f \circ g)(1)=(g \circ f)(1)$에서
$3a+b=(a+b)^2+(a+b)+1$ …… ㉡
㉡−㉠에서
$2a=4ab+2a$, $4ab=0$ $\therefore a=0$ 또는 $b=0$
이때 $a \neq 0$이므로 $b=0$이다.
이를 ㉠에 대입하면 $a=a^2-a+1$
$a^2-2a+1=0$, $(a-1)^2=0$ $\therefore a=1$
따라서 $f(x)=x$이므로
$f(a+b)=f(1+0)=f(1)=1$

참고

풀이 2 와 같이 수치대입법, 즉 특정한 값을 대입하여 미정계수를 찾는 방법이 항상 빠른 것은 아니다. 따라서 상황에 따라 방법을 바꾸어 풀 수 있도록 계수비교법, 수치대입법의 두 방법 모두 익숙해지도록 연습하자.

답 1

10-3

$f(x)=|x-2|$, $g(x)=-x+3$에서
$(f \circ g)(x)=f(g(x))$
$=f(-x+3)$
$=|(-x+3)-2|=|-x+1|$ …… ㉠
$(g \circ f)(x)=g(f(x))$
$=g(|x-2|)=-|x-2|+3$ …… ㉡
$f \circ g=g \circ f$이므로 ㉠, ㉡에서
$|-x+1|=-|x-2|+3$
(i) $x \le 1$일 때
$-x+1 \ge 0$, $x-2<0$이므로
$-x+1=-(2-x)+3$, $-x+1=x+1$
$2x=0$ $\therefore x=0$
(ii) $1<x<2$일 때
$-x+1<0$, $x-2<0$이므로
$x-1=-(2-x)+3$, $x-1=x+1$
이 등식을 만족시키는 실수 x는 존재하지 않는다.
(iii) $x \ge 2$일 때
$-x+1<0$, $x-2 \ge 0$이므로
$x-1=-(x-2)+3$, $x-1=-x+5$
$2x=6$ $\therefore x=3$
(i)~(iii)에서 $x=0$ 또는 $x=3$
따라서 $X=\{0, 3\}$이고 $a=0$, $b=3$이다.
$\therefore b-a=3-0=3$

답 3

10-4

$f(1)=3$, $g(1)=2$이므로
$(f \circ g)(1)=f(g(1))=f(2)=1$ …… ㉠
$(g \circ f)(1)=g(f(1))=g(3)$ …… ㉡
$f \circ g=g \circ f$이므로 ㉠, ㉡에서 $g(3)=1$
$f(3)=2$, $g(3)=1$이므로
$(f \circ g)(3)=f(g(3))=f(1)=3$ …… ㉢
$(g \circ f)(3)=g(f(3))=g(2)$ …… ㉣
$f \circ g=g \circ f$이므로 ㉢, ㉣에서 $g(2)=3$
$\therefore g(2)-g(3)=3-1=2$

참고

$g(2)=3$이면
$(f \circ g)(2)=f(g(2))=f(3)=2$
$(g \circ f)(2)=g(f(2))=g(1)=2$
이므로 $(f \circ g)(2)=(g \circ f)(2)$가 성립한다.

답 2

11-1

(1) $f(x)=2x-1$에서
$(f \circ h)(x)=f(h(x))=2h(x)-1$이므로
$(f \circ h)(x)=g(x)$에서 $2h(x)-1=x+2$
$2h(x)=x+3$ $\therefore h(x)=\frac{1}{2}x+\frac{3}{2}$
(2) $(h \circ g)(x)=h(g(x))=h(x+2)$이므로
$(h \circ g)(x)=f(x)$에서 $h(x+2)=2x-1$ …… ㉠
$x+2=t$로 놓으면 $x=t-2$ …… ㉡
㉠에 ㉡을 대입하면
$h(t)=2(t-2)-1=2t-5$
$\therefore h(x)=2x-5$

답 (1) $h(x)=\frac{1}{2}x+\frac{3}{2}$ (2) $h(x)=2x-5$

11-2

$f(x)=\frac{1}{2}x+1$에서
$(f \circ h)(x)=f(h(x))=\frac{1}{2}h(x)+1$이므로
$(f \circ h)(x)=g(x)$에서 $\frac{1}{2}h(x)+1=-x^2+5$
$\frac{1}{2}h(x)=-x^2+4$ $\therefore h(x)=-2x^2+8$
$\therefore h(3)=-2\times3^2+8=-10$

다른 풀이

$f(x)=\frac{1}{2}x+1$이므로 $h(3)=k$로 놓으면

$(f \circ h)(3)=f(h(3))=f(k)=\frac{1}{2}k+1$

이때 $g(3)=-3^2+5=-4$이고

$(f \circ h)(x)=g(x)$이면 $(f \circ h)(3)=g(3)$이므로

$\frac{1}{2}k+1=-4$에서 $\frac{1}{2}k=-5$ $\quad \therefore k=-10$

답 ①

11-3

$f\left(\frac{2x-4}{3}\right)=4x+6$에서 …… ㉠

$\frac{2x-4}{3}=t$로 놓으면 $2x-4=3t$

$2x=3t+4 \quad \therefore x=\frac{3t+4}{2}$ …… ㉡

㉠에 ㉡을 대입하면

$f(t)=4\times\frac{3t+4}{2}+6=6t+14$

$\therefore f(x)=6x+14$

답 $f(x)=6x+14$

11-4

$f(x)=2x+1$에서

$(h \circ f)(x)=h(f(x))=h(2x+1)$이므로

$$\begin{aligned}(f \circ h \circ f)(x)&=(f \circ (h \circ f))(x)\\&=f((h \circ f)(x))\\&=f(h(2x+1))\\&=2h(2x+1)+1\end{aligned}$$

$(f \circ h \circ f)(x)=g(x)$에서 $2h(2x+1)+1=-2x+3$

$2h(2x+1)=-2x+2$

$\therefore h(2x+1)=-x+1$ …… ㉠

$2x+1=t$로 놓으면 $2x=t-1$

$\therefore x=\frac{t-1}{2}$ …… ㉡

㉠에 ㉡을 대입하면

$h(t)=-\frac{t-1}{2}+1=-\frac{1}{2}t+\frac{3}{2}$

$\therefore h(x)=-\frac{1}{2}x+\frac{3}{2}$

답 $h(x)=-\frac{1}{2}x+\frac{3}{2}$

12-1

풀이 1

$f^1(x)=f(x)=2x+1$

$f^2(x)=(f \circ f^1)(x)=f(f^1(x))=f(2x+1)$

$\quad =2(2x+1)+1=4x+3$

$f^3(x)=(f \circ f^2)(x)=f(f^2(x))=f(4x+3)$

$\quad =2(4x+3)+1=8x+7$

$f^4(x)=(f \circ f^3)(x)=f(f^3(x))=f(8x+7)$

$\quad =2(8x+7)+1=16x+15$

$\vdots$

$\therefore f^n(x)=2^n x+2^n-1$

따라서 $f^7(x)=2^7x+2^7-1=128x+127$이므로

$f^7(1)=128+127=255$

풀이 2

$f^1(1)=f(1)=2\times1+1=3$

$f^2(1)=(f \circ f^1)(1)=f(f^1(1))=f(3)=2\times3+1=7$

$f^3(1)=(f \circ f^2)(1)=f(f^2(1))=f(7)$

$\quad =2\times7+1=15$

$f^4(1)=(f \circ f^3)(1)=f(f^3(1))=f(15)$

$\quad =2\times15+1=31$

$\vdots$

$\therefore f^n(1)=2^{n+1}-1$

$\therefore f^7(1)=2^{7+1}-1=255$

답 255

12-2

풀이 1

$f^1(x)=f(x)=-x+3$

$f^2(x)=(f \circ f^1)(x)=f(f^1(x))=f(-x+3)$

$\quad =-(-x+3)+3=x$

$f^3(x)=(f \circ f^2)(x)=f(f^2(x))=f(x)=-x+3$

$\vdots$

$\therefore f^n(x)=\begin{cases}-x+3 & (n\text{은 홀수})\\ x & (n\text{은 짝수})\end{cases}$

따라서 $f^{25}(x)=-x+3$, $f^{50}(x)=x$이므로

$f^{25}(1)+f^{50}(2)=(-1+3)+2=4$

풀이 2

$f^1(1)=f(1)=-1+3=2$

$f^2(1)=(f \circ f^1)(1)=f(f^1(1))=f(2)=-2+3=1$

$f^3(1)=(f \circ f^2)(1)=f(f^2(1))=f(1)=2$

$\vdots$

$\therefore f^n(1)=\begin{cases}2 & (n\text{은 홀수})\\ 1 & (n\text{은 짝수})\end{cases}$

마찬가지로

$f^1(2)=f(2)=-2+3=1$

$f^2(2)=(f \circ f^1)(2)=f(f^1(2))=f(1)=-1+3=2$

$f^3(2)=(f \circ f^2)(2)=f(f^2(2))=f(2)=1$

$\vdots$

$\therefore f^n(2)=\begin{cases} 1 & (n\text{은 홀수}) \\ 2 & (n\text{은 짝수}) \end{cases}$

따라서 $f^{25}(1)=2$, $f^{50}(2)=2$이므로

$f^{25}(1)+f^{50}(2)=2+2=4$

답 4

12-3

함수 f를 연속으로 3번 합성하면 다음 그림과 같다.

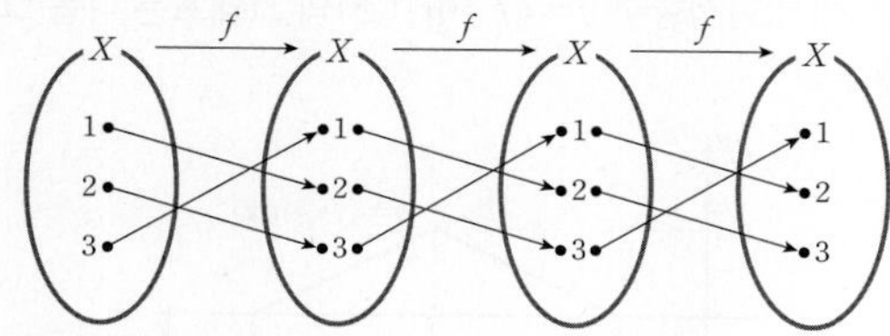

즉, $f^3(x)=x$이므로

모든 자연수 k에 대하여

$f^{3k}(x)=x$, $f^{3k+1}(x)=f(x)$, $f^{3k+2}(x)=f^2(x)$

따라서

$f^{100}(x)=f^{3\times33+1}(x)=f(x)$,

$f^{101}(x)=f^{3\times33+2}(x)=f^2(x)$

이므로

$f^{100}(1)+f^{101}(2)=f(1)+f^2(2)=2+f(f(2))$

$=2+f(3)=2+1=3$

답 3

12-4

함수 f를 그림으로 나타내면 다음과 같다.

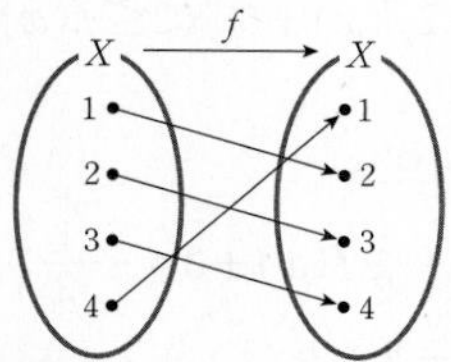

따라서 함수 f를 연속으로 4번 합성하면 다음 그림과 같다.

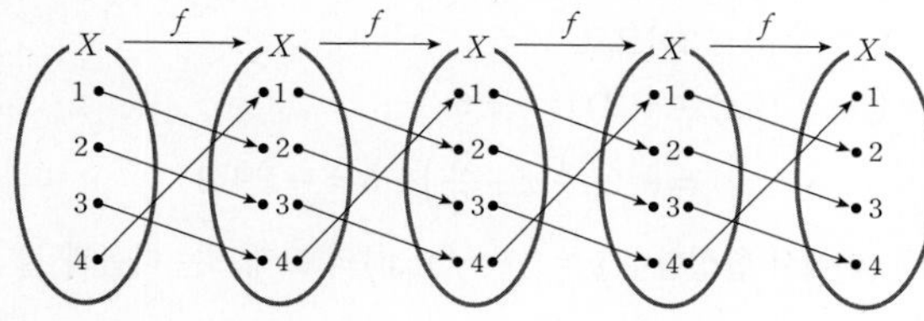

즉, $f^4(x)=x$이므로

모든 자연수 k에 대하여

$f^{4k}(x)=x$, $f^{4k+1}(x)=f(x)$, $f^{4k+2}(x)=f^2(x)$,

$f^{4k+3}(x)=f^3(x)$

따라서 $f^{50}(x)=f^{4\times12+2}(x)=f^2(x)$이므로

$f^{50}(4)=f^2(4)=f(f(4))=f(1)=2$

답 2

13-1

(1) $f(b)=c$, $f(c)=d$이므로

$(f\circ f)(b)=f(f(b))$

$=f(c)=d$

(2) $f(x)=t$로 놓으면

$(f\circ f)(x)=f(f(x))$

$=f(t)$

이므로 $(f\circ f)(x)=e$에서 $f(t)=e$ $\quad\therefore t=d$

따라서 $f(x)=d$에서 $x=c$

답 (1) d (2) c

13-2

$f(d)=c$, $f(c)=b$, $f(b)=a$

이므로

$(f\circ f\circ f)(d)$

$=(f\circ f)(f(d))$

$=(f\circ f)(c)=f(f(c))$

$=f(b)=a$

답 a

13-3

함수 f를 식으로 나타내면 다음과 같다.

$f(x)=\begin{cases} 2x & (0\le x\le 1) \\ 4-2x & (1<x\le 2) \end{cases}$

$f\left(\frac{3}{4}\right)=2\times\frac{3}{4}=\frac{3}{2}$, $f\left(\frac{3}{2}\right)=4-2\times\frac{3}{2}=1$,

$f(1)=2$이므로

$(f\circ f\circ f)\left(\frac{3}{4}\right)=(f\circ f)\left(f\left(\frac{3}{4}\right)\right)=(f\circ f)\left(\frac{3}{2}\right)$

$=f\left(f\left(\frac{3}{2}\right)\right)=f(1)=2$

답 2

13-4

$f(k)=t$로 놓으면

$(f\circ f)(k)=f(f(k))=f(t)$이므로

$(f\circ f)(k)=2$에서 $f(t)=2$

$\therefore t=1$ 또는 $t=3$

(i) $t=1$일 때

$f(k)=1$에서 $k=\frac{3}{2}$

(ii) $t=3$일 때

$f(k)=3$에서 $k=4$

(i), (ii)에서 모든 실수 k의 값의 합은

$\frac{3}{2}+4=\frac{11}{2}$

답 $\frac{11}{2}$

14-1

함수 f를 식으로 나타내면 다음과 같다.

$$f(x)=\begin{cases}2x+4 & (x<-1)\\ 2 & (x\geq-1)\end{cases}$$

$$(f\circ g)(x)=f(g(x))=\begin{cases}2g(x)+4 & (g(x)<-1)\\ 2 & (g(x)\geq-1)\end{cases}$$

$g(x)=x-2$이므로

(i) $x<1$일 때

$g(x)<-1$이므로

$(f\circ g)(x)=2g(x)+4=2(x-2)+4=2x$

(ii) $x\geq1$일 때

$g(x)\geq-1$이므로

$(f\circ g)(x)=2$

(i), (ii)에서 합성함수 $y=(f\circ g)(x)$의 그래프는 다음 그림과 같다.

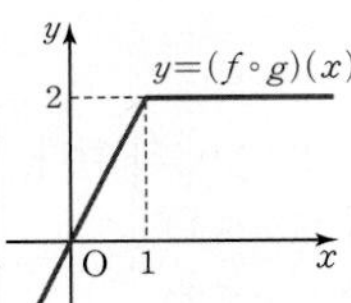

참고

$(f\circ g)(x)=f(g(x))=f(x-2)$이므로 주어진 그래프를 x축의 방향으로 2만큼 평행이동시켜서 확인할 수 있다.

답 풀이 참조

14-2

함수 f를 식으로 나타내면 다음과 같다.

$$f(x)=\begin{cases}2x & \left(0\leq x<\frac{1}{2}\right)\\ -2x+2 & \left(\frac{1}{2}\leq x\leq1\right)\end{cases}$$

$$(f\circ g)(x)=f(g(x))=\begin{cases}2g(x) & \left(0\leq g(x)<\frac{1}{2}\right)\\ -2g(x)+2 & \left(\frac{1}{2}\leq g(x)\leq1\right)\end{cases}$$

$g(x)=\frac{1}{4}x-\frac{1}{4}$이므로

(i) $1\leq x<3$일 때

$0\leq g(x)<\frac{1}{2}$이므로

$(f\circ g)(x)=2g(x)=2\left(\frac{1}{4}x-\frac{1}{4}\right)=\frac{1}{2}x-\frac{1}{2}$

(ii) $3\leq x\leq5$일 때

$\frac{1}{2}\leq g(x)\leq1$이므로

$(f\circ g)(x)=-2g(x)+2$

$=-2\left(\frac{1}{4}x-\frac{1}{4}\right)+2=-\frac{1}{2}x+\frac{5}{2}$

(i), (ii)에서 합성함수 $y=(f\circ g)(x)$의 그래프는 다음 그림과 같다.

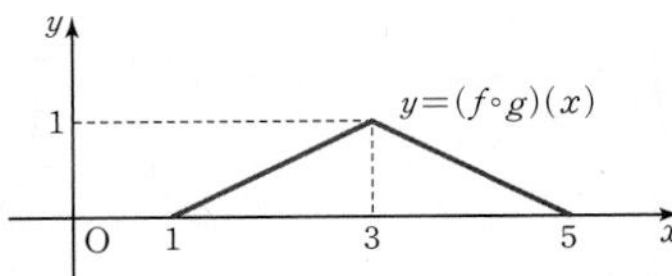

답 풀이 참조

14-3

두 함수 f, g를 각각 식으로 나타내면 다음과 같다.

$$f(x)=\begin{cases}2x & (0\leq x<1)\\ \frac{1}{2}x+\frac{3}{2} & (1\leq x\leq3)\end{cases}$$

$$g(x)=\begin{cases}-\frac{1}{2}x+3 & (0\leq x<2)\\ -2x+6 & (2\leq x\leq3)\end{cases}$$

$$(g\circ f)(x)=g(f(x))=\begin{cases}-\frac{1}{2}f(x)+3 & (0\leq f(x)<2)\\ -2f(x)+6 & (2\leq f(x)\leq3)\end{cases}$$

(i) $0\leq x<1$일 때

$0\leq f(x)<2$이므로

$(g\circ f)(x)=-\frac{1}{2}f(x)+3=-\frac{1}{2}\times2x+3$

$=-x+3$

(ii) $1\leq x\leq3$일 때

$2\leq f(x)\leq3$이므로

$(g\circ f)(x)=-2f(x)+6$

$=-2\left(\frac{1}{2}x+\frac{3}{2}\right)+6=-x+3$

(i), (ii)에서 합성함수 $y=(g\circ f)(x)$의 그래프는 다음과 같다.

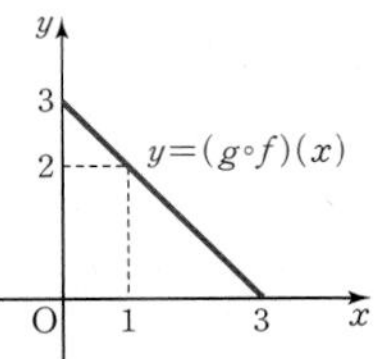

답 풀이 참조

14-4

함수 f를 식으로 나타내면 다음과 같다.

$$f(x)=\begin{cases} -2x+2 & (0\le x<1) \\ 2x-2 & (1\le x\le 2) \end{cases}$$

$$(f\circ f)(x)=f(f(x))$$
$$=\begin{cases} -2f(x)+2 & (0\le f(x)<1) \\ 2f(x)-2 & (1\le f(x)\le 2) \end{cases}$$

(i) $0\le x\le \frac{1}{2}$일 때

$1\le f(x)\le 2$이므로

$(f\circ f)(x)=2f(x)-2=2(-2x+2)-2$
$=-4x+2$

(ii) $\frac{1}{2}<x\le 1$일 때

$0\le f(x)<1$이므로

$(f\circ f)(x)=-2f(x)+2=-2(-2x+2)+2$
$=4x-2$

(iii) $1<x<\frac{3}{2}$일 때

$0<f(x)<1$이므로

$(f\circ f)(x)=-2f(x)+2=-2\times(2x-2)+2$
$=-4x+6$

(iv) $\frac{3}{2}\le x\le 2$일 때

$1\le f(x)\le 2$이므로

$(f\circ f)(x)=2f(x)-2=2(2x-2)-2=4x-6$

(i)~(iv)에서 합성함수 $y=(f\circ f)(x)$의 그래프는 다음 그림과 같다.

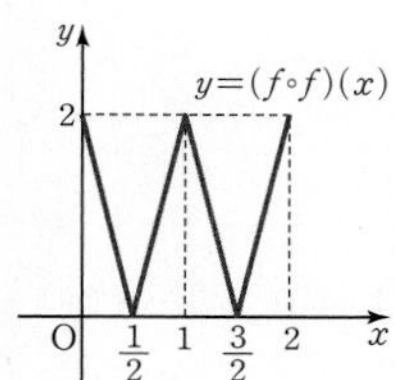

답 풀이 참조

03 역함수

개념 CHECK

본문 393쪽

01 (1) $\frac{7}{2}$ (2) 9 **02** 1

03 (1) 1 (2) 6 (3) 5 (4) 3

04 (1) -6 (2) $g^{-1}(x)=\frac{1}{2}(x+1)$ (3) -3

(4) $(f^{-1}\circ g^{-1})(x)=\frac{3}{2}(x-5)$ **05** 풀이 참조

01

(1) $f^{-1}(2)=a$에서 $f(a)=2$

이때 $f(x)=2x-5$이므로

$2a-5=2,\ 2a=7 \quad \therefore a=\frac{7}{2}$

(2) $f^{-1}(a)=7$에서 $f(7)=a$

이때 $f(x)=2x-5$이므로

$a=f(7)=2\times 7-5=9$

답 (1) $\frac{7}{2}$ (2) 9

02

함수 f는 역함수가 존재하므로 일대일대응이다. …… ㉠

이때 $f(1)=2$이고 $f^{-1}(3)=2$에서 $f(2)=3$이므로 ㉠에 의하여 $f(3)=1$이다.

답 1

03

(1) $f^{-1}(4)=k$로 놓으면 $f(k)=4$

이때 주어진 그림에서 $f(1)=4$이므로 $k=1$

즉, $f^{-1}(4)=1$이다.

(2) $(f^{-1})^{-1}(2)=f(2)=6$

(3) Y에서의 항등함수를 I_Y라 하면

$(f\circ f^{-1})(5)=I_Y(5)=5$

(4) X에서의 항등함수를 I_X라 하면

$(f^{-1}\circ f)(3)=I_X(3)=3$

답 (1) 1 (2) 6 (3) 5 (4) 3

04

(1) $f^{-1}(1)=k$로 놓으면 $f(k)=1$

이때 $f(x)=\frac{1}{3}x+3$이므로

$\frac{1}{3}\times k+3=1,\ \frac{k}{3}=-2$

$\therefore k=-6$

즉, $f^{-1}(1)=-6$이다.

(2) $g(x)=2x-1$에서 $y=2x-1$로 놓고 x에 대하여 풀면

$2x=y+1 \quad \therefore x=\frac{1}{2}(y+1)$

x와 y를 서로 바꾸어 나타내면

$y=\frac{1}{2}(x+1)$

$\therefore g^{-1}(x)=\frac{1}{2}(x+1)$

(3) $(g \circ f)^{-1}(3)=k$로 놓으면 $(g \circ f)(k)=3$

$(g \circ f)(x)=g(f(x))$

$=g\left(\frac{1}{3}x+3\right)$

$=2\left(\frac{1}{3}x+3\right)-1$

$=\frac{2}{3}x+5$

이므로 $\frac{2}{3}\times k+5=3$, $\frac{2}{3}k=-2$

$\therefore k=-3$

즉, $(g \circ f)^{-1}(3)=-3$이다.

(4) $(f^{-1} \circ g^{-1})(x)=(g \circ f)^{-1}(x)$

이때 (3)에서 $(g \circ f)(x)=\frac{2}{3}x+5$이므로

$y=\frac{2}{3}x+5$로 놓고 x에 대하여 풀면

$\frac{2}{3}x=y-5$

$\therefore x=\frac{3}{2}(y-5)$

x와 y를 서로 바꾸어 나타내면

$y=\frac{3}{2}(x-5)$

$\therefore (f^{-1} \circ g^{-1})(x)=\frac{3}{2}(x-5)$

다른 풀이

(3) (2)에서 $g^{-1}(x)=\frac{1}{2}(x+1)$이므로 $g^{-1}(3)=2$

$(g \circ f)^{-1}(3)=f^{-1}(g^{-1}(3))=f^{-1}(2)$

$f^{-1}(2)=k$로 놓으면 $f(k)=2$이므로

$\frac{1}{3}k+3=2$에서 $k=-3$

즉, $(g \circ f)^{-1}(3)=-3$

답 (1) -6 (2) $g^{-1}(x)=\frac{1}{2}(x+1)$ (3) -3
(4) $(f^{-1} \circ g^{-1})(x)=\frac{3}{2}(x-5)$

05

$f(x)=-2x+3$에서 $y=-2x+3$으로 놓고 x에 대하여 정리하면 $-2x=y-3$

$\therefore x=-\frac{1}{2}(y-3)$

x와 y를 서로 바꾸어 나타내면

$y=-\frac{1}{2}(x-3)$

$\therefore f^{-1}(x)=-\frac{1}{2}(x-3)$

따라서 역함수 $y=f^{-1}(x)$의 그래프는 오른쪽 그림과 같다.

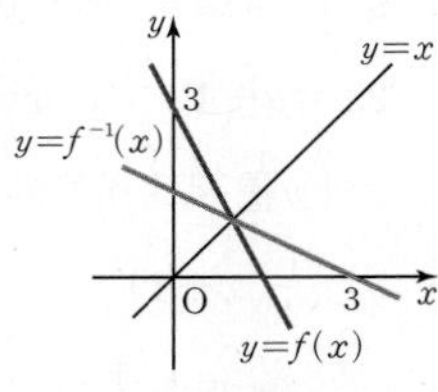

답 풀이 참조

유제

15-1 (1) 9 (2) 4 15-2 6 15-3 5
15-4 -2 16-1 2 16-2 9 16-3 -2
16-4 $a>1$ 17-1 7 17-2 5
17-3 $f^{-1}(x)=\frac{1}{2}x+2$ $(x\ge-2)$
17-4 $f^{-1}(x)=\frac{1}{2}x+1$ $(-2\le x\le 2)$
18-1 (1) 1 (2) 4 (3) $((g \circ f)^{-1} \circ g)(x)=x-3$
18-2 2 18-3 4 18-4 1
19-1 (1) c (2) e 19-2 5 19-3 -2
19-4 (1) b (2) b 20-1 4 20-2 -9
20-3 $2\sqrt{2}$ 20-4 3

15-1

(1) $f^{-1}(5)=1$에서 $f(1)=5$

$2+a=5$ $\therefore a=3$

따라서 $f(x)=2x+3$이므로

$f(a)=f(3)=2\times3+3=9$

(2) $f(a)=2a+a=3a$이므로

$f(f(a))=f(3a)=2\times(3a)+a=7a$

$f(f(a))=-7$에서 $7a=-7$ $\therefore a=-1$

$\therefore f(x)=2x-1$

$f^{-1}(7)=k$로 놓으면 $f(k)=7$

$2k-1=7$ $\therefore k=4$

답 (1) 9 (2) 4

15-2

$f^{-1}(0)=1$에서 $f(1)=0$ ...... ㉠

$\therefore a+b=0$ ...... ㉡

또한 ㉠에 의하여 $f(f(1))=f(0)=3$

$\therefore b=3$

이를 ㉡에 대입하면 $a=-3$

따라서 $f(x)=-3x+3$이므로

$f(-1)=-3\times(-1)+3=6$

답 6

15-3

$g^{-1}(k)=a$로 놓으면

$(f \circ g^{-1})(k)=f(g^{-1}(k))=f(a)=4a-1=-5$

$4a=-4$ $\therefore a=-1$

$g^{-1}(k)=-1$에서 $g(-1)=k$

$-3\times(-1)+2=k \qquad \therefore k=5$

답 5

15-4

$f(x)=\begin{cases} x+1 & (x<1) \\ 2x & (x\geq 1) \end{cases}$이므로

$x<1$이면 $f(x)<2$, $x\geq 1$이면 $f(x)\geq 2$ …… ㉠

$f^{-1}(6)=k$로 놓으면 $f(k)=6$

㉠에 의하여 $k\geq 1$이므로

$f(k)=2k=6 \qquad \therefore k=3$ …… ㉡

$f^{-1}(6)+f^{-1}(a)=0$에서 ㉡에 의하여

$f^{-1}(a)=-3$이므로

$f(-3)=a$, $(-3)+1=a$

$\therefore a=-2$

답 -2

16-1

함수 $f(x)$의 역함수가 존재하므로 $f(x)$는 일대일대응이다.

이때 $a>0$이므로

함수 $f(x)=ax+b$는 x의 값이 커질 때 함숫값도 커진다.

따라서 함수 f가 일대일대응이려면 함수 $y=f(x)$의 그래프는 오른쪽 그림과 같이 두 점 $(-3, -2)$, $(2, 3)$을 지나야 한다.

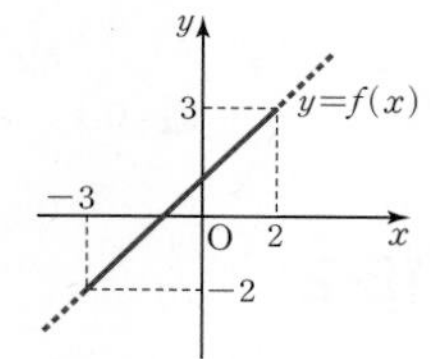

$f(-3)=-2$에서 $-3a+b=-2$ …… ㉠

$f(2)=3$에서 $2a+b=3$ …… ㉡

㉠, ㉡을 연립하여 풀면

$a=1$, $b=1 \qquad \therefore a+b=2$

답 2

16-2

함수 $f(x)$의 역함수가 존재하므로 $f(x)$는 일대일대응이다.

이때 X에서 Y로의 함수

$f(x)=-3x+1$의 기울기는 음수이므로 함수 $f(x)$가 일대일대응이려면 함수 $y=f(x)$의 그래프는 오른쪽 그림과 같이 두 점 $(1, b)$, $(4, a)$를 지나야 한다.

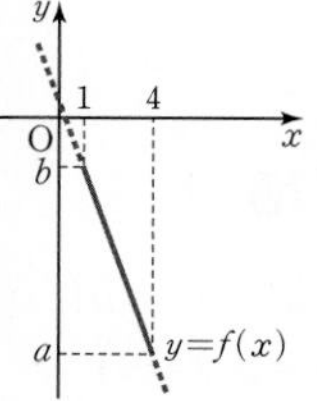

$f(1)=b$에서 $-3+1=b \qquad \therefore b=-2$

$f(4)=a$에서 $-12+1=a \qquad \therefore a=-11$

$\therefore b-a=(-2)-(-11)=9$

답 9

16-3

함수 $f(x)$의 역함수가 존재하므로 $f(x)$는 일대일대응이다.

이때 함수 $f(x)$의 정의역은

$X=\{x|x\leq -1\}$이고

공역은 $Y=\{y|y\leq -4\}$이므로

함수 $f(x)$가 일대일대응이려면 함수 $y=f(x)$의 그래프는 오른쪽 그림과 같이 점 $(-1, -4)$를 지나야 한다.

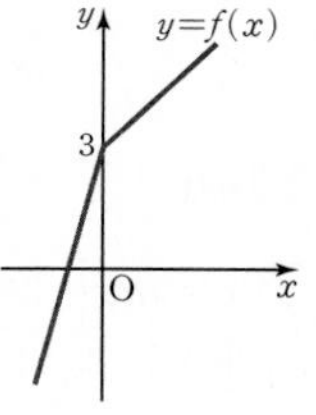

$f(-1)=-4$에서 $a\times(-1)\times\{(-1)-1\}=-4$

$2a=-4 \qquad \therefore a=-2$

답 -2

16-4

함수 $f(x)$의 역함수가 존재하므로 $f(x)$는 일대일대응이다.

함수 $f(x)=\begin{cases} 5x+3 & (x<0) \\ (a-1)x+3 & (x\geq 0) \end{cases}$이 일대일대응이려면

x의 값이 커질 때 함숫값이 계속 커지거나 x의 값이 커질 때 함숫값이 계속 작아져야 한다.

이때 $x<0$에서 직선 $y=5x+3$의 기울기가 양수이므로

함수 $f(x)$가 일대일대응이려면 함수 $y=f(x)$의 그래프는 오른쪽 그림과 같아야 한다.

즉, $x\geq 0$에서 함수 $y=(a-1)x+3$의 기울기가 양수이어야 하므로 $a-1>0$에서 $a>1$

y
y=f(x)
3
O
x

답 $a>1$

17-1

함수 $y=x-7$은 실수 전체의 집합 R에서 R로의 일대일대응이므로 역함수가 존재한다.

$y=x-7$을 x에 대하여 풀면 $x=y+7$

x와 y를 서로 바꾸어 나타내면 $y=x+7$

$\therefore a=1$, $b=7$

$\therefore ab=1\times 7=7$

답 7

17-2

함수 $y=\frac{1}{3}x+a$는 실수 전체의 집합 R에서 R로의 일대일대응이므로 역함수가 존재한다.

$y=\frac{1}{3}x+a$를 x에 대하여 풀면 $y-a=\frac{1}{3}x$

$\therefore x=3(y-a)$

x와 y를 서로 바꾸어 나타내면 $y=3(x-a)=3x-3a$

따라서 $3x-3a=bx-6$이고 이 등식은 x에 대한 항등식이므로

$3=b$, $-3a=-6$

$\therefore a=2, b=3$

$\therefore a+b=2+3=5$

답 5

17-3

함수 $f(x)=2x-4$는 집합 X에서 집합 Y로의 일대일대응이므로 역함수가 존재한다.

$y=2x-4$로 놓고 x에 대하여 풀면 $y+4=2x$

$\therefore x=\frac{1}{2}(y+4)$

x와 y를 서로 바꾸어 나타내면 $y=\frac{1}{2}(x+4)=\frac{1}{2}x+2$

이때 함수 f의 정의역은 X, 치역은 Y이므로

역함수의 정의역은 Y, 치역은 X이다.

따라서 함수 $f(x)$의 역함수는

$f^{-1}(x)=\frac{1}{2}x+2\ (x\geq-2)$

답 $f^{-1}(x)=\frac{1}{2}x+2\ (x\geq-2)$

17-4

$f(x)=ax-2$에 $x=0$을 대입하면 $f(0)=-2$

따라서 함수 f가 집합 $X=\{x|0\leq x\leq 2\}$에서 집합 $Y=\{y|-2\leq y\leq 2\}$로의 일대일대응이기 위해서는 함수 $y=f(x)$의 그래프는 오른쪽 그림과 같이 두 점 $(0, -2)$, $(2, 2)$를 지나야 한다.

$f(2)=2$에서 $2a-2=2 \qquad \therefore a=2$

$y=2x-2$로 놓고 x에 대하여 풀면

$y+2=2x \qquad \therefore x=\frac{1}{2}(y+2)$

x와 y를 서로 바꾸어 나타내면 $y=\frac{1}{2}(x+2)=\frac{1}{2}x+1$

이때 함수 f의 정의역은 X, 치역은 Y이므로

역함수의 정의역은 Y, 치역은 X이다.

따라서 함수 f의 역함수는

$f^{-1}(x)=\frac{1}{2}x+1\ (-2\leq x\leq 2)$

답 $f^{-1}(x)=\frac{1}{2}x+1\ (-2\leq x\leq 2)$

18-1

(1) 항등함수를 I라 하면

$(f\circ f^{-1}\circ f)^{-1}(4)=(f\circ(f^{-1}\circ f))^{-1}(4)$
$=(f\circ I)^{-1}(4)$
$=f^{-1}(4)$

$f^{-1}(4)=k$로 놓으면 $f(k)=4$이므로

$k+3=4 \qquad \therefore k=1$

$\therefore (f\circ f^{-1}\circ f)^{-1}(4)=1$

(2) $(g^{-1}\circ f)^{-1}=f^{-1}\circ(g^{-1})^{-1}=f^{-1}\circ g$이고

$g(2)=3\times2+1=7$이므로

$(g^{-1}\circ f)^{-1}(2)=(f^{-1}\circ g)(2)=f^{-1}(g(2))$
$=f^{-1}(7)$

$f^{-1}(7)=a$로 놓으면 $f(a)=7$이므로

$a+3=7 \qquad \therefore a=4$

$\therefore (g^{-1}\circ f)^{-1}(2)=4$

(3) 항등함수를 I라 하면

$(g\circ f)^{-1}=f^{-1}\circ g^{-1}$이고 $g^{-1}\circ g=I$이므로

$(g\circ f)^{-1}\circ g=(f^{-1}\circ g^{-1})\circ g$
$=f^{-1}\circ(g^{-1}\circ g)$
$=f^{-1}\circ I=f^{-1}$

$y=x+3$으로 놓고 x에 대하여 풀면 $x=y-3$

x와 y를 서로 바꾸어 나타내면 $y=x-3$

$\therefore f^{-1}(x)=x-3$

$\therefore ((g\circ f)^{-1}\circ g)(x)=f^{-1}(x)=x-3$

답 (1) 1 (2) 4 (3) $((g\circ f)^{-1}\circ g)(x)=x-3$

18-2

항등함수를 I라 하면

$(f\circ f^{-1}\circ f)(x)=(f\circ(f^{-1}\circ f))(x)$
$=(f\circ I)(x)$
$=f(x)=3x-2$

따라서

$(f^{-1}\circ f\circ f^{-1})^{-1}(k)=(f^{-1}\circ(f\circ f^{-1}))^{-1}(k)$
$=(f^{-1}\circ I)^{-1}(k)$
$=(f^{-1})^{-1}(k)$
$=f(k)=3k-2=4$

에서 $3k=6 \qquad \therefore k=2$

답 2

18-3

$h^{-1}(1)=a$로 놓으면 $h(a)=1$

$-a+4=1 \qquad \therefore a=3$

$(f^{-1}\circ g^{-1}\circ h^{-1})(1)=(f^{-1}\circ g^{-1})(h^{-1}(1))$
$=(f^{-1}\circ g^{-1})(3)$
$=(g\circ f)^{-1}(3)$

$(g\circ f)(x)=2x-5$에서 $y=2x-5$로 놓고 x에 대하여 풀면

$y+5=2x \qquad \therefore x=\frac{1}{2}(y+5)$

x와 y를 서로 바꾸어 나타내면 $y=\frac{1}{2}(x+5)=\frac{1}{2}x+\frac{5}{2}$

$\therefore (g\circ f)^{-1}(x)=\frac{1}{2}x+\frac{5}{2}$

$\therefore (f^{-1}\circ g^{-1}\circ h^{-1})(1)=(g\circ f)^{-1}(3)$

$=\frac{1}{2}\times 3+\frac{5}{2}=4$

답 4

18-4

$(f\circ g)(x)=5x-3$에서 $y=5x-3$으로 놓고 x에 대하여 풀면

$y+3=5x \qquad \therefore x=\frac{1}{5}(y+3)$

x와 y를 서로 바꾸어 나타내면 $y=\frac{1}{5}(x+3)=\frac{1}{5}x+\frac{3}{5}$

$\therefore (f\circ g)^{-1}(x)=\frac{1}{5}x+\frac{3}{5}$

이때 $(f\circ g)^{-1}=g^{-1}\circ f^{-1}$이므로

$(f\circ g)^{-1}(x)=(g^{-1}\circ f^{-1})(x)=g^{-1}(f^{-1}(x))$

$=\frac{1}{5}x+\frac{3}{5}$

$f^{-1}(2)=4$이므로 $x=2$를 대입하면

$g^{-1}(f^{-1}(2))=g^{-1}(4)=\frac{1}{5}\times 2+\frac{3}{5}=1$

$\therefore g^{-1}(4)=1$

다른 풀이

$f^{-1}(2)=4$에서 $f(4)=2$이고, …… ㉠

$g^{-1}(4)=k$라 하면 $g(k)=4$이다. …… ㉡

$(f\circ g)(x)=5x-3$에 $x=k$를 대입하면 $f(4)=5k-3$

㉠에서 $5k-3=2$이므로 $k=1$

$\therefore g^{-1}(4)=1$ ($\because$ ㉡)

답 1

19-1

(1) $f^{-1}(b)=k$로 놓으면

$f(k)=b$

$\therefore k=c$

$\therefore f^{-1}(b)=c$

(2) $f^{-1}(c)=t$로 놓으면

$f(t)=c$

$\therefore t=d$

$\therefore (f\circ f)^{-1}(c)=(f^{-1}\circ f^{-1})(c)$

$=f^{-1}(f^{-1}(c))$

$=f^{-1}(d)$

$f^{-1}(d)=m$으로 놓으면 $f(m)=d$

$\therefore m=e$

$\therefore (f\circ f)^{-1}(c)=f^{-1}(d)=e$

답 (1) c (2) e

19-2

$f^{-1}(2)=a$로 놓으면 $f(a)=2$

$\therefore a=1$

$\therefore f^{-1}(2)=1$

$f^{-1}(4)=b$로 놓으면 $f(b)=4$

$\therefore b=5$

$(f\circ f)^{-1}(4)=(f^{-1}\circ f^{-1})(4)=f^{-1}(f^{-1}(4))$

$=f^{-1}(5)$

$f^{-1}(5)=c$로 놓으면 $f(c)=5$

$\therefore c=4$

$\therefore (f\circ f)^{-1}(4)=f^{-1}(5)=4$

$\therefore f^{-1}(2)+(f\circ f)^{-1}(4)=1+4=5$

답 5

19-3

$f^{-1}(2)=a$로 놓으면

$f(a)=2$

$\therefore a=0$

$(f\circ f)^{-1}(2)$

$=(f^{-1}\circ f^{-1})(2)$

$=f^{-1}(f^{-1}(2))$

$=f^{-1}(0)$

$f^{-1}(0)=b$로 놓으면 $f(b)=0$

$\therefore b=-2$

$\therefore (f\circ f)^{-1}(2)=f^{-1}(0)=-2$

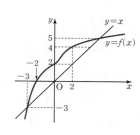

답 -2

19-4

(1) $g^{-1}(b)=k$로 놓으면

$g(k)=b$

$\therefore k=a$

$(g\circ f)^{-1}(b)$

$=(f^{-1}\circ g^{-1})(b)$

$=f^{-1}(g^{-1}(b))$

$=f^{-1}(a)$

$f^{-1}(a)=t$로 놓으면 $f(t)=a$

$\therefore t=b$

$\therefore (g\circ f)^{-1}(b)=f^{-1}(a)=b$

(2) $g^{-1}(d)=k$로 놓으면 $g(k)=d$

$\therefore k=c$

$\therefore (g\circ f^{-1})^{-1}(d)=(f\circ g^{-1})(d)$

$=f(g^{-1}(d))=f(c)=b$

답 (1) b (2) b

20-1

함수 $f(x)=-3x+8$의 그래프와 역함수 $y=g(x)$의 그래프는 직선 $y=x$에 대하여 대칭이므로 두 함수 $y=f(x)$, $y=g(x)$의 그래프는 그림과 같다.

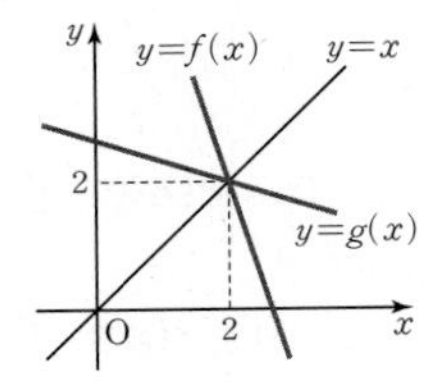

이때 두 함수 $y=f(x)$, $y=g(x)$의 그래프의 교점의 개수는 1이고, 이 교점이 직선 $y=x$ 위에 있으므로 두 함수 $y=f(x)$, $y=g(x)$의 그래프의 교점은 함수 $y=f(x)$의 그래프와 직선 $y=x$의 교점과 같다.

$-3x+8=x$에서 $4x=8$ $\quad\therefore x=2$

따라서 교점의 좌표는 $(2, 2)$이므로 $a=2$, $b=2$

$\therefore ab=4$

다른 풀이

$y=-3x+8$을 x에 대하여 풀면 $x=-\frac{1}{3}(y-8)$

x와 y를 서로 바꾸면 $y=-\frac{1}{3}(x-8)=-\frac{1}{3}x+\frac{8}{3}$

방정식 $f(x)=g(x)$에서

$-3x+8=-\frac{1}{3}x+\frac{8}{3}$, $\frac{8}{3}x=\frac{16}{3}$ $\quad\therefore x=2$

또한 $f(2)=-3\times2+8=2$이므로 두 함수 $y=f(x)$, $y=g(x)$의 그래프의 교점의 좌표는 $(2, 2)$이다.

따라서 $a=2$, $b=2$이므로 $ab=4$

답 4

20-2

함수 $f(x)=2x+k$의 그래프와 역함수 $y=g(x)$의 그래프는 직선 $y=x$에 대하여 대칭이므로 두 함수 $y=f(x)$, $y=g(x)$의 그래프는 그림과 같다.

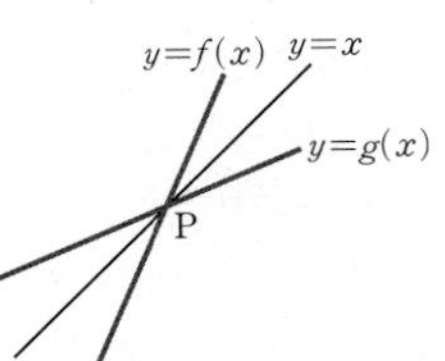

이때 두 함수 $y=f(x)$, $y=g(x)$의 그래프의 교점의 개수는 1이고, 이 교점 P는 직선 $y=x$ 위에 있으므로 원점과 점 P 사이의 거리가 $3\sqrt{2}$이면 점 P의 좌표는 $(-3, -3)$ 또는 $(3, 3)$이다.

(i) $\mathrm{P}(-3, -3)$일 때

점 P는 함수 $y=f(x)$의 그래프 위의 점이므로

$f(-3)=-3$에서 $2\times(-3)+k=-3$ $\quad\therefore k=3$

(ii) $\mathrm{P}(3, 3)$일 때

점 P는 함수 $y=f(x)$의 그래프 위의 점이므로

$f(3)=3$에서 $2\times3+k=3$ $\quad\therefore k=-3$

(i), (ii)에서 조건을 만족시키는 모든 실수 k의 값의 곱은

$3\times(-3)=-9$

답 -9

20-3

함수 $f(x)=\frac{1}{2}(x+2)^2-2\ (x\geq-2)$의 그래프와 역함수 $y=f^{-1}(x)$의 그래프는 직선 $y=x$에 대하여 대칭이므로 두 함수 $y=f(x)$, $y=f^{-1}(x)$의 그래프는 그림과 같다.

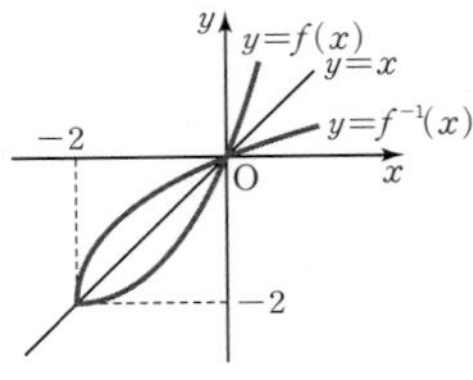

이때 두 함수 $y=f(x)$, $y=f^{-1}(x)$의 그래프의 교점의 개수는 2이고, 이 두 교점은 모두 직선 $y=x$ 위에 있으므로 두 함수 $y=f(x)$, $y=f^{-1}(x)$의 그래프의 교점은 함수 $y=f(x)$의 그래프와 직선 $y=x$의 교점과 같다.

$\frac{1}{2}(x+2)^2-2=x$에서 $(x+2)^2=2(x+2)$

$x^2+4x+4=2x+4$, $x^2+2x=0$

$x(x+2)=0$ $\quad\therefore x=-2$ 또는 $x=0$

따라서 두 교점의 좌표는 각각 $(-2, -2)$, $(0, 0)$이므로 이 두 교점 사이의 거리는

$\sqrt{\{0-(-2)\}^2+\{0-(-2)\}^2}=\sqrt{8}=2\sqrt{2}$

참고

함수 $f(x)$는 x의 값이 커질 때 함숫값도 커지므로 두 함수 $y=f(x)$, $y=f^{-1}(x)$의 그래프의 교점은 모두 직선 $y=x$ 위에 존재한다.

앞에서 직선에 대하여 다루었지만 이 문제와 같이 직선이 아닌 경우도 성립하는 성질이다.

답 $2\sqrt{2}$

20-4

함수 $f(x)$는 x의 값이 커질 때, 함숫값도 커지므로 두 함수 $y=f(x)$, $y=g(x)$의 그래프의 교점은 직선 $y=x$ 위에 존재한다.

또한 두 함수 $y=f(x)$, $y=g(x)$의 그래프는 직선 $y=x$에 대하여 대칭이므로 두 함수 $y=f(x)$, $y=g(x)$의 그래프로 둘러싸인 부분의 넓이는 함수 $y=f(x)$의 그래프와 직선 $y=x$로 둘러싸인 부분의 넓이의 2배이다.

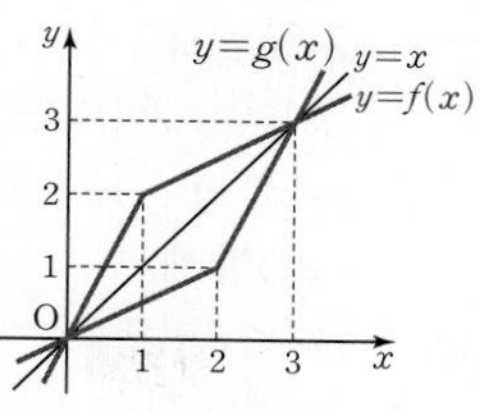

먼저 함수 $y=f(x)$의 그래프와 직선 $y=x$의 교점의 좌표를 구하자.

(i) $x<1$일 때

$2x=x$에서 $x=0$

따라서 교점의 좌표는 $(0, 0)$이다.

(ii) $x\geq1$일 때

$\frac{1}{2}x+\frac{3}{2}=x$에서 $\frac{1}{2}x=\frac{3}{2}$ $\quad\therefore x=3$

따라서 교점의 좌표는 $(3, 3)$이다.

(i), (ii)에서 함수 $y=f(x)$의 그래프와 직선 $y=x$의 교점의 좌표는 $(0, 0)$, $(3, 3)$이므로 이 두 점 사이의 거리는

$\sqrt{(3-0)^2+(3-0)^2}=3\sqrt{2}$

또한 점 $(1, f(1))$, 즉 $(1, 2)$와 직선 $y=x$, 즉 $x-y=0$ 사이의 거리는

$\frac{|1-2|}{\sqrt{1^2+(-1)^2}}=\frac{1}{\sqrt{2}}=\frac{\sqrt{2}}{2}$

따라서 함수 $y=f(x)$의 그래프와 직선 $y=x$로 둘러싸인 부분의 넓이는

$\frac{1}{2}\times3\sqrt{2}\times\frac{\sqrt{2}}{2}=\frac{3}{2}$

이므로 두 함수 $y=f(x)$, $y=g(x)$의 그래프로 둘러싸인 도형의 넓이는

$2\times\frac{3}{2}=3$

참고

함수 $y=f(x)$의 그래프와 직선 $y=x$로 둘러싸인 부분의 넓이를 구할 때, 두 개의 삼각형, 즉 세 점 $(0, 0)$, $(1, 2)$, $(2, 1)$을 꼭짓점으로 하는 삼각형과 세 점 $(1, 2)$, $(2, 1)$, $(3, 3)$을 꼭짓점으로 하는 삼각형으로 나누어 생각할 수도 있다.

답 3

04 절댓값 기호를 포함한 함수와 그래프

개념 CHECK

본문 411쪽

01 (1) 풀이 참조 (2) 풀이 참조 (3) 풀이 참조 (4) 풀이 참조
02 풀이 참조 **03** 풀이 참조 **04** 풀이 참조

01

$f(x)=2x+1$이므로 함수 $y=f(x)$의 그래프는 오른쪽 그림과 같다. 따라서 (1), (2), (3), (4)의 그래프는 다음과 같다.

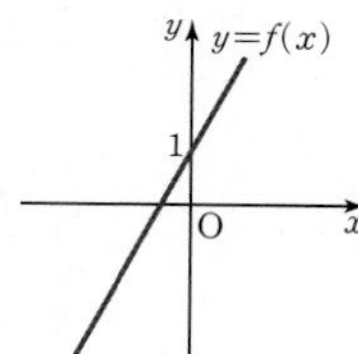

(1)

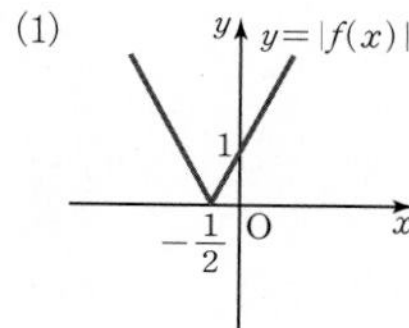

(2)

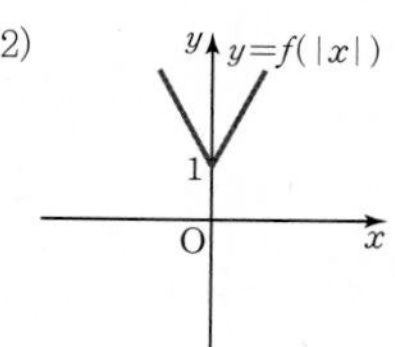

(3)

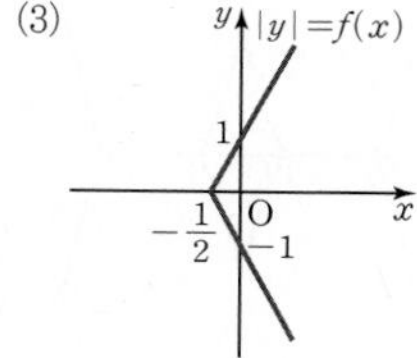

(4)

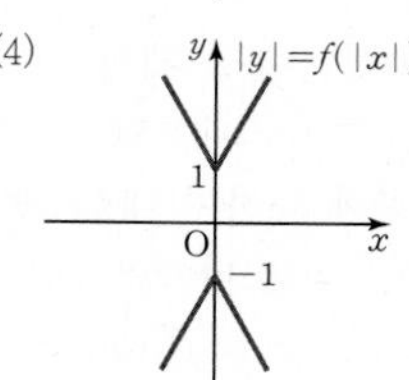

답 (1) 풀이 참조 (2) 풀이 참조 (3) 풀이 참조 (4) 풀이 참조

02

$f(x)=x^2-3x+2$
$=(x-1)(x-2)$

이므로 함수 $y=f(x)$의 그래프는 오른쪽 그림과 같다.

따라서 $y=f(|x|)$의 그래프는 다음과 같다.

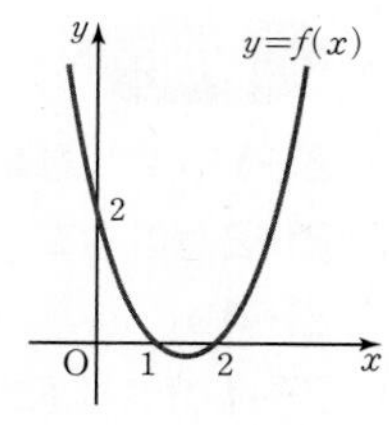

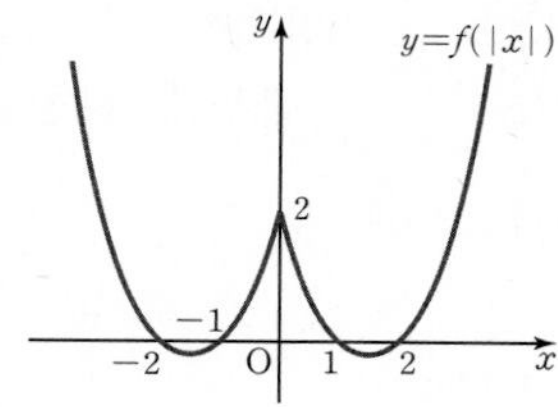

답 풀이 참조

03

$f(x)=(x-1)^2$으로 놓으면 $|y|=(|x|-1)^2$의 그래프는 $|y|=f(|x|)$의 그래프와 같다.
이때 $y=f(x)$의 그래프는 오른쪽 그림과 같으므로 $|y|=f(|x|)$, 즉 $|y|=(|x|-1)^2$의 그래프는 다음과 같다.

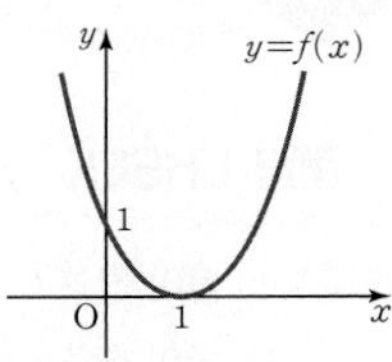

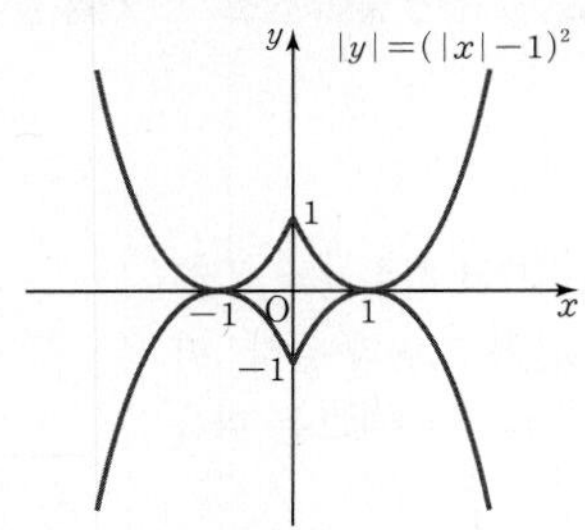

답 풀이 참조

04

$g(x)=f(|x|)$로 놓으면 $|y|=f(|x|)$, 즉 $|y|=g(x)$의 그래프는 $y=g(x)$의 그래프에서 $y\geq 0$인 부분을 제외하고 모두 없앤 후 이 그래프와 이 그래프를 x축에 대하여 대칭이동시킨 부분을 함께 나타낸 것과 같다. 따라서 $|y|=f(|x|)$의 그래프는 오른쪽 그림과 같다.

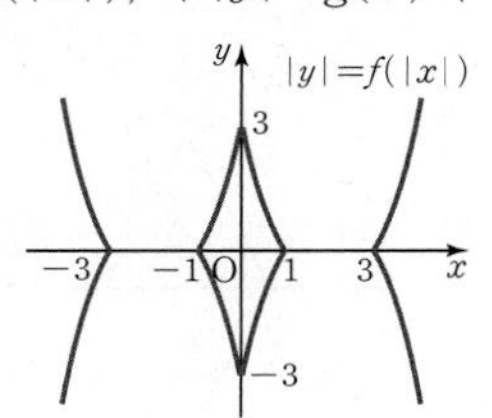

답 풀이 참조

유제 본문 412~415쪽

21-1 (1) 풀이 참조 (2) 풀이 참조 (3) 풀이 참조
21-2 풀이 참조 **21-3** 풀이 참조
21-4 4
22-1 (1) 풀이 참조 (2) 풀이 참조 (3) 풀이 참조 (4) 풀이 참조
22-2 풀이 참조 **22-3** 풀이 참조
22-4 24

21-1

(1) $y=x-|x|$에서

(i) $x<0$일 때
$|x|=-x$이므로
$y=x-(-x)=2x$

(ii) $x\geq 0$일 때
$|x|=x$이므로 $y=x-x=0$

(i), (ii)에서 함수 $y=x-|x|$의 그래프는 오른쪽 그림과 같다.

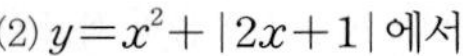

(2) $y=x^2+|2x+1|$에서

(i) $x<-\frac{1}{2}$일 때
$|2x+1|=-2x-1$이므로
$y=x^2+(-2x-1)=x^2-2x-1=(x-1)^2-2$

(ii) $x\geq -\frac{1}{2}$일 때
$|2x+1|=2x+1$이므로
$y=x^2+(2x+1)$
$=(x+1)^2$

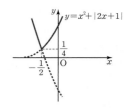

(i), (ii)에서 함수 $y=x^2+|2x+1|$의 그래프는 오른쪽 그림과 같다.

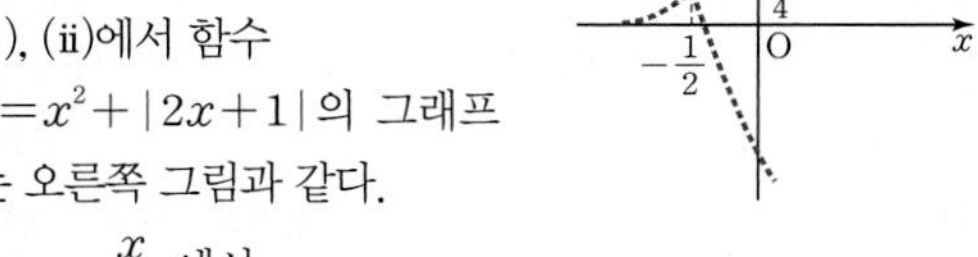

(3) $y=-\frac{x}{|x|}$에서

(i) $x<0$일 때
$|x|=-x$이므로
$y=-\frac{x}{-x}=1$

(ii) $x>0$일 때
$|x|=x$이므로
$y=-\frac{x}{x}=-1$

(i), (ii)에서 함수 $y=-\frac{x}{|x|}$의 그래프는 오른쪽 그림과 같다.

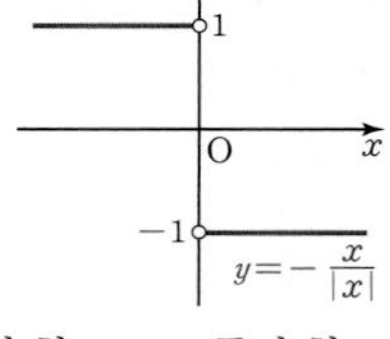

답 (1) 풀이 참조 (2) 풀이 참조 (3) 풀이 참조

21-2

$x^2+x=x(x+1)$이므로 $y=|x^2+x|+|x|$에서

(i) $x\leq -1$일 때
$|x^2+x|=x^2+x$, $|x|=-x$이므로
$y=|x^2+x|+|x|=(x^2+x)+(-x)=x^2$

(ii) $-1<x<0$일 때
$|x^2+x|=-x^2-x$, $|x|=-x$이므로
$y=|x^2+x|+|x|=(-x^2-x)+(-x)=-x^2-2x$

(iii) $x\geq 0$일 때
$|x^2+x|=x^2+x$, $|x|=x$이므로
$y=|x^2+x|+|x|=(x^2+x)+x=x^2+2x$

(i)~(iii)에서 함수 $y=|x^2+x|+|x|$의 그래프는 오른쪽 그림과 같다.

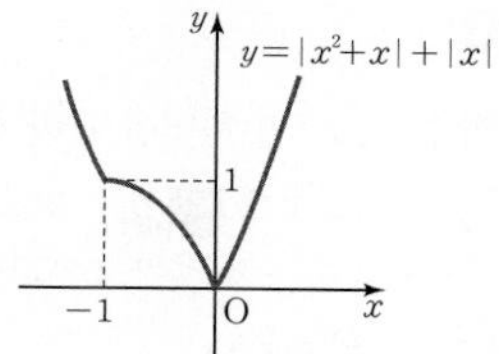

답 풀이 참조

21-3

$\sqrt{x^2-2x+1}=\sqrt{(x-1)^2}=|x-1|$이므로

$y=\sqrt{x^2-2x+1}-|x-2|$, 즉 $y=|x-1|-|x-2|$에서

(i) $x<1$일 때

$|x-1|=-x+1$, $|x-2|=-x+2$이므로

$y=|x-1|-|x-2|=(-x+1)-(-x+2)=-1$

(ii) $1\le x<2$일 때

$|x-1|=x-1$, $|x-2|=-x+2$이므로

$y=|x-1|-|x-2|=(x-1)-(-x+2)=2x-3$

(iii) $x\ge 2$일 때

$|x-1|=x-1$, $|x-2|=x-2$이므로

$y=|x-1|-|x-2|=(x-1)-(x-2)=1$

(i)~(iii)에서 함수 $y=\sqrt{x^2-2x+1}-|x-2|$의 그래프는 오른쪽 그림과 같다.

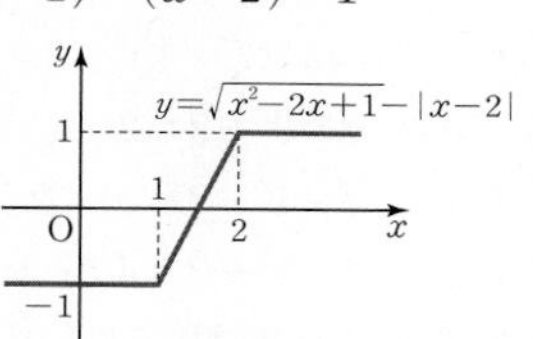

답 풀이 참조

21-4

$x^2-4=(x+2)(x-2)$이므로

$y=|x^2-4|=|(x+2)(x-2)|$에서

(i) $x<-2$일 때

$y=|(x+2)(x-2)|=(x+2)(x-2)$

(ii) $-2\le x<2$일 때

$y=|(x+2)(x-2)|=-(x+2)(x-2)$

(iii) $x\ge 2$일 때

$y=|(x+2)(x-2)|=(x+2)(x-2)$

(i)~(iii)에서 함수 $y=|x^2-4|$의 그래프는 오른쪽 그림과 같다.

이때 함수 $y=|x^2-4|$의 그래프와 직선 $y=k$의 교점의 개수가 3이기 위해서는 $k=4$이어야 한다.

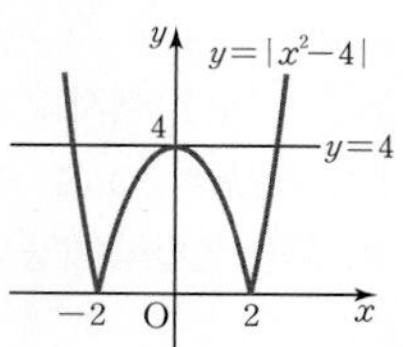

답 4

22-1

$f(x)=x^2-2x=x(x-2)$이므로 $f(x)=x^2-2x$의 그래프는 오른쪽 그림과 같다.

따라서 (1), (2), (3), (4)의 그래프는 다음과 같다.

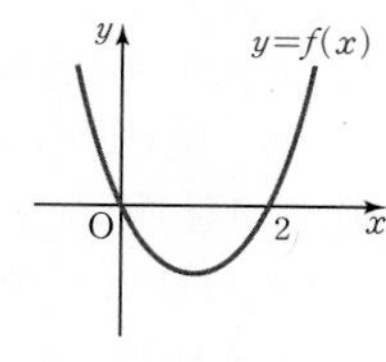

(1)

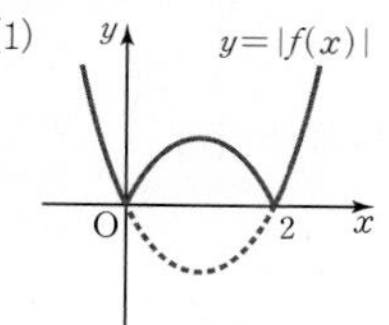

(2)

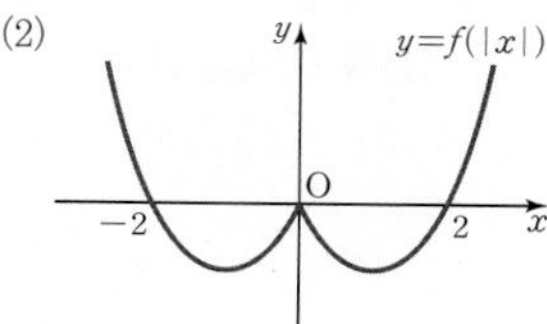

(3)

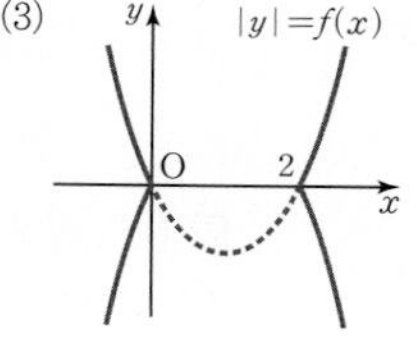

(4)

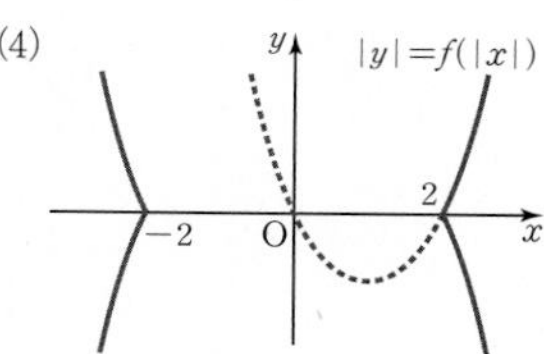

답 (1) 풀이 참조 (2) 풀이 참조 (3) 풀이 참조 (4) 풀이 참조

22-2

$y=|x^2-2|x||$의 그래프는 $y=x^2-2|x|$의 그래프에서 $y<0$인 부분을 x축에 대하여 대칭이동한 부분과 $y\ge 0$인 부분을 함께 나타내어 그릴 수 있다.

$y=x^2-2|x|$에서

(i) $x<0$일 때

$|x|=-x$이므로 $y=x^2+2x$

(ii) $x\ge 0$일 때

$|x|=x$이므로 $y=x^2-2x$

(i), (ii)에서 함수 $y=x^2-2|x|$의 그래프는 오른쪽 그림과 같다.

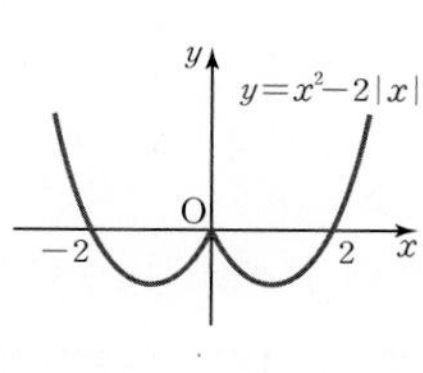

따라서 $y=|x^2-2|x||$의 그래프는 다음과 같다.

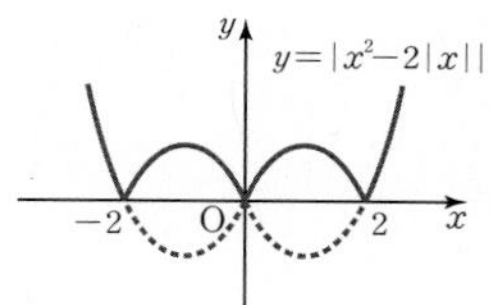

답 풀이 참조

22-3

$|y|^2=x^2-2x+1=(x-1)^2$에서 $|y|=|x-1|$

이때 $|y|=|x-1|$의 그래프는 $y=|x-1|$의 그래프에서 $y\ge 0$인 부분과 $y\ge 0$인 부분을 x축에 대하여 대칭이동한 부분을 함께 나타내어 그릴 수 있다.

$y=|x-1|$에서

(i) $x<1$일 때

$|x-1|=-x+1$이므로

$y=-x+1$

(ii) $x\geq1$일 때

$|x-1|=x-1$이므로 $y=x-1$

(i), (ii)에서 함수 $y=|x-1|$의 그래프는 오른쪽 그림과 같다.

따라서 $|y|^2=x^2-2x+1$의 그래프는 다음과 같다.

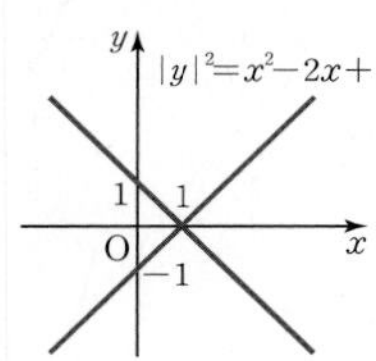

답 풀이 참조

22-4

$3|x|+|y|=6$에서 $|y|=-3|x|+6$

이때 $|y|=-3|x|+6$의 그래프는 $y=-3x+6$의 그래프에서 $x\geq0$, $y\geq0$인 부분을 제외하고 모두 없앤 후 남은 그래프를 x축, y축, 원점에 대하여 각각 대칭이동한 부분과 함께 나타내어 그릴 수 있다.

따라서 $3|x|+|y|=6$의 그래프는 다음과 같다.

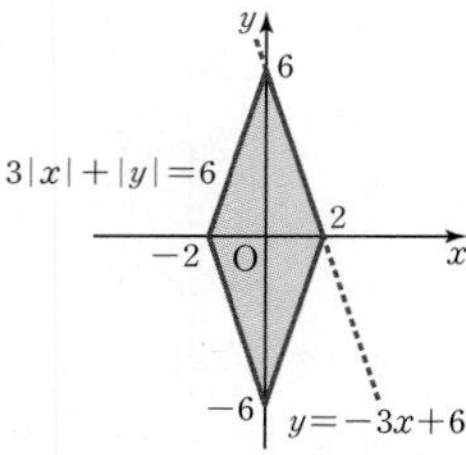

이때 $3|x|+|y|=6$이 나타내는 도형은 두 대각선의 길이가 각각 4, 12인 마름모이므로 그 넓이는 $\frac{1}{2}\times4\times12=24$이다.

답 24

중단원 연습문제

본문 416~420쪽

01 ㄱ, ㄴ, ㄹ	02 2	03 -3	04 $\frac{8}{3}$
05 50	06 ①	07 (1, 1)	08 4
09 풀이 참조	10 3	11 -1	12 ③
13 15	14 25	15 -2	16 22
17 ③	18 -2	19 ④	20 6

01

함수 $f(x)$의 치역을 F라 하자.

ㄱ. $-1\leq x\leq1$에서 $-2\leq2x\leq2$

$-2\leq-2x\leq2$, $0\leq2-2x\leq4$ $\quad\therefore 0\leq f(x)\leq4$

$\therefore F=Y$

ㄴ. $-1\leq x\leq1$에서 $-\frac{1}{2}\leq\frac{1}{2}x\leq\frac{1}{2}$

$\frac{5}{2}\leq\frac{1}{2}x+3\leq\frac{7}{2}$ $\quad\therefore \frac{5}{2}\leq f(x)\leq\frac{7}{2}$

$\therefore F\subset Y$

ㄷ. $-1\leq x\leq1$에서 $0\leq x^2\leq1$

$-1\leq x^2-1\leq0$ $\quad\therefore -1\leq f(x)\leq0$

$\therefore F\not\subset Y$

ㄹ. $-1\leq x\leq1$에서 $0\leq x+1\leq2$

$0\leq(x+1)^2\leq4$ $\quad\therefore 0\leq f(x)\leq4$

$\therefore F=Y$

따라서 X에서 Y로의 함수인 것은 ㄱ, ㄴ, ㄹ이다.

답 ㄱ, ㄴ, ㄹ

02

정의역이 $\{-1, 0, 1, 2\}$인 함수 $f(x)=ax^2+2$에 대하여

$f(-1)=a\times(-1)^2+2=a+2$

$f(0)=a\times0^2+2=2$

$f(1)=a\times1^2+2=a+2$

$f(2)=a\times2^2+2=4a+2$

이때 $a=0$이면 함수 f의 치역은 $\{2\}$이고, 치역의 모든 원소의 합이 16이라는 조건을 만족시킬 수 없다.

따라서 $a\neq0$, 치역은 $\{2, a+2, 4a+2\}$이고 치역의 모든 원소의 합이 16이므로

$2+(a+2)+(4a+2)=16$

$5a+6=16$ $\quad\therefore a=2$

답 2

03

두 함수 $f(x)=x^3+2ax+b$, $g(x)=ax+3b$가 서로 같으므로 정의역의 모든 원소 x에 대하여 $f(x)=g(x)$이다.

$f(-2)=g(-2)$에서

$(-2)^3+2a\times(-2)+b=a\times(-2)+3b$

$\therefore a+b=-4$ $\quad\cdots\cdots$ ㉠

$f(1)=g(1)$에서 $1^3+2a\times1+b=a\times1+3b$

$\therefore a-2b=-1$ $\quad\cdots\cdots$ ㉡

㉠, ㉡을 연립하여 풀면

$a=-3$, $b=-1$

$\therefore f(x)=x^3-6x-1$, $g(x)=-3x-3$

즉, $f(-2)=g(-2)=3$, $f(1)=g(1)=-6$이므로 함수 f의 치역은 $\{-6, 3\}$
따라서 치역의 모든 원소의 합은
$(-6)+3=-3$

답 -3

04

집합 $X=\{x|0\le x\le 3\}$에 대하여 함수 f가 X에서 X로의 일대일대응이려면 $f(0)=0$, $f(3)=3$이거나 $f(0)=3$, $f(3)=0$이어야 한다.

(i) $f(0)=0$, $f(3)=3$인 경우
$f(0)=0$에서 $b=0$ …… ㉠
$f(3)=3$에서 $9a+b=3$ …… ㉡
㉠, ㉡을 연립하여 풀면 $a=\frac{1}{3}$, $b=0$
이때 a, b는 0이 아닌 상수이므로 조건을 만족시키지 않는다.

(ii) $f(0)=3$, $f(3)=0$인 경우
$f(0)=3$에서 $b=3$ …… ㉢
$f(3)=0$에서 $9a+b=0$ …… ㉣
㉢, ㉣을 연립하여 풀면 $a=-\frac{1}{3}$, $b=3$

(i), (ii)에서 $a=-\frac{1}{3}$, $b=3$이므로 $f(x)=-\frac{1}{3}x^2+3$
$\therefore f(1)=\frac{8}{3}$

답 $\frac{8}{3}$

05

정의역의 원소 중
1의 함숫값이 될 수 있는 것은 1, 2, 3, 4, 5의 5개
2의 함숫값이 될 수 있는 것은 2, 4의 2개
3의 함숫값이 될 수 있는 것은 5의 1개
4의 함숫값이 될 수 있는 것은 1, 2, 3, 4, 5의 5개
이므로 조건을 만족시키는 함수 f의 개수는
$5\times2\times1\times5=50$

답 50

06

$f(x)=x^2-2x+a$에서
$f(2)=2^2-4+a=a$, $f(4)=4^2-8+a=a+8$
이때 $(f\circ f)(2)=(f\circ f)(4)$에서
$f(f(2))=f(f(4))$
즉, $f(a)=f(a+8)$에서
$a^2-2a+a=(a+8)^2-2(a+8)+a$
$16a=-48$ $\quad\therefore a=-3$
따라서 $f(x)=x^2-2x-3$이므로
$f(6)=6^2-2\times6-3=21$

다른 풀이
$(f\circ f)(2)=(f\circ f)(4)$에서
$f(f(2))=f(f(4))$ $\quad\therefore f(a)=f(a+8)$
$f(x)=x^2-2x+a$에서 $f(x)=(x-1)^2+a-1$이므로
함수 $y=f(x)$의 그래프는 직선 $x=1$에 대하여 대칭이다.
이때 $a\ne a+8$이므로 $f(a)=f(a+8)$이려면
$\frac{a+(a+8)}{2}=1$ $\quad\therefore a=-3$
따라서 $f(x)=x^2-2x-3$이므로
$f(6)=6^2-2\times6-3=21$

답 ①

07

$f(x)=2x-1$, $g(x)=ax+b$에서
$(f\circ g)(x)=f(g(x))$
$=2(ax+b)-1$
$=2ax+2b-1$ …… ㉠
$(g\circ f)(x)=g(f(x))$
$=a(2x-1)+b$
$=2ax-a+b$ …… ㉡
이때 $f\circ g=g\circ f$에서 ㉠과 ㉡이 서로 같아야 하므로
$2ax+2b-1=2ax-a+b$
이 등식은 x에 대한 항등식이므로
$2b-1=-a+b$ $\quad\therefore b=-a+1$
이를 $g(x)=ax+b$에 대입하면
$g(x)=ax+(-a+1)=a(x-1)+1$
이므로 함수 $y=g(x)$의 그래프는 a의 값에 관계없이 점 $(1, 1)$을 지난다.

다른 풀이
$f\circ g=g\circ f$이므로 $(f\circ g)(0)=(g\circ f)(0)$
$g(0)=b$이므로
$(f\circ g)(0)=f(g(0))=f(b)=2b-1$ …… ㉠
$f(0)=-1$이므로
$(g\circ f)(0)=g(f(0))=g(-1)=-a+b$ …… ㉡
㉠과 ㉡이 서로 같아야 하므로
$2b-1=-a+b$ $\quad\therefore b=-a+1$
이를 $g(x)=ax+b$에 대입하면
$g(x)=ax+(-a+1)=a(x-1)+1$
이므로 함수 $y=g(x)$의 그래프는 a의 값에 관계없이 점 $(1, 1)$을 지난다.

답 $(1, 1)$

08

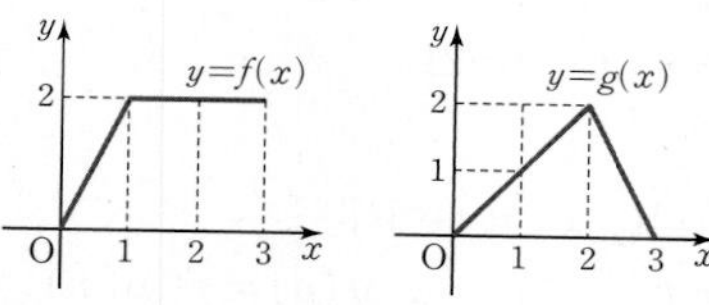

주어진 그래프에서 $f(2)=2$, $g(2)=2$이므로

$(f\circ g\circ f)(2)=f(g(f(2)))$

$\qquad\qquad\qquad=f(g(2))=f(2)=2$

또한 그래프에서 $g(1)=1$, $f(1)=2$이므로

$(g\circ f\circ g)(1)=g(f(g(1)))$

$\qquad\qquad\qquad=g(f(1))=g(2)=2$

$\therefore (f\circ g\circ f)(2)+(g\circ f\circ g)(1)=2+2=4$

답 4

09

$f(x)=\begin{cases}2x & (0\le x<2)\\ 4 & (2\le x\le 4)\end{cases}$이므로

함수 $y=f(x)$의 그래프는 오른쪽 그림과 같고

$(f\circ f)(x)$

$=f(f(x))$

$=\begin{cases}2f(x) & (0\le f(x)<2)\\ 4 & (2\le f(x)\le 4)\end{cases}$

(i) $0\le x<1$일 때

$f(x)=2x$이고 $0\le f(x)<2$이므로

$(f\circ f)(x)=f(f(x))=2f(x)=4x$

(ii) $1\le x<2$일 때

$f(x)=2x$이고 $2\le f(x)<4$이므로

$(f\circ f)(x)=4$

(iii) $2\le x\le 4$일 때

$f(x)=4$이므로

$(f\circ f)(x)=4$

(i)~(iii)에서

$(f\circ f)(x)=\begin{cases}4x & (0\le x<1)\\ 4 & (1\le x\le 4)\end{cases}$

이므로 함수 $y=(f\circ f)(x)$의 그래프는 오른쪽 그림과 같다.

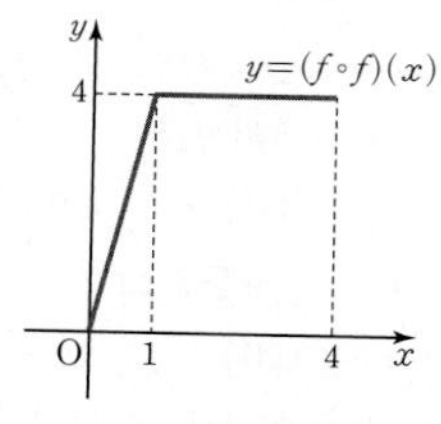

답 풀이 참조

10

$f(x)=x^2+ax+b$에 대하여

$f^{-1}(0)=2$에서 $f(2)=0$이므로

$2^2+2a+b=0\qquad \therefore 2a+b=-4\qquad \cdots\cdots$ ㉠

$f^{-1}(8)=4$에서 $f(4)=8$이므로

$4^2+4a+b=8\qquad \therefore 4a+b=-8\qquad \cdots\cdots$ ㉡

㉠, ㉡을 연립하여 풀면

$a=-2$, $b=0$

따라서 $f(x)=x^2-2x$이므로

$f(3)=3^2-2\times 3=3$

답 3

11

함수 $f(x)=ax-2\ (a\neq 0)$는 실수 전체의 집합 R에서 R로의 일대일대응이므로 역함수가 존재한다.

$y=ax-2$라 하고 x에 대하여 풀면 $ax=y+2$

$\therefore x=\frac{1}{a}y+\frac{2}{a}$

x와 y를 서로 바꾸어 나타내면 $y=\frac{1}{a}x+\frac{2}{a}$

$\therefore f^{-1}(x)=\frac{1}{a}x+\frac{2}{a}$

$f=f^{-1}$에서 $ax-2=\frac{1}{a}x+\frac{2}{a}$이므로

$a=\frac{1}{a}$, $-2=\frac{2}{a}\qquad \therefore a=-1$

다른 풀이

$f=f^{-1}$에서 $(f\circ f)(x)=x$임을 이용한다.

$f(x)=ax-2\ (a\neq 0)$에서

$(f\circ f)(x)=f(f(x))=a(ax-2)-2=a^2x-2a-2$

$a^2x-2a-2=x$는 x에 대한 항등식이므로

$a^2=1$, $-2a-2=0\qquad \therefore a=-1$

참고

역함수가 존재하는 함수 f의 그래프와 그 역함수의 그래프는 직선 $y=x$에 대하여 대칭이므로 일차함수 $f(x)=ax+b$가 모든 실수 x에 대하여 $f=f^{-1}$를 만족시키기 위해서는 $f(x)=x$이거나 직선 $y=f(x)$는 직선 $y=x$와 수직, 즉 $a=-1$이어야 한다.

답 -1

12

$f(x)=x^2-2x+k=(x-1)^2+k-1\ (x\ge 1)$

이고 함수 $y=f(x)$의 그래프와 역함수 $y=f^{-1}(x)$의 그래프는 직선 $y=x$에 대하여 대칭이므로 두 함수 $y=f(x)$, $y=f^{-1}(x)$의 그래프는 오른쪽 그림과 같다.

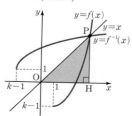

즉, 함수 $y=f(x)$의 그래프와 그 역함수 $y=f^{-1}(x)$의 그래프가 만나는 점은 함수 $y=f(x)$의 그래프와 직선 $y=x$가 만나는 점과 같다.

따라서 점 P는 직선 $y=x$ 위의 점이므로 점 P의 좌표를 (t, t)로 놓을 수 있다.

이때 삼각형 POH의 넓이가 8이므로

$\frac{1}{2}\times t\times t=8,\ t^2=16 \qquad \therefore t=4\ (\because t\geq 1)$

한편, 점 P(4, 4)는 함수 $f(x)=x^2-2x+k$의 그래프 위의 점이므로 $f(4)=4$에서

$4^2-2\times 4+k=4 \qquad \therefore k=-4$

답 ③

13

(i) $x<3$일 때

$f(x)=2$이고 f는 항등함수이므로

$x=2$

(ii) $3\leq x<7$일 때

$f(x)=2x-5$이고 f는 항등함수이므로

$2x-5=x \qquad \therefore x=5$

(iii) $x\geq 7$일 때

$f(x)=x^2-12x+40$이고 f는 항등함수이므로

$x^2-12x+40=x,\ x^2-13x+40=0$

$(x-5)(x-8)=0 \qquad \therefore x=5$ 또는 $x=8$

이때 $x\geq 7$이므로 $x=8$

(i)~(iii)에 의하여

$X=\{2, 5, 8\}$

$\therefore a+b+c=2+5+8=15$

답 15

14

$f(x)+f(-x)=0$이므로

$f(0)+f(0)=0$에서 $f(0)=0$이고

$f(1)+f(-1)=0,\ f(2)+f(-2)=0$이므로

$f(1)$과 $f(2)$의 값이 정해지면 $f(-1)$과 $f(-2)$의 값도 정해진다.

1의 함숫값이 될 수 있는 것은 $-2, -1, 0, 1, 2$의 5개

2의 함숫값이 될 수 있는 것은 $-2, -1, 0, 1, 2$의 5개

따라서 주어진 조건을 만족시키는 함수 f의 개수는

$5\times 5=25$

답 25

15

$$(f\circ g)(x)=f(g(x))=\begin{cases}(x^2-2ax+4)+2 & (x<0)\\ (x+4)+2 & (x\geq 0)\end{cases}=\begin{cases}x^2-2ax+6 & (x<0)\\ x+6 & (x\geq 0)\end{cases}$$

이때 $h(x)=x^2-2ax+6$으로 놓으면

$h(x)=(x-a)^2+6-a^2$

이므로 함수 $y=h(x)$의 그래프의 꼭짓점의 좌표는

$(a, 6-a^2)$ ...... ㉠

(i) $a>0$일 때

㉠에 의하여 함수 $y=(f\circ g)(x)$의 그래프는 오른쪽 그림과 같다.

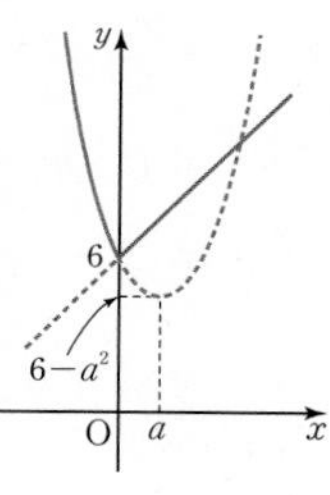

즉, 합성함수 $(f\circ g)(x)$의 치역은 $\{y\,|\,y\geq 6\}$이므로 치역이 $\{y\,|\,y\geq 2\}$라는 조건을 만족시키지 않는다.

(ii) $a=0$일 때

(i)과 마찬가지로 조건을 만족시키지 않는다.

(iii) $a<0$일 때

합성함수 $(f\circ g)(x)$의 치역이 $\{y\,|\,y\geq 2\}$가 되려면 함수 $y=(f\circ g)(x)$의 그래프는 오른쪽 그림과 같고 ㉠에 의하여 $6-a^2=2$를 만족시켜야 한다.

즉, $a^2=6-2=4$에서

$a=\pm 2$

이때 $a<0$이므로 $a=-2$

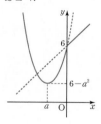

(i)~(iii)에 의하여 $a=-2$

답 -2

16

$f^1(x)=f(x)=\frac{x-1}{x+1}$이므로

$f^2(x)=(f\circ f^1)(x)=f(f^1(x))$

$$=f\left(\frac{x-1}{x+1}\right)=\frac{\frac{x-1}{x+1}-1}{\frac{x-1}{x+1}+1}=-\frac{1}{x}$$

$f^3(x)=(f\circ f^2)(x)=f(f^2(x))$

$$=f\left(-\frac{1}{x}\right)=\frac{-\frac{1}{x}-1}{-\frac{1}{x}+1}=-\frac{x+1}{x-1}$$

$$f^4(x)=(f\circ f^3)(x)=f(f^3(x))$$
$$=f\left(-\frac{x+1}{x-1}\right)=\frac{-\frac{x+1}{x-1}-1}{-\frac{x+1}{x-1}+1}=x$$

따라서 자연수 k에 대하여 $f^{4k}(x)=x$이므로

$f^4(x)=f^8(x)=f^{12}(x)=\cdots=x$

또한 $f^1(2)\neq 2$, $f^2(2)\neq 2$, $f^3(2)\neq 2$이므로 $f^m(2)=2$를 만족시키는 두 자리 자연수 m은 12, 16, 20, …, 96의 22개이다.

다른 풀이

$f(x)=\frac{x-1}{x+1}$이므로

$$f^1(2)=f(2)=\frac{2-1}{2+1}=\frac{1}{3}$$
$$f^2(2)=(f\circ f^1)(2)=f(f^1(2))$$
$$=f\left(\frac{1}{3}\right)=\frac{\frac{1}{3}-1}{\frac{1}{3}+1}=-\frac{1}{2}$$
$$f^3(2)=(f\circ f^2)(2)=f(f^2(2))$$
$$=f\left(-\frac{1}{2}\right)=\frac{-\frac{1}{2}-1}{-\frac{1}{2}+1}=-3$$
$$f^4(2)=(f\circ f^3)(2)=f(f^3(2))$$
$$=f(-3)=\frac{-3-1}{-3+1}=2$$
$$f^5(2)=(f\circ f^4)(2)=f(f^4(2))=f(2)=\frac{2-1}{2+1}=\frac{1}{3}$$
$$\vdots$$

즉, $f^n(2)$의 값은 $\frac{1}{3}$, $-\frac{1}{2}$, -3, 2가 이 순서대로 반복되므로

$f^4(2)=f^8(2)=f^{12}(2)=\cdots=f^{4k}(2)=2$ (k는 자연수)

따라서 $f^m(2)=2$를 만족시키는 두 자리의 자연수 m은 12, 16, 20, …, 96의 22개이다.

답 22

17

$f(x)=\begin{cases}2x & (0\leq x<1)\\ -x+3 & (1\leq x\leq 2)\end{cases}$이므로

$(f\circ f)(x)$

$=f(f(x))$

$=\begin{cases}2f(x) & (0\leq f(x)<1)\\ -f(x)+3 & (1\leq f(x)\leq 2)\end{cases}$

(i) $0\leq x<\frac{1}{2}$일 때

$f(x)=2x$이고 $0\leq f(x)<1$이므로

$(f\circ f)(x)=2f(x)=2\times 2x=4x$

(ii) $\frac{1}{2}\leq x<1$일 때

$f(x)=2x$이고 $1\leq f(x)<2$이므로

$(f\circ f)(x)=-f(x)+3=-2x+3$

(iii) $1\leq x\leq 2$일 때

$f(x)=-x+3$이고 $1\leq f(x)\leq 2$이므로

$(f\circ f)(x)=-(-x+3)+3=x$

(i)~(iii)에서

$$(f\circ f)(x)=\begin{cases}4x & \left(0\leq x<\frac{1}{2}\right)\\ -2x+3 & \left(\frac{1}{2}\leq x<1\right)\\ x & (1\leq x\leq 2)\end{cases}$$

이므로 함수 $y=(f\circ f)(x)$의 그래프와 직선 $y=\frac{1}{2}x+1$은 오른쪽 그림과 같이 서로 다른 세 점에서 만난다.

따라서 교점의 개수는 3이다.

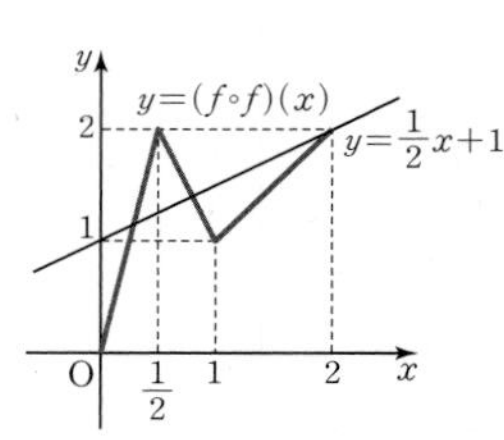

답 ③

18

$f(x)=2x-1$, $g(x)=-3x+1$이므로

$(g\circ f)(x)=g(f(x))$

$=-3(2x-1)+1=-6x+4$

$y=-6x+4$라 하고 x에 대하여 풀면

$6x=-y+4 \qquad \therefore x=-\frac{1}{6}y+\frac{2}{3}$

x와 y를 서로 바꾸어 나타내면

$y=-\frac{1}{6}x+\frac{2}{3}$

따라서 $(g\circ f)^{-1}(x)=-\frac{1}{6}x+\frac{2}{3}$이므로

$(f^{-1}\circ g^{-1})(x)=-\frac{1}{6}x+\frac{2}{3}$

$\therefore (f^{-1}\circ g^{-1}\circ h)(x)=(f^{-1}\circ g^{-1})(h(x))$

$=-\frac{1}{6}h(x)+\frac{2}{3}$

따라서 $(f^{-1}\circ g^{-1}\circ h)(x)=f(x)$에서

$-\frac{1}{6}h(x)+\frac{2}{3}=f(x) \qquad \therefore h(x)=-6f(x)+4$

$\therefore h(1)=-6f(1)+4=-6\times(2\times 1-1)+4=-2$

다른 풀이

정의역이 실수 전체의 집합인 어떤 함수 $p(x)$에 대하여 $a=b$이면 $p(a)=p(b)$인 성질을 이용하여 주어진 문제를 해결해 보자.

$(f^{-1}\circ g^{-1}\circ h)(x)=f(x)$에서

$f((f^{-1}\circ g^{-1}\circ h)(x))=f(f(x))$

마찬가지로

$g(f((f^{-1}\circ g^{-1}\circ h)(x)))=g(f(f(x)))$

$(g\circ f\circ f^{-1}\circ g^{-1}\circ h)(x)=(g\circ f\circ f)(x)$

따라서 $h(x)=(g\circ f\circ f)(x)$이므로

$h(1)=(g\circ f\circ f)(1)$

$=g(f(f(1)))=g(f(1))=g(1)$

$=-3\times1+1=-2$

참고

다른 풀이 와 같이 등식 $(f^{-1}\circ g^{-1}\circ h)(x)=f(x)$에서 좌변과 우변의 값을 각각 f에 다시 대입하는 것은 분배법칙과 역함수의 성질을 이용하여 원하는 식을 나타내고자 하는 것이다.
이와 같은 방식은 함수에서 자주 사용되므로 충분히 연습하도록 하자.

답 -2

19

함수 f가 X에서 X로의 일대일대응이므로

$\{f(1),\ f(2),\ f(3),\ f(4),\ f(5)\}=\{1,\ 2,\ 3,\ 4,\ 5\}$

이때 조건 (가)에서 $f(2)-f(3)=f(4)-f(1)=f(5)$이다.

(i) $f(5)=1$인 경우

$f(2)-f(3)=1,\ f(4)-f(1)=1$이고

함수 f는 일대일대응이므로

$\{f(1),\ f(2),\ f(3),\ f(4)\}=\{2,\ 3,\ 4,\ 5\}$

$\therefore \{f(2),\ f(4)\}=\{3,\ 5\}$

이때 조건 (나)에 의하여 $f(2)<f(4)$이므로

$f(2)=3,\ f(4)=5$이다.

이때 $f(4)-f(1)=1$에서 $f(1)=4$이지만 이 경우 조건 (나)의 $f(1)<f(2)$를 만족시킬 수 없으므로 $f(5)=1$이면 주어진 조건을 만족시키지 않는다.

(ii) $f(5)=2$인 경우

$f(2)-f(3)=2,\ f(4)-f(1)=2$이고

함수 f는 일대일대응이므로

$\{f(1),\ f(2),\ f(3),\ f(4)\}=\{1,\ 3,\ 4,\ 5\}$

하지만 이를 동시에 만족시키는 함수 f는 존재하지 않는다.

(iii) $f(5)=3$인 경우

$f(2)-f(3)=3,\ f(4)-f(1)=3$이고

함수 f는 일대일대응이므로

$\{f(1),\ f(2),\ f(3),\ f(4)\}=\{1,\ 2,\ 4,\ 5\}$

$\therefore \{f(2),\ f(4)\}=\{4,\ 5\}$

이때 조건 (나)에 의하여 $f(2)<f(4)$이므로

$f(2)=4,\ f(4)=5$이다.

또한 $f(4)-f(1)=3$에서 $f(1)=2$이고, 이 경우 조건 (나)의 $f(1)<f(2)$인 조건도 만족시킨다.

(iv) $f(5)=4$ 또는 $f(5)=5$인 경우

함수 f가 X에서 X로의 일대일대응이므로 이를 만족시킬 수 없다.

(i)~(iv)에서 함수 f는 오른쪽 그림과 같으므로

$f(2)+f(5)=4+3=7$

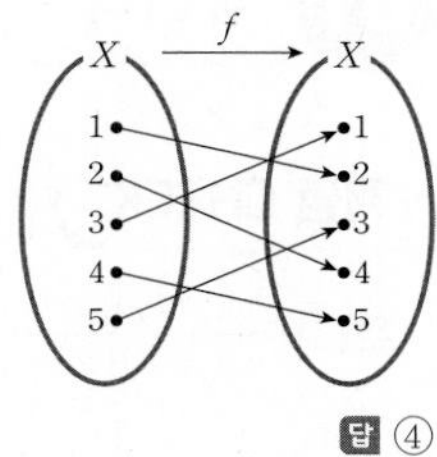

답 ④

20

$f(a)=t$로 치환하면 $(f\circ f)(a)=f(a)$에서

$f(t)=t$

이때 $f(x)=\begin{cases}2x+2 & (x<2)\\ x^2-7x+16 & (x\ge2)\end{cases}$

이므로

$t<2$일 때, $2t+2=t$에서 $t=-2$

$t\ge2$일 때, $t^2-7t+16=t$에서 $(t-4)^2=0 \quad \therefore t=4$

(i) $t=-2$인 경우

$f(a)=-2$에서

$a<2$일 때, $2a+2=-2 \quad \therefore a=-2 \quad \cdots\cdots$ ㉠

$a\ge2$일 때, $a^2-7a+16=-2$

$\therefore a^2-7a+18=0$

이 이차방정식의 판별식을 D라 하면

$D=(-7)^2-4\times1\times18=-23<0$

이므로 $a\ge2$일 때, $f(a)=-2$를 만족시키는 실수 a의 값은 존재하지 않는다.

(ii) $t=4$인 경우

$f(a)=4$에서

$a<2$일 때, $2a+2=4 \quad \therefore a=1 \quad \cdots\cdots$ ㉡

$a\ge2$일 때, $a^2-7a+16=4$

$a^2-7a+12=0,\ (a-3)(a-4)=0$

$\therefore a=3$ 또는 $a=4 \quad \cdots\cdots$ ㉢

㉠~㉢에서 $(f\circ f)(a)=f(a)$를 만족시키는 모든 실수 a의 값의 합은

$(-2)+1+3+4=6$

답 6

09 유리식과 유리함수

01 유리식

개념 CHECK

본문 429쪽

01 (1) $\frac{3x+5}{(x+1)(x+3)}$ (2) $\frac{x-3}{(x+1)(x^2-x+1)}$

(3) $\frac{1}{(x+1)(x-1)}$ (4) 1

02 (1) $\frac{1}{(x+2)(x+3)}$ (2) $\frac{3}{x(x-3)}$ **03** $\frac{1}{x+1}$

04 (1) $\frac{15}{16}$ (2) $\frac{1}{2}$

01

(1) $\frac{1}{x+1}+\frac{2}{x+3}=\frac{(x+3)+2(x+1)}{(x+1)(x+3)}$

$=\frac{3x+5}{(x+1)(x+3)}$

(2) $\frac{4x}{x^3+1}-\frac{3}{x^2-x+1}=\frac{4x-3(x+1)}{(x+1)(x^2-x+1)}$

$=\frac{x-3}{(x+1)(x^2-x+1)}$

(3) $\frac{x+2}{x^2+3x-4}\times\frac{x+4}{x^2+3x+2}$

$=\frac{x+2}{(x+4)(x-1)}\times\frac{x+4}{(x+1)(x+2)}$

$=\frac{1}{(x+1)(x-1)}$

(4) $\frac{x-1}{x+3}\div\frac{x^2+2x-3}{x^2+6x+9}=\frac{x-1}{x+3}\div\frac{(x+3)(x-1)}{(x+3)^2}$

$=\frac{x-1}{x+3}\times\frac{(x+3)^2}{(x+3)(x-1)}$

$=1$

답 (1) $\frac{3x+5}{(x+1)(x+3)}$ (2) $\frac{x-3}{(x+1)(x^2-x+1)}$

(3) $\frac{1}{(x+1)(x-1)}$ (4) 1

02

(1) $\frac{x+3}{x+2}-\frac{x+4}{x+3}=\frac{(x+2)+1}{x+2}-\frac{(x+3)+1}{x+3}$

$=\left(1+\frac{1}{x+2}\right)-\left(1+\frac{1}{x+3}\right)$

$=\frac{1}{x+2}-\frac{1}{x+3}$

$=\frac{(x+3)-(x+2)}{(x+2)(x+3)}$

$=\frac{1}{(x+2)(x+3)}$

(2) $\frac{1}{x(x-1)}+\frac{2}{(x-1)(x-3)}$

$=\left(\frac{1}{x-1}-\frac{1}{x}\right)+\left(\frac{1}{x-3}-\frac{1}{x-1}\right)$

$=\frac{1}{x-3}-\frac{1}{x}=\frac{x-(x-3)}{x(x-3)}=\frac{3}{x(x-3)}$

답 (1) $\frac{1}{(x+2)(x+3)}$ (2) $\frac{3}{x(x-3)}$

03

$\frac{1-\frac{1}{x+1}}{x}=\frac{\frac{(x+1)-1}{x+1}}{x}=\frac{\frac{x}{x+1}}{x}$

$=\frac{x}{x(x+1)}=\frac{1}{x+1}$

답 $\frac{1}{x+1}$

04

(1) $x:y=3:5$일 때, $\frac{x}{3}=\frac{y}{5}=k$ (단, $k\neq0$)로 놓으면

$x=3k$, $y=5k$이므로

$\frac{xy}{y^2-x^2}=\frac{3k\times5k}{(5k)^2-(3k)^2}=\frac{15k^2}{16k^2}=\frac{15}{16}$

(2) $x:y:z=1:3:4$일 때, $\frac{x}{1}=\frac{y}{3}=\frac{z}{4}=k$ (단, $k\neq0$)

로 놓으면 $x=k$, $y=3k$, $z=4k$이므로

$\frac{5x-3y+2z}{x+y+z}=\frac{5k-3\times(3k)+2\times(4k)}{k+3k+4k}$

$=\frac{4k}{8k}=\frac{1}{2}$

답 (1) $\frac{15}{16}$ (2) $\frac{1}{2}$

유제

본문 430~441쪽

01-1 (1) $\dfrac{1}{x^2+x+1}$ (2) $\dfrac{2x-1}{x(x-1)}$ (3) $\dfrac{1}{x-1}$ (4) $\dfrac{x-1}{(x+1)^2}$

01-2 (1) $\dfrac{1}{x^2+x+1}$ (2) $\dfrac{8}{x^8-1}$

01-3 $\dfrac{(a-1)(a+4)}{(a+1)(a+3)}$ **01-4** $\dfrac{3}{2}$

02-1 $a=3,\ b=-3$ **02-2** $a=2,\ b=2$

02-3 11 **02-4** 6

03-1 (1) $\dfrac{-x-5}{(x+1)(x-3)}$ (2) $\dfrac{4(2x+3)}{x(x+1)(x+2)(x+3)}$

03-2 $\dfrac{3}{(2x-1)(x+1)(x+2)}$

03-3 5 **03-4** 36

04-1 (1) $\dfrac{4}{(x-2)(x+2)}$ (2) $\dfrac{9}{40}$

04-2 19 **04-3** 6 **04-4** $\dfrac{99}{199}$

05-1 (1) $\dfrac{1+x^2}{2x}$ (2) $\dfrac{3x+2}{2x+1}$

05-2 3 **05-3** $2(\sqrt{3}+1)$ **05-4** 10

06-1 (1) 2 : 3 : 1 (2) $\dfrac{23}{6}$ (3) 1

06-2 2 **06-3** $\dfrac{1}{2}$ **06-4** 39

01-1

(1) $\dfrac{x}{x^3-1}-\dfrac{1}{x^3-1}=\dfrac{x-1}{x^3-1}=\dfrac{x-1}{(x-1)(x^2+x+1)}$

$=\dfrac{1}{x^2+x+1}$

(2) $\dfrac{2x}{x^2-1}+\dfrac{1}{x^2+x}=\dfrac{2x}{(x+1)(x-1)}+\dfrac{1}{x(x+1)}$

$=\dfrac{2x^2+x-1}{x(x+1)(x-1)}$

$=\dfrac{(2x-1)(x+1)}{x(x+1)(x-1)}$

$=\dfrac{2x-1}{x(x-1)}$

(3) $\dfrac{x}{x^2-3x+2}\times\dfrac{x^2-x-2}{x^2+x}$

$=\dfrac{x}{(x-1)(x-2)}\times\dfrac{(x+1)(x-2)}{x(x+1)}$

$=\dfrac{1}{x-1}$

(4) $\dfrac{x+3}{(x+1)^2}\div\dfrac{x^2+4x+3}{x^2-1}=\dfrac{x+3}{(x+1)^2}\div\dfrac{(x+1)(x+3)}{(x+1)(x-1)}$

$=\dfrac{x+3}{(x+1)^2}\times\dfrac{x-1}{x+3}$

$=\dfrac{x-1}{(x+1)^2}$

답 (1) $\dfrac{1}{x^2+x+1}$ (2) $\dfrac{2x-1}{x(x-1)}$ (3) $\dfrac{1}{x-1}$ (4) $\dfrac{x-1}{(x+1)^2}$

01-2

(1) $\dfrac{1}{x-1}-\dfrac{x+1}{x^2+x+1}-\dfrac{3}{x^3-1}$

$=\dfrac{(x^2+x+1)-(x+1)(x-1)-3}{(x-1)(x^2+x+1)}$

$=\dfrac{(x^2+x+1)-(x^2-1)-3}{(x-1)(x^2+x+1)}$

$=\dfrac{x-1}{(x-1)(x^2+x+1)}$

$=\dfrac{1}{x^2+x+1}$

(2) $\dfrac{1}{x-1}-\dfrac{1}{x+1}-\dfrac{2}{x^2+1}-\dfrac{4}{x^4+1}$

$=\dfrac{(x+1)-(x-1)}{(x+1)(x-1)}-\dfrac{2}{x^2+1}-\dfrac{4}{x^4+1}$

$=\dfrac{2}{x^2-1}-\dfrac{2}{x^2+1}-\dfrac{4}{x^4+1}$

$=\dfrac{2(x^2+1)-2(x^2-1)}{(x^2-1)(x^2+1)}-\dfrac{4}{x^4+1}$

$=\dfrac{4}{x^4-1}-\dfrac{4}{x^4+1}$

$=\dfrac{4(x^4+1)-4(x^4-1)}{(x^4-1)(x^4+1)}=\dfrac{8}{x^8-1}$

답 (1) $\dfrac{1}{x^2+x+1}$ (2) $\dfrac{8}{x^8-1}$

01-3

$\dfrac{a+4}{a^2-a-2}\times\dfrac{a^2+3a+2}{a+1}\div\dfrac{a^2+5a+6}{a^2-3a+2}$

$=\dfrac{a+4}{(a+1)(a-2)}\times\dfrac{(a+1)(a+2)}{a+1}\div\dfrac{(a+2)(a+3)}{(a-1)(a-2)}$

$=\dfrac{a+4}{(a+1)(a-2)}\times(a+2)\times\dfrac{(a-1)(a-2)}{(a+2)(a+3)}$

$=\dfrac{(a-1)(a+4)}{(a+1)(a+3)}$

답 $\dfrac{(a-1)(a+4)}{(a+1)(a+3)}$

01-4

$$\frac{a-b}{a+b}+\frac{a+b}{a-b}=\frac{(a-b)^2+(a+b)^2}{(a+b)(a-b)}=\frac{2(a^2+b^2)}{(a+b)(a-b)}$$

$$\frac{a-b}{a+b}-\frac{a+b}{a-b}=\frac{(a-b)^2-(a+b)^2}{(a+b)(a-b)}$$
$$=-\frac{4ab}{(a+b)(a-b)}$$

$$\therefore \left(\frac{a-b}{a+b}+\frac{a+b}{a-b}\right)\div\left(\frac{a-b}{a+b}-\frac{a+b}{a-b}\right)$$
$$=\frac{2(a^2+b^2)}{(a+b)(a-b)}\times\left\{-\frac{(a+b)(a-b)}{4ab}\right\}$$
$$=-\frac{a^2+b^2}{2ab}=-\frac{9}{2\times(-3)}=\frac{3}{2}$$

답 $\frac{3}{2}$

02-1

주어진 식의 우변을 통분하여 정리하면

$$\frac{a}{x-1}+\frac{b}{x^2+x+1}=\frac{a(x^2+x+1)+b(x-1)}{(x-1)(x^2+x+1)}$$
$$=\frac{ax^2+(a+b)x+(a-b)}{x^3-1}$$

따라서 등식 $\frac{3x^2+6}{x^3-1}=\frac{ax^2+(a+b)x+(a-b)}{x^3-1}$는 $x\neq1$인 모든 실수 x에 대하여 성립하므로 양변의 분자의 동류항의 계수를 서로 비교하면

$a=3,\ a+b=0,\ a-b=6$

이를 정리하여 풀면 $a=3,\ b=-3$

답 $a=3,\ b=-3$

02-2

주어진 식의 우변을 통분하여 정리하면

$$\frac{a}{x-1}-\frac{b}{x-2}=\frac{a(x-2)-b(x-1)}{(x-1)(x-2)}$$
$$=\frac{(a-b)x-(2a-b)}{x^2-3x+2}$$

따라서 등식 $\frac{-2}{x^2-3x+2}=\frac{(a-b)x-(2a-b)}{x^2-3x+2}$는 $x\neq1$, $x\neq2$인 모든 실수 x에 대하여 성립하므로 양변의 분자의 동류항의 계수를 서로 비교하면

$a-b=0,\ 2a-b=2$

이를 정리하여 풀면 $a=2,\ b=2$

답 $a=2,\ b=2$

02-3

주어진 식의 우변을 통분하여 정리하면

$$\frac{b}{x-1}+\frac{cx+1}{x^2+x+1}=\frac{b(x^2+x+1)+(cx+1)(x-1)}{(x-1)(x^2+x+1)}$$
$$=\frac{(b+c)x^2+(b-c+1)x+(b-1)}{x^3-1}$$

따라서 등식 $\frac{7x+a}{x^3-1}=\frac{(b+c)x^2+(b-c+1)x+(b-1)}{x^3-1}$은 분모를 0으로 만들지 않는 모든 실수 x에 대하여 성립하므로 양변의 분자의 동류항의 계수를 서로 비교하면

$b+c=0,\ b-c+1=7,\ b-1=a$

이를 정리하여 풀면 $a=2,\ b=3,\ c=-3$

$\therefore a+2b-c=2+2\times3-(-3)=11$

답 11

02-4

주어진 식의 우변을 통분하여 정리하면

$$\frac{a}{x}+\frac{b}{x+1}+\frac{c}{(x+1)^2}=\frac{a(x+1)^2+bx(x+1)+cx}{x(x+1)^2}$$
$$=\frac{(a+b)x^2+(2a+b+c)x+a}{x(x+1)^2}$$

따라서 등식 $\frac{1}{x(x+1)^2}=\frac{(a+b)x^2+(2a+b+c)x+a}{x(x+1)^2}$는 분모를 0으로 만들지 않는 모든 실수 x에 대하여 성립하므로 양변의 분자의 동류항의 계수를 서로 비교하면

$a+b=0,\ 2a+b+c=0,\ a=1$

이를 정리하여 풀면 $a=1,\ b=-1,\ c=-1$

$\therefore a-2b-3c=1-2\times(-1)-3\times(-1)=6$

답 6

03-1

(1) $\frac{x^2+2x+2}{x+1}-\frac{x^2-2x-1}{x-3}$

$$=\frac{(x+1)^2+1}{x+1}-\frac{(x-3)(x+1)+2}{x-3}$$
$$=\left\{(x+1)+\frac{1}{x+1}\right\}-\left\{(x+1)+\frac{2}{x-3}\right\}$$
$$=\frac{1}{x+1}-\frac{2}{x-3}$$
$$=\frac{(x-3)-2(x+1)}{(x+1)(x-3)}$$
$$=\frac{-x-5}{(x+1)(x-3)}$$

(2) $\frac{x+2}{x}-\frac{x+3}{x+1}-\frac{x+4}{x+2}+\frac{x+5}{x+3}$

$$=\frac{x+2}{x}-\frac{(x+1)+2}{x+1}-\frac{(x+2)+2}{x+2}+\frac{(x+3)+2}{x+3}$$
$$=\left(1+\frac{2}{x}\right)-\left(1+\frac{2}{x+1}\right)-\left(1+\frac{2}{x+2}\right)+\left(1+\frac{2}{x+3}\right)$$
$$=2\left(\frac{1}{x}-\frac{1}{x+2}\right)-2\left(\frac{1}{x+1}-\frac{1}{x+3}\right)$$

$$=2\times\frac{(x+2)-x}{x(x+2)}-2\times\frac{(x+3)-(x+1)}{(x+1)(x+3)}$$
$$=\frac{4}{x(x+2)}-\frac{4}{(x+1)(x+3)}$$
$$=\frac{4(x+1)(x+3)-4x(x+2)}{x(x+1)(x+2)(x+3)}$$
$$=\frac{4(2x+3)}{x(x+1)(x+2)(x+3)}$$

답 (1) $\frac{-x-5}{(x+1)(x-3)}$ (2) $\frac{4(2x+3)}{x(x+1)(x+2)(x+3)}$

03-2

$$\frac{4x^2+6x-2}{2x^2+3x-2}-\frac{2x^2+6x+5}{x^2+3x+2}$$
$$=\frac{2(2x^2+3x-2)+2}{2x^2+3x-2}-\frac{2(x^2+3x+2)+1}{x^2+3x+2}$$
$$=\left(2+\frac{2}{2x^2+3x-2}\right)-\left(2+\frac{1}{x^2+3x+2}\right)$$
$$=\frac{2}{2x^2+3x-2}-\frac{1}{x^2+3x+2}$$
$$=\frac{2}{(2x-1)(x+2)}-\frac{1}{(x+1)(x+2)}$$
$$=\frac{2(x+1)-(2x-1)}{(2x-1)(x+1)(x+2)}$$
$$=\frac{3}{(2x-1)(x+1)(x+2)}$$

답 $\frac{3}{(2x-1)(x+1)(x+2)}$

03-3

$x^3=(x^3+1)-1=(x+1)(x^2-x+1)-1$이므로

$$\frac{x^3}{x^2-x+1}=\frac{(x+1)(x^2-x+1)-1}{x^2-x+1}$$
$$=x+1-\frac{1}{x^2-x+1}$$

$x^2+2x=(x^2+2x+1)-1=(x+1)^2-1$이므로

$$\frac{x^2+2x}{x+1}=\frac{(x+1)^2-1}{x+1}=x+1-\frac{1}{x+1}$$

$$\therefore \frac{x^3}{x^2-x+1}-\frac{x^2+2x}{x+1}$$
$$=\left(x+1-\frac{1}{x^2-x+1}\right)-\left(x+1-\frac{1}{x+1}\right)$$
$$=\frac{1}{x+1}-\frac{1}{x^2-x+1}$$
$$=\frac{(x^2-x+1)-(x+1)}{(x+1)(x^2-x+1)}$$
$$=\frac{x^2-2x}{x^3+1}$$

따라서 등식 $\frac{x^2-2x}{x^3+1}=\frac{ax^2+bx+c}{x^3+1}$는 분모를 0으로 만들지 않는 모든 실수 x에 대하여 성립하므로 양변의 분자의 동류항의 계수를 서로 비교하면

$a=1$, $b=-2$, $c=0$

$\therefore a^2+b^2+c^2=1^2+(-2)^2+0^2=5$

답 5

03-4

주어진 식의 좌변을 통분하여 정리하면

$$\frac{3x+4}{x+1}+\frac{x}{x-1}-\frac{3x+7}{x+2}-\frac{x-1}{x-2}$$
$$=\frac{3(x+1)+1}{x+1}+\frac{(x-1)+1}{x-1}-\frac{3(x+2)+1}{x+2}-\frac{(x-2)+1}{x-2}$$
$$=\left(3+\frac{1}{x+1}\right)+\left(1+\frac{1}{x-1}\right)-\left(3+\frac{1}{x+2}\right)-\left(1+\frac{1}{x-2}\right)$$
$$=\left(\frac{1}{x+1}-\frac{1}{x+2}\right)-\left(\frac{1}{x-2}-\frac{1}{x-1}\right)$$
$$=\frac{(x+2)-(x+1)}{(x+1)(x+2)}-\frac{(x-1)-(x-2)}{(x-2)(x-1)}$$
$$=\frac{1}{(x+1)(x+2)}-\frac{1}{(x-2)(x-1)}$$
$$=\frac{(x-2)(x-1)-(x+1)(x+2)}{(x+1)(x+2)(x-2)(x-1)}$$
$$=\frac{-6x}{(x+2)(x+1)(x-1)(x-2)}$$

따라서 등식

$$\frac{-6x}{(x+2)(x+1)(x-1)(x-2)}=\frac{ax+b}{(x+2)(x+1)(x-1)(x-2)}$$

는 $|x|\neq1$, $|x|\neq2$인 모든 실수 x에 대하여 성립하므로 양변의 분자의 동류항의 계수를 서로 비교하면

$a=-6$, $b=0$

$\therefore a^2+b^2=(-6)^2+0^2=36$

답 36

04-1

(1) $$\frac{1}{(x-2)(x-1)}+\frac{1}{x(x-1)}+\frac{1}{x(x+1)}+\frac{1}{(x+1)(x+2)}$$
$$=\left(\frac{1}{x-2}-\frac{1}{x-1}\right)+\left(\frac{1}{x-1}-\frac{1}{x}\right)+\left(\frac{1}{x}-\frac{1}{x+1}\right)+\left(\frac{1}{x+1}-\frac{1}{x+2}\right)$$
$$=\frac{1}{x-2}-\frac{1}{x+2}$$

$$=\frac{(x+2)-(x-2)}{(x-2)(x+2)}$$

$$=\frac{4}{(x-2)(x+2)}$$

(2) $\frac{1}{2\times4}+\frac{1}{4\times6}+\frac{1}{6\times8}+\cdots+\frac{1}{18\times20}$

$$=\frac{1}{2}\left(\frac{1}{2}-\frac{1}{4}\right)+\frac{1}{2}\left(\frac{1}{4}-\frac{1}{6}\right)+\frac{1}{2}\left(\frac{1}{6}-\frac{1}{8}\right)+\cdots+\frac{1}{2}\left(\frac{1}{18}-\frac{1}{20}\right)$$

$$=\frac{1}{2}\left\{\left(\frac{1}{2}-\frac{1}{4}\right)+\left(\frac{1}{4}-\frac{1}{6}\right)+\left(\frac{1}{6}-\frac{1}{8}\right)+\cdots+\left(\frac{1}{18}-\frac{1}{20}\right)\right\}$$

$$=\frac{1}{2}\left(\frac{1}{2}-\frac{1}{20}\right)=\frac{9}{40}$$

답 (1) $\frac{4}{(x-2)(x+2)}$ (2) $\frac{9}{40}$

04-2

주어진 식의 좌변을 정리하면

$$\frac{2}{(x+1)(x+3)}+\frac{3}{(x+3)(x+6)}+\frac{4}{(x+6)(x+10)}$$

$$=\left(\frac{1}{x+1}-\frac{1}{x+3}\right)+\left(\frac{1}{x+3}-\frac{1}{x+6}\right)+\left(\frac{1}{x+6}-\frac{1}{x+10}\right)$$

$$=\frac{1}{x+1}-\frac{1}{x+10}$$

$$=\frac{(x+10)-(x+1)}{(x+1)(x+10)}$$

$$=\frac{9}{(x+1)(x+10)}$$

따라서 등식 $\frac{9}{(x+1)(x+10)}=\frac{a}{(x+1)(x+b)}$는 분모를 0으로 만들지 않는 모든 실수 x에 대하여 성립하므로

$a=9$, $b=10$

$\therefore a+b=9+10=19$

답 19

04-3

$$\frac{1}{10}+\frac{1}{40}+\frac{1}{88}+\cdots+\frac{1}{(3n-1)(3n+2)}$$

$$=\frac{1}{2\times5}+\frac{1}{5\times8}+\frac{1}{8\times11}+\cdots+\frac{1}{(3n-1)(3n+2)}$$

$$=\frac{1}{3}\left\{\left(\frac{1}{2}-\frac{1}{5}\right)+\left(\frac{1}{5}-\frac{1}{8}\right)+\left(\frac{1}{8}-\frac{1}{11}\right)+\cdots+\left(\frac{1}{3n-1}-\frac{1}{3n+2}\right)\right\}$$

$$=\frac{1}{3}\left(\frac{1}{2}-\frac{1}{3n+2}\right)=\frac{3}{20}$$

따라서 $\frac{1}{2}-\frac{1}{3n+2}=\frac{9}{20}$이므로

$\frac{1}{3n+2}=\frac{1}{2}-\frac{9}{20}=\frac{1}{20}$, $3n+2=20$ $\quad\therefore n=6$

답 6

04-4

$f(x)=4x^2-1=(2x-1)(2x+1)$이므로

$$\frac{1}{f(x)}=\frac{1}{(2x-1)(2x+1)}$$

$$=\frac{1}{2}\left(\frac{1}{2x-1}-\frac{1}{2x+1}\right)$$

$$\therefore \frac{1}{f(1)}+\frac{1}{f(2)}+\frac{1}{f(3)}+\cdots+\frac{1}{f(99)}$$

$$=\frac{1}{2}\left\{\left(1-\frac{1}{3}\right)+\left(\frac{1}{3}-\frac{1}{5}\right)+\left(\frac{1}{5}-\frac{1}{7}\right)+\cdots+\left(\frac{1}{197}-\frac{1}{199}\right)\right\}$$

$$=\frac{1}{2}\left(1-\frac{1}{199}\right)=\frac{99}{199}$$

답 $\frac{99}{199}$

05-1

(1) $\dfrac{\frac{1+x}{1-x}+\frac{1-x}{1+x}}{\frac{1+x}{1-x}-\frac{1-x}{1+x}}=\dfrac{\frac{(1+x)^2+(1-x)^2}{(1-x)(1+x)}}{\frac{(1+x)^2-(1-x)^2}{(1-x)(1+x)}}$

$$=\dfrac{\frac{2(1+x^2)}{(1-x)(1+x)}}{\frac{4x}{(1-x)(1+x)}}$$

$$=\frac{2(1+x^2)(1-x)(1+x)}{4x(1-x)(1+x)}$$

$$=\frac{1+x^2}{2x}$$

(2) $1+\dfrac{1}{1+\dfrac{1}{1+\frac{1}{x}}}=1+\dfrac{1}{1+\dfrac{1}{\frac{x+1}{x}}}$

$$=1+\dfrac{1}{1+\frac{x}{x+1}}=1+\dfrac{1}{\frac{(x+1)+x}{x+1}}$$

$$=1+\dfrac{1}{\frac{2x+1}{x+1}}=1+\frac{x+1}{2x+1}$$

$$=\frac{(2x+1)+(x+1)}{2x+1}$$

$$=\frac{3x+2}{2x+1}$$

답 (1) $\frac{1+x^2}{2x}$ (2) $\frac{3x+2}{2x+1}$

05-2

$$1-\cfrac{1}{1+\cfrac{1}{1-\cfrac{1}{1+\cfrac{1}{x}}}}=1-\cfrac{1}{1+\cfrac{1}{1-\cfrac{1}{\frac{x+1}{x}}}}$$

$$=1-\cfrac{1}{1+\cfrac{1}{1-\frac{x}{x+1}}}$$

$$=1-\cfrac{1}{1+\cfrac{1}{\frac{(x+1)-x}{x+1}}}$$

$$=1-\cfrac{1}{1+\cfrac{1}{\frac{1}{x+1}}}$$

$$=1-\frac{1}{1+x+1}=1-\frac{1}{x+2}$$

$$=\frac{(x+2)-1}{x+2}=\frac{x+1}{x+2}$$

따라서 $\frac{x+1}{x+2}=\frac{x+a}{x+b}$이므로 $a=1$, $b=2$

$\therefore a+b=1+2=3$

참고

$\frac{x+1}{x+2}=\frac{x+a}{x+b}$에서 $(x+1)(x+b)=(x+2)(x+a)$로 정리한 후 동류항의 계수를 비교하여 a, b의 값을 구할 수도 있으나 $\frac{x+1}{x+2}=1-\frac{1}{x+2}$, $\frac{x+a}{x+b}=1+\frac{a-b}{x+b}$로 나타낸 후 $\frac{-1}{x+2}=\frac{a-b}{x+b}$를 정리하면 a, b의 값을 조금 더 간단히 구할 수 있다.

답 3

05-3

$$\cfrac{x^2}{x-\cfrac{x+1}{x+1-\frac{x-1}{x}}}=\cfrac{x^2}{x-\cfrac{x+1}{\frac{x(x+1)-(x-1)}{x}}}$$

$$=\cfrac{x^2}{x-\cfrac{x+1}{\frac{x^2+1}{x}}}$$

$$=\cfrac{x^2}{x-\frac{x(x+1)}{x^2+1}}=\cfrac{x^2}{x-\frac{x^2+x}{x^2+1}}$$

$$=\cfrac{x^2}{\frac{x(x^2+1)-(x^2+x)}{x^2+1}}=\cfrac{x^2}{\frac{x^3-x^2}{x^2+1}}$$

$$=\frac{x^2(x^2+1)}{x^3-x^2}=\frac{x^2(x^2+1)}{x^2(x-1)}$$

$$=\frac{x^2+1}{x-1}$$

$x=\sqrt{3}$을 위의 식에 대입하면 구하는 식의 값은

$$\frac{x^2+1}{x-1}=\frac{(\sqrt{3})^2+1}{\sqrt{3}-1}=\frac{4(\sqrt{3}+1)}{(\sqrt{3}-1)(\sqrt{3}+1)}$$

$$=\frac{4(\sqrt{3}+1)}{2}$$

$$=2(\sqrt{3}+1)$$

다른 풀이

$x=\sqrt{3}$을 주어진 식에 대입하여 계산하면

$$\cfrac{x^2}{x-\cfrac{x+1}{x+1-\frac{x-1}{x}}}=\cfrac{(\sqrt{3})^2}{\sqrt{3}-\cfrac{\sqrt{3}+1}{\sqrt{3}+1-\frac{\sqrt{3}-1}{\sqrt{3}}}}$$

$$=\cfrac{3}{\sqrt{3}-\cfrac{\sqrt{3}+1}{\frac{\sqrt{3}(\sqrt{3}+1)-(\sqrt{3}-1)}{\sqrt{3}}}}$$

$$=\cfrac{3}{\sqrt{3}-\cfrac{\sqrt{3}+1}{\frac{4}{\sqrt{3}}}}$$

$$=\cfrac{3}{\sqrt{3}-\frac{\sqrt{3}(\sqrt{3}+1)}{4}}$$

$$=\cfrac{3}{\frac{4\sqrt{3}-3-\sqrt{3}}{4}}=\cfrac{3}{\frac{3\sqrt{3}-3}{4}}$$

$$=\frac{12}{3(\sqrt{3}-1)}=\frac{4}{\sqrt{3}-1}$$

$$=2(\sqrt{3}+1)$$

답 $2(\sqrt{3}+1)$

05-4

$$\frac{47}{10}=4+\frac{7}{10}=4+\cfrac{1}{\frac{10}{7}}=4+\cfrac{1}{1+\frac{3}{7}}$$

$$=4+\cfrac{1}{1+\cfrac{1}{\frac{7}{3}}}=4+\cfrac{1}{1+\cfrac{1}{2+\frac{1}{3}}}$$

따라서 $4+\cfrac{1}{1+\cfrac{1}{2+\frac{1}{3}}}=a+\cfrac{1}{b+\cfrac{1}{c+\frac{1}{d}}}$이므로

$a=4$, $b=1$, $c=2$, $d=3$

$\therefore a+b+c+d=4+1+2+3=10$

참고

자연수 a의 값이 4가 아닐 때, 즉 분자 47을 분모 10으로 나눈 몫이 아닐 때도 가능한지 살펴보자.
$a=1$이라 하자.
$\frac{47}{10}=1+\frac{37}{10}=1+\frac{1}{\frac{10}{37}}$
이때 $\frac{10}{37}$은 (분자)<(분모)이므로 $b=0$, 즉 b가 자연수인 조건을 만족시킬 수 없다. 이는 $a=2$, $a=3$인 경우도 마찬가지이다. 따라서 b가 자연수이려면 a가 분자 47을 분모 10으로 나눈 몫이어야 한다.
마찬가지로 생각하면 b의 값도 유일하게 결정되고, c, d의 값도 유일하게 결정된다.

답 10

06-1

$\frac{x+y}{5}=\frac{y+z}{4}=\frac{z+x}{3}=k\ (k\neq0)$로 놓으면

$x+y=5k$ …… ㉠

$y+z=4k$ …… ㉡

$z+x=3k$ …… ㉢

㉠+㉡+㉢에서 $2(x+y+z)=12k$

$\therefore x+y+z=6k$ …… ㉣

㉠을 ㉣에 대입하여 정리하면 $z=k$

㉡을 ㉣에 대입하여 정리하면 $x=2k$

㉢을 ㉣에 대입하여 정리하면 $y=3k$

(1) $x:y:z=2k:3k:k=2:3:1$

(2) $\frac{y}{x}+\frac{z}{y}+\frac{x}{z}=\frac{3k}{2k}+\frac{k}{3k}+\frac{2k}{k}=\frac{3}{2}+\frac{1}{3}+2=\frac{23}{6}$

(3) $\frac{x^2+y^2+3z^2}{xy+2yz+2zx}=\frac{(2k)^2+(3k)^2+3\times k^2}{2k\times3k+2\times3k\times k+2\times k\times2k}$

$=\frac{16k^2}{16k^2}=1$

답 (1) $2:3:1$ (2) $\frac{23}{6}$ (3) 1

06-2

$2x=3y$이므로 $x=\frac{3}{2}y$

$3y=5z$이므로 $z=\frac{3}{5}y$

$\therefore x:y:z=\frac{3}{2}y:y:\frac{3}{5}y=15:10:6$

따라서 $x=15k$, $y=10k$, $z=6k\ (k\neq0)$로 놓으면

$\frac{2x-y+z}{x+y-2z}=\frac{30k-10k+6k}{15k+10k-12k}=\frac{26k}{13k}=2$

다른 풀이

$x=\frac{3}{2}y$, $z=\frac{3}{5}y$이므로

$\frac{2x-y+z}{x+y-2z}=\frac{2\times\frac{3}{2}y-y+\frac{3}{5}y}{\frac{3}{2}y+y-2\times\frac{3}{5}y}$

$=\frac{\frac{26}{10}y}{\frac{13}{10}y}=2$

답 2

06-3

$x+3y-z=0$ …… ㉠

$5x-3y-2z=0$ …… ㉡

이라 하자. ㉠+㉡에서 $6x-3z=0$ $\therefore z=2x$

㉠에 $z=2x$를 대입하면 $x+3y-2x=0$

$3y-x=0$ $\therefore y=\frac{1}{3}x$

$\therefore \frac{xy+yz+zx}{x^2+9y^2+z^2}=\frac{x\times\frac{1}{3}x+\frac{1}{3}x\times2x+2x\times x}{x^2+9\times\left(\frac{1}{3}x\right)^2+(2x)^2}$

$=\frac{3x^2}{6x^2}=\frac{1}{2}$

답 $\frac{1}{2}$

06-4

1학년의 남학생과 여학생 수를 각각 $3k$, $4k\ (k\neq0)$로 놓고, 2학년의 남학생과 여학생 수를 각각 $9l$, $2l\ (l\neq0)$로 놓으면 동아리 전체의 남학생과 여학생 수는 각각

$3k+9l$, $4k+2l$

이때 $(3k+9l):(4k+2l)=3:2$이므로

$2(3k+9l)=3(4k+2l)$, $6k+18l=12k+6l$

$6k=12l$ $\therefore l=\frac{1}{2}k$

따라서 동아리 전체의 학생 수는

$(3k+9l)+(4k+2l)=7k+11l$

$=7k+11\times\frac{1}{2}k=\frac{25}{2}k$

이고 1학년 학생 수는 $3k+4k=7k$이므로 구하는 비율은

$\frac{7k}{\frac{25}{2}k}=\frac{14}{25}$

$\therefore p+q=25+14=39$

답 39

02 유리함수

개념 CHECK

본문 449쪽

01 (1) ㄱ, ㄹ (2) ㄴ, ㄷ, ㅁ
02 (1) 풀이 참조 (2) 풀이 참조
03 (1) 풀이 참조 (2) 풀이 참조
04 (1) $p=2$, $q=2$ (2) $p=0$ (3) $q=4$
05 풀이 참조

01

함수 $y=f(x)$에서 $f(x)$가 x에 대한 유리식이면 이 함수를 유리함수라 하고, $f(x)$가 x에 대한 다항식이면 이 함수를 다항함수라 한다.

(1) 다항함수: ㄱ, ㄹ

(2) 다항함수가 아닌 유리함수: ㄴ, ㄷ, ㅁ

답 (1) ㄱ, ㄹ (2) ㄴ, ㄷ, ㅁ

02

(1) 함수 $y=\frac{2}{x+1}-1$의 그래프는 $y=\frac{2}{x}$의 그래프를 x축의 방향으로 -1만큼, y축의 방향으로 -1만큼 평행이동시킨 것이므로 그 그래프는 다음 그림과 같다.

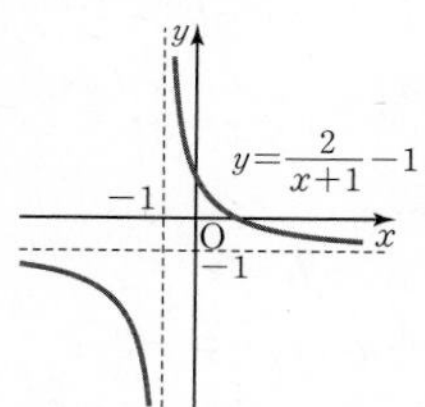

이때 이 함수의 정의역은 $\{x|x$는 $x\neq-1$인 실수$\}$이고 치역은 $\{y|y$는 $y\neq-1$인 실수$\}$이다.

(2) $y=-\frac{1}{2x+3}=-\frac{1}{2\left(x+\frac{3}{2}\right)}$이므로

함수 $y=-\frac{1}{2x+3}$의 그래프는 $y=-\frac{1}{2x}$의 그래프를 x축의 방향으로 $-\frac{3}{2}$만큼 평행이동시킨 것이다. 따라서 그 그래프는 다음 그림과 같다.

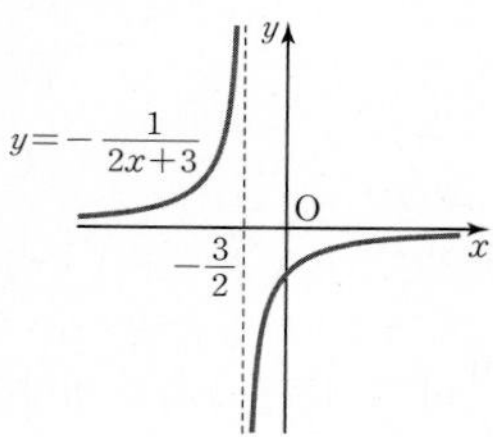

이때 이 함수의 정의역은 $\left\{x\middle|x\text{는 } x\neq-\frac{3}{2}\text{인 실수}\right\}$이고 치역은 $\{y|y$는 $y\neq0$인 실수$\}$이다.

답 (1) 풀이 참조 (2) 풀이 참조

03

(1) $y=\frac{x-1}{x-2}=\frac{(x-2)+1}{x-2}=\frac{1}{x-2}+1$이므로

함수 $y=\frac{x-1}{x-2}$의 그래프는 $y=\frac{1}{x}$의 그래프를 x축의 방향으로 2만큼, y축의 방향으로 1만큼 평행이동시킨 것이다. 따라서 그 그래프는 오른쪽 그림과 같다.

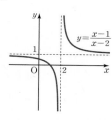

이때 이 함수의 그래프의 두 점근선의 방정식은 $x=2$, $y=1$이다.

(2) $y=\frac{6x+11}{3x+6}=\frac{2(3x+6)-1}{3x+6}=-\frac{1}{3x+6}+2$

$=-\frac{1}{3(x+2)}+2$

이므로 함수 $y=\frac{6x+11}{3x+6}$의 그래프는 $y=-\frac{1}{3x}$의 그래프를 x축의 방향으로 -2만큼, y축의 방향으로 2만큼 평행이동시킨 것이다. 따라서 그 그래프는 오른쪽 그림과 같다.

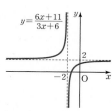

이때 이 함수의 그래프의 두 점근선의 방정식은 $x=-2$, $y=2$이다.

답 (1) 풀이 참조 (2) 풀이 참조

04

$y=\frac{2x+3}{x-2}=\frac{2(x-2)+7}{x-2}=\frac{7}{x-2}+2$이므로

함수 $y=\frac{2x+3}{x-2}$의 그래프는 $y=\frac{7}{x}$의 그래프를 x축의 방향으로 2만큼, y축의 방향으로 2만큼 평행이동시킨 것이다.

따라서 그 그래프는 오른쪽 그림과 같고, 두 점근선의 방정식은 $x=2$, $y=2$이다.

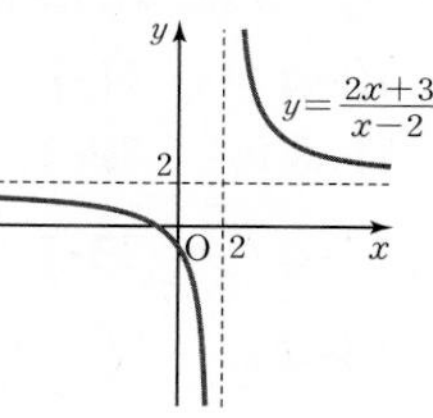

(1) 두 직선 $x=2$, $y=2$의 교점의 좌표는 $(2, 2)$이므로

$p=2$, $q=2$

(2) 함수 $y=\frac{2x+3}{x-2}$의 그래프는 두 점근선의 교점 (2, 2)를 지나고 기울기가 1인 직선에 대하여 대칭이므로 $2=2+p$에서 $p=0$

(3) 함수 $y=\frac{2x+3}{x-2}$의 그래프는 두 점근선의 교점 (2, 2)를 지나고 기울기가 -1인 직선에 대하여 대칭이므로 $2=-2+q$에서 $q=4$

답 (1) $p=2$, $q=2$ (2) $p=0$ (3) $q=4$

05

$y=\frac{3x-2}{x-1}$를 x에 대하여 풀면

$y(x-1)=3x-2$, $yx-y=3x-2$

$yx-3x=y-2$, $(y-3)x=y-2$

$\therefore x=\frac{y-2}{y-3}$

x와 y를 서로 바꾸어 나타내면

$y=\frac{x-2}{x-3}$

따라서 유리함수 $y=\frac{3x-2}{x-1}$의 역함수는 $y=\frac{x-2}{x-3}$이고, 그 그래프는 오른쪽 그림과 같다.

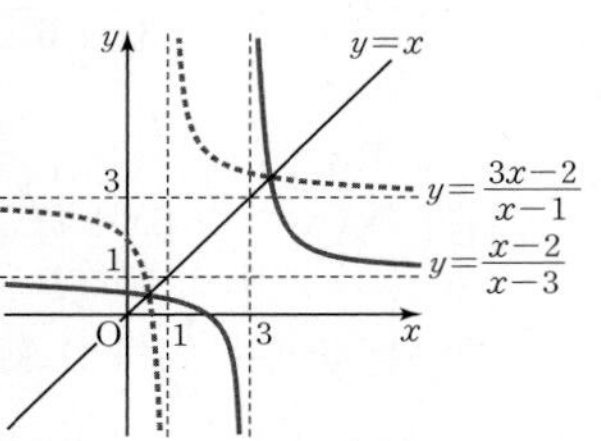

답 풀이 참조

유제

본문 450~463쪽

07-1 (1) 풀이 참조 (2) 풀이 참조
07-2 6 **07-3** 13 **07-4** ㄱ, ㄷ, ㄹ
08-1 $\{y\,|\,y\le-5$ 또는 $y\ge11\}$
08-2 (1) $\{y\,|\,y>2\}$ (2) $\{y\,|\,1\le y<2\}$
08-3 4 **08-4** 6
09-1 (1) $x=-1$, $y=2$ (2) 3 (3) 1 (4) 1
09-2 14 **09-3** 20 **09-4** 2
10-1 $a=2$, $b=4$, $c=1$ **10-2** 14 **10-3** 4
10-4 ④ **11-1** 3 **11-2** 27 **11-3** 8
11-4 13 **12-1** $m\ge0$ **12-2** 12 **12-3** 4
12-4 $\frac{20}{9}$ **13-1** 2 **13-2** 1 **13-3** 3
13-4 9

07-1

(1) 함수 $y=-\frac{2}{x-1}+3$의 그래프는 $y=-\frac{2}{x}$의 그래프를 x축의 방향으로 1만큼, y축의 방향으로 3만큼 평행이동시킨 것이므로 그래프는 오른쪽 그림과 같다.

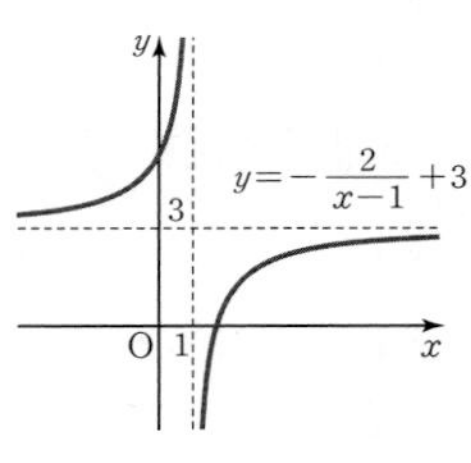

(2) $y=\frac{4x+9}{x+2}=\frac{4(x+2)+1}{x+2}=\frac{1}{x+2}+4$이므로

함수 $y=\frac{4x+9}{x+2}$의 그래프는 $y=\frac{1}{x}$의 그래프를 x축의 방향으로 -2만큼, y축의 방향으로 4만큼 평행이동시킨 것이다.

따라서 그 그래프는 오른쪽 그림과 같다.

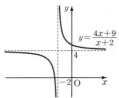

답 (1) 풀이 참조 (2) 풀이 참조

07-2

함수 $y=-\frac{a}{x}$의 그래프를 x축의 방향으로 b만큼, y축의 방향으로 c만큼 평행이동시킨 그래프의 식은

$y=-\frac{a}{x-b}+c=\frac{-a+c(x-b)}{x-b}=\frac{cx-(a+bc)}{x-b}$

이 함수의 그래프가 $y=-\frac{x+5}{x+3}$, 즉 $y=\frac{-x-5}{x+3}$의 그래프와 일치해야 하므로

$c=-1$, $a+bc=5$, $-b=3$

이를 정리하여 풀면 $a=2$, $b=-3$, $c=-1$

$\therefore a-b-c=2-(-3)-(-1)=6$

다른 풀이

$y=-\frac{x+5}{x+3}=\frac{-x-5}{x+3}=\frac{-(x+3)-2}{x+3}=-\frac{2}{x+3}-1$

이므로 함수 $y=-\frac{x+5}{x+3}$의 그래프는 $y=-\frac{2}{x}$의 그래프를 x축의 방향으로 -3만큼, y축의 방향으로 -1만큼 평행이동시킨 것이다.

따라서 $a=2$, $b=-3$, $c=-1$이므로

$a-b-c=6$

답 6

07-3

함수 $y=\frac{ax+9}{x-b}$의 그래프를 x축의 방향으로 -2만큼, y축

의 방향으로 3만큼 평행이동시킨 그래프의 식은

$$y=\frac{a(x+2)+9}{(x+2)-b}+3=\frac{a\{x-(b-2)\}+ab+9}{x-(b-2)}+3$$
$$=\frac{ab+9}{x-(b-2)}+a+3$$

이 함수의 그래프가 $y=\frac{3}{x}$의 그래프와 일치해야 하므로

$ab+9=3,\ b-2=0,\ a+3=0$

이를 정리하여 풀면 $a=-3,\ b=2$

$\therefore\ a^2+b^2=(-3)^2+2^2=13$

다른 풀이

함수 $y=\frac{ax+9}{x-b}$의 그래프를 x축의 방향으로 -2만큼, y축의 방향으로 3만큼 평행이동시키면 함수 $y=\frac{3}{x}$의 그래프와 일치하므로 함수 $y=\frac{3}{x}$의 그래프를 x축의 방향으로 2만큼, y축의 방향으로 -3만큼 평행이동시키면 $y=\frac{ax+9}{x-b}$의 그래프와 일치한다. 이때

$$y=\frac{3}{x-2}-3=\frac{3-3(x-2)}{x-2}=\frac{-3x+9}{x-2}$$

이므로 $a=-3,\ b=2$

$\therefore\ a^2+b^2=(-3)^2+2^2=13$

답 13

07-4

ㄱ. $y=\frac{1}{2x-2}=\frac{1}{2(x-1)}$이므로 함수 $y=\frac{1}{2x-2}$의 그래프는 $y=\frac{1}{2x}$의 그래프를 x축의 방향으로 1만큼 평행이동시킨 것이다.

ㄴ. $y=\frac{2x-5}{2x}=-\frac{5}{2x}+1$이므로 함수 $y=\frac{2x-5}{2x}$의 그래프는 $y=-\frac{5}{2x}$의 그래프를 y축의 방향으로 1만큼 평행이동시킨 것이다.

즉, $y=\frac{1}{2x}$의 그래프를 평행이동시켜도 겹쳐지지 않는다.

ㄷ. $y=\frac{4x-7}{2x-4}=\frac{4(x-2)+1}{2(x-2)}=\frac{1}{2(x-2)}+2$이므로

함수 $y=\frac{4x-7}{2x-4}$의 그래프는 $y=\frac{1}{2x}$의 그래프를 x축의 방향으로 2만큼, y축의 방향으로 2만큼 평행이동시킨 것이다.

ㄹ. $y=\frac{8x-5}{1-2x}=\frac{-8x+5}{2x-1}$

$$=\frac{-4(2x-1)+1}{2\left(x-\frac{1}{2}\right)}=\frac{1}{2\left(x-\frac{1}{2}\right)}-4$$

이므로 함수 $y=\frac{8x-5}{1-2x}$의 그래프는 $y=\frac{1}{2x}$의 그래프를 x축의 방향으로 $\frac{1}{2}$만큼, y축의 방향으로 -4만큼 평행이동시킨 것이다.

따라서 그 그래프가 평행이동에 의하여 함수 $y=\frac{1}{2x}$의 그래프와 겹쳐지는 것은 ㄱ, ㄷ, ㄹ이다.

답 ㄱ, ㄷ, ㄹ

08-1

$$y=\frac{3x+2}{x-2}=\frac{3(x-2)+8}{x-2}=\frac{8}{x-2}+3\text{이므로}$$

함수 $y=\frac{3x+2}{x-2}$의 그래프는 $y=\frac{8}{x}$의 그래프를 x축의 방향으로 2만큼, y축의 방향으로 3만큼 평행이동시킨 것이다.

따라서 $1\le x<2,\ 2<x\le 3$에서 그 그래프는 오른쪽 그림과 같다.

$x=1$일 때 $y=-5$,

$x=3$일 때 $y=11$이므로

함수 $y=\frac{3x+2}{x-2}$의 정의역이 $\{x\,|\,1\le x<2$ 또는 $2<x\le 3\}$일 때, 치역은 $\{y\,|\,y\le -5$ 또는 $y\ge 11\}$이다.

답 $\{y\,|\,y\le -5$ 또는 $y\ge 11\}$

08-2

$$y=\frac{2x-5}{x-1}=\frac{2(x-1)-3}{x-1}=-\frac{3}{x-1}+2\text{이므로}$$

함수 $y=\frac{2x-5}{x-1}$의 그래프는 $y=-\frac{3}{x}$의 그래프를 x축의 방향으로 1만큼, y축의 방향으로 2만큼 평행이동시킨 것이다.

(1) $x<1$에서 그래프는 오른쪽 그림과 같으므로

함수 $y=\frac{2x-5}{x-1}$의 정의역이 $\{x\,|\,x<1\}$일 때, 치역은 $\{y\,|\,y>2\}$이다.

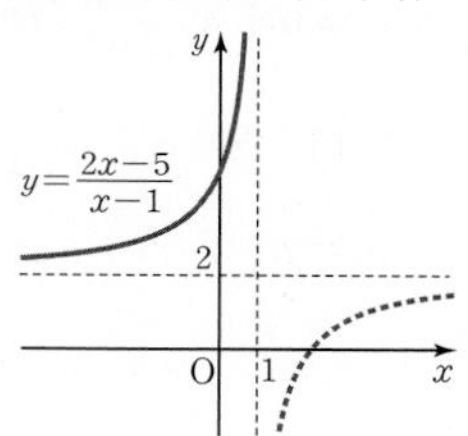

(2) $x\ge 4$에서 그래프는 오른쪽 그림과 같으므로

함수 $y=\frac{2x-5}{x-1}$의 정의역이 $\{x\,|\,x\ge 4\}$일 때, 치역은 $\{y\,|\,1\le y<2\}$이다.

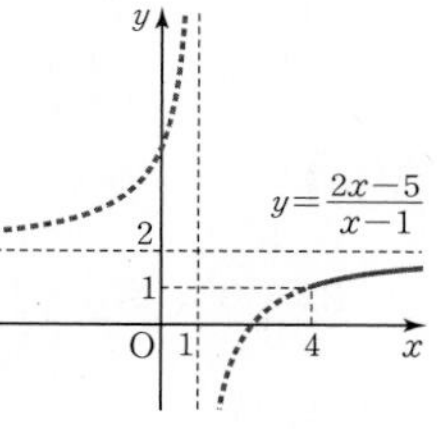

답 (1) $\{y\,|\,y>2\}$ (2) $\{y\,|\,1\le y<2\}$

08-3

$y=\dfrac{4-2x}{x+1}=\dfrac{-2(x+1)+6}{x+1}=\dfrac{6}{x+1}-2$이므로

함수 $y=\dfrac{4-2x}{x+1}$의 그래프는 $y=\dfrac{6}{x}$의 그래프를 x축의 방향으로 -1만큼, y축의 방향으로 -2만큼 평행이동시킨 것이다.

$y\le-4$ 또는 $y\ge4$에서 그래프는 오른쪽 그림과 같으므로

함수 $y=\dfrac{4-2x}{x+1}$의 치역이 $\{y|y\le-4$ 또는 $y\ge4\}$일 때, 정의역은

$\{x|-4\le x<-1$ 또는 $-1<x\le0\}$

따라서 정의역에 속하는 정수는 -4, -3, -2, 0의 4개이다.

답 4

08-4

$y=\dfrac{2-x}{x+2}=\dfrac{-(x+2)+4}{x+2}=\dfrac{4}{x+2}-1$이므로

함수 $y=\dfrac{2-x}{x+2}$의 그래프는 $y=\dfrac{4}{x}$의 그래프를 x축의 방향으로 -2만큼, y축의 방향으로 -1만큼 평행이동시킨 것이다.

$f(x)=\dfrac{2-x}{x+2}$로 놓으면

$a>-1$, $b>0$인 두 상수 a, b에 대하여 주어진 함수의 정의역이 $\{x|-1\le x\le a\}$, 치역이 $\{y|0\le y\le b\}$이므로 그 그래프는 오른쪽 그림과 같다.

$\therefore f(a)=0,\ f(-1)=b$

$f(a)=0$에서 $\dfrac{2-a}{a+2}=0 \qquad \therefore a=2$

$f(-1)=b$에서 $b=\dfrac{2-(-1)}{(-1)+2}=3$

$\therefore ab=2\times3=6$

답 6

09-1

$y=\dfrac{2x-3}{x+1}=\dfrac{2(x+1)-5}{x+1}$

$=-\dfrac{5}{x+1}+2$

이므로 함수 $y=\dfrac{2x-3}{x+1}$의 그래프는 $y=-\dfrac{5}{x}$의 그래프를 x축의 방향으로 -1만큼, y축의 방향으로 2만큼 평행이동시킨 것이다.

따라서 그 그래프는 오른쪽 그림과 같다.

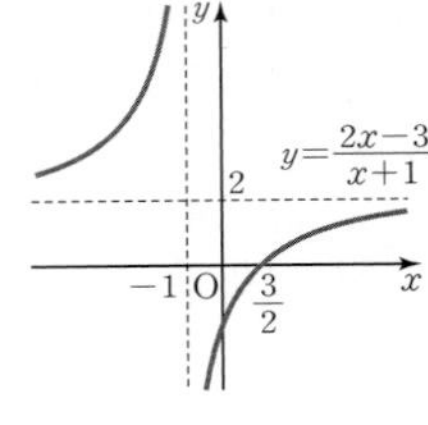

(1) 점근선의 방정식은 $x=-1$, $y=2$이다.

(2) 함수 $y=\dfrac{2x-3}{x+1}$의 그래프는 두 점근선의 교점 $(-1,\ 2)$를 지나고 기울기가 1인 직선에 대하여 대칭이므로

$2=(-1)+p$에서 $p=3$

(3) 함수 $y=\dfrac{2x-3}{x+1}$의 그래프는 두 점근선의 교점 $(-1,\ 2)$를 지나고 기울기가 -1인 직선에 대하여 대칭이므로

$2=-(-1)+q$에서 $q=1$

(4) 함수 $y=\dfrac{2x-3}{x+1}$의 그래프는 두 점근선의 교점 $(-1,\ 2)$에 대하여 대칭이다.

따라서 $a=-1$, $b=2$이므로 $a+b=1$

답 (1) $x=-1$, $y=2$ (2) 3 (3) 1 (4) 1

09-2

$y=\dfrac{4x-11}{x-3}=\dfrac{4(x-3)+1}{x-3}=\dfrac{1}{x-3}+4$이므로

함수 $y=\dfrac{4x-11}{x-3}$의 그래프의 점근선의 방정식은

$x=3$, $y=4$이고 두 점근선의 교점의 좌표는 $(3,\ 4)$이다.

$\therefore a=3,\ b=4$

또한 함수 $y=\dfrac{4x-11}{x-3}$의 그래프는 점 $(3,\ 4)$를 지나고 기울기가 -1인 직선에 대하여 대칭이므로

$4=-3+c$에서 $c=7$

$\therefore a+b+c=3+4+7=14$

다른 풀이

$y=\dfrac{4x-11}{x-3}$을 $y=\dfrac{k}{x-p}+q\ (k\ne0)$ 꼴로 바꾸면

분모 $x-3$의 값이 0이 되도록 하는 x의 값은 3이므로 $p=3$

분모와 분자의 x항의 계수의 비율은

$q=\dfrac{4}{1}=4$

따라서 함수 $y=\dfrac{4x-11}{x-3}$의 그래프의 점근선의 방정식은 $x=3$, $y=4$이고 점근선의 교점의 좌표는 $(3,\ 4)$이다.

답 14

09-3

$y=\frac{ax+3}{x+b}=\frac{a(x+b)-ab+3}{x+b}=\frac{-ab+3}{x+b}+a$이므로

함수 $y=\frac{ax+3}{x+b}$의 그래프의 점근선의 방정식은

$x=-b$, $y=a$이고 점근선의 교점의 좌표는 $(-b, a)$이다.

이때 점 $(-b, a)$는 두 직선 $y=x+2$, $y=-x+6$의 교점이므로

$a=-b+2$, $a=-(-b)+6$

위의 두 식을 연립하여 풀면 $a=4$, $b=-2$

$\therefore a^2+b^2=4^2+(-2)^2=20$

다른 풀이

함수 $y=\frac{ax+3}{x+b}$의 그래프는 두 직선 $y=x+2$, $y=-x+6$에 대하여 대칭이므로

함수 $y=\frac{ax+3}{x+b}$의 그래프는 두 직선 $y=x+2$, $y=-x+6$의 교점에 대하여 대칭이다.

$x+2=-x+6$에서 $2x=4$ $\quad\therefore x=2$

이를 $y=x+2$에 대입하면 $y=4$

즉, 두 직선 $y=x+2$, $y=-x+6$의 교점의 좌표는 $(2, 4)$이므로 함수 $y=\frac{ax+3}{x+b}$의 그래프는 점 $(2, 4)$에 대하여 대칭이다.

한편, 함수 $y=\frac{ax+3}{x+b}$의 그래프는 점 $(-b, a)$에 대하여 대칭이므로 $(2, 4)=(-b, a)$에서 $a=4$, $b=-2$

$\therefore a^2+b^2=4^2+(-2)^2=20$

답 20

09-4

$y=\frac{2x-1}{x-1}=\frac{2(x-1)+1}{x-1}=\frac{1}{x-1}+2$이므로

함수 $y=\frac{2x-1}{x-1}$의 그래프의 점근선의 방정식은

$x=1$, $y=2$ ...... ㉠

$$y=\frac{ax+3}{2x+b}=\frac{\frac{a}{2}(2x+b)-\frac{ab}{2}+3}{2x+b}=\frac{-\frac{ab}{2}+3}{2\left(x+\frac{b}{2}\right)}+\frac{a}{2}$$

이므로 함수 $y=\frac{ax+3}{2x+b}$의 그래프의 점근선의 방정식은

$x=-\frac{b}{2}$, $y=\frac{a}{2}$ ...... ㉡

두 함수의 그래프의 점근선이 서로 같으므로

㉠, ㉡에서 $-\frac{b}{2}=1$, $\frac{a}{2}=2$ $\quad\therefore a=4$, $b=-2$

$\therefore a+b=4+(-2)=2$

참고

$y=\frac{ax+b}{cx+d}$ $(ad-bc\neq0,\ c\neq0)$를

$y=\frac{k}{x-p}+q$ $(k\neq0)$ 꼴로 변형할 때, p, q, k의 값은 다음과 같이 구할 수 있다.

p: 분모 $cx+d$의 값이 0이 되도록 하는 x의 값

q: 분모와 분자의 x의 계수의 비율

k: 분자 $ax+b$에서 x 대신 p를 대입한 값을 c로 나눈 값

정리하면 $p=-\frac{d}{c}$, $q=\frac{a}{c}$, $k=\frac{ap+b}{c}$이다.

답 2

10-1

주어진 유리함수의 그래프의 점근선의 방정식이

$x=-1$, $y=2$이므로 함수의 식을

$y=\frac{k}{x+1}+2$ $(k\neq0)$ ...... ㉠

로 놓을 수 있다.

이 함수의 그래프가 점 $(0, 4)$를 지나므로

$4=\frac{k}{0+1}+2$에서 $4=k+2$ $\quad\therefore k=2$

㉠에 $k=2$를 대입하면

$y=\frac{2}{x+1}+2=\frac{2+2(x+1)}{x+1}=\frac{2x+4}{x+1}$

$\therefore a=2$, $b=4$, $c=1$

답 $a=2$, $b=4$, $c=1$

10-2

함수 $y=\frac{ax+b}{x+c}$의 그래프의 점근선의 방정식이

$x=-2$, $y=-1$이므로 함수의 식을

$y=\frac{k}{x+2}-1$ $(k\neq0)$ ...... ㉠

로 놓을 수 있다.

이 함수의 그래프가 점 $(-1, -2)$를 지나므로

$-2=\frac{k}{(-1)+2}-1$, $-2=k-1$ $\quad\therefore k=-1$

㉠에 $k=-1$을 대입하면

$y=\frac{-1}{x+2}-1=\frac{-1-(x+2)}{x+2}=\frac{-x-3}{x+2}$

따라서 $a=-1$, $b=-3$, $c=2$이므로

$a^2+b^2+c^2=(-1)^2+(-3)^2+2^2=14$

답 14

10-3

$$y=\frac{ax-1}{bx-1}=\frac{\frac{a}{b}(bx-1)+\frac{a}{b}-1}{bx-1}=\frac{\frac{a}{b}-1}{b\left(x-\frac{1}{b}\right)}+\frac{a}{b}$$

이므로 함수 $y=\frac{ax-1}{bx-1}$의 그래프의 점근선의 방정식은

$x=\frac{1}{b}$, $y=\frac{a}{b}$

이때 점근선 중 하나가 직선 $y=3$이므로

$\frac{a}{b}=3 \quad \therefore a=3b \quad \cdots\cdots$ ㉠

또한 함수 $y=\frac{ax-1}{bx-1}$의 그래프가 점 $(2, 5)$를 지나므로

$5=\frac{2a-1}{2b-1}$, $2a-1=10b-5$

$\therefore a=5b-2 \quad \cdots\cdots$ ㉡

㉠, ㉡을 연립하여 풀면 $a=3$, $b=1$

$\therefore a+b=3+1=4$

답 4

10-4

곡선 $y=\frac{k}{x-2}+1$이 x축과 만나는 점의 x좌표는

$0=\frac{k}{x-2}+1$, $-1=\frac{k}{x-2} \quad \therefore x=2-k$

곡선 $y=\frac{k}{x-2}+1$이 y축과 만나는 점의 y좌표는

$y=\frac{k}{0-2}+1=-\frac{k}{2}+1$

$\therefore A(2-k, 0)$, $B\left(0, -\frac{k}{2}+1\right)$

또한 곡선 $y=\frac{k}{x-2}+1$의 점근선의 방정식은

$x=2$, $y=1$이므로 $C(2, 1)$

이때 세 점 A, B, C가 한 직선 위에 있으므로 두 직선 AC, BC의 기울기가 서로 같다.

즉, $\frac{1-0}{2-(2-k)}=\frac{1-\left(-\frac{k}{2}+1\right)}{2-0}$에서

$\frac{1}{k}=\frac{k}{4}$, $k^2=4 \quad \therefore k=-2\ (\because k<0)$

다른 풀이

유리함수의 그래프는 두 점근선의 교점에 대하여 대칭이다. 즉, 두 점근선의 교점을 지나는 직선이 유리함수의 그래프와 서로 다른 두 점에서 만날 때, 이 두 점은 항상 두 점근선의 교점에 대하여 대칭이다.

따라서 곡선 $y=\frac{k}{x-2}+1\ (k<0)$의 두 점근선의 교점 C와 곡선 위의 두 점 A, B가 한 직선 위에 있으려면 두 점 A, B는 점 C에 대하여 대칭이어야 한다.

이때 두 점 A, B가 각각 곡선과 x축, y축의 교점이므로 $A(a, 0)$, $B(0, b)$로 놓을 때, 점 C가 선분 AB의 중점이므로

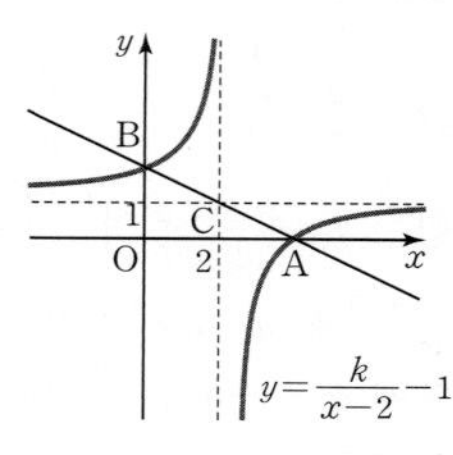

$\frac{a+0}{2}=2$, $\frac{0+b}{2}=1$

$\therefore a=4$, $b=2$

따라서 곡선 $y=\frac{k}{x-2}+1$이 점 $A(4, 0)$을 지나므로

$0=\frac{k}{4-2}+1 \quad \therefore k=-2$

답 ④

11-1

$y=\frac{3x+7}{x+1}=\frac{3(x+1)+4}{x+1}=\frac{4}{x+1}+3$이므로

함수 $y=\frac{3x+7}{x+1}$의 그래프는 $y=\frac{4}{x}$의 그래프를 x축의 방향으로 -1만큼, y축의 방향으로 3만큼 평행이동시킨 것이다.

따라서 $0\le x\le 3$에서 그 그래프는 오른쪽 그림과 같다.

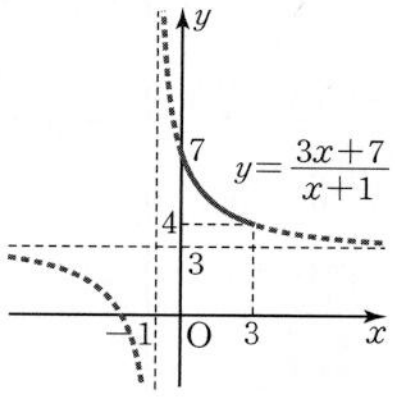

$x=0$일 때,

최댓값 $M=\frac{3\times0+7}{0+1}=7$

$x=3$일 때,

최솟값 $m=\frac{3\times3+7}{3+1}=4$

$\therefore M-m=7-4=3$

답 3

11-2

이차부등식 $x^2-10x+16\le0$에서

$(x-2)(x-8)\le0 \quad \therefore 2\le x\le 8$

$y=\frac{2x+5}{x-1}=\frac{2(x-1)+7}{x-1}=\frac{7}{x-1}+2$이므로

함수 $y=\frac{2x+5}{x-1}$의 그래프는 $y=\frac{7}{x}$의 그래프를 x축의 방향으로 1만큼, y축의 방향으로 2만큼 평행이동시킨 것이다.

따라서 $2\le x\le 8$에서 그 그래프는 다음 그림과 같다.

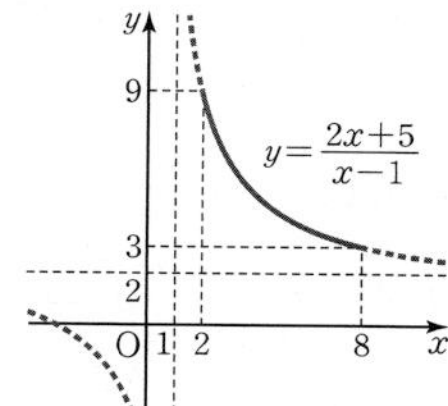

$x=2$일 때, 최댓값 $M=\frac{2\times2+5}{2-1}=9$

$x=8$일 때, 최솟값 $m=\frac{2\times8+5}{8-1}=3$

$\therefore Mm=9\times3=27$

답 27

11-3

$y=\frac{3x-b}{x-2}=\frac{3(x-2)+6-b}{x-2}=\frac{6-b}{x-2}+3$이므로

함수 $y=\frac{3x-b}{x-2}$의 그래프는 $y=\frac{6-b}{x}$의 그래프를 x축의 방향으로 2만큼, y축의 방향으로 3만큼 평행이동시킨 것이다.

이때 $b>6$이므로 $6-b<0$

따라서 $a\le x\le7$에서 그 그래프는 오른쪽 그림과 같다.

$x=7$일 때, 최댓값이 2이므로

$2=\frac{3\times7-b}{7-2}=\frac{21-b}{5}\qquad\therefore b=11$

$x=a$일 때, 최솟값이 -2이므로

$-2=\frac{3a-11}{a-2}$, $-2a+4=3a-11\qquad\therefore a=3$

$\therefore b-a=11-3=8$

답 8

11-4

유리함수 $y=f(x)$의 그래프의 점근선의 방정식이 $x=3$, $y=2$이므로 함수의 식을

$f(x)=\frac{k}{x-3}+2\ (k\ne0)$ …… ㉠

로 놓을 수 있다.

이 함수의 그래프가 원점 $(0,\ 0)$을 지나므로

$0=\frac{k}{0-3}+2$, $\frac{k}{3}=2\qquad\therefore k=6$

㉠에 $k=6$을 대입하면 $f(x)=\frac{6}{x-3}+2$

따라서 함수 $y=f(x)$의 그래프는 $y=\frac{6}{x}$의 그래프를 x축의 방향으로 3만큼, y축의 방향으로 2만큼 평행이동시킨 것이므로 최댓값이 8, 최솟값이 3이 되도록 하는 $a\le x\le b$에서 그 그래프는 오른쪽 그림과 같다.

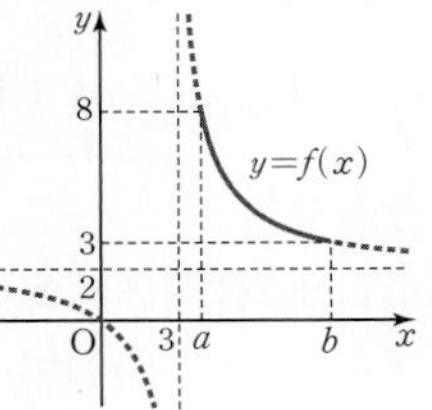

$x=a$일 때, 최댓값이 8이므로

$8=\frac{6}{a-3}+2$, $a-3=1\qquad\therefore a=4$

$x=b$일 때, 최솟값이 3이므로

$3=\frac{6}{b-3}+2$, $b-3=6\qquad\therefore b=9$

$\therefore a+b=4+9=13$

답 13

12-1

$y=\frac{3x}{x+2}=\frac{3(x+2)-6}{x+2}=-\frac{6}{x+2}+3$이므로

함수 $y=\frac{3x}{x+2}$의 그래프는 $y=-\frac{6}{x}$의 그래프를 x축의 방향으로 -2만큼, y축의 방향으로 3만큼 평행이동시킨 것이다.

또한 직선 $y=mx+2m+3$, 즉 $y=m(x+2)+3$은 m의 값에 관계없이 항상 점 $(-2,\ 3)$을 지난다.

따라서 유리함수의 그래프와 직선은 오른쪽 그림과 같으므로 함수 $y=\frac{3x}{x+2}$의 그래프와 직선 $y=mx+2m+3$이 만나지 않도록 하는 m의 값의 범위는 $m\ge0$

답 $m\ge0$

12-2

$y=\frac{2x-5}{x-1}=\frac{2(x-1)-3}{x-1}=-\frac{3}{x-1}+2$이므로

함수 $y=\frac{2x-5}{x-1}$의 그래프는 $y=-\frac{3}{x}$의 그래프를 x축의 방향으로 1만큼, y축의 방향으로 2만큼 평행이동시킨 것이다.

또한 직선 $y=kx+2$는 k의 값에 관계없이 항상 점 $(0,\ 2)$를 지난다.

따라서 유리함수의 그래프와 직선이 오른쪽 그림과 같이 한 점에서 만나려면

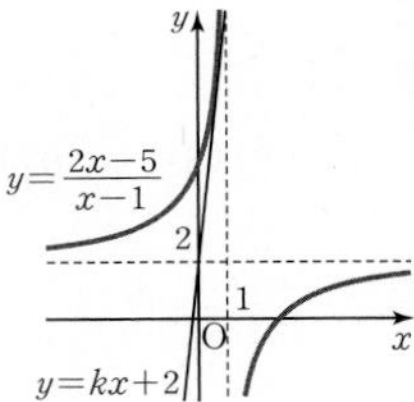

$\frac{2x-5}{x-1}=kx+2$에서

x에 대한 이차방정식

$2x-5=(kx+2)(x-1)$이 중근을 가져야 한다.

이 방정식을 정리하면 $kx^2-kx+3=0$이고, 판별식을 D라 하면

$D=(-k)^2-4\times k\times3=0$

$k^2-12k=0$, $k(k-12)=0$

$\therefore k=12\ (\because k>0)$

참고

$k=0$이면 직선 $y=kx+2$는 직선 $y=2$이다.
이때 직선 $y=2$는 유리함수 $y=\frac{2x-5}{x-1}$의 그래프의 점근선과 일치하므로 그래프와 직선이 만나지 않는다.

답 12

12-3

$y=\frac{4x+3}{x+1}=\frac{4(x+1)-1}{x+1}=-\frac{1}{x+1}+4$이므로

집합 A, 즉 함수 $y=\frac{4x+3}{x+1}$의 그래프는 $y=-\frac{1}{x}$의 그래프를 x축의 방향으로 -1만큼, y축의 방향으로 4만큼 평행이동시킨 것이다.

또한 집합 B, 즉 직선 $y=a(x+1)$은 a의 값에 관계없이 항상 점 $(-1,\ 0)$을 지난다.

따라서 유리함수의 그래프와 직선은 오른쪽 그림과 같다.

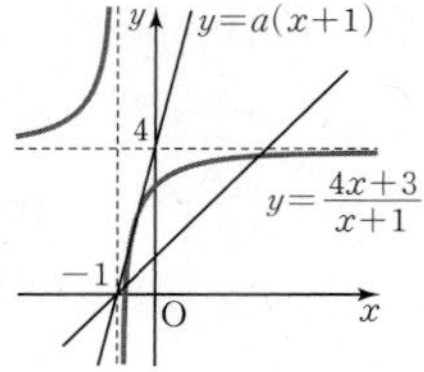

이때 $A\cap B\neq\varnothing$이므로 유리함수의 그래프와 직선의 교점이 존재해야 한다.

$\frac{4x+3}{x+1}=a(x+1)$에서 $4x+3=a(x+1)^2$

$\therefore ax^2+2(a-2)x+a-3=0$

$a=0$일 때 $-4x-3=0$은 $x=-\frac{3}{4}$을 실근으로 갖고,

$a\neq0$일 때 x에 대한 이차방정식

$ax^2+2(a-2)x+a-3=0$이 실근을 가져야 하므로 판별식을 D라 하면

$\frac{D}{4}=(a-2)^2-a(a-3)\geq0$

$-a+4\geq0 \qquad \therefore a\leq4$ (단, $a\neq0$)

따라서 $a\leq4$이므로 실수 a의 최댓값은 4이다.

참고

$a=0$일 때와 $a\neq0$일 때로 나누어 계산함에 주의하자.

답 4

12-4

$y=\frac{3x+1}{x-2}=\frac{3(x-2)+7}{x-2}=\frac{7}{x-2}+3$이므로

함수 $y=\frac{3x+1}{x-2}$의 그래프는 $y=\frac{7}{x}$의 그래프를 x축의 방향으로 2만큼, y축의 방향으로 3만큼 평행이동시킨 것이다.

따라서 $3\leq x\leq9$에서 그 그래프는 다음 그림과 같다.

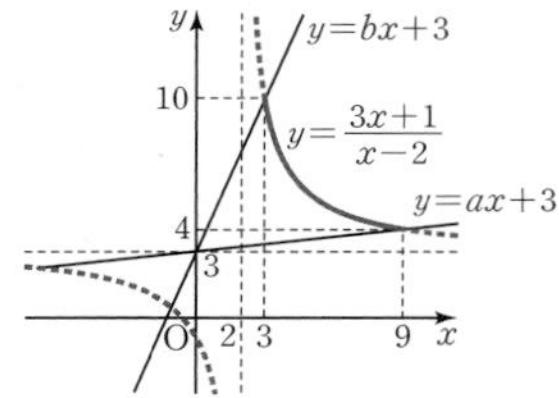

또한 직선 $y=ax+3$과 직선 $y=bx+3$은 각각 a, b의 값에 관계없이 항상 점 $(0,\ 3)$을 지난다.

(i) 직선 $y=ax+3$이 점 $(9,\ 4)$를 지날 때,

$4=9a+3 \qquad \therefore a=\frac{1}{9}$

(ii) 직선 $y=bx+3$이 점 $(3,\ 10)$을 지날 때,

$10=3b+3 \qquad \therefore b=\frac{7}{3}$

(i), (ii)에서 $0<a\leq\frac{1}{9}$, $b\geq\frac{7}{3}$

따라서 $b-a$의 최솟값은

(b의 최솟값)$-$(a의 최댓값)$=\frac{7}{3}-\frac{1}{9}=\frac{20}{9}$

참고

$3\leq x\leq9$에서 부등식 $ax+3\leq\frac{3x+1}{x-2}\leq bx+3$이 항상 성립하므로 a의 최댓값, b의 최솟값은 각각 이 범위에서 함수 $y=\frac{3x+1}{x-2}$의 그래프와 직선 $y=mx+3$이 만날 때의 기울기의 최솟값, 최댓값이다.

답 $\frac{20}{9}$

13-1

$f(x)=\frac{ax+1}{x-2}$에서 $y=\frac{ax+1}{x-2}$로 놓고 x에 대하여 풀면

$y(x-2)=ax+1$, $yx-2y=ax+1$

$yx-ax=2y+1$, $(y-a)x=2y+1$

$\therefore x=\frac{2y+1}{y-a}$

x와 y를 서로 바꾸어 나타내면 $y=\frac{2x+1}{x-a}$

$\therefore f^{-1}(x)=\frac{2x+1}{x-a}$

$f=f^{-1}$이므로 $\frac{ax+1}{x-2}=\frac{2x+1}{x-a} \qquad \therefore a=2$

다른 풀이

유리함수의 역함수 역시 유리함수임을 이용하여 구하자.

$f=f^{-1}$에서 유리함수 $y=f(x)$의 그래프의 두 점근선의 교점과 유리함수 $y=f^{-1}(x)$의 그래프의 두 점근선의 교점은 서로 같다. …… ㉠

$f(x)=\dfrac{ax+1}{x-2}$에서 유리함수 $y=f(x)$의 그래프의 두 점근선의 교점의 좌표는 $(2,\ a)$이고, 이 교점을 직선 $y=x$에 대하여 대칭이동시킨 점의 좌표는 $(a,\ 2)$이다.
이때 점 $(a,\ 2)$는 함수 $y=f^{-1}(x)$의 그래프의 두 점근선의 교점이므로 ㉠에 의하여 두 점 $(2,\ a)$, $(a,\ 2)$가 일치한다.
$\therefore a=2$

답 2

13-2

$f(x)=\dfrac{-x+2}{x-a}$에서 $y=\dfrac{-x+2}{x-a}$로 놓고 x에 대하여 풀면
$y(x-a)=-x+2$, $yx-ay=-x+2$
$yx+x=ay+2$, $(y+1)x=ay+2$
$\therefore x=\dfrac{ay+2}{y+1}$
x와 y를 서로 바꾸어 나타내면 $y=\dfrac{ax+2}{x+1}$
$\therefore f^{-1}(x)=\dfrac{ax+2}{x+1}$
따라서 $\dfrac{bx+2}{x+c}=\dfrac{ax+2}{x+1}$이므로 $a=b$, $c=1$
$\therefore a-b+c=a-a+1=1$

다른 풀이
유리함수의 역함수 역시 유리함수임을 이용하여 구하자.
유리함수 $y=f(x)$의 그래프의 두 점근선의 교점과 유리함수 $y=f^{-1}(x)$의 그래프의 두 점근선의 교점은 직선 $y=x$에 대하여 서로 대칭이다. …… ㉠
$f(x)=\dfrac{-x+2}{x-a}$에서 유리함수 $y=f(x)$의 그래프의 두 점근선의 교점의 좌표는 $(a,\ -1)$이고, $f^{-1}(x)=\dfrac{bx+2}{x+c}$에서 유리함수 $y=f^{-1}(x)$의 그래프의 두 점근선의 교점의 좌표는 $(-c,\ b)$이다.
따라서 ㉠에 의하여 두 점 $(a,\ -1)$, $(-c,\ b)$가 직선 $y=x$에 대하여 서로 대칭이므로
$a=b$, $-1=-c$ $\quad\therefore a=b$, $c=1$
$\therefore a-b+c=a-a+1=1$

답 1

13-3

함수 $f(x)=\dfrac{ax+b}{x-1}$의 그래프가 점 $(2,\ 5)$를 지나므로
$5=\dfrac{2a+b}{2-1}$ $\quad\therefore 2a+b=5$ …… ㉠
함수 $y=f(x)$의 그래프와 그 역함수 $y=f^{-1}(x)$의 그래프는 직선 $y=x$에 대하여 대칭이므로 함수 $y=f^{-1}(x)$의 그래프가 점 $(2,\ 5)$를 지나면 $y=f(x)$의 그래프는 점 $(5,\ 2)$를 지난다.
$2=\dfrac{5a+b}{5-1}$ $\quad\therefore 5a+b=8$ …… ㉡
㉠, ㉡을 연립하여 풀면 $a=1$, $b=3$
따라서 $f(x)=\dfrac{x+3}{x-1}$이므로
$f(3)=\dfrac{3+3}{3-1}=3$

다른 풀이
함수 $f(x)=\dfrac{ax+b}{x-1}$의 그래프가 점 $(2,\ 5)$를 지나므로
$5=\dfrac{2a+b}{2-1}$ $\quad\therefore 2a+b=5$ …… ㉠
한편, $f(x)=\dfrac{ax+b}{x-1}$에서 $f^{-1}(x)=\dfrac{x+b}{x-a}$이므로
함수 $y=f^{-1}(x)$의 그래프가 점 $(2,\ 5)$를 지나면
$5=\dfrac{2+b}{2-a}$, $10-5a=2+b$ $\quad\therefore 5a+b=8$ …… ㉡
㉠, ㉡을 서로 연립하여 풀면 $a=1$, $b=3$
따라서 $f(x)=\dfrac{x+3}{x-1}$이므로
$f(3)=\dfrac{3+3}{3-1}=3$

답 3

13-4

유리함수 $f(x)=\dfrac{ax+b}{cx+d}$의 역함수 $y=f^{-1}(x)$의 그래프가 직선 $y=-x+5$에 대하여 대칭이므로
유리함수 $y=f(x)$의 그래프는 직선 $y=-x+5$를 직선 $y=x$에 대하여 대칭이동시킨 직선에 대하여 대칭이다.
이때 $y=-x+5$를 x에 대하여 풀면 $x=5-y$
x와 y를 서로 바꾸어 나타내면 $y=5-x$
즉, 직선 $y=-x+5$를 직선 $y=x$에 대하여 대칭이동시키면 그 자신과 서로 일치하므로
유리함수 $y=f(x)$의 그래프의 두 점근선의 교점은 두 직선 $y=x+3$, $y=-x+5$의 교점이다.
$x+3=-x+5$에서 $2x=2$ $\quad\therefore x=1$
따라서 두 직선 $y=x+3$, $y=-x+5$의 교점의 좌표는 $(1,\ 4)$이므로 $f(x)=\dfrac{k}{x-1}+4$ $(k\neq 0)$ 꼴로 나타낼 수 있다.
이때 함수 $y=f(x)$의 그래프는 점 $(6,\ 6)$을 지나므로
$f(6)=\dfrac{k}{6-1}+4=6$에서 $k=10$
$\therefore f(x)=\dfrac{10}{x-1}+4$

$\therefore f(3)=\frac{10}{3-1}+4=9$

답 9

중단원 연습문제

본문 464~468쪽

01 $\frac{8(x^2+2x-2)}{x(x-2)(x+2)(x+4)}$ **02** 4
03 6 **04** 4 **05** $\frac{49}{24}$ **06** 5
07 ④ **08** ① **09** 4 **10** 7
11 $0\le a<\frac{7}{4}$ **12** ⑤ **13** 6 **14** $\frac{112}{99}$
15 13 **16** ④ **17** 3 **18** ㄱ, ㄷ
19 ① **20** ①

01

$$\frac{1}{x-2}+\frac{1}{x}-\frac{1}{x+2}-\frac{1}{x+4}$$
$$=\left(\frac{1}{x-2}-\frac{1}{x+2}\right)+\left(\frac{1}{x}-\frac{1}{x+4}\right)$$
$$=\frac{(x+2)-(x-2)}{(x-2)(x+2)}+\frac{(x+4)-x}{x(x+4)}$$
$$=\frac{4}{(x-2)(x+2)}+\frac{4}{x(x+4)}$$
$$=\frac{4x(x+4)+4(x-2)(x+2)}{(x-2)(x+2)x(x+4)}$$
$$=\frac{4(x^2+4x)+4(x^2-4)}{x(x-2)(x+2)(x+4)}$$
$$=\frac{8(x^2+2x-2)}{x(x-2)(x+2)(x+4)}$$

답 $\frac{8(x^2+2x-2)}{x(x-2)(x+2)(x+4)}$

02

주어진 식의 우변을 통분하여 정리하면

$$\frac{a}{x+1}+\frac{b}{x^2-x+1}$$
$$=\frac{a(x^2-x+1)+b(x+1)}{(x+1)(x^2-x+1)}$$
$$=\frac{ax^2+(-a+b)x+(a+b)}{x^3+1}$$

따라서 등식

$$\frac{2x^2-4x}{x^3+1}=\frac{ax^2+(-a+b)x+(a+b)}{x^3+1}$$

는 분모를 0으로 만들지 않는 모든 실수 x에 대하여 성립하므로 양변의 분자의 동류항의 계수를 서로 비교하면

$a=2$, $-a+b=-4$, $a+b=0$

이를 정리하여 풀면 $a=2$, $b=-2$이므로

$a-b=2-(-2)=4$

답 4

03

$$\frac{1}{x(x+1)}+\frac{3}{(x+1)(x+4)}+\frac{5}{(x+4)(x+9)}$$
$$=\left(\frac{1}{x}-\frac{1}{x+1}\right)+\left(\frac{1}{x+1}-\frac{1}{x+4}\right)+\left(\frac{1}{x+4}-\frac{1}{x+9}\right)$$
$$=\frac{1}{x}-\frac{1}{x+9}=\frac{9}{x(x+9)}$$

따라서 $\frac{9}{x(x+9)}=\frac{a}{(x+b)(x+c)}$는 분모를 0으로 만들지 않는 모든 실수 x에 대하여 성립하므로

$a=9$, $b=0$, $c=9$ 또는 $a=9$, $b=9$, $c=0$

$\therefore \sqrt{3a+b+c}=\sqrt{27+9}=\sqrt{36}=6$

답 6

04

$$f(x)=1+\cfrac{1}{1-\cfrac{1}{1+\cfrac{1}{1-\cfrac{1}{x}}}}=1+\cfrac{1}{1-\cfrac{1}{1+\cfrac{1}{\frac{x-1}{x}}}}$$
$$=1+\cfrac{1}{1-\cfrac{1}{1+\frac{x}{x-1}}}=1+\cfrac{1}{1-\cfrac{1}{\frac{(x-1)+x}{x-1}}}$$
$$=1+\cfrac{1}{1-\cfrac{1}{\frac{2x-1}{x-1}}}=1+\cfrac{1}{1-\frac{x-1}{2x-1}}$$
$$=1+\cfrac{1}{\frac{(2x-1)-(x-1)}{2x-1}}=1+\cfrac{1}{\frac{x}{2x-1}}$$
$$=1+\frac{2x-1}{x}=\frac{3x-1}{x}$$

따라서 $f(x)=\frac{11}{4}$, 즉 $\frac{3x-1}{x}=\frac{11}{4}$에서

$4(3x-1)=11x$, $12x-4=11x$

$\therefore x=4$

답 4

05

$\frac{x+2y}{3z}=\frac{2y+3z}{x}=\frac{3z+x}{2y}=k\ (k\neq 0)$로 놓으면

$x+2y=3zk$ …… ㉠

$2y+3z=xk$ …… ㉡

$3z+x=2yk$ …… ㉢

㉠+㉡+㉢에서 $2(x+2y+3z)=(x+2y+3z)k$

$\therefore k=2\ (\because x+2y+3z\neq 0)$ …… ㉣

㉣을 ㉠에 대입하여 정리하면 $x+2y=6z$ …… ㉤

㉣을 ㉡에 대입하여 정리하면 $2y+3z=2x$ …… ㉥

㉣을 ㉢에 대입하여 정리하면 $3z+x=4y$ …… ㉦

㉤−㉥에서 $x-3z=6z-2x$

$3x=9z \quad \therefore x=3z$

㉦−㉤에서 $3z-2y=4y-6z$

$6y=9z \quad \therefore y=\frac{3}{2}z$

$$\therefore \frac{x^2+y^2+z^2}{xy-yz+zx}=\frac{(3z)^2+\left(\frac{3}{2}z\right)^2+z^2}{3z\times\frac{3}{2}z-\frac{3}{2}z\times z+z\times 3z}=\frac{\frac{49}{4}z^2}{6z^2}=\frac{49}{24}$$

답 $\frac{49}{24}$

06

함수 $y=\frac{2x+1}{x-3}$의 그래프를 x축의 방향으로 a만큼, y축의 방향으로 b만큼 평행이동시키면

$$y=\frac{2(x-a)+1}{(x-a)-3}+b=\frac{2x-2a+1+b(x-a-3)}{x-a-3}=\frac{(2+b)x-ab-2a-3b+1}{x-a-3}$$

따라서 등식

$$\frac{3x+4}{x-1}=\frac{(2+b)x-ab-2a-3b+1}{x-a-3}$$

에서 양변의 분자의 동류항의 계수를 서로 비교하면

$2+b=3,\ -ab-2a-3b+1=4$

이를 정리하여 풀면 $a=-2,\ b=1$

$\therefore a^2+b^2=(-2)^2+1^2=5$

다른 풀이

$y=\frac{2x+1}{x-3}=\frac{2(x-3)+7}{x-3}=\frac{7}{x-3}+2$ …… ㉠

$y=\frac{3x+4}{x-1}=\frac{3(x-1)+7}{x-1}=\frac{7}{x-1}+3$ …… ㉡

따라서 ㉠의 그래프를 x축의 방향으로 -2만큼, y축의 방향으로 1만큼 평행이동시키면 ㉡의 그래프와 일치하므로

$a=-2,\ b=1 \quad \therefore a^2+b^2=(-2)^2+1^2=5$

참고

유리함수 $y=\frac{ax+b}{x+c}$의 그래프의 두 점근선의 교점의 좌표가 $(-c,\ a)$임을 이용해보자.

두 유리함수 $y=\frac{2x+1}{x-3}$, $y=\frac{3x+4}{x-1}$의 그래프의 두 점근선의 교점의 좌표는 각각 $(3,\ 2)$, $(1,\ 3)$이고, 점 $(3,\ 2)$를 x축의 방향으로 -2만큼, y축의 방향으로 1만큼 평행이동시키면 점 $(1,\ 3)$과 일치하므로 $a=-2,\ b=1$이다.

이처럼 다양한 방법을 이용하여 문제를 해결하는 연습을 하자.

답 5

07

$y=\frac{3-2x}{x-1}=\frac{-2(x-1)+1}{x-1}=\frac{1}{x-1}-2$이므로

함수 $y=\frac{3-2x}{x-1}$의 그래프는 $y=\frac{1}{x}$의 그래프를 x축의 방향으로 1만큼, y축의 방향으로 -2만큼 평행이동시킨 것이다.

따라서 그래프는 오른쪽 그림과 같다.

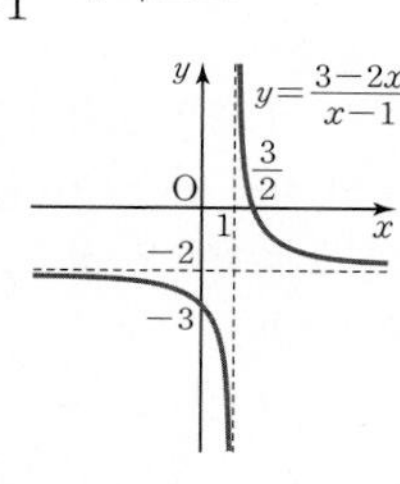

① 정의역은 $\{x|x\neq 1$인 실수$\}$이다. (거짓)

② 점근선의 방정식이 $x=1,\ y=-2$이므로

함수 $y=\frac{3-2x}{x-1}$의 그래프는 점 $(1,\ -2)$에 대하여 대칭이다. (거짓)

③ $y=\frac{3-2x}{x-1}$에서 $x=0$일 때,

$y=\frac{3-2\times 0}{0-1}=-3$

즉, 함수 $y=\frac{3-2x}{x-1}$의 그래프와 y축의 교점의 좌표는 $(0,\ -3)$이다. (거짓)

④ 그래프는 제2사분면을 지나지 않는다. (참)

⑤ 그래프는 함수 $y=\frac{1}{x}$의 그래프를 평행이동시킨 것이다. (거짓)

따라서 옳은 것은 ④이다.

답 ④

08

$$f(x)=\frac{bx}{ax+1}=\frac{b\left(x+\frac{1}{a}\right)-\frac{b}{a}}{a\left(x+\frac{1}{a}\right)}=\frac{-\frac{b}{a^2}}{x+\frac{1}{a}}+\frac{b}{a}$$이므로

함수 $y=f(x)$의 그래프는 $y=\frac{-\frac{b}{a^2}}{x}$의 그래프를 x축의 방향으로 $-\frac{1}{a}$, y축의 방향으로 $\frac{b}{a}$만큼 평행이동시킨 것이다.

즉, 정의역은 $\left\{x \middle| x\neq-\frac{1}{a}\text{인 실수}\right\}$이고

치역은 $\left\{y \middle| y\neq\frac{b}{a}\text{인 실수}\right\}$이다.

이때 정의역과 치역이 같으므로

$-\frac{1}{a}=\frac{b}{a}$ $\therefore b=-1$

한편, 두 점근선의 교점 $\left(-\frac{1}{a}, \frac{b}{a}\right)$, 즉 $\left(-\frac{1}{a}, -\frac{1}{a}\right)$이 직선 $y=2x+3$ 위에 있으므로

$-\frac{1}{a}=-\frac{2}{a}+3$ $\therefore a=\frac{1}{3}$

$\therefore a+b=\frac{1}{3}+(-1)=-\frac{2}{3}$

다른 풀이

함수 $f(x)$의 정의역을 $\{x|x는\ x\neq p인\ 실수\}$라 하면 이 함수의 치역 또한 $\{y|y는\ y\neq p인\ 실수\}$이므로 함수 $y=f(x)$의 그래프의 두 점근선의 교점은 점 (p, p), 즉 직선 $y=x$ 위에 있다.

이때 주어진 조건에 의하여 두 점근선의 교점이 직선 $y=2x+3$ 위에 있으므로 $p=2p+3$에서 $p=-3$

따라서 두 점근선의 교점의 좌표는 $(-3, -3)$이고,

x에 대한 방정식 $ax+1=0$의 해는 $x=-3$이므로 $a=\frac{1}{3}$

$\frac{b}{a}=-3$에서 $b=-1$

$\therefore a+b=\frac{1}{3}+(-1)=-\frac{2}{3}$

참고

유리함수 $y=\frac{ax+b}{cx+d}$ $(ad-bc\neq0, c\neq0)$의 정의역과 치역이 각각 $\{x|x는\ x\neq p인\ 실수\}$, $\{y|y는\ y\neq q인\ 실수\}$이면 이 유리함수의 그래프의 두 점근선의 방정식은 $x=p$, $y=q$이다.

답 ①

09

함수 $y=\frac{ax+5}{x+b}$의 그래프의 점근선의 방정식이 $x=c$, $y=2$이므로 함수의 식을

$y=\frac{k}{x-c}+2$ $(k\neq0)$ …… ㉠

로 놓을 수 있다.

이 함수의 그래프가 점 $(2, 3)$을 지나므로

$3=\frac{k}{2-c}+2$ $\therefore k=2-c$

따라서 ㉠의 식은

$y=\frac{2-c}{x-c}+2=\frac{2-c+2(x-c)}{x-c}=\frac{2x-3c+2}{x-c}$

이 함수가 $y=\frac{ax+5}{x+b}$와 일치하므로

$a=2$, $-3c+2=5$, $b=-c$

위의 식을 정리하여 풀면 $a=2$, $b=1$, $c=-1$

$\therefore a+b-c=2+1-(-1)=4$

답 4

10

$y=\frac{3x+2}{x-2}=\frac{3(x-2)+8}{x-2}=\frac{8}{x-2}+3$이므로

함수 $y=\frac{3x+2}{x-2}$의 그래프는 $y=\frac{8}{x}$의 그래프를 x축의 방향으로 2만큼, y축의 방향으로 3만큼 평행이동시킨 것이다.

이때 $2<a<10$이므로 $a\leq x\leq10$에서 그 그래프는 다음 그림과 같다.

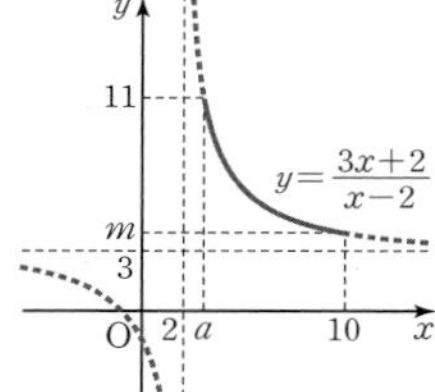

$x=a$일 때, 최댓값이 11이므로

$11=\frac{3a+2}{a-2}$

$11a-22=3a+2$, $8a=24$ $\therefore a=3$

$x=10$일 때, 최솟값이 m이므로

$m=\frac{3\times10+2}{10-2}=\frac{32}{8}=4$

$\therefore a+m=3+4=7$

답 7

11

$y=\frac{2x+1}{x+4}=\frac{2(x+4)-7}{x+4}=-\frac{7}{x+4}+2$이므로

집합 $A=\left\{(x, y)\middle| y=\frac{2x+1}{x+4}\right\}$, 즉 함수 $y=\frac{2x+1}{x+4}$의 그래프는 $y=-\frac{7}{x}$의 그래프를 x축의 방향으로 -4만큼, y축의 방향으로 2만큼 평행이동시킨 것이다.

또한 집합 $B=\{(x, y)|y=ax+2\}$, 즉 직선 $y=ax+2$는 a의 값에 관계없이 항상 점 $(0, 2)$를 지난다.

따라서 유리함수의 그래프와 직선은 오른쪽 그림과 같다. 이때 $A\cap B=\varnothing$에서 유리함수의 그래프와 직선이 서로 만나지 않아야 한다.

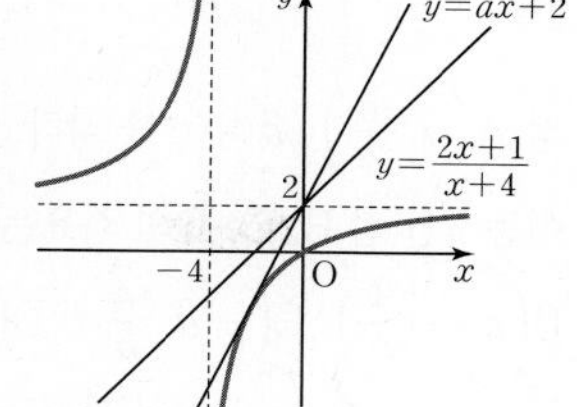

$\frac{2x+1}{x+4}=ax+2$에서

$2x+1=(x+4)(ax+2)$

$\therefore ax^2+4ax+7=0$

이때 $a=0$이면 등호가 성립하지 않으므로 만나지 않는다.

$a\neq0$일 때 이 이차방정식의 판별식을 D라 하면 유리함수의 그래프와 직선이 서로 만나지 않기 위해서는 $D<0$이어야 하므로

$\frac{D}{4}=(2a)^2-7a<0$

$4a^2-7a<0,\ a(4a-7)<0 \qquad \therefore 0<a<\frac{7}{4}$

$\therefore 0\leq a<\frac{7}{4}$

답 $0\leq a<\frac{7}{4}$

12

$f(x)=\frac{2x+5}{x+3}$에서 $y=\frac{2x+5}{x+3}$로 놓고 x에 대하여 풀면

$y(x+3)=2x+5,\ (y-2)x=-3y+5$

$\therefore x=\frac{-3y+5}{y-2}$

x와 y를 서로 바꾸어 나타내면 $y=\frac{-3x+5}{x-2}$

$\therefore f^{-1}(x)=\frac{-3x+5}{x-2}=\frac{-3(x-2)-1}{x-2}=-\frac{1}{x-2}-3$

따라서 함수 $f^{-1}(x)$의 그래프는 점 $(2,\ -3)$에 대하여 대칭이므로 $p=2,\ q=-3 \qquad \therefore p-q=5$

다른 풀이

유리함수의 역함수 역시 유리함수임을 이용하여 구하자.

유리함수 $y=f(x)$의 그래프의 두 점근선의 교점과 유리함수 $y=f^{-1}(x)$의 그래프의 두 점근선의 교점은 직선 $y=x$에 대하여 대칭이다. …… ㉠

$f(x)=\frac{2x+5}{x+3}$에서 유리함수 $y=f(x)$의 그래프의 두 점근선의 교점의 좌표는 $(-3,\ 2)$이고, 점 $(-3,\ 2)$를 직선 $y=x$에 대하여 서로 대칭이동시키면 $(2,\ -3)$

따라서 ㉠에 의하여 함수 $y=f^{-1}(x)$의 그래프는 점 $(2,\ -3)$에 대하여 대칭이므로 $p=2,\ q=-3 \qquad \therefore p-q=5$

답 ⑤

13

주어진 식의 우변을 통분하면

$$\frac{a_1}{x+1}+\frac{a_2}{(x+1)^2}+\frac{a_3}{(x+1)^3}+\cdots+\frac{a_{99}}{(x+1)^{99}}+\frac{a_{100}}{(x+1)^{100}}$$
$$=\frac{a_1(x+1)^{99}+a_2(x+1)^{98}+a_3(x+1)^{97}+\cdots+a_{99}(x+1)+a_{100}}{(x+1)^{100}}$$

따라서 등식

$$\frac{x^{99}+7}{(x+1)^{100}}$$
$$=\frac{a_1(x+1)^{99}+a_2(x+1)^{98}+a_3(x+1)^{97}+\cdots+a_{99}(x+1)+a_{100}}{(x+1)^{100}}$$

은 $x\neq-1$인 모든 실수 x에 대하여 성립하므로

$$x^{99}+7=a_1(x+1)^{99}+a_2(x+1)^{98}+a_3(x+1)^{97}+\cdots+a_{99}(x+1)+a_{100} \quad \cdots\cdots \text{㉠}$$

㉠의 양변에 $x=0$을 대입하면

$$0^{99}+7=a_1\times(0+1)^{99}+a_2\times(0+1)^{98}+a_3\times(0+1)^{97}+\cdots+a_{99}\times(0+1)+a_{100}$$

$\therefore a_1+a_2+a_3+\cdots+a_{99}+a_{100}=7 \quad \cdots\cdots$ ㉡

한편, ㉠의 우변에서 $(x+1)^{99}$은 99차식, $(x+1)^{98}$은 98차식, $(x+1)^{97}$은 97차식, …, $(x+1)$은 1차식이므로

좌변과 같이 x^{99}항의 계수가 1이기 위해서는 $a_1=1$이어야 한다.

따라서 $a_1=1$을 ㉡에 대입하면

$1+a_2+a_3+a_4+\cdots+a_{100}=7$

$\therefore a_2+a_3+a_4+\cdots+a_{100}=7-1=6$

답 6

14

$\frac{3}{x(x+3)}=\frac{1}{x}-\frac{1}{x+3}$,

$\frac{1}{(x+1)(x+2)}=\frac{1}{x+1}-\frac{1}{x+2}$이므로

$$f(x)=\frac{3}{x(x+3)}-\frac{1}{(x+1)(x+2)}$$
$$=\left(\frac{1}{x}-\frac{1}{x+3}\right)-\left(\frac{1}{x+1}-\frac{1}{x+2}\right)$$
$$=\frac{1}{x}-\frac{1}{x+1}+\frac{1}{x+2}-\frac{1}{x+3}$$

$$f(x)+f(x+1)=\left(\frac{1}{x}-\frac{1}{x+1}+\frac{1}{x+2}-\frac{1}{x+3}\right)+\left(\frac{1}{x+1}-\frac{1}{x+2}+\frac{1}{x+3}-\frac{1}{x+4}\right)$$
$$=\frac{1}{x}-\frac{1}{x+4}$$

$\therefore f(1)+f(2)+f(3)+\cdots+f(8)$

$=\{f(1)+f(2)\}+\{f(3)+f(4)\}+\{f(5)+f(6)\}+\{f(7)+f(8)\}$

$$=\left(1-\frac{1}{5}\right)+\left(\frac{1}{3}-\frac{1}{7}\right)+\left(\frac{1}{5}-\frac{1}{9}\right)+\left(\frac{1}{7}-\frac{1}{11}\right)$$

$$=1+\frac{1}{3}-\frac{1}{9}-\frac{1}{11}=\frac{112}{99}$$

답 $\frac{112}{99}$

15

$$\frac{\frac{1}{n+3}-\frac{1}{n+7}}{\frac{1}{n+7}-\frac{1}{n+9}}=\frac{\frac{(n+7)-(n+3)}{(n+3)(n+7)}}{\frac{(n+9)-(n+7)}{(n+7)(n+9)}}$$

$$=\frac{\frac{4}{(n+3)(n+7)}}{\frac{2}{(n+7)(n+9)}}$$

$$=\frac{2(n+9)}{n+3}=\frac{2(n+3)+12}{n+3}$$

$$=2+\frac{12}{n+3}$$

이 식의 값이 자연수가 되려면 $\frac{12}{n+3}\geq -1$이면서 $|n+3|$, 즉 $n+3$이 12의 양의 약수이어야 하므로 자연수 n에 대하여 $n+3$의 값으로 가능한 값은 4 또는 6 또는 12이다.

$\therefore n=1, 3, 9$

따라서 구하는 합은 $1+3+9=13$

다른 풀이

$$\frac{\frac{1}{n+3}-\frac{1}{n+7}}{\frac{1}{n+7}-\frac{1}{n+9}}=\frac{2(n+9)}{n+3}=\frac{2n+18}{n+3}=k\ (k\text{는 자연수})$$

로 놓으면

$2n+18=k(n+3)$, $(k-2)n=-3k+18$

$$\therefore n=\frac{-3k+18}{k-2}=\frac{-3(k-2)+12}{k-2}$$

$$=-3+\frac{12}{k-2}$$

이때 n이 자연수이므로 $\frac{12}{k-2}\geq 4$이면서 $k-2$는 12의 양의 약수이어야 하므로 $k-2$의 값으로 가능한 값은 1 또는 2 또는 3이다.

$\therefore k=3, 4, 5$

$k=3$일 때, $n=-3+\frac{12}{3-2}=9$

$k=4$일 때, $n=-3+\frac{12}{4-2}=3$

$k=5$일 때, $n=-3+\frac{12}{5-2}=1$

따라서 구하는 합은 $9+3+1=13$

답 13

16

점 $\mathrm{A}\left(a, \frac{4}{a}\right)$ $(a>0)$를 각각 x축, y축, 원점에 대하여 대칭이동시킨 점 B, C, D의 좌표는

$\mathrm{B}\left(a, -\frac{4}{a}\right)$, $\mathrm{C}\left(-a, \frac{4}{a}\right)$, $\mathrm{D}\left(-a, -\frac{4}{a}\right)$

즉, 직사각형 ACDB의 둘레의 길이는

$$2\times\left[\{a-(-a)\}+\left\{\frac{4}{a}-\left(-\frac{4}{a}\right)\right\}\right]=4\left(a+\frac{4}{a}\right)$$

이때 $a>0$, $\frac{4}{a}>0$이므로 산술평균과 기하평균의 관계에 의하여

$a+\frac{4}{a}\geq 2\sqrt{a\times\frac{4}{a}}=4$ (단, 등호는 $a=2$일 때 성립)

$\therefore 4\left(a+\frac{4}{a}\right)\geq 4\times 4=16$

따라서 직사각형 ACDB의 둘레의 길이의 최솟값은 16이다.

참고

산술평균과 기하평균의 관계

$a>0$, $b>0$일 때,

$a+b\geq 2\sqrt{ab}$ (단, 등호는 $a=b$일 때 성립)

답 ④

17

$$y=\frac{2x}{x+a}=\frac{2(x+a)-2a}{x+a}=-\frac{2a}{x-(-a)}+2\text{이므로}$$

함수 $y=\frac{2x}{x+a}$의 점근선의 방정식은

$x=-a$, $y=2$

$$y=-\frac{ax-5}{x-2}=-\frac{a(x-2)+2a-5}{x-2}=-\frac{2a-5}{x-2}-a\text{이}$$

므로 함수 $y=-\frac{ax-5}{x-2}$의 점근선의 방정식은

$x=2$, $y=-a$

이때 a가 양수이므로 두 함수 $y=\frac{2x}{x+a}$, $y=-\frac{ax-5}{x-2}$의 그래프의 점근선으로 둘러싸인 도형은 오른쪽 그림과 같다.

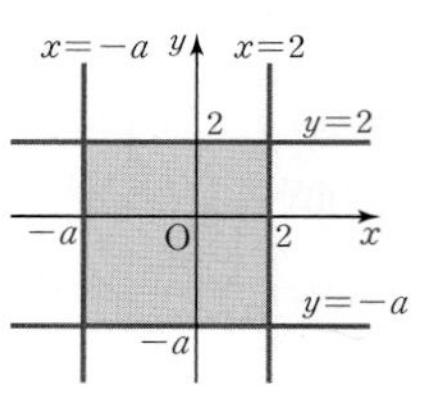

색칠한 부분의 넓이가 25이므로

$\{2-(-a)\}\times\{2-(-a)\}=25$

$(a+2)^2=25$, $a+2=\pm 5$

$\therefore a=3$ ($\because a>0$)

답 3

18

ㄱ. $y=\frac{bx-c}{x+a}=\frac{b(x+a)-ab-c}{x+a}=-\frac{ab+c}{x-(-a)}+b$

이므로 함수 $y=\frac{bx-c}{x+a}$의 그래프의 점근선의 방정식은

$x=-a,\ y=b$

즉, 주어진 그래프에서

$-a<0,\ b>0 \quad \therefore a>0,\ b>0$

$\therefore a+b>0$ (참)

ㄴ. 함수 $y=\frac{bx-c}{x+a}$의 그래프가 원점을 지나므로

$0=\frac{b\times0-c}{0+a},\ -\frac{c}{a}=0 \quad \therefore c=0$ (거짓)

ㄷ. ㄱ, ㄴ에서 $a>0,\ b>0,\ c=0$이므로 $ab+c>0$ (참)

따라서 옳은 것은 ㄱ, ㄷ이다.

참고

주어진 그래프로부터 $y=-\frac{ab+c}{x}$의 그래프가 제2사분면과 제4사분면을 지남을 알 수 있으므로 $ab+c>0$임을 알 수 있다.

답 ㄱ, ㄷ

19

직선 $y=-x+6$이 x축, y축과 만나는 점을 각각 A, B라 하면 A$(6, 0)$, B$(0, 6)$이므로 삼각형 OAB의 넓이는

$\triangle\text{OAB}=\frac{1}{2}\times6\times6=18$

함수 $y=\frac{k}{x}$의 그래프와 직선 $y=-x+6$은 모두 직선 $y=x$에 대하여 대칭이므로 삼각형 OAP와 삼각형 OQB의 넓이가 서로 같다.

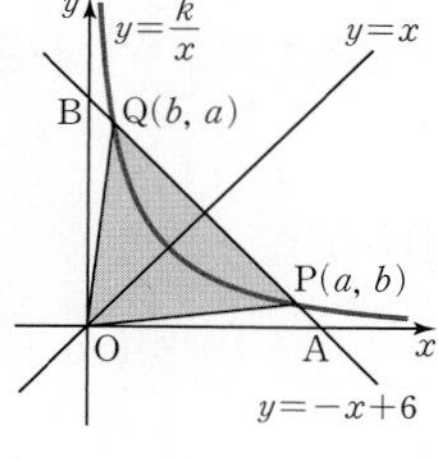

이때 삼각형 OPQ의 넓이가 14이므로

$\triangle\text{OAP}=\triangle\text{OQB}=\frac{1}{2}\times(18-14)=2$

점 P의 좌표를 (a, b)라 하면

$\triangle\text{OAP}=\frac{1}{2}\times6\times b=2 \quad \therefore b=\frac{2}{3}$

점 $\text{P}\left(a, \frac{2}{3}\right)$는 직선 $y=-x+6$ 위의 점이므로

$\frac{2}{3}=-a+6 \quad \therefore a=\frac{16}{3}$

따라서 점 $\left(\frac{16}{3}, \frac{2}{3}\right)$는 함수 $y=\frac{k}{x}$의 그래프 위의 점이므로

$\frac{2}{3}=\frac{k}{\frac{16}{3}} \quad \therefore k=\frac{16}{3}\times\frac{2}{3}=\frac{32}{9}$

답 ①

20

함수 $f(x)=\frac{a}{x}+b\ (a\neq0)$의 그래프는 $y=\frac{a}{x}$의 그래프를 y축의 방향으로 b만큼 평행이동시킨 것이므로 점근선의 방정식은 $x=0,\ y=b$이다. 따라서 a, b의 부호에 따라 $y=|f(x)|$의 그래프는 다음 그림과 같다.

(i) $b=0$일 때

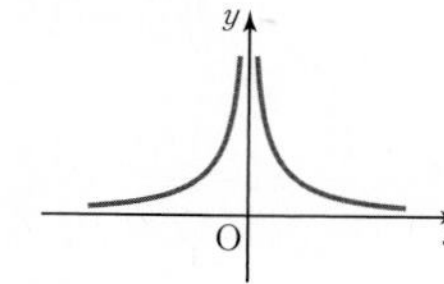

(ii) $ab>0$일 때

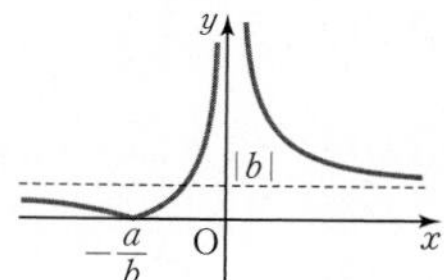

(iii) $ab<0$일 때

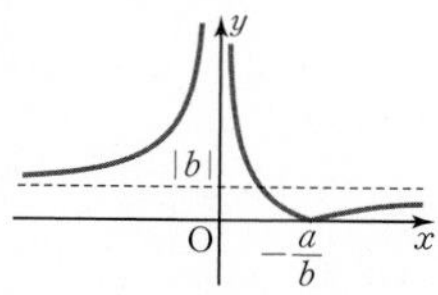

이때 조건 (가)에서 곡선 $y=|f(x)|$는 직선 $y=2$와 한 점에서만 만나므로 위의 그림에서

$b=2$ 또는 $b=-2 \quad \cdots\cdots$ ㉠

한편, $f(x)=\frac{a}{x}+b$에서 $y=\frac{a}{x}+b$로 놓고 x에 대하여 풀면 $\frac{a}{x}=y-b \quad \therefore x=\frac{a}{y-b}$

x와 y를 서로 바꾸어 나타내면 $y=\frac{a}{x-b}$

$\therefore f^{-1}(x)=\frac{a}{x-b}$

이때 조건 (나)에서 $f^{-1}(2)=f(2)-1$이므로

$\frac{a}{2-b}=\frac{a}{2}+b-1 \quad \cdots\cdots$ ㉡

㉡에서 $b\neq2$이므로 ㉠에서 $b=-2$이다.

$b=-2$를 ㉡에 대입하면 $\frac{a}{4}=\frac{a}{2}-3 \quad \therefore a=12$

따라서 $f(x)=\frac{12}{x}-2$이므로 $f(8)=\frac{12}{8}-2=-\frac{1}{2}$

참고

조건 (가)로부터 곡선 $y=f(x)$가 직선 $y=2$와 만나는 점의 개수와 직선 $y=-2$와 만나는 점의 개수의 합은 1이어야 한다. 이때 유리함수 $y=f(x)$의 그래프가 x축과 평행한 직선과 만나는 점의 개수는 점근선을 제외하면 모두 1이므로 두 직선 $y=2,\ y=-2$ 중 하나는 곡선 $y=f(x)$의 점근선이다.

답 ①

10 무리식과 무리함수

01 무리식

개념 CHECK

본문 475쪽

01 (1) $\frac{1}{3}\le x\le 1$ (2) $2\le x<3$

02 (1) 3 (2) $\frac{1}{x+2}$

03 (1) $\sqrt{x+1}+\sqrt{x-2}$ (2) $\frac{2}{1-x}$

01

(1) $\sqrt{1-x}$의 값이 실수가 되려면

$1-x\ge 0$ $\therefore x\le 1$ …… ㉠

$\sqrt{3x-1}$의 값이 실수가 되려면

$3x-1\ge 0$ $\therefore x\ge \frac{1}{3}$ …… ㉡

㉠, ㉡에서 $\sqrt{1-x}+\sqrt{3x-1}$의 값이 실수가 되도록 하는 실수 x의 값의 범위는

$\frac{1}{3}\le x\le 1$

(2) $\sqrt{2x-4}$의 값이 실수가 되려면

$2x-4\ge 0$, $2(x-2)\ge 0$

$\therefore x\ge 2$ …… ㉠

$\frac{1}{\sqrt{3-x}}$의 값이 실수가 되려면

$3-x>0$ $\therefore x<3$ …… ㉡

㉠, ㉡에서 $\frac{\sqrt{2x-4}}{\sqrt{3-x}}$의 값이 실수가 되도록 하는 실수 x의 값의 범위는

$2\le x<3$

답 (1) $\frac{1}{3}\le x\le 1$ (2) $2\le x<3$

02

(1) $(\sqrt{x+2}-\sqrt{x-1})(\sqrt{x+2}+\sqrt{x-1})$

$=(\sqrt{x+2})^2-(\sqrt{x-1})^2$

$=(x+2)-(x-1)=3$

(2) $\frac{\sqrt{x}}{\sqrt{x^2+5x+6}}\times\frac{\sqrt{x+3}}{\sqrt{x^2+2x}}$

$=\frac{\sqrt{x}}{\sqrt{(x+2)(x+3)}}\times\frac{\sqrt{x+3}}{\sqrt{x(x+2)}}$

$=\frac{1}{(\sqrt{x+2})^2}=\frac{1}{x+2}$

답 (1) 3 (2) $\frac{1}{x+2}$

03

(1) $\frac{3}{\sqrt{x+1}-\sqrt{x-2}}$

$=\frac{3(\sqrt{x+1}+\sqrt{x-2})}{(\sqrt{x+1}-\sqrt{x-2})(\sqrt{x+1}+\sqrt{x-2})}$

$=\frac{3(\sqrt{x+1}+\sqrt{x-2})}{(x+1)-(x-2)}$

$=\frac{3(\sqrt{x+1}+\sqrt{x-2})}{3}$

$=\sqrt{x+1}+\sqrt{x-2}$

(2) $\frac{1}{1+\sqrt{x}}+\frac{1}{1-\sqrt{x}}$

$=\frac{(1-\sqrt{x})+(1+\sqrt{x})}{(1+\sqrt{x})(1-\sqrt{x})}$

$=\frac{2}{1-x}$

답 (1) $\sqrt{x+1}+\sqrt{x-2}$ (2) $\frac{2}{1-x}$

유제

본문 476~479쪽

01-1 (1) x (2) $\sqrt{x}+\sqrt{x-3}$ (3) $2\sqrt{(x+1)(x-1)}$ (4) $2\sqrt{x+1}$

01-2 $\frac{\sqrt{x+6}-\sqrt{x}}{2}$ **01-3** $3x$ **01-4** 1

02-1 $\frac{1+\sqrt{5}}{2}$ **02-2** $2\sqrt{3}$ **02-3** $\frac{3\sqrt{2}}{2}$ **02-4** 82

01-1

(1) $(\sqrt{x+4}+2)(\sqrt{x+4}-2)=(\sqrt{x+4})^2-2^2$

$=(x+4)-4=x$

(2) $\frac{3}{\sqrt{x}-\sqrt{x-3}}=\frac{3(\sqrt{x}+\sqrt{x-3})}{(\sqrt{x}-\sqrt{x-3})(\sqrt{x}+\sqrt{x-3})}$

$=\frac{3(\sqrt{x}+\sqrt{x-3})}{x-(x-3)}$

$=\frac{3(\sqrt{x}+\sqrt{x-3})}{3}$

$=\sqrt{x}+\sqrt{x-3}$

(3) $\frac{\sqrt{x+1}+\sqrt{x-1}}{\sqrt{x+1}-\sqrt{x-1}}-\frac{\sqrt{x+1}-\sqrt{x-1}}{\sqrt{x+1}+\sqrt{x-1}}$

$=\frac{(\sqrt{x+1}+\sqrt{x-1})^2-(\sqrt{x+1}-\sqrt{x-1})^2}{(\sqrt{x+1}+\sqrt{x-1})(\sqrt{x+1}-\sqrt{x-1})}$

$=[\{(x+1)+2\sqrt{(x+1)(x-1)}+(x-1)\}$
$-\{(x+1)-2\sqrt{(x+1)(x-1)}+(x-1)\}]$
$\times\frac{1}{(x+1)-(x-1)}$
$=\frac{4\sqrt{(x+1)(x-1)}}{2}$
$=2\sqrt{(x+1)(x-1)}$

(4) $\frac{x}{\sqrt{x+1}+1}+\frac{x}{\sqrt{x+1}-1}$
$=\frac{x(\sqrt{x+1}-1)+x(\sqrt{x+1}+1)}{(\sqrt{x+1}+1)(\sqrt{x+1}-1)}$
$=\frac{x\sqrt{x+1}-x+x\sqrt{x+1}+x}{(x+1)-1}$
$=\frac{2x\sqrt{x+1}}{x}=2\sqrt{x+1}$

답 (1) x (2) $\sqrt{x}+\sqrt{x-3}$
(3) $2\sqrt{(x+1)(x-1)}$ (4) $2\sqrt{x+1}$

01-2

$\frac{1}{\sqrt{x}+\sqrt{x+2}}+\frac{1}{\sqrt{x+2}+\sqrt{x+4}}+\frac{1}{\sqrt{x+4}+\sqrt{x+6}}$
$=\frac{\sqrt{x}-\sqrt{x+2}}{(\sqrt{x}+\sqrt{x+2})(\sqrt{x}-\sqrt{x+2})}$
$+\frac{\sqrt{x+2}-\sqrt{x+4}}{(\sqrt{x+2}+\sqrt{x+4})(\sqrt{x+2}-\sqrt{x+4})}$
$+\frac{\sqrt{x+4}-\sqrt{x+6}}{(\sqrt{x+4}+\sqrt{x+6})(\sqrt{x+4}-\sqrt{x+6})}$
$=\frac{\sqrt{x}-\sqrt{x+2}}{x-(x+2)}+\frac{\sqrt{x+2}-\sqrt{x+4}}{(x+2)-(x+4)}$
$+\frac{\sqrt{x+4}-\sqrt{x+6}}{(x+4)-(x+6)}$
$=-\frac{\sqrt{x}-\sqrt{x+2}}{2}-\frac{\sqrt{x+2}-\sqrt{x+4}}{2}$
$-\frac{\sqrt{x+4}-\sqrt{x+6}}{2}$
$=-\frac{\sqrt{x}-\sqrt{x+6}}{2}=\frac{\sqrt{x+6}-\sqrt{x}}{2}$

답 $\frac{\sqrt{x+6}-\sqrt{x}}{2}$

01-3

$\sqrt{2x+1}$의 값이 실수가 되려면

$2x+1\geq 0$ $\therefore x\geq -\frac{1}{2}$ ...... ㉠

$\frac{1}{\sqrt{6-2x}}$의 값이 실수가 되려면

$6-2x>0$ $\therefore x<3$ ...... ㉡

㉠, ㉡에서 $\sqrt{2x+1}+\frac{1}{\sqrt{6-2x}}$의 값이 실수가 되도록 하는 실수 x의 값의 범위는

$-\frac{1}{2}\leq x<3$

따라서 $x+3>0$, $x-4<0$, $x+1>0$이므로

$\sqrt{(x+3)^2}-\sqrt{x^2-8x+16}+|x+1|$
$=\sqrt{(x+3)^2}-\sqrt{(x-4)^2}+|x+1|$
$=|x+3|-|x-4|+|x+1|$
$=(x+3)-\{-(x-4)\}+(x+1)$
$=x+3+x-4+x+1$
$=3x$

답 $3x$

01-4

$x\neq 1$, $y\neq -2$인 두 실수 x, y에 대하여

$\frac{\sqrt{x-1}}{\sqrt{y+2}}=-\sqrt{\frac{x-1}{y+2}}$이므로

$x-1>0$, $y+2<0$ $\therefore x>1$, $y<-2$

따라서 $x>0$, $y-1<0$, $x-y>0$이므로

$\sqrt{x^2}+\sqrt{y^2-2y+1}-|x-y|$
$=\sqrt{x^2}+\sqrt{(y-1)^2}-|x-y|$
$=|x|+|y-1|-|x-y|$
$=x-(y-1)-(x-y)=1$

답 1

02-1

$\frac{\sqrt{x+2}+\sqrt{x-2}}{\sqrt{x+2}-\sqrt{x-2}}$
$=\frac{(\sqrt{x+2}+\sqrt{x-2})^2}{(\sqrt{x+2}-\sqrt{x-2})(\sqrt{x+2}+\sqrt{x-2})}$
$=\frac{(x+2)+2\sqrt{(x+2)(x-2)}+(x-2)}{(x+2)-(x-2)}$
$=\frac{2x+2\sqrt{(x+2)(x-2)}}{4}$
$=\frac{x+\sqrt{x^2-4}}{2}$ ...... ㉠

$x=\sqrt{5}$를 ㉠에 대입하면 구하는 식의 값은

$\frac{x+\sqrt{x^2-4}}{2}=\frac{\sqrt{5}+\sqrt{(\sqrt{5})^2-4}}{2}$
$=\frac{1+\sqrt{5}}{2}$

답 $\frac{1+\sqrt{5}}{2}$

02-2

$$\frac{\sqrt{x}+1}{\sqrt{x}-1}+\frac{\sqrt{x}-1}{\sqrt{x}+1}=\frac{(\sqrt{x}+1)^2+(\sqrt{x}-1)^2}{(\sqrt{x}-1)(\sqrt{x}+1)}$$
$$=\frac{x+2\sqrt{x}+1+x-2\sqrt{x}+1}{x-1}$$
$$=\frac{2(x+1)}{x-1} \quad \cdots\cdots ㉠$$

$x=2+\sqrt{3}$을 ㉠에 대입하면 구하는 식의 값은

$$\frac{2(x+1)}{x-1}=\frac{2(3+\sqrt{3})}{1+\sqrt{3}}=\frac{2(3+\sqrt{3})(1-\sqrt{3})}{(1+\sqrt{3})(1-\sqrt{3})}$$
$$=\frac{2\times(-2\sqrt{3})}{-2}=2\sqrt{3}$$

참고

$$\frac{2(x+1)}{x-1}=\frac{2\{(2+\sqrt{3})+1\}}{(2+\sqrt{3})-1}=\frac{2(3+\sqrt{3})}{1+\sqrt{3}}$$
$$=\frac{2\sqrt{3}(\sqrt{3}+1)}{1+\sqrt{3}}=2\sqrt{3}$$

과 같이 식의 값을 구할 수도 있다.

답 $2\sqrt{3}$

02-3

$$\frac{\sqrt{x}-\sqrt{y}}{\sqrt{x}+\sqrt{y}}+\frac{\sqrt{x}+\sqrt{y}}{\sqrt{x}-\sqrt{y}}$$
$$=\frac{(\sqrt{x}-\sqrt{y})^2+(\sqrt{x}+\sqrt{y})^2}{(\sqrt{x}+\sqrt{y})(\sqrt{x}-\sqrt{y})}$$
$$=\frac{(x-2\sqrt{xy}+y)+(x+2\sqrt{xy}+y)}{x-y}$$
$$=\frac{2(x+y)}{x-y} \quad \cdots\cdots ㉠$$

한편, $x=\frac{\sqrt{2}+1}{\sqrt{2}-1}=\frac{(\sqrt{2}+1)^2}{(\sqrt{2}-1)(\sqrt{2}+1)}=3+2\sqrt{2}$이고

$y=\frac{\sqrt{2}-1}{\sqrt{2}+1}=\frac{(\sqrt{2}-1)^2}{(\sqrt{2}+1)(\sqrt{2}-1)}=3-2\sqrt{2}$이므로

$x+y=(3+2\sqrt{2})+(3-2\sqrt{2})=6$,

$x-y=(3+2\sqrt{2})-(3-2\sqrt{2})=4\sqrt{2}$

따라서 이를 ㉠에 대입하면 구하는 식의 값은

$$\frac{2(x+y)}{x-y}=\frac{2\times6}{4\sqrt{2}}=\frac{3\sqrt{2}}{2}$$

답 $\frac{3\sqrt{2}}{2}$

02-4

$$f(n)=\frac{2}{\sqrt{n+1}+\sqrt{n-1}}$$
$$=\frac{2(\sqrt{n+1}-\sqrt{n-1})}{(\sqrt{n+1}+\sqrt{n-1})(\sqrt{n+1}-\sqrt{n-1})}$$
$$=\frac{2(\sqrt{n+1}-\sqrt{n-1})}{(n+1)-(n-1)}$$
$$=\sqrt{n+1}-\sqrt{n-1}$$

$\therefore f(2)+f(4)+f(6)+\cdots+f(m)$
$=(\sqrt{3}-1)+(\sqrt{5}-\sqrt{3})+(\sqrt{7}-\sqrt{5})+\cdots+(\sqrt{m+1}-\sqrt{m-1})$
$=\sqrt{m+1}-1$

이때 $f(2)+f(4)+f(6)+\cdots+f(n)>8$이므로

$\sqrt{m+1}-1>8$, $\sqrt{m+1}>9$, $m+1>81$

$\therefore m>80 \quad \cdots\cdots ㉠$

따라서 ㉠을 만족시키는 짝수인 자연수 m의 최솟값은 82이다.

답 82

02 무리함수

본문 487쪽

개념 CHECK

01 ㄱ, ㄴ, ㅁ **02** (1) $\left\{x \middle| x\geq-\frac{1}{2}\right\}$ (2) $\left\{x \middle| x\geq\frac{2}{3}\right\}$ (3) $\{x|x\leq3\}$ (4) $\{x|-5\leq x\leq5\}$

03 (1) 풀이 참조 (2) 풀이 참조

04 ㄴ, ㄷ, ㄹ **05** 풀이 참조 **06** 풀이 참조

01

ㄷ은 $y=-x-\sqrt{3}$이므로 다항함수이고,

ㄹ은 $y=\sqrt{(x-4)^4}=\sqrt{\{(x-4)^2\}^2}=(x-4)^2$이므로 다항함수이다.

따라서 무리함수인 것은 ㄱ, ㄴ, ㅁ이다.

답 ㄱ, ㄴ, ㅁ

02

(1) 함수 $y=\sqrt{2x+1}$의 정의역은 $2x+1\geq0$에서
$\left\{x \middle| x\geq-\frac{1}{2}\right\}$

(2) 함수 $y=\sqrt{3x-2}-1$의 정의역은 $3x-2\geq0$에서
$\left\{x \middle| x\geq\frac{2}{3}\right\}$

(3) 함수 $y=\sqrt{3-x}+1$의 정의역은 $3-x\geq0$에서
$\{x|x\leq3\}$

(4) 함수 $y=\sqrt{25-x^2}$의 정의역은 $25-x^2\geq0$에서
$\{x|-5\leq x\leq5\}$

답 (1) $\left\{x \middle| x\geq-\frac{1}{2}\right\}$ (2) $\left\{x \middle| x\geq\frac{2}{3}\right\}$ (3) $\{x|x\leq3\}$ (4) $\{x|-5\leq x\leq5\}$

03

(1) 함수 $y=\sqrt{x-1}-1$의 그래프는 $y=\sqrt{x}$의 그래프를 x축의 방향으로 1만큼, y축의 방향으로 -1만큼 평행이동시킨 것이므로 그 그래프는 오른쪽 그림과 같고, 이 함수의 정의역은 $\{x|x\geq 1\}$, 치역은 $\{y|y\geq -1\}$이다.

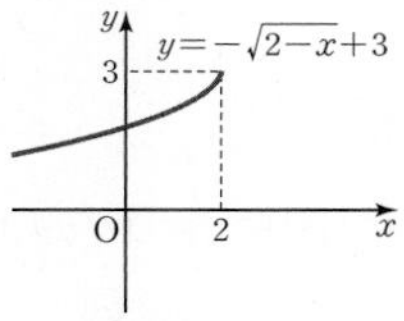

(2) $y=-\sqrt{2-x}+3$
$=-\sqrt{-(x-2)}+3$

이므로 함수 $y=-\sqrt{2-x}+3$의 그래프는 $y=-\sqrt{-x}$의 그래프를 x축의 방향으로 2만큼, y축의 방향으로 3만큼 평행이동시킨 것이다. 따라서 그 그래프는 오른쪽 그림과 같고, 이 함수의 정의역은 $\{x|x\leq 2\}$, 치역은 $\{y|y\leq 3\}$이다.

답 (1) 풀이 참조 (2) 풀이 참조

04

ㄱ. $y=\sqrt{3x-1}=\sqrt{3\left(x-\frac{1}{3}\right)}$이므로

함수 $y=\sqrt{3x-1}$의 그래프는 $y=\sqrt{3x}$의 그래프를 x축의 방향으로 $\frac{1}{3}$만큼 평행이동시킨 것이다.

따라서 $y=\sqrt{3x-1}$의 그래프를 평행이동 또는 대칭이동시켜도 $y=\sqrt{4x}$의 그래프와 겹쳐질 수 없다.

ㄴ. $y=\sqrt{4x-3}+2=\sqrt{4\left(x-\frac{3}{4}\right)}+2$이므로

함수 $y=\sqrt{4x-3}+2$의 그래프는 $y=\sqrt{4x}$의 그래프를 x축의 방향으로 $\frac{3}{4}$만큼, y축의 방향으로 2만큼 평행이동시킨 것이다.

따라서 $y=\sqrt{4x-3}+2$의 그래프를 평행이동시키면 $y=\sqrt{4x}$의 그래프와 겹쳐진다.

ㄷ. $y=-\sqrt{1-4x}=-\sqrt{-4\left(x-\frac{1}{4}\right)}$이므로

함수 $y=-\sqrt{1-4x}$의 그래프는 $y=-\sqrt{-4x}$의 그래프를 x축의 방향으로 $\frac{1}{4}$만큼 평행이동시킨 것이다.

이때 $y=-\sqrt{-4x}$의 그래프는 $y=\sqrt{4x}$의 그래프를 원점에 대하여 대칭이동시킨 것과 같으므로 $y=-\sqrt{1-4x}$의 그래프를 평행이동과 대칭이동시켰을 때, $y=\sqrt{4x}$의 그래프와 겹쳐진다.

ㄹ. $y=2\sqrt{x+1}-3=\sqrt{4(x+1)}-3$이므로

함수 $y=2\sqrt{x+1}-3$의 그래프는 $y=\sqrt{4x}$의 그래프를 x축의 방향으로 -1만큼, y축의 방향으로 -3만큼 평행이동시킨 것이다. 따라서 $y=2\sqrt{x+1}-3$의 그래프를 평행이동시키면 $y=\sqrt{4x}$의 그래프와 겹쳐진다.

ㅁ. $y=-2\sqrt{3-\frac{x}{2}}=-\sqrt{4\left(3-\frac{x}{2}\right)}=-\sqrt{-2(x-6)}$

이므로 함수 $y=-2\sqrt{3-\frac{x}{2}}$의 그래프는 $y=-\sqrt{-2x}$의 그래프를 x축의 방향으로 6만큼 평행이동시킨 것이다.

따라서 $y=-2\sqrt{3-\frac{x}{2}}$의 그래프를 평행이동 또는 대칭이동시켜도 $y=\sqrt{4x}$의 그래프와 겹쳐질 수 없다.

따라서 평행이동 또는 대칭이동시켰을 때, 함수 $y=\sqrt{4x}$의 그래프와 겹쳐질 수 있는 것은 ㄴ, ㄷ, ㄹ이다.

답 ㄴ, ㄷ, ㄹ

05

$y=\sqrt{4-2x}+1=\sqrt{-2(x-2)}+1$이므로

함수 $y=\sqrt{4-2x}+1$의 그래프는 $y=\sqrt{-2x}$의 그래프를 x축의 방향으로 2만큼, y축의 방향으로 1만큼 평행이동시킨 것이다.

따라서 그 그래프는 오른쪽 그림과 같고, 이 함수의 정의역은 $\{x|x\leq 2\}$, 치역은 $\{y|y\geq 1\}$이다.

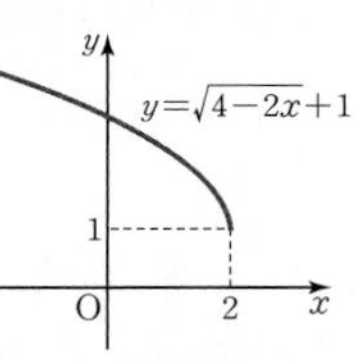

답 풀이 참조

06

$y=\sqrt{2x+4}-1$에서 $y+1=\sqrt{2x+4}$

양변을 제곱하면 $(y+1)^2=2x+4$

$2x=(y+1)^2-4 \qquad \therefore x=\frac{1}{2}(y+1)^2-2$

x와 y를 서로 바꾸어 나타내면 $y=\frac{1}{2}(x+1)^2-2$

이때 함수 $y=\sqrt{2x+4}-1$의 치역은 $\{y|y\geq -1\}$이므로 역함수의 정의역은 $\{x|x\geq -1\}$이다.

따라서 함수 $y=\sqrt{2x+4}-1$의 역함수는

$y=\frac{1}{2}(x+1)^2-2\ (x\geq -1)$이고 그 그래프는 다음 그림과 같다.

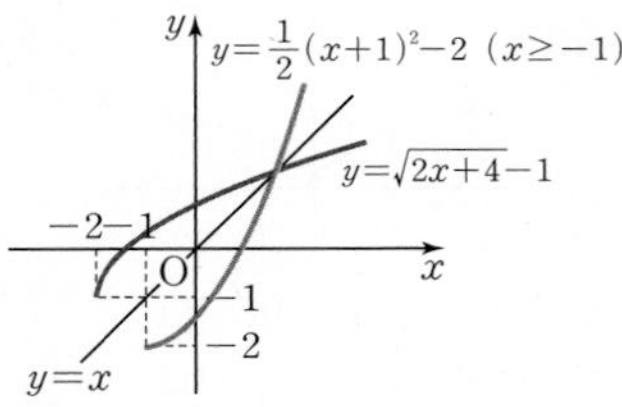

또한 정의역은 $\{x|x\geq -1\}$, 치역은 $\{y|y\geq -2\}$이다.

답 풀이 참조

본문 488~501쪽

유제

03-1 ㄱ, ㄹ **03-2** ㄷ, ㄹ **03-3** ③

03-4 ㄱ, ㄷ

04-1 (1) $y=-\sqrt{2x+2}+1$ (2) $y=\sqrt{2x+4}-3$

(3) $y=-\sqrt{-2x+4}+3$ (4) $y=\sqrt{-2x+4}-3$

04-2 5 **04-3** 10 **04-4** ㄱ, ㄴ, ㄷ

05-1 (1) 풀이 참조 (2) 풀이 참조 **05-2** $\frac{3}{2}$

05-3 5 **05-4** 0 **06-1** 11 **06-2** -8

06-3 제3, 4사분면 **06-4** $x=-3$, $y=-2$

07-1 2 **07-2** 3 **07-3** 2 **07-4** 0

08-1 (1) $\frac{1}{3}\le k<\frac{13}{12}$ (2) $k<\frac{1}{3}$ 또는 $k=\frac{13}{12}$

(3) $k>\frac{13}{12}$

08-2 $k>2$ **08-3** -16 **08-4** 3

09-1 (1) 풀이 참조 (2) 풀이 참조 **09-2** 5

09-3 $2\sqrt{2}$ **09-4** $(4, 4)$

03-1

$a<0$일 때, 무리함수 $y=\sqrt{ax}$의 그래프는 오른쪽 그림과 같다.

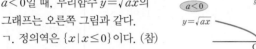

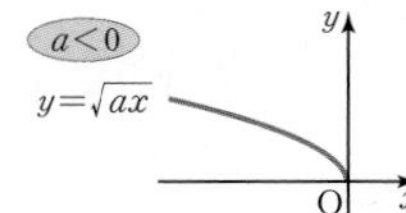

ㄱ. 정의역은 $\{x|x\le0\}$이다. (참)

ㄴ. 치역은 $\{y|y\ge0\}$이다. (거짓)

ㄷ. 그래프는 제2사분면을 지난다. (거짓)

ㄹ. 음수 a에 대하여 a의 값이 작아지면 $|a|$의 값은 커진다.
$y=\sqrt{ax}$에서 $|a|$의 값이 커질수록 같은 x의 값에 대하여 y의 값이 커진다.
즉, $|a|$의 값이 커질수록 함수 $y=\sqrt{ax}$의 그래프는 y축에 가까워진다. (참)

따라서 옳은 것은 ㄱ, ㄹ이다.

답 ㄱ, ㄹ

03-2

$a\ne0$일 때, 무리함수 $y=\sqrt{ax}$의 그래프는 다음 그림과 같다.

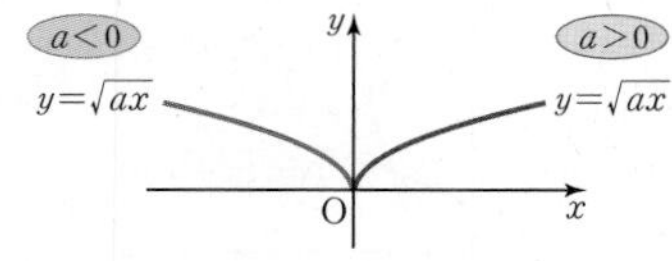

ㄱ. $a>0$이면 정의역은 $\{x|x\ge0\}$이고
$a<0$이면 정의역은 $\{x|x\le0\}$이다. (거짓)

ㄴ. $y=\sqrt{ax}$의 치역은 a의 값의 부호에 관계없이 $\{y|y\ge0\}$이다. (거짓)

ㄷ. $a>0$이면 그래프는 제1사분면을 지나고 $a<0$이면 그래프는 제2사분면을 지난다. 즉, 그래프는 제3사분면을 지나지 않는다. (참)

ㄹ. $y=\sqrt{ax}$에서 $|a|$의 값이 커질수록 같은 x의 값에 대하여 y의 값이 커진다.
즉, $|a|$의 값이 커질수록 함수 $y=\sqrt{ax}$의 그래프는 x축에서 멀어지고 $|a|$의 값이 작아질수록 그래프는 x축에 가까워진다. (참)

따라서 옳은 것은 ㄷ, ㄹ이다.

답 ㄷ, ㄹ

03-3

무리함수 $y=\pm\sqrt{ax}$ $(a\ne0)$의 그래프는 다음 그림과 같다.

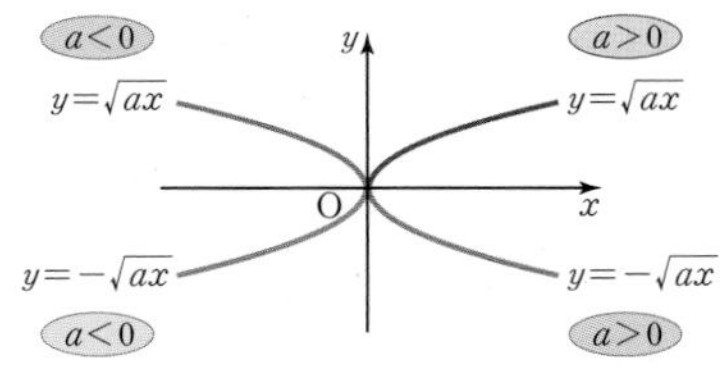

① 함수 $y=\sqrt{ax}$의 정의역은 $a>0$이면 $\{x|x\ge0\}$,
$a<0$이면 $\{x|x\le0\}$이다. (거짓)

② 함수 $y=\sqrt{ax}$의 그래프는 $a>0$이면 제1사분면을,
$a<0$이면 제2사분면을 지난다. (거짓)

③ 함수 $y=-\sqrt{ax}$의 치역은 a의 값의 부호에 관계없이
$\{y|y\le0\}$이다. (참)

④ 함수 $y=-\sqrt{ax}$의 그래프는 $a>0$이면 제4사분면을,
$a<0$이면 제3사분면을 지난다. (거짓)

⑤ 두 함수 $y=\sqrt{ax}$, $y=-\sqrt{ax}$의 그래프는 x축에 대하여 대칭이다. (거짓)

따라서 옳은 것은 ③이다.

답 ③

03-4

무리함수 $y=a\sqrt{bx}$ $(a\ne0,\ b\ne0)$의 그래프는 다음 그림과 같다.

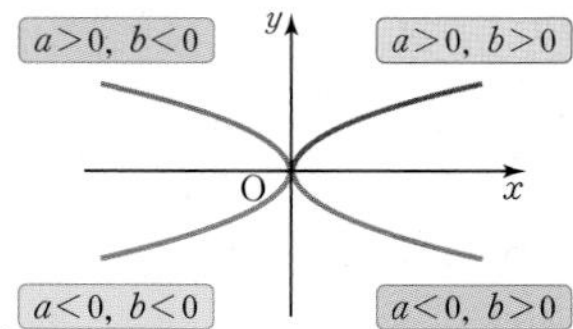

(i) $a>0$, $b>0$일 때 두 함수 $y=a\sqrt{bx}$, $y=b\sqrt{ax}$의 그래프는 모두 제1사분면을 지난다.

(ii) $a>0$, $b<0$일 때 두 함수 $y=a\sqrt{bx}$, $y=b\sqrt{ax}$의 그래프

는 각각 제2사분면, 제4사분면을 지난다.

(iii) $a<0$, $b>0$일 때 두 함수 $y=a\sqrt{bx}$, $y=b\sqrt{ax}$의 그래프는 각각 제4사분면, 제2사분면을 지난다.

(iv) $a<0$, $b<0$일 때 두 함수 $y=a\sqrt{bx}$, $y=b\sqrt{ax}$의 그래프는 모두 제3사분면을 지난다.

따라서 두 함수 $y=a\sqrt{bx}$, $y=b\sqrt{ax}$의 그래프가 서로 같은 사분면을 지날 때, $a>0$, $b>0$이거나 $a<0$, $b<0$이다.

ㄱ. 함수 $y=a\sqrt{bx}$의 정의역과 치역은 각각
$a>0$, $b>0$이면 $\{x|x\geq 0\}$, $\{y|y\geq 0\}$
$a<0$, $b<0$이면 $\{x|x\leq 0\}$, $\{y|y\leq 0\}$이다.

ㄴ. 함수 $y=-b\sqrt{ax}$의 정의역과 치역은 각각
$a>0$, $b>0$이면 $\{x|x\geq 0\}$, $\{y|y\leq 0\}$
$a<0$, $b<0$이면 $\{x|x\leq 0\}$, $\{y|y\geq 0\}$이다.

ㄷ. 함수 $y=\sqrt{abx}$의 정의역과 치역은 각각
$a>0$, $b>0$이면 $\{x|x\geq 0\}$, $\{y|y\geq 0\}$
$a<0$, $b<0$이면 $\{x|x\geq 0\}$, $\{y|y\geq 0\}$이다.

ㄹ. 함수 $y=\sqrt{(a-b)x}$의 정의역은
$a>b$이면 $\{x|x\geq 0\}$, $a<b$이면 $\{x|x\leq 0\}$이고
치역은 $\{y|y\geq 0\}$이다.

따라서 정의역과 치역이 서로 같은 함수는 ㄱ, ㄷ이다.

답 ㄱ, ㄷ

04-1

(1) $y=-\sqrt{2x+4}+3$의 그래프를 x축의 방향으로 1만큼, y축의 방향으로 -2만큼 평행이동시키면
$y=-\sqrt{2(x-1)+4}+3+(-2)$
$\therefore y=-\sqrt{2x+2}+1$

(2) $y=-\sqrt{2x+4}+3$의 그래프를 x축에 대하여 대칭이동시키면
$-y=-\sqrt{2x+4}+3$ $\quad\therefore y=\sqrt{2x+4}-3$

(3) $y=-\sqrt{2x+4}+3$의 그래프를 y축에 대하여 대칭이동시키면
$y=-\sqrt{2\times(-x)+4}+3$ $\quad\therefore y=-\sqrt{-2x+4}+3$

(4) $y=-\sqrt{2x+4}+3$의 그래프를 원점에 대하여 대칭이동시키면
$-y=-\sqrt{2\times(-x)+4}+3$ $\quad\therefore y=\sqrt{-2x+4}-3$

답 (1) $y=-\sqrt{2x+2}+1$ (2) $y=\sqrt{2x+4}-3$
(3) $y=-\sqrt{-2x+4}+3$ (4) $y=\sqrt{-2x+4}-3$

04-2

함수 $y=\sqrt{3x+3}$의 그래프를 x축의 방향으로 2만큼, y축의 방향으로 -1만큼 평행이동시키면
$y=\sqrt{3(x-2)+3}+(-1)$
$\therefore y=\sqrt{3x-3}-1$
$y=\sqrt{3x-3}-1$의 그래프를 y축에 대하여 대칭이동시키면
$y=\sqrt{3\times(-x)-3}-1$
$\therefore y=\sqrt{-3x-3}-1$ $\quad\cdots\cdots$ ㉠
㉠이 $y=\sqrt{ax+b}+c$와 일치하므로
$a=-3$, $b=-3$, $c=-1$
$\therefore a-3b+c=(-3)-3\times(-3)+(-1)=5$

답 5

04-3

함수 $y=\sqrt{a(x-1)}+3$의 그래프를 원점에 대하여 대칭이동시키면
$-y=\sqrt{a(-x-1)}+3$
$\therefore y=-\sqrt{-ax-a}-3$
$y=-\sqrt{-ax-a}-3$의 그래프를 x축의 방향으로 b만큼, y축의 방향으로 c만큼 평행이동시키면
$y=-\sqrt{-a(x-b)-a}-3+c$
$\therefore y=-\sqrt{-ax+ab-a}-3+c$ $\quad\cdots\cdots$ ㉠
㉠이 $y=-\sqrt{5-x}$, 즉 $y=-\sqrt{-x+5}$와 일치하므로
$-a=-1$, $ab-a=5$, $-3+c=0$
따라서 $a=1$, $b=6$, $c=3$이므로
$a+b+c=1+6+3=10$

답 10

04-4

ㄱ. $y=-\sqrt{x}$의 그래프를 원점에 대하여 대칭이동시키면
$-y=-\sqrt{-x}$ $\quad\therefore y=\sqrt{-x}$
즉, $y=-\sqrt{x}$의 그래프를 대칭이동시키면 $y=\sqrt{-x}$의 그래프와 겹쳐진다.

ㄴ. $y=-\dfrac{\sqrt{-4x}}{2}=-\sqrt{\dfrac{-4x}{4}}=-\sqrt{-x}$
$y=-\sqrt{-x}$의 그래프를 x축에 대하여 대칭이동시키면
$-y=-\sqrt{-x}$ $\quad\therefore y=\sqrt{-x}$
즉, $y=-\dfrac{\sqrt{-4x}}{2}$의 그래프를 대칭이동시키면
$y=\sqrt{-x}$의 그래프와 겹쳐진다.

ㄷ. $y=\sqrt{2-x}$의 그래프를 x축의 방향으로 -2만큼 평행이동시키면
$y=\sqrt{2-\{x-(-2)\}}$ $\quad\therefore y=\sqrt{-x}$
즉, $y=\sqrt{2-x}$의 그래프를 평행이동시키면
$y=\sqrt{-x}$의 그래프와 겹쳐진다.

ㄹ. $y=3\sqrt{x-1}+1$의 그래프를 x축의 방향으로 -1만큼, y축의 방향으로 -1만큼 평행이동시키면
$y=3\sqrt{\{x-(-1)\}-1}+1+(-1)$ $\quad\therefore y=3\sqrt{x}$
$y=3\sqrt{x}$의 그래프를 y축에 대하여 대칭이동시키면

$y=3\sqrt{-x}$

즉, $y=3\sqrt{x-1}+1$의 그래프를 평행이동 또는 대칭이동 시켜도 $y=\sqrt{-x}$의 그래프와 겹쳐질 수 없다.

따라서 그 그래프가 평행이동 또는 대칭이동에 의하여 함수 $y=\sqrt{-x}$의 그래프와 겹쳐지는 것은 ㄱ, ㄴ, ㄷ이다.

답 ㄱ, ㄴ, ㄷ

05-1

(1) $y=-\sqrt{2x-6}+1=-\sqrt{2(x-3)}+1$이므로

함수 $y=-\sqrt{2x-6}+1$의 그래프는 함수 $y=-\sqrt{2x}$의 그래프를 x축의 방향으로 3만큼, y축의 방향으로 1만큼 평행이동시킨 것이다.

따라서 그 그래프는 오른쪽 그림과 같고 정의역은 $\{x|x\geq 3\}$, 치역은 $\{y|y\leq 1\}$이다.

(2) $y=\sqrt{8-4x}-1=\sqrt{-4(x-2)}-1$이므로

함수 $y=\sqrt{8-4x}-1$의 그래프는 함수 $y=\sqrt{-4x}$의 그래프를 x축의 방향으로 2만큼, y축의 방향으로 -1만큼 평행이동시킨 것이다.

따라서 그 그래프는 오른쪽 그림과 같고 정의역은 $\{x|x\leq 2\}$, 치역은 $\{y|y\geq -1\}$이다.

답 (1) 풀이 참조 (2) 풀이 참조

05-2

$y=-\sqrt{2x+3}-1=-\sqrt{2\left(x+\frac{3}{2}\right)}-1$이므로

함수 $y=-\sqrt{2x+3}-1$의 그래프는 $y=-\sqrt{2x}$의 그래프를 x축의 방향으로 $-\frac{3}{2}$만큼, y축의 방향으로 -1만큼 평행이동시킨 것이다.

따라서 그 그래프는 오른쪽 그림과 같고 정의역은 $\left\{x\middle|x\geq -\frac{3}{2}\right\}$, 치역은 $\{y|y\leq -1\}$이다.

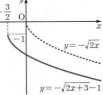

$\therefore p=-\frac{3}{2},\ q=-1$

또한 $y=\sqrt{3-3x}+3=\sqrt{-3(x-1)}+3$이므로

함수 $y=\sqrt{3-3x}+3$의 그래프는 $y=\sqrt{-3x}$의 그래프를 x축의 방향으로 1만큼, y축의 방향으로 3만큼 평행이동시킨 것이다.

따라서 그 그래프는 오른쪽 그림과 같고 정의역은 $\{x|x\leq 1\}$, 치역은 $\{y|y\geq 3\}$이다.

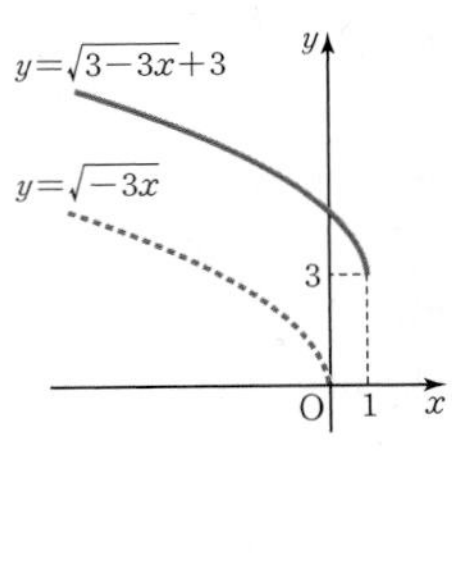

$\therefore r=1,\ s=3$

$\therefore p+q+r+s$

$=\left(-\frac{3}{2}\right)+(-1)+1+3$

$=\frac{3}{2}$

답 $\frac{3}{2}$

05-3

$y=\sqrt{-2x-2}+a=\sqrt{-2(x+1)}+a$이므로

함수 $y=\sqrt{-2x-2}+a$의 그래프는 $y=\sqrt{-2x}$의 그래프를 x축의 방향으로 -1만큼, y축의 방향으로 a만큼 평행이동시킨 것이다.

따라서 그 그래프는 오른쪽 그림과 같고 정의역은 $\{x|x\leq -1\}$, 치역은 $\{y|y\geq a\}$이다.

$\therefore a=3,\ b=-1$

$a=3$을 함수의 식에 대입하면

$y=\sqrt{-2x-2}+3$

이 함수의 그래프가 점 $(c,\ 5)$를 지나므로

$5=\sqrt{-2c-2}+3$

$\sqrt{-2c-2}=2,\ -2c-2=4 \qquad \therefore c=-3$

$\therefore a+b-c=3+(-1)-(-3)=5$

답 5

05-4

$y=\frac{ax-2}{x-b}=\frac{a(x-b)+ab-2}{x-b}=\frac{ab-2}{x-b}+a$이므로

함수 $y=\frac{ax-2}{x-b}$의 그래프의 두 점근선의 방정식은

$x=b,\ y=a$

이때 점근선의 방정식이 $x=-3,\ y=2$이므로

$a=2,\ b=-3$

따라서 함수 $y=\sqrt{bx+a}$, 즉 $y=\sqrt{-3x+2}$에 대하여

$y=\sqrt{-3x+2}=\sqrt{-3\left(x-\frac{2}{3}\right)}$이므로

함수 $y=\sqrt{bx+a}$의 그래프는 $y=\sqrt{-3x}$의 그래프를 x축의 방향으로 $\frac{2}{3}$만큼 평행이동시킨 것이다.

즉, 그 그래프는 오른쪽 그림과 같고 정의역은 $\left\{x \middle| x\le\frac{2}{3}\right\}$이다.

따라서 함수 $y=\sqrt{bx+a}$의 정의역에 속하는 정수의 최댓값은 0이다.

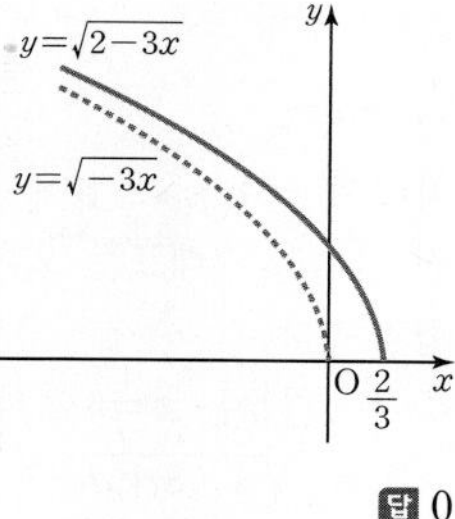

답 0

06-1

주어진 함수의 그래프는 $y=\sqrt{ax}\ (a>0)$의 그래프를 x축의 방향으로 -3만큼, y축의 방향으로 -1만큼 평행이동시킨 것이므로 함수식을

$y=\sqrt{a(x+3)}-1\ (a>0)$ ...... ㉠

로 놓을 수 있다.

이 함수의 그래프가 점 $(0, 2)$를 지나므로

$2=\sqrt{a\times(0+3)}-1$에서

$3=\sqrt{3a}$, $3a=9$ $\quad\therefore a=3$

㉠에 $a=3$을 대입하면

$y=\sqrt{3(x+3)}-1=\sqrt{3x+9}-1$

$\therefore b=9,\ c=-1$

$\therefore a+b+c=3+9+(-1)=11$

답 11

06-2

주어진 함수의 그래프는 $y=\sqrt{ax}\ (a<0)$의 그래프를 x축의 방향으로 2만큼, y축의 방향으로 -2만큼 평행이동시킨 것이므로 함수식을

$y=\sqrt{a(x-2)}-2\ (a<0)$ ...... ㉠

로 놓을 수 있다.

이 함수의 그래프가 원점 $(0, 0)$을 지나므로

$0=\sqrt{a\times(0-2)}-2$에서

$\sqrt{-2a}=2$, $-2a=4$ $\quad\therefore a=-2$

㉠에 $a=-2$를 대입하면

$y=\sqrt{-2(x-2)}-2$

$\therefore b=-2,\ c=-2$

$\therefore a\times b\times c=(-2)\times(-2)\times(-2)=-8$

답 -8

06-3

주어진 함수의 그래프는 $y=\sqrt{ax}\ (a>0)$의 그래프를 x축의 방향으로 -3만큼, y축의 방향으로 -2만큼 평행이동시킨 것이므로 함수식을

$y=\sqrt{a(x+3)}-2\ (a>0)$ ...... ㉠

로 놓을 수 있다.

이 함수의 그래프가 점 $(1, 0)$을 지나므로

$0=\sqrt{a\times(1+3)}-2$에서

$\sqrt{4a}=2$, $4a=4$ $\quad\therefore a=1$

㉠에 $a=1$을 대입하면

$y=\sqrt{x+3}-2$ $\quad\therefore b=3,\ c=-2$

$\therefore y=-\sqrt{cx+b}-a=-\sqrt{-2x+3}-1$

$=-\sqrt{-2\left(x-\frac{3}{2}\right)}-1$

이 함수의 그래프는 $y=-\sqrt{-2x}$의 그래프를 x축의 방향으로 $\frac{3}{2}$만큼, y축의 방향으로 -1만큼 평행이동시킨 것이므로 오른쪽 그림과 같다.

따라서 함수 $y=-\sqrt{cx+b}-a$의 그래프가 지나는 사분면은 제3, 4사분면이다.

답 제3, 4사분면

06-4

주어진 함수의 그래프는 $y=a\sqrt{x}\ (a<0)$의 그래프를 x축의 방향으로 -4만큼, y축의 방향으로 3만큼 평행이동시킨 것이므로 함수식을

$y=a\sqrt{x+4}+3\ (a<0)$ ...... ㉠

으로 놓을 수 있다.

이 함수의 그래프가 점 $(0, -1)$을 지나므로

$-1=a\sqrt{0+4}+3$에서

$2a=-4$ $\quad\therefore a=-2$

㉠에 $a=-2$를 대입하면

$y=-2\sqrt{x+4}+3$ $\quad\therefore b=4,\ c=3$

$\therefore y=\frac{ax+b}{x+c}=\frac{-2x+4}{x+3}$

$=\frac{-2(x+3)+10}{x+3}=\frac{10}{x+3}-2$

이 함수의 그래프는 $y=\frac{10}{x}$의 그래프를 x축의 방향으로 -3만큼, y축의 방향으로 -2만큼 평행이동시킨 것이므로 다음 그림과 같다.

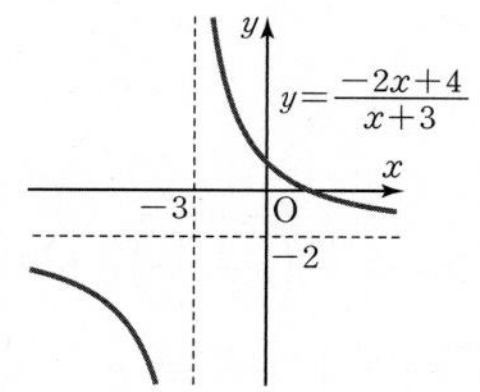

따라서 유리함수 $y=\frac{ax+b}{x+c}$의 그래프의 두 점근선의 방정식은 $x=-3$, $y=-2$

답 $x=-3$, $y=-2$

07-1

$y=\sqrt{2x+1}+3=\sqrt{2\left(x+\frac{1}{2}\right)}+3$이므로

함수 $y=\sqrt{2x+1}+3$의 그래프는 $y=\sqrt{2x}$의 그래프를 x축의 방향으로 $-\frac{1}{2}$만큼, y축의 방향으로 3만큼 평행이동시킨 것이다.

따라서 $0\le x\le 4$에서 주어진 함수의 그래프는 오른쪽 그림과 같다.

주어진 함수는 $x=0$일 때 최솟값을 가지고 그 최솟값은

$m=\sqrt{2\times0+1}+3=1+3=4$

또한 $x=4$일 때 최댓값을 가지고 그 최댓값은

$M=\sqrt{2\times4+1}+3=3+3=6$

$\therefore M-m=6-4=2$

답 2

07-2

$y=\sqrt{4-3x}-2=\sqrt{-3\left(x-\frac{4}{3}\right)}-2$이므로

함수 $y=\sqrt{4-3x}-2$의 그래프는 $y=\sqrt{-3x}$의 그래프를 x축의 방향으로 $\frac{4}{3}$만큼, y축의 방향으로 -2만큼 평행이동시킨 것이다.

따라서 $-7\le x\le a$에서 주어진 함수의 그래프는 오른쪽 그림과 같다.

주어진 함수는 $x=a$일 때 최솟값 0을 가지므로

$0=\sqrt{4-3a}-2$, $\sqrt{4-3a}=2$

$4-3a=4$, $3a=0$ $\quad\therefore a=0$

또한 $x=-7$일 때 최댓값 b를 가지므로

$b=\sqrt{4-3\times(-7)}-2=5-2=3$

$\therefore a+b=0+3=3$

답 3

07-3

$y=-\sqrt{3x+a}+5=-\sqrt{3\left(x+\frac{a}{3}\right)}+5$이므로

함수 $y=-\sqrt{3x+a}+5$의 그래프는 $y=-\sqrt{3x}$의 그래프를 x축의 방향으로 $-\frac{a}{3}$만큼, y축의 방향으로 5만큼 평행이동시킨 것이다.

따라서 $-1\le x\le 8$에서 주어진 함수의 그래프는 오른쪽 그림과 같다.

주어진 함수는 $x=8$일 때 최솟값 -1을 가지므로

$-1=-\sqrt{3\times8+a}+5$

$\sqrt{a+24}=6$, $a+24=6^2$

$\therefore a=12$

따라서 주어진 함수는 $y=-\sqrt{3x+12}+5$이고, 이 함수는 $x=-1$에서 최댓값을 가지므로 구하는 최댓값은

$-\sqrt{3\times(-1)+12}+5=-3+5=2$

답 2

07-4

무리함수 $y=-\sqrt{ax+10}+b$의 그래프가 x축과 점 $\left(\frac{1}{2}, 0\right)$에서 만나므로

$0=-\sqrt{\frac{1}{2}a+10}+b$

$\sqrt{\frac{1}{2}a+10}=b$, $\frac{1}{2}a+10=b^2$

$\therefore a=2b^2-20$ $\quad\cdots\cdots$ ㉠

$y=-\sqrt{ax+10}+b=-\sqrt{a\left(x+\frac{10}{a}\right)}+b$이고 $a<0$이므로

함수 $y=-\sqrt{ax+10}+b$의 그래프는 $y=-\sqrt{ax}$ $(a<0)$의 그래프를 x축의 방향으로 $-\frac{10}{a}$만큼, y축의 방향으로 b만큼 평행이동시킨 것이다.

따라서 $-3\le x\le 3$에서 주어진 함수의 그래프는 오른쪽 그림과 같다.

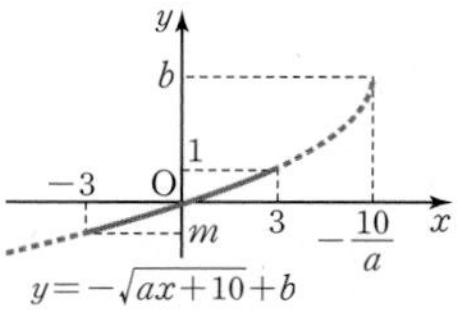

주어진 함수는 $x=3$일 때 최댓값 1을 가지므로

$1=-\sqrt{3a+10}+b$

$\sqrt{3a+10}=b-1$, $3a+10=(b-1)^2$

$\therefore a=\frac{b^2-2b-9}{3}$ $\quad\cdots\cdots$ ㉡

㉠, ㉡에서 $2b^2-20=\frac{b^2-2b-9}{3}$

$5b^2+2b-51=0$, $(b-3)(5b+17)=0$

$\therefore b=3$ $(\because b>0)$

$b=3$을 ㉠에 대입하면 $a=2b^2-20=-2$

따라서 주어진 함수는 $y=-\sqrt{-2x+10}+3$이고, 이 함수는 $x=-3$일 때 최솟값 m을 가지므로

$m=-\sqrt{-2\times(-3)+10}+3=-4+3=-1$
$\therefore a+b+m=(-2)+3+(-1)=0$

답 0

08-1

$y=\sqrt{1-3x}=\sqrt{-3\left(x-\frac{1}{3}\right)}$

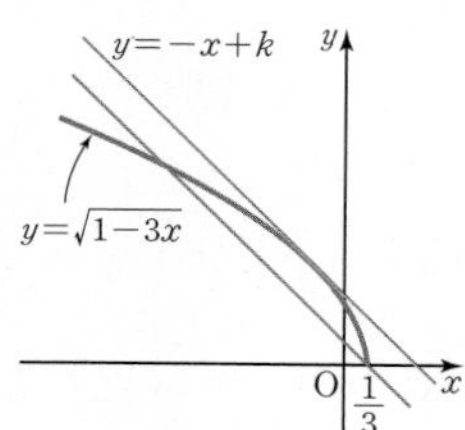

이므로
함수 $y=\sqrt{1-3x}$의 그래프는 $y=\sqrt{-3x}$의 그래프를 x축의 방향으로 $\frac{1}{3}$만큼 평행이동시킨 것이고, 직선 $y=-x+k$는 기울기가 -1, y절편이 k인 직선이다.

(i) 직선 $y=-x+k$가 점 $\left(\frac{1}{3}, 0\right)$을 지날 때
$0=-\frac{1}{3}+k \qquad \therefore k=\frac{1}{3}$

(ii) 함수 $y=\sqrt{1-3x}$의 그래프와 직선 $y=-x+k$가 접할 때
$\sqrt{1-3x}=-x+k$의 양변을 제곱하면
$1-3x=(-x+k)^2$, $1-3x=x^2-2kx+k^2$
$\therefore x^2-(2k-3)x+k^2-1=0$
이 이차방정식의 판별식을 D라 하면
$D=(2k-3)^2-4(k^2-1)=0$
$-12k+13=0 \qquad \therefore k=\frac{13}{12}$

(1) 서로 다른 두 점에서 만나는 경우는 직선 $y=-x+k$가 (i)이거나 (i)과 (ii) 사이에 있을 때이므로 $\frac{1}{3}\le k<\frac{13}{12}$
(2) 한 점에서 만나는 경우는 직선 $y=-x+k$가 (i)보다 아래쪽에 있거나 (ii)일 때이므로 $k<\frac{1}{3}$ 또는 $k=\frac{13}{12}$
(3) 만나지 않는 경우는 직선 $y=-x+k$가 (ii)보다 위쪽에 있을 때이므로 $k>\frac{13}{12}$

답 (1) $\frac{1}{3}\le k<\frac{13}{12}$ (2) $k<\frac{1}{3}$ 또는 $k=\frac{13}{12}$ (3) $k>\frac{13}{12}$

08-2

$y=\sqrt{4x+3}=\sqrt{4\left(x+\frac{3}{4}\right)}$이므로
함수 $y=\sqrt{4x+3}$의 그래프는 $y=\sqrt{4x}$의 그래프를 x축의 방향으로 $-\frac{3}{4}$만큼 평행이동시킨 것이다. 또한 직선 $y=2x+k$는 기울기가 2이고 y절편이 k인 직선이다.
따라서 두 집합 A, B는 각각 함수 $y=\sqrt{4x+3}$의 그래프와 직선 $y=2x+k$이므로 다음 그림과 같다.

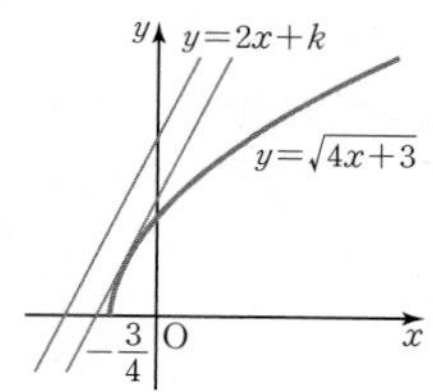

함수 $y=\sqrt{4x+3}$의 그래프와 직선 $y=2x+k$가 접할 때
$\sqrt{4x+3}=2x+k$의 양변을 제곱하면
$4x+3=(2x+k)^2$
$\therefore 4x^2+4(k-1)x+k^2-3=0$
이 이차방정식의 판별식을 D라 하면
$\frac{D}{4}=\{2(k-1)\}^2-4(k^2-3)=0$
$-8k+16=0 \qquad \therefore k=2$
이때 $A\cap B=\varnothing$이려면 함수 $y=\sqrt{4x+3}$의 그래프와 직선 $y=2x+k$가 만나지 않아야 하므로 직선 $y=2x+k$가 무리함수의 그래프와 직선이 접할 때보다 위쪽에 있어야 한다.
따라서 실수 k의 값의 범위는 $k>2$이다.

답 $k>2$

08-3

무리함수 $y=\sqrt{ax}$의 그래프와 직선 $y=x$가 만나는 한 점의 x좌표가 4이므로 방정식 $\sqrt{ax}=x$의 한 실근이 $x=4$이다.
즉, $\sqrt{4a}=4$에서
$4a=16 \qquad \therefore a=4$
$\therefore y=\sqrt{ax+b}=\sqrt{4x+b}$
함수 $y=\sqrt{4x+b}$의 그래프와 직선 $y=x$가 접할 때
$\sqrt{4x+b}=x$의 양변을 제곱하면
$4x+b=x^2$
$\therefore x^2-4x-b=0$
이 이차방정식의 판별식을 D라 하면
$\frac{D}{4}=(-2)^2-(-b)=0$
$\therefore b=-4$
$\therefore ab=4\times(-4)=-16$

답 -16

08-4

$y=-\sqrt{2x+4}+3=-\sqrt{2(x+2)}+3$이므로
함수 $y=-\sqrt{2x+4}+3$의 그래프는 $y=-\sqrt{2x}$의 그래프를 x축의 방향으로 -2만큼, y축의 방향으로 3만큼 평행이동시킨 것이고, 직선 $y=mx+3m$, 즉 $y=m(x+3)$은 m의 값에 관계없이 점 $(-3, 0)$을 지나는 직선이다.

따라서 무리함수의 그래프와 직선은 오른쪽 그림과 같으므로 직선 $y=mx+3m$이 점 $(-2,\ 3)$을 지날 때, m의 값이 최대이다.

$3=-2m+3m$에서 $m=3$

따라서 구하는 실수 m의 최댓값은 3이다.

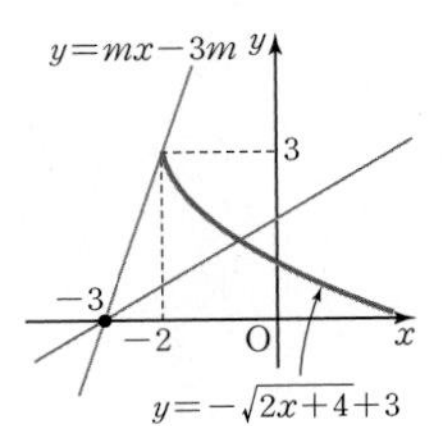

답 3

09-1

(1) $y=\sqrt{x+3}$에서 양변을 제곱하면

$y^2=x+3 \qquad \therefore x=y^2-3$

x와 y를 서로 바꾸어 나타내면

$y=x^2-3$

이때 함수 $y=\sqrt{x+3}$의 치역은 $\{y\,|\,y\geq 0\}$이므로 역함수의 정의역은 $\{x\,|\,x\geq 0\}$이다.

따라서 함수 $y=\sqrt{x+3}$의 역함수는 $y=x^2-3\ (x\geq 0)$

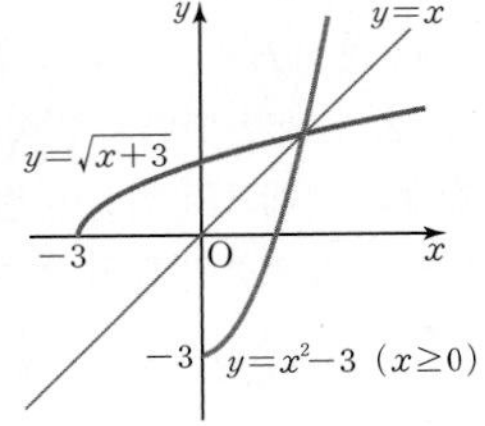

(2) $y=\sqrt{2-x}-3$에서

$y+3=\sqrt{2-x}$

양변을 제곱하면 $(y+3)^2=2-x$

$\therefore x=-(y+3)^2+2$

x와 y를 서로 바꾸어 나타내면

$y=-(x+3)^2+2$

이때 함수 $y=\sqrt{2-x}-3$의 치역은 $\{y\,|\,y\geq -3\}$이므로 역함수의 정의역은 $\{x\,|\,x\geq -3\}$이다.

따라서 함수 $y=\sqrt{2-x}-3$의 역함수는

$y=-(x+3)^2+2\ (x\geq -3)$

답 (1) 풀이 참조 (2) 풀이 참조

09-2

$y=\frac{1}{2}x^2-3x+5=\frac{1}{2}(x-3)^2+\frac{1}{2}$에서

$y-\frac{1}{2}=\frac{1}{2}(x-3)^2,\ 2y-1=(x-3)^2$

$x-3=\pm\sqrt{2y-1}$

이때 $x\geq 3$에서 $x-3\geq 0$이므로

$x-3=\sqrt{2y-1} \qquad \therefore x=\sqrt{2y-1}+3$

x와 y를 서로 바꾸어 나타내면

$y=\sqrt{2x-1}+3$

$y=\frac{1}{2}(x-3)^2+\frac{1}{2}$에서

이때 함수 $y=\frac{1}{2}x^2-3x+5\ (x\geq 3)$의 치역은 $\left\{y\,\middle|\,y\geq\frac{1}{2}\right\}$

이므로 역함수의 정의역은 $\left\{x\,\middle|\,x\geq\frac{1}{2}\right\}$이다.

따라서 함수 $y=\frac{1}{2}x^2-3x+5$ $(x\geq 3)$의 역함수는 $y=\sqrt{2x-1}+3$ $\left(x\geq\frac{1}{2}\right)$이므로

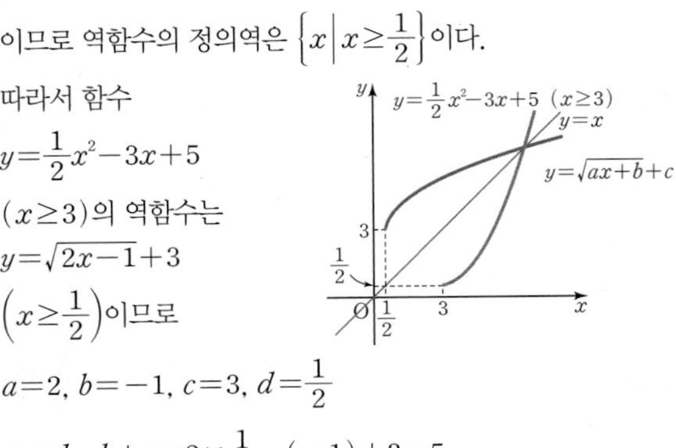

$a=2,\ b=-1,\ c=3,\ d=\frac{1}{2}$

$\therefore ad-b+c=2\times\frac{1}{2}-(-1)+3=5$

답 5

09-3

함수 $f(x)=\sqrt{4x-7}+1$의 그래프와 그 역함수 $y=f^{-1}(x)$의 그래프는 직선 $y=x$에 대하여 대칭이므로 두 함수 $y=f(x),\ y=f^{-1}(x)$의 그래프의 교점은 함수 $y=f(x)$의 그래프와 직선 $y=x$의 교점과 같다.

즉, $\sqrt{4x-7}+1=x$에서

$\sqrt{4x-7}=x-1,\ 4x-7=(x-1)^2$

$x^2-6x+8=0$

$(x-2)(x-4)=0$

$\therefore x=2$ 또는 $x=4$

따라서 두 함수 $y=f(x)$, $y=f^{-1}(x)$의 그래프의 교점의 좌표는 $(2,\ 2),\ (4,\ 4)$이므로 두 점 사이의 거리는

$\sqrt{(4-2)^2+(4-2)^2}=2\sqrt{2}$

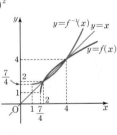

답 $2\sqrt{2}$

09-4

함수 $y=f(x)$의 그래프와 그 역함수 $y=g(x)$의 그래프는 직선 $y=x$에 대하여 대칭이므로 함수 $y=g(x)$의 그래프가 점 $(2,\ -2)$를 지나면 함수 $y=f(x)$의 그래프는 점 $(-2,\ 2)$를 지난다.

따라서 $f(-2)=2$에서 $\sqrt{2\times(-2)+a}=2$

$a-4=4$

$\therefore a=8,\ f(x)=\sqrt{2x+8}$

또한 두 함수 $y=f(x)$, $y=g(x)$의 그래프의 교점은 함수 $y=f(x)$의 그래프와 직선 $y=x$의 교점과 같다.

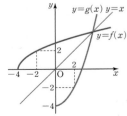

$\sqrt{2x+8}=x$에서 $2x+8=x^2$

$x^2-2x-8=0$, $(x+2)(x-4)=0$

$\therefore x=-2$ 또는 $x=4$

이때 $f(x)=\sqrt{2x+8}$의 치역은 $\{y|y\geq 0\}$이므로 역함수 $y=g(x)$의 정의역은 $\{x|x\geq 0\}$이다.

즉, 두 함수 $y=f(x)$, $y=g(x)$의 교점의 x좌표에 대하여 $x\geq 0$이므로

$x=4$, $f(4)=\sqrt{2\times 4+8}=4$

따라서 구하는 교점의 좌표는 $(4, 4)$이다.

다른 풀이

$f(x)=\sqrt{2x+a}$에서 $y=\sqrt{2x+a}$로 놓으면

$y^2=2x+a$, $2x=y^2-a$ $\quad\therefore x=\frac{1}{2}y^2-\frac{1}{2}a$

x와 y를 서로 바꾸어 나타내면 $y=\frac{1}{2}x^2-\frac{1}{2}a$

이때 $f(x)=\sqrt{2x+a}$의 치역은 $\{y|y\geq 0\}$이므로 역함수 $y=g(x)$의 정의역은 $\{x|x\geq 0\}$이다.

따라서 함수 $f(x)=\sqrt{2x+a}$의 역함수는

$g(x)=\frac{1}{2}x^2-\frac{1}{2}a\ (x\geq 0)$

$y=g(x)$의 그래프가 점 $(2, -2)$를 지나므로

$g(2)=-2$에서 $\frac{1}{2}\times 2^2-\frac{1}{2}a=-2$

$\frac{1}{2}a=4$ $\quad\therefore a=8$, $g(x)=\frac{1}{2}x^2-4\ (x\geq 0)$

함수 $y=f(x)$의 그래프와 그 역함수 $y=g(x)$의 그래프는 직선 $y=x$에 대하여 대칭이므로 두 함수 $y=f(x)$, $y=g(x)$의 그래프의 교점은 함수 $y=g(x)$의 그래프와 직선 $y=x$의 교점과 같다.

즉, $\frac{1}{2}x^2-4=x$에서 $x^2-2x-8=0$

$(x+2)(x-4)=0$

$\therefore x=4\ (\because x\geq 0)$

따라서 구하는 교점의 좌표는 $(4, 4)$이다.

답 $(4, 4)$

중단원 연습문제

본문 502~506쪽

01 $y-8$	**02** 120	**03** $\frac{2}{3}$	**04** 2
05 제4사분면	**06** ①	**07** ③	**08** 3
09 -1	**10** $1\leq k<2$	**11** 5	**12** 3
13 12	**14** ④	**15** 제1, 2사분면	
16 5	**17** 4		
18 $g(x)=-(x-1)^2+2\ (x\geq 1)$		**19** 48	
20 ②			

01

$\sqrt{2x-2}$의 값이 실수가 되려면

$2x-2\geq 0$ $\quad\therefore x\geq 1$ $\quad\cdots\cdots$ ㉠

$\frac{\sqrt{3-y}}{2-x}$의 값이 실수가 되려면

$3-y\geq 0$, $2-x\neq 0$ $\quad\therefore y\leq 3$, $x\neq 2$ $\quad\cdots\cdots$ ㉡

㉠, ㉡에서 $\sqrt{2x-2}+\frac{\sqrt{3-y}}{2-x}$의 값이 실수가 되도록 하는 실수 x, y의 값의 범위는

$1\leq x<2$ 또는 $x>2$이고 $y\leq 3$

따라서 $x-1\geq 0$, $x+3>0$, $y-4<0$이므로

$\sqrt{(x-1)^2}-|x+3|-\sqrt{y^2-8y+16}$

$=\sqrt{(x-1)^2}-|x+3|-\sqrt{(y-4)^2}$

$=|x-1|-|x+3|-|y-4|$

$=(x-1)-(x+3)-\{-(y-4)\}$

$=x-1-x-3+y-4$

$=y-8$

답 $y-8$

02

$f(x)=\frac{1}{\sqrt{x}+\sqrt{x+1}}$

$=\frac{\sqrt{x}-\sqrt{x+1}}{(\sqrt{x}+\sqrt{x+1})(\sqrt{x}-\sqrt{x+1})}$

$=\frac{\sqrt{x}-\sqrt{x+1}}{x-(x+1)}$

$=\sqrt{x+1}-\sqrt{x}$

이므로

$f(1)+f(2)+f(3)+\cdots+f(n)$

$=(\sqrt{2}-\sqrt{1})+(\sqrt{3}-\sqrt{2})+(\sqrt{4}-\sqrt{3})+\cdots+(\sqrt{n+1}-\sqrt{n})$

$=\sqrt{n+1}-1$

따라서 $f(1)+f(2)+f(3)+\cdots+f(n)=10$에서

$\sqrt{n+1}-1=10$, $\sqrt{n+1}=11$, $n+1=11^2=121$

$\therefore n=121-1=120$

답 120

03

$\frac{\sqrt{2x+1}}{\sqrt{2x-1}}-\frac{\sqrt{2x-1}}{\sqrt{2x+1}}=\frac{(\sqrt{2x+1})^2-(\sqrt{2x-1})^2}{\sqrt{2x-1}\sqrt{2x+1}}$

$=\frac{(2x+1)-(2x-1)}{\sqrt{4x^2-1}}$

$=\frac{2}{\sqrt{4x^2-1}}$ $\quad\cdots\cdots$ ㉠

$x=\frac{\sqrt{10}}{2}$을 ㉠에 대입하면 구하는 식의 값은

$$\frac{2}{\sqrt{4x^2-1}}=\frac{2}{\sqrt{4\times\left(\frac{\sqrt{10}}{2}\right)^2-1}}$$
$$=\frac{2}{\sqrt{4\times\frac{10}{4}-1}}=\frac{2}{3}$$

답 $\frac{2}{3}$

04

함수 $y=\sqrt{x+2}$의 그래프는 $y=\sqrt{x}$의 그래프를 x축의 방향으로 -2만큼 평행이동시킨 것이다.
또한 함수 $y=\sqrt{2-x}+k$, 즉 $y=\sqrt{-(x-2)}+k$의 그래프는 $y=\sqrt{-x}$의 그래프를 x축의 방향으로 2만큼, y축의 방향으로 k만큼 평행이동시킨 것이다.
즉, 두 함수 $y=\sqrt{x+2}$, $y=\sqrt{2-x}+k$의 그래프가 만나도록 하는 실수 k의 값이 최대인 경우는 함수 $y=\sqrt{2-x}+k$의 그래프가 함수 $y=\sqrt{x+2}$의 그래프와 직선 $x=2$의 교점 (2, 2)를 지날 때이고

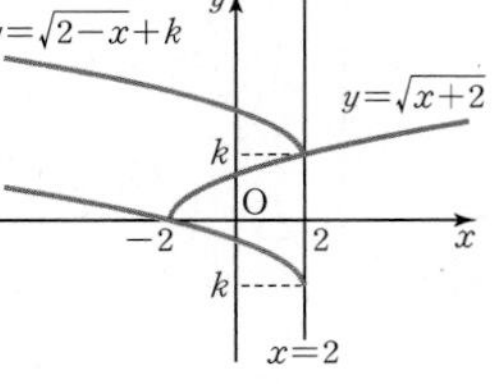

$2=\sqrt{2-2}+k$에서 $k=2$
따라서 구하는 실수 k의 최댓값은 2이다.

참고

마찬가지 방법으로 함수 $y=\sqrt{x+2}$의 그래프와 직선 $x=-2$의 교점 $(-2, 0)$을 기준으로 함수 $y=\sqrt{x+2}$의 그래프와 함수 $y=\sqrt{2-x}+k$의 그래프가 만나도록 하는 실수 k의 최솟값을 구할 수 있고, 그 최솟값은 -2이다.

답 2

05

$y=\sqrt{2x+6}-2=\sqrt{2(x+3)}-2$이므로
함수 $y=\sqrt{2x+6}-2$의 그래프는 $y=\sqrt{2x}$의 그래프를 x축의 방향으로 -3만큼, y축의 방향으로 -2만큼 평행이동시킨 것이다.
또한 함수 $y=\sqrt{2x+6}-2$의 그래프와 x축의 교점의 x좌표는 $0=\sqrt{2x+6}-2$에서 $\sqrt{2x+6}=2$
$2x+6=4$, $2x=-2$
$\therefore x=-1$
함수 $y=\sqrt{2x+6}-2$의 그래프와 y축의 교점의 y좌표는
$y=\sqrt{2\times0+6}-2=\sqrt{6}-2>0$
따라서 함수 $y=\sqrt{2x+6}-2$의 그래프는 오른쪽 그림과 같으므로 제1, 2, 3사분면을 지나고

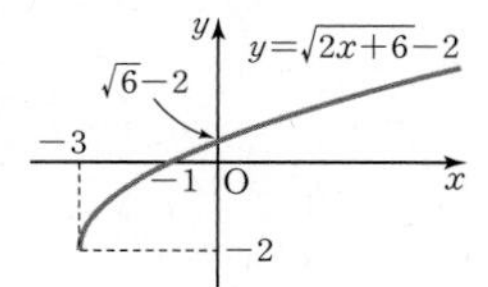

제4사분면은 지나지 않는다.

답 제4사분면

06

함수 $y=-\sqrt{x-a}+a+2$의 그래프가 점 $(a, -a)$를 지나므로
$-a=-\sqrt{a-a}+a+2$
$2a=-2$ $\quad\therefore a=-1$
$a=-1$을 $y=-\sqrt{x-a}+a+2$에 대입하면
$y=-\sqrt{x-(-1)}+(-1)+2$
$\therefore y=-\sqrt{x+1}+1$
이때 함수 $y=-\sqrt{x+1}+1$의 그래프는 $y=-\sqrt{x}$의 그래프를 x축의 방향으로 -1만큼, y축의 방향으로 1만큼 평행이동시킨 것이므로 오른쪽 그림과 같고, 치역은 $\{y\,|\,y\leq1\}$이다.

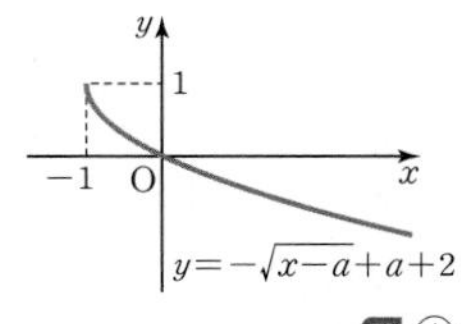

답 ①

07

$y=\sqrt{3-3x}+1$
$=\sqrt{-3(x-1)}+1$
이므로
함수 $y=\sqrt{3-3x}+1$의 그래프는 $y=\sqrt{-3x}$의 그래프를 x축의 방향으로 1만큼, y축의 방향으로 1만큼 평행이동시킨 것이다.
① 정의역은 $\{x\,|\,x\leq1\}$이다. (거짓)
② 치역은 $\{y\,|\,y\geq1\}$이다. (거짓)
③ 그래프는 점 $(-2, 4)$를 지난다. (참)
④ $y=-\sqrt{3x}$의 그래프를 평행이동시켜도 $y=\sqrt{3-3x}+1$의 그래프를 얻을 수 없다. (거짓)
⑤ 그래프는 제1, 2사분면을 지나고 제3, 4사분면을 지나지 않는다. (거짓)
따라서 옳은 것은 ③이다.

참고

$y=-\sqrt{3x}$의 그래프를 원점에 대하여 대칭이동하면
$-y=-\sqrt{3\times(-x)}$ $\quad\therefore y=\sqrt{-3x}$
$y=\sqrt{-3x}$의 그래프를 x축의 방향으로 1만큼, y축의 방향으로 1만큼 평행이동하면
$y=\sqrt{-3(x-1)}+1$ $\quad\therefore y=\sqrt{3-3x}+1$
따라서 $y=-\sqrt{3x}$의 그래프를 대칭이동 및 평행이동시키면 $y=\sqrt{3-3x}+1$의 그래프를 얻을 수 있다.

답 ③

08

$a=0$이면 $y=\sqrt{ax+b}+c$는 무리함수가 아니므로 $a\neq0$이다.

$y=\sqrt{ax+b}+c=\sqrt{a\left(x+\frac{b}{a}\right)}+c$이므로

함수 $y=\sqrt{ax+b}+c$의 그래프는 $y=\sqrt{ax}$의 그래프를 x축의 방향으로 $-\frac{b}{a}$ 만큼, y축의 방향으로 c만큼 평행이동시킨 것이다.

이때 정의역은 $\{x|x\leq2\}$이므로 함수 $y=\sqrt{ax+b}+c$의 그래프는 오른쪽 그림과 같고

정의역은 $\left\{x\middle|x\leq-\frac{b}{a}\right\}$,

치역은 $\{y|y\geq c\}$이다.

$\therefore -\frac{b}{a}=2,\ c=1$

$-\frac{b}{a}=2,\ c=1$을 함수의 식에 대입하면

$y=\sqrt{ax+b}+c=\sqrt{a(x-2)}+1$

이 함수의 그래프가 y축과 만나는 점의 y좌표가 3이므로

$3=\sqrt{a\times(0-2)}+1$

$\sqrt{-2a}=2,\ -2a=4 \qquad \therefore a=-2,\ b=4$

$\therefore a+b+c=(-2)+4+1=3$

답 3

09

$y=-\sqrt{6-2x}+b=-\sqrt{-2(x-3)}+b$이므로

함수 $y=-\sqrt{6-2x}+b$의 그래프는 $y=-\sqrt{-2x}$의 그래프를 x축의 방향으로 3만큼, y축의 방향으로 b만큼 평행이동시킨 것이다.

따라서 $a\leq x\leq3$에서 주어진 함수의 그래프는 오른쪽 그림과 같다.

주어진 함수는 $x=3$일 때 최댓값 3을 가지므로

$3=-\sqrt{6-2\times3}+b$

$\therefore b=3$

$x=a$일 때 최솟값 -1을 가지므로

$-1=-\sqrt{6-2a}+3$

$\sqrt{6-2a}=4,\ 6-2a=16,\ 2a=-10 \qquad \therefore a=-5$

주어진 함수의 그래프가 점 $(c,\ 1)$을 지나므로

$1=-\sqrt{6-2c}+3$

$\sqrt{6-2c}=2,\ 6-2c=4,\ 2c=2 \qquad \therefore c=1$

$\therefore a+b+c=(-5)+3+1=-1$

답 -1

10

$y=\sqrt{4-2x}=\sqrt{-2(x-2)}$이므로

함수 $y=\sqrt{4-2x}$의 그래프는 $y=\sqrt{-2x}$의 그래프를 x축의 방향으로 2만큼 평행이동시킨 것이고,

직선 $y=-\frac{1}{2}x+k$는 기울기가 $-\frac{1}{2}$, y절편이 k인 직선이다.

(i) 직선 $y=-\frac{1}{2}x+k$가 점 $(2,\ 0)$을 지날 때

$0=-\frac{1}{2}\times2+k$

$\therefore k=1$

(ii) 함수 $y=\sqrt{4-2x}$의 그래프와 직선 $y=-\frac{1}{2}x+k$가 접할 때

$\sqrt{4-2x}=-\frac{1}{2}x+k$, 즉 $2\sqrt{4-2x}=-x+2k$의 양변을 제곱하면

$4(4-2x)=(-x+2k)^2,\ 16-8x=x^2-4kx+4k^2$

$\therefore x^2-2(2k-4)x+4k^2-16=0$

이 이차방정식의 판별식을 D라 하면

$\frac{D}{4}=(2k-4)^2-(4k^2-16)=0$

$-16k+32=0 \qquad \therefore k=2$

따라서 함수 $y=\sqrt{4-2x}$의 그래프와 직선 $y=-\frac{1}{2}x+k$가 서로 다른 두 점에서 만나는 경우는 직선 $y=-\frac{1}{2}x+k$가 (i)이거나 (i)과 (ii) 사이에 있을 때이므로 구하는 k의 값의 범위는

$1\leq k<2$

답 $1\leq k<2$

11

함수 $f(x)=\sqrt{x-a}+b$의 그래프는 $y=\sqrt{x}$의 그래프를 x축의 방향으로 a만큼, y축의 방향으로 b만큼 평행이동시킨 것이다.

따라서 함수 $f(x)$의 정의역은 $\{x|x\geq a\}$이고 치역은 $\{y|y\geq b\}$이다.

$\therefore a=2$

한편, 함수 $f(x)$의 역함수 $g(x)$의 정의역은 함수 $f(x)$의 치역과 같으므로 $b=3$

$\therefore a+b=2+3=5$

답 5

12

$y=\sqrt{4-x}+3=\sqrt{-(x-4)}+3$이므로

$x<4$일 때 $y=f(x)$의 그래프는 $y=\sqrt{-x}$의 그래프를 x축의 방향으로 4만큼, y축의 방향으로 3만큼 평행이동시킨 것이다.

또한 $y=-(x-a)^2+4$의 그래프는 꼭짓점의 좌표가 $(a, 4)$이고 위로 볼록한 포물선이다.

따라서 함수 $f(x)$가 일대일대응이 되기 위해서는 곡선 $y=-(x-a)^2+4\ (x\geq 4)$는 점 $(4, 3)$을 지나야 하고, 포물선의 축의 방정식이 $x=a$이므로 $a\leq 4$이어야 한다.

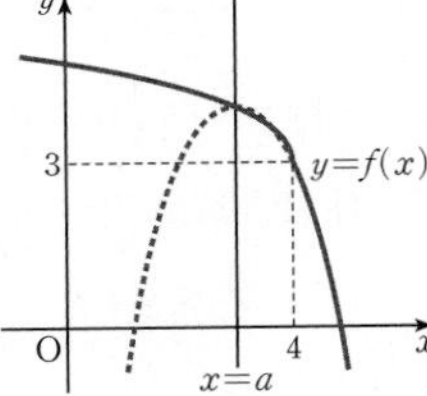

곡선 $y=-(x-a)^2+4$가 점 $(4, 3)$을 지날 때,

$3=-(4-a)^2+4$

$a^2-8a+15=0$, $(a-3)(a-5)=0$

$\therefore a=3$ 또는 $a=5$

이때 $a\leq 4$이므로 $a=3$

답 3

13

$\dfrac{\sqrt{n-x}}{\sqrt{n+x}}$의 값이 실수가 되려면

$n-x\geq 0$, $n+x>0$ $\quad\therefore -n<x\leq n$ $\quad\cdots\cdots$ ㉠

이때 $f(n)$은 $\dfrac{\sqrt{n-x}}{\sqrt{n+x}}$의 값이 실수가 되도록 하는 정수 x의 개수이므로 ㉠의 n에 각각의 자연수를 넣은 후 부등식을 만족시키는 정수 x의 개수를 찾자.

$n=1$일 때, ㉠에서 $-1<x\leq 1$이므로 이를 만족시키는 정수 x는 0, 1의 2개이다.

$n=2$일 때, ㉠에서 $-2<x\leq 2$이므로 이를 만족시키는 정수 x는 -1, 0, 1, 2의 4개이다.

$n=3$일 때, ㉠에서 $-3<x\leq 3$이므로 이를 만족시키는 정수 x는 -2, -1, 0, 1, 2, 3의 6개이다.

따라서 $f(1)=2$, $f(2)=4$, $f(3)=6$이므로

$f(1)+f(2)+f(3)=2+4+6=12$

참고

n이 자연수이므로 ㉠을 만족시키는 정수 x는 $-n+1, -n+2, \cdots, -1, 0, 1, 2, \cdots, n-1, n$의 $2n$개이다.

$\therefore f(n)=2n$

답 12

14

함수 $f(x)=\sqrt{x+1}$의 그래프는 $y=\sqrt{x}$의 그래프를 x축의 방향으로 -1만큼 평행이동시킨 것이므로 그 그래프는 오른쪽 그림과 같다.

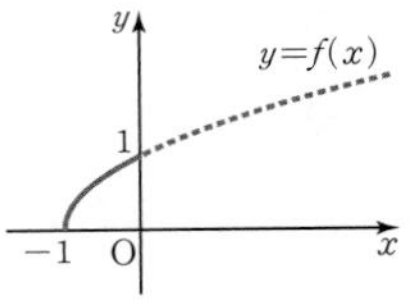

이때 $f(-1)=0$, $f(0)=1$이므로

$A=\{f(x)\,|\,-1\leq x\leq 0\}$

$=\{y\,|\,0\leq y\leq 1\}$

한편, 함수 $g(x)=\dfrac{p}{x-1}+q$의 그래프는 $y=\dfrac{p}{x}$의 그래프를 x축의 방향으로 1만큼, y축의 방향으로 q만큼 평행이동시킨 것이고, $p>0$, $q>0$이므로 그 그래프는 오른쪽 그림과 같다.

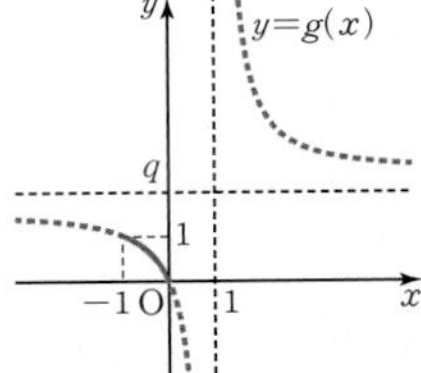

이때 $-1\leq x\leq 0$에서 x의 값이 커지면 $g(x)$의 값은 작아지므로

$B=\{g(x)\,|\,-1\leq x\leq 0\}$

$=\{y\,|\,g(0)\leq y\leq g(-1)\}$

주어진 조건에 의하여 $A=B$이므로 $g(0)=0$, $g(-1)=1$에서

$-p+q=0$, $\dfrac{p}{-2}+q=1$

두 식을 연립하여 풀면 $p=2$, $q=2$

$\therefore p+q=4$

답 ④

15

함수 $y=\dfrac{b}{x+a}+c$의 그래프는 $y=\dfrac{b}{x}$의 그래프를 x축의 방향으로 $-a$만큼, y축의 방향으로 c만큼 평행이동시킨 것이므로 두 점근선의 방정식은

$x=-a$, $y=c$

주어진 그림에서 함수 $y=\dfrac{b}{x}$의 그래프가 제1사분면과 제3사분면을 지난다는 것을 알 수 있으므로 $b>0$

주어진 그림에서 $y=\dfrac{b}{x+a}+c$의 그래프의 두 점근선의 교점이 제2사분면에 있으므로

$-a<0$, $c>0$ $\quad\therefore a>0$, $c>0$

한편, $y=\sqrt{ax+b}+c=\sqrt{a\left(x+\dfrac{b}{a}\right)}+c$이므로

함수 $y=\sqrt{ax+b}+c$의 그래프는 $y=\sqrt{ax}$의 그래프를 x축의 방향으로 $-\dfrac{b}{a}$만큼, y축의 방향으로 c만큼 평행이동시킨 것이다.

이때 $a>0$, $-\frac{b}{a}<0$, $c>0$이므로 $y=\sqrt{ax+b}+c$의 그래프의 개형은 오른쪽 그림과 같다.

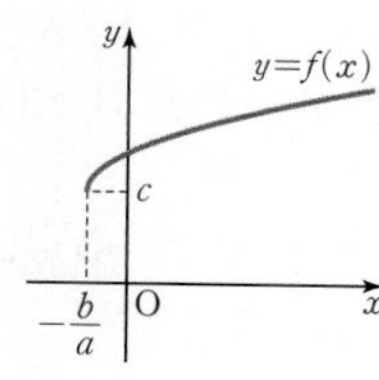

따라서 함수 $y=\sqrt{ax+b}+c$의 그래프가 지나는 사분면은 제1, 2사분면이다.

답 제1, 2사분면

16

$y=-\sqrt{1-x}=-\sqrt{-(x-1)}$이므로

함수 $y=-\sqrt{1-x}$의 그래프는 $y=-\sqrt{-x}$의 그래프를 x축의 방향으로 1만큼 평행이동시킨 것이고, $y=x+k$는 기울기가 1이고 y절편이 k인 직선이다.

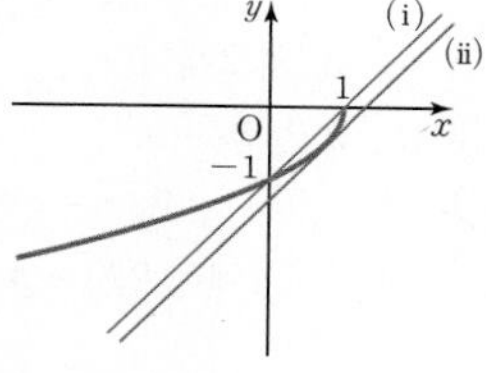

따라서 무리함수의 그래프와 직선은 오른쪽 그림과 같다.

(i) 직선 $y=x+k$가 점 $(1, 0)$을 지날 때

$0=1+k \qquad \therefore k=-1$

(ii) 함수 $y=-\sqrt{1-x}$의 그래프와 직선 $y=x+k$가 접할 때

$-\sqrt{1-x}=x+k$의 양변을 제곱하면

$1-x=x^2+2kx+k^2$

$\therefore x^2+(2k+1)x+k^2-1=0$

이 이차방정식의 판별식을 D라 하면

$D=(2k+1)^2-4(k^2-1)=0$

$4k+5=0 \qquad \therefore k=-\frac{5}{4}$

(i), (ii)에 의하여

$$f(k)=\begin{cases} 0 & \left(k<-\frac{5}{4}\right) \\ 1 & \left(k=-\frac{5}{4} \text{ 또는 } k>-1\right) \\ 2 & \left(-\frac{5}{4}<k\le -1\right) \end{cases}$$

$\therefore f(-2)+f\left(-\frac{9}{8}\right)+f(-1)+f(0)$

$=0+2+2+1=5$

답 5

17

함수 $f(x)=\sqrt{5x-a}$의 그래프와 그 역함수 $y=f^{-1}(x)$의 그래프는 직선 $y=x$에 대하여 대칭이고, x의 값이 커질 때 $f(x)$의 값도 커지므로 두 함수 $y=f(x)$, $y=f^{-1}(x)$의 그래프의 교점은 함수 $y=f(x)$의 그래프와 직선 $y=x$의 교점과 같다.

$\sqrt{5x-a}=x$에서 $5x-a=x^2$

$\therefore x^2-5x+a=0 \qquad \cdots\cdots$ ㉠

두 함수 $y=f(x)$, $y=f^{-1}(x)$의 그래프가 서로 다른 두 점에서 만나므로 이차방정식 ㉠은 서로 다른 두 실근을 갖는다.

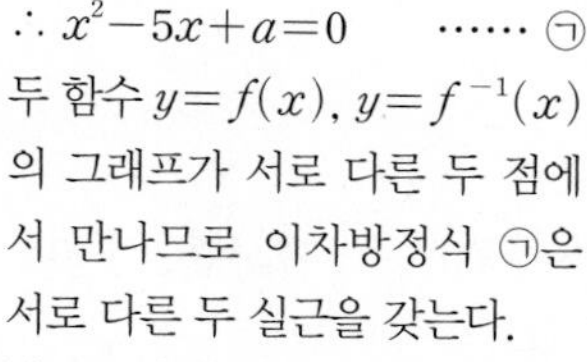

이 두 실근을 α, β $(\alpha\ne\beta)$라 하면 이차방정식의 근과 계수의 관계에 의하여

$\alpha+\beta=5$, $\alpha\beta=a \qquad \cdots\cdots$ ㉡

이때 α, β는 함수 $y=f(x)$의 그래프와 직선 $y=x$의 두 교점의 x좌표이므로 두 교점의 좌표는 각각 (α, α), (β, β)이다.

이 두 교점 사이의 거리가 $3\sqrt{2}$이므로

$\sqrt{(\beta-\alpha)^2+(\beta-\alpha)^2}=3\sqrt{2}$

$2(\beta-\alpha)^2=18$, $(\beta-\alpha)^2=9$

따라서 $(\alpha+\beta)^2-4\alpha\beta=9$에 ㉡을 대입하면

$5^2-4a=9$

$4a=25-9=16 \qquad \therefore a=4$

참고

이차방정식의 근과 계수의 관계

이차방정식 $ax^2+bx+c=0$의 두 근을 α, β라 하면

$\alpha+\beta=-\frac{b}{a}$, $\alpha\beta=\frac{c}{a}$

곱셈 공식의 변형

(1) $(\alpha+\beta)^2=(\alpha-\beta)^2+4\alpha\beta$

(2) $(\alpha-\beta)^2=(\alpha+\beta)^2-4\alpha\beta$

답 4

18

두 함수 $y=f(x)$, $y=g(x)$의 그래프가 점 $(1, 2)$에서 만나므로

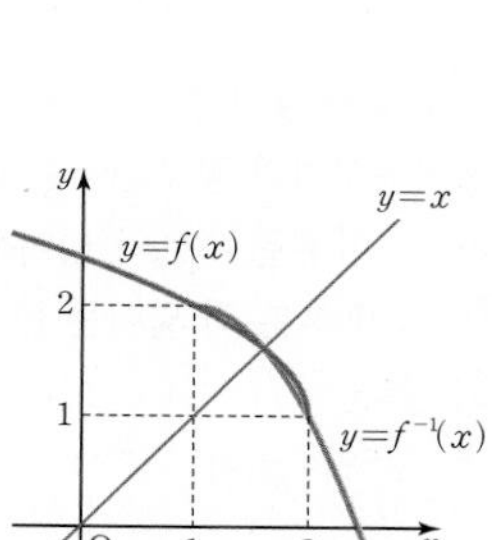

$f(1)=2$, $g(1)=2$

$f(1)=2$에서 $\sqrt{a-1}+b=2$이므로

$\sqrt{a-1}=2-b$,

$a-1=(2-b)^2$

$\therefore a=b^2-4b+5 \qquad \cdots\cdots$ ㉠

한편, 두 함수 $y=f(x)$, $y=g(x)$가 서로 역함수 관계이므로

$g(1)=2$에서 $f(2)=1$

$f(2)=1$에서 $\sqrt{a-2}+b=1$이므로

$\sqrt{a-2}=1-b$, $a-2=(1-b)^2$

$\therefore a=b^2-2b+3 \qquad \cdots\cdots$ ㉡

㉠, ㉡에서 $b^2-4b+5=b^2-2b+3$

$2b=2 \qquad \therefore b=1$

이를 ㉠에 대입하면

$a=b^2-4b+5=2$

따라서 $f(x)=\sqrt{2-x}+1$이므로 $y=\sqrt{2-x}+1$로 놓으면

$y-1=\sqrt{2-x}$

양변을 제곱하면 $(y-1)^2=2-x$

$\therefore x=-(y-1)^2+2$

x와 y를 서로 바꾸어 나타내면 $y=-(x-1)^2+2$

이때 함수 $f(x)=\sqrt{2-x}+1$의 치역은 $\{y|y\geq1\}$이므로 역함수의 정의역은 $\{x|x\geq1\}$이다.

따라서 함수 $f(x)=\sqrt{2-x}+1$의 역함수는

$g(x)=-(x-1)^2+2\ (x\geq1)$

답 $g(x)=-(x-1)^2+2\ (x\geq1)$

19

함수 $y=\sqrt{x+4}-3$의 그래프는 $y=\sqrt{x}$의 그래프를 x축의 방향으로 -4만큼, y축의 방향으로 -3만큼 평행이동시킨 것이다.

또한 함수 $y=\sqrt{-x+4}+3$의 그래프는 $y=\sqrt{x}$의 그래프를 y축에 대하여 대칭이동시킨 후 x축의 방향으로 4만큼, y축의 방향으로 3만큼 평행이동시킨 것이다.

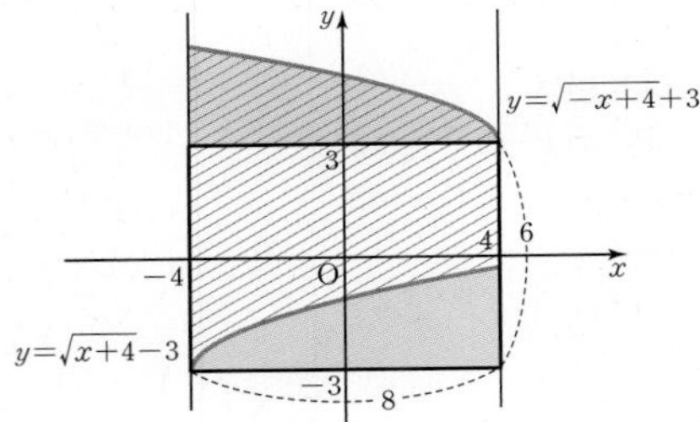

$-4\leq x\leq4$에서 함수 $y=f(x)$의 그래프를 평행이동과 대칭이동시키면 함수 $y=g(x)$의 그래프와 겹쳐지므로 그림에서 두 어두운 부분의 넓이는 서로 같다. 따라서 구하는 도형(빗금친 부분)의 넓이는 굵은 선으로 표시된 직사각형의 넓이와 같다.

즉, 구하는 넓이는 $6\times8=48$

답 48

20

$f(x)=a\sqrt{x}+b$로 놓으면

함수 $y=f(x)$의 그래프는 $y=a\sqrt{x}$의 그래프를 y축의 방향으로 b만큼 평행이동시킨 것이다.

따라서 두 점 A(1, 4), B(3, 3)을 이은 선분 AB와 함수

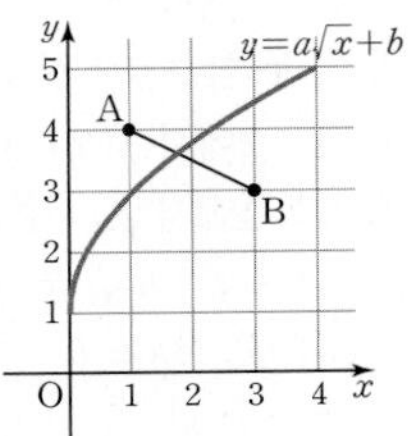

$y=f(x)$의 그래프가 만나려면

$f(1)\leq4$, $f(3)\geq3$을 동시에 만족시켜야 한다.

이때 a, b는 자연수이므로 a의 값에 따라 다음과 같이 경우를 나누어 생각할 수 있다.

(i) $a=1$인 경우

함수 $f(x)=\sqrt{x}+b$이고

$f(1)\leq4$에서 $\sqrt{1}+b\leq4$

$\therefore b\leq3$ …… ㉠

$f(3)\geq3$에서 $\sqrt{3}+b\geq3$

$\therefore b\geq3-\sqrt{3}$ …… ㉡

㉠, ㉡을 동시에 만족시켜야 하므로

$3-\sqrt{3}\leq b\leq3$

따라서 자연수 b는 2, 3이므로 순서쌍 (a, b)는 $(1, 2)$, $(1, 3)$의 2개이다.

(ii) $a=2$인 경우

함수 $f(x)=2\sqrt{x}+b$이고

$f(1)\leq4$에서 $2\sqrt{1}+b\leq4$

$\therefore b\leq2$ …… ㉢

$f(3)\geq3$에서 $2\sqrt{3}+b\geq3$

$\therefore b\geq3-2\sqrt{3}$ …… ㉣

㉢, ㉣을 동시에 만족시켜야 하므로

$3-2\sqrt{3}\leq b\leq2$

따라서 자연수 b는 1, 2이므로 순서쌍 (a, b)는 $(2, 1)$, $(2, 2)$의 2개이다.

(iii) $a=3$인 경우

함수 $f(x)=3\sqrt{x}+b$이고

$f(1)\leq4$에서 $3\sqrt{1}+b\leq4$

$\therefore b\leq1$ …… ㉤

$f(3)\geq3$에서 $3\sqrt{3}+b\geq3$

$\therefore b\geq3-3\sqrt{3}$ …… ㉥

㉤, ㉥을 동시에 만족시켜야 하므로

$3-3\sqrt{3}\leq b\leq1$

따라서 자연수 b는 1이므로 순서쌍 (a, b)는 $(3, 1)$의 1개이다.

(iv) $a\geq4$인 경우

$f(1)=a+b>4$이므로 함수 $y=f(x)$의 그래프는 선분 AB와 만나지 않는다.

(i)~(iv)에서 조건을 만족시키는 순서쌍 (a, b)의 개수는

$2+2+1=5$

답 ②

Memo

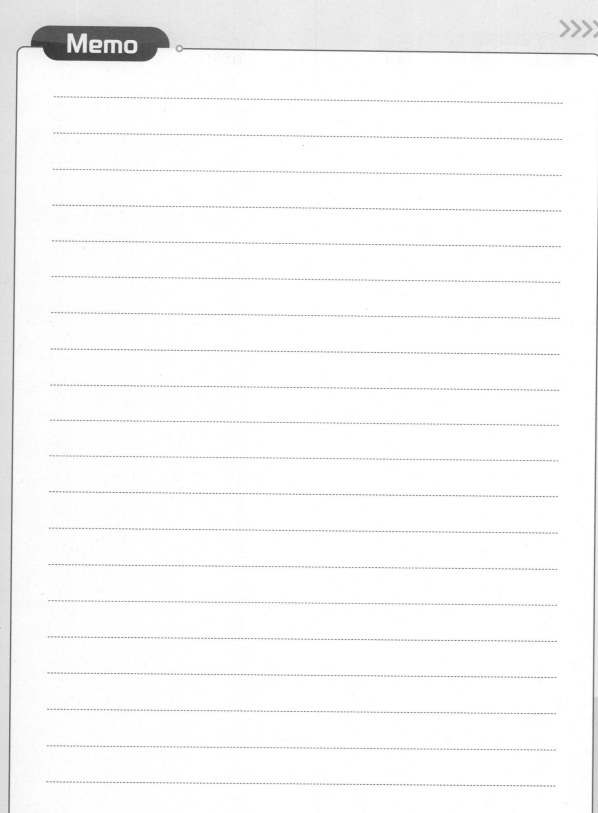

Memo